実例中心

捜査法解説

・第5版・

捜査手続・証拠法の詳説と
公判手続入門

弁護士（元最高検察庁刑事部長検事）

幕田英雄 著

東京法令出版

第5版はしがき

1　本書は、平成元年（1989年）に初版を上梓した後、今日まで36年間にわたり、法改正や新判例・新実例等の蓄積を踏まえた改訂を重ねながら発刊を続けてきたものであるが、平成31（2019）年の第4版刊行後も、重要な法改正があり、また実務上有益と思われる裁判例等も蓄積されたことから、これを反映した第5版を刊行することとした。

2　初版のはしがきで、本書の執筆方針について、「①実例に即し、『かゆいところに手が届く』コンパクトな捜査手続に関する解説を提供すること、②捜査環境の変化に対応した捜査官の心構えを示すことにあります。」と述べた。36年の長きにわたって本書が読者に読んでいただけていることからして、この執筆方針は読者に支持されているものと考えている。そのため第5版も第4版と同一の執筆方針とする。

3　第4版刊行以降の捜査を取り巻く環境を見るに、ネットワーク技術・デジタル技術のさらなる発達及び普及を背景に犯罪が極めて巧妙化するなど、捜査を通じての真相解明の困難化が進行している一方、捜査手続における適正手続の確保の要請はより厳格化している。このように大変に厳しい捜査環境の下で、犯罪捜査に携わる捜査官・検察官に対して、実例に即し、捜査実務に役立つコンパクトな解説を提供するとともに、上記したとおりの厳しい「捜査環境」に対応するための心構えを示すことが本書第5版の発刊の狙いである。

4　刑事訴訟法第1条に示されているように、捜査において、実体的真実の解明の要請と適正手続の確保の要請はいずれも重要である。捜査官・検察官は、現下の「捜査環境」が上記のとおり厳しい状況にあることを肝に銘じ、真相解明と適正手続のいずれの要

請にも万全に対処できるプロになることを目指し、日々の研鑽を重ねる必要がある。

　いかなる時代であっても、捜査官・検察官は、真相を解明しようという気概と熱意を持って事件に向かい合うことが必要だということを特に申し上げておきたい。取り分け、適切な取調べによって真相を明らかにできる実力を身に付けることは変わらず重要と確信する。

　その観点から、本書では、真相解明への気概と熱意を持つ捜査官・検察官に向け、取調べの適正の確保に十分配慮しつつ真相を引き出すための取調べの在り方や、獲得した供述の信用性確保の在り方などにつき丁寧に解説した。

5　第5版でも、「捜査手続に関する、実例に即し、実務に役立つコンパクトな解説を提供する」という狙いを実現するため、刑事訴訟法等改正に伴い導入・拡充された制度について、丁寧な解説を行うほか、「本書（第5版）の特徴」に記したように、解説内容・解説方法などで様々な工夫をした。

6　本書は、警察官をはじめとした捜査官・検察官を読者として想定しているが、捜査実務に関心を持つ司法修習生・法科大学院生・大学生などの一般の学習者にとっても、本書を通じて、捜査実務の最前線における論点を具体的に知ることができ有益と思われる。また、刑事捜査案件を久しぶりに手がける法曹実務家にとっても、本書は、実践的な学び直しに役立つであろう。

7　第5版の原稿を執筆するに当たっても、学者・実務家による多くの文献を参考にさせていただいた。また、現職の警察官・検察官からも貴重な教示をいただいた。これは現場で汗する捜査官等にとって真に役立つ解説を提供したいと念願する私にとって得難い羅針盤であった。心から感謝申し上げる。さらに、毎回のことではあるが、東京法令出版の編集・校正スタッフの方々に大変お

世話になった。ここに改めて感謝申し上げたい。

　最後になるが、本書のうち意見にわたる部分は、私の個人的な意見であり、私の所属し、又は所属した組織の意見でないことを申し添える。

　令和7年（2025年）5月

　　　　　　　　　　　　　　　　　　幕　田　英　雄

本書（第5版）の特徴

1 実例中心・実例本位の解説

1 捜査実務に直結する捜査手続・証拠法に関して詳細かつ踏み込んだ解説を行った。

2 単なる理屈の説明にとどめず、刑事裁判の場で問題になった実例（判例）、捜査の現場で問題になった実例（それを若干加工した仮想例）を分かりやすく紹介しながら、判例・通説の考え方を解説した。

3 理論的解説も、抽象的表現のみに終わらせず、「例えば」という形で実例、仮想例を挙げながら解説するようにし、初学者にも具体的理解が得られるようにした。

4 捜査実務は司法書類作成実務と不可分であるとの考えから、解説と関連させながら、書式実例（20余例）を示した。

5 「アドバイス」欄を随所に設け、捜査実務の現場において捜査官が悩まされる問題について、具体的な留意点を示した。

2 近時の法改正を漏らさず反映した解説

平成28年刑事訴訟法等改正によって創設等された「刑事司法改革」関連の各制度とともに、その後の刑事訴訟法等改正関連の各制度等の趣旨・概要を分かりやすく紹介・解説し、同時に、書式例等にもその改正内容を反映させた。

捜査実務に関連のある個別制度については、関連する設問も別途、詳細に解説した。

3 捜査の適正手続の確保方策を丁寧に解説

これからの「新しい時代」に活躍する捜査官は、真相解明の専門家であるだけでなく、適正手続確保の分野でもプロを目指す必要があるとの考えから、

捜査の適正手続を確保するための関係制度・運用方策について、実務上の留意点も含め、丁寧に解説した。

　例えば、設問23においては被疑者取調べの適正化に向けた制度的仕組み（録音・録画制度）のほか運用上の取組、被疑者取調べに当たっての在るべき心構えについて、設問46・47においては弁護活動への適切な対応について、設問63においては違法収集証拠について、それぞれ丁寧に解説した。

④　初学者には取っ付きやすく分かりやすく、捜査幹部や検察官の高度なニーズにも対応できるレベルで解説

1　解説の全体において、ポイント欄、図面等を活用し、できるだけ具体例に沿った解説をするようにし、初学者にとって、取っ付きやすく、分かりやすくなるようにした。例えば、設問48において、やや複雑な公訴時効完成日の算出方法について、事例と図表を用いて具体的に説明している。

2　同時に、捜査手続・証拠法に関する解説のレベルは、捜査幹部や検察官の高度な実務ニーズにも対応できるように、ある程度高いレベルに設定した。

⑤　捜査実務上問題となり得る論点を漏らすことなく、「かゆいところに手が届く」解説

1　判例・裁判例としては、概ね令和6年中に公刊物に登載されたものの中から、実務上の意義があると判断したものを紹介した。捜査官にとって実務上有益であることから、規範解釈と示した裁判例のみならず、具体例に規範を当てはめた裁判例も、可能な限り登載した。

2　スタンダードな教科書で取り上げられている論点、取り分けアップツーデイトな論点について漏れなく解説したが、さらに、現場の捜査官が遭遇する、教科書に書かれていない問題点も取り上げ、一応の解答を示すようにした。

3　刑事訴訟法プロパーの解説にとどまらず、捜査実務に関係する警察法、警職法、国家賠償法などの関連法上の論点についても、必要に応じて解説した。

6 公判手続に関する入門的な解説

1 「できる捜査官」は、「公判にも強い捜査官」でなければならないとの立場から、設問1でイラスト、フローチャートを活用し、仮想の事件（夫による妻殺し事件）に即して公判手続の流れを概説した上、設問66で、公判手続の基礎知識について解説し、設問68で、捜査官が証人出廷する場合の留意点を説明し、巻末に、捜査官に対する証人尋問の実例を紹介するなどし、公判手続の入門的理解を得られるようにした。

2 本書を学習する者は、捜査手続・証拠法について相当に深い理解を得られるだけでなく、公判手続の入門的知見も得られることになり、本書1冊で、刑事訴訟法全体を学習することができる。

7 本書は、捜査官が手元に置き、日常の執務の参考書とするほか、各種試験などに向けた準備のための参考書としても活用することを想定している。

1 初版以来、本書の目次は、事項索引を兼ねられるよう詳細なものにしてある。

読者が執務上疑問を持ったときには、疑問に関連するキーワードがはっきりしている場合には巻末の事項索引に当たるのが最も便宜であるが、当該疑問に関連するキーワードが明確でない場合には、目次を一読しながら、関連しそうな解説を探していくのがよい。解説中において、重要語句・概念について、「⟹○」として参照すべき関連事項を示しているので、これに従って参照先をたぐっていく方法もある。

2 本書は、判例を素材にした事例問題（設問）、これに対する解答、さらにこれに関連する詳細な解説を順次行うという構成になっているので、昇任試験等における事例問題・選択問題いずれの準備にも役立つ。

目　次　*1*

目　次

第1編　入門と基礎

設問1　刑事訴訟手続の入門 ……………………………………………… *2*

　　1　捜査の端緒の把握、捜査の開始……*3*　　　　2　物的証拠の収集、鑑定
嘱託……*3*　　　　3　参考人の取調べ……*4*　　　　4　逮捕、被疑者の取調べ
……*4*　　　　5　検察官送致、勾留請求、起訴前の勾留……*4*
　　6　送致後の捜査……*5*　　　7　被疑者の取調べの録音・録画……*5*
　　8　起訴……*6*　　　9　公判前整理手続……*6*　　　10　冒頭手続……*6*
　　11　同意書証等の取調べ……*6*　　　12　同意されない書面が取り調べられ
る場合、証言でまかなえる場合……*7*　　　13　証言が後退したとき、捜査
段階の供述調書で支えることができる場合……*7*
　　14　証言が後退した際、捜査段階の供述調書で支えられない場合……*8*
　　15　被告人側の反証……*8*　　　16　自白の任意性立証、捜査官の出廷……*8*
　　17　最終意見陳述……*10*　　　18　判決宣告……*10*

設問2　刑事訴訟手続の基礎知識 ……………………………………… *11*

　1　刑事訴訟手続とは
　2　捜査・捜査機関
　　1　捜査とは……*11*　　　2　捜査の進行……*12*　　　3　捜査機関……*13*
　3　捜査から刑の執行までの手続の流れ
　　1　司法警察職員の捜査と検察官への事件送致・送付……*14*
　　2　検察官の事件処理……*14*　　　3　公判審理・裁判……*15*
　　4　上　訴……*16*　　　5　再　審……*16*　　　6　刑の執行……*16*
　4　違法捜査に対する是正方法、制裁
　　1　準抗告……*17*　　　2　捜査員に対する懲戒処分又は処罰……*17*
　　3　捜査員の公務に対する公務執行妨害等の不成立……*17*　　　4　捜査機
関に対する国家賠償請求……*18*　　　5　違法収集証拠の排除……*23*

2

| 設問 3 | 捜査手続における諸原則と近時の法改正の状況 ……………*26* |

□1 **刑事訴訟法第 1 条の趣旨**

□2 **捜査手続を規制する原則**

　1　令状主義……*27*　　　2　任意捜査の原則……*27*

　3　自白の強要の禁止……*28*

□3 **平成28年以降の刑事訴訟法等改正の概要**

　1　平成28年刑事訴訟法等改正について……*28*　　　2　令和 5 年刑事訴訟法等改正について……*30*　　　3　犯罪被害者等のための法改正等……*31*

第 2 編　捜査手続

第 1 章　捜査の端緒

| 設問 4 | 変死体の検視 ……………………………………………………*38* |

□1 **司法検視**

　1　意　義……*38*　　　2　検視と検証の違い……*38*

　3　代行検視をした後の措置……*38*

□2 **変死体の定義**

　1　意　義……*39*　　　2　検視の対象となる死体……*39*

　3　犯罪死によることが明らかな死体……*40*

□3 **異常死体の発見後の手続など**

　1　変死体を発見等した場合……*40*　　　2　不自然死による死体であって、犯罪に起因しないことが明白な死体を発見等した場合……*40*

□4 **検視に当たって令状なしに認められる処分**

　1　変死体の存在する場所に立ち入ること……*41*

　2　変死体を外部的に検査すること……*41*　　　3　その他……*41*

□5 **体内の状況の調査が必要な場合**

| 設問 5 | 告訴・告発・請求 ……………………………………………*44* |

□1 **告訴等の意義**

目　次　　*3*

　　　1　告訴・告発・請求の意義……*44*　　　2　告訴権……*45*

　②　**告訴・告発の要件**

　　　1　処罰を求める意思表示……*45*　　　2　犯罪事実の特定……*45*

　　　3　告訴・告発能力を有する者によってなされること……*46*

　　　4　実在の告訴・告発人の表示……*47*　　　5　告訴（その取消し）につき、

　　告訴（その取消し）当時、告訴権が存在すること……*47*

　　　6　法人等の告訴……*47*

設問6　告訴権者 ………………………………………………………………*48*

　①　**告訴権者**

　②　**告訴権者たる「被害者」の意義**

　　　1　一般的意義……*50*　　　2　器物損壊の告訴権者……*51*

　　　3　その他の親告罪における「被害者」の意義……*54*

設問7　親告罪の告訴など ……………………………………………………*57*

　①　**訴訟条件たる告訴・告発**

　　　1　親告罪……*58*　　　2　特定機関等の告発が訴訟条件とされる罪……*59*

　　　3　告訴の追完……*59*

　②　**告訴・告発が訴訟条件となっている罪についての、告訴・告発前**
　　の捜査

　　　1　原則として捜査をなし得る……*60*

　　　2　捜査をなし得ない場合……*60*

　③　**親告罪の告訴期間**

　　　1　告訴期間を定めた理由……*61*　　　2　「犯人を知った日」の意義……*61*

　　　3　告訴人が数人ある場合……*64*　　　4　期間の計算……*65*

設問8　告訴等の取消し、告訴等の効力の及ぶ範囲（告訴不可分の
　　原則）、告訴の効果 …………………………………………………*67*

　①　**告訴・告発の取消し**

　　　1　意　義……*67*　　　2　時期等の制限……*67*　　　3　告訴・告発の取

　　消権者……*68*　　　4　取消しの効果……*69*　　　5　告訴権の放棄……*69*

4

2️⃣ **告訴・告発の効力の及ぶ範囲**

   1 告訴・告発不可分の原則……*69*   2 客観的不可分……*69*
   3 主観的不可分……*71*

3️⃣ **告訴・告発の効果**

設問9　**告訴等手続、その取消し手続等**……………………………………………*75*

1️⃣ **告訴・告発及びその取消しの方式**

   1 方　式……*75*   2 書面による場合……*75*
   3 口頭による場合……*75*

2️⃣ **告訴・告発等の代理**

   1 告訴とその取消し……*76*   2 告発とその取消し……*76*

3️⃣ **告訴・告発等の受理**

   1 受理機関……*76*   2 事件送付後の告訴・告発の取消し……*77*
   3 告訴・告発の不受理の可否……*77*

4️⃣ **受理後の手続**

   1 送　付……*78*   2 送　致……*78*

設問10　**自　　首**……………………………………………………………………………*79*

1️⃣ **自首の意義**
2️⃣ **犯罪事実又は犯人の発覚前における申告**
3️⃣ **犯罪事実を申告し処罰を求めること**
4️⃣ **自発的な犯罪事実の申告**

   1 自発性の要件……*83*   2 取調べ中の申告……*83*
   3 職務質問中の申告……*84*

5️⃣ **自首の手続**

   1 自首の方式など……*85*   2 受理権限……*85*
   3 代理人による自首……*85*

設問11　**職務質問**　………………………………………………………………………*89*

1️⃣ **職務質問の種類**

   1 行政警察活動としての職務質問と司法警察活動としての職務質問……*89*

2　行政警察活動としての職務質問等の刑事訴訟法における位置付け……*90*

　　3　任意捜査としての職務質問等……*90*

② **行政警察活動としての職務質問等とその際の有形力行使の限界**

　　1　警察官職務執行法（警職法）の要件のある職務質問等……*90*

　　2　警職法の職務質問等の要件がない場合の職務質問等……*91*

③ **警職法の職務質問の際に許される有形力行使**

　　1　警察比例の原則……*91*

　　2　職務質問における有形力行使の限界……*91*

設問12　**所持品検査** ……………………………………………………………*96*

① **所持品検査の適法性**

② **所持品検査の許容基準**

　　許容基準……*97*

③ **所持品検査の類型と実例**

　　1　相手の承諾に基づいて所持品を検査する場合……*100*

　　2　承諾なしに着衣等の外側から手を触れる場合（外表検査）……*100*

　　3　承諾なしにバッグ等を開いてその内部を検査する場合……*101*

　　4　承諾なしに着衣の内部に手を入れて探索し、あるいはそこから所持品を
　　取り出して検査する場合……*103*　　　5　車両内検査……*105*

設問13　**任意同行**………………………………………………………………*107*

① **任意同行の種類**

　　1　警職法上の任意同行……*108*

　　2　任意捜査としての任意同行……*109*

② **任意同行と実質的逮捕との区別**

　　1　逮捕と同視すべき強制の有無……*109*　　　2　具体的基準……*110*

③ **被疑者留め置きの可否**

　　1　二分論の考え方……*113*　　　2　裁判例……*113*

　　3　留め置きの適法性判断基準……*115*

④ **違法な任意同行に引き続く勾留請求**

　　1　実質的逮捕から勾留請求まで法定の時間的制限を超えている場合……*116*

2 実質的逮捕とされる時点から48時間以内に送致手続がなされ、72時間以内に勾留請求がなされた場合……*116*

⑤ **違法な任意同行に引き続く身柄拘束中の被疑者の自白**

[設問14] **自動車検問・情報収集活動** ……………………………………………*118*

① **自動車検問**

  1 自動車検問の種類……*119*   2 自動車検問の法的根拠……*120*

  3 自動車検問の際に行使できる有形力……*121*

② **情報収集活動**

  1 情報収集活動の種類……*122*

  2 適法な情報収集活動の要件……*123*

第2章　任意捜査

[設問15] **任意捜査と強制捜査** ………………………………………………*124*

① **捜査活動への規制**

② **強制捜査と任意捜査**

  1 強制捜査……*124*   2 強制捜査と任意捜査の区別……*125*

  3 任意捜査……*125*

③ **強制捜査か任意捜査か問題となる捜査方法**

  1 問題となる捜査方法の2つの類型……*127*

  2 多少の有形力の行使を伴う捜査方法……*127*

  3 無形的態様による権利・利益の侵害をもたらす捜査手法……*129*

④ **強制処分かどうかの判断基準（まとめ）**

[設問16] **任意捜査としての取調べ** ……………………………………………*136*

① **任意捜査としての被疑者取調べ**

  1 根　拠……*137*   2 承諾留置ないしこれに準じた状況下での取調べの禁止……*137*   3 一般的判断基準……*137*   4 具体例……*137*

② **参考人の取調べ**

  1 出頭義務……*139*   2 手　続……*139*

目次　7

設問17　任意採尿、任意採血等　……………………………………………*140*

　1　**任意採尿など**

　　1　無断採尿……*140*　　　2　積極的偽計により尿を排せつさせ採取する
　　場合……*141*　　　3　説得により尿を排せつさせ尿を採取する場合……*142*
　　4　医師から任意提出された尿……*143*

　2　**任意採血**

　　1　注射器等によって身体内から採血する場合……*144*
　　2　体外に流出していた血液を採取する場合……*145*

　3　**唾液・指紋の無断採取**

　　1　適法例……*145*　　　2　違法例……*145*

設問18　おとり捜査、コントロールド・デリバリーなど………………*147*

　1　**社会通念上不相当な任意捜査**

　　1　社会通念上妥当でないもの……*148*
　　2　事実上の強制処分であるもの……*148*

　2　**おとり捜査**

　　1　意　義……*148*　　　2　おとり捜査の種類……*149*
　　3　おとり捜査の適法性……*149*

　3　**コントロールド・デリバリー**

　　1　意　義……*151*　　　2　任意捜査としてのコントロールド・デリバリー
　　……*152*　　　3　尾行・張り込み、電波発信器の利用……*152*

　4　**内偵段階の捜査**

　　1　内偵の必要性……*153*　　　2　聞き込み・協力者の利用……*153*
　　3　尾行・張り込み……*154*

設問19　任意捜査としての秘聴（傍受、秘密録音、逆探知など）……*155*

　1　**秘聴全般**
　2　**電気秘聴器等の利用による秘聴（会話傍受）**
　3　**秘密録音**

　　1　その許容性……*157*　　　2　取調べ状況の秘密録音……*159*

3 秘密録音の他の類型……*159*

④ **一方当事者を仮装する方法による電話の会話の聴取**

1 当事者の一方の承諾を得て、その当事者を装ってなす場合……*159*

2 当事者双方に知られずにする場合……*159*

⑤ **逆探知**

1 強制処分によるべき場合……*159*

2 任意処分によって可能な場合……*160*　　3 実　務……*160*

⑥ **無線通信の傍受**

設問20　**写真（ビデオ）撮影、速度測定** ……………………………………*162*

① **写真撮影（ビデオ撮影も含む）の問題点**

② **犯罪捜査目的の写真撮影**

1 最高裁の考え方……*163*　　2 具体例……*165*

3 隠しカメラの使用……*167*　　4 私人の撮影した写真の利用……*168*

③ **犯罪捜査目的以外の写真撮影**

1 許容性……*168*　　2 具体例……*169*

④ **自動速度監視装置による写真撮影**

⑤ **防犯カメラ**

設問21　**実況見分、呼気検査、公務所等への照会、捜査協力費の支払、予試験**…………………………………………………………………*173*

① **実況見分**

1 意　義……*173*　　2 実況見分調書……*173*

② **呼気検査──アルコール検知**

1 道路交通法67条3項、同法施行令26条の2の2の呼気検査……*174*

2 任意捜査としての呼気検査……*175*　　3 呼気検査の性質……*175*

③ **公務所、公私の団体に対する照会（法197条2項）**

1 意　義……*176*　　2 報告を拒める場合……*176*

④ **捜査協力費の支払**

1 捜査協力費を交付して入手した証拠物の証拠能力……*177*

目　次　9

2　情報活動に伴う協力費の支払……*177*

⑤　**薬物の予試験**

1　同意による予試験……*177*　　　2　無承諾の予試験……*178*

設問22　領置・任意提出 ……………………………………………*179*

① **領　置**

1　領置と差押え……*179*　　　2　領置の意義……*179*
3　領置が許されない場合……*181*

② **証拠物の任意提出**

1　意　義……*181*　　　2　任意提出権限……*181*
3　任意提出能力……*183*

設問23　被疑者の取調べ、供述調書の作成方法 ……………………*184*

① **取調べの役割**

1　取調べとは……*184*
2　取調べが、犯罪の立証において重要であること……*184*
3　取調べにより、被疑者を早期に刑事手続から解放できること……*185*

② **被疑者の取調べ**

1　意　義……*185*　　　2　被疑者取調べの目的……*186*
3　主な取調べ事項……*186*　　　4　供述調書の作成方法……*187*
5　取調べ権限を有するという意味……*189*

③ **取調べの録音・録画制度**

1　録音・録画制度の目的……*193*　　　2　録音・録画制度の対象事件
……*193*　　　3　録音・録画制度の対象となる取調べ等……*194*
4　録音・録画義務……*194*　　　5　録音・録画の試行運用……*196*

④ **被疑者取調べの適正化方策**

1　必要性……*197*　　　2　不適正取調べとはどういうものか……*197*
3　被疑者取調べの適正化のための具体的方策……*197*

⑤ **外国語による供述調書**

1　最も一般的な方式……*202*　　　2　他の方式……*202*

第3章　強制捜査

第1節　対物的強制捜査

設問24　捜索・差押え・検証（総論　その1）……………………………205

１　捜査機関による捜索・差押え・検証（法218条等）

２　差押えの対象になるか問題になるもの

　　1　無体物……206　　　　2　身体の一部……206　　　3　不動産……206

３　承諾による捜索・差押え・検証

４　捜索・差押えの必要性など

　　1　必要性……207　　　　2　再捜索・差押え……208

設問25　捜索・差押え・検証（総論　その2）　適法な令状の要件…209

１　一般令状の禁止原則──各別の令状の規定

２　令状の記載事項

３　差押令状において要求される、目的物の特定の程度

　　1　目的物の明示……211

　　2　「明示」したといえるための特定の程度……211

４　捜索場所の記載

　　1　捜索場所の明示……213

　　2　一通の捜索令状に記載できる場所の数の限界……213　　　3　貸金庫・
コインロッカーに対する捜索令状請求書の捜索場所の記載方法……216

　　4　自動車に対する捜索令状請求等……216

設問26　捜索・差押え・検証（総論　その3）　令状の適法な執行
の要件……………………………………………………………………219

１　捜索差押令状、検証令状、身体検査令状の執行手続

　　1　令状の呈示……219　　　2　立会人……222　　　3　夜間執行……225

　　4　捜索・差押え・検証、身体検査に必要な処分等……225

　　5　直接強制（実力による強行）の可否……227　　　6　被捜索・差押場
所の施設等の利用の可否……228　　　7　捜索・差押場所内にある電話機

への外部からの電話、同電話機からの外部への電話の取扱い……*228*

8　押収品目録に記載するべき物件の特定の程度……*228*

② 令状に記載された物件を差し押さえたかどうか

1　令状記載の「例示」に準ずるものか否かが問題となる場合……*229*

2　当該被疑事実との関連性を欠く場合……*230*

③ 令状発付後、捜索場所の居住者に変更があった場合、その令状の執行の可否

1　原　則……*231*　　2　例　外……*232*

④ 場所に対する捜索令状の執行に際しての、その場の物・居合わせた者に対する捜索

1　その場所にある物に対する捜索……*232*

2　令状呈示後、捜索場所に配達された荷物に対する捜索……*232*

3　その場所に居合わせた者の身体・着衣に対する捜索……*233*

⑤ 別件捜索・差押え

設問27　押収についての制限（その1　公務上の秘密）………………*237*

① 公務上秘密の申立ての意義

1　立法趣旨……*237*　　2　秘密の意義……*237*

3　公務員及び監督官庁の意義……*238*

② 押収拒絶の申立てのない場合の措置

③ 「国の重大な利益を害する」かどうかの判断権者

④ 捜索・検証への準用

設問28　押収についての制限（その2　業務上の秘密）………………*241*

① 法105条の押収拒絶権の意義

1　立法趣旨……*241*　　2　保管・所持する物件の範囲……*242*

3　業務上秘密の意義……*242*

② 押収拒絶権の行使ができない場合

1　委託業務と無関係に所持している物件……*242*　　2　秘密の主体の承諾がある場合……*242*　　3　権利の濫用に当たる場合……*243*

4　業務者自身の犯罪事実に関し、業務上保管・所持する物を押収する場合

······*243*

③ **押収拒絶権の行使方法等**

1 押収時に押収拒絶権の行使がなかった場合······*244*

2 行使の際、業務者が陳述すべき理由の程度······*244*

④ **押収拒絶権を行使しないで、押収に応じた業務者の責任**

⑤ **秘密性の判断権者など**

設問29 **押収についての制限（その3　通信の秘密、報道の自由に よる制限など）** ··*246*

① **通信事務を取り扱う者が保管・所持中の郵便物、信書便物又は電信に関する書類の押収等**

1 押収についての特例······*246*　　2 通信事務を取り扱う者に対する捜索の可否······*247*　　3 私書箱内の捜索······*247*

② **取材の自由と押収拒絶権**

1 取材の自由への制約の合憲性······*247*

2 捜査機関による未放映のビデオテープの差押え······*248*

3 放映済みテレビニュースのビデオテープの証拠としての使用······*248*

③ **法令の特別の定めによる制限（法99条1項ただし書）**

設問30 **特殊な捜索・差押え（コンピューターデータの取得、強制採尿、強制採血など）** ···································*250*

① **コンピューター及び電磁的記録（コンピューターデータ）を記録する記録媒体の捜索・差押え**

1 電磁的記録（コンピューターデータ）を取得する必要性······*251*

2 リモートアクセスによる差押え······*251*

3 記録命令付差押え······*255*

4 電磁的記録に係る記録媒体そのものの差押えに代えて、必要な電磁的記録だけを他の記録媒体に複写等してこれを差し押さえる執行方法······*256*

5 電磁的記録に係る記録媒体の差押えを受ける者等への協力要請······*258*

6 通信履歴の電磁的記録（ログ）の保全要請······*259*

② **強制採尿**

目　次　*13*

　　1　許容性……*259*　　　　2　実施のための実力行使の限界……*260*

　　3　在宅被疑者の採尿令状による採尿場所への連行の可否……*260*

　　4　連行のための住居への立入りの可否……*261*

③　**強制採血・強制採毛**

　　1　強制採血に必要な令状……*262*　　　2　採血を被検査者から拒絶され

　たときの強行方法……*262*　　　3　強制採毛……*262*

④　**体腔内の捜索**

　　1　陰部、肛門等の体腔に挿入された証拠品の捜索……*263*

　　2　胃内に飲み込んだ証拠品の捜索……*263*

⑤　**捜索差押えすることはできないが、犯罪に関連あると思料される**
　　物を発見した場合

設問31　**逮捕に伴う無令状の捜索、差押え、検証** ………………………*269*

①　**制度の意義**

②　**「逮捕する場合」の意義（＝時間的要件）**

　　1　時間的要件……*270*　　　　2　逮捕と捜索等の前後関係……*270*

　　3　逮捕が不首尾のとき……*270*

③　**法220条1項2号の「逮捕の現場」の意義（＝場所的要件）**

　　1　場所的要件……*270*　　　　2　逮捕の場所と別の管理権に服する場所
　……*271*　　　　3　被疑者の通過した場所……*271*

　　4　被疑者の身体・所持品に対する捜索をなし得る場所……*272*

　　5　逮捕現場に居合わせた第三者の身体に対する捜索……*273*

④　**無令状捜索・差押えの対象物件の範囲**

　　1　証拠保全目的で許容されるもの……*273*

　　2　逮捕完遂目的で許容されるもの……*273*

⑤　**無令状捜索・差押えの必要性**

　　1　必要性を欠くとされる場合……*273*　　　2　別件捜索・差押え……*274*

設問32　**通信傍受** …………………………………………………………*276*

①　**通信傍受の合憲性・適法性**

　　1　検証許可状による通信傍受……*276*

2 通信傍受の合憲性・適法性……277

② 「犯罪捜査のための通信傍受に関する法律」制定の経緯

③ 通信傍受の定義

④ 通信傍受の対象となる「通信」の範囲

⑤ 対象犯罪の範囲（本法3条1項）

⑥ 傍受令状が発付される要件

1 本法3条1項の概要……281　　　2 犯罪の十分な嫌疑……282
3 犯罪関連通信が行われる疑い……285　　　4 傍受の実施の対象とすべき通信手段の特定……286　　　5 捜査の困難性（補充性）……286

⑦ 令状請求手続

1 令状の請求権者及び令状の発付権者……287
2 傍受の期間……287

⑧ 傍受の実施

1 令状の提示……287　　　2 立会い……288　　　3 通信傍受実施に当たっての必要な処分など……288　　　4 該当性判断のための傍受……289　　　5 他の犯罪の通信の傍受……289　　　6 記録の保管……290
7 傍受記録……290　　　8 実施状況報告書……290　　　9 不服申立て等……290　　　10 捜査等に従事する公務員が通信の秘密を侵害した場合の処罰と準起訴手続……291

⑨ 平成28年の本法改正による通信傍受手続の合理化・効率化

1 通信傍受手続の合理化・効率化に係る改正の趣旨……291
2 特定電子計算機を用いる方式の通信傍受において立会人が不要な理由……292

設問33 検証、身体検査、実況見分の実施 ……………………………………295

① 検証と実況見分

1 検　証……295　　　2 任意の検証（実況見分）……296

② 検証調書、実況見分調書

③ 立会人の指示説明

1 指示説明の必要性……299　　　2 検証調書・実況見分調書への指示説明者の署名押印の要否……300　　　3 現場供述……300

目　次　　*15*

④　**指示説明として許容される限界**

　　1　指示説明と現場供述の相違……*300*

　　2　指示説明と現場供述の区別……*300*

⑤　**犯行（被害）状況の再現実況見分**

設問34　鑑定嘱託など ……………………………………………………*306*

① **鑑定・通訳・翻訳の嘱託**

　　1　全　般……*306*　　　　2　鑑定嘱託……*306*

② **鑑定の重要性**

　　1　新鑑定により結論が覆されるおそれ……*308*　　　2　実　例……*309*

③ **鑑定嘱託に当たっての留意点**

　　1　適任者の選定……*310*　　　2　鑑定事項の適切な選定……*310*

　　3　鑑定資料の相当性の確保……*310*

④ **鑑定の要否**

　　1　鑑定を必要とする場合……*311*

　　2　抽出的鑑定（サンプリング）の可否……*312*

⑤ **鑑定資料についての制限**

　　1　鑑定資料に制限を付ける必要がある場合の措置……*312*　　　2　証拠
能力等に争いが生ずるおそれがある資料を鑑定資料にする場合……*312*

⑥ **鑑定結果の取扱い**

　　1　鑑定主文とそれ以外の記載……*313*　　　2　鑑定結果の拘束力……*313*

設問35　押収品の保管、還付など（国家賠償責任を負う場合など）…*318*

① **押収品の保管**

　　1　保管者の善管注意義務……*318*

　　2　保管委託、廃棄、換価処分……*318*

② **還付、仮還付、被害者還付**

　　1　還付等の手続……*319*　　　2　還付不能物件についての措置……*321*

　　3　還付等をめぐる国家賠償問題など……*321*

③ **押収品に性的姿態等の影像・画像が記録されている場合の取扱い**

　　1　性的姿態等の撮影等の行為に対する対処強化の流れ……*323*

2 性的姿態等の影像などの複写物の没収……*326*　　3 押収物に記録
された性的な姿態の影像・画像の行政手続としての消去・廃棄……*328*

第 2 節　対人的強制捜査

設問36　**逮捕一般（その1　逮捕状の請求手続など）** ………………*330*

① **逮捕状の請求手続**

1 請求権者……*330*　　2 請求の相手方……*330*

3 請求手続……*331*　　4 逮捕状請求の撤回……*331*

5 却下に対する対処……*331*

② **逮捕状発付の要件**

1 逮捕の理由と必要性……*331*　　2 「明らかに逮捕の必要がない」
という意味……*332*　　3 「逃亡のおそれ」と「罪証隠滅のおそれ」が
ある具体例……*332*　　4 余罪を必要性判断の資料にできるか……*333*

5 軽微事件の特例……*334*　　6 捜査官からの呼出しに正当な理由な
く応じないことと逮捕の必要性……*335*

③ **請求書の方式に違反がある場合の逮捕状請求の効力**

1 方式に軽微な過誤のあるとき……*335*

2 重大な方式違反のとき……*336*

④ **逮捕手続における被害者等の個人特定事項の秘匿措置（法201条の2）**

1 従来の状況と法改正の必要性……*337*

2 逮捕手続における個人特定事項の秘匿措置……*337*

3 個人特定事項の秘匿措置が必要な事件における対応……*341*

設問37　**逮捕一般（その2　逮捕状の執行手続など）** ………………*346*

① **通常逮捕の逮捕の方式**

1 逮捕状の呈示等……*346*　　2 逮捕状の緊急執行……*347*

② **逮捕の際の実力行使**

1 許容される実力行使の程度……*348*　　2 実力行使が逮捕状呈示に
先行する場合……*349*　　3 第三者に対する実力行使……*349*

③ **引致等**

目次　　*17*

　　　1　引　致……*349*
　　　2　私人による現行犯逮捕の際の引渡し手続等……*351*

④　引致後の手続

　　　1　手　続……*352*　　　　2　手持ち時間の制限……*352*
　　　3　逮捕した被疑者の指紋採取など……*353*　　　4　領事通報等……*353*

⑤　逮捕後、逮捕状等を紛失などした場合の措置

　　　1　原　則……*354*　　　　2　やむを得ない理由による場合……*354*

設問38　逮捕一般（その3　再逮捕）………………………………………*357*

①　逮捕勾留の一回性の原則

　　　1　原　則……*357*　　　2　例　外……*357*

②　逮捕後、被疑者が逃走した場合の再拘束の方法

　　　1　問題の所在……*358*　　　2　逮捕状の性質からの帰結……*358*

③　逮捕手続の違法のために勾留請求が却下された場合の逮捕のやり
　　直し

設問39　逮捕一般（その4　別件逮捕・勾留）……………………………*361*

①　別件逮捕・勾留という捜査手段が用いられた背景

　　　1　はじめに……*361*　　　2　身柄拘束への司法的抑制……*362*
　　　3　捜査上の必要……*362*

②　別件逮捕・勾留の問題点

　　　1　事件単位の原則違反の問題……*363*
　　　2　余罪の並行捜査の是非という問題……*363*
　　　3　令状主義そのものを潜脱するものではないかという問題……*364*

③　別件逮捕・勾留が違法となる場合

　　　1　別件が単なる名目かどうかという基準……*365*　　　2　名目にすぎな
　　いとされた事案……*366*　　　3　名目ではないとされた事案……*367*
　　　4　違法な別件逮捕・勾留中に得られた自供の証拠能力……*367*

④　適法な別件逮捕・勾留中の余罪たる本件取調べの限度

　　　1　余罪の取調べについての限度の存在……*368*
　　　2　余罪取調べに際しての取調べ受忍義務……*368*

18

3 非限定説における余罪たる本件取調べの限界……*372*

⑤ **違法な別件逮捕・勾留に引き続く本件での逮捕・勾留の違法性、
その本件逮捕・勾留中の自白の証拠能力**

設問40 緊急逮捕……………………………………………………………………*376*

① **緊急逮捕の要件**

 1 要　件……*376*   2 要件の存在時期……*377*

② **逮捕の手続の特例**

③ **逮捕後の手続の特例**

 1 逮捕後の手続……*378*   2 逮捕状請求前に被疑事実の罪名等が変
わった場合の逮捕状請求書に記載すべき被疑事実、罪名……*379*

設問41 現行犯逮捕……………………………………………………………………*383*

① **現行犯逮捕**

 1 意　義……*384*   2 現行犯逮捕が無令状で許される理由……*384*
 3 現行犯逮捕の手続……*384*

② **「罪を行い終わった者」の意義**

 1 「罪を行い終わった者」と認められた例……*385*   2 「罪を行い
終わった者」と認められなかった例……*386*   3 裁判例の検討……*387*

③ **現行犯逮捕における逮捕の必要性**

 1 「必要性」要件の要否……*388*
 2 証拠の隠滅・逃亡のおそれ……*389*   3 留置継続の要否……*389*

④ **共謀共同正犯、教唆犯、幇助犯についての現行犯逮捕**

 1 現行犯逮捕できる場合……*390*
 2 現場共謀・教唆・幇助の現行犯逮捕の具体例……*391*

⑤ **現行犯人の認定資料に供述証拠を用い得るか**

 1 現場の状況から犯人と認められる場合……*392*
 2 通報内容等も資料として現行犯人と認められる場合……*392*

⑥ **確実な証拠を得る目的で、未遂犯を見逃し、その後の既遂を現行
犯逮捕すること**

目次　*19*

設問42　**準現行犯逮捕・私人による現行犯逮捕** ………………………*394*

1　**準現行犯の意義**

　1　成立要件……*395*　　　2　不審状況の要件……*395*

2　**通報者・目撃者等の供述、被逮捕者への職務質問の結果を資料として準現行犯逮捕できるか**

　1　不審状況の要件について……*396*　　　2　「罪を行い終わって間がないと明らかに認められる」との要件について……*397*

3　**具体例**

　1　適法例……*398*　　　2　違法例……*400*

　3　裁判例の検討……*401*

4　**私人による現行犯逮捕**

　1　警察官が現場到着時に現行犯性が認められる場合……*402*

　2　警察官の現場到着が遅れ、あるいは現場から犯人が離れてしまい、現行犯性が不明になる場合……*402*　　　3　私人が逮捕行為に着手していないとき、その者の依頼を受けて警察官が逮捕することの可否……*403*

　4　私人による現行犯逮捕のための実力行使……*404*

5　**私人による現行犯逮捕を他の私人が代行すること**

第4章　送致後の捜査

設問43　**送致・送付、検察官の捜査・事件処理** ………………………*407*

1　**事件の送致・送付**

　1　意　義……*407*　　　2　送致・送付時期……*408*

　3　全件送致の原則とその例外……*408*　　　4　送致（付）手続……*410*

2　**検察官の捜査と事件処理**

　1　検察官の捜査……*413*　　　2　検察官の事件処理……*413*

　3　検察官の不起訴処分に対する不服申立て……*413*

3　**起訴前の勾留（いわゆる検事勾留）**

　1　勾留請求……*414*　　　2　逮捕前置主義……*415*

　3　勾留期間など……*416*　　　4　勾留場所……*417*

5　余罪捜査のための移送……*418*

　4　**接見禁止処分（法81条）**

　　1　勾留中の接見禁止処分……*418*

　　2　鑑定留置中の接見禁止処分……*420*

設問44　**捜査段階の証人尋問・合意制度（日本版司法取引制度）**　…*422*

　1　**はじめに**

　2　**捜査段階の証人尋問**

　　1　意　義……*422*　　　　2　捜査段階の証人尋問の要件……*424*

　　3　請求手続……*424*　　　　4　尋問手続……*424*

　3　**証拠収集等への協力及び訴追に関する合意制度（日本版司法取引）**

　　1　意　義……*426*　　　　2　検察官が合意制度を利用できる要件……*426*

　　3　合意制度が利用できるかについての想定事例……*430*

　　4　合意に向け協議が行われたが合意が成立しなかった場合……*433*

　　5　合意がなされた場合の公判手続の特例……*434*

　　6　合意の履行を確保するための措置……*434*

設問45　**起訴後の取調べ、捜索・差押え**　………………………………*435*

　1　**起訴後の捜査**

　2　**起訴後の起訴事実についての取調べ**

　　1　許容性……*435*　　　　2　起訴勾留後の起訴事実取調べに対する制約
　……*436*　　　3　共犯者の取調べに関連した取調べ……*437*

　3　**起訴後の余罪についての取調べ**

　　1　身柄不拘束（在宅）で起訴された場合の余罪取調べ……*437*

　　2　起訴勾留後の余罪取調べ……*438*

　　3　起訴勾留後の余罪取調べの限界……*438*

　4　**起訴後の起訴事実についての参考人取調べ**

　5　**起訴後の起訴事実についての捜索・差押え**

　　1　任意捜査の許容性……*440*　　　　2　強制捜査の許容性……*440*

　6　**家庭裁判所に送致した被疑事実についての補充捜査の実施**

　　1　捜査機関による補充捜査権限……*441*

目次　*21*

2　家庭裁判所が捜査機関に対し、補充捜査を促し又は求める権限……*442*

第5章　弁護人

設問46　弁護人（その1　権利義務　選任方式）……………………*443*

① 弁護人選任権の重要性

② 弁護人

1　弁護人の地位……*444*　　　2　弁護人の権利……*444*

3　弁護人の義務……*445*

③ 弁護人選任権者

1　被告人・被疑者……*447*　　　2　法定代理人など……*447*

④ 被疑者の弁護人の選任方式

1　意思表示の宛先……*447*　　　2　不要式説と要式説……*448*

⑤ 弁護人の数の制限

⑥ 被疑者国選弁護制度

1　意　義……*449*　　　2　対象事件……*449*

3　国選弁護人が選任されるための要件……*449*

⑦ 弁解録取時における弁護人選任権の告知及び弁護人選任の申出に関する教示

⑧ 被告人、被疑者からの弁護人選任の申出及びこれへの対応

1　被告人からの弁護人選任の申出とこれへの対応……*451*

2　被疑者からの弁護人選任の申出とこれへの対応……*451*

⑨ 当番弁護士

設問47　弁護人（その2　接見交通権と接見指定）………………*454*

① 弁護人等の接見交通の保障（法39条1項）

1　意　義……*454*　　　2　「依頼により弁護人になろうとする者」の意義……*455*　　　3　立会人なくしての接見……*456*　　　4　書類若しくは物の授受……*456*　　　5　ビデオ撮影を受けること等……*456*

② 接見指定権（法39条3項）

1 意 義……*456* 2 接見指定の合憲性（平成11年大法廷判決）……*457* 3 接見指定権の行使主体……*457*
4 接見指定権の行使方法……*457*

③ 指定権行使の要件──「捜査のため必要があるとき」の意義

1 見解の対立……*458* 2 最高裁判例……*459*
3 同最判を踏まえての運用上の留意事項……*459*

④ 逮捕・勾留中の被疑者と弁護人等との接見へ一層配慮する運用

1 取調べの適正化方策の一環としての運用改善……*460*
2 逮捕直後の接見指定……*462* 3 面会接見への配慮……*462*
4 任意取調べ中の被疑者について弁護人等から面会の申出があった場合の対応……*463* 5 捜査官との事前協議を拒否し、留置施設等に直接赴いて接見等を要求する場合の対応……*464*

⑤ 日時・時間についての接見指定内容

1 指定すべき接見の時期、回数……*464* 2 指定すべき接見時刻……*465* 3 指定すべき接見時間の程度……*465*

⑥ 信書の授受についての指定

1 弁護人等と被疑者との間で授受される信書に対して行うことができる検査……*465* 2 指定権の行使……*466*

⑦ 起訴された被告人が、別罪について被疑者として取調べを受けているとき、起訴済みの事件のために接見を求める弁護人に対し、捜査官は、接見指定をなし得るか

1 別罪について、逮捕勾留状が発せられていないとき……*466*
2 別罪の被疑事件について逮捕・勾留がなされている場合……*466*

⑧ 捜査官が被疑者から弁護人との接見内容を聴取することの制限

1 接見内容を聴取することの原則的禁止……*467*
2 例外的に聴取が許される場合……*467*

第6章 捜査権限の消滅

設問48 公訴権の消滅（公訴時効）……………………………………*470*

① 公訴時効制度

1　意　義……*473*　　　2　公訴時効の対象から除外される犯罪……*473*
　　　3　公訴時効完成の意味……*474*

2　**時効期間**

　　　1　時効期間……*474*　　　2　公訴時効の起算点……*477*
　　　3　時効期間の計算方法……*478*

3　**時効期間の停止**

　　　1　公訴の提起……*479*　　　2　犯人が逃げ隠れている場合など……*479*

第3編　証拠法

第1章　入　門

設問49　**証拠法の基礎知識**　……………………………………………*482*

1　**捜査官が証拠法を学ぶことの重要性**

　　　1　証拠裁判主義の原則……*482*　　　2　近代的捜査の意義……*482*
　　　3　捜査官が証拠法を学ぶ必要性……*483*

2　**証拠の意義と種類**

　　　1　意　義……*483*　　　2　証拠の種類……*483*

3　**証明（立証）**

　　　1　主張と立証……*485*　　　2　（狭義の）証明と疎明……*485*
　　　3　厳格な証明と自由な証明……*485*

4　**証明の対象**

　　　1　証拠裁判主義……*486*　　　2　証拠裁判主義の例外……*486*

5　**挙証責任（立証責任）**

　　　1　検察官に挙証責任があるという意味……*488*
　　　2　挙証責任の例外……*488*

6　**「疑わしきは罰せず」の原則**

　　　1　検察官に挙証責任があることからの帰結……*489*　　　2　有罪認定に
　　必要な立証の程度……*489*　　　3　合理的疑いと不合理な疑い……*489*

7　**証拠能力と証明力**

1　証拠能力と証明力の区別……*490*　　　2　証拠能力が認められない証拠……*491*　　　3　自由心証主義とその限界……*491*

設問50　**間接事実による事実認定** ……………………………………*493*

1⃣　**法律上の推定と事実上の推定**

2⃣　**間接事実・情況証拠による立証**

3⃣　**類似事実による立証**

4⃣　**消去法的立証**

5⃣　**間接事実による立証において有罪認定されるために必要な立証の程度**

1　最決平19.10.16刑集61-7-677について……*496*

2　最判平22.4.27刑集64-3-233について……*497*

6⃣　**被疑者の不合理な弁解・黙秘の態度**

第2章　自　白

設問51　**自白の意義、自白に関する二大法則（その1　不任意自白の排除法則）、違法収集自白**………………………………………*502*

1⃣　**自白の意義**

1　自白とは……*502*　　　2　不利益事実の承認……*503*

2⃣　**自白に関する二大原則**

3⃣　**自白の任意性（不任意自白の排除法則）**

1　自白の証拠能力……*504*　　　2　任意性が必要な理由……*504*

3　任意性の意義……*505*　　　4　強制等との因果関係……*505*

5　任意性の立証……*505*　　　6　自白の信用性の立証との関係……*506*

7　不任意自白の絶対的排除……*506*

4⃣　**自白の任意性に関する裁判例**

1　強制、拷問などの肉体的圧迫による自白……*507*　　　2　脅迫などの精神的圧迫による自白……*509*　　　3　長く抑留、拘禁された後の自白……*511*　　　4　利益約束、偽計（詐術）により得られた自白……*512*

5　その他……*515*

目次　*25*

5　**自白の任意性の立証**

1　録音・録画制度の対象となる取調べで作成された供述調書の任意性等の
立証……*517*　　2　証拠調べ請求義務……*517*

3　任意性の判定に用いられるその他の証拠……*519*

6　**違法収集自白の排除**

1　自白への違法証拠排除原則適用の可否……*521*　　2　証拠排除原則
を適用すべき基準……*522*　　3　実務上の具体例……*523*

4　任意性との関係……*523*

設問52　**自白に関する二大法則（その2　補強証拠を要するとする
法則──補強法則）**……………………………………………*525*

1　**法319条2項（補強法則）の意義**

2　**補強証拠が必要な理由**

1　誤判防止……*525*　　2　自白偏重の防止……*525*

3　**補強証拠となり得る証拠──補強証拠資格**

1　証拠能力のある証拠……*526*　　2　本人の供述以外の証拠……*526*

4　**補強証拠を要する事実の範囲**

1　犯罪の客観的構成要件事実……*527*　　2　犯罪の主観的構成要件事
実……*528*　　3　被告人と犯人との結び付き……*528*

4　犯罪事実以外の事実……*529*

5　**補強証拠として必要な証明力**

1　証明力の程度……*529*　　2　間接的証拠……*529*

設問53　**被告人（被疑者）の供述調書・供述書の証拠能力など**　……*531*

1　**被告人ないし被疑者の供述録取書・供述書（法322条）**

2　**供述書・供述録取書（法322条1項）**

1　対象書面……*532*　　2　被告人の供述書、供述録取書の証拠能力
……*533*　　3　証拠能力が否定される場合……*533*

3　**被疑者が捜査官に自供はするものの、供述調書への署名押印を拒
否する場合、この自供を証拠として公判で利用する方法**

第3章　自白等の信用性

設問54　**自白の信用性（その1　信用性が否定されやすい自白）**　…535

　①　**はじめに**

　　1　自白の信用性に関する判断枠組み……535　　　2　一般的に信用性が
　　否定されやすい自白……535　　　3　取調べ状況立証の意義……536

　②　**供述内容が客観的事実と一致しない自白**

　　1　客観的事実との不一致の意味……536
　　2　被疑者が客観的事実と符合しない自白をする原因とその防止策……539

　③　**供述内容が不自然に変遷する自白**

　　1　変遷の内容──重要な事柄についての変遷か否か……540
　　2　変遷の態様──不自然な変遷か否か……542

　④　**供述内容が不自然、不合理な自白──その種類と対策**

　　1　供述内容が常識に反して不自然な自白……545
　　2　あるべき説明が欠如する自白……546　　　3　詳細すぎる自供、詳細
　　な部分と空疎な部分とがアンバランスな自供……546

　⑤　**自白の信用性を否定させるその他の要素**

　　1　被疑者が少年等の場合……547　　　2　被疑者の虚言癖等……547

　⑥　**共犯者の自白の信用性**

　　1　信用性が問題となる場面……547　　　2　共犯者の自白に特有の危険
　　性と信用性検討の留意点……547　　　3　具体的検討例……548

設問55　**自白の信用性（その2　信用性が肯定されやすい自白。特
　　　　　に「秘密の暴露」を含む自白）**　……………………………………550

　①　**信用性が高いとされる自白**

　　裁判例で信用性を高く評価されている自白……550

　②　**秘密の暴露とは何か**

　　1　意　味……551　　　2　秘密とされる事項が証拠によって裏付けでき
　　ない場合……552　　　3　最高裁による「秘密の暴露」の定義……552

　③　**捜査官にとって未知の秘密事項であったこと（秘密性の要件）**

目　次　　*27*

 1　「捜査官にとって未知であった」との意味……*554*

 2　ありふれた事実……*555*　　　3　公知の事項……*555*

 4　当該犯行との関連性を欠く秘密事実……*556*

④　真実性の確認について

 1　確認の手段……*557*　　　2　確認不能とされる場合……*557*

設問56　面割り供述の信用性、児童等の供述の信用性……………………*559*

①　面割り供述

 1　犯人識別における面割り供述の重要性と問題点……*559*

 2　面割りを実施する場合の基本的考え方……*559*

②　犯人識別供述の信用性を減殺させる事情

③　供述能力が劣る者の供述の証拠能力と信用性

 1　児　童……*563*　　　2　いんあ者……*565*

 3　知的障害の疑いのある者……*565*

④　被害者の供述の信用性

第4章　伝聞証拠

設問57　伝聞証拠の原則的禁止（伝聞法則）………………………*569*

①　伝聞証拠に関する入門的解説

 1　はじめに、無実の被告人になったつもりで考えよう……*569*

 2　目撃者の誤った証言の原因……*569*　　　3　目撃者の証言の誤りを明らかにする方法……*570*　　　4　供述証拠の特質……*571*　　　5　反対尋問の効果……*571*　　　6　伝聞証拠の原則的禁止の原則の効用……*571*

②　伝聞法則

 1　伝聞証拠の意義……*571*　　　2　伝聞法則（法320条1項）——伝聞証拠の原則的禁止原則……*572*　　　3　伝聞法則の存在理由……*572*

③　伝聞法則の適用がない場合

 1　適用がない場合（その1）……*573*　　　2　適用がない場合（その2）……*576*　　　3　適用がない場合（その3）……*578*

28

設問58 伝聞法則の例外（その1　参考人の供述調書、供述書）……*579*

[1] 伝聞法則の例外を認めなければならない理由

[2] 法321条の概説

[3] 被告人以外の者の供述書・供述録取書（法321条1項）

1　供述録取書……*580*　　　2　供述書……*580*

3　共犯者、共同被告人の供述……*581*

[4] 裁判官面前調書

1　意　義……*581*　　　2　裁判官面前調書の証拠能力……*581*

3　ビデオリンク方式による証人尋問の状況を記録した記録媒体及びこれと
一体をなす証人尋問調書の特例……*582*

[5] 検察官面前調書

1　検察官面前調書の証拠能力……*582*

2　検面調書による立証の重要性……*585*

[6] 警察官面前調書・その他の面前調書、供述書

1　警察官面前調書等の証拠能力……*585*

2　供述人の「法廷での供述不能」が不可欠の要件であること……*586*

3　警察官の作成する参考人供述調書の証拠としての用いられ方……*586*

[7] 性犯罪の被害者等からの聴取結果を記録した録音・録画記録媒体
に係る証拠能力の特則（法321条の3）

1　制度導入の背景……*588*　　　2　対象者……*588*

3　聴取結果を記録した録音・録画記録媒体に、法321条の3によって証拠
能力を付与するための要件……*589*　　　4　公判で取り調べられた聴取結
果の録音・録画記録媒体の裁判での取扱い……*589*　　　5　法321条の3の
適用を想定した被害者等への聴取をする場合の留意点……*589*

設問59 伝聞法則の例外（その2　検証調書、実況見分調書、鑑定
書など）…………………………………………………………*590*

[1] 検証調書（法321条2項後段、3項）

1　検証調書の証拠能力を緩和した理由……*590*

2　裁判所・裁判官の実施した検証調書……*590*

目次　*29*

　　3　捜査機関の検証調書……*590*

　② 鑑定書（法321条4項）

　　1　証拠能力付与の要件が緩和されている理由……*592*　　2　鑑定受託
人による鑑定……*593*　　3　その他本項の書面とされるもの……*593*

設問60　伝聞法則の例外（その3　特に信用できる書面・伝聞供述・
　　同意書面など）……………………………………………………*594*

　① 特に信用できる書面（法323条1号ないし3号）

　　1　証拠能力付与の要件が緩和される理由……*594*

　　2　公務員の証明文書……*594*　　3　業務文書……*595*

　　4　その他の特信書面……*595*

　② 伝聞供述（法324条）

　　1　また聞き供述……*597*　　2　被告人からのまた聞き供述（証言）（1
項）……*597*　　3　被告人以外の者からの伝聞供述（2項）……*597*

　③ 同意証拠（法326条）

　　同意書面・同意供述……*598*

　④ 証明力を争うための証拠（法328条）＝弾劾証拠

　　1　弾劾証拠の意義……*599*　　2　実質証拠としての利用の禁止……*599*

設問61　特殊な伝聞証拠（写し、写真、動画映像・録音、メモ類な
　　ど）………………………………………………………………………*600*

　① 謄本・抄本・写し

　② 写真（動画映像）

　　1　写真の利用方法……*601*　　2　現場写真……*601*

　　3　犯行再現状況を録画したＤＶＤ等の証拠能力……*601*

　　4　テレビニュースを録画したビデオテープ・ＤＶＤ等……*602*

　③ 供述録音・現場録音

　　1　録音の種類……*603*　　2　被疑者の取調べ状況の録音・録画……*604*

　④ メモ・日記・手帳

　　1　意　義……*605*

　　2　法323条の特信書面として利用できる場合……*605*

第5章　科学的証拠

設問62　科学的証拠の証拠能力と信用性 ……………………………………*607*

1. 科学的証拠の証拠能力
2. ＤＮＡ型鑑定
   1. ＤＮＡとは……*608*　　2　ＤＮＡ型鑑定の原理……*609*
   3. ＳＴＲ型検査法によるＤＮＡ型鑑定の実施……*610*
   4. ＤＮＡ型鑑定の証拠能力と証明力に関する最高裁決定……*611*
3. ポリグラフ検査回答書
4. 酒酔い鑑識カード
5. 警察犬による臭気選別の経過・結果を記載した書面（臭気選別報告書）
   1. 臭気選別の意義……*615*　　2　証拠能力肯定のための要件……*616*
   3. 信用性が減殺される場合……*617*
6. 声紋鑑定
   1. 意　義……*618*　　2　証拠能力……*618*
7. 筆跡鑑定
   1. 意　義……*618*　　2　証拠能力……*618*
8. 足跡鑑定
   1. 意　義……*619*　　2　証拠能力……*619*
9. 毛髪鑑定
   1. 毛髪の同一性を識別する鑑定……*620*
   2. 毛髪による薬物使用の有無の鑑定……*620*
10. 指紋鑑定
    1. 意　義……*621*　　2　採取・保存に当たっての留意点……*621*
    3. 任意捜査としての指紋採取……*621*
11. 顔貌鑑定

目　次　　*31*

第 6 章　違法収集証拠

設問63　**違法収集証拠物の証拠能力** ……………………………………………*624*

1　**違法収集証拠物の証拠能力に関する基本的考え方**

　1　古典的理解……*627*　　　　2　違法収集証拠排除原則の台頭……*627*

　3　硬直的な排除原則適用の問題点……*627*

2　**違法収集証拠物が排除される場合のあることを認めた最高裁判決**

　1　趣　旨……*628*　　　　2　証拠排除の要件……*628*

3　**証拠排除の要否についての判断基準**

　1　証拠収集方法の違法の重大性を判断するに当たっての考慮要素……*628*

　2　証拠排除の要否判断の一般的な判断基準……*630*

4　**違法収集証拠物排除法則の適用が問題となる典型例**

　1　手続の違法性が軽微である場合……*630*

　2　手続の違法性が重大である場合……*631*

　3　証拠収集手続が令状主義に無関係な法規に違反している場合……*632*

　4　手続の違法と証拠の収集との因果関係がない場合……*632*

5　**先行捜査手続の違法が後行の証拠収集手続に及ぼす影響について
　　の判断枠組み**

　1　問題の所在……*633*　　　2　「同一目的」・「直接利用」の基準……*634*

　3　「密接関連性」の基準……*634*

　4　証拠排除の要否の判断枠組み……*635*

6　**先行の捜査手続の違法性の有無・程度が後行捜査手続で収集され
　　た証拠の証拠能力に及ぼす影響が問題になった具体的事例**

　1　先行の捜査手続が適法とされ、証拠能力が肯定された事例……*638*

　2　先行の捜査手続に違法があり、後行捜査手続ひいては証拠物取得手続も
違法だがその程度は重大ではないとされ、証拠能力が肯定された事例……*640*

　3　先行の捜査手続に重大な違法があり、後行手続ひいては証拠物の取得手
続にも重大な違法があるなどとされ、証拠能力が否定された事例……*646*

　4　先行行為が、適法手続を名目にした不法な身体拘束である場合……*650*

　5　違法な令状発付に基づいて採取した尿の鑑定書の証拠能力が肯定された
事例……*651*　　　　6　押収した当該「証拠物」に関して作成された捜索差
押調書・鑑定書・写真撮影報告書などの関連書証とその証拠物に関する被告

人・押収捜査官・参考人の供述などの関連供述の証拠能力……*652*

7 **毒樹の果実の理論**

  1 毒樹の果実の理論とその例外……*653*

  2 我が国の判例の考え方……*653*

第4編　国際捜査

設問64 **捜査共助**…………………………………………………………*656*

1 **捜査共助の意義**

2 **捜査共助の枠組み**

  1 外交ルートの枠組み……*656*　　2 条約による枠組み……*657*

3 **国際捜査共助等に関する法律**

  1 国際捜査共助等に関する法律が制定された理由……*657*

  2 平成16年の本法律改正の理由……*658*

4 **外国からの要請に基づく我が国における捜査共助**

  1 共助の要件……*658*　　2 外国から共助要請があった場合の共助手続……*660*　　3 捜査共助の実施……*660*

5 **外国の捜査機関の我が国における捜査の可否**

6 **我が国捜査機関から外国に対する捜査共助の要請**

  1 共助要請の許容性……*661*　　2 共助要請の手続……*662*

  3 得られた証拠の我が国での許容性……*662*

  4 外国で作成された書面の証拠能力……*663*

7 **我が国捜査機関の外国における捜査の可否**

  1 原　則……*665*　　2 国外における日本船籍船舶内での捜査……*666*

8 **ＩＣＰＯルートによる協力**

  1 ＩＣＰＯルートによる捜査協力……*667*

  2 国際間の犯罪情報の交換……*667*

設問65 **犯罪人引渡し**………………………………………………………*669*

1 **逃亡犯罪人を外国に引き渡す方法**

  1 逃亡犯罪人を外国に引き渡すための要件……*669*

目次　*33*

　　2　赤手配書の対象となる犯人を我が国で発見した場合の措置……*670*

　　3　外国への犯罪人引渡手続における警察官の役割……*671*

② **外国に逃亡した我が国の犯罪の逃亡犯罪人を、我が国が外国から引渡しを受ける方法**

　　1　条約に基づく引渡し……*671*　　　2　外交交渉による引渡し……*671*

　　3　その他……*672*

③ **没収及び追徴の裁判の執行及び保全についての国際共助**

第5編　公判手続と証拠開示

設問66　**公判手続の基本知識** ……………………………………………*676*

① **公判手続**

　　1　公判手続の意味……*676*　　　2　公判手続の主体……*676*

② **第一審の公判手続の流れ**

　　1　第1回公判期日までの手続……*678*　　　2　公判期日における取調べの意義……*678*　　　3　公判期日における手続の流れ……*679*

　　4　公判期日外の証拠調べ……*683*　　　5　被告人の勾留と保釈……*684*

　　6　保釈中の被告人の公判期日等への出頭、裁判の執行を確保する制度……*685*

③ **刑事免責制度**

　　1　刑事免責制度の意義……*686*　　　2　刑事免責決定……*686*

　　3　刑事免責を求めることができる場合……*686*

　　4　刑事免責決定の効果……*690*　　　5　想定される場面……*690*

④ **捜査手続と公判手続の違い**

　　1　公判手続の特質……*691*　　　2　証拠の規制……*692*

⑤ **訴因と公訴事実**

　　1　訴因制度……*693*　　　2　訴因変更……*694*

⑥ **裁判員裁判**

　　1　意義と目的……*697*　　　2　裁判員裁判対象事件……*698*

　　3　裁判員裁判の合憲性……*699*

34

7 被害者参加制度

1 意義と目的……*699*　　　2 被害者参加の手続……*700*

3 被害者参加人の具体的権利……*700*

8 証人等保護のための制度

1 証人等の氏名及び住居の開示に係る措置の導入……*701*

2 公開の法廷における証人等の氏名等の秘匿措置の導入……*703*

3 ビデオリンク方式による証人尋問の拡充……*703*

9 即決裁判手続

1 即決裁判手続の問題点……*704*

2 即決裁判手続を利用しやすくするための措置の導入……*705*

設問67 公判前整理手続における証拠開示 ……………………………………*706*

1 証拠開示

1 証拠開示とは……*713*　　　2 証拠開示ルール……*713*

2 公判前整理手続における証拠開示制度

1 迅速審理の必要性……*714*　　　2 公判前整理手続……*714*

3 公判前整理手続における証拠開示制度……*715*

4 期日間整理手続……*721*　　　5 公判前整理手続（期日間整理手続）
終了後の立証制限……*721*　　　6 証拠の一覧表の交付手続……*722*

3 メモ類が証拠開示の対象になり得るとした最高裁判例

1 検察官の手持ち証拠でない証拠……*723*

2 捜査の過程で作成されるメモ類……*724*　　　3 第一次証拠・資料に
基づき二次的に作成したチャート・検討表等……*728*

設問68 証人出廷の留意点 …………………………………………………*731*

1 捜査官が証人出廷を求められる場合

2 証人出廷までの手続の流れ

1 捜査担当検察官からの予告……*732*　　　2 公判担当検察官からの連
絡……*732*　　　3 公判担当検察官との事前打合せ（証人テスト）……*732*

4 公判出廷……*733*

3 裁判員裁判の特徴と、同裁判に証人出廷する場合に留意すべき事

項

 1 裁判員裁判の特徴……*733*

 2 裁判員裁判に証人出廷する捜査官が、特に留意すべき事項……*733*

④ **捜査官が証人として出廷するに当たって、一般的に留意すべき事項**

 1 一般的心構え……*735* 2 検察官との打合せ（証人テスト）における留意事項……*736* 3 検察官の尋問（主尋問）における留意事項……*737* 4 弁護人の尋問（反対尋問）における留意事項……*738*

 5 その他の留意事項……*739*

⑤ **任意性・信用性に関する証言を行う場合の留意事項**

 1 最近の刑事裁判実務における任意性・信用性に関する立証の実情……*739*

 2 自白の任意性・信用性に関する捜査官への証人尋問の今後のあり方……*740*

付録1 警察官の証人尋問例

警察官の証人尋問例（その1）……*744*

 捜査手続（捜索・差押え）の適法性に関する証言……*744*

警察官の証人尋問例（その2）……*769*

 実況見分調書の作成の真正についての証言……*769*

付録2 逮捕手続書の書式例と解説

逮捕手続書の書式……*776*

 1 逮捕手続書の重要性と作成に当たっての心構え……*776*

 2 「現に罪を行い終わった現行犯人」の事例……*778*

 3 準現行犯人の事例……*781*

 4 私人逮捕の事例……*784*

 5 緊急逮捕の事例……*787*

判例索引 ……………………………………………………………………………… *793*

事項索引 ……………………………………………………………………………… *803*

アドバイス一覧表

○法人等から告訴やその取消しを受けるときの留意点⋯⋯⋯⋯⋯⋯⋯⋯⋯⋯47

○市が被害を受けた事件について、職員から告訴を受けるときの留意点⋯⋯53、54

○犯人不詳の時点で親告罪の被害申告を受けた場合の措置⋯⋯⋯⋯⋯⋯⋯⋯63

○司法巡査が告訴・告発等に接した場合の措置⋯⋯⋯⋯⋯⋯⋯⋯⋯⋯⋯⋯77

○職務質問の相手方の態度等と所持品検査の相当性⋯⋯⋯⋯⋯⋯⋯⋯⋯⋯ 100

○検査対象物件の証拠能力が否定されやすい所持品検査⋯⋯⋯⋯⋯⋯⋯⋯ 105

○犯罪の嫌疑が明らかな場合に被疑者の所持物件を検査するための方策⋯⋯ 106

○任意同行と実質的逮捕の区別の基準⋯⋯⋯⋯⋯⋯⋯⋯⋯⋯⋯⋯⋯⋯⋯ 112

○逮捕に先行して被疑者を任意同行する場合の留意点⋯⋯⋯⋯⋯⋯⋯⋯⋯ 117

○尿の任意提出を拒む者に対する措置⋯⋯⋯⋯⋯⋯⋯⋯⋯⋯⋯⋯⋯⋯⋯ 141

○呼気検査を拒否する者を道交法違反で逮捕しようとする場合の留意点⋯⋯ 175

○捜査関係事項照会に応じない場合の対応策⋯⋯⋯⋯⋯⋯⋯⋯⋯⋯⋯⋯⋯ 176

○令状記載以外の物件を発見し、関係者から任意提出を受ける際の留意
　点　⋯⋯⋯⋯⋯⋯⋯⋯⋯⋯⋯⋯⋯⋯⋯⋯⋯⋯⋯⋯⋯⋯⋯⋯⋯⋯⋯ 182

○供述調書への記載事項⋯⋯⋯⋯⋯⋯⋯⋯⋯⋯⋯⋯⋯⋯⋯⋯⋯⋯⋯⋯⋯ 187

○捜索令状請求に当たっての基本的留意点⋯⋯⋯⋯⋯⋯⋯⋯⋯⋯⋯⋯⋯⋯ 215

○令状記載の物件かどうかの判断基準⋯⋯⋯⋯⋯⋯⋯⋯⋯⋯⋯⋯⋯⋯⋯ 230

○被疑事実と差押物件の関連性を意識した令状請求の準備⋯⋯⋯⋯⋯⋯⋯ 231

○サイバー犯罪に関する条約⋯⋯⋯⋯⋯⋯⋯⋯⋯⋯⋯⋯⋯⋯⋯⋯⋯⋯⋯ 253

○傍受の実施の対象となる通信手段の特定等のための捜査⋯⋯⋯⋯⋯⋯⋯ 286

○検証（実況見分）調書の作成要領⋯⋯⋯⋯⋯⋯⋯⋯⋯⋯⋯⋯⋯⋯⋯⋯ 297

○現場供述の証拠化の方法⋯⋯⋯⋯⋯⋯⋯⋯⋯⋯⋯⋯⋯⋯⋯⋯⋯⋯⋯⋯ 300

○検証（実況見分）の際の指示説明の記載上の留意点⋯⋯⋯⋯⋯⋯⋯⋯⋯ 301

○所有権・還付請求権放棄を受ける場合の留意点⋯⋯⋯⋯⋯⋯⋯⋯⋯⋯⋯ 320

○仮還付をする場合の留意点⋯⋯⋯⋯⋯⋯⋯⋯⋯⋯⋯⋯⋯⋯⋯⋯⋯⋯⋯ 320

○余罪による再逮捕の留意点⋯⋯⋯⋯⋯⋯⋯⋯⋯⋯⋯⋯⋯⋯⋯⋯⋯⋯⋯ 358

○別件で被疑者を逮捕しようとするときの留意点⋯⋯⋯⋯⋯⋯⋯⋯⋯⋯⋯ 367

○別件逮捕・勾留中の本件取調べに当たっての留意点⋯⋯⋯⋯⋯⋯⋯⋯⋯ 374

○緊急逮捕に関する留意事項⋯⋯⋯⋯⋯⋯⋯⋯⋯⋯⋯⋯⋯⋯⋯⋯⋯⋯⋯ 379

○「現に罪を行い終わった者」かどうかの判断基準⋯⋯⋯⋯⋯⋯⋯⋯⋯⋯ 388

アドバイス一覧表　*37*

○自供からたぐって犯行を知った場合の準現行犯逮捕の可否……………… 398
○追跡が中断した場合に「追呼されている者」といえるかの判断ポイント…… 401
○（準）現行犯逮捕ではなく緊急逮捕を選択すべき場合…………………… 404
○接見禁止中の被疑者と弁護人の接見についての留意点…………………… 419
○接見禁止中の被疑者への便宜提供が問題となる場合……………………… 420
○捜査段階での裁判官の証人尋問についての留意点………………………… 425
○弁護人選任届を受理する際の留意点………………………………………… 448
○直接証拠より証明力の高い間接証拠………………………………………… 484
○証拠について捜査官が留意すべきこと……………………………………… 490
○間接事実による立証を考えるとき留意すべき事項………………………… 500
○取調べ段階における任意性担保の工夫……………………………………… 506
○供述と客観的事実との消極的矛盾の発見方法……………………………… 538
○供述と客観的事実との間に消極的矛盾があった場合の措置……………… 538
○被疑者が供述変遷の理由を「記憶違い」と説明する場合の対処………… 541
○供述の変遷に対してとるべき措置…………………………………………… 544
○信用される自白を獲得するための留意事項………………………………… 550
○「秘密の暴露」を含む供述を得るための留意事項………………………… 553
○事件についての報道内容の点検の必要性…………………………………… 556
○供述内容の裏付けができない場合の措置…………………………………… 558
○面割りに当たっての留意点…………………………………………………… 560
○児童や知的障害の疑いのある者の取調べにおける留意点………………… 565
○供述に代えた書面は原則として証拠として使えないこと………………… 572
○供述を調書化することの必要性……………………………………………… 587
○いわゆる現場供述の取扱い…………………………………………………… 592
○臭気選別結果の利用について………………………………………………… 616
○臭気選別結果の証拠能力・証明力を担保するための留意点……………… 617
○捜査官の不公正、不正直な言動の違法性判断への影響…………………… 637
○任意同行・留め置きに引き続く採尿手続の適法性確保のための留意点……… 651
○捜査官が証拠法について十分知識をもつべきこと………………………… 693
○捜査過程で作成したメモ類の保管・整理の在り方………………………… 728
○公判前整理手続における証拠開示制度を念頭に置いた捜査について……… 728

参考図・書式一覧表

参　　　考　　　図	書　　　式
1　刑事訴訟手続の流れ………………24	1　人定事項等報告書………………35
2　検視の対象となる死体……………39	2　検視調書…………………………42
3　親族図……………………………55	3　告訴状……………………………66
4　警察署備品の損壊についての告 　訴権の例示…………………………56	4　告訴調書…………………………73
5　緊急逮捕できない刑法上の罪名 　一覧・現行犯逮捕が制限される刑 　法上の軽微な罪名一覧…………406	5　自首調書…………………………87
	6　面割り供述調書など………… 203
6　領事関係に関するウィーン条約 　による捜査権行使に対する制限…673	7　捜索差押許可状請求書………218
7　外交関係に関するウィーン条約 　による捜査権行使に対する制限…674	8　捜索差押調書…………………235
8　第1審の公判手続の流れ……… 688	9　被疑者捜索調書………………236
	10　捜索差押許可状請求書（リモー 　　トアクセスによるもの）、記録命 　　令付差押許可状請求書………265、266
	11　「強制採尿令状」請求書、「強 　　制採尿」調書………………267、268
	12　逮捕に伴う捜索差押調書……… 275
	13　実況見分調書………………… 303
	14　検証許可状請求書…………… 305
	15　鑑定処分許可請求書、鑑定嘱託 　　書………………………316、317
	16　逮捕状請求書、逮捕状に代わる 　　ものの交付請求書…………343、345
	17　弁解録取書…………………… 355
	18　緊急逮捕後の逮捕状請求書…… 381
	19　送致書……………………… 421
	付録2
	現行犯人逮捕手続書、緊急逮捕手 　続書…………………………… 776

※　書式中の様式番号は、検事総長指示「司法警察員捜査書類基本書式例」のもので
　ある。

凡　　例

1　判例集は次のように略記した。

大審院刑事判決録………刑録

大審院刑事判例集………刑集

最高裁判所刑事判例集…刑集

最高裁判所民事判例集…民集

最高裁判所裁判集刑事…裁判集刑事

最高裁判所裁判集民事…裁判集民事

高等裁判所刑事判例集…高刑集

東京高等裁判所刑事判
　決時報………………東高刑時報

高等裁判所刑事裁判
　（判決）速報…………高検速報

高等裁判所刑事裁判
　特報…………………高裁特報

高等裁判所刑事判決
　特報…………………高判特報

下級裁判所刑事裁判
　例集…………………下刑集

下級裁判所民事裁判
　例集…………………下民集

刑事裁判月報…………刑月

判例時報………………判時

判例タイムズ…………判タ

2　判例が登載されている判例集の引用は次のようにした。

　「最高裁判所判決昭和53年9月7日　最高裁判所刑事判例集32巻9号7頁登載」→（最判昭53.9.7刑集32-9-7）

　「東京高等裁判所判決平成4年10月15日　判例時報1143号154頁登載」→（東高判平4.10.15判時1143-154）

　なお「大審院判決」は「大判」、「東京地方裁判所判決」は「東地判」と略記した。

3　「刑事訴訟法（規則）」は「法（規則）」と、「犯罪捜査規範」は「規範」と略記した。

第 1 編
入門と基礎

2　第1編　入門と基礎

設問 1 刑事訴訟手続の入門

●**設　問**●

「夫甲は、妻乙が同僚のＡと肉体関係を持ったことを知って嫉妬し、酔った勢いで、ある夜、自宅台所にあった果物ナイフで乙の背中を刺して即死させ、逃走した。」この事案を例にとって、(1)　捜査、公判手続の流れを説明しなさい。(2)　また、被疑者を逮捕した場合の警察官及び検察官の手持ち時間の制限について説明しなさい。

◆**解　答**◆

(1)　解説のとおり。

(2)　（次頁の図参照）　警察官は、被疑者を逮捕したときから48時間以内に、書類・証拠物とともに身柄を検察官に送致する手続をとらなければならない（法203条1項）（ただし、48時間以内に送致の手続をとれば足り、検察官の手元に身柄が到着した時点が、48時間の制限時間を超えたとしても制限違反ではない）。

警察官による逮捕から検察官の勾留請求（法205条1項）までの被疑者の身柄の拘束時間は、警察官の下と検察官の下とをあわせて72時間を超えられない（法205条2項）のが原則であるので、48時間を超過して検察官に身柄が到着するときは、その分、検察官の手持ち時間（24時間　法205条1項）が短くなり、検察官の弁解録取、前科照会等の各種手続上、支障を来すおそれがあるので配慮を要する。

検察官が、勾留請求から、釈放か起訴かを決めるまでの検察官の手持ち時間は10日間である。やむを得ないときは、さらに勾留期間を延長できる（原則として10日以内。内乱罪等の重大事件はさらに5日間の延長が可能　法208条、208条の2）（⟹**設問37**、**4**、**設問43**、**3**）。

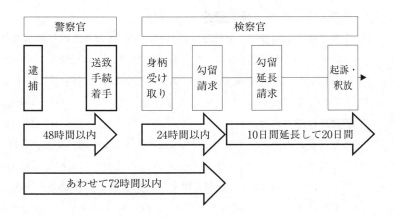

1 捜査の端緒の把握、捜査の開始

甲方が、騒々しいことから、隣家のBが、甲方に駆けつけ乙が血まみれで倒れているのを知り110番**通報**した。通報を受けた所轄警察署と警察本部鑑識課が捜査を開始した。

2 物的証拠の収集、鑑定嘱託

(1) 警察官は、乙の死体の**検視**を終了して直ちに□大学法医学教室の医師Cに死因等を**鑑定嘱託**するとともに、検証令状を得て甲方を現場**検証**したが、その際同所に血に染まったナイフが置き去りにされているのを発見し、犯人が遺留した物件と認めて**領置**した（⟹ 設問 22、設問 34）。

(2) 現場の状況から夫甲が犯人である可能性が大きいと判断されたので、犯行動機解明のため、捜索差押令状を得て、甲、乙がつけていた日記類を**差し押さえた**（⟹ 設問 24）。妻乙の日記の中に「Aと交際していたのが、夫に発覚した。」との記載があり、夫甲の日記の中にはさまれたメモに「乙に裏切られた。このままではいられない。」と書かれていた。

(3) 鑑定の結果、領置したナイフに付着していた血液のDNA型は乙のDNA型と一致し、また、ナイフの柄に付いていた指紋は甲のものだと判明したため、甲が妻乙の浮気に嫉妬して同女を殺害した疑いが極めて濃厚になった。

4 第1編　入門と基礎

3　参考人の取調べ⟹ 設問23

(1)　警察官が乙の日記に記載されていた、甲の同僚Aを**取り調べた**ところ、Aは、「乙と深い関係にあった。最近、甲がこれに気付き、酔うと必ず、自分に対し『よくも俺をだましたな。必ずお前と乙を殺してやる。』とわめいて暴れていた。」と供述するに至ったので、その旨の**参考人供述調書が作成**された。

(2)　犯行直前の甲の立ち寄り先のDは、甲の親族であったが、Dは「甲はうちでビールをコップ4杯ぐらい飲んだだけで、ほろ酔いで甲方に帰った。」と供述したので、警察官はその旨の**参考人供述調書を作成**した。

(3)　夫甲の弟Eを取り調べたところ、「犯行前日、甲から興奮した口調で電話があり、『乙に裏切られた。相手の男も一緒にぶっ殺してやる。』と息巻いていた。」と供述したので、その旨の**参考人供述調書を作成**した。

4　逮捕、被疑者の取調べ

(1)　警察官は、以上の証拠を疎明資料として裁判官から**逮捕状**の発付を得て、甲を殺人罪で**逮捕**し同人の取調べを開始した（⟹ 設問23 、 設問36 ）。

(2)　甲は、乙をナイフで刺し、その結果乙が死亡したので逃げ出したことは認めたが、「自宅に帰ったとき、乙と口論となり、乙が浮気をしていることで面白く思っていなかったこともあり、衝動的に刺したものであり、殺意はなかった。」と弁解した。

5　検察官送致、勾留請求、起訴前の勾留⟹ 設問43

(1)　警察官は、逮捕後48時間以内に、甲の身柄を検察官に**送致**した。甲は、検察官に対しても、殺意を否認する供述をした。

(2)　検察官は、なお捜査を続けなければ甲を処分できないとして、送致後24時間以内に、裁判官に対し、甲の起訴前の**勾留**を**請求**した。裁判官は勾留するかどうかを決定するに際し、甲に対し逮捕事実について**勾留質問**したが、甲は、殺意を否認したほか、同僚Aらとの通謀のおそれがあると認められたため、裁判官も、起訴前の勾留を決定した。

(3)　勾留された段階で、甲には**国選弁護人**が付された（被疑者国選弁護制度⟹ 設問46 ）。

6 送致後の捜査

(1) 検察官送致後は、警察の捜査と並行して、検察官による捜査が行われた。

警察官は、主として甲、乙の知人関係を取り調べ、日頃の甲、乙の夫婦仲等を捜査した。

検察官は、同僚Aを調べ、甲の殺意が推測できる前記言動があった旨の検察官供述調書を作成した。死因についても鑑定嘱託医Cを調べ「小型ナイフの刃体全部が背中から心臓に突き刺さった結果、乙は即死した。ナイフを刺す際、甲は全身の力を込めたものと推定できる。」という内容の検察官供述調書を作成した。しかし、検察官は、甲から、犯行当時泥酔していたという主張がなかったため、甲の最後の立ち寄り先のDの検察官供述調書は作成しなかった。

(2) 勾留がついた当日、甲は警察官に対して、「当時、酒に酔っていたこともあって、どうしても乙に対する怒りが抑えられず、乙の後ろから、その背中をナイフで1回手加減することなく思い切り刺した。」などと供述し、その旨の自白調書も作成されたのであるが、その翌日から殺意否認に戻り、その後は当初の10日間の勾留期間中はもとより、更に10日間勾留を延長した期間中も、警察官にも検察官にも「乙をナイフで刺したことは間違いないが、今振り返って考えると、とにかく酒に酔っていたため、どんな気持ちであったのか全く思い出すことはできない。少なくとも乙を殺そうと思っていたことはない。」などと殺意に関し曖昧な供述に終始した。

(3) 検察官が夫の弟Eを取り調べたところ、警察官に述べたのと同旨の供述をしたが、「兄貴がいる法廷では証言できない。」と述べたため、**第一回公判期日前の証人尋問**（法227条）を請求し、裁判官の前で、Eから警察官に供述したのと同旨の証言を得た（⇒ **設問44**）。

7 被疑者の取調べの録音・録画

殺人罪は裁判員裁判対象事件なので、被疑者甲に対する警察官・検察官の取調べ・弁解録取は、取調べ等の開始から終了まで全過程が録音・録画された。

8 起訴

検察官は、勾留延長期間満了日において、A、Eの供述、鑑定嘱託医Cの鑑定意見等を支えにして甲の殺意を十分立証できると判断し、殺人罪で甲を**公判請求**した。

9 公判前整理手続⇒ 設問67

殺人罪は、裁判員裁判対象事件であるため、**公判前整理手続**に付せられ、検察官から証拠開示がなされ争点等が整理された。争点整理において、甲とその弁護人丙は、①殺意を否認するとともに、②「犯行前、D方で前後不覚になるまで日本酒、ウイスキーを大量に飲んでいたので、自宅で乙と口論をしたことは覚えているが、その途中で訳が分からなくなり、気がついたら、乙を刺していた。」と主張し、犯行時の精神状態が心神耗弱（是非の判断能力又はこれに従って行動する能力が著しく減少している状態）であったと主張し、③さらに甲の被疑者供述調書にある「乙に対する怒りが抑えられず、乙の背中をナイフで思い切り刺した。」という供述はしていないし、取調べ官から脅迫された結果、意に反して署名したものである。その他の調書も捜査官から、『お前は酔っていなかった』と威圧的に責められた結果、真実は前後不覚だったのにほろ酔いだったという供述を強いられたものである。いずれにせよ、**任意性**を欠くから証拠として採用されるべきではない。」とも主張し、これらが争点と整理された。

10 冒頭手続⇒ 設問66

第一回公判期日の罪状認否において、甲とその弁護人丙は、上記争点整理①、②のとおり主張した。

11 同意書証等の取調べ

(1) 弁護人は、検察官が証拠調べ請求した、Aの警察官供述調書・検察官供述調書、D、Eの警察官供述調書、鑑定嘱託医Cの鑑定書・検察官供述調書について、**不同意**としたが、その他の参考人供述調書、鑑定書等

については**同意**し、凶器のナイフ等の**証拠物**の**取調べについても異議がない**との意見であった。
　(2)　裁判所は同意された書証、取調べに異議がない証拠物を証拠として採用することに決定し、証拠調べを実施した。

12　同意されない書面が取り調べられる場合、証言でまかなえる場合

　(1)　**鑑定書**については、証人として出廷した鑑定嘱託医Cから「鑑定書はありのままを記載したものである。」と証言があったため、証拠としての資格（**証拠能力**）を持つに至った。
　(2)　また、鑑定嘱託医Cは、検察官に供述したと同様「犯人は全力をこめて刺したと考えられる。」と証言したので、鑑定嘱託医Cの検察官供述調書の提出は不必要になった。

13　証言が後退したとき、捜査段階の供述調書で支えることができる場合

　(1)　Aは、**証人**として出廷したが、甲を目の前に見て、甲に同情し、「甲は、『お前を殺してやる』とは言っていたが、『乙を殺す』とは言ったことはない。」と、捜査段階の供述と相反する証言をした。検察官は、Aの心情等からみれば、証言時よりも捜査段階の供述時の方が信用できると主張して、Aの**検察官供述調書**に証拠能力を付与するように請求したところ、裁判所も検察官供述調書を証拠能力があるものとして採用した（⇒**設問58**）。
　(2)　Eも証人として出廷したが、実兄である甲の前では証言を渋り、「甲から犯行前日に電話があったことは事実であるが、どんな内容だったか覚えていない。」と、裁判官の前での証言と食い違う証言をした。そこ

で検察官は、「ぶっ殺してやると息巻いていた」旨の裁判官の前での証言調書の取調べを請求したところ、裁判所はこれを採用した（⇒ 設問58）。

14 証言が後退した際、捜査段階の供述調書で支えられない場合

(1) Dは、甲の親族であり、警察官にした自分の供述が甲に不利だと分かったため、証人として出廷した際、「甲は、事件の夜、うちでベロンベロンになるまで飲んで自宅へ帰った。警察の方にも同様の説明をしたつもりだったが、当時身内の乙が死んだということで、気持ちが動揺しており、調書もいちいち確認しないで署名した。」と証言し、甲が泥酔していた状況を事細かに証言した。

(2) 検察官は、Dが警察官に対して証言と異なる供述をしており、Dの証言は信用できないということを証明する目的（**弾劾**）で、Dの**警察官供述調書**を提出し、この目的での立証には成功した。しかし、参考人の警察官供述調書は証拠能力の制限が厳しいので、「甲は事件直前に、ビール4杯くらい飲んで、ほろ酔いで帰っていった。」という供述調書の内容こそが真相であることの立証（**実質証拠**としての立証）はできなかった。このため、検察官は、犯行当時甲がさほど酔っていなかったことの積極的証明には失敗した（⇒ 設問58）。

15 被告人側の反証

弁護人は、Dの証言を裏付けるものとして、甲が飲んでいったとする、ビール中瓶空き瓶5本、日本酒一升瓶空き瓶2本の取調べを請求し、これを保管していたというDの妻Fを出廷させ、Fは「事件当夜の空き瓶をずっと保管していた。」と証言した。

16 自白の任意性立証、捜査官の出廷

甲に殺意があったこと、犯行時泥酔していなかったことを立証するため、

甲の被疑者供述調書の取調べを請求し、同時に、その取調べの録音・録画記録の取調べも請求した。

再生した同記録によれば、取調べ官は、甲が大声で殺意否認をしたときに、「『まわりの人に殺してやる』と言ってるだろう。」などと大声で説諭している状況はあったが、脅迫的言動はなかった。甲は犯行時の状況については、殺意を除いては、最初から自発的に供述し、酩酊の程度についても、泥酔であったとの供述はしていなかった。殺意については当初強く否認していたが警察官から勾留が付いたと告知されると、しばらく考え込み、警察官から「きちんと話せ」と言われて「乙への怒りが抑えられず、乙の背中をナイフで刺してしまった。この時、とても手加減する気持ちにならず、思い切り力を込めてやったことを覚えている。」などと供述したものの、翌日の取調べでは、「酒に酔っていたので、どんな気持ちであったのか全く思い出すことはできない。少なくとも乙を殺そうと思っていたことはなかった。」などと殺意に関し曖昧な供述に終始する状況が認められた。

検察官は、被疑者調べの任意性を立証するために、取調べ担当警察官に、取調べ状況の証言を求めた。警察官は「脅迫などした事実はない。甲に勾留が決定になったことを告げると、甲は、しばらく沈黙して、涙ながらに自分から当時の心境について話を始めた。その内容は供述調書に記載したとおりであった。ところが、甲は、翌日弁護人と接見してから態度が急変し、酒に酔っていた影響で「当時の心境について全く思い出せない。乙を殺そうと思っていたことはなかったはずだ。」などの一点張りになるとともに、都合の悪い質問には黙秘したり、食ってかかるようになった。この後は甲が供述することと少しでも違うと調書に署名を拒否する態度であったから、もし甲が泥酔状態だったと申し立てていれば、そのとおり記載したはずである。その記載がないということは、甲が、泥酔状態だという供述をしていなかったことである。」と証言した。この結果、甲の被疑者供述調書は、警察官供述調書、検察官供述調書いずれとも証拠として採用された（⇒設問51、設問53、設問68）。

17 最終意見陳述

検察官の論告、弁護人の弁論、被告人の意見陳述

18 判決宣告

裁判所は、起訴状どおりの殺人罪を認定しながら、心神耗弱だった疑いがあるとして、求刑を大幅に下回る有罪判決をした。

刑事訴訟手続の基礎知識　設問2　*11*

設問 2 刑事訴訟手続の基礎知識

● 設　問 ●

(1) 捜査開始から裁判の確定、刑の執行までの手続について説明しなさい。

(2) 捜査手続の流れについて説明しなさい。

◆解　答◆

(1) ⟹ **1**

(2) ⟹ **3**

1　刑事訴訟手続とは

　犯罪が行われると、犯人に対する国の刑罰権が発生し、犯人処罰に向けての一連の手続が開始される。わが国では、この手続は法等の定めるところに従って実施されるので、この手続を、**刑事訴訟手続**という。

　これは①**捜査**、②**起訴**（＝**公訴の提起**）、③**公判審理**、④**裁判**、⑤**刑の執行**などの手続に大きく分かれる（⟹24頁「**参考図1**」参照）。

2　捜査・捜査機関

1　捜査とは

　捜査は手続の最も早い段階で実施されるもので、**捜査機関**（司法警察職員、検察官、検察事務官）が、犯罪を犯した疑いのある者（**被疑者**）を探索し、必要があればその身柄を確保し、その者を起訴し有罪の裁判を獲得するのに必要な証拠を収集・保全する活動のことである（ただし、検察官が起訴・不起訴を正しく判断できるように、証拠は積極方向・消極方向を問わずに収集されなければならない）。捜査なくして起訴や裁判もあり得ず、刑事訴訟手続において極めて重要な地位を占める。

12 第1編　入門と基礎

2　捜査の進行

捜査は、おおむね以下の順序で進行する。

(1)　犯罪の発生

ア　犯罪が発生して国の刑罰権が生じ、犯人処罰に向けて捜査が開始されるのであるから、「犯罪の発生」は捜査開始の前提である。

　　ここに犯罪とは、法律で犯罪を構成する行為とその罰則が定められている行為のことであり、単なる非道徳行為（例えば不貞行為など）は含まれない。

イ　犯罪発生前の警察活動である、犯罪予防・情報収集活動は行政警察活動であり、捜査手続ではない。

(2)　捜査の端緒の把握⟹ 設問 1 1

　　司法警察職員は、犯罪があると思料するときは捜査を開始する（刑事訴訟法189条2項。以下、刑事訴訟法を「刑訴法」又は単に「法」と表記することもある）。検察官は、犯罪があると思料し、かつ、「必要と認めるとき」に捜査を開始する（法191条1項）。捜査開始の原因となるものを、**捜査の端緒**と呼ぶ。法は、現行犯人の発見、変死体の検視、告訴、告発、請求、自首について特に規定を設けているが、これは他の方法での端緒の把握を禁じている趣旨でなく、捜査機関は、新聞の記事、投書、世間の風評などおよそあらゆる社会現象のなかから、捜査の端緒を得ることができる。

(3)　捜査の実行⟹ 設問 1 1〜4

ア　これには、

　(ｱ)　**証拠の収集活動**（証拠物の収集＝領置・捜索・差押え。現場状況の保全・記録＝実況見分・検証。供述・専門的判断の収集＝取調べ、鑑定嘱託）

　(ｲ)　**犯人の身柄確保**（逮捕等）

　の2種類の活動がある。

イ　これらの活動は、裁判官の令状がないとできない**強制捜査**と、令状を要さない**任意捜査**に分類できる。

3 捜査機関

(1) 捜査機関の種類

捜査機関には、**司法警察職員、検察官、検察事務官**の 3 種類がある。司法警察職員には、**一般司法警察職員**すなわち警察官（法189条）と**特別司法警察職員**（海上保安官、麻薬取締官など、特別の事項について司法警察職員として職務を行う者。法190条）の 2 種類がある。

司法警察職員は、**司法警察員**と**司法巡査**の総称であり、司法警察員は法律行為的な捜査権限をも有するが、司法巡査は司法警察員の指揮の下で事実行為的な捜査活動だけをなし得る。司法警察員のみに認められている権限としては、告訴・告発・自首の受理（法241条、245条）、変死体の代行検視（法229条）、（通常）逮捕状の請求、身柄拘束した被疑者の弁解録取・釈放、捜索差押等許可状請求、鑑定処分許可状請求、鑑定留置許可状請求、事件の送致・送付、押収物の換価処分・還付などがある。

(2) 警察官の捜査と検察官の捜査との関係

旧刑訴法（1922年制定）時代と異なり、警察官は検察官の手足として捜査をするのではなく、独自の捜査機関としての権限と責任において捜査をするものである。事件の送致・送付後は、警察官の捜査と検察官の捜査が競合・並行することとなり、この場合は、両者は**協力義務**を負う（法192条）から、密接な連絡協調関係をとりながら捜査を実行すべきものである。

しかし、捜査は、結局のところ、検察官の公訴の提起・維持に向けてなされるべきものであるから、究極的な場面では、警察の捜査に対し検察官が関与しその意向を捜査に反映させる必要があると考えられている。そこで、検察官は、捜査に関し警察官に指示・指揮をする権限を有するものとされ（法193条 1 項　**一般的指示**、193条 2 項　**一般的指揮**、193条 3 項　**具体的指揮**）ている。この意味で、警察官と検察官は、一般の行政官庁相互の関係とは異なるといえる。

3 捜査から刑の執行までの手続の流れ

1 司法警察職員の捜査と検察官への事件送致・送付

前記のとおり、犯罪があると思料するとき司法警察職員は捜査を行うが、司法警察職員の捜査がなされた場合は、事件は速やかに検察官に送致される（法246条。ただし、告訴・告発事件のときは送付手続をとる。法242条）。司法警察職員によって被疑者が逮捕された場合は、これを48時間以内に検察官に送致する手続をしなければならない（法203条1項）（⟹ 設問1 、設問43 ）。

送致、送付された事件については、引き続いてなされる検察官の捜査結果も付け加えられて、検察官によって証拠の内容を評価され、起訴・不起訴の事件処理が行われる。

例外的に検察官自身が独自に捜査する事件については、他の捜査機関からの送致・送付というものはなく、捜査結果を検察官自身が直接入手し、証拠の評価をし、事件処理が行われることになる。

2 検察官の事件処理 ⟹ 設問1 8、詳細は 設問43 、 2

検察官は、他の捜査機関から送致（送付）を受け、または独自捜査によって自ら犯罪を認知した刑事事件について、必要な捜査を遂げると、これを**起訴・不起訴及びその他の処分**に付する（これを「**事件処理**」と呼んでいる）。

(1) 起 訴

起訴とは有罪の裁判を求める意思表示を意味し、公訴提起ともいう。

捜査の結果、収集・保全された証拠は検察官に集約され、検察官は、これらの証拠関係を評価検討し、被疑者を特定の犯罪の犯人として起訴したとき、求めたとおりの有罪の裁判を得られる合理的根拠がある場合（犯罪の嫌疑が十分な場合）、裁判所に対し、その事件を起訴する。起訴は、書面（**起訴状**）をもって行う。

(2) 起訴独占主義・起訴便宜主義

公訴提起の権限を持つ機関は検察官だけである（法247条、これを「**起訴独占主義**」という。例外としては、 設問43 、 2 3参照）。

また、検察官は、犯罪の嫌疑が十分な場合であっても公訴の提起を義

務付けられておらず、犯罪の軽重、社会的影響、犯人・被害者の個別的
事情等のいわゆる情状を考慮して、その犯人の処罰を求めないで不起訴
とする（起訴猶予）こともできる（法248条、これを「**起訴便宜主義**」
という。「**起訴裁量主義**」ともいう）。

(3) 公訴提起の方式は、公判廷での審理及び裁判を求める**公判請求**が原則
とされるが、一定の要件のもとに例外的に書面審理で処罰を求める**略式
命令請求**（法461条以下）などの方式もある。

平成18年10月2日から**即決裁判手続**も施行されている。これは、争い
のない明白軽微な事件について、被疑者の同意がある場合（弁護人が付
いているときは、その同意（又は意見留保）も必要）、検察官が公判請
求と同時に手続を申し立てると、公判期日が速やかに開かれ、裁判所の
決定によって簡易・効率的な審理が行われ、原則として即日で判決（罰
金又は執行猶予付き拘禁刑に限る）が言い渡される（法350条の16〜350
条の29）というものである。

(4) **不起訴**の理由は様々であるが、

① 公訴を提起しても有罪の裁判を獲得する見込みがない場合（**嫌疑不
十分、心神喪失**、親告罪の告訴の欠如など）

② 公訴を提起すれば有罪の裁判を得られるのに、刑事政策的観点から
裁量的に起訴を猶予する場合（**起訴猶予**）

の2つに大きく分けられる。

3 公判審理・裁判⟹詳細は 設問66

(1) 公訴の提起を受けた**裁判所**は、起訴された事件について、検察官、**被
告人**（公訴を提起された者）、被告人の補助者である弁護人の訴訟活動
を指揮するなどし、審理を遂げて裁判する。

被告人が有罪であると確信して公訴を提起した検察官は、裁判所が同
様に有罪の心証を持つように主張、立証する。これを**公訴の維持・遂行**
という。

公訴を提起しても、例えば弁護人等からのアリバイ立証が成功するな
どし、被告人の有罪の裁判を裁判所に期待できない形勢になることを
「公訴の維持・遂行が困難・不能になった」と表現することがある。

16 第1編 入門と基礎

(2) 公判請求の場合、その審理及び裁判の手続の段階は、次のように分かれる。（⟹688頁「**参考図8**」参照）

ア **冒頭手続の段階**

裁判長が被告人が人違いか否かを確認する**人定質問**、検察官の**起訴状朗読**（法291条1項）、これを認めるのか否認するのかを陳述する被告人の**罪状認否**などが行われる。

イ **証拠調べ段階**

検察官、被告人が証明したい事実を明らかにして（**冒頭陳述**）、これを証明するための証拠の取調べを裁判所に請求し、裁判所において決定した証拠調べを実施し（**証拠調べの請求・証拠決定・証拠調べ**）、更に**被告人質問**を実施する。

ウ **論告・弁論、結審、判決の段階**

その後、検察官の**論告**・弁護人の弁論・被告人の最終陳述がなされ（**弁論手続**の段階）、これが終了すると審理が終結され（**結審**という）、その後の判決の宣告で第一審の公判が締めくくられる。

4 上 訴

その判決に不服な当事者は、さらに上級の裁判所に上訴（控訴・上告）してその判断を求めるが、いずれ裁判は確定し、訴訟は終結する。

5 再 審

裁判の確定後も、新たな、しかも明らかに有罪確定裁判の結論を動揺させるに足りる証拠が提出された場合に訴訟をやり直す制度として「**再審**」がある。従来は、再審開始のために必要な新証拠の程度について「無罪を推測するに足る高度の蓋然性」まで要求されていたのに対し、いわゆる「白鳥決定」（最決昭50.5.20刑集29-5-177）は「**確定判決における事実認定について合理的疑いを生ぜしめれば足りる**」とした。同決定は、「開かずの扉」といわれていた再審の門を飛躍的に広げたものと解されている。捜査官は、有罪裁判確定後であってもその判断が覆され得るということを肝に銘じておく必要がある。

6 刑の執行

検察官の指揮により行われる。

4 違法捜査に対する是正方法、制裁

捜査は人権侵害を及ぼす危険があることから、適法かつ妥当になされる必要がある。かりそめにも法定の手続を守らない違法捜査がなされてはならない。もし違法捜査がなされたときは、その捜査を直接行った捜査員、捜査機関に対して制裁が行われるだけでなく、その捜査の結果収集された証拠が犯罪立証に利用できなくなり、犯人の処罰が不能になるという重大な結果を引き起こす場合もある。捜査員は十分に心すべきである。

是正方法、制裁の概略は以下のとおりである。

1 準抗告

捜査機関による接見指定処分、押収・押収物の還付に関する処分については、**準抗告**という方法で、処分の取消し・変更を求め得る（法430条）。本来、これらの処分は行政処分であるが、刑事訴訟手続の中で解決されるべきであるとして本条が設けられ、その反面として、行政事件訴訟法等の適用がないとされている。

なお、捜査活動においてなされる処分の大部分は、行政不服審査法の適用除外対象の一つである「刑事事件に関する法令に基づいて検察官、検察事務官又は司法警察職員がする処分」（同法7条1項6号）に当たり、同法による不服申立てができず、刑事訴訟手続の中で不服申立てをすべきものとされている。

そして、裁判官のなした裁判に対しても準抗告（法429条）が行われ、その対象は、逮捕状の発付・却下を除く、強制捜査のための令状発付関係のほとんど大部分に及んでおり、そこにおいて捜査機関の捜査活動の適否も判断されるので、捜査活動の是正手段が不十分とはいえない。

2 捜査員に対する懲戒処分又は処罰

前者は、捜査機関内部での捜査員個人に対する人事上の制裁である。違法行為が、例えば被疑者に対する暴行等であるときは、特別公務員暴行陵虐罪等に該当し、処罰の対象になり得る。

3 捜査員の公務に対する公務執行妨害等の不成立

公務執行妨害罪は適法な公務を保護するものであるから、違法な捜査活動

18 第1編 入門と基礎

に対する暴行等は犯罪不成立となることがある。また、違法な捜査活動に対
しては、正当防衛の成立も認められるから、その暴行等により当該捜査員が
負傷等しても、犯罪不成立となる場合がある。

4 捜査機関に対する国家賠償請求

(1) 「国又は公共団体の公権力の行使に当る公務員が、その職務を行うに
ついて、故意又は過失によつて違法に他人に損害を加えたときは、国又
は公共団体が、これを賠償する責に任ずる。」(国家賠償法1条1項)と
される。捜査機関による捜査活動は、公権力の行使の最たるものである
から、その違法・有責な行使の結果、他人に損害を与えたときは、捜査
機関の属する国、公共団体は賠償責任を負う。

(2) **公務員個人の賠償責任**

国や公共団体に賠償責任が成立する場合に、公務員個人が、被害者に
対して賠償責任を負うかどうかにつき、最高裁は一貫して、**公務員個人
は賠償責任を負わない**としている(最判昭30.4.19民集9-5-534、下記最
判昭53.10.20など)。

(3) **無罪事件についての国家賠償責任**

捜査機関が被疑者を有罪と確信して、捜査・訴追したものの、裁判上
無罪とされた場合であっても、それだけで直ちに起訴前の逮捕勾留、公
訴提起追行、起訴後の勾留が違法となるわけではないとするのが確定し
た判例である(最判昭53.10.20民集32-7-1367 いわゆる「芦別事件国
家賠償事件」。同旨のものとして最判平元.6.29民集43-6-664、最判平2.
7.20民集44-5-938＝いわゆる「弘前大教授夫人殺人事件」の再審無罪国
家賠償事件に関するもの、仙台高判平12.3.16判時1726-120及び仙台地
判平3.7.31判時1393-19＝いわゆる「松山事件」再審無罪国家賠償事件
に関するものなどがある)。

上記芦別事件国家賠償事件判決で、最高裁は「刑事事件において無罪
の判決が確定したというだけで直ちに起訴前の逮捕・勾留、公訴の提起・
追行、起訴後の勾留が違法となるということはない。けだし、**逮捕・勾
留はその時点において犯罪の嫌疑について相当な理由があり、かつ、必
要性が認められるかぎりは適法**であり、……起訴時あるいは公訴追行時

における検察官の心証は、その性質上、判決時における裁判官の心証と異なり、**起訴時あるいは公訴追行時における各種の証拠資料を総合勘案して合理的な判断過程により有罪と認められる嫌疑があれば足りる**」と判示した（**職務行為基準説＝無罪の結果から遡って判断するのではなく、逮捕・勾留・起訴という職務行為がなされた時点を基準とする説**）。また、前記最判平元.6.29民集43-6-664は、同旨を述べた上で、「公訴の提起後、その追行時に公判廷に初めて現れた証拠資料であって、通常の捜査を遂行しても公訴の提起前に収集することができなかったと認められる証拠資料をもって公訴提起の違法性の有無を判断する資料とすることは許されない」としている。

　公訴提起の違法　　結局、公訴提起時において、**検察官が現に収集した証拠資料及び通常要求される捜査を遂行すれば収集し得た証拠資料を総合勘案して合理的な判断過程により有罪と認められる嫌疑があれば、公訴提起は違法ではない**ということになる（東高判平11.9.29判時1705-68）。

　逆に、公訴提起時の証拠を合理的に判断して有罪とは判断できない場合、公訴提起は違法となる。例えば、被告人を住居侵入・窃盗で公判請求した際、起訴の決め手の証拠とされた現場指紋が、犯行以前に被告人が被害者方でエアコン取付け工事をした際に付着した可能性があるとして無罪となった事件に関し、検察官が、同工事の際の指紋が残っていた可能性を排斥する合理的な根拠が欠けているのに、公訴を提起したことを違法とした事例（名古屋高判平19.6.27判時1977-80　国賠事件）がある。

　逮捕の違法　　証拠資料の証明力の評価には個人差があるから、捜査官が逮捕等の権力を行使するに当たって、捜査官の証拠の評価について通常考え得る個人差を考慮に入れても、なおかつ行き過ぎで、経験則・論理則からして到底その合理性を肯定できないという程度に達している場合に、初めてその権力行使が違法となる（東高判昭45.8.1判時600-32　「松川事件国家賠償事件控訴審判決」）。

　逮捕の適法要件である「罪を犯したことを疑うに足りる相当な理由」とは、捜査機関の主観的嫌疑では足りず、証拠資料に裏付けられた客観的・合理的な嫌疑でなければならないから、嫌疑の合理性を疑わせる資料、例

えばアリバイの存在があるときは、その吟味にも十分耐え得る嫌疑であることが必要とされる（広島地呉支部判昭34.8.17下民集10-8-1686）。しかし、捜査段階のことであるから、有罪判決の事実認定に要求される合理的疑いを超える程度の高度の嫌疑や、公訴を提起するに足りる嫌疑までは要求されていない（高松高判昭34.6.15民集10-6-1241）。

在宅捜査の違法　警察官には、在宅送致事件においても、捜査機関として合理的に期待される通常の捜査を尽くす義務があり、警察官は、捜査機関として合理的に期待される通常の捜査をすれば刑事事件として成立する程度の犯罪の嫌疑はないことが判明したにもかかわらず、これを怠り、犯罪の嫌疑ありとして事件を検察官に送致した場合には、右の不十分な捜査が国家賠償法上違法の評価を受けることがあり得る（前記東高判平11.9.29）。

実例として、窃盗の被害を受けた金庫に被疑者の指紋が付着していたことを理由に被疑者を逮捕、送致、勾留したことには違法はないとしながら、被疑者が「以前、自分が別の会社で稼働したとき本件金庫を取り扱い、その際に指紋が付着したと思う。その後、同金庫が本件被害者のところに転売されたものだ。」と一応合理的な弁解をし、本件の嫌疑について合理的な疑いの余地が生じたのに、勾留後、本件金庫の販売ルートの十分な裏付け捜査をせず、いたずらに被疑者を追及し自白させたという警察官の捜査方法について、これを違法であるとした事案（大阪地判昭58.6.2判タ497-214　本件では、起訴後に真犯人が逮捕され、捜査中の被疑者の自白が虚偽であることが明らかとなっただけでなく、起訴後になって、本件金庫の販売ルートを詳細に裏付け捜査したところ、被疑者の弁解どおり、本件金庫は、以前被疑者が金庫管理者として稼働していた会社から、転々販売され最終的に被害者が購入したことが判明した）は、他山の石とすべき例であろう。

⑷ 捜査懈怠についての国家賠償責任

必要な捜査がなされなかったこと（**捜査懈怠**）を理由に、犯罪被害者等から国家賠償請求がなされることがある。

証拠収集として行われる捜査の場面における捜査懈怠　犯罪が終了

し事態が沈静化した後、専ら公判を想定した証拠収集として行われる捜査の場面で捜査懈怠があった場合については、一般に、犯罪被害者がその捜査によって受ける利益は、反射的利益にとどまり、法律上保護された利益とはいえないとして被害者からの損害賠償責任が否定されることが多い。

　例えば、①被害者又は告訴人が、捜査機関による捜査が適正を欠くこと又は検察官の不起訴処分の違法を理由として、国家賠償法上の賠償請求はできないとした事例（最判平2.2.20裁判集民事159-161　犯罪の捜査及び検察官による公訴権の行使は、国家及び社会の秩序維持という公益を図るために行われるものであって、犯罪の被害者の被侵害利益ないし損害の回復を目的とするものではないし、告訴は、捜査機関に犯罪捜査の端緒を与え、検察官の職権発動を促すものにすぎないとした）や、②被害者が任意提出し所有権放棄した証拠物（衣類等）を、捜査機関が廃棄処分したことについて、単に廃棄処分が適正を欠くというだけでは国家賠償法上の賠償請求はできないとした事例（最判平17.4.21裁判集民事216-579）、③暴行等の被害者Xが被害届を出したにもかかわらず、警察官がこれを他の書類に紛れ込ませ捜査を中断したまま公訴時効を完了させたという事案で、被害回復を図る利益を侵害されたとのXの主張について、犯罪被害者が捜査によって受ける利益自体は、公益上の見地に立って行われる捜査によって反射的にもたらされる事実上の利益にすぎず、法律上保護される利益とはいえないとした事例（さいたま地判平18.6.9判タ1240-212）がある。

　さらに、④被害者の乗ったバイクに追突した自動車の速度が90キロ毎時であることを前提とした警察の捜査や検察官の起訴などに対し、被害者の遺族の要求（追突した自動車は100キロ毎時であったことを前提とした捜査・起訴をすべきである）と食い違ったことを理由に、被害者の法律上の利益が侵害されたとして国賠請求がなされた事案において、捜査機関の捜査権、検察官による公訴権の行使、これらに基づく刑事処罰の結果について、犯罪被害者等に対して、本件遺族が主張するような適正な処罰等により被害回復を図る権利が付与されているものとは認められないとした事例がある（東地判平21.12.21判タ1328-85　平成16年に犯罪被害者等基本法が制定され、同法で、犯罪被害者等は、個人の尊厳が尊重され、その尊厳

にふさわしい処遇を保障される権利を有するとされた趣旨について、「あくまで刑事手続において、犯罪被害者等自身が、同手続に関与して適切な処遇を受ける権利であると解するのが相当」とした）。

犯罪が現に進行中という緊急事態における捜査懈怠　しかし、犯罪が現に進行という場合であって、被害者の生命等を救助する緊急の必要性が極めて高い事態などには、その事態を認識し又は認識できた警察官等は、被疑者を逮捕し、関係先を捜索・検証するなど必要な捜査を実行し、被害者を保護するなどすべき法的義務が生ずることがあることに留意すべきである。警察は「個人の生命、身体及び財産の保護に任じ、犯罪の予防、鎮圧及び捜査、被疑者の逮捕、交通の取締その他公共の安全と秩序の維持に当ることをもつてその責務とする」（警察法2条1項）からである。

　例えば、①暴力団員と大学院生がトラブルになり、110番通報を受けて多数の警察官が現場に行ったが、被害者（大学院生）の友人を救出しただけで、暴力団員らへの職務質問を適切に行わず、現場で暴れていた暴力団員を逮捕もせず帰宅させ、付近の自動車に監禁されていた被害者を捜索しなかったため、その後、被害者が暴力団員にリンチされ殺害された事件について、警察官らの権限不行使は、著しく不合理であって違法であるとして賠償責任を認めた事例（神戸地判平16.12.22判時1893-83　**神戸大学院生殺害事件**国賠事件　権限を行使していれば被害者の殺害も防止できたとして、権限不行使と被害者の殺害との相当因果関係も肯定）、②被害者が、犯人3人に監禁拉致され約2か月間連れ回されながら、熱湯を浴びせられるなどした上、山林で殺害された事件について、リンチで重い火傷を負った被害者が写った銀行の防犯カメラの存在を遺族が警察に伝えた時点において、警察には適切な対応をとるべき義務が生じ、これを怠った点で過失があるとした事例（東高判平19.3.28判時1968-3　いわゆる**栃木リンチ殺人事件**国賠事件控訴審　当該過失と被害者の死亡を回避できなかったこととの間の相当因果関係を認めることはできないとし、被害者の死亡を回避し得た可能性を侵害された限度において損害を認めることができるものと判断した）がある。

　なお、上記東高判平19.3.28は、警察官の捜査懈怠が違法となる要件、

すなわち警察権限発動が義務付けされ、その不発動が違法となる要件として、Ⓐ犯罪等の加害行為、特に国民の生命身体名誉等に対する加害行為がまさに行われ、行われる具体的な危険が切迫していること、Ⓑ警察官においてそのような状況であることを知り、又は容易に知ることのできること、Ⓒ警察官が上記危険除去のために具体的に特定された警察権を行使することによって加害行為の結果を除去することが可能であったこと、Ⓓ強制捜査権の行使にあっては法律上の要件を備えていることの全てを充足することが必要だとした。

(5) 捜査機関の記者発表の際の注意義務

不起訴（起訴猶予）処分について記者発表をする検察官は、公表の必要性がある場合において、当該被疑者が犯罪を行ったことを認めるに足りるだけの証拠資料に基づき、かつ、相当な方法によって当該事実を公表すべき職務上の注意義務を負う（東地判平13.11.22警察学論集55-1-195で引用　国家賠償事件についてのもの。同判決は、職務行為基準説に立つものと解される。その立場では、仮に公表内容が真実でなかったとしても、公表者においてその内容を真実であると信じるにつき相当の理由があるときは職務上の義務違反にならず、違法でないということになる）。

この趣旨は、個人が犯罪を行ったことを捜査機関が公表する際の注意義務と捉えることができる。

5　違法収集証拠の排除

捜査手続に令状主義の精神を没却するような重大な違法があり、その結果得られた証拠物を証拠として許容することが将来における違法捜査の抑制の見地から不相当な場合は、その証拠物の証拠能力は否定され、犯罪立証に利用できなくなる（最判昭53.9.7刑集32-6-1672）（⟹ 設問 63 参照）。

違法に獲得された供述、特に被疑者の自白についても、同様の論法で、証拠能力を否定しようとする見解が有力である。このことも、捜査官として、意識しておく必要があろう（⟹ 設問 51 、 5 ）。

参考図1　刑事訴訟手続の流れ（犯罪の発生から判決の確定まで）

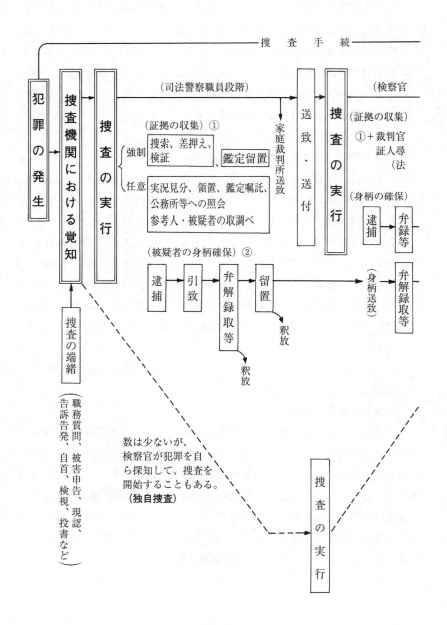

刑事訴訟手続の基礎知識 設問2　25

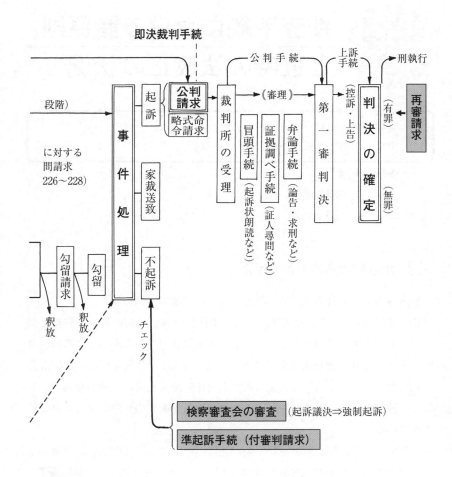

26　第1編　入門と基礎

設問 3 　捜査手続における諸原則と近時の法改正の状況

●設　問●
(1)　捜査手続を規制する原則について説明しなさい。
(2)　平成28年刑事訴訟法等改正について説明しなさい。

◆解　答◆
(1)　⟹**2**参照
(2)　⟹**3** 1 参照

1　刑事訴訟法第1条の趣旨

　刑事訴訟手続の目的は、刑事訴訟法によって規定されている。

　法1条において、「この法律は、刑事事件につき、公共の福祉の維持と個人の基本的人権の保障とを全うしつつ、事案の真相を明らかにし、刑罰法令を適正且つ迅速に適用実現することを目的とする。」と規定され、刑事訴訟手続においては、①迅速な真相の解明（**実体的真実主義**）と適切な処罰、そして②被疑者・被告人の利益を守るための**適正な手続の保障**がそれぞれ要請されている。

　実体的真実主義は、刑事訴訟手続が犯罪の発生によって国家の刑罰権が生じ、その実現のため犯人処罰に向けて行われるという本質（⟹**設問 2**、**1**）を持つことから当然に要請されるものであり、他方、適正手続の保障は、憲法31条に基づくものであって、刑事訴訟法解釈の鍵はこの2つの要請のバランスをいかに取るかにあるといっても過言ではない（池田修・前田雅英「刑事訴訟法講義（第7版）」〔東京大学出版会2022〕6、17、21、26参照）。

　捜査手続においても、常に、この2つの要請の調和が図られなければならない。

　実体的真実主義の要請は、真に犯罪を行った者が処罰を免れることがあっ

てはならないということであるが、逆に、実際は無実である者が処罰される
ことがあってはならないという要請でもあることに留意すべきである。

　適正手続保障の要請は、刑罰権の濫用防止のために求められるものである
が、この厳格さのレベルを高くしすぎると、実体的真実解明が困難になる関
係にある。適正手続至上主義は正しくないが、ここでも適切な調和が求めら
れる。

　2つの要請の調和の均衡点は、捜査実務上は、裁判例、特に最高裁の判例
として示されるところであるが、長い目でみると、究極的には、その時代の
国民の倫理・正義意識（犯罪摘発をどこまで切望しているか、また、どのよ
うな捜査手法・方法について不当・非道と感じるかなど）を背景として、均
衡点が定まり変化していくものであろう。

2 　捜査手続を規制する原則

　公判手続に比べ、捜査手続については、その順序方法について、捜査機関
の裁量に任される面が大きいが、捜査は性質上被疑者、関係人の人権侵害を
起こしやすいものであるから、法は①**令状主義**、②**任意捜査の原則**、③被疑
者の**取調べに関する各種の規制**などの制度を設け、人権保障と捜査の必要と
の調和を図っている。

1 　令状主義

　逮捕、捜索・差押え等の強制処分は、原則として、裁判官の事前の司法審
査に基づいて発付された令状によらなければ許されない。この原則を令状主
義という。憲法33条と35条は、原則として、**司法官憲の発する令状によらな
ければ、逮捕、住居・書類・所持品に対する侵入・捜索・押収をすることが
できない**と定め、令状主義を宣言している。

　令状主義の例外としては、現行犯逮捕、逮捕の現場における捜索・差押え
などがある。

2 　任意捜査の原則

　捜査については、その目的を達成するために必要な方法をとることができ
る。しかし、捜査の方法選択に当たっては、**任意捜査**が原則で**強制捜査**は例
外とされる。これを**任意捜査の原則**という。すなわち、同一目的を任意捜査

28 第1編 入門と基礎

で達し得る限りは強制捜査ではなく任意捜査によるべきであり、また、強制捜査による損害が、それによる利益に比べ不均衡に大きいときは、強制捜査を避けるべきであるとされる。

強制捜査とは、対象者の意思に反して、その重要な権利・利益を実質的に制約する内容の捜査をいい、それ以外の捜査を任意捜査という（⟹**設問15**、**3**2）。強制捜査は、法に特別の定めがない限りなし得ない（法197条1項　**強制捜査法定主義**）、任意捜査は法に規定がなくともなし得るし、多種多様の方法をとり得る。しかし、無制限ではなく、憲法13条、法の精神・基本構造に反する内容のものは禁じられる。ここに、任意捜査の限界が存在する。

3　自白の強要の禁止

法は、強制、拷問等による自白の証拠能力を否定し（憲法38条2項、法319条1項）、自白の強要を防止している。しかし、法は、拘束されていない被疑者には、取調べを拒む権利を認めている（法198条1項但書）反面として、身柄を拘束された被疑者には取調べに応ずる義務を負わせている。

3 平成28年以降の刑事訴訟法等改正の概要

1　平成28年刑事訴訟法等改正について

平成22年5月に法制審議会の下に設置された「新時代の刑事司法特別部会」では、①被疑者取調べの録音・録画制度の導入を始め、取調べへの過度の依存を改めて適正な手続の下で供述証拠及び客観的証拠をより広範囲に収集することができるようにするため、証拠収集手段を適正化・多様化すること、②供述調書への過度の依存を改め、被害者及び事件関係者を含む国民への負担にも配慮しつつ、真正な証拠が顕出され、被告人側においても、必要かつ十分な防御活動ができる活発で充実した公判審理を実現することという、2つの理念に基づき、刑事司法改革に向けた具体的な法整備の在り方について検討がなされた。特別部会では、平成26年7月、答申案がとりまとめられ、平成26年9月、法制審議会は同答申案をもって法制審議会の答申とし、同答申に基づいて法務省において立案された法案が国会に提出され、国会での審議を経て、刑事訴訟法等の一部を改正する法律（平成28年法律第54号。以下

「平成28年改正法」という）が成立し、平成28年6月3日に公布された。

　このように、平成28年刑事訴訟法等改正は、**刑事司法改革**を企図したものであった。

　平成28年改正法の施行期日は、次の表のとおり、改正事項別に4段階に分かれた。

施行期日	改正法の内容の概要	本書での解説箇所
平28.6.23	○裁量保釈の判断に当たっての考慮事情の明確化	⇒**設問66**、**2** 5(3)
	○証拠隠滅等の法定刑の引上げ ・犯人蔵匿・証拠隠滅の罪の法定刑を「3年以下の懲役又は30万円以下の罰金」に、証人威迫の罪の法定刑を「2年以下の懲役又は30万円以下の罰金」に引上げ	
平28.12.1	○通信傍受の対象犯罪の拡大	⇒**設問32**、**5**
	○弁護人の選任に係る事項の教示の拡充	⇒**設問46**、**7**
	○証拠の一覧表の交付手続の導入	⇒**設問67**、**2** 6
	○整理手続の請求権の付与	⇒**設問67**、**2** 2(2)(イ)
	○類型証拠開示の対象の拡大	⇒**設問67**、**2** 3(3)(ウ)(i)
	○証人等の氏名及び住居の開示に係る措置の導入	⇒**設問66**、**8** 1（証人保護）
	○公開の法廷における証人等の氏名等の秘匿措置の導入	⇒**設問66**、**8** 2（証人保護）
	○証人の勾引要件の緩和等	⇒**設問66**、**2** 3(2)⑨（証人尋問など）
	○自白事件の簡易迅速な処理のための措置の導入	⇒**設問66**、**9** 2（即決裁判手続）
平30.6.1	○合意制度の導入	⇒**設問44**、**3**
	○刑事免責制度の導入	⇒**設問66**、**3**
	○被疑者国選弁護制度の対象事件の拡大	⇒**設問46**、**6**
	○ビデオリンク方式による証人尋問の拡充	⇒**設問66**、**8** 3（証人保護）

30　第1編　入門と基礎

| 令元.6.1 | ○録音・録画制度の導入 | ⇒ 設問23、3、設問51、5 |
| | ○通信傍受手続の合理化・効率化 | ⇒ 設問32、9 |

2　令和5年刑事訴訟法等改正について

　令和5年5月10日には、公判期日等への出頭及び裁判の執行を確保するための規定の整備などを図るため刑事訴訟法等の一部を改正する法律（令和5年法律第28号）が成立し、令和5年5月17日公布された。その施行期日等は次の表のとおりである。

施行期日	改正法の内容の概要	本書での解説箇所
令5.5.17（改正法公布日）	○刑の言渡しを受けた者が国外にいる間の刑の時効の停止（刑法33条2項）	⇒ 設問66、2 6
令5.11.15	①　公判期日への出頭罪等の新設 ・保釈中又は勾留執行停止中の被告人の公判期日への不出頭を処罰する規定（法278条の2） ・制限住居離脱罪（法95条の3）、 ・保釈等の取消し・失効後の被告人の出頭命令違反の罪（法98条の2等）等 ②　保釈等をされている被告人に対する報告命令制度の新設（法95条の4等）	⇒ 設問66、2 6
令6.2.15	○逮捕手続における被害者等の個人特定事項の秘匿措置の導入 ・逮捕状に代わるものの交付	⇒ 設問36、4
令6.5.15	○保釈等をされている被告人の監督者を裁判所が選任できる制度の新設（法98条の4等）	⇒ 設問66、2 6
令7.5.15	○拘禁刑以上の実刑判決を受けた者等について、裁判所の許可なく出国してはならないとする制度の新設（法342条の2）	⇒ 設問66、2 6
令10.5.16までに	○位置測定端末（GPS）により保釈されている被告人の位置情報を取得する制度の新設等（法98条の12）	⇒ 設問66、2 6

捜査手続における諸原則と近時の法改正の状況　設問3　　*31*

　令和5年6月16日、性犯罪への処罰強化や性犯罪被害者の保護強化のため、刑法及び刑事訴訟法の一部を改正する法律（令和5年法律第66号）が成立し、また、同日、性的な姿態を撮影する行為等の処罰及び押収物に記録された性的な姿態の影像に係る電磁的記録の消去等に関する法律（令和5年法律第67号）（以下「性的姿態撮影等処罰法」という）も制定された。

施行期日	改正法等の内容の概要	本書での解説箇所
令5.6.23	○性犯罪についての公訴時効期間の延長 ・性犯罪についての公訴時効を5年間延長 ・被害者が18歳未満である場合には、その者が18歳に達するまでの期間に相当する期間、更に公訴時効期間を延長	⇒**設問 48**、**2**
令5.7.13	○性的姿態等の影像などの複写物の没収の新設 ・性的姿態等の影像・画像記録原本のみならず、その複写物の没収可能とした。	⇒**設問 35**、**3**
令5.12.15	○性犯罪の被害者等からの聴取結果を記録した録音・録画記録媒体に係る証拠能力の特則（法321条の3）の新設 ・司法面接的手法を用いて被害者等から聴取した結果等を記録した録音・録画記録媒体について、一定の要件を満たす場合に、反対尋問の機会を保障した上で、主尋問に代えて証拠とできることとした（法321条の3）。	⇒**設問 58**、**7**
令6.6.20	○押収物に記録された性的姿態の影像・画像等の消去・廃棄という行政処分の新設	⇒**設問 35**、**3**

3　犯罪被害者等のための法改正等

(1)　概　要

　犯罪に巻き込まれた犯罪被害者等（被害を受けた者及びその家族又は遺族）については、これまで、その権利が尊重されてきたとは言い難く、

32 第1編 入門と基礎

十分な支援を受けられず、社会において孤立することを余儀なくされて
きたなどの実態を踏まえ、犯罪被害者等の権利利益のための施策を総合
的かつ計画的に推進することを目的とする犯罪被害者等基本法が制定さ
れた（平成17（2005）年4月1日施行）。

　刑事司法の各分野においては、同基本法施行前から、犯罪被害者等の
ための取組が行われていた（被害者が死亡した事件又はこれに準ずる重
大な事件や検察官等が被害者等の取調べ等を実施した事件において、被
害者等が希望する場合には、検察官等は、事件の処理結果、公判期日及
び裁判結果に関する事項について通知を行う（**被害者等通知制度**）など）
が、同基本法施行後は、同基本法に基づいて各種の施策・取組が実施さ
れ、関連する刑事訴訟法等の改正も行われてきた。

(2) **被害者参加制度**

　平成19年の刑事訴訟法改正により、一定の犯罪に係る被告事件の被害
者等は、裁判所の決定により被害者参加人として刑事裁判に参加し、公
判期日に出席できるほか、検察官の訴訟活動に意見を述べること、情状
事項に関して証人を尋問すること、自らの意見陳述のために被告人に質
問すること、事実・法律適用に関して意見を述べることなどができるよ
うになった（⟹ 設問66 、 7 ）。

(3) **被害者特定事項秘匿決定及び証拠開示の際の被害者特定事項の秘匿要
請**

　平成19年の刑事訴訟法改正により、刑事手続において被害者の氏名等
の情報を保護するための制度として、被害者特定事項秘匿決定及び証拠
開示の際の被害者特定事項の秘匿要請の制度が創設された。

　被害者特定事項秘匿決定は、性犯罪に係る事件や犯行の態様、被害の
状況その他の事情により、氏名及び住所その他の当該事件の被害者を特
定させることとなる事項（以下「被害者特定事項」という）が公開の法
廷で明らかにされることにより被害者等の名誉等が著しく害されるおそ
れがあると認められる事件について、被害者等からの申出があり、裁判
所が、それを相当と認めるときに、被害者特定事項を公開の法廷で明ら
かにしない旨を決定する制度である（法290条の2第1項）。**証拠開示の**

際の被害者特定事項の秘匿要請は、被害者特定事項が明らかにされることにより、被害者等の名誉等が著しく害されるおそれがあると認められるなどの場合に、検察官が、証拠を開示する際に、弁護人に対し、その旨を告げ、被害者特定事項が被告人の防御に関し必要がある場合を除き、被告人等に知られないように求めることができる制度（法299条の3）である。

　これに関連して平成28年刑事訴訟法等の改正により、**証人等特定事項秘匿決定**（証人等からの申出により、裁判所が、証人等の氏名、住所等の証人等特定事項を公開の法廷で明らかにしないこととする決定）の制度（法290条の3）、**証人等の氏名等の開示**について、証人等の身体又は財産に対する加害行為等のおそれがあるときは、防御に実質的な不利益を生ずるおそれがある場合を除き、検察官が弁護人に当該氏名等を開示した上で、これを被告人に知らせてはならない旨の条件を付することができ、特に必要があるときは、弁護人にも開示せず、代替的な呼称等を知らせることができるとする制度（法299条の4）が導入された。これらは、直接には証人保護強化のためのものであるが、被害者等が証人となる場合を念頭に置いており、実質的には被害者等保護強化のための制度といえる（⇒ 設問 66 、 8 ）。

　また、令和5年の刑事訴訟法等の改正により、逮捕手続において犯罪被害者等の個人特定事項を秘匿する措置等が導入された（⇒ 設問 36 、 4 ）。

　これと並行して、令和5年6月から警視庁及び各都道府県警察において、被害者等の個人情報への配慮の観点から、微罪処分事件を除く全事件（交通事件については、基本書式を使用する事件）について、被害者及び犯罪捜査における関係者（被疑者及び共犯者を除く）を集約した「人定事項等報告書」（⇒35頁「**書式1**」参照）を作成し、犯罪を立証するために必要があると認められる場合を除き、それ以外の捜査書類に氏名及び年齢を除く個人特定事項を記載しない実務運用が適宜開始されている（警察庁刑事局企画課長からの「捜査書類における被害者等の人定事項の記載省略について（通知)」に基づく)。同運用の下であっても、

34   第1編　入門と基礎

人定事項等報告書を引用するのがそぐわない、犯罪事実、令状請求書、他機関に交付する捜査関係事項照会書等については、氏名・年齢以外の個人特定事項を記載する必要がある場合、これを引用するのではなく、直接記載すべきことになる。

⑷　**公判廷における証人を保護するための制度**

公判廷における証人を保護するための制度として、証人尋問の際に、証人と被告人や傍聴人との間を**遮へいする措置**を採る制度、証人を別室に在席させ、映像と音声の送受信により相手の状態を相互に認識しながら通話する方法（**ビデオリンク方式**）によって尋問する制度などが導入されたのであるが、平成28年刑事訴訟法等の改正により、一定の場合には、証人を同一構内（裁判官等の在席する場所と同一の構内）以外の場所に出頭させてビデオリンク方式により証人尋問を行うことができるようになった（⟹ 設問66、8 ）。

書式1　人定事項等報告書

別記様式

人定事項等報告書(*)

令和〇 年 〇 月 〇 日

〇〇県　〇〇　警察署長
司法警察員　警視正　田中　次郎　殿
　　　　　　　　　　〇〇県　〇〇　警察署
　　　　　　　　　　司法　警察員　警部補　鈴木　花子　㊞
　被疑者　甲野太郎　に係る　傷害　被疑事件につき、被害者等の人定事項等について、下記のとおり報告する。
記

事件との関係性	被害者		
住　　居	〇〇県〇〇市〇〇区〇〇町1丁目2番3号		
職　　業	自営業（〇〇ショップ〇〇店）		
ふりがな	おつかわ　さぶろう		
氏　　名	乙川　三郎		
生年月日	平成〇年4月5日（〇〇歳）	性別	☑男　☐女
連絡先	携帯電話	090-1234-5678	
	勤務先	〇〇〇-123-4567	
参考事項	・秘匿希望関係 　相手方に個人情報を知られたくないため、秘匿希望あり ※上記以外の参考事項で、事件に合わせて必要事項があれば記載する。 ・旧姓 　丙山　三郎（へいやま　さぶろう） ・家族関係 　妻　乙川　花子（平成〇〇年4月3日生） 　長女　　　桜（令和〇年6月17日生） ・車両情報 ・身体特徴		

（注）　　☐印のある欄については、該当の☐にレ印を付すこと。

（筆者注）　*本書式は、文字どおり「書式例」である。実際の記載事項は、警視庁及び各道府県警察において、対応する地方検察庁と協議の上、それぞれの実情に応じ、適切に対応するとされているので、留意が必要である。

第 2 編
捜 査 手 続

38　第1章　捜査の端緒

設問 4　変死体の検視

●設　問●

警察官甲は、A方車庫内に頭から出血している死体があるとの通報を受け、A方に赴いた。Aは捜索令状がない限り車庫内への立入りを認めないと主張したが、甲はそれに構わず車庫内へ立ち入り、死体の見分をした。この措置は適法か。

◆解　答◆

適法⟹ **4** 1

1 　司 法 検 視

1　意　義

検察官は、「変死者又は変死の疑いのある死体があるとき」検視をしなければならない。これに代えて司法警察員、検察事務官に検視をさせる（**代行検視**）ことができる（法229条1、2項）。これは、殺人その他の犯罪覚知のきっかけとなることが多く、捜査の端緒として極めて重要である。

2　検視と検証の違い

検視は、五官の作用により死体の状況を調べ、死亡が犯罪に起因するかどうかを判断する捜査前の処分である。これに類似するが、検証は、証拠資料を収集するためになされる捜査手続上の処分である点において相違する。

3　代行検視をした後の措置

検察官に、速やかにその結果を通知した後、検視調書を作成し写真等を添付して送付しなければならない（⟹42頁「**書式2**」参照）。

2 変死体の定義

1 意 義

「**変死者**」及び「**変死の疑いのある死体**」は「**変死体**」と総称され、司法検視の対象となる。

参考図2 検視の対象となる死体

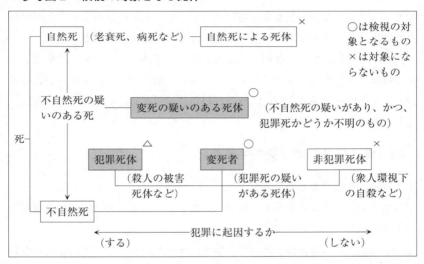

「変死者」とは、不自然死による死体であって、犯罪死の疑いのある死体である。

「変死の疑いのある死体」とは、不自然死の疑いがあり、しかも犯罪によるものかどうか不明な死体のことをいう。

2 検視の対象となる死体

検視の対象となるためには、まず、不自然死による死体又は不自然死の疑いがある死体（あわせて**異常死体**という）でなければならない。自然死（老衰死など）による死体は、犯罪の端緒となり得ないからである。

次に、不自然死の疑いがあっても、犯罪によらないことが明白な場合は犯罪の端緒となり得ず検視の対象とはならない。また、不自然死であることが明白であっても天災による死、多数の人が見ている中での自殺なども犯罪によらないことが明白な死体であり、検視の対象とならない。

40　第1章　捜査の端緒

3　犯罪死によることが明らかな死体

　犯罪死によることが明らかな死体が、検視の対象になるかどうかについては、見解が分かれている。①明らかに犯罪死といい得るかどうかは、検視の結果判定されるのであるから、これも変死体に含めるべきであるとする見解、②犯罪死こそ変死体の最たるものであるから、検視の対象とすべきであるとの見解、③明白な犯罪死については、検視を待つまでもなく直ちに捜査を開始すべきであって、検視制度の趣旨からいって、犯罪に起因することが明白な死体は、変死体から除外するべきであるとの見解などである。

　実務としては、犯罪に起因することが明白な死体であっても、警察署長は公訴維持の円滑を期するため、検察官に対して検視規則（国家公安委員会規則）3条の変死体通知を行い、検察官に司法検視実施、司法解剖への立会いなどの機会を提供している。

3　異常死体の発見後の手続など

1　変死体を発見等した場合

　警察官が、変死体を発見し、発見の届出を受けた場合の措置は、**検視規則**の定めによる。

2　不自然死による死体であって、犯罪に起因しないことが明白な死体を発見等した場合

　例えば、自殺死体、行旅死亡者につき、身元確認・死体処理・公衆衛生等の目的から、警察官が現場に臨んで死体見分をする等の手続は、**警察等が取り扱う死体の死因又は身元の調査等に関する法律**及び**死体取扱規則**（国家公安委員会規則）の定めによる。

　なお、犯罪に起因しないことが明白かどうかについては、慎重の上にも慎重を期した判断をしなければならない。犯罪に起因しないことは、死体の見分を待つまでもなく、現場・死体の状況などによって一見して明らかに判断できる場合でなくてはならない。少しでも犯罪との関係について疑念があるときには、司法検視手続をとるべきである。

4 検視に当たって令状なしに認められる処分

検視は、捜査手続そのものではなく、変死体が存在する緊急事態においてなされるものであるから、個人と社会の安全上、必要があれば、次の処分を令状なしになすことができる。

1 変死体の存在する場所に立ち入ること

居住者、看守者が拒絶しても立ち入ることができる。ただし、捜索・差押えにわたる処分はできない。

2 変死体を外部的に検査すること

(1) 医学的な外表検査として許される限度の眼の溢血点の有無、肛門等の身体検査、変死体の写真撮影、変死体の指紋の採取は許される（これに対し、死体の解剖はもちろん、死体の真皮を剥ぐこと、指先等を切断することは許されない。死因解明上その必要があれば、死体解剖保存法による死体解剖をなすべきである）。

(2) 必要な限度での衣類の損壊も許される。

3 その他

所持品等の検査、現場状況の調査、凶器その他死因と関係あると認められる器具を調べること、死亡の原因となった薬品の検査を行うこと、遺族・同居人等に質問等することも許される。

5 体内の状況の調査が必要な場合

検視の実施によって犯罪の嫌疑が認められると判断されるときは、直ちに犯罪捜査手続（司法解剖等）に移行する。検視の実施によって犯罪の嫌疑が認められない変死体について、体内の状況を調査する必要があると認めるときには、体内からの体液・尿の採取、ＭＲＩやＣＴを用いた死体内部の撮影などの検査を実施できる（警察等が取り扱う死体の死因又は身元の調査等に関する法律5条）。

42　第1章　捜査の端緒

書式2　検視調書

様式第1号（刑訴第229条）

検 視 調 書

令和〇 年 〇 月 30 日

〇〇県〇〇 警察署

司法警察員 巡査部長　甲野一郎　㊞

　本職は、令和〇年〇月30日〇〇地方　検察庁　　　検察官　乙川二郎　の指揮により、下記のとおり変死者又は変死の疑いのある死体の検視をした。

記

1　申 告 者

　　　住居、職業、氏名、年齢

　　　丙田花子、〇〇歳

　　　申告年月日時

　　　　　令和〇 年 〇 月 30 日午後1 時 30 分

　　　申告の要旨（発見者、発見の日時、場所及びその状況）

　　　令和〇年〇月30日午後1時20分頃、申告者が隣家である死者方表玄関の戸を開けて声を掛けたが、返事がないので不審に思って玄関に入って階下6畳の間をのぞくと、死者が頭を玄関の方に向けあおむけに倒れて死んでいるのを発見した。

2　死 　者

　　　住居、職業、氏名、年齢、性別（不詳のときは、人相、体格、推定年齢、特徴、着衣等）

　　　戊田善子、〇〇歳

　　　推定される死亡年月日時、場所及びその状況

　　　令和〇年〇月30日午後1時頃、死者の居宅階下6畳間で死亡したものと推定される。死者の居宅は、住宅街に所在する木造2階建建物で、北側は申告者方である。

　　　検視時の死体の状況

　　　死体は、頭を東側（玄関側）に向けてあおむけに倒れ、左腕を斜上方に、右腕を右横に伸ばし、両脚はそろえて伸ばしている。着衣はワ

変死体の検視　設問4　　*43*

ンピース、スリップ、パンティであるが、特に乱れはない。身体には何らの外傷も認められず脱糞もなく、平静な死亡の状態である。

　　所持金品

　　黒革札入れ1個（一万円札2枚及び千円札3枚在中）を懐中している。

3　医　　師

　　住居、氏名

　　丁谷三郎

　　検案の結果による意見

　　脳溢血による急病死

4　検　視　者

　　検視の日時

　　令和〇年〇月30日午後1時50分から令和〇年〇月30日午後2時30分まで

　　検視の場所　死者の居宅

　　判断及びその理由

(1)　判断　脳溢血による急病死と認める。

(2)　理由　死体に外傷その他、害を受けた跡が認められず、現場に外部から侵入して金品を物色した形跡もなく、毒物服用の状況も認められないので、自、他殺とは思われず、同居の長男戊田春夫と申告者の供述によれば、死者は普段から血圧が高くて頭痛を訴え、主治医から注意を受けていた事実も認められるので、医師の前記検案の結果も考慮し、上記のとおり判断する。

　　死体及び所持金品の措置

　　本検視終了後、死者の長男戊田春夫（〇〇歳）に引き渡した。

5　備　　考

(注意)　1　検視に引き続き検証が行われたときは、検察官の指示を受けて検視調書の作成を省略することができる。

　　　　2　必要があるときは、写真、図面等を添付すること。

44　第1章　捜査の端緒

設問
5
告訴・告発・請求

●設　問●

　警察官甲は、A株式会社代表取締役Bから、同会社を被害者とする詐欺の告訴を受理して捜査中であったが、Bがその息子Cに同会社の経営を譲り渡し、自らは、代表権のない会長に就任し、「息子に経営が代わったから、あの告訴も取り消す」として、代表取締役B名義の告訴取消書を提出してきた。この取消しは有効か。

◆解　答◆

無効⟹**2** 6

1　告訴等の意義

1　告訴・告発・請求の意義

　告訴とは、被害者その他の告訴権者が、捜査機関に対して犯罪事実を申告して、その犯人の処罰を求める意思表示のことであり（最判昭22.11.24刑集1-21）、**告発**とは、犯人又は告訴権者以外の第三者が、捜査機関に対して犯罪事実を申告して、その犯人の処罰を求める意思表示である（最決昭34.3.12刑集13-3-302）。両者は、犯人自身が申告する場合である**自首**と区別される。

　請求とは、請求をまって論ずべき罪（外国国章の損壊等の罪　刑法92条、労働関係調整法39条違反罪　同法42条など）について、一定の機関（外国国章損壊等については外国政府、労働関係調整法39条違反については労働委員会など）が、捜査機関に対してその犯罪事実を申告し、その犯人の処罰を求める意思表示のことである。告訴・告発ほど厳格な方式が要求されず、告訴の方式、告訴期間等の規定は準用されない。

2 告訴権

(1) 告訴をなし得る者は、法律で告訴権を認められた者（**告訴権者**）に限られる。

(2) **告訴権の一身専属性**

告訴権は、**一身専属権**であり相続されない。

例えば、名誉毀損の被害者が死亡しても、その相続人は、相続人という資格では告訴（及びその取消し）をなし得ない。もっとも、被害者が告訴をしないで死亡したときは、その配偶者、直系の親族又は兄弟姉妹は、被害者本人の明示の意思に反しない限り、告訴をなすことができる（法231条2項）が、これは相続人としての資格での告訴を認めたものではない。また、同条項は、告訴の取消しについては規定していないから、配偶者等は、この条項によって、死者が生前なした告訴を取り消すことはできない（大判昭12.12.23刑集16-1698 告訴権者が告訴後死亡した場合、相続人はその告訴の取消しができないとした事案）。

2 告訴・告発の要件

1 処罰を求める意思表示

犯人の**処罰を求める意思表示**が明らかにされていること

処罰を求める趣旨が記載されていない被害届、てん末書等の提出がなされただけであったり、単に犯罪事実の申告があっただけでは、有効な告訴・告発がなされたとはいえない。例えば、被害者の供述調書の末尾に「今後、こんないやらしいことはしないようにしてください。」、「なにぶんの御処分をお願いします。」程度の記載しかない場合は、処罰の意思表示があったとはいえない（東地判昭34.4.28下刑集1-4-1120など）。

2 犯罪事実の特定

どのような犯罪を申告するものであるか判別し得る程度に**犯罪事実を特定**して行われること

(1) 犯人の氏名が明示されていなくともよいし、犯罪の日時、場所、態様等の詳細の申告までは要しない。告訴・告発の内容は犯罪事実によって定まる（福岡高宮崎支部判昭27.3.28 告発について）から、必ずしも

46 第1章 捜査の端緒

罪名まで特定して申告する必要はない（東高判昭50.10.30 告訴につい
て）。しかし、犯罪事実を示さない場合は無効である（広島高判昭26.11.
22高刑集4-13-1926 告発について）。

(2) 告訴・告発されている犯罪事実が趣旨不明ないし特定不十分なときは
そのまま受理せず、補正を指示すべきである。

(3) 告訴・告発人が付した罪名に捜査機関は拘束されない（東高判昭25.6.
14 告発人について）。

告訴事実と検察官の起訴事実を比較して、両者が社会的事実として同
一のものといえる限り、告訴罪名と異なる罪名を付して起訴をなし得る
（いわゆる「認定替え」である）。例えば、不同意性交等未遂として告訴
された事実を不同意わいせつであるとして処分し、名誉毀損として告訴
された事実を侮辱罪として処分することも許される。また、例えば、非
親告罪である営利誘拐罪として告訴された事実を、当時親告罪とされて
いたわいせつ誘拐、結婚誘拐として認定替えすることもでき（大判大13.
4.25刑集3-360）、認定替えした事実について改めて告訴をさせる必要は
ない。

同じ理由により、告訴事実と送致事実が社会的事実としての同一性を
もつ限り、異なる罪名で送致することもできる。

3 告訴・告発能力を有する者によってなされること

告訴・告発能力とは、告訴・告発の意味、効果を理解し得る能力のことで
ある。告訴・告発能力がない者のなした告訴・告発は無効である。例えば、
精神障害者であって、明らかに妄想等に基づいて告訴・告発をしていると認
められるときは、その告訴・告発は告訴・告発能力のない者のなしたもので
無効として、捜査機関において、不受理の扱いをしてもよい場合がある
（⟹設問 9 、3 参照）。

性犯罪を非親告罪化した平成29年の刑法改正前の事案に関するものである
が、告訴人の年齢に関し、13歳11か月の少女に、強姦（現：不同意性交等）
被害の告訴能力を認め（最決昭32.9.26刑集11-9-2376）、13歳7か月の少女
に強姦（現：不同意性交等）未遂被害の告訴能力を認め（水戸地判昭34.7.1
下刑集1-7-1575）、12歳3か月の強姦（現：不同意性交等）被害者に告訴能

力を認めた（東地判平15.6.20判時1843-159）裁判例がある。

　被害者の告訴能力が問題になりそうなケースでは、別の告訴権者（親権者等）の告訴も併せて求めるのが適切であろう。

4　実在の告訴・告発人の表示

　その表示がない場合は、申告者が犯人自身か、告訴権者か、それ以外の第三者か判断できないからである。したがって、匿名の投書、密告などを告訴・告発として取り扱うことはできない。

5　告訴（その取消し）につき、告訴（その取消し）当時、告訴権が存在すること

　⑴　告訴をなし得る者は、法律で告訴権者たる地位を認められた者に限られる。

　⑵　告訴権は、告訴をなすときに存在すれば足りる。したがって、告訴人が告訴後資格を失ったとき（例えば、損壊された器物を告訴後、他人に譲り渡した場合など）、告訴後、死亡したとき、離婚により被害者の法定代理人ではなくなったとき、告訴後、告訴人たる法人の代表者の地位を退いたときであっても、既になされた告訴の効力には影響がない。

　⑶　告訴した者だけが、その告訴の取消しを行うことができる（⟹**設問8**）ところ、取消し時に、告訴権が存在しなければならない。

6　法人等の告訴

　告訴につき、告訴権者が**法人又は法人格なき社団・財団**（以下「法人等」という）の場合は、告訴（及びその取消し）は、告訴（及びその取消し）当時において、その法人等の**代表権を持つ者**がなし得る。

　例えば、株式会社の代表取締役を解任された者が、解任後に同会社を告訴人として告訴の手続をしても無効である。同様に、会社を告訴人としてなされた告訴について、辞任した代表取締役が取消手続をしても、その取消しは無効である。

> **アドバイス**　**法人等から告訴やその取消しを受けるときの留意点**
>
> 　法人等から告訴（及びその取消し）を受けるときは、告訴状（告訴取消書）に代表者の署名と代表者の社印を得る必要がある（規則60条、記名のみは不可である）。また、代表者の代表資格を証明すべき最新の商業登記事項証明書、定款、規約等を差し出させ、代表資格を確認すべきである。

48 第1章 捜査の端緒

設問 6 告訴権者

● 設 問 ●

(1) 建物の賃借人Aは、Bがその建物の窓ガラスを割ったので、賃貸人であり、ガラスの所有者であるCに相談したが、同人は後難をおそれ、告訴を渋るので、A単独でBを告訴した。この告訴は有効か。

(2) 甲市立高校の器物の管理権は、同市物品管理規則により、甲市教育委員会に分掌されているが、同高校の器物損壊事件について、甲市長からの告訴がなされた。この告訴は有効か。

◆解 答◆

(1) 有効 ⟹ **2** 2(1)

(2) 有効 ⟹ **2** 2(2)

1 告 訴 権 者

法律が規定する告訴権者は、次のとおりである（なお、親族の範囲について、55頁「**参考図3**」参照）。

なお、告訴（及びその取消し）は代理人によって行うことができる（法240条）。これは告訴権者からの委任を受けた任意代理人を意味するもので、代理人の資格には制限がない。

種　類	意　　義	留意事項
(1) **被 害 者** （法230条）	犯罪によって害を被った者	**犯罪の直接の被害者**であることを要す。例えば、夫の名誉を毀損された妻は、名誉毀損の間接的被害者にすぎないから告訴権を有しない。

(2)**被害者の法定代理人**（法231条1項）	未成年者の**親権者**（民法818条）、**未成年後見人**（同法839～841条）、**成年後見人**（同法7条、8条、843条　精神上の障害により事理を弁識する能力を欠く常況にあるとして家庭裁判所の後見開始の審判を受けた「成年被後見人」に付された者。平成11年の民法改正により「禁治産者」に対する後見人制度が改められてできたもの）	保佐人（民法11条、12条　精神上の障害により事理を弁識する能力が著しく不十分であるとして家庭裁判所の保佐開始の審判を受けた「被保佐人」に付された者。平成11年の民法改正により「準禁治産者」に対する保佐人制度が改められてできたもの）は含まれない。**被保佐人は単独で告訴できる**からである。 　同様の理由で、不在者の財産管理人（民法25、26条）、破産者の破産管財人（破産法78条）も含まれない。
(3)被害者が死亡したときの、**被害者の配偶者、直系の親族、兄弟姉妹**（法231条2項）	被害者が、告訴をしないで死亡したときの、配偶者、直系親族、兄弟姉妹。 　兄弟姉妹を除く傍系親族、例えば、叔父叔母、甥姪、従兄弟などは含まれない。直系姻族は含まれるから、配偶者の父母、祖父母、曽祖父母もこれに当たる。	被害者が生前明示した、告訴を希望しない旨の意思には反し得ない。 　被害者が死亡したとき、この身分関係があれば足りる。
(4)被害者の法定代理人が被疑者と特別の関係があるときの**被害者の親族**（法232条）	①被疑者自身が法定代理人であるとき、②法定代理人が被疑者の配偶者であるとき（例えば、未成年の被害者の両親の一方が被疑者であるとき）、③法定代理人が被疑者の4親等以内の血族（例えば、未成年の被害者の父方の叔父が被疑者であり、父が親権者の場合）であるとき、若しくは④法定代理人が被疑者の3親等以内の姻族（例えば、成年被後見人たる被害者の叔父が被疑者で、被害者の配偶者が後見人である場	被疑者と法定代理人との左の関係は、親族が告訴する当時にあることを要し、かつ、それで足りる。 　被害者との親族関係は、告訴当時にあることを要し、か

50　第1章　捜査の端緒

	合）であるときの、被害者の親族。 　①の場合を除いて、法定代理人の告訴権は消滅しない。 　親族とは、6親等以内の血族、配偶者、3親等以内の姻族である（民法725条）。	つ、それで足りる。 　7世以上離れた孫は、「子孫」に当たるが、親族には含まれない。
(5)**死者たる被害者の親族、子孫** （法233条1項、2項）	①死者名誉毀損罪（刑法230条2項　死者の死亡後になされる死者の名誉を毀損する罪）について告訴するとき、②名誉毀損の被害者が告訴をしないで死亡したときの被害者の親族、子孫。 　子孫とは、血族たる直系卑属全員である。	①では、被害者が生きていたと仮定して、犯行時に身分関係があることを要す。②では、被害者が死亡したときに身分関係があることを要し、かつ、それで足りる。 　②では、被害者の明示の意思に反して告訴をなし得ない。
(6)**検察官の指定した者** （法234条）	親告罪について、告訴をできる者がいない場合に、利害関係人の申告により検察官が指名した者。 　例えば、①器物損壊の被害者が孤児で親族の存否も不明なときに、被害者が死亡し、その婚約者から申告がなされたような場合、②器物損壊の被害者（成人）に知的障害があるため告訴能力を欠くが、後見人が選定されていないとき、友人から申告がなされた場合に検察官は告訴人を指定することができる。	利害関係人は、被害者との特定の身分関係を要しないから、例えば、**内縁の夫妻、雇い主、債権者、友人、恋人でも申告できる。** 　検察官は、指定するかどうか、誰を指定するか裁量権をもつ。

　このほか、名誉毀損罪、侮辱罪について、天皇等が告訴権者であるときは、内閣総理大臣（刑法232条2項前段）が、外国の元首又は大統領が告訴権者であるときは、その国の代表者（刑法232条2項後段）が、それぞれ告訴権を行使するとされている。

2　告訴権者たる「被害者」の意義

1　一般的意義

(1)　**直接の被害者**であることを要する。

　直接の被害者とは、保護法益の主体となっている者（損壊された器物

の所有者など）、保護法益の主体ではないが犯罪の手段、行為の直接の対象となっている者（公務執行妨害罪の暴行を受けた公務員など）である。

共有物が損壊された場合は、共有者の各人が被害者であり、独立して告訴権を有する（しかも、共有者の一人がした告訴は、共有物全体における器物損壊に関しての告訴として有効である。大判大14.6.11刑集4-410）。

(2) **法人等**

自然人のみならず**法人・法人格なき社団・財団、国・地方公共団体**も告訴権を有し、その代表者が告訴権者となる。法人・法人格なき社団・財団の場合は定款、内部規定等により、国・地方公共団体の場合は法令等により、当該事項について管理権をもつ者も告訴権を行使する。この場合は、固有の権限として告訴権を行使できるのであり、法人等の代表者を代理して告訴するものではない（ただし、固有の告訴権者である代表者等が、その部下等に告訴権の行使を個別的に委任できることは当然である）。

2 器物損壊の告訴権者

(1) 所有者以外の者

戦前の大審院判例は、告訴権者は所有者に限られるとしていた（大判明45.5.27刑録18-676）が、最高裁はこれを変更し、**器物損壊の告訴権者は所有権者に限られないと明確に判示**した（最判昭45.12.22刑集24-13-1862　塀が損壊された事案において、その塀及びその塀で囲まれている土地・建物の共有者の一人が外国に出稼ぎに行き、その妻が夫の留守を守ってその家屋に子供等と居住し、その塀によって他人の侵入を防止し、境界を明白にし、平穏な家庭生活を維持するという効用を享受していたという場合に、その妻は、本件塀の損壊により害を被った者として告訴権を有するとしたもの）。

権限に基づく占有使用者　　所有者以外のどの範囲まで告訴権を有するかについては、最高裁も判断していないため見解が分かれる。しかし、適法な占有権限に基づいて物件を占有使用している者の使用収益の利益を、

殊更刑法の保護から外す必要がないから、**地上権者・永小作権者・地役権者**等の「**用益物権者**」、**留置権者・先取特権者・質権者・抵当権者**等の「**担保物権者**」、**契約等により占有管理する者、差押権者、仮処分権者、以上の者のために占有管理する者、占有権者**（所有権、賃借権のように占有することを正当とする権利の有無を問わず、占有という要件のみに基づいて生ずる権利）のいずれも告訴権を有すると解すべきである。

告訴権が認められた実例　①収税官吏が差し押さえた物件を、所有者の息子が壊したとき、**差押えを実施した収税官吏**からの告訴を適法とした事案（東高判昭29.12.13）、②市が国から賃借していた学校校舎の窓ガラスが損壊されたとき、**賃借人を代表してなされた学校校長**からの告訴を有効とした事案（長崎地大村支部判昭33.6.17）、③建物の所有者以外の者によって建物のガラスを損壊されたとき、建物の**賃借人**からの告訴を有効とした事案（仙台高判昭39.3.19高刑集17-2-206、同旨千葉地判昭57.5.27判時1062-161）、④無断転借した店舗のガラスが損壊されたとき、**無断転借人**からなされた告訴を有効とした事案（東地判昭52.2.28）、⑤妻が、夫所有のズボンを日常の家事として修理、洗濯等していた事情下では、同ズボンは夫婦の共同管理下にあったといえるから、これを損壊された場合、妻も共同生活体の一員として被害者であるとして、**妻の告訴権**を認めた事案（大阪地判昭54.5.2判タ389-155）がある。

自己の物の損壊の場合　犯人自身の所有物の場合は、その物の差押権者、物権権利者、賃借人等の権利者（刑法262条）が、被害者となる（器物損壊のほか、建造物損壊、私用文書毀棄についても）。

⑵　**国又は地方公共団体（国等という）が被害を受けたときの告訴権者**

代表者　国等が被害を受けたときは、国等の**代表者**（内閣総理大臣、知事など）が告訴権をもつ。

法令等により管理権をもつ者　**法令によって当該事項について管理権をもつ者**も、併せて告訴権を有する。したがって、国等の財産が損壊される被害を受けたときは、国等の代表者とともに、国有財産法等の法令・条例によって当該財産の管理権を有する国等の職員も告訴権者となる。

> **アドバイス** **市が被害を受けた事件について、職員から告訴を受ける**
> **ときの留意点（その1）**
> 例えば、ある市の総務課長に特定の物品の管理権が分掌されているとき、
> 総務課長は当然に告訴権をもつのであって、市長の個別的委任は不要であ
> り、告訴受理に当たって、市長からの委任状を徴する必要はない。

　法令により、特定の物件についての管理権が国等における特定の機関に
分掌され、その機関がその物件の損壊について告訴権をもつとしても、国
等の代表者の本来もつ告訴権は失われない（最決昭35.12.27　市立学校の
賃借物件の損壊について、教育委員会に告訴権があるからといって、市長
の告訴権は失われないとした）。

　重畳的に管理権がある場合　　法令等の規定によっては、管理権が職
階上の上位者と下位者の両方に重畳的に認められていることがある。例え
ば、地方裁判所の庁舎のガラス戸について、最高裁判所長官と地方裁判所
所長の双方が、管理権を有するとされる。この場合は、上位者の告訴権行
使が優先し、下位の告訴権者がなした告訴を上位の告訴権者が取り消すこ
とができると解されている（増井清彦「刑事法重点講座　告訴・告発」
〔立花書房1981〕40）。したがって、国等から告訴状を徴する場合は、上位
の管理権者又は代表者から将来取消しがなされる可能性の有無を確認して
おく必要がある。

　具体例　　法令上、ある職員が、特定の物件について職務上告訴権を
有するのか問題となることが多い。例えば、①東京都第三復興区画事務所
管内の同都の管理地・管理道路に設置された東京都所有の工作物の損壊に
ついては東京都第三復興区画事務所長が管理権者であり、その下部機関で
ある第三〇区長は管理権者ではないから、同所長から告訴権行使について
の個別的委任がない限り告訴できない（東地判昭33.9.29判時164-34）、②
市役所出張所庁舎の窓ガラスの損壊につき、同出張所長は、市長から委任
を受けない限り告訴をなし得ないし、農業協同組合事務所の窓ガラスの損
壊につき、同組合総務課長は、組合長からの委任がない限り告訴をなし得
ない（長野地松本支部判昭39.11.2下刑集6-11・12-1259）とされる。

54　第1章　捜査の端緒

> **アドバイス**　**市が被害を受けた事件について、職員から告訴を受ける**
> **ときの留意点（その2）**
>
> 　物件の管理担当職員からその者名義の告訴状を徴するときは、法令・内
> 規等を十分検討する必要がある（⟹56頁「**参考図4**」参照）。疑わしい
> ときは明らかに告訴権を有する者（代表者など）の委任状を併せて提出さ
> せるべきである。

3　その他の親告罪における「被害者」の意義

親告罪の種類	被害者の意義
信書開封罪（刑法133条）	受信人に到達前は、発信人のみが被害者であり、到達後は発信人と受信人の両方が被害者となる（大判昭11.3.24刑集15-307）。
過失傷害罪（刑法209条）	胎児に対する過失傷害の場合、出生した当該胎児も被害者として告訴権を有する。
未成年者略取及び誘拐罪（刑法224条）、未成年者拐取をした者を幇助する目的の被略取者引渡し等（刑法227条1項）	被拐取者（略取され又は誘拐された者）、保護者（大判明43.9.30刑録16-1569）のほか、未成年者に事実上の監護権を行う監督者も告訴権を有する（福岡高判昭31.4.14）。
親族間の犯罪の特例（刑法244条1項、251条、255条）（窃盗、不動産侵奪、詐欺、恐喝、（業務上）横領、遺失物横領に関する）	その物の所有者及びその物の占有者が被害者である。

告訴権者 設問6

参考図3 親族図

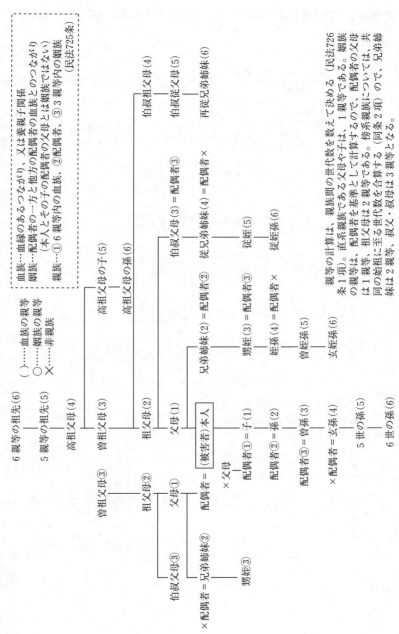

56　第1章　捜査の端緒

参考図4　警察署備品の損壊についての告訴権の例示（警視庁の場合）

財産等別	物件		告訴権者	根拠法令
国有財産物品	警視庁本部・警察署・機動隊・警察学校の庁舎・窓ガラス・門・扉・ドア・塀等		警視庁総務部長	国有財産法（5条、7条）
	各種自動車	パトロールカー、ライトバン型捜査用車両、指揮・捜査用車両（乗用車）、機動隊用車両、交通取締用パトカー、白バイ等	警視庁総務部長	物品管理法（7条、8条）並びに同法施行令（7条）
	拳銃、ガス銃、出動服、略帽ヘルメットライナー、防石楯等の警備資機材等		警視庁総務部長	同　　上
	警視庁本部、警察署内に設置されている警察専用の電話機		東京都警察情報通信部長	同　　上
	電送機、パトロールカー及び捜査用車両の無線機・受令機・UW無線機、リモコン、新宿四谷地区カーロケーター等		東京都警察情報通信部長	同　　上
	警察署受付電話中継台等の通信施設		東京都警察情報通信部長	同　　上
都有財産物品	制服、制帽等の支給品、手錠、警笛、帯革等の貸与品		東京都知事	地方自治法（149条）東京都物品管理規則
	交番用自転車、原動機付自転車		東京都知事	同　　上
	警視庁本部・警察署・交番等の机・いす・書棚・ロッカー・拳銃保管箱・拾得物保管箱・扇風機・石油ストーブ等		東京都知事	同　　上
	警察署その他一般庁舎・交番等の窓ガラス・門扉・ドア・塀等		警視総監	地方自治法（238条）東京都公有財産規則（3条）
	各種自動車	レッカー車、各種寄贈車両、白バイ、小型パトロールカー	警視総監	地方自治法東京都物品管理規則東京都自動車の管理等に関する規則
		レッカー・トレーラー	東京都知事	地方自治法（149条）東京都物品管理規則

親告罪の告訴など　設問7　*57*

設問
7

親告罪の告訴など

●設　問●

(1)　深夜巡回中の警察官甲は、AがB所有の自動販売機を壊しているのを現認し、Bからの告訴を受けないままAを逮捕した。この措置は適法か。

(2)　被疑者甲は、インターネット上の掲示板に、被害者乙を中傷する記事を甲名義で掲示し、乙は同掲示がなされていることに気付いたが、名誉毀損で甲を告訴するかどうか迷っていた。

①　乙が同記事に気付いてから6か月が経過した時点でも、まだ記事が削除されずに掲示されたままなので、乙は告訴状を提出した。この告訴は有効か。

②　乙が記事に気付き削除要求をした結果、同記事が削除された。それから6か月を経過した時点で乙が告訴した場合、同告訴は有効か。

③　②において、乙が未成年であり、記事が削除されてから6か月経過後、親権者丙に対し、初めて中傷記事を掲示板に掲示されたとの被害事実を告げたことから、丙が甲を告訴した。この場合、丙の告訴は有効か。

◆解　答◆

(1)　適法⟹ **2** 1

(2)①　告訴期間内の告訴であり有効⟹ **3** 2 (2)

②　告訴期間を経過した告訴であり無効⟹ **3** 2 (2)

③　法定代理人の告訴は法定代理人の固有権であり有効⟹ **3** 3 (2)

1　訴訟条件たる告訴・告発

告訴・告発は一般的には、**捜査の端緒**にすぎない。しかし、一定の犯罪については、告訴がなければ、公訴が提起できないとされ、これを**親告罪**とい

58　第1章　捜査の端緒

う。この場合、告訴が**訴訟条件**（刑事訴訟法上、訴訟を追行し、実体判決を得るための要件）とされ、告訴なしに検察官は公訴を提起できないのである（これを見過ごして公訴提起したときは、裁判所は直ちに公訴棄却の判決をして手続を打ち切る。法338条4号）。また、法文上又は解釈上、一定の罪については、特定機関等からの告発が訴訟条件とされることがあり、当該機関等からの告発なしに公訴を提起できない。ただし、少年の保護事件では、親告罪の告訴がなくとも家庭裁判所は審判を行い保護処分をなし得る（東高決昭29.6.30高刑集7-7-1087）。

1　親告罪

(1)　刑法では、信書開封（133条）、秘密漏示（134条）、過失傷害（209条1項）、未成年者拐取（224条）、未成年者拐取をした者を幇助する目的の被略取者引渡し等（227条1項）・これらの未遂（228条）、名誉毀損（230条）、侮辱（231条）、親族間の窃盗（親族相盗244条）・親族間の詐欺・背任・恐喝（251条）、親族間の横領（255条）、私用文書毀棄（259条）、器物損壊（261条）、信書隠匿（263条）が親告罪に当たる。

　　刑法の一部を改正する法律（平成29年6月23日法律第72号）によって、それまで親告罪とされていた強制わいせつ（現：不同意わいせつ）・同未遂（刑法176条、178条、179条）、強姦（現：不同意性交等）・同未遂（同法177条、178条、179条）、わいせつ・結婚目的の略取誘拐・同未遂（同法225条、228条）、わいせつ・結婚目的の略取誘拐の罪を犯した者を幇助する目的、わいせつの目的による被略取者引渡し等・同未遂（同法227条1項・3項、228条）は、**非親告罪化**された（平成29年7月13日施行）。

　　これら性犯罪に関しては、改正法の施行前にした行為について、改正法の施行後であっても、施行時において告訴期間の経過などの理由で既に法律上告訴されることがなくなっているものを除いて、非親告罪として取り扱うべきものとされている（改正法附則2条2項、3項）。

(2)　特別法で代表的な親告罪は、特許権、実用新案権、意匠権、著作権等の無体財産権侵害の罪（特許法196条、実用新案法56条、意匠法69条、著作権法123条1項）である。

2　特定機関等の告発が訴訟条件とされる罪

(1)　法文上明らかなもの

　　①公職選挙法253条の罪（選挙人等の偽証罪　選挙管理委員会の告発を要する）、②関税法148条記載の犯則事件（税関職員又は税関長の告発を要する。ただし、検察官が告発を受理すべきものと解されている）、③私的独占の禁止及び公正取引の確保に関する法律96条記載の罪（公正取引委員会の告発を要する）、④間接国税に関する犯則事件（国税通則法159条1項、国税局、税務署の当該職員の告発を要する。平成30年4月1日施行）などである。

(2)　解釈上訴訟条件とされるもの

　　①議院における証人の宣誓及び証言等に関する法律8条記載の罪（偽証、出頭拒否等の罪　各議院、委員会又は両議院の合同審査会の告発を要する。最大判昭24.6.1刑集3-7-901）、②地方税法違反事件（間接地方税に関する犯則事件には、地方団体の長の告発を要する。地方税法22条の30第1項）などである。

(3)　解釈上、告発が訴訟条件とされないもの

　　①間接国税以外の国税（所得税、法人税など）に関する犯則事件（最判昭28.9.24刑集7-9-1825）、②国会議事堂内における国会議員の刑事事件（東高判昭44.12.17高刑集22-6-924）、③地方議会の議事進行に関連する議員の刑事事件（最大判昭42.5.24刑集21-4-505）などがある。

3　告訴の追完

　親告罪について公訴提起時に告訴がないとき、公訴棄却の判決までに、後れて告訴を行った（追完）場合、遡って公訴提起が有効となるかどうかが問題となる。

　公訴提起の段階で親告罪であることが明白であるのに告訴を欠いていた場合には、公訴提起時に訴訟条件である告訴がなければならず、その追完は許されないと解されている（名古屋高判昭25.12.25高判特報14-115　器物損壊に関するもの）。

　しかし、公訴提起の段階では非親告罪であったが、審理を進めていくうちに親告罪であることが判明した場合には、その時点で告訴が追完されれば公

60 第1章 捜査の端緒

訴提起は有効と解されている（東地判昭58.9.30判時1091-159　当初窃盗と
して起訴したところ、審理の結果、器物損壊であることが判明し、同罪に訴
因を変更した時点で行った告訴を有効とした）。

2 告訴・告発が訴訟条件となっている罪についての、告訴・告発前の捜査

1 原則として捜査をなし得る

　訴訟条件たる告訴・告発がないとしても犯罪の嫌疑の有無には関係がない。
捜査官は、犯罪があると思料するときに、必要な捜査ができるとされている
から、親告罪あるいは告発が訴訟条件とされる罪について、告訴・告発がな
される前でも、任意捜査・強制捜査を問わず、必要な捜査をなし得る（告訴
について大判昭8.9.6刑集12-1593、福岡高宮崎支部判昭28.10.30　告発につ
き最決昭35.12.23刑集14-145-2213）。ただし、緊急性のない場合は告訴権者
の意向を確認すべきであるし、捜査をする場合は、「被害者またはその家族
の名誉、信用等を傷つけることのないよう、特に注意しなければならない。」
（規範70条）。

　特定機関の告発を訴訟条件としている場合は、特定の機関の裁量的判断、
自治を尊重する趣旨であるから、告発前の捜査には極めて慎重であるべきで
ある。

2 捜査をなし得ない場合

　捜査は、公訴提起・維持のための準備活動であるから、**公訴提起の可能性
がなくなった場合**、例えば、①告訴・告発権者が告訴・告発をしない意向を
明確にした場合、②告訴期間の経過又は告訴の取消しなどにより、全ての告
訴権者の告訴権が消滅した場合には、強制捜査はもちろん、任意捜査も許さ
れなくなる。

　しかし、防犯活動など行政上の調査の対象とすることは許される。

3 親告罪の告訴期間

1 告訴期間を定めた理由

(1) 理 由

「親告罪の告訴は、犯人を知つた日から**6箇月**を経過したときは、これをすることができない。」（法235条）。告訴権者が告訴するかどうかをいつまでも決定できるとしたら、刑事司法権の発動の要否が不確定となり法的状態が不安定になるからである。

(2) 性犯罪に関する特例

いわゆる性犯罪については、被害者がその犯罪で受けた精神的ショックや被疑者との特別の関係等により、短期間では告訴をするかどうかの意思決定が困難な場合があることが考慮され、平成12年の法改正により、当時、親告罪とされていた、強制わいせつ罪（現：不同意わいせつ罪）（刑法176条）、強姦罪（現：不同意性交等罪）（同法177条）等の性犯罪については、告訴期間の制限がなくなり、さらに前記のとおり、これらの罪については、平成29年の刑法改正で**非親告罪**となった（平成29年7月13日施行）。

2 「犯人を知った日」の意義（性犯罪についての裁判例は、上記平成12年の法改正前のものである）

(1) 犯人についてどの程度の認識を要するか

従来説 「犯人を知った」とは、犯人が誰であるかを知ることをいい、告訴権者が、犯人の住所、氏名などの詳細を知る必要はないが、少なくとも**犯人が何人であるかを特定し得る程度に認識することを要する**（最決昭39.11.10刑集18-9-547）。したがって、犯人の特定やその前提となる犯罪の認識自体が不確実なときは「犯人を知った」とはいえない（広島高判平2.12.18判時1394-161　詐欺被害を確定的に知らなかったとされたもの、広島高判平11.10.14判時1703-169　著作権侵害があったと信ずるにつき、相当の理由があるといえるほどの資料を持っていなかったとされたもの）。

実質説 しかし、例えば、初対面の男に不同意性交された被害者が、

後日面通しの際に、犯人と被疑者が同一人であると供述できる程度に、その犯人の人相、着衣、年齢、体格等の特徴を認識していたが、その者が、どこの誰かまでは知らない場合、犯行当時、「犯人を知っていた」といえるかどうかは、必ずしも明らかでない。

そこで「犯人が何人であるかを特定し得る程度の認識」について、より具体的に、これを**告訴すべきかどうかについて、告訴権者がその意思を決定し得る程度に犯人を知る**という意味に解する考え方が有力である。この立場から、「犯人を知った」時点を犯人がどこの誰かを特定できる程度の知識を得た時であると慎重に捉える裁判例（東高判昭39.4.27高刑集17-3-295　強姦（現：不同意性交等）未遂の被害者が、被害者が犯人の人相服装はやや詳細に記憶しているものの、犯人がどこの誰か明らかでなかったという事案で、この認識の程度では、いまだ犯人と他の者を区別し、告訴の意思を決定し得る程度に犯人を知ったとはいえないとしたもの）も多い。このほか、例えば、①東高判昭37.6.27下刑集4-5・6-392（強制わいせつ（現：不同意わいせつ）未遂の被害者が犯人の人相・体格・着衣等の具体的特徴を認識していた事案で、被害当時、犯人を他の者と区別して特定し得る程度の認識を有しておらず、警察の面通しで犯人を特定したときに、初めて犯人を知ったと認定して、被害後6か月以上経過してなされた告訴を有効とした。上告審の最決昭39.11.10刑集18-9-547も支持）、②大阪高判昭31.6.4（強制わいせつ（現：不同意わいせつ）の被害時に、犯人の人相・着衣についてしか認識がない事案で、被害時に犯人を知らなかったとした）、③仙台高判昭28.1.12（ある家の2人の兄弟甲乙のうち甲が真実の強姦（現：不同意性交等）犯人だったとき、被害者が犯人について、甲乙いずれかであるという程度の認識しかない場合、いまだ犯人を知ったといえないとした）がある。

　告訴するかどうかを決めるために必要な程度の実質的な認識が必要だとする裁判例もある。例えば、④犯人が告訴権者やその身辺の者とつながりがある者であるか、告訴が告訴権者やその身辺の者の社会生活に危害その他の影響を及ぼすことがないかどうか等の点につき概括的な判断をできる程度の知識が必要な特別の事情がある場合には、このような点を含めて犯

人が誰であるかを知ったときに初めて「犯人を知った」と判断するのが相当とした裁判例（東高判平9.7.16高刑集50-2-121　強姦（現：不同意性交等）犯行時に、被害者は犯人を識別できたが、同犯行時に被害者の娘の家庭生活に対する加害行為を暗示する脅し文句が用いられており、被害者としては、犯人と被害者の娘との関係や告訴が娘の家庭生活に及ぼす影響等について多少とも知識を得た上でなければ告訴するかどうかを決められない状況にあったという事案）、⑤強制わいせつ（現：不同意わいせつ）の被害者の法定代理人が、被害者からの申告により犯罪事実と犯人を知る場合、犯罪事実の全容を知る必要はないが、少なくとも通常人の立場において犯罪の処罰を求めるか否かを選択できる程度に犯罪事実の重要な部分を知ったとき「犯人を知った」というべきであるとする裁判例（東地判平13.11.2判時1787-160　犯人から下着を脱がされたことを聞いただけでは足らず、陰部をなめられたことまで聞いて初めて「犯人を知った」といえるとした）がある。

　一方、人相・服装等を認識し、これが犯人だと識別できる記憶があるだけでも「犯人を知った」といえるとする裁判例もある（名古屋地判昭52.11.24判時890-125　昼間の20分間にわたる強姦（現：不同意性交等）の被害者が、後日、複数の顔写真の中から犯人の写真を選び出せるほど、犯人の年齢・身長・体格・人相等を覚えていた事案で、被害当時、他の者と区別できる程度の認識があったとした）。

アドバイス　犯人不詳の時点で親告罪の被害申告を受けた場合の措置

　親告罪の被害申告を受けた場合は、被害者に告訴意思がある限り、犯人検挙まで漫然と告訴手続を放置せず、検挙前であっても被疑者不詳として告訴状を提出させるべきである。

(2)　犯行継続中に犯人を知った場合

　法235条にいう「犯人を知った日」とは、犯罪終了後において、告訴権者が犯人が誰であるか知った日をいい、犯罪の継続中に告訴権者が犯人を知ったとしても、その日が告訴期間の起算日となるものではない。

　犯行継続中に犯人を知ったとしても、犯行終了の日が告訴期間の起算日となる（最決昭45.12.17刑集24-13-1765）。略取誘拐罪を例にとれば

64　第1章　捜査の端緒

明らかなように、犯行継続中には被害者は告訴をなし得ないからである。包括一罪（同一の犯意で継続反復して横領をするような場合）は、最後の犯罪行為終了以後の日が起算日となる。結果の発生を要件とする犯罪（財産上の損害という結果発生を要する背任など）は、結果発生以後の日に起算日がくる。

　ホームページ上に中傷記事を掲示する方法で行われる名誉毀損の犯行においては、記事を掲示し利用者の閲覧可能な状態にした時点で犯行は既遂になるが、同記事がサーバから削除されることなく、利用者の閲覧可能な状態に置かれたままであったときは、被害発生の抽象的危険が維持されていたといえるので、犯罪は終了せず継続していると解され、掲示板管理者に記事の削除の申入れをした時点で、犯罪が終了する（大阪高判平16.4.22高刑集57-2-1）。

　教唆犯、幇助犯については、その犯人を知ったとしても、正犯者が犯罪に着手しない限り処罰できないから、正犯者の犯罪行為終了時が起算点である。

⑶　**親告罪に当たる犯罪の犯人であるとの認識がなかった場合**

　「犯人を知る」とは、親告罪の犯人であることを知ることを要するから、例えば、真実は未成年者略取目的の暴行を加えられた被害者が単純暴行の被害の認識しか持っていないときは、仮に、その犯人の氏名等を知っていても「犯人を知った」とはいえない。それから6か月を経過した後に、犯人が逮捕され、その自供から上記暴行が、未成年者略取目的であることを知ったときに初めて「犯人を知った」といえるから、その時点で、有効に未成年者略取未遂の告訴をなし得る。

3　告訴人が数人ある場合

⑴　**告訴権者が数人ある場合**

　例えば、共有の器物が損壊された場合の、各共有者は、**告訴期間は各告訴権者ごとにその犯人を知った日から起算**され、一人が告訴期間を徒過して告訴権を失っても、他の告訴権者の告訴権には影響がない（法236条）。

⑵　**被害者本人と法定代理人（法231条）の場合**

　　法定代理人の告訴権は、本人の告訴権を代理するものではなく、法定代理人の地位に付与された独自の権限（固有権）である（判例）から、⑴の考え方に従い、本人の告訴権が告訴期間の徒過によって消滅しても法定代理人の告訴権に影響しない（最決昭28.5.29刑集7-5-1195）。

4　**期間の計算**

初日不算入である（法55条1項）。

66　第1章　捜査の端緒

書式3　告訴状(*1)　（⟹ **設問 9** 参照）

〇〇県〇〇警察署長　殿　　　　　　　　　令和〇年4月16日

告　　訴　　状

　　　　　　　　　　　〇〇市〇区〇〇条〇丁目〇番〇号
　　　　　　　　　告　訴　人　　山　田　太　郎
　　　　　〇〇市〇〇区〇〇条〇〇〇丁目〇号〇〇ビル2階
　　　　　告訴人代理人弁護士　甲　野　一　郎
　　　　　　　　　　　〇〇市〇区〇〇町〇丁目〇番〇号
　　　　　　　被告訴人　　　　乙　井　次　郎

　　　　　告訴人代理人弁護士　甲　野　一　郎　㊞

告　訴　の　趣　旨

　被告訴人の下記所為は、刑法第230条1項名誉毀損罪に該当すると思料するので、被告訴人を処罰されたく告訴する。(*2)

告　訴　の　事　実

　被告訴人は、令和〇年3月24日ころ、△△県税理士会所属税理士である告訴人に関し、「私の金を奪い、更に土地まで奪おうとした」旨の記載のある書面を上記税理士会の理事等の役員約100名の自宅に郵送頒付し、もって公然事実を摘示して告訴人の名誉を毀損したものである。(*3)

事　　　情

1　告訴人は、△△県税理士会に加入し、住所地において山田税務事務所を開設して今日に至っている。

2　告訴人は、令和〇年ころから被告訴人の経営する金融業についてその記帳、決算、税務申告等の事務に携わるようになった。

（中　略）

〇　被告訴人作成の前記名誉毀損の書面の趣旨は、告訴人が被告訴人の依頼を受け、代金1,500万円で土地を取得したにもかかわらず、被告訴人に対しては代金5,000万円で取得したと虚偽の報告をし、その差額分を横領したとする主張のようである。

　被告訴人の上記主張が全く真実に反したものであることを以下詳述する。

（中　略）

〇　告訴人は、税理士であってその信用の根源が他人の財産、金銭の管理の正確性、誠実性にあるところ、被告訴人の本件犯行によってその信用が著しく毀損された。

　よって御署におかれて厳正な捜査を遂げられ、被告訴人を厳重に処罰されたく本件告訴に及んだ次第である。

証　拠　書　類

別紙証拠書類のとおり。（略）

＊1　これは書式というものではなく、告訴状の一般的な様式である。
＊2　処罰を求める意思を明らかにする。
＊3　犯罪事実を特定する。

告訴等の取消し、告訴等の効力の及ぶ範囲（告訴不可分の原則）、告訴の効果　設問8　*67*

設問 8 告訴等の取消し、告訴等の効力の及ぶ範囲（告訴不可分の原則）、告訴の効果

◆設　問◆

(1)　16歳の娘Aが未成年者誘拐の被害に遭って、警察に告訴したことを知った親権者である両親B・Cは、世間体を恥じ、Aに無断で、Aのした告訴を取り消した。この取消しは有効か。

(2)　上記の例で、両親B・Cが告訴したことを知ったAが世間体を恥じてB・Cに無断でその告訴を取り消したとき、この取消しは有効か。

◆解　答◆

(1)　無効⟹**1** 3 (2)

(2)　無効⟹**1** 3 (3)

1　告訴・告発の取消し

1　意　義

取消しは、正確にいえば、「告訴・告発の意思の撤回」であり、将来に向かって告訴・告発の効力を消滅させる行為である。したがって、先になした告訴・告発を撤回するとの意思が明確に表示されていないときは、告訴・告発の取消しとしては無効とされる場合がある。

2　時期等の制限

(1)　親告罪

親告罪では、公訴の提起があるまで、告訴を取り消すことができる（法237条1項）。**取消し後は再告訴できない**（同条2項）。

親告罪については、刑事司法権の発動を私人の意思にかからせているが、いったん公訴が提起された後や、告訴が取り消された後は、法的安定性が重視され、私人の意思によっては刑事司法権が左右されないのである。

(2) 非親告罪

この場合、告訴は単なる捜査の端緒であり、刑事司法権の行使を左右しないから、公訴提起後でも告訴取消しをなし得るし、いったん告訴を取り消した後も再告訴できる（東高判昭27.6.30高判特報34-90）。

(3) 告　発

訴訟条件とされる告発の場合、法237条3項において告発について同条1、2項の準用がないから、特別の制限規定（例えば、関税法148条5項、私的独占の禁止及び公正取引の確保に関する法律96条4項）がない限り、理論上は、公訴提起後の取消しも、いったん取り消した後の再告発も許される。

3　告訴・告発の取消権者

(1) 本人がしたものを本人が取り消す場合

告訴・告発をした者だけが、その告訴・告発を取り消すことができる。告訴・告発をなし得る者が数人いたとしても、そのうち一人がなした告訴・告発を他の告訴・告発権者が取り消すことはできない。

(2) 本人がしたものを法定代理人が取り消せるか

したがって、被害者本人がなした告訴は、法定代理人であっても当然には取り消すことはできない（高松高判昭27.8.30高刑集5-10-1604）。例えば、未成年の娘がなした未成年者誘拐についての告訴を、親権者たる両親が取り消そうとする場合は、その娘から取消しについての個別的な委任（特別の授権）を受ける必要がある。

(3) 法定代理人がしたものを本人が取り消せるか

法定代理人がなした告訴を、被害者本人が取消しできるかについては、法定代理人の告訴権の性質に関する説（**独立行使代理権説**と**固有権説**）によって見解が対立する。判例のとる**固有権説**に立てば、**法定代理人は、本人とは別個独自の告訴権をもつから、本人といえども取消しできない。**例えば、未成年の娘が未成年者誘拐の被害に遭ったことを知った両親がした告訴を娘が取り消すことはできない。法定代理人制度の目的は、被害者本人の意思に反しても独立して権限を行使し、その本人の保護を図るところにあるから、この結論は妥当である。

4　取消しの効果

親告罪、告発が訴訟条件となっている罪については、取消し以後訴訟条件を欠くことになる。遡って告訴・告発が存在しなくなるものではない。

5　告訴権の放棄

法文上、告訴権を行使した後の行為である告訴の取消しは認められるが、告訴権の行使前に、告訴権者が自己の告訴権を放棄することは許されない（最決昭37.6.26裁判集刑事143-205）。

②　告訴・告発の効力の及ぶ範囲

1　告訴・告発不可分の原則

告訴・告発は、1個の犯罪事実の全部についてその処罰を求めるものである。特定の犯人に限定してその処罰を求めるものではない。したがって、1個の犯罪事実の一部について、告訴・告発やその取消しがあったときも、犯罪事実全部について効力が発生するし（**客観的不可分**）、共犯の1人又は数人に対してされた告訴・告発やその取消しは、他の共犯者にも効力を生ずる（**主観的不可分**　法238条1、2項）。客観的不可分については、法文上明記されていないが、理論上当然とされている。

2　客観的不可分

客観的不可分とは、1個の犯罪事実の一部について告訴・告発及びその取消しがあったときは、犯罪事実全部について効力が発生するということである。逆にいえば、1個の犯罪事実を分割して告訴・告発したり、取消しをしたりはできないということである。

(1)　単純一罪の場合

これは明白である。例えば、犯人が非同居の親族方で窃盗をした事件（親告罪）で、A物品が盗まれたとして告訴し、その後、同一機会にB物品も盗まれたことが判明したとき、告訴の効力は当然にB物品の窃盗事実にも及ぶから、新たに告訴状を追完させなくてもB物品の窃盗を起訴できる。

議院における同一証言手続中の数個の偽証は単純一罪であり、議院等から告発されなかった同一証言手続中の別の偽証部分についても告発の

70　第1章　捜査の端緒

効力が及ぶから、これについての公訴の提起も適法である（最判平4.9.
18刑集46-6-355　ロッキード全日空ルート議院証言法違反事件に関する
もの。第一審判決の東地判昭57.1.26判時1045-24も同旨。なお、控訴審
判決である東高判昭61.5.28判時1205-101は、議院が告発しない事実を
訴追することが明らかに告発者の意思に反する場合などには、告発不可
分の原則は例外的に制限される場合もあるとしたが、最高裁はこれを採
用せず、「偽証罪として一罪を構成すべき事実の一部について告発を受
けた場合にも、右一罪を構成すべき事実のうちどの範囲の事実について
公訴を提起するかは、検察官の合理的裁量に委ねられ（る）」とした）。

⑵　科刑上一罪の場合

　本項目の以下の性犯罪に関する裁判例は、平成29年刑法改正前の事案
についてのものである。

　原　則　　刑法54条1項の科刑上一罪の場合も、原則として⑴と同様
である。例えば、住居侵入して、強制わいせつ（現：不同意わいせつ）行
為をした事件の場合（牽連犯）には、住居侵入についての告訴の効力は、
原則として強制わいせつの事実にも及ぶ（浦和地判昭44.3.24刑月1-3-290）。

　例　外　　科刑上一罪は本来各独立した別罪であり、このような犯罪
について、不可分原則を厳格に適用すれば親告罪の趣旨に反する結果を生
ずることもある。次のような場合は、犯罪事実を分割して、告訴・告発や
その取消しの効果を考えるべきである。

①　科刑上一罪の各罪が被害者を別にし、いずれも親告罪である場合に、
　被害者の一部からしか告訴がないときである。例えば、1個の行為で
　甲、乙所有の器物をそれぞれ損壊したとき（観念的競合）に、甲のみ
　が告訴したときは、その告訴の効力は甲所有物件の損壊にしか及ばず、
　乙所有物件の損壊について公訴を提起するには、乙の告訴が別途必要
　である。

②　科刑上一罪の各罪の被害者が同一人であり、一部が親告罪で、一部
　が非親告罪である場合、非親告罪だけに限定する趣旨で告訴がなされ
　たときも告訴の効力は、告訴からあえて除外された親告罪の事実には
　及ばない。例えば、住居侵入され、強制わいせつ（現：不同意わいせ

つ）行為をされた被害者が、世間体を考え、強制わいせつを特に除外して住居侵入事実だけを告訴したとき、告訴の効力は強制わいせつには及ばない（前記浦和地判昭44.3.24）。

③　これに対して、各罪の被害者が同一人で、各罪とも親告罪のとき（例えば、医師が患者の秘密を漏泄し、同時にそれが名誉毀損に当たるとき）は、一罪についての告訴は、全事実に及ぶ。このような場合、被害者には、およそ親告罪についての刑事司法権の発動を求めるか否かの裁量が与えられれば十分であり、その対象までも限定する権限を与える必要はないからである。

3　主観的不可分（法238条1、2項）

(1)　主観的不可分とは、共犯の一人又は数人に対してした告訴・告発やその取消しは、他の共犯者にも効力を生ずるということである。例えば、告訴状に器物損壊の被告訴人として記載されていなくても、共犯者である以上その者に告訴の効力が当然に及ぶのである。被害者等が共犯者を選択し、一部のみを告訴・告発したり、取り消したりできない。共犯とは、共同正犯、教唆犯、幇助犯のほか、必要的共犯（贈賄者と収賄者など）も含む。

(2)　**相対的親告罪（親族間の犯罪など）における例外**

親族間の犯罪の場合などは、一定の身分関係にある者であることを前提にした親告罪であるので、その身分関係の者の処罰をあえて求めるという積極的意思表示が必要である。例えば、親族と非親族が窃盗犯人である場合、被害者が、非親族のみを被告訴人として告訴したり、被告訴人の氏名を特定しないで告訴したときは、親族をも告訴する意思が認められない限り、親族に告訴の効力は及ばない。

72　第1章　捜査の端緒

3　告訴・告発の効果

　司法警察員は、「告訴又は告発を受けた」事件を、**必ず検察官に送付しなければならない**（法242条）。犯罪が成立しないことが明白な場合も、送付義務があり、微罪処分も許されない。

　告訴・告発の取消しによっても、遡って告訴・告発がなかったことになるわけではなく、「告訴又は告発を受けた」事件に変わりないから、送付義務が残る。

告訴等の取消し、告訴等の効力の及ぶ範囲（告訴不可分の原則）、告訴の効果　設問8　73

書式4　告訴調書（⟹ 設問 9 参照）

様式第6号（刑訴第241条、第243条）

<table>
<tr><td colspan="3" align="center">告　訴　調　書(*1)</td></tr>
<tr><td>住　居</td><td colspan="2">（電話　　　　　　　　　）</td></tr>
<tr><td>職　業</td><td colspan="2">（電話　　　　　　　　　）</td></tr>
<tr><td>氏　名</td><td colspan="2">乙田善夫</td></tr>
<tr><td colspan="3" align="right">年　　　月　　　日生（〇〇歳）</td></tr>
</table>

　上記の者は、令和〇年〇月30日〇〇県〇〇警察署において、本職に対し、業務上横領被疑事件につき、次のとおり供述して告訴した。

　丙井太郎に対する業務上横領被疑事件につき、次のとおり供述して告訴した。

1　私は、令和〇年1月から、△△工業株式会社の取締役社長に就任し、現在に至っております。(*2)

　会社は市内〇町〇〇番地にあり、電気器具の製造販売を営業としております。

（中　略）

〇　本月14日から行方不明の元当社経理係の丙井太郎が扱っていた会社の現金を調べたところ、

(1)　本月12日集金係の丁田一郎が市内の〇〇商会から集金した商品代80万円を、その日丙井に引き継いだにもかかわらず、それが帳簿に記載されておらず、同額が会社の方へ入金不足になっていました。

(2)　本月13日現在で、帳簿上200万円あるべきはずの手持現金が30万円しか残っておらず、170万円不足していることが分かりました。

　結局250万円不足しておりますが、これは本人が本月14日に当社から持ち逃げしたものと思われます。(*3)

（中　略）

　以上のようなわけで丙井のやったことは横領罪になると思われますので、取調べのうえ厳重処罰をお願いいたします。(*4)

　　　　　　　　　　　　　　　　　　　　　乙　田　善　夫　㊞

　以上のとおり録取して読み聞かせたところ、誤りのないことを申し立て署名押印した。

　　前　同　日

　　　　　　　　　　〇〇県〇〇　警察署

　　　　　　　　　　司法警察員　警部補　甲　野　一　郎　㊞

74　第1章　捜査の端緒

（注意）1　口頭による告訴、告発又はその取消しのあったときに作成すること。
　　　　2　書面によりこれを受けた場合に調書を作成する必要があるときは、供
　　　　　述調書（乙）を使用すること。

（筆者注）
　＊全体について
　　様式第6号では【親告罪の告訴調書において明らかにすべき記載事項例】とし
　て、1　告訴事実　2　犯人との関係　3　告訴権の有無　4　代理人による告
　訴については、代理権の有無　5　告訴人が犯人を知った年月日　6　処罰を求
　める意思の有無が挙げられている。
＊1　令和5年6月ころから、各都道府県警察において、被害者等の個人特定事項
　　に関する情報を集約した捜査報告書を作成し、原則として、それ以外の捜査書
　　類には、氏名及び年齢を除く個人特定事項を記載しない運用を順次開始してい
　　る（⟹ 設問 3 、 3 3参照）。
＊2　親族間の犯罪のときは、被害者と犯人との親族法上の関係を明確にすること。
＊3　送付書の犯罪事実が記載できる程度に告訴事実を特定明示して記載すること
　　（詳細は別の供述調書に録取すること）。
＊4　処罰を求める意思を明確に記載しておくこと。

告訴等手続、その取消し手続等　設問9　75

設問
9 告訴等手続、その取消し
手続等

●設　問●

　司法巡査甲が夜間交番で勤務中、名誉毀損の被害者Aが来所し、告訴
状を提出した。AにおいてBが犯人だと知った日を確認した結果、翌日
午前零時をもって告訴期間が満了することが判明したので、甲は直ちに
告訴状を受け取り、翌日になってから告訴状を本署の司法警察員に引き
継いだ。甲のこの措置は相当か。

◆解　答◆

　不相当。その日のうちに司法警察員に告訴状を取り次ぐべきであっ
た。⟹ 3 1

1 告訴・告発及びその取消しの方式

1 方　式

　告訴・告発及びその取消し（以下、本設問の解説中では、「告訴・告発等」
という）は、「書面又は口頭で」、**検察官**又は**司法警察員**になされなければな
らない（法241、243条）。

2 書面による場合

　書面による場合、告訴状（告訴の場合）、告発書又は告発状（告発の場合）、
告訴取消書・告発取消書（取消しの場合）との標題のある書面を提出するの
が通常である。電報での告訴については無効とするのが、大審院時代の判例
であった（⟹**告訴状の様式**　66頁「**書式3**」参照）。

3 口頭による場合

　口頭による場合は、直ちに受理機関において調書を作成しなければならな
い（法241条2項）から、告訴・告発等の意思は、受理機関の面前で陳述さ
れなければならない。したがって、電話による告訴・告発等は、無効である

（東高判昭35.2.11高刑集13-1-47）。調書は、普通、**告訴調書、告発調書**の標題のある供述調書として作成される（⟹**告訴調書の書式**　73頁「**書式4**」参照）。

② 告訴・告発等の代理

1　告訴とその取消し

これは**代理人**によってなし得る（法240条）。告訴権者からの委任を受けた者が、告訴権者に代わって告訴権を行使する制度である。なお、「**告訴することに関する一切の権限**」についての委任を受けただけの代理人は、「**告訴を取り消すことに関する権限**」までは委任されていない。この代理人が有効に告訴取消しをするためには、「告訴取消しに関する一切の権限を委任する」との新たな委任を告訴権者から受ける必要がある。

代理人は、必ずしも弁護士である必要はない。

2　告発とその取消し

これについては、法240条の準用がない上、告発は誰でもなし得るので代理を認める必要がないことから、代理は許されないとするのが通説である。しかし、官庁の長が告発を決定した場合、その意思を長に代わって表示する必要があることなどを理由に、代理が許されるとする説もある。

③ 告訴・告発等の受理

1　受理機関

告訴・告発等を有効に受理できるのは、**司法警察員と検察官**に限られる（法241条1項）。

司法巡査、検察事務官も事実行為として告訴・告発等を取り扱うことができるが、その手元に告訴・告発等がとどまる限りは、受理の効力は生じない（親告罪の場合、その間に告訴期間を徒過してしまうことがあり得る）。

アドバイス 司法巡査が告訴・告発等に接した場合の措置

司法巡査が告訴・告発等に接したときは、直ちにこれを司法警察員に取り次がなければならない（規範63条2項）。検察事務官は、検察官に取り次がなければならない。

　告訴・告発等が書面でなされるときは、これを取り次げばよいが、口頭でなされるときは、告訴・告発等の申出人を司法警察員等の面前に同行し、陳述させる必要がある。**司法巡査が告訴調書を作成し、これを司法警察員に引き継いでも告訴の効力は生じない**（福岡高判昭27.1.31高刑集5-1-90）から、注意を要する。

2　事件送付後の告訴・告発の取消し

　告訴・告発の取消しは、事件が検察官に送付された後であっても、司法警察員において有効に受理でき、その場合は、司法警察員が受理したときに、告訴・告発の取消しの効果が生ずる。したがって、送付後に司法警察員に告訴・告発の取消しがなされた場合に、そのことを知らないで検察官が親告罪を公訴提起したときは公訴が棄却されてしまう。このようなことを防止するために、**送付後に告訴・告発の取消しを受けた司法警察員は、直ちにその旨を検察官に通知しなければならない**（規範71条）。

3　告訴・告発の不受理の可否

　司法警察員等は、告訴・告発人が告訴・告発権を有している以上、原則として、その告訴・告発を受理すべき義務があり、受理を拒絶できないと解される（増井清彦　前掲87、127、180）。

　しかし、①告訴・告発人が告訴・告発能力を持っていないとき（例えば、告訴人が精神病の妄想に支配されて告訴に及んだとき）、②事実の記載自体犯罪を構成しないもの（例えば、いわゆる不貞行為についての告訴など）、③親告罪の告訴期間を徒過しているとき、④告訴事実について公訴時効が完成しているとき、⑤処罰を求める意思がないことが明らかなとき、⑥告訴・告発事実の趣旨が不明なとき、⑦犯罪事実として特定を欠き、しかも補正困難なときは、いずれも適法な告訴・告発ではないとして不受理の扱いをすればいい場合が多い（増井清彦　前掲192）。しかし、**告訴・告発を求める者が検察審査会への申立てや付審判請求などを予定しており、不受理措置をめぐ**

り将来紛糾するおそれがあったり、**不受理措置について民事上の不服申立て等がなされる可能性がある**ときは、受理した上で、必要な捜査を遂げ、検察官に送付する手続をとるべきである。

　なお、実例として、①告訴があっても、その申立ての内容その他の資料から判断して申立てに係る犯罪が成立しないことが明らかな場合には、告訴の受理を拒否することができるとしたもの（大阪高決昭59.12.14判タ553-246　傷害事実について）、②非親告罪の場合は、特に被害者が告訴の意思を明確に表示しない限り、これを告訴として受理しないとしても違法とはいえないとしたもの（東高判昭57.2.18判時1041-68　傷害事実について）、③告訴状記載の内容が不明確で特定されていなかったり、その事実の中に時効完成した事実などが混然一体をなしており、しかも告訴人が告訴状を補正しないと明言し、事情聴取にも応じない場合は、告訴を受理しなくても職権濫用とはいえないとしたもの（高松高決昭58.11.18高検速報417　窃盗の告訴不受理について付審判請求となったもの。大分地判平14.3.27（警察学論集56-1-152で紹介）も同旨）がある。

④　受理後の手続

1　送　付

　司法警察員が、告訴・告発を受けた事件は、速やかにこれに関する書類、証拠物を検察官に送付しなければならない（法242条）。「送付」は、一般事件の「送致」と同義であり、ただ微罪処分を認めず、早期の事件処理を図るべきことを明らかにするため、特に「送付」という用語を用いたと解される。

　書類、証拠品の送付によって、当然に事件そのものが送致される。

2　送　致

　告訴・告発に係る事件について、被疑者を逮捕したときは、身柄の送致とともに、書類、証拠物が送致されるので、改めて送付手続を要しない。

自　首　設問10　　*79*

設問 10　自　首

●設　問●

　甲は、自動車を運転中、ガードレールに衝突し同乗者乙を負傷させた
が、警察官の取調べに対しては、人身事故はなかったと嘘の説明をし、
これを信用した警察官はこの事故を物損事故として処理した。甲は、事
故発生後から2週間後に、警察官に同事故が人身事故だったことを申告
した。この申告は自首に当たるか。

◆解　答◆

　当たる。「本件事故において、捜査に当たった警察官は、被告人が
業務上過失傷害の事実を申告するまでは、同人に対し人身事故の嫌
疑は抱いておらず、右申告は警察官の尋問を待たずに進んで行われ
たものであるから……（中略）……自首があったものと認めるのが
相当（である）」（最決昭60.2.8刑集39-1-1）⟹ **3** 4 (2)、**4** 2 (2)

1　**自首の意義**

　自首とは、犯罪事実又は犯人の発覚前に、犯人が自発的に、自己の犯罪事
実を、捜査機関に申告し、自己の処罰を求めることをいう。自首は刑法上、
刑の減軽、免除の事由になっている（刑法42条　裁量的減軽、80条　内乱予
備等について免除、93条　私戦予備等について免除）が、刑訴法上は捜査の
端緒の一つにすぎない。

　捜査機関でない一般人、裁判官などに対する申告は、自首ではない。しか
し、親告罪の告訴権者に対する申告は「**首服**」と呼ばれ、刑の減軽の理由に
なり得る（刑法42条2項）。

80 第1章 捜査の端緒

2 犯罪事実又は犯人の発覚前における申告

この要件を欠き、自首が否定される場合とは、被告人が犯罪事実の申告を
した当時、**捜査機関が相当の合理的根拠によって犯罪を知り、かつ、犯人を
特定していたとき**である。

例えば、オウム真理教団による一家殺人事件について被告人から申告がな
された当時、捜査官が、同事件を一家失踪事件にとどまると考えており、何
らかの犯罪に基づくものと考えていたとしても具体的なものではなく、教団
が失踪に関与していると疑っていたものの推測の域を超えるものではなく、
被疑者に対して一家失踪に関与しているとの嫌疑をもっていなかった場合に
は、当該申告は「捜査機関に発覚する前」になされたものと評価できる（東
地判平10.10.23判時1660-25　オウム真理教元幹部による弁護士一家殺害等
事件に関し自首の成立を認めた）。逆に、身の代金目的誘拐等事件において、
身の代金要求電話の録音テープの捜査結果などの情況証拠により、被告人が
犯人であることについて高度の嫌疑を抱いて捜査をしていた捜査機関に、被
告人が出頭し申告したときには、自首は成立しない（甲府地判平7.3.9判時
1538-207）。

犯罪事実が発覚していても犯人が何人であるか判明しないときに、犯人が
申告したときは自首に当たる。しかし、犯人の氏名、住居が分かっていなく
ても、犯人が何人か特定できる程度の事項が分かっていれば、その場合の申
告は、自首に当たらない。例えば、犯人が、車種と車体番号が判明している
タクシーの運転手として特定されていて、ただその氏名、住居が判明しない
だけの場合は、犯人が何人であるか特定されているとした裁判例（東高判昭
46.10.27判時656-101　タクシー運転手による傷害事件）がある。

3 犯罪事実を申告し処罰を求めること

1 犯罪事実の申告を欠く場合

交通事故の発生報告は、犯罪事実（業務上過失致死傷）の申告ではない。
自動車の運転手が自動車による傷害事故を起こしたことを届けただけで自己
の過失による犯罪事実を告げなかった場合、自首には当たらない（高松高判

昭30.7.29高裁特報2-16・17-832）。喧嘩して相手を負傷させたのに、喧嘩によって自分が負傷したことだけを申告した場合（仙台高秋田支部判昭33.3.12高裁特報5-3-95）、何らかの罪を犯したことをほのめかす程度の供述をしただけにすぎなかった場合（名古屋高判昭24.6.17高判特報1-217）は、いずれも犯罪事実の申告がなく、自首に当たらない。

2　匿名による申告も、自己が特定されないのであるから、自首に当たらない。

3　出頭時に捜査員が不在であった場合

被疑者が自己の犯罪事実が捜査機関に発覚する前に、自己の犯罪事実を申告して処罰を求める意図で捜査機関に出頭したにもかかわらず、捜査員が不在であるなどの事情で申告ができなかったときでも、自首が成立する場合がある（東高判平7.12.4高刑集48-3-189　殺人事件において、犯行が警察に発覚する前に、被疑者が交番に出頭したが警察官が不在のため申告できず、10分後頃に公衆電話で警察に電話して自分の名前と犯罪事実を申告したが、被疑者が電話をする2分位前に犯行目撃者が警察に電話して被疑者の犯行を申告していたという事案においては、被疑者の行為は全体としてみれば「いまだ官に発覚せざる前」に自首したものと評価することができるとした）。

4　申告内容に虚偽が含まれる場合の自首の成否

(1)　考え方

自首制度の趣旨について、捜査等を容易ならしめるという目的を強調すれば、被疑者が申告に当たって重要な事実に関し**虚偽事実を述べるなどした場合**には、捜査を混乱させ誤らせる危険性が高いことを理由に、当該申告は「自首」に当たらないとの考え方（A説）をとることができる。これに対し、自分の犯罪事実について犯罪成立要件を充足するのに必要な事実が申告されてさえいれば自首の要件に欠けることはなく、申告内容に虚偽が含まれているかどうかは刑の減軽の要否の判断で考慮すればいいとの考え方（B説）をとることも可能である。

(2)　最高裁判例

最高裁判例は、申告内容に虚偽が含まれた事案について、A説の立場に立ち、自首が成立しないと判断したものと、B説の立場に立ち、自首

82 第1章 捜査の端緒

が成立すると判断したものとに分かれている。自首の成立を認めた事案
として、自ら警察に出頭して拳銃発射の事実を申告した者が、実際は発
射に用いた拳銃の特定について虚偽を申し立てていたものがある（最決
平13.2.9刑集55-1-76、ただし、刑の減軽は不相当として上告を棄却）。
これに対し、自首の成立を否定した事案としては、自ら被害者をその嘱
託を受けて殺害した事実を申告した者が、実際は嘱託を受けることなく
被害者を殺害したことについて虚偽を申し立てていたものがある（最決
令2.12.7刑集74-9-757）。自首の成立を認めた事案においては、犯罪の
成立要件以外に関する事実に虚偽が含まれていたにすぎないのに対し、
自首の成立が否定された事案においては、犯罪の成立要件に関する事実
に虚偽が含まれていたため、重要な事実に関し虚偽の事実を述べていた
と評価でき、「自己の犯罪事実を申告した」ということができない旨判
断可能であったと考えられ、実務上参考になる。

⑶　**下級審判決**

　　自首に当たるとしたもの　　被告人が、強盗殺人事件を犯した翌日、
警察に出頭し同事件の犯人であることを認める申告をしたが、犯行の動機、
強盗の故意、殺意について実際とは異なる申告をした場合であっても自首
に該当するとした事案（広島地判平14.3.20判タ1113-294　これは構成要
件該当事実自体に虚偽が含まれていた事案であるが、「被告人の出頭によっ
て捜査・処罰が容易になり、被告人は、少なくとも傷害致死の限度では自
己の犯罪行為を申告しており、訴追を求める意思もあったといえるから、
刑の減軽をするか否かは別途考慮するにしても、自首は成立する」とした。
ただし、刑の減軽は不相当とした）がある。

　　自首に当たらないとしたもの　　①被告人が他と共謀して犯した傷害
致死事件について、出頭時に、単独犯行であると申告したとき、これが共
犯者の存在、共同暴行の事実、組織性・計画性全てを巧みに隠蔽する目的
に出たものといえる事案（東高判平17.6.22判タ1195-299　このような犯
罪申告は、隠した共犯者に関する部分で身代わり犯人になっているもので、
犯人隠避に当たるとする）、②被告人が、被害者（母）方に侵入し、強盗
の目的で被害者に暴行を加え金銭を奪い、その際被害者を負傷させ死亡さ

せた事件について、警察官に対し、被害者に暴行をふるったことを申告したが、当初は、これが強盗目的であることを隠すなどしていた事案（東高判平17.3.31判時1894-155　自己の刑責を軽減するために犯罪事実の重要な部分を殊更隠したり、虚偽の事実を申告するのは自首とはいえないとした）では、いずれも自首に当たらないとされた。

４　自発的な犯罪事実の申告

1　自発性の要件

　自首といえるためには、犯人が自ら進んで自発的に犯罪事実を申告することが必要であり、**捜査官の捜査活動に起因して、やむなく申告する場合は自首に当たらない**と解される。具体的には、犯人が犯罪事実を申告するに至った経緯（犯人の主観的事情と客観的状況）などからみて、犯人が当初から自首する意思を持っていたかどうかなどを判断し、自首に当たるか否かを決するべきである。

　これに関し、適合実包等の所持に関し隠匿場所を記載した上申書を提出したのが警察官の追及の結果であった上、妻や組織の準構成員に本件実包等の隠匿場所を変更させていたため、同上申書に基づく捜索では発見できなかった事情に照らし、自首を否定した事案（東高判平18.4.6判タ1222-317）がある。これに対し、窃盗事件を犯した被告人が、警察に出頭し刑務所に行きたいと述べたものの、犯罪事実を明確にせず、警察官の追及を受けて初めてバッグを盗んだと述べた場合であっても、その理由は、説明が要領を得なかったもので、犯罪事実を隠そうとしたものではなく、全体としてみれば自発的な申告であり、自首に該当するとした事案（東地判平15.1.28判時1837-161　ただし、刑の減軽は不相当とした）がある。

2　取調べ中の申告

(1)　余　罪

　　　別罪について捜査官から取調べを受けていたときに、捜査官から他に犯した罪はないかとの問いを受けて、未発覚の余罪を自供したとしても、自首には該当しない（東高判昭43.4.22判タ225-217）。しかし、捜査官が、余罪を追及した結果、現に捜査対象として既に自供を得た事件以外

84 第1章 捜査の端緒

に嫌疑がないと最終的に判断し、もはや余罪の追及がなくなった状況下で、被疑者が進んで新たな余罪についての自供をするに至った場合は、自首に該当する（東高判昭62.11.4判タ655-248 余罪追及の結果、強盗と窃盗を自供したので、その他の余罪はないと判断していたところ、被疑者が強盗致傷の余罪を自供した事案）。

⑵ 嫌疑を抱かれていない犯罪事実

取調べ警察官が嫌疑を抱かなかった事実を申告した場合は自首に当たる（本設問解答欄の最決昭60.2.8）が、取調べ後も捜査官が強い嫌疑を抱いていた事実を申告した場合は、自発的な申告ともいえないから自首に当たらない（東高判昭58.12.27高検速報2688）。

3 職務質問中の申告

⑴ 肯定例

①犯人が自首するつもりで、派出所前まで行ったところ、警察官から挙動不審により職務質問を受けて、直ちに自己が犯した傷害事件を申告した事例（東高判昭42.2.28）、②交通監視をしていた警察官を見て、自分の覚醒剤使用事実が既に露見したものと誤信し、犯行を申告して警察官の処置に委ねるしかないと観念し、運転していた自動車を徐行したところ、警察官から停止を求められたので、覚醒剤使用事実を自ら申告した事例（福島地判昭50.7.11判時792-112 自首には必ずしも真摯な悔悟にでたことは要しないとする）、③被告人が、寒さや飢えから逃れるために警察に捕まりたいと考えて強盗を行い、犯行後直ちに逮捕されることを目的に警察署に向かい、警察署前で警察官から職務質問を受け、本件強盗を起こしたこと等を確認されると、すぐに自認し、犯行に使用した包丁も差し出したという事例（東地判平13.7.25判時1809-158）は、いずれも自首に当たる。

⑵ 否定例

④職務質問に際し、犯人が、種々弁解をした後、結局犯行を自供したときは自首に当たらない（その旨の原審の判断を肯定した最判昭29.7.16刑集8-7-1210）、⑤職務質問と所持品検査要求を受けて、ポケット在中品を警察官に提出し、警察官から「もうないか」といわれて拳銃の不

法所持を申告したのは、職務質問の結果やむを得ず申告したもので、自発性を欠き自首に当たらない（大阪高判昭50.11.5判時806-106）。

5 自首の手続

1 自首の方式など

　自首の方式、自首調書の作成、書類の送付の手続については、告訴の場合と同じである（法245条）（⟹ **自首調書の書式** 87頁「**書式5**」参照）。

　自首は、書面又は口頭で行わなければならない（法245条、241条1項）。

　「口頭」とは、自首した者と自首を受理する者が相対して行うものであるのが原則である。

　　　電話による自首　　例外的に電話による自首が成立するためには、連絡後、犯人がすぐに自分の身柄を捜査機関に委ねられるような、相対しているときに準じる状況になければならないと解される。例えば、犯人が、警察署の最寄りから、電話（110番通報）をして犯罪事実を申告したときは、通常、直ちに警察官が駆けつけ犯人と相対することができるから、申告が自首の開始で、通報を受けて駆けつけた司法警察員が犯人の身柄を確保すること（又は駆けつけた司法巡査を介して司法警察員が身柄を確保すること）で自首が完了したとみることが可能である。

　　　これに対し、被告人が、外国（韓国）から、電話で日本国内の警察官に自己の犯行（殺人）を申告した場合は、自首には当たらないとした事案（東地判平17.9.15判タ1199-292）がある。

2 受理権限

　司法巡査、検察事務官は、自首の受理権限をもたないから、犯人が自首してきたときには、直ちに司法警察員、検察官に取り次がなければならない。

3 代理人による自首

　代理人による自首は認められない（法245条は、240条を準用していない）が、自首は、犯人自らが捜査機関に出頭することを要件としないから、他人、例えば親族を介して犯罪事実を捜査機関に申告しても自首に当たる（最判昭23.2.18刑集2-2-104）。ただし、その場合犯人がいつでも捜査機関の処分に応ずる状態であることを要する（京都地判昭47.3.29刑月4-3-610）。

86 第1章 捜査の端緒

　会社の内部調査で犯人が自己の犯罪事実を申告し、会社関係者がこれを警察に申告した行為が、犯人についての自首と認められた事案がある（東高判令5.3.17判タ1515-62　被告人両名が会社に犯罪事実の内容を自発的に申告するなどして警察への申告等を委ね、申告後はいつでも出頭して捜査に協力する意思であったことなどの事情から、会社関係者による申告は被告人両名自らが捜査機関に申告したものと実質的に違いはないとした）。近時、企業の法令遵守意識の高まりから、会社の内部調査が刑事手続に先行する場合が多くなっているので、実務上参考になる。

自　首　設問10　*87*

書式5　自首調書（⟹ 設問10 参照）

様式第7号（刑訴第245条、第241条）

<table>
<tr><th colspan="2" align="center">自　首　調　書</th></tr>
<tr><td>本　籍</td><td>○○県○○市○○町○○○番地</td></tr>
<tr><td>住　居</td><td>同上　　　　　　　　　　（電話　○局○○○○番）</td></tr>
<tr><td>職　業</td><td>無職　　　　　　　　　　（電話　○局○○○○番）</td></tr>
<tr><td>氏　名</td><td>山　田　太　郎</td></tr>
</table>

　　　　　　　　　　　　　　昭和○○ 年 ○○ 月 ○ 日生（ ○○ 歳）

　上記の者は、令和○ 年 ○ 月 10 日 ○○県○○警察署 において、本職に対し、殺人被疑 事件につき、次のとおり供述して自首した。(＊1＊2)

1　私は、先ほど実の長男山田一夫を殺してしまいましたが、良心の苦し
　さに堪えかねて、ただいま自首してきました。今、○月10日午前9時
　10分です。

（　中　略　）

○　本日、午前○時半頃、一夫の寝ていた6畳の部屋へ行ってみますと、
　一夫は大きないびきをかいて眠っておりました。私は、枕元に片ひざを
　つき手に持っていた

　　ネクタイ

をあおむけに寝ている一夫の首の下から差し入れて、首に巻きつけ、の
どの上で交差させて両端を握って強く絞めつけました。一夫は苦しがっ
て起き上がろうとしたので、私は馬乗りになり、夢中で両腕に力を入れ
てネクタイの両端を強く引っ張っておりますと、一夫が急にぐったりし
てしまいました。そのままの姿勢でしばらくの間ネクタイを絞めつけて
おりますと、全く動かなくなったので、完全に死んだと思い手をゆるめ
ました。

（　中　略　）

○　私も死んでしまおうかと思いましたが、妻や子どものことを考えると
　死ねないと思い、罪の償いをしようと考え自首してきました。

　　　　　　　　　　　　　　自首者　山　田　太　郎　㊞㊞

以上のとおり録取して読み聞かせた上、閲覧させたところ、誤りがない
ことを申し立て、各葉の欄外に指印した上、末尾に署名指印した。

　　前　同　日

○○県○○ 警察署

司法警察員 巡査部長　甲　野　一　郎　㊞

（注意）　口頭による自首を受けたときに作成すること。

88　第1章　捜査の端緒

（筆者注）
　＊全体について
　　様式第7号では【自首調書において明らかにすべき記載事項例】として、1
　自首の年月日時　2　自首した犯罪事実　3　被害者との関係　4　自首するに
　至った動機が挙げられている。
＊1　自首の受理は取調べではないから、供述拒否権の告知を要しない。
＊2　録取すべき内容は、①申告に係る犯罪事実の概要、②自首の日時、③被害者
　　との関係、④自首の動機、程度であり、さらに詳細な事実関係、経歴などにつ
　　いては、供述拒否権を告知した上で、被疑者供述調書に録取すべきである。

設問 11 職務質問

● 設 問 ●

警察官甲は、住居侵入行為をして逃走中の犯人と特徴が酷似している
Aを発見したので、職務質問をするため、Aを追跡し、一度はAの背後
からジャンパーをつかんだものの、これを振り切られて逃げられたため、
再びAを発見したとき、背後からAの両肩をつかみ、更に抵抗するAと
もみ合いになったことから、向かい合う形でジャンパーの両襟首をつか
んで逃走を阻止した。甲による一連の有形力の行使は適法か。

◆解 答◆

適法 「一連の具体的な状況と経過に徴すると……このことも（著
者注、甲の措置）その段階で犯罪を犯したと濃厚に疑うことのでき
る被告人（筆者注、A）が必死に逃走せんとして抵抗するのに対し
て、職務質問をする目的で、これを一時的に制止して逃走を防いで
その場に停止させるためにとられた止むを得ない行動と見ることが
できる。」（東高判昭60.9.5判時1183-165）⟹ **3** 2

1 職務質問の種類

1 行政警察活動としての職務質問と司法警察活動としての職務質問

警察法は、警察機関の任務を、個人の生命・身体・財産の保護、犯罪の予
防・鎮圧・捜査・被疑者の逮捕、交通の取締りその他公安秩序の維持、とし
て規定（警察法2条1項）している。このうち、犯罪の捜査及び被疑者の逮
捕、その他の刑事司法のために行われる活動を**司法警察活動**と呼び、その他
の活動を**行政警察活動**と呼ぶ。司法警察活動は刑事司法権に付随する作用と
して刑事訴訟法に従ってなされるが、行政警察活動は社会公共の秩序を維持
するために国の一般統治権に基づき人民に強制、命令し、その自由を制限す

90　第1章　捜査の端緒

るものとして行われるので、概念上この二つの活動は区別される。

2　行政警察活動としての職務質問等の刑事訴訟法における位置付け

　職務質問・所持品検査・任意同行・自動車検問・情報収集活動（以下、本設問では「職務質問等」という）は、通常は犯罪の予防及び犯罪の端緒の獲得のために行われる行政警察活動であり、刑事訴訟法上は「捜査の端緒」の一つとして位置付けられるにとどまる。しかし、行政警察活動たる職務質問等により犯罪の端緒をつかんだときは、直ちに捜査活動（司法警察活動）に移行することが多いのみならず、後日、捜査手続の適否について司法審査される際に、捜査活動に先行する職務質問等の行政警察活動の適法性が問題とされることも多い。したがって、行政警察活動としての職務質問等は、捜査活動の適法・違法の判断に極めて重大な影響を与える「捜査の端緒」として、刑事訴訟法上も特に議論されることになる。

3　任意捜査としての職務質問等

　捜査機関において、具体的な犯罪が存在すると思料するとき捜査活動が開始され、捜査の目的を達するために必要なときは、被疑者等に質問し、同行を求め、所持品の提出を求め、関係人の乗っている疑いがある自動車の停止を求める等のことは、任意捜査としての要件が備わっていれば許容され、捜査権限ある捜査機関（検察官、特別司法警察職員をも含む）であれば当然なし得る。

2　行政警察活動としての職務質問等とその際の有形力行使の限界

1　警察官職務執行法（警職法）の要件のある職務質問等

　警職法上、犯罪防止のための警告・制止（警職法5条）、職務質問のための停止（同法2条1項）、同行（同条2項）、凶器の調査（同条4項）、精神錯乱者・泥酔者等の保護（同法3条）、危険事態の際の立入り（同法6条）の権限が警察官に与えられ、それぞれの権限を行使できる要件が定められている。例えば、**警職法上の職務質問は、「異常な挙動その他周囲の事情から合理的に判断して何らかの犯罪を犯し、若しくは犯そうとしていると疑うに足りる相当な理由のある」**とき、又は**「既に行われた犯罪について、若しく**

は犯罪が行われようとしていることについて知っていると認められる」とき許される（同法2条1項）。下記**3**のとおり、これらの権限を行使する際に、有形力を行使できる場合がある。

2　警職法の職務質問等の要件がない場合の職務質問等

　警職法上の職務質問をなし得る要件を欠く場合でも、職務質問が許容されるときがある。例えば、過激な集団行動が行われている公園に、一見その集団行動とも他の犯罪とも関係のなさそうなアベックが紙袋を持って公園内に入ろうとしている場合に、警察官が、**相手方の全く任意な協力を得て立入目的、紙袋内の所持品等について質問し、相手方が自主的に所持品を見せたときにこれを確認するような行為は、警察官に、警察法2条の任務を含んだ法令上の各種職権職務を遂行すべき権限を与えた警職法8条により、適法な職務行為であると解される（頃安健司「現代刑罰法大系　第5巻」〔日本評論社1983〕150）。職務質問の要件がないときであっても、自動車の任意の停止を求めることも同様にして適法と解される（最決昭55.9.22刑集34-5-272）。

3　警職法の職務質問の際に許される有形力行使

1　警察比例の原則

　行政警察活動の本質からいって、行政警察権の行使に当たり実力行使が認められる場合があり、その実力行使の限度については、**警察比例の原則**が当てはまる。警察比例の原則とは、警察権を発動すべき場合・程度について、対象となる社会公共に対する障害の大きさに比例すべきであり、社会通念上、認容できない障害に対してだけ発動すべきで、発動する場合もその障害を取り除くための必要最小限度にとどまるべきであるとする原則をいう。

2　職務質問における有形力行使の限界

(1)　有形力行使が許されることがあること

　　警職法上の職務質問を受ける者は、「刑事訴訟に関する法律の規定によらない限り、身柄を拘束され、又はその意に反して警察署、派出所若しくは駐在所に連行され、若しくは答弁を強要されることはない。」（警職法2条3項）。しかし、質問に応じない者に対してこそ職務質問の必要があるから、職務質問を行うために、強制にわたらない範囲で有形力

92 第1章 捜査の端緒

を行使すること、例えば、質問に応じないで逃走する者を**追跡**すること（最決昭29.12.27刑集8-13-2435、最判昭30.7.19刑集9-9-1908）、追跡し背後からその腕に手をかけて**停止を求める**こと（最決昭29.7.15刑集8-7-1137）も適法とされる。

　職務質問を行うため相手方に「停止」を求めたところ、胸ぐらをつかまれた警察官が、**相手方の胸ぐらをつかみ返してもみ合いとなり、相手方の着衣を破損した行為**は全体として適法とした例（名古屋高判平13.10.31高検速報695「停止を求めるために必要かつ相当な範囲で有形力を行使することは許され、その適否や方法は、職務質問の時点において、当該犯罪の内容、嫌疑の程度、職務質問の対象者の対応等のほか、当該有形力行使の必要性や緊急性なども考慮した上、具体的な状況に基づいて客観的かつ合理的に判断されるべきである」とした）がある。

　また、警察官が、挙動が不審なAに職務質問をしようとしたところ、Aがその場から立ち去ろうとしたので、Aのコートを一時的につかんだり、Aの肩に手をかけ、前に立ちふさがったりしたほか、座り込んだAの脇に手を添えて立ち上がらせるなどしたことも説得行為として許される（東地判平14.3.12判時1794-151　「職務質問を行うために一時的に行った説得行為として、緊急性があり、必要かつ相当な限度内の行為であった」とした）。

(2)　**有形力行使の許容される基準**

　有形力行使の限界は、前記「警察比例の原則」によって決まるから、**挙動不審の程度に比例して、行使できる有形力の程度も大きくなる**といえる。したがって、容疑者的立場の被質問者に比べ、参考人的立場の被質問者に対しては、質問のための有形力行使は抑制的であるべきであり、犯罪の疑いが解消した後は直ちに質問を終了すべきであって、いたずらに質問を継続するための実力行使は許されない（京都地判昭49.7.12判時778-85）。

　最高裁は、警察官の制止行為に関し、有形力行使が許容される場合があると判示した決定において、「警察比例の原則」に準じた「**捜査比例の原則**」を踏まえ、**任意捜査における有形力行使の許容基準を示した**

職務質問　設問11　　93

（最決昭51.3.16刑集30-2-187　許容されるためには「必要性・緊急性、相当性」の３要件を必要とするとした⇒ 設問15 、 2 3(3)）と解されているので、同最決の示した趣旨は、職務質問における有形力行使の許容基準についても基本的に当てはまると考えられる。そのため、職務質問に応じず、その場から立ち去ろうとする者に対しても職務質問を継続することは許されるが、まずは口頭での説得を原則としつつ、その実効性を確保するため、制止行為をした場合は、そうした措置を行う必要性・緊急性と、これによる権利侵害の程度を比較衡量した上で、個々の事案ごとに相当性が判断されることに留意する必要がある。

(3)　**職務質問の実効性を確保するための制止行為**

　　職務質問の実効性を確保するための制止行為は、比較的広く認められる。

①　警察官が、職務質問を行おうとした際に、暴行を加えようとした被疑者を取り押さえた行為は許される（東高判平11.8.23刑集57-5-738）。

②　路上において交通整理及び交通事故の犯人の発見・検挙活動に従事中の制服着用の警察官が、自分につばを吐きかけてきた男に対し、故意につばを吐きかけてきたものと考えて「何をする」と言いながら、**男の胸元をつかみ歩道上に押し上げた行為**は、職務質問に付随する有形力の行使として許される（最決平元.9.26判時1357-147　警察官としては、何らかの意図で更に暴行あるいは公務執行妨害等の犯罪行為に出るのではないかと考えることは無理からぬところであることを理由とする）。

③　警察官が、Aに対して、机の上に置かれていたAが所持していたメモ紙片（水溶性のもの）を机の上に置かせ、そのメモ紙片の記載等について質問を行おうとしたとき、Aがとっさにその紙片の一部を右手でつかんで、机の上に置かれていた水の入った紙コップの中に突っ込んだので、警察官が、紙コップに紙片を入れようとしたAの右手をつかみ制止したことも職務質問の実効性を確保するための行為として許されるとした（前記東地判平14.3.12判時1794-151　「職務質問に付随し、いわばその実効性を確保するために必要かつ相当で、緊急性も認められる行為というべきである」とした）。

94　第1章　捜査の端緒

④　ホテルの責任者から、料金不払や薬物使用の疑いのある宿泊客を退
　去させてほしいとの要請を受けた警察官（制服着用）が客室に行き、
　「お客さん、お金払ってよ。」と声をかけ職務質問を開始したところ、
　被疑者がドア（内開き）を20センチから30センチ程度開けたが、料金
　について納得し得る説明をせず、警察官と目が合うと慌ててドアを閉
　め押さえたという状況の下では、警察官が職務質問を続行するために、
　ドアを押し開けその敷居辺りに足を踏み入れてドアが閉められるのを
　防止した措置は適法であるとした（最決平15.5.26刑集57-5-620）。
⑤　職務質問に応ずるのを拒否する被質問者に翻意を求めて説得中、こ
　れを**妨害して割り込んでくるなどした第三者を排除する行為**は、当初
　の質問行為と時間的場所的に近接する限り、職務質問に付随する行為
　として適法である（大阪地判昭56.11.13判時1050-171）。

⑷　**その他職務質問の実効性を確保するための行為**

①　公務執行妨害の現行犯人が、デモ行進中の集団に紛れ込んだ場合に、
　面割り目的の職務質問の可能な状態を準備するために、**集団全体を一
　時停止させる**ことも適法である（東高判昭55.5.22判時982-157　ただ
　し、この上告審決定である最決昭59.2.13刑集38-3-295は、この措置
　を現行犯人検挙のための措置として適法としている）。

②　ホテルの駐車場にナンバープレートの登録番号と車種が一致しない
　不審車両を発見した警察官が、同車両に乗り込んだ運転者に対して職
　務質問をしようとして、捜査用車両3台で近づき、2台が不審車両の
　左右を挟む形で、もう1台が**不審車両の前方をふさぐ形で停止した行
　為**は職務質問を行うための措置として許容される（大阪高判平11.12.
　15判タ1063-269　職務質問の必要性があり、質問しようとした場合に
　運転者が停止せず車両を発進させることが十分想定されたので、職務
　質問の実施を確実なものとする一方、逃走に伴う事故を防止し、道路
　運送車両法違反の状態にある不審車両が運行に供される事態を回避す
　る交通行政警察上の必要も存したことを理由とする）。

③　覚醒剤使用の嫌疑があり、覚醒剤中毒をうかがわせる異常な言動が
　ある被質問者が、エンジンを空吹かししたりハンドルを切るような動

作をし自動車を発進させるおそれがある場合において、被質問者運転の自動車の**エンジンキーを引き抜いて取り上げる行為**は、職務質問を行うため停止させる方法として必要かつ相当とされる（最決平6.9.16刑集48-6-420）。

（⟹先行する違法な職務質問が、後行する捜査手続で収集された証拠の証拠能力に与える影響については、設問63、6参照）

96　第1章　捜査の端緒

設問 12　所持品検査

●設　問●

(1)　警察官甲は、銀行強盗の犯人の疑いがあるＡの所持するバッグの中に強奪品か凶器が入っていると思われたので、Ａの承諾を得ないでバッグの中をのぞいて在中品を確認した。この行為は適法か。

(2)　警察官乙は、深夜ゲーム店において、ゲーム機をさわっていたＢを発見し窃盗の疑いをもって職務質問を開始したが、Ｂと共にその場にいたＣが「Ｂ君は、この店の者だ。」と申し立てたのにその点をＢに確認せず、Ｂの着衣に盗品や凶器が隠されている外観もなかったのに、Ｂの承諾も得ずにそのポケットに次々手を入れ、ポケットから覚醒剤を発見した。乙の行為は適法か。発見された覚醒剤は証拠として使えるか。

◆解　答◆

(1)　適法とされる場合もある。⟹ **3** 3

(2)　重大な違法がある。覚醒剤の証拠能力も否定され、証拠として使えない。⟹ **2**(1)、**3** 4 (2)(3)

1　所持品検査の適法性

　最高裁は、昭和53年の二つの判決において、**警職法2条1項の職務質問に付随する所持品検査**が適法とされる場合があることを認めた。

　判決は、「所持品の検査は、口頭による質問と密接に関連し、かつ、職務質問の効果をあげる上で必要性、有効性の認められる行為であるから、同条項（筆者注、警職法2条1項）による職務質問に付随してこれを行うことができる場合があると解するのが相当」とした上で、「所持品検査は、任意手段である職務質問の付随行為として許容されるのであるから、所持人の承諾を得て、その限度においてこれを行うのが原則である」としつつ、「所持人

の承諾のない限り所持品検査は一切許容されないと解するのは相当でなく、**捜索に至らない程度の行為は、強制にわたらない限り、所持品検査においても許容される場合がある**」と明確に述べ、その許容基準について、「捜索に至らない程度の行為であってもこれを受ける者の権利を害するものであるから、状況のいかんを問わず常にかかる行為が許容されるものと解すべきでないことはもちろんであって、かかる行為は、限定的な場合において、所持品検査の**必要性、緊急性**、これによって害される**個人の法益と保護されるべき公共の利益との権衡**などを考慮し、具体的状況のもとで**相当**と認められる限度においてのみ、許容されるものと解すべきである。」と判示した（最判昭53.6.20刑集32-4-670　鍵のかかっているアタッシュケースの鍵をこじ開け内容を見たことを違法としたが、施錠されていないバッグのチャックを開け、内部を一べつしたことは適法とした事案　なお、最判昭53.9.7刑集32-6-1672は上着左側内ポケット内に手を差し入れて所持品を取り出した事案に関するものであるが、一般論は同旨）。

2 所持品検査の許容基準

許容基準

上記最高裁判決の趣旨からみて、所持品検査が許容されるためには、

①**職務質問自体が適法**であり、しかもこれに所持品検査が付随してなされたといえる程度のつながりがあること

②所持人の承諾を求めるのが原則であり、弱く柔らかい手段から、より強く実力的な手段へと段階的に手順がふまれた結果として所持品検査が実施されたものであること

③**捜索に至らない程度**であること

④**強制にわたらない程度**であること

⑤**具体的状況のもとで相当性**があること

が要求されるものと解される。

(1) 職務質問自体の適法性

上記①の要件について、例えば、窃盗容疑で職務質問中、相手に何ら凶器を所持している状況がないことを認識し、質問を実施する上で必要

98 第1章 捜査の端緒

がなかったのに、一応凶器類の所持の有無を探索しようと考えて所持品検査を実施した場合、所持品検査と職務質問との間に随伴性を欠くことが所持品検査を違法とする理由の一つにされた（大阪高判昭56.1.23判時998-126）。

(2) **警察比例の原則**

　前記②の要件は、いわゆる「**警察比例の原則**」を言い換えたものである。所持人の承諾を得る余裕がないような特段の状況がない限り、所持人の承諾なしにいきなり実力的手段に訴えてはならない。説得の余裕があるのにいきなり実力的に所持品検査をした場合は、⑤の「相当性」も否定されることになる。

(3) **捜索に至らないこと**

　前記③の要件については、「アタッシュケースの鍵をこじ開ける」（最判昭53.6.20の事案）など、強制処分たる捜索に「必要な処分」（法111条）として初めて許容されるような行為が伴う場合や、相手の着衣の複数のポケットに順次手を入れて内部を探索する（上記大阪高判昭56.1.23の事案）場合などは、「捜索に至る」と評価される。

(4) **強制にわたらないこと**

　前記④の要件について、相手の意思を制圧するような強要的言動あるいは相手の物理的抵抗を排除しようとする有形力の行使を伴う場合が、「強制にわたる場合」に当たる。これによれば、所持品検査に際し有形力が行使されても、相手の意思を制圧し抵抗を断念させるに足るものでなければ「強制」とはいえないが、逆に、有形力が行使されなくとも、強要的言動によって相手の意思が制圧されたと認められる時は「強制」とされることに注意を要する。

　「強制」に当たり違法とされた事案としては、(ｱ)警察官2名で、相手の手や腕を押さえる等して着衣内から覚醒剤を取り出した行為（札幌高判昭57.10.28判時1079-142　ただし、その時点で緊急逮捕し、逮捕に伴う捜索ができたことを理由に、覚醒剤の証拠能力は肯定した）、(ｲ)被質問者（女性）が、職務質問されるやタバコの箱をブラウスの内側に入れようとしたので、警察官2名がかりで、1名が左手にタバコの箱を握り

占めていた相手の左肘をつかみ、もう1名が相手の左手首を握りながらその手指から3分の1くらいはみでていたタバコの箱を引っ張るようにして取り上げた行為（東高判昭56.9.29判タ455-155　ただし、重大な違法ではないとして取り上げた証拠物の証拠能力は肯定）がある。

　一方、「**強制**」**に当たらないとされた事案**として、㈢上衣のポケットに右手を突っ込んだままでいる相手に対し、説得を加えながら、警察官2名でその手をつかんで強く引っ張り、その結果相手は渋々右手を出したが、その際覚醒剤等を落としたので、これを検査した行為（東高判昭58.7.19刑月15-7・8-347　加えた有形力は、相手に所持品提出を拒否する余地をなくするほど強力なものではなかったことを理由とする。嫌疑が濃厚であり、被質問者が逃げようとする状況があったなどの理由で相当性についても肯定）がある。

⑸　**相当性**

　前記⑤の「相当性」の要件は、抽象的には、「**検査の必要性、緊急性、検査によって侵害される個人の法益と検査によって保護されるべき公共の利益との権衡**（筆者注、「バランス」という意味）を**考慮して**」なされるべきである。具体的には、㈠被検査者が、罪を犯し、犯そうとしている者か、それらについて知っているにすぎないものか、㈡容疑事実が重大かどうか、危険なものかどうか、㈢容疑の強弱、㈣物件を所持している疑いの有無・程度、㈤所持が疑われる物件自体のもつ危険性の有無・程度、それによる攻撃の可能性の有無・程度（凶器、爆発物等の危険物か。警察官等に対する攻撃の可能性の有無・程度）、㈥検査の場所、態様、㈦被質問者の人数、性別、警察官側の人数等、㈧検査に至るまでの経過（質問開始から検査開始までの警察官の言動、態度、検査実施までの手順、その間の被質問者側の応対状況など）などの事情を総合的に考慮すべきである。

　緊急性が極めて大きい場合、例えば、被質問者が覚醒剤・劇薬とも思われる白っぽいビニール袋様のものを口に入れたような場合に、被質問者を横たえ押しつけ、手錠で口を開け、割り箸で口内からビニール袋を取り出す行為は、適法とされる（東高判昭55.9.22東高刑時報31-9-115）。

100 第1章 捜査の端緒

> **アドバイス** 職務質問の相手方の態度等と所持品検査の相当性
>
> これらの事情は、流動的なものであって、質問開始後の被質問者の態度、応対状況などにより嫌疑が濃厚になり、検査の必要性、緊急性が増大し、したがって、検査の相当性の範囲が拡大し得ることに注意を要する。例えば、質問の当初はごく弱い態様の検査（相手の承諾を得た上での検査など）しか相当とされない場合でも、被質問者が、かたくなに所持品の提供を拒み、逃走する気配を示すなどしたときは、さらに強い態様の実力行使（鞄のふたを開けるなど）も相当とされ得る。

③ 所持品検査の類型と実例

1 相手の承諾に基づいて所持品を検査する場合（適法）

(1) 明示の承諾

相手の明示的な承諾を得て所持品検査をすることは適法である。

(2) 黙示の承諾

承諾が黙示の承諾（相手が「承諾した。」と明言しなくても、相手が承諾していることが、周囲の状況から明らかな場合）にとどまる場合でも、検査は適法である（大阪地判昭47.12.26判タ306-300）。

不当な手段で承諾を得た場合　　ただし、承諾を得るに当たって警察官に強要的言動があったときは、「強制にわたる」と判断される場合も生じ得る。承諾させるに当たって**詐欺的手段**を用いた場合も検査は違法とされる（名古屋高金沢支部判昭56.3.12判時1026-140　暴力団事務所に対する捜索差押令状により、同事務所を捜索中、その場所にいた被質問者に対し、その者の身体に対する捜索令状が発付されているかのような言動をし、その結果、被質問者が放り出した背広の在中品を検査し、覚醒剤を発見した事案。ただし、捜査官に令状主義を潜脱しようとする（くぐりぬけようとする）意図がないことなどを理由に証拠物の証拠能力は肯定）。

2 承諾なしに着衣等の外側から手を触れる場合（外表検査）（原則適法）

所持品が、凶器、危険物と疑われる場合は、この態様の検査は適法とされる。例えば、①ショルダーバッグの外側から手を触れる行為（横浜地判昭46.

4.30判時636-97　その控訴審判決東高判昭47.11.30高刑集25-6-882)、②着
衣の上から男性の被質問者の腹部を触った行為（前記大阪地判昭47.12.26)、
③鉄パイプ所持の疑いがある被質問者の所持品を手で持ち上げたり、外部か
ら触ったりした行為（東高判昭51.2.9刑月8-1・2-6）は適法である。なお、
ポケットの外側から注射器と思われる物を手の平で弾ませるようにして持ち
上げたところ、別のハンカチに包まれたものが飛び出したので、被検査者の
抵抗を排除して、その中を開いて見る行為を違法とした例（東地判平9.4.30
判タ962-282）がある。

　所持品が、凶器、危険物との疑いがない場合も、この態様の検査は原則と
して適法と解される（前記最判昭53.9.7は、覚醒剤の使用所持の疑いがある
被質問者の上衣とズボンのポケットを外から触った行為を是認）。ただし、
相当性等について、凶器、危険物のときよりも、厳格に判断される。

3　承諾なしにバッグ等を開いてその内部を検査する場合

　バッグ等を開いて内容を検査するのが許容されるためには、所持品が凶器、
危険物、あるいは持凶器銀行強盗という重大事件の強奪品であると疑われ、
その所持の疑いや被質問者の犯行の嫌疑も濃厚で、これらの検査の必要性、
緊急性が相当高度な場合であることを要すると解される。

(1)　適法例

　　適法とされた例として、①凶器所持又は銀行からの強奪品の所持が疑
われた被質問者のボーリングバッグのチャックを開け、**内部をのぞき見
て検査**した行為（前記最判昭53.6.20)、②あらかじめ過激派が基地を爆
破するとの情報があったとき、硬い瓶のようなものが入っている感触が
ある**バッグのチャックを開けた行為**（上記東高判昭47.11.30)、③火炎
瓶所持の疑いが強い者の所持していた包装物を開けて内容物を検査した
行為（東地判昭51.5.7判時825-111)、④覚醒剤所持の疑いが極めて高い
場合に、ホックのかかっていないセカンドバッグの蓋を開披する行為
（福岡高判平4.1.20判タ792-253）がある。

　　また最高裁が適法とした事例として、⑤ホテルに宿泊していた被疑者
に薬物事犯の疑いを抱いた制服警察官2名が、被疑者の部屋のドア前で
声をかけたところ、被疑者がドアを少し引いて開けたものの警察官の姿

102　第1章　捜査の端緒

を見るやドアを慌てて閉めたので、警察官の一人がドアを押し開き、敷居付近に足を踏み入れたところ、被疑者がいきなり同警察官に殴りかかるようにしてきたので、警察官2名で暴れる被疑者（全裸）の腕をつかんで30分程度ソファーに押さえ続け、応援で駆けつけた別の警察官が同部屋の**床の上に落ちていた二つ折りの財布を見付けてファスナーの開いていた小銭入れ部分にビニール袋入りの白色結晶があるのを発見して抜き出した行為についてのもの**（最決平15.5.26刑集57-5-620）がある。

　最高裁は、本件の所持品検査を適法とした理由として、同検査を実施するまでの間に、被質問者に対する覚醒剤事犯（使用及び所持）の嫌疑は飛躍的に高まっていたものと認められること、覚醒剤がその場に存在することが強く疑われるとともに直ちに保全策を講じなければこれが散逸するおそれも高かったと考えられること、被質問者が本件の所持品検査に明確に拒否の意思を示したことがなかったこと、所持品検査の態様が、床に落ちていたのを拾ってテーブル上に置いておいた財布について、二つ折りの部分を開いた上、ファスナーの開いていた小銭入れの部分からビニール袋入りの白色結晶を発見して抜き出したという限度にとどまるものであったことを指摘している。警察官らが、30分間にわたり被質問者を全裸のままソファーに座らせて押さえ続けた行為については、職務質問に付随するものとしては許容限度を超えているが、公務執行妨害に及ぼうとする被質問者に対し警職法に基づく制止を行っていたとみる余地もあり、現行犯人として逮捕することも考えられる状況にあったし、警察官らにおいては暴れる被質問者に対応するうちに制圧行為を継続することになったもので同人らに令状主義を潜脱する意図があった証跡がないことから、所持品検査によって発見された証拠について証拠排除することに結びつくものではないとした。また警察官が、職務質問を継続し得る状況を確保するため、内ドア敷居上辺りに足を踏み入れた行為については、職務質問に付随するものとして適法な措置であったとした。

⇒**設問11**、**3** 2 (3)参照

(2)　**違法例**

　違法とされた例として、①**アタッシュケースの鍵をこじ開けた行為**

（前記最判昭53.6.20 ただし、証拠物の証拠能力は肯定）、②警察官2名がかりで、1名が左手にタバコの箱を握り占めていた相手の左肘をつかみ、もう1名が相手の左手首を握りながらその**手指から3分の1くらいはみでていたタバコの箱を引っ張るようにして取り上げて**、その箱の中身を検査した行為（前記東高判昭56.9.29）がある。

　また、③所持していたカバンの内容の呈示を拒否する者を警察署に連行し、執ようにカバンの開披を求め、遂にその**承諾なくしてカバンを開披**して内容物を取り出した行為を違法とした例（東地判昭56.1.12 捜査員に当初から任意捜査の名目で、証拠物を発見しようとする意図があったことなどを理由に証拠物の証拠能力も否定）もある。

　④ポケットの中で所持品を握っているAの手を引き抜き、数分間にわたって、数人の警察官がAの右腕を抱え身体を押さえるなどし、腕を静止させて手に握っている所持品を確認した上、抵抗を断念したAから所持品の交付を受けてこれを検査した行為を違法とした例（東高判平13.1.25東高刑時報52-1〜12-2 ただし、所持品検査の必要性、緊急性が高く、令状主義潜脱の意図もうかがわれず、別罪での現行犯逮捕も可能な状況であったことなどから、同検査で発見された証拠物の証拠能力を否定するほど重大な違法ではないとした）がある。

4 承諾なしに着衣の内部に手を入れて探索し、あるいはそこから所持品を取り出して検査する場合

⑴ **原則違法**である。

　この態様の検査が許容されるのは、嫌疑の濃厚な重大犯罪に関する凶器、危険物が、この前段階の外表検査等によって隠されていると推定できる場合や、警察官に対する攻撃が加えられる蓋然性が高い場合等極めてまれな場合に限られるであろう。

⑵ **違法例**

　違法とされた実例として、①無免許運転の疑いがある被質問者が、シャツ、ステテコ、腹巻姿であり、凶器所持のおそれがないことが外部から見て分かるのに、いきなり**腹巻のなかに手を差し入れた**行為（高松高判昭40.7.19下刑集7-7-1348）、②いきなり衣服の上から手荒に触り、**ポケッ**

トに手を突っ込み、ナップザックを取り上げるなどした行為（福岡高決昭45.11.25高刑集23-4-806）、③覚醒剤使用、所持の疑いが濃厚で、職務質問に第三者からの妨害が入りかねない状況があったとき、被質問者の上衣**左側内ポケットに手を差し入れて**所持品を取り出して検査した行為（前記最判昭53.9.7　この検査方法は一般にプライバシー侵害の程度の高い行為であり、態様において捜索に類するものであるから、許容限度を逸脱したとする。ただし、証拠品の証拠能力は肯定）、④着衣の**各ポケットに順次手を入れて**覚醒剤を取り出した行為（前記大阪高判昭56.1.23　重大な違法であるとして証拠品の証拠能力も否定）、⑤警察官2名で、相手の手や腕を押さえる等して**着衣内から覚醒剤を取り出した行為**（前記札幌高判昭57.10.28　ただし、証拠品の証拠能力は肯定）、⑥着用する**衣服のポケットに手を入れて**、覚醒剤を取り出した行為（大阪高判昭61.5.30判時1215-143　ただし、証拠品の証拠能力は肯定）、⑦被質問者の上着ポケットに固いものが入っている感触があったので、**同ポケットの中に手を入れ**、在中の覚醒剤入り袋を取り出した行為（広島高岡山支部判昭55.10.14　ただし、証拠品の証拠能力は肯定）、⑧被疑者がその着用していたベストの所持品検査をかたくなに拒み、両手でベストのポケットを押さえているという状況下で、1名の警察官が被疑者の左腕を押さえ、別の警察官がその**ポケット内に手を差し入れた行為**（東地決平12.4.28判タ1047-293　発見された覚醒剤の所持の容疑により現行犯逮捕された被疑者についての勾留請求却下を正当としたもの）、⑨被質問者の**ズボンのポケットに手を入れた**ところ、同人が身をよじらせたため、手が抜け、同時にポケットから覚醒剤入り袋が出てきて落ちたので拾いあげた行為（大阪高判昭57.7.12　ただし、証拠品の証拠能力は肯定）、⑩被質問者が、ポケットから取り出した物を捨てようとしたのを、その手を両手でつかんで阻止しただけでなく、**実力を用いて手を開かせ**、その中の物を取り上げた行為（大阪高判昭55.5.21　ただし、証拠品の証拠能力は肯定）、⑪道路上にあおむけになって寝た状態の被質問者が、両手で包み込むようにしているマッチ箱を取り上げようとして、警察官の1人が被質問者の左腕を握り、もう1人の警察官が**マッチ**

箱を握りしめている右手を引っ張った際、路上に落ちたそのマッチ箱を開披した行為（福岡地小倉支部判昭55.2.26　重大な違法であるとして証拠能力も否定）がある。

(3)　重大な違法例

　重大な違法があり、収集された証拠物の証拠能力までも否定されたケースは、必要性・緊急性を欠き、捜査官に違法の認識がありながら、あえて行われたと判断されたケース（前記(2)④）、緊急性に疑問があるのに、有形力が直接かつ強引に被質問者の身体に加えられたと判断されたケース（前記(2)⑪）である（⟹**設問63**、**2**参照）。

> **アドバイス**　検査対象物件の証拠能力が否定されやすい所持品検査
>
> 　被質問者の承諾なしに、その着衣内や握りしめた手中にある証拠物を取り上げる行為は、プライバシー侵害の最たるもので、有形力の直接的行使が伴いやすく、捜査官に令状主義潜脱の意図があったと推認されがちであり、収集された証拠物の証拠能力が否定される危険があることに注意すべきである。

5　車両内検査

　①警察官が車内に入り込み、その中のものを捜索・押収することに被質問者が同意していなかったのに、警察官が**自動車後部座席に入って捜索**した行為は許されないとする例（神戸地判昭57.6.21　ただし、証拠品の証拠能力は肯定）

　②所持品検査や車内の検査に応じない被疑者に対し、説得を続けて被疑者立会いの車内検査に応ずるように求めたところ、明示的な異議を申し立てることがなかった。そこで、**警察官が車内を詳しく調べたところ白い粉末の入ったビニール袋が発見**され、この白い粉末に予試験を実施したところ覚醒剤反応が出たので、求めに素直に応じて警察に任意同行した被疑者を現行犯逮捕し、その後、被疑者から尿の任意提出を受けたという事案について、車両内検査は、被疑者の承諾がない限り、所持品検査として許容される限度を超え違法であるが、違法性の程度は大きいとはいえないとし、採尿手続も、違法な車内検査及びこれに引き続く違法な逮捕手続によりもたらされた状態を直接利用し行われたもので違法性を帯びるがその程度は重大とはいえないとし、

106　第1章　捜査の端緒

尿の鑑定書の証拠能力を肯定した例（最決平7.5.30刑集49-5-703　車両内検査については、所持品検査の必要性・緊急性が高い状況の下で覚醒剤の存在する可能性の高い自動車内を調べたもので、被疑者も明示的な異議を唱えるなどしていない事情を考慮し、採尿検査については、車両内検査の違法性の程度が大きいとはいえない上、被疑者が、警察への同行には任意に応じ、採尿手続自体も被疑者の自由な応諾に基づいている事情を考慮）

　③A運転車両が蛇行運転のような不審な動きをしていたので、警察官は、無免許運転、酒気帯び運転の疑いをもち、規制品所持の可能性もあると考え、これを道路端に停止させ、Aに対して、所持品検査として車両内を見せるように求めたが、Aが拒否したので、3時間以上にわたって、同所にA運転車両を留め置き、**帰らせてほしいというAの再三の要求も容れずに職務質問を続行したことは違法であるとした例**（東高判平19.9.18判タ1273-338　Aが現場から立ち去ろうとして、車両を警察官に接触させたことを理由に公務執行妨害で逮捕した手続にも重大な違法があり、逮捕時に**車両内で発見し押収した大麻についても、重大な違法手続と密接に関連した証拠として証拠能力を否定**）がある。

　②の事案においては、職務質問を受ける相手の嫌疑はかなり強く、相手が覚醒剤中毒をうかがわせる異常言動をしながら運転することに固執していたため、警察官において運転を阻止すべき必要性が高かった。これに比べ、③の事案においては、職務質問を受ける相手の犯罪の嫌疑がそれほど強くなく、車内検査の必要性、緊急性も高くなく、相手の車両の移動を禁ずべき特段の事情もなかったという違いがあったようである。

> **アドバイス**　犯罪の嫌疑が明らかな場合に被疑者の所持物件を検査するための方策
> 　犯罪の嫌疑が明らかな場合は、現行犯逮捕又は緊急逮捕を行い、逮捕に伴う捜索・差押えとして、被疑者が所持している物件などを捜索することも検討すべきである。

設問13 任意同行 107

設問 13 任意同行

● 設　問 ●

　警察官甲は、酒酔い運転の罪の疑いが濃厚なＡを、その同意を得て警察署に任意同行し、呼気検査に応じるよう説得を続けるうちに、Ａが急に退室しようとしたため、その左斜め前に立ち、両手でその左手首をつかんだ。任意捜査として甲のこの行為は適法といえるか。

◆解　答◆

適法　「捜査において強制手段を用いることは、法律の根拠規定がある場合に限り許容されるものである。しかしながら、ここにいう強制手段とは、有形力の行使を伴う手段を意味するものではなく、個人の意思を制圧し、身体、住居、財産等に制約を加えて強制的に捜査目的を実現する行為など、特別の根拠規定がなければ許容することが相当でない手段を意味するものであって、右の程度に至らない有形力の行使は、任意捜査においても許容される場合があるといわなければならない。ただ、強制手段にあたらない有形力の行使であっても、何らかの法益を侵害し又は侵害するおそれがあるのであるから、状況のいかんを問わず常に許容されるものと解するのは相当でなく、**必要性、緊急性などをも考慮したうえ、具体的状況のもとで相当と認められる限度において許容されるものと解すべきである。**」本件の警察官甲の行為は、説得のために行われ、程度もさほど強くないので、性質上強制手段とはいえず、また、具体的状況からみてその有形力行使は任意捜査活動の許容範囲を超えていないので、不相当な行為ということもできず、適法である（最決昭51.3.16刑集30-2-187　第一審は、甲の行為について、「実質上逮捕するのと同様の効果を得ようとする強制力の行使」として実質的逮捕状態に至ったとして違法と評価したが、これを破棄した原判決を支持

108 第1章 捜査の端緒

したもの）。⟹ **1** 1 ⑵、**2**、**設問15**、**3**

1 任意同行の種類

1 警職法上の任意同行

⑴ **要　件**

　　警職法2条2項は、「その場で前項の質問（筆者注、職務質問）をす
ることが本人に対して不利であり、又は交通の妨害になると認められる
場合においては、質問するため、その者に附近の警察署、派出所又は駐
在所に同行することを求めることができる。」とし、任意同行の権限を
警察官に与えている。これは、職務質問同様、行政警察目的のため行わ
れるもので、刑事訴訟法上は、捜査の端緒であり、捜査行為そのもので
はない。したがって、任意同行に応じない者に対しては、強制にわたら
ない範囲内で「警察比例の原則」（⟹ **設問11**、**3** 1）に従った実力行
使も許容される。

　　警察法2条を根拠とする任意同行　　警職法の任意同行の要件を満た
さない場合でも、警察法2条の趣旨に照らして許される行政警察活動と
しての任意同行もあり得る。

　　例えば、Aに警察署への任意同行を求めたことが、警職法2条2項の要
件を満たさない場合でも、Aを放置すれば、現にAがトラブルを起こして
いた銀行の業務妨害などの犯罪に発展するおそれがある状況があり、警察
官がAの態度の沈静化、犯罪発生の防止などを目的として行ったものであ
れば、警察法2条1項の趣旨に照らし適法であるとした例（秋田地大館支
部判平17.7.19判タ1189-343）がある。

⑵ **任意捜査との一体判断が必要になる場合**

　　警職法上の任意同行は、後記2の任意捜査としての任意同行とは性質
が異なるから、実力行使の許容限度、要件等も別異に考えるべきである
が、警職法上の職務質問・任意同行の過程で、相手への犯罪の嫌疑が高
まり、そのまま捜査手続に移行することも多いから、行政警察活動と捜
査活動との境界線は微妙であり、警職法上の任意同行と捜査としての任

意同行を一体として捉えるべき場合も少なくない。両者を一体のものと
みて、任意同行が実質的な逮捕かどうかを判断する裁判例も多い。

2 任意捜査としての任意同行

　司法警察職員、検察官等の捜査機関は、犯罪の捜査をするについて必要が
あるときは、被疑者の出頭を求めて取り調べることができる（法198条1項
本文）。取調べをする目的で、被疑者方等に捜査官が赴き、目的を告げ、被
疑者に警察署等への同行を求めることもできる。これが、任意捜査としての
任意同行である。しかし、被疑者は、逮捕、勾留されている場合を除いて、
出頭を拒み、出頭後もいつでも退去できる（同項ただし書）ことから、任意
同行において、強制の要素が大きい場合には、その任意同行が実質的な逮捕
であると評価され得る。

② 任意同行と実質的逮捕との区別

1 逮捕と同視すべき強制の有無

(1) 同行を明確に拒否する場合と不当な留め置きがあった場合

　被疑者が明確に同行を拒否したのにあえて連行したとか、又は同行後、
帰宅を要求したのに正当な理由なく帰宅させなかった（不当な留め置き
があった）ようなときは、逮捕と同視できる強制が被疑者に加えられた
とされ、実質的逮捕がなされたとみなされる。

　これまでの裁判例においては、被疑者が同行を拒否する意向を示した
り、同行後、退去の意思を積極的に示したりした場合、捜査官が説得し
てもなお被疑者が拒否・退去の意向を示すのであれば、なお被疑者に同
行を求めたり退去を妨げたりする行為は、任意捜査の範囲を逸脱し違法
であるとされるものが多いことに留意すべきである。

(2) 明確な拒否の意思表示がない場合

　任意同行における「任意」の意義について、「**任意とは、本人が自発
的にすすんでしたような場合に限られるものではなく、渋々承諾した場
合でも、社会通念からみて身体の束縛や強い心理的圧迫による自由の拘
束があったといいうるような客観的状況がない限り、任意の承諾がある
と認めることができる。**」とする裁判例がある（大阪高判昭61.9.17判時

110 第1章 捜査の端緒

1222-144)。

　しかし、被疑者が同行拒否の明確な意思表示をしない場合であっても、被疑者が同行の求めを内心で拒否しようとしても拒否できない状況にあったり、帰宅しようと内心で考えていたりしていたとしても要求できない状況であったといえる場合には、逮捕と同視すべき強制が被疑者に加えられたと評価・判断されることもあるので注意を要する。

2　具体的基準

　逮捕と同視すべき強制が加えられたかどうかの評価・判断基準の要素として、同行の**場所・方法・態様・時刻・同行後の状況等**を考慮すべきものとされる（東高判昭54.8.14刑月11-7・8-787　駐在所から署に向かう同行が実質的に逮捕に当たり違法であるとされた事案）。

　また、同行後の状況としては、**同行後の取調べの時間、場所、方法、その間の看視状況、捜査官の主観的意図、被疑者の対応状況、逮捕状準備の有無等**が考慮される。

(1)　同行を求められた時刻、場所、同行先との距離関係

　例えば、深夜被疑者の自宅において同行を求め、遠隔地の警察署へ連行した場合は、白昼公道上において同行を求め、最寄りの派出所に連行した場合よりも、強制が加えられたと評価されやすくなる。

　裁判例として、①窃盗容疑の被疑者が最寄りの駐在所に出頭したのは自由意思と推測されるが、その後警察官に付き添われてジープで警察署まで出頭した以降は、逮捕拘束された状態であったとした事例（広島地呉支部判昭41.7.8下刑集8-7-1099）、②福岡市内の派出所に同行された被疑者が、熊本市在住の被害者との対質を望んだという事情があり、被疑者自身が熊本への同行要求を拒もうと思えば拒めた状況にあった場合、同被疑者を福岡市内から熊本県内の警察署に官用車を利用して同行したことにつき逮捕には至っていないとした事例（熊本地決昭46.5.27刑月3-5-736）がある。

(2)　同行の方法

　同行を求めた捜査官の人数、捜査官の態度が高圧的・命令的であったか、同行の際の実力的行動の有無、どのような実力的行動があったか等

の事情が極めて重要である。

　裁判例として、①4人の警察官が、被疑者から同行先の警察署の所在地を尋ねられたのに教えず、取り囲むようにしてタクシーで連行したのを実質的逮捕とした事案（神戸地決昭43.7.9下刑集10-7-801）、②3人の警察官が被疑者の周囲に寄り添って看視しながら警察署まで同行し、その後6時間半、食事時間以外は取調べを続行したという場合、当該同行を実質的逮捕とした事案（高松地決昭43.11.20下刑集10-11-1159）、③職務質問をしようとしたら逃走した被疑者を追い掛け肩に手をかけて停止させたところ、窃盗を自白したので、警察官3人で取り囲むようにして自動車で同行した場合について、被疑者において観念し同行に応じたものと認められ、当該同行は任意同行であるとした事案（長崎地決昭44.10.2判時580-100）がある。

⑶　**同行の必要性**

　逮捕状を用意しているのに、直ちに逮捕しないで警察署に同行して逮捕する場合には、被疑者の名誉を保全する必要性や、被疑者の弁解を聞いた上で更に逮捕すべきかどうか検討する必要性があったといえない限り、任意同行が実質的逮捕であったとの評価を受ける可能性が大きい。

⑷　**同行後の取調べ時間、場所、方法、その間の看視状況等**

　既に逮捕状を用意しているときは、上記⑶の名誉保全等の必要性があっても、同行後長時間の取調べが行われた場合は、時間稼ぎとされ、同行時から実質的逮捕であったと評価されることがある。

　逮捕状を用意していないときも、同行後の取調べの前後や用便・休憩中の看視状況いかんによっては、同行後は事実上の逮捕状態であると見られる可能性がある。特に、同行後、被疑者を警察官の看視下の施設等に宿泊させることは、被疑者の同意があったとしても、任意捜査の限界を超え、実質的逮捕と評価されるおそれが大きい（⟹ **設問16**、**1**）。

　本設問事例である最決昭51.3.16の事案は、同行先の警察署において警察官甲が両手でAの左手首をつかむなどした行為について、任意捜査活動として許容範囲を超え実質的逮捕状態に至ってはおらず、適法と判断しているが、酒酔い運転の嫌疑が相当高く、緊急逮捕さえ可能な状況

112 第1章 捜査の端緒

であったこと、一旦逃走されたら、再び検知を求めるまでにAの呼吸中のアルコール濃度が薄くなり、証拠保全が困難になる状況であったこと、甲は、同意を得てAを任意同行した上、その父を呼んで呼気検査に応じるよう説得を続けるうち、Aにおいて、母が来署したら呼気検査に応ずる旨述べたので、母の来署を待っていたところ、Aが急に退室しようとしたので、更に説得のための抑制の措置として当該行為をしたこと、当該行為の程度も、さほど強いものでないことなどが考慮された結果、相当性が認められたものである。

　裁判例として、①朝、警察署に同行した直後から翌日午前零時過ぎまで取調べが行われ、取調べ担当者のほか常時立会人1名がいて被疑者を看視し、被疑者は用便の時以外は調べ室から出ることができず、用便の際も立会人が同伴したという事案について、遅くとも当日の夕食時からは逮捕状態にあったとした事例（富山地決昭54.7.26判時946-137）、②朝、任意同行された直後から午後7時頃まで取調べを受けた事案で、昼食時以降の取調べは強制によるものとした事例（佐賀地決昭43.12.1下刑集10-12-1252　「食事時は、日常生活の一応の区切りであるから」という）、③被疑者を、午前11時10分頃警察署に同行し、その直後から食事時、用便時以外午後9時50分頃まで継続して取り調べ、その間被疑者は用便の時以外調べ室から出ず、調べ室では常時警察官が看視を続け、用便の時も婦人補導員が付いてきて看視していた場合、同行時から逮捕状態にあったとした事例（青森地決昭52.8.17判時871-113）がある。

アドバイス　任意同行と実質的逮捕の区別の基準

　要するに、一般人をその被疑者の立場に置いたと仮定して、捜査官からの同行要求に対し、格別の抵抗を感じないで済むような状況であったかどうかということである。抵抗を感じないで済む状況だったといえれば、その同行は任意のものであったと評価されるし、相当な抵抗感が生じるような状況であれば、その際の同行は、格別の事情がない限り、捜査官から強制を加えられた結果応じたものと評価されやすい。

　捜査官側が逮捕状による逮捕を一旦見合わせたと認識していても、客観的状況からその時点で実質的な逮捕があったとし、その後における同

逮捕状による逮捕は既に用いられた逮捕状を用いてなされたもので重大な違法があるとした裁判例がある（東高判平26.10.3高検速報3532）ことに注意が必要である。これは、警察官らが被告人に対する逮捕状及び被告人方に対する捜索差押許可状を所持して被告人方に入った際、同所にいた被告人の内妻がベランダから飛び出して落下し、その直後、被告人も内妻の安否を確かめるためベランダ横の高窓に近づくなどしたことから、複数の警察官が手足をばたつかせて暴れる被告人の腹に抱きつくなどして制止した上、被告人に対し、逮捕状を呈示するなどしたものの、被告人は自身が被告人であることを認めず、別人であるBの氏名を名乗り、同所にいた関係者も被告人をBである旨述べたので、誤認逮捕防止の観点から被告人に対する逮捕の告知をしないまま、胸の痛みを訴えた被告人を病院に搬送するまでの約5時間、被告人方に被告人を留め置いたものであるが、その3日後、同一の逮捕状に基づいて被告人を逮捕し、これによる身体拘束中に押収した被告人の尿の鑑定書の証拠能力が争われた事案である。これについて、東京高裁は、警察官らが主観的には逮捕状による逮捕を一旦見合わせ、その執行をしていなかったと認識していても、手足をばたつかせて暴れる被告人の腹に抱きつくなどして制止した時点で客観的には実質的な逮捕があったとし、その後、同一の逮捕状で被告人を逮捕したことは単なる蒸し返しとして重大な違法があり、上記鑑定書の証拠能力は認められない旨判示した。

3 被疑者留め置きの可否

1 二分論の考え方

最近の裁判例には、覚醒剤を使用している疑いのある被疑者に対して任意に尿の提出を促す段階と、強制採尿令状請求に取りかかった段階の二段階に分け、後者の段階においては、前者の段階においてより、相当強度な留め置き措置が許されるとする見解（**二分論**）に立つものがある。

2 裁判例

例えば、①東高判平21.7.1判タ1314-302は、純粋に任意捜査として行われる段階と、強制採尿令状請求の準備に着手した後の令状の発付、執行に至る

114 第1章 捜査の端緒

強制手続への移行段階とを分け、後者の段階に至った時点では、対象者の所在確保の必要性が高いことを重視し、対象者の意に反することが明らかであっても、所在確保のため必要な限度にとどまる限り、一定の有形力行使により対象者を留め置くことは適法であるとした。

②東高判平22.11.8高刑集63-3-4は、まず捜査官が被疑者に対して任意に尿の提出を求めるのは純粋な任意捜査の段階であるが、捜査官が、任意採尿を断念して、強制採尿令状の請求に取りかかった時点において、同令状請求が可能な程度に犯罪の嫌疑が濃くなったといえること、その判断に誤りがなければ、いずれその令状が発付されることになることから、同時点を分水嶺として、強制手続への移行段階に至ったとみるべきであるとした。同判決は、その上で、強制採尿令状を請求するには、あらかじめ採尿を行う医師を確保して、令状の発付を受けた後、所定の時間内に当該医師のもとに被疑者を連行する必要があり、令状執行の対象である被疑者の所在確保の必要性は非常に高いことを理由として、同令状の請求を行っていることを被疑者に告知することを条件として、純粋な任意捜査の場合に比し、相当程度強くその場にとどまるよう被疑者に求めることが許容されるとした（具体的事案としては、警察官が被疑者に対して強制採尿令状請求をする旨を告げてから、警察官数名が被疑者から4、5メートル離れて被疑者を取り巻いたり、被疑者が車両に乗り込んだりした後は、警察官やパトカーが被疑者車両の周りを取り囲んではいたが、被疑者の意思を直接的に抑圧するような行為等がなされていなかったと認定し、この段階の留め置き措置に違法・不当はないとした）。

③東高判平27.4.30高検速報3547は、警察官らが覚醒剤使用の嫌疑を抱いた被告人に職務質問及び所持品検査を実施したものの当該嫌疑を裏付ける証拠は発見されなかったという事案において、警察官らに(a)ビルのエレベーターに乗ろうとする被告人とエレベーターとの間に立ち塞がり、被告人の肩に手をかけて、エレベーターの使用を妨げた上、階段を駆け上がる被告人を追跡してズボンや上腕をつかんだ行為、(b)タクシーに乗って立ち去ろうとする被告人の肩に手をかけたり、その後ろから抱き抱えたりした行為、(c)タクシーに乗車した被告人を警ら用自動車で追尾し、タクシーを停車させるなどし、被告人にタクシーから降りることを余儀なくさせた行為、(d)フェンスに上っ

た被告人の襟首をつかんで確保し、座り込んだ被告人を取り囲むなどした行為、(e)被告人に強制採尿のための令状を呈示してから尿の正式鑑定の結果が出るまでの間、被告人を病院や警察署に同行させたり、警察署に留め置いたりした行為があったとして、警察官らは職務質問等の終了した午後5時11分頃から翌日午前0時5分頃までの間、被告人を実質的に逮捕したものであると被告人らは主張したのに対し、(a)の行為は、被告人の覚醒剤使用の嫌疑に比して不当に過大なものであったとはいえず、(b)～(d)の行為も、警察官らとしては強制採尿のための令状請求の準備に入った段階なのであるから、令状が発付された場合にそれを執行するため、被告人の確保に努める必要性が格段に高まっている状況にあったといえると指摘しつつ、警察官らは、一部を除き、直接被告人の身体を押さえつけるなどして移動を阻止したわけでなく、有形力の行使は必要最小限のものにすぎないこと、(b)の行為も被告人が車道に出たため、その安全を確保しようとしたものと見ることができること、(c)のタクシーを停車させた行為も、その交通違反を注意するためであったこと、(d)の襟首をつかんで被告人を確保した行為も被告人が第三者の敷地に侵入しようとしていたこと等を踏まえ、いずれも違法な有形力の行使といえず、警察官の(a)～(e)の一連の行為は実質的な逮捕に当たらない旨判示した。

3 留め置きの適法性判断基準

留め置き行為の適法性の判断基準は、任意処分の適法性に関する最決昭51.3.16（刑集30-2-187等）にいう必要性・緊急性、相当性の有無・程度の総合考慮により判断されるが、**令状請求ができるということは、それだけ犯罪の嫌疑がかなり高まったことの徴憑である以上、令状請求の準備開始によりいわば強制手段への移行段階に突入した以降について、一般論としては、強制手続に移行したことのみをもって、当然に、それ以前の段階に比べ、より長時間の留め置きが許されるものでないが、強制手続への移行段階は、令状執行のために被疑者の所在確保の必要性が格段に高まっている状況であり、特に時間の経過に伴い証拠が短期間で消滅、散逸する可能性が極めて高い覚醒剤取締法違反の事案が捜査の対象となっている場合にあっては、より長時間の留め置きが許されるべきといえよう。**前記2の裁判例は、そのことを明確にした参考事例として実務上重要な意義を持つ（同様の裁判例として東高判

116　第1章　捜査の端緒

平25.1.23東高刑時報64-1～12-30がある）。

4　違法な任意同行に引き続く勾留請求

　違法な任意同行とは、すなわち令状なしの実質的逮捕であり、この違法性はこれに引き続く逮捕や勾留請求にも及ぶと一応考えられるが、勾留請求が否定されるかどうかは場合による（なお、ここでの勾留は、起訴前の勾留のことをいう。⇒ 設問43 参照）。

1　実質的逮捕から勾留請求まで法定の時間的制限を超えている場合

　実質的逮捕時から勾留請求までを通算し、法203条ないし法205条の時間的制限（送致まで48時間、勾留請求まで通して72時間）を超過する場合は、時間的制限違反ありとして勾留請求も違法とされ、請求は却下される（⇒ 設問1 　解答(2)）。

2　実質的逮捕とされる時点から48時間以内に送致手続がなされ、72時間以内に勾留請求がなされた場合

⑴　実質的逮捕があったとされる時点で、緊急逮捕の要件があったり、既に逮捕状の発付を受けたりしている場合は、実質的に令状請求の違背がないから勾留請求は認容される。

　　同旨の裁判例として、①名古屋地決昭44.12.27（刑月1-12-1204　警察官2、3名が両脇に付き添って同行したのを実質的逮捕としながら、その時点で緊急逮捕できる要件があり、48時間以内に送致手続がなされた事案）、②東地決昭47.8.5（刑月4-8-1509　検問に際し、被疑者をその場にとどめたのを実質的逮捕とした事案）のほか、東高判昭54.8.14（刑月11-7・8-787）、東高判昭54.12.11（刑月11-12-1583）などがある。

⑵　しかし、実質的逮捕の時点で、緊急逮捕の要件がなく、かつ、逮捕状も発付されていない場合は、その任意同行は令状主義の精神を没却する重大な違法性を帯びるとされて勾留請求が却下される場合もある。たとえ実質的逮捕とみられる任意同行から48時間以内に送致手続がなされた場合であっても、任意同行の違法性が重大であるとして、勾留請求を却下した裁判例がある（青森地決昭52.8.17判時871-113、富山地決昭54.7.26判時946-137、福岡地久留米支部決昭62.2.5判時1223-144）。

> **アドバイス**　逮捕に先行して被疑者を任意同行する場合の留意点
>
> (1)　逮捕状の発付を受けているものの、逮捕の必要性を慎重に検討する
> ためなどの理由で、被疑者を警察署等に任意同行することは当然許さ
> れるが、**任意同行が、後日実質的逮捕と評価されるおそれのあるとき**
> **は、同行開始時から48時間以内に送致手続をとる必要がある。**
> (2)　緊急逮捕をしようとすればできる程度の嫌疑（十分な理由）がない
> 場合、任意同行に当たっては強制的要素を極力排除すべきである。

5　違法な任意同行に引き続く身柄拘束中の被疑者の自白

　違法な身柄拘束中の自白の証拠能力がどうなるか問題となる。身柄拘束中
の違法・適法と自白の証拠能力（任意性）は別個の問題だとする考え方もあ
るが、違法な身柄拘束中の取調べによって得られた自白について、収集手続
に重大な違法があるとの理由により、その証拠能力が否定され得るとの考え
が実務上定着しつつある。被疑者の自白の証拠能力を判断するに際しても、
任意同行の違法の有無・程度が問題にされ得ることに十分留意すべきである
（⟹違法収集自白全般について、**設問51**、**6**参照）。

　⟹任意同行・留め置きに引き続く採尿の適否や採集された尿の証拠能力
をはじめとする違法収集証拠物全般については、**設問63**、**6**を参照のこと。

118　第1章　捜査の端緒

設問 14　自動車検問・情報収集活動

●設　問●

(1)　警察官甲は、赤色灯を回しながら、右方から来る車両に全て停止を求める方法で飲酒運転など交通関係違反の取締りを目的にする交通検問に従事中、たまたまそこを通りかかったAが運転する車両に停止を求め、Aの酒気帯び運転を発見した。このような一斉検問は許されるか。

(2)　警察官乙、丙は、交通違反をした車両のみを対象とする交通検問に従事中、赤信号を無視したB運転車両を停止させたが、車外に出たBが酒臭をさせていたので、酒気検知を実施しようとしたところ、Bがいきなり乙から運転免許証を奪い取ってエンジンのかかっている車両に乗り込み発進させようとした。そこで丙は運転席窓から手を差し入れエンジンキーを回してスイッチを切った。丙の運転制止措置は許されるか。

◆解　答◆

(1)について　　許される。

　　　「警察法2条1項が『交通の取締』を警察の責務として定めていることに照らすと、交通の安全及び交通秩序の維持などに必要な警察の諸活動は、強制力を伴わない任意手段による限り、一般的に許容されるべきである……（中略）……自動車の運転手は、公道において自動車を利用することを許されていることに伴う当然の負担として、合理的に必要な限度で行われる交通の取締に協力すべきものであること、その他現時における交通違反、交通事故の状況なども考慮すると、警察官が、交通取締の一環として交通違反の多発する地域等の適当な場所において交通違反の予防、検挙のための自動車検問を実施し、同所を通過する自動車に対して走行の外観上の不審な点の有無にかかわりなく、短時分の停止

自動車検問・情報収集活動　設問14　*119*

を求めて、運転者などに対し必要な事項についての質問をすることは、それが相手方の任意の協力を求める形で行われ、自動車の利用者の自由を不当に制約することにならない方法、態様で行われる限り、適法なものと解すべきである。」（最決昭55.9.22判時977-40）⟹**1** 2(2)

(2)について　　許される。

　　（前記のような事実関係の下では、乙の運転制止行為は、）「警察官職務執行法2条1項の規定に基づく職務質問を行うため停止させる方法として必要かつ相当な行為であるのみならず、道路交通法67条3項〔著者注：現4項〕の規定に基づき、自動車の運転者が酒気帯び運転をするおそれがあるときに、交通の危険を防止するためにとった、必要な応急の措置にあたる……。」
（最決昭53.9.22刑集32-6-1774）⟹**1** 3

1　自動車検問

1　自動車検問の種類

(1)　意　義

　　自動車検問とは、犯罪の予防、検挙のために、警察官が走行中の自動車を停止させて、自動車の見分、運転者・同乗者に対する質問を行うことである。これに対し、例えば、警察官がひき逃げを現認しその運転手を現行犯逮捕しようとして車両の停止を求めることや、逮捕行為に着手した後自動車に乗って逃走を図る犯人の車両の停止を求めることは、逮捕活動そのものである。

(2)　目的による分類

　　自動車検問はその目的により、①交通違反の予防、検挙を目的とする**交通検問**、②不特定の一般犯罪の予防、検挙を目的とする**警戒検問**、③特定の犯罪が発生した際に、犯人の逮捕捕捉、捜査情報の収集を目的とする捜査活動である**緊急配備検問**に分類される。

120　第1章　捜査の端緒

(3)　**態様による分類**

　　検問の態様により、①外観的に車両、乗員の異常が現認できる自動車だけを対象とする検問と、②外観的な異常の有無にかかわりなく実施する、いわゆる**一斉検問**とに分かれる。

2　**自動車検問の法的根拠**

(1)　**緊急配備検問**は、捜査活動であるから、任意捜査として法197条により根拠付けられる（なお、規範93-95条参照）。**交通検問**のうち、対象車両が、「車両等の乗車、積載、牽引について危険を防止するため特に必要と認められる場合」（道交法61条）、「整備不良車と認められる場合」（同法63条）、「無免許運転の禁止等に違反して運転がなされていると認められる場合」（同法67条）は、これらの規定が根拠となる。**交通検問、警戒検問**のうち、「異常な挙動、その他周囲の事情から合理的に判断して何らかの犯罪を犯し、又は犯そうとしていると疑うに足りる相当の理由のある者」や「既に行われた犯罪、行われようとしている犯罪について知っていると認められる者」を乗車させている車両を対象とする場合は、**警職法2条1項の職務質問**として根拠付けられる。

(2)　**一斉検問**の態様の検問については、そもそも外観的異常の有無を問わない車両の停止が許されるか、許されるとしてその法的根拠は何かという問題があった。

　　従来、㋐一斉検問は許されないとの説、㋑警職法上の職務質問の要件を確認するためになし得るとする警職法2条1項説、㋒警察の責務として犯罪の予防、鎮圧等が規定されていることを理由に許されるとする警察法2条説があったが、最高裁は、交通一斉検問の事案において、**警察法2条を根拠に一斉検問を適法と認める**に至った（前記最決昭55.9.22本設問(1)解答参照）。

　　一斉検問が適法とされるには、①一斉検問が必要な状況下において必要な地域内で行うこと、②停止を求める対象の車種を限定したり、停止時間を短時間にし、トランク内部の見分は相手の承諾がある場合に限って行う等、自動車の利用者の自由を不当に制約しないような工夫をすること、③停止を求めるに際して強制力を伴わない任意手段で行うことを

要すると解される。

　一斉検問の結果、職務質問の要件があれば、職務質問に移行することになる。

　なお、停止の要求に応じないで、一斉検問を突破した車両は、「異常な状態」の車両であるから、その運転者に職務質問をする手段として、これを追跡できる。

3　自動車検問の際に行使できる有形力

⑴　検問時、職務質問の要件があるとき

　合図を送って停止を求めることは当然できる。停止させるに際し、①運転席ドアに手をかけること（東高判昭34.6.29高刑集12-6-653）、②窓から手を入れハンドルを握ること（東高判昭45.11.12判タ261-352）、③ハンドルとドアをつかむこと（仙台高秋田支部判昭46.8.24刑月3-8-1076）、④手を車内に入れエンジンを切ろうとすること（東高判昭48.4.23高刑集26-2-180）、⑤手を車内に差し入れ、エンジンキーを回してエンジンを切ること（前記最決昭53.9.22本設問⑵解答参照）、⑥車両の窓から腕を差し入れ**エンジンキーを抜き取ること**（最決平6.9.16刑集48-6-420　覚醒剤使用の疑いがあったほか、覚醒剤中毒を疑われる運転者が積雪により滑りやすくなっている道路に車両を発進させるおそれがあったことを理由とする）、⑦停止に応じない車両に対しては、自動車で追跡し、誘導して停車させることも許される。さらに、⑧対象自動車をその前後から警察車両ではさみ打ちにして停車させ、職務質問に応じるように促すこと（いわゆる**はさみ打ち検問**）も許される（名古屋高金沢支部判昭52.6.30判時878-118）し、⑨不審車両に乗り込んだ運転者に対して職務質問をしようとして、捜査用車両3台で近づき、2台が不審車両の左右を挟む形で、もう1台が不審車両の前方をふさぐ形で停止すること（大阪高判平11.12.15判タ1063-269）も許される。

⑵　検問時、職務質問の要件がないとき（一斉検問の場合）

　一斉検問が適法とされるためには、上記のとおり、停止手段が任意のものであることが要求されるので、原則として、通行帯に障害物を置いたり、いわゆる**はさみ打ち検問**をするなどの物理的方法はとれない。

もっとも、停止を求めるに際しての有形力の程度は、「必要性、緊急性等」が大きくなれば、より強いものも相当とされるから、具体的犯罪が発生した際になされる緊急配備検問の時は、一斉検問の態様で行うときも、ある程度の有形力を行使できる場合がある。例えば、拳銃を持った強盗犯人が自動車で逃走したときは、警察官の負傷を防止する意味などから、一斉検問の停止手段として通行帯にバリケードを設置することは許される場合があると考える。

2 情報収集活動

1 情報収集活動の種類

(1) 捜査情報活動

具体的な犯罪の発生後にその捜査のためになすものであり、刑事訴訟法上の捜査活動として当然許される。

(2) 事件情報活動

具体的に、犯罪又は公安を害する事案が発生するおそれがある場合に、その予防鎮圧のために行われるものである。

(3) 一般情報活動

具体的に上記事案発生のおそれはないが、一般的に将来に備えて平素から公安の維持、犯罪の予防、鎮圧のために関連する情報を収集するものである。

捜査活動といえない警察官の情報収集も、警察法2条1項所定の犯罪発生の予防、公安維持のための各手段として同法条により認められた職務行為である（東高判昭41.3.24）。

一般情報活動に対しては、必要性を欠く活動として問題にされることがあるが、裁判例は、警察法2条1項により、警察が、公共の安全、秩序の維持に対する犯罪の発生を予防し、あるいはいったん発生した犯罪による損害を最小限度にとどめるため、**警備体制を整え、その対策樹立に資する目的を持って必要な範囲内において各種の情報の収集や査察行為をなすことはその職責である**との理由で、一般情報活動も適法とする（金沢地判昭44.9.5判時568-24）。

2 適法な情報収集活動の要件

(1) 一般的要件

　　犯罪が具体的に発生していない場合の情報収集活動は、(ア)その目的が警察法2条1項に沿う正当なものであること、(イ)その目的達成のために必要な限度内のものであること、(ウ)その情報収集行為自体が社会通念上相当なものであることの3要件を備えれば適法とされる（前記東高判昭41.3.24　情報収集活動としての集団デモに対する写真撮影を適法としたもの）。

　　一般情報活動については、純粋な任意手段を用いる場合許されることになろう。

(2) 具体例

　　適法例　　①警察官が、労働組合事務所の隣の飲食店において同組合について情報収集した行為（大阪高判昭28.2.6高判特報28-3　出入り自由の場所における情報収集は、一般的に許容されるとした）、②警察官が、出入り自由の場所である県庁舎内で開かれている団体交渉について情報収集した行為（福岡地判昭33.6.23）は適法である。

　　違法例　　③参加資格者を党員、支持者、その家族に制限して入場券が発売された半公開の平穏な集会に、警察官が実質的に立入りと等しい方法を用いて情報収集した行為は違法（大阪高判昭51.9.20　集会主催者側から事前に警察官の立入りを拒絶する旨の申入れがなされていたのに、警察官が数歩会場内に足を踏み入れる等していた事案。一般論として、一般情報収集活動は、任意手段により、他人の権利を不当に侵害することのない限り許されるとしている）とされる。

124 第2章　任意捜査

設問 15　任意捜査と強制捜査

●**設　問**●

(1)　強制捜査と任意捜査は、どのように区別されるか。

(2)　被疑者Ａが複数の共犯者と共に犯したと疑われていた窃盗事件に関し、犯行の全容を解明するための捜査の一環として、約6か月半の間、Ａ及び共犯者のほか、Ａの知人女性も使用する蓋然性があった自動車等合計19台に、Ａらの承諾なく、令状も取得しないで、ＧＰＳ端末を取り付け、これら自動車等の所在を検索し移動状況を把握する捜査が実施された。

　(ア)　この捜査は違法か。

　(イ)　検証許可状を得てこの捜査を行うことは許されるか。

◆**解　答**◆

(1)⟹ **2**、**3**参照

(2)　(ア)違法。(イ)許されない。⟹ **3** 3 (5)参照（この設問は、最大判平29.3.15の事案を元にした）。

1　捜査活動への規制

　捜査機関は、職務質問・所持品検査・自動車検問等により捜査の端緒を得て、捜査を開始する。本設問では、令状主義の観点から、捜査活動に対して、どのような場合にどのような規制が加えられているかについて説明する。

2　強制捜査と任意捜査

1　強制捜査

(1)　強制処分法定主義

　法197条1項は、「捜査については、その目的を達するため必要な取調をすることができる。但し、強制の処分は、この法律に特別の定のある

場合でなければ、これをすることができない。」とする。

　捜査活動には、①　法に規定された強制処分の方法による**強制捜査**、②　法に規定されていない強制処分の方法による強制捜査及び③　①②以外の方法による**任意捜査**があり得る。しかし、前記のとおり、強制処分は法定されたものでないと許されない（**強制処分法定主義**）ので、②の方法による強制捜査は違法である。

⑵　法定の強制処分の種類

　法は、対人的強制処分（逮捕・勾留・身体検査・鑑定留置など）、対物的強制処分（捜索・差押え・検証・鑑定処分など）を強制処分として規定している。これら法定の強制処分は、例えば、逮捕のように、その目的を達成するために一方的に有形力を行使（実力行使による身柄拘束）し、対象者に法的義務を負わせる（身柄拘束を受忍させる）ことを内容としていると考えられる。

⑶　強制処分の定義

　上記の強制処分の内容を踏まえ、従来、強制処分とは「**物理的な有形力を用いる処分又は対象者に法的な義務を負わせる処分**」と定義されてきた。しかし、**3**で述べるように、捜査手法が高度化してきた状況も踏まえ、今日では、「**対象者の意思に反して、その重要な権利・利益を実質的に制約する処分**」（⟹**3**、2参照）と理解されるようになっている。

2　強制捜査と任意捜査の区別

　強制処分を利用してなされる捜査が強制捜査であり、これ以上の方法を用いてなされる捜査を任意捜査ということができる。

3　任意捜査

⑴　任意捜査における捜査活動

　法197条１項の「必要な取調をすることができる」とは「必要な捜査活動を行うことができる」という意味と解されているので、任意捜査においては、強制処分の方法を使わない限り、捜査活動の方法に制限はなく、捜査の目的を達するために必要な捜査活動を行うことができる。

126 第2章 任意捜査

⑵ 任意捜査の原則

捜査は、なるべく任意捜査の方法によって行うべきものとされる（規範99条）ことをいう。強制力の行使は必要最小限であるべきだからである。具体的にいうと、強制処分を行い得る要件があっても、任意捜査の方法で目的を達することができるときは、任意捜査の方法で行うべきだということである（⟹ 設問 **3** 、**2** 参照）。

⑶ 捜査比例の原則

任意捜査の手段について、警察比例の原則に準じた「**捜査比例の原則**」が当てはまり、ある捜査手段が適法とされるには、①目的の正当性、②捜査手段の必要性、③捜査手段の相当性を具備することを要するとされているところ、前記最決昭51.3.16刑集30-2-187（ 設問 **13** の設問事例、同設問の **2** 2⑷参照）もこの見解を踏まえていると解される（頃安健司前掲142）。

⑷ 任意捜査の種類

ア 法で規定されているもの

被疑者の任意出頭・取調べ（法198条）、参考人に対する出頭要求・取調べ（法223条1項前段）、鑑定・通訳・翻訳の嘱託（法223条1項後段）、領置（法221条 ただし、領置物件について任意提出者からの還付要求を捜査官が拒み得る点で強制処分の面も持つので、これについては、強制処分の項で解説する。⟹ 設問 **22** 参照）

イ 法で規定されていないもの

聞き込み・尾行・密行・張り込み等（規範101条）、実況見分（規範104条）などがある。捜査によって何人の権利・利益をも侵害しない場合（例えば、公道における実況見分等）、他人の権利・利益の制限にはなるが法益主体が承諾を与えた場合（例えば、家屋内における実況見分等）は、任意捜査として許容される。

⑸ 科学的捜査手法の高度化と任意捜査

任意捜査における捜査活動が複雑多様となり、用いられる科学的捜査手法も高度化されるにつれ、従来はさほど問題なく許容されてきた捜査活動であっても、用いられた科学的手法が高度・精密なものになったこ

とにより、その捜査活動について、捜査対象のプライバシーや正当な権利・利益を侵害するおそれがあるとされ、「その実質は、法で認められていない強制捜査に該当する。」などと主張されることもあり得る。

3 強制捜査か任意捜査か問題となる捜査方法

1 問題となる捜査方法の2つの類型

「物理的な有形力を用いる処分又は、対象者に法的な義務を負わせる処分」という従来の強制処分の定義を当てはめただけでは、強制捜査か任意捜査かを割り切れない場合がある。典型的には、次の2つの類型が指摘されており、これらを任意捜査とみるか、強制捜査とみるかが問題となる。

(1) 多少の有形力の行使を伴う捜査方法

例えば、多少の有形力を用いた説得活動などであるが、これは、人に対する強制の要素があるため、上記定義を形式的に当てはめれば、強制処分に該当することになる。しかし、その有形力の行使の程度が、強制処分において行使されることが想定される有形力の行使の程度には至っていないときには、強制処分に当たらないのではないかと指摘されることもある。

(2) 無形的態様による権利・利益の侵害をもたらす捜査方法

例えば、秘聴や望遠レンズによる邸宅内の私生活の撮影である。これは、物理的な有形力の行使や対象者への義務の賦課を伴わないものであるが、無形的な態様で個人のプライバシーなどの正当な権利・利益侵害をもたらす捜査方法であって、強制処分に該当するのではないかと指摘されることもある。

2 多少の有形力の行使を伴う捜査方法

(1) 強制処分該当性基準

最高裁は**設問13**の設問事案（同設問**2**参照）について、多少の有形力の行使を伴う捜査方法であっても、必ずしも強制処分を用いた強制捜査とされるものではなく、任意捜査として許容される場合があるとした。そして、任意捜査と強制捜査の区別基準について、「捜査において強制手段とは、有形力の行使を伴う手段を意味するものではなく、**個人の意**

思を制圧し、**身体、住居、財産等に制約を加えて強制的に捜査目的を実現する行為**など、特別の根拠規定がなければ許容することが相当でない手段を意味する。」と判示した（前記最決昭51.3.16）。

ここでは、強制処分該当性基準は「個人の意思を制圧し、身体、住居、財産等に制約を加えて強制的に捜査目的を実現する行為など、特別の根拠規定がなければ許容することが相当でない手段」かどうかという基準が採用されており、「有形力の行使の有無」は不可欠の要素とされていない。

「個人の意思を制圧し」とは、対象者の明示の反対意思を制圧する場合に限られず、対象者の「意思に反して」いれば要件に該当する。

また、警察官の説得行為によって対象者の権利・利益の制約が多少とも生じていたと認められる前記 **設問13** の設問事案において、最高裁が、当該行為を任意捜査にとどまると判断したのは、当該行為による対象者の権利・利益の制約が軽微なものであると評価したためと考えられる。結局最高裁は、対象者の意思に反すれば、およそ対象者の権利・利益の制約となる行為が全て強制処分に該当するというものでなく、対象者の「重要な権利・利益に対する実質的な制約」といえる場合に限って強制処分に該当するとしており、強制処分該当性基準としては、「**対象者の意思に反して、その重要な権利・利益を実質的に制約する処分**」という基準を採用していると理解すべきである（川出敏裕「判例講座刑事訴訟法〔捜査・証拠篇〕第2版」〔立花書房2021〕6参照）。

(2) **任意捜査における有形力行使の限界について**

一方、任意捜査も無限界で行うことは許されず、その許否に関する判断基準は、捜査比例の原則に照らし、前記最高裁判決（最判昭53.9.7）において示された所持品検査の許否の判断方法、すなわち「所持品検査の必要性、緊急性、これによって害される個人の法益と保護されるべき公共の利益との権衡などを考慮し、具体的状況のもとで相当と認められる」か否かを判断する方法と同様と解すべきである（⟹ **設問12** 、 **2** 参照）。したがって、**個人の権利、利益の侵害の程度が高ければ高いほど、捜査の必要性、緊急性の程度は高くなければならず、捜査の相当性について**

も厳格に判断される。そして、人の身体に対する有形力の直接的行使は、個人の権利・利益を侵害する程度が大であるから、これが適法とされるためには捜査手段の必要性も、高度のものでなくてはならない。具体的には、被疑事実の重要性、嫌疑の十分性、緊急性・補充性（他に代替手段がないこと）などの要件を満たすことが必要である。

　これについて、最高裁は、 設問13 の設問事例における警察官甲の行為、すなわち、酒酔い運転で物損事故を起こした被疑者を警察署に任意同行し、アルコール保有量検査のための風船への呼気吹き込みに応じるように説得中、被疑者が急に出入口の方に小走りで行きかけたので、警察官がその斜め前に立ち、両手でその左手首をつかんだ行為を任意捜査として許されるとし、その許否に関する一般論として、強制捜査の程度に至らない「有形力の行使は、任意捜査においても許容される場合がある」とした上で、「**必要性、緊急性などをも考慮したうえ、具体的状況のもとで相当と認められる限度において許容される**」と判示している（前記最決昭51.3.16）。

3　無形的態様による権利・利益の侵害をもたらす捜査手法

　秘聴や望遠撮影など、物理的な有形力の行使や対象者への義務の賦課を伴わず、無形的な態様で、対象者の権利・利益侵害をもたらす捜査手法について、これが任意捜査として無令状で許容されるか、強制処分として令状主義に服すべきかが問題となる。

(1)　物理的侵入の有無を基準とする見解

　この点について、盗聴に関する古い裁判例（東高決昭28.7.17判時9-3令状なく、被盗聴者の居室のふすまの外側に盗聴用マイクロホンを取り付けたという事案）においては、「（盗聴器の取付けによって）密室の外観、音響等の利用形態には何等の影響も来さなかった。」として「たといそのために（被盗聴者の）基本権等行使に軽度の悪影響が与えられたとしても、それは右聴取行為に必然的に伴う結果であ（る）」として許容されるとした（職権濫用の成立を否定）。これは、当時のアメリカ合衆国連邦最高裁が捜索押収の当否を判断する際に用いていた、その場所に物理的侵入がなされたかどうかという判断基準を適用したものと解

130 第2章 任意捜査

されている（石川弘「現代刑罰法大系 第5巻」〔日本評論社1983〕218）。

(2) プライバシーの侵害の有無・程度を基準とする見解

しかし、その後、我が国最高裁は、警察官によるデモ行進参加者に対する写真撮影の許容性が争われた事案において、「何人も、その承諾なしに、みだりにその容ぼう等を撮影されない自由を有する」とした上で、一定の条件を備えた場合に限って、被撮影者の同意も裁判官の令状もなくして、犯罪捜査目的のために個人の容貌等を撮影することが許容される場合があるとした（最大判昭44.12.24刑集23-12-1625 具体的事案については、当該写真撮影は任意捜査として許容されるとした。⟹**設問20**参照）。

すなわち、最高裁は、プライバシー侵害の有無・程度それ自体を捜査方法の許容性判断の基準にし、無形的な態様によってプライバシー侵害をもたらすこととなる捜査方法であっても、一定の場合には、許容されないことがあるとした。

なお、アメリカ合衆国においても、連邦最高裁は、公衆電話ボックスの外側に盗聴器を設置した行為の当否が争われた事案において、前記の「物理的侵入の有無の基準」を捨て、プライバシー侵害の有無それ自体を問題とした（1967年＝昭42年）。我が国最高裁大法廷判決も、この連邦最高裁の考え方の影響を受けたものと理解されている（石川弘 前掲220参照）。

同最高裁大法廷判決に照らせば、デモ参加者への写真撮影よりはるかに重大なプライバシー侵害をもたらす盗聴については、居室に機材を侵入させる方法か否かに関係なく、個人のみだりに盗聴されない自由を侵害するものとして許されない（違法）と判断され得ると考えられ、前記東高決昭28.7.17の先例的価値は乏しい。

(3) ビデオ撮影事案

上記最大判昭44.12.24を踏まえ、最決平20.4.15刑集62-5-1398は、強盗殺人事件で被害者の預金口座から現金を引き出した人物ＸとＡが同一人かどうかを確認するために、公道上を歩いていたＡの容貌等やパチンコ店内で遊戯中のＡの容貌等をビデオ撮影した行為を任意処分とした上、

任意捜査と強制捜査　設問15　*131*

これらのビデオ撮影は、捜査目的を達するため、必要な範囲において、かつ、相当な方法において行われたものといえ、捜査活動として適法なものとした（⟹ 設問20 参照）。

⑷　**エックス線検査事案**

　この事案は、覚醒剤の密売の嫌疑で、A会社を内偵中、A会社の関係者が暴力団関係者から覚醒剤を仕入れているとの疑いが生じたことから、捜査機関が宅配便業者Bの協力を得て、Bが占有管理する配達途中のA会社事務所宛の荷物であって不審なものを借り出し、空港の税関施設において、荷送人や荷受人の承諾を得ることなく、荷物の内容についてエックス線検査を行ったところ、細かい固形物が均等に詰められている長方形の袋の射影が観察でき、この観察結果の写真を資料として裁判官から発付を受けた捜索差押許可状に基づいて、A会社関係先への捜索が実施され、覚醒剤が発見押収されたというものである。

　一審裁判所及び控訴審裁判所は、上記エックス線検査は任意捜査として許容されると判断したが、最高裁は、これを強制処分であるとした。

　最高裁は、「（同エックス線検査は）外部からエックス線を照射して内容物の射影を観察したものであるが、その射影によって荷物の内容物の形状や材質をうかがい知ることができる上、内容物によってはその品目等を相当程度具体的に特定することも可能であって、荷送人や荷受人の内容物に対するプライバシー等を大きく侵害するものであるから、検証としての性質を有する強制処分に当たるものと解される。」とし、同事案におけるエックス線検査は、検証許可状の発付を得ることが可能であったのに、これによらずに行ったものであり違法であるとした（最決平21. 9.28刑集63-7-868　ただし、捜索令状によって発見された覚醒剤等の証拠能力は肯定した。⟹ 設問63 、 5 参照）。

　本件エックス線検査の射影の精度について、最高裁は、その精度が相当に高いものと評価したのに対し、一審及び控訴審は、その精度はそれほど高いものではないと評価したことが、結論の違いを生んだものと思われる。

　最高裁の判断においては、無形的態様での権利侵害をもたらす捜査方

132　第2章　任意捜査

法に関する強制処分該当性基準として、前記最決昭51.3.16のいう「個人の意思を制圧し、身体、住居、財産等に制約を加えて強制的に捜査目的を実現する行為など、特別の根拠規定がなければ許容することが相当でない手段」という定義が採用されている。ただし、この捜査方法においては、対象者は、自分に対して捜査が行われていることを認識していないことが多いと考えられるので、「個人の意思を制圧し」は「（合理的に推認される）対象者の意思に反し」を意味するものと解すべきである。

　したがって、ここでも、強制処分該当性基準は、前記2の場合と同様に「対象者の意思に反して、その重要な権利・利益を実質的に制約する処分」かどうかという基準が採用されていると理解できる（川出敏裕前掲9）。

⑸　ＧＰＳ捜査事案
ア　事　案
　これは設問事例⑵として取り上げた事案である。
　被告人Ａが複数の共犯者と共に犯したと疑われていた窃盗事件に関し、組織性の有無や、程度、組織内における被告人の役割を含む犯行の全容を解明するための捜査の一環として、約6か月半の間、Ａ、共犯者のほか、Ａの知人女性も使用する蓋然性があった自動車等合計19台に、同人らの承諾なく、かつ、令状を取得することなく、ＧＰＳ端末を取り付けた上、その所在を検索して移動状況を把握するという捜査（以下「本件ＧＰＳ捜査」という）が実施されたというものである。
イ　強制処分該当性
　最高裁は、本件ＧＰＳ捜査について、強制捜査に該当するとした。
　一審裁判所はこれを強制処分としたのに対し、控訴審裁判所はこれを任意捜査とした。最高裁は、これを強制処分に該当するとした理由として、「ＧＰＳ捜査は、対象車両の時々刻々の位置情報を検索し、把握すべく行われるものであるが、その性質上、公道上のもののみならず、個人のプライバシーが強く保護されるべき場所や空間に関わるものも含めて、**対象車両及びその使用者の所在と移動状況を逐一把握することを可能にする。このような捜査手法は、個人の行動を継続的、**

網羅的に把握することを必然的に伴うから、個人のプライバシーを侵害し得るものであり、また、そのような侵害を可能とする機器を個人の所持品に秘かに装着することによって行う点において、公道上の所在を肉眼で把握したりカメラで撮影したりするような手法とは異なり、公権力による私的領域への侵入を伴うものというべきである。憲法35条は、『住居、書類及び所持品について、侵入、捜索及び押収を受けることのない権利』を規定しているところ、この規定の保障対象には、『住居、書類及び所持品』に限らずこれらに準ずる私的領域に『侵入』されることのない権利が含まれるものと解するのが相当である。そうすると、上記のとおり、個人のプライバシーの侵害を可能とする機器をその所持品に秘かに装着することによって、合理的に推認される個人の意思に反してその私的領域に侵入する捜査手法であるＧＰＳ捜査は、個人の意思を制圧して憲法の保障する重要な法的利益を侵害するものとして、刑訴法上、特別の根拠規定がなければ許容されない強制の処分に当たる（最決昭51.3.16刑集30-2-187）とともに、一般的には、現行犯人逮捕等の令状を要しないものとされている処分と同視すべき事情があると認めるのも困難であるから、令状がなければ行うことのできない処分と解すべきである。」と判示した（最大判平29.3.15刑集71-3-13）。

　ここでも、最決昭51.3.16の示した「個人の意思を制圧し、身体、住居、財産等に制約を加えて強制的に捜査目的を実現する行為など、特別の根拠規定がなければ許容することが相当でない手段」かどうかという強制処分該当性の基準がほぼそのまま採用されている。「個人の意思を制圧し」については、無形的な態様での権利侵害であるため、対象者の明示の反対意思を制圧して行われることがあり得ないことから、「合理的に推認される個人の意思に反して」を意味するものである旨が明確化され、対象者の権利利益の制約についても、「憲法の保障する重要な法的利益を侵害するもの」としたものである。

　自動車の公道上の所在をカメラで撮影するだけの捜査手法であれば、前記のビデオ撮影事案と同様に、任意捜査とされたものと考えられる

134 第2章 任意捜査

が、本件ＧＰＳ捜査は、それだけにとどまらない私的領域を暴く性質
があるとされたため、エックス線検査の場合と同様に、強制捜査に該
当するとされたものと思われる。

ウ 検証許可状による実施可能性

最高裁は、本件ＧＰＳ捜査は、検証許可状によっても実施できない
とした。

本件ＧＰＳ捜査について、検証許可状を得れば適法に実施可能なも
のであり、本件において、同許可状は得ていなかったものの許可状取
得の要件は備えていたから、本件ＧＰＳ捜査は実質的に違法ではなかっ
たとの主張に対して、最高裁は、「ＧＰＳ捜査は、情報機器の画面表
示を読み取って対象車両の所在と移動状況を把握する点では刑訴法上
の『検証』と同様の性質を有するものの、対象車両にＧＰＳ端末を取
り付けることにより対象車両及びその使用者の所在の検索を行う点に
おいて、『検証』では捉えきれない性質を有することも否定し難い。
仮に、検証許可状の発付を受け、あるいはそれと併せて捜索許可状の
発付を受けて行うとしても、ＧＰＳ捜査は、ＧＰＳ端末を取り付けた
対象車両の所在の検索を通じて対象車両の使用者の行動を継続的、網
羅的に把握することを必然的に伴うものであって、ＧＰＳ端末を取り
付けるべき車両及び罪名を特定しただけでは被疑事実と関係のない使
用者の行動の過剰な把握を抑制することができず、裁判官による令状
請求の審査を要することとされている趣旨を満たすことができないお
それがある。さらに、ＧＰＳ捜査は、被疑者らに知られず秘かに行う
のでなければ意味がなく、事前の令状呈示を行うことは想定できない。
刑訴法上の各種強制の処分については、手続の公正の担保の趣旨から
原則として事前の令状呈示が求められており（同法222条1項、110条）、
他の手段で同趣旨が図られ得るのであれば事前の令状呈示が絶対的な
要請であるとは解されないとしても、これに代わる公正の担保の手段
が仕組みとして確保されていないのでは、適正手続の保障という観点
から問題が残る。」として、検証許可状によってＧＰＳ捜査を適法に
実施することはできないとした。

さらに、最高裁は、裁判官が令状の審査において様々な条件を付してＧＰＳ捜査の実施を許可することも法197条１項ただし書の趣旨に沿うものではないとし、立法的な措置が講じられることが望ましいとした。

エ　同判決の射程

同判決の射程については慎重な検討が必要と思われる。例えば、ＧＰＳ端末が既に取り付けられている車両の位置情報の探索や、検証許可状により行われている捜査対象者使用の携帯電話機に対する位置情報の探索は、本件とは事案が異なり、権利侵害の程度等も異なることから、本判決の射程は及ばないと考えられる。技術進化が著しいドローン等の長時間にわたる継続的撮影が可能な飛翔体を使用した追跡や至近距離からの継続的撮影が行われた場合などにおいても、本件とは事案が異なるため、強制処分といえるか否かは事案に即し改めて検討することが必要であろう（滝沢誠「刑事訴訟法基本判例解説（第２版）」〔信山社2018〕125。なお、池田修・前田雅英　前掲189参照）。

4 強制処分かどうかの判断基準（まとめ）

以上のとおり、捜査の方法が強制処分によるものか問題となった判例について概観した。

以上からすると、最高裁は、強制処分を、前記3 2(1)のとおり「**対象者の意思に反して、その重要な権利・利益を実質的に制約する処分**」と解しているものと考えられる。その判断に際しては、有形力の行使の有無は不可欠の要素とされておらず（最決昭51.3.16の事案）、**犯罪の嫌疑の程度、当該捜査行為を行う必要性、それによって制約される権利の性質と制約の程度**が考慮要素とされており（**対象者の権利・利益の制約の程度が軽微といえたかなど**）、特に、対象者について**現行犯的状況**であったか否かや、**類型的に見て、プライバシーが放棄されておらず、その保護が合理的に期待されるべき状況であったか**（**公道における行動等のみを把握できるものだったか、荷物内容がその外観から把握できるものだったか**）否かが判断の分かれ目として重視されていると解される。

136 第2章 任意捜査

設問16 任意捜査としての取調べ

● **設 問** ●

　警察の捜査幹部甲は、殺人の被疑者Ａを警察署に任意同行させ、当夜は民間会社の寮にＡを宿泊させ、捜査員1名をその隣室に、他の捜査員3、4名も同寮に同宿させ、翌日夜から3晩はホテルにＡを宿泊させ、同ホテル周辺に捜査員を張り込ませて、その間Ａを看視し、一方、連日警察署にＡを出頭させて午前から夜間まで取り調べさせた。これは任意捜査として許容されるか。

◆**解　答**◆

　（かろうじて）許容される。

　「任意捜査の一環としての被疑者に対する取調べは、右のような強制手段によることができないというだけでなく、さらに、**事案の性質、被疑者に対する容疑の程度、被疑者の態度等諸般の事情を勘案して、社会通念上相当と認められる方法ないし態様及び限度において、許容されるものと解すべきである。**」として、本件は任意調べの方法として必ずしも妥当なものであったとは言い難いとしながら、①Ａが「今日はどこかの旅館に泊めていただきたい。」等の答申書を初日に差し出したこと、②Ａが取調べや宿泊を拒否せず帰宅したいと申し出なかったこと、③捜査官が取調べを強行し、Ｂの退去・帰宅を拒絶・制止したことがなかったことから、取調べも宿泊もＡがその意思により容認し、任意に応じていたと認められ、更に、「事案の性質上、速やかに被告人から詳細な事情及び弁解を聴取する必要性があったものと認められることなどの本件における具体的状況を総合すると、結局、社会通念上やむを得なかったものというべき、任意捜査として許容される限界を超えた違法なものであったとまでは断じ難いというべきである。」（最決昭59.2.29刑集38-3-

479) ⟹ **1** 4

1 任意捜査としての被疑者取調べ

1 根 拠

司法警察職員、検察官等の捜査機関は、犯罪の捜査をするについて必要があるときは、被疑者の出頭を求めて取り調べることができる（法198条1項本文）。しかし、被疑者は、逮捕、勾留されている場合を除いて、出頭を拒み、出頭後もいつでも退去できる（同項ただし書）（身柄拘束されている場合の取調べ受忍義務については⟹**設問23**、**2**）。取調べをする目的で、被疑者方等に捜査官が赴き、目的を告げ、被疑者に警察署等への同行を求めることもできる（⟹**設問13**、**1** 2）。

2 承諾留置ないしこれに準じた状況下での取調べの禁止

たとえ被疑者が同意していたとしても、取調べの必要上、被疑者を留置施設に宿泊させたり、又は身柄を実質的に捜査官の支配下においたりして、**24時間中被疑者の動静を看視するような捜査方法**は、被疑者の身体の自由を著しく拘束するものであるから、社会通念上許されない。

3 一般的判断基準

本設問事案についての最決昭59.2.29は、任意捜査としての被疑者取調べの方法・態様・程度の限度について、「**事案の性質**」、「**容疑の程度**」、「**被疑者の態度**」などの諸般の事情（具体的には、捜査への協力的態度、宿泊への同意、取調べの必要性・緊急性、取調べ室からの退去の拒絶・制止の有無など）を考慮し、「**社会通念上相当と認められる**」限度で**許容される**ものと判示した。

4 具体例

⑴ 違法例

① 殺人の被疑者を警察署に任意同行し、その承諾を得て、捜査員6名がビジネスホテルの客間に2晩にわたって被疑者とともに就寝し（この客室は、2間つづきで、奥の間に被疑者と捜査員1名、玄関側の間に捜査員4名がざこ寝した）、警察との往復も捜査官運転の自動車で行われ、食事も警察庁舎内で給付され、被疑者に外出の機会を与えな

いまま終日取調べを行うことは、実質的逮捕であり任意捜査として許されない（東地決昭55.8.13判時972-136）。

② 殺人被疑者（フィリピン国籍の女性）に対し、9日間にわたり連日、午前9時過ぎないし10時過ぎ頃から午後8時30分過ぎないし11時過ぎまでの長時間にわたる取調べがなされ、最初の2晩は家族の入院先の病室に（ただし、病室出入口に警察官を配置して看視）、次の2晩は警察官宿舎の空き室に（ただし、仕切り戸を外した隣室に女性警察官が同宿して看視）宿泊させ、警察車両を利用して宿泊場所と警察との往復を行ったことは、違法な捜査である（千葉地判平11.9.8判時1713-143 その控訴審である東高判平14.9.4判時1808-144も同じ判断。ただし、千葉地判は違法は重大ではないとし自白の証拠能力を肯定したが、東高判は、捜査機関が宿泊可能な友人がいることを把握したのに真剣に検討せず、自ら用意した宿泊先への宿泊を指示したことなどを総合し、違法は重大だとし、自白の証拠能力を否定した）（⟹違法収集自白の排除 **設問51**、**6**参照）。

(2) 適法例

③ 暴力団による殺人・死体遺棄事件の被疑者が弁護士に付き添われて警察に出頭したが、直ちに逮捕することなく、4晩にわたってホテル（その周辺に警察官を配置して看視）に宿泊させ、連日警察に任意同行して取り調べた事案については違法とはいえない（東地八王子支部判平元.3.13判時1320-166）。

④ 本設問解答の最決昭59.2.29の事案は、捜査員が被疑者の部屋に同宿して看視した状況まではなかったなど、前記①の事案よりは行き過ぎの程度が低かったため、かろうじて「違法なものであったとは断じ難い。」と判断されたもの（裁判官5名のうち2名は「任意捜査として、その手段方法が著しく不当で許容限度を超え」違法であると反対意見を表明した）。設問のごとき捜査方法が一般的に許容されるとは限らないことに注意すべきである。

⑤ 強盗致死事件に関し、任意捜査として被疑者を午後11時頃から翌日午前9時半頃まで一睡もさせずに取り調べ、さらに、同日午後9時25

分頃まで、食事時に20〜30分程度の休憩をはさんだだけで取調べを続けたことについて、社会通念上任意捜査として許容される限度を逸脱したとまではいえない（最決平元. 7. 4刑集43-7-581　一般論として、このような長時間にわたる取調べは、特段の事情がない限り、適法性を肯認するには慎重を期さなければならず、本件取調べが供述の任意性に疑いを生じさせるようなものであったときは、その間になされた取調べを違法とし、その間になされた自白の証拠能力を否定すべきであるとする。しかし、本件においては、被疑事実が重大事件であったこと、冒頭から被疑者が進んで取調べを願うとの承諾を得ていたこと、当初の自白には虚偽が含まれている疑いが存在し取調べを続行した経緯があること、取調べ中に被疑者から帰宅や休憩の申出がなかったこと、捜査官に逮捕の時間制限逃れの目的がなかったことなどを総合勘案して、許容限度を逸脱しているとまでは断定できないとしたもの）。

2　参考人の取調べ

1　出頭義務

捜査官は、犯罪捜査に必要があるときは、被疑者以外の第三者（参考人）の出頭を求め、取り調べることができる（法223条1項）。この場合、法198条1項ただし書の準用がある（法223条2項）ので、身柄拘束中でない限り、出頭を拒み取調べ中に退去できる。その反対解釈として、他罪について身柄拘束中の参考人については、出頭して取調べを受忍すべき義務がある。

2　手続

参考人に対しては、供述拒否権の告知の必要がない点を除いて、その他の手続は、被疑者の取調べの場合と同様である。

ただし、参考人として取調べを行う場合であっても、その取調べが、その者の犯罪事実に及ぶときは、供述拒否権を改めて告知するのが望ましい。

140　第 2 章　任意捜査

設問 17　任意採尿、任意採血等

● 設　問 ●

(1)　警察官が、酒酔い運転で逮捕され呼気検査を拒否する被疑者に対し、排せつされた尿を検査するという目的を告げずに、留置施設内に便器を差し入れ、この中に排尿させる方法で被疑者の尿を採取することは適法か。

(2)　警察官が、酒酔い運転の疑いのある被疑者が、交通事故のため意識喪失であったため、医療上の必要からカテーテルを用いて被疑者から尿を採取していた医師に依頼し、その尿を任意提出させることは適法か。

(3)　(2)の例で、医師において採尿する医療上の理由がなかったにもかかわらず、警察官が、専ら捜査の目的に用いるために、医師に依頼し、同人をしてカテーテルで採尿させ、これを任意提出させることは適法か。

◆解　答◆

(1)　適法　⟹ **1** 1 参照

(2)　適法　⟹ **1** 4 (1)参照

(3)　違法　⟹ **1** 4 (2)参照

1 任意採尿など

　被疑者の体内の覚醒剤・アルコールの有無を確かめる方法としては、その尿を採取して検査するのが確実・簡易である。人権保障の見地から、任意的手段によって採尿するのが原則であり、強制採尿は例外的であるべきである。しかし、その任意採尿が、実質的に強制にわたるものであるとか、相手方の真意に基づかないものであるとの非難を受ける場合がある。

1　無断採尿

　捜査対象者に、その者が排せつした尿を検査するという目的を告げずに、

その尿を捜査対象者の承諾なしに採取する方法のことであるが適法と考えられる。採尿対象が身柄拘束中の被疑者であろうと、在宅の被疑者であろうと同じである。

　　適法とされる理由　　無断採尿が適法とされる理由として次のことがあげられている。①一般に捜査においてその意図を事前に相手方に告げることは要求されていないこと、②自然的生理現象として排せつされた尿は無価値物であるから、採取しても、その財産権を侵害せず、相手の身体に対する有形力の行使もなく、その生理的機能に障害を与えるおそれもないこと（東高判昭56.4.1高検速報2503　別件で身柄拘束中の被疑者の留置場の水洗便所を洗浄し、そこに排せつされた尿を無断で採取したのを適法とした事案）、③排せつされた尿については、特段の意思表示がない以上、排せつの瞬間にこれに対する権利を放棄する意思があるということが社会常識上肯定できるということ及び供述については法律上供述拒否権が保障されているが、被疑者が自ら排尿する場合は、捜査官には、同尿をアルコール検査の資料とすることを被疑者に告知しその同意を求めるべき法律上の義務がないこと（東高判昭49.11.26高刑集27-7-653）、④身柄拘束中の被疑者については、法218条2項〔著者注：現218条3項〕によって令状なしに被疑者の指紋、足型の採取、写真撮影ができることとの対比から、尿の採取もこれと同列に考えるべきであること（東高判昭48.12.10高刑集26-5-586、上記東高判昭49.11.26　いずれも酒酔い運転の罪で身柄拘束されながらも呼気検査を拒否する被疑者に対し、目的を告げずに留置場内に便器・バケツを差し入れてこの中に排尿させて収集したのを適法とした事案）。

> **アドバイス**　**尿の任意提出を拒む者に対する措置**
> 　しかし、無断採尿の方法によって得た尿に関しては、尿の同一性が争われたり、異物の混入の主張がなされるなどの紛争を引き起こすおそれが大であるから、尿の任意提出を拒む者に対しては、強制採尿の方法をとるべきである（⇒**設問30**参照）。

2　積極的偽計により尿を排せつさせ採取する場合

　前記1の場合と異なり、尿を排せつさせるに当たって積極的な偽計手段を用いた場合で、その**偽計の程度が社会通念上著しく不当とみられるとき**は、

採尿は違法とされ、その結果得られた尿・鑑定書の証拠能力が否定されることもあり得る。

　例えば、被疑者方に捜索差押令状が出ていることを利用し、尿を差し押さえ目的物とする強制採尿令状が存在するかのような発言をし、被疑者をその旨誤信させて、その結果同人から尿の提出を受けた場合、この採尿手続には重大な違法があるとされ、鑑定書の証拠能力も否定される（東地判昭62.11.25判時1261-138）。

3　説得により尿を排せつさせ尿を採取する場合

(1)　適法例

　説得が社会通念に照らして著しく不当にわたると認められるときを除いて、**説得により任意に尿の排せつ・提出を求めることは適法**である。

　①強制採尿令状の発付を受け得る状況において、任意採尿を拒否する者に対して、このままでは強制採尿を行うことになると告げて説得することは許される。例えば、別件で勾留中の被疑者に覚醒剤取締法違反前科があること、真新しい注射痕があること、別件の犯行現場たる事務所内から注射器、注射針が発見されたことなどを総合判断した結果、捜査官が被疑者に対して「君にも強制採尿の令状が出ると思う。強制採尿ともなれば肉体的、精神的にも不快感や苦痛を伴う。」と申し向けたことは、口頭による説得の範囲内に属し適法であるし（札幌高判昭63.7.14）、②被疑者に聞こえるような状況下で、検察官が警察官に「尿を出さないなら令状をとって病院でとれ。」と指示することは、適法な具体的指揮権の行使であって被疑者に対する脅迫に当たらず、警察官が「拒否したら病院に連れていって局部に管を突っ込んでとる。そのやり方は痛い。」と説明して尿の任意提出を求めたことも、任意提出を拒否すれば当然適法になされることになる強制処分の内容について述べたもので脅迫に当たらず、いずれも適法な説得の範囲内にあるし（東地判昭53.5.22）、③強制採尿令状を既に得たこと、強制採尿の方法を告げて、尿の任意な提出を求めることも、適法な説得として許される（高松高判昭59.10.29高検速報423）。また、④被疑者が免許証書換えのために警察署に来た際、尿の提出を求め、約4時間にわたって、被疑者を署に留め置いて、その

間、ジュースなどの水分をとらせた場合、被疑者の真の同意がなかったとまではいえないことなどから、採尿の過程で強制があったとはみられないとされた事案（大阪高判昭53.9.13判時917-141）がある。

(2) 違法例

説得の範囲を逸脱して違法とされた例として、⑤4時間にわたって被疑者を説得して尿を提出させた事案について、違法な身体拘束を利用して無形の圧力のもとで、被疑者の真摯な同意、承諾なしにされた違法な採尿であるとして、尿の鑑定書の証拠能力を否定した例（奈良地五條支部判昭62.3.18判時1236-160）、⑥覚醒剤所持で現行犯逮捕され警察署に引致された被疑者（女性）に対し、当日午後11時20分頃から翌日午前8時30分頃までの間、警察官らが尿の任意提出を説得した結果、被疑者が尿を排せつし、同尿から覚醒剤成分が検出されたという事案について、警察官の説得自体が、尿を提出しなければトイレに行かせないという趣旨の発言を交えて強く尿の提出を求めるものや、カテーテルで体を傷めるのではなく、自ら尿を出すようにというものであって違法である上、体調不良にもかかわらず配慮なく5時間余り取調べ室内で待機させた被疑者への取扱いも違法とした例（東地判平23.3.30判タ1356-237 これら違法な捜査手続及び取扱いによる影響の累積によって、被疑者をして、自己の意思に基づいて尿の提出に応ずるかどうか判断することを著しく困難にして、これを承諾させたものであるとし、尿鑑定書の証拠能力も否定）がある。

なお、任意同行・留め置きに引き続く採尿の適否や収集された尿等の証拠能力への影響などについては、設問63、6を参照のこと。

4 医師から任意提出された尿

(1) 適法例

医師が必要な治療行為の一環として行ったカテーテル導尿により採取した尿については、医師が保管者（法221条）に当たるから、その医師が当該尿を任意提出することは適法である（札幌地判平4.9.10判タ805-245、同旨東高判平9.10.15東高刑時報48-1〜12-67）⟹設問22、2。

なお、医師が被疑者の承諾を得ないまま、被疑者からカテーテルを用

144　第2章　任意捜査

いて尿を採取し、採取した尿について薬物検査をしたことについて、医療上の必要があったと認められる場合には、医療行為として違法とはいえないとした例（最決平17.7.19刑集59-6-600　本件では、尿は差押令状で差し押さえた。また、同決定は、医師が必要な治療又は検査の過程で採取した患者の尿から違法な薬物の成分を検出した場合に、これを捜査機関に通報することは正当行為として許容されるものであり、医師の守秘義務に違反しないとした）がある。

(2)　**違法例**

　　医師が捜査機関の依頼を受け、医療上の必要がないのに、専ら捜査機関に提出する意図で、導尿措置を施して採取した尿を任意提出した場合には、捜査機関が令状に基づかないで強制採尿を行った場合と同視されるので許されない。

2 　任意採血

1 　**注射器等によって身体内から採血する場合**

(1)　**同意が不可欠**

　　採血の対象は、尿等の無価値物と違い身体の構成部分であって有価値であるし、採取方法も身体の一部に損傷・痕跡を残すものであるから、令状なしに被疑者から採血する場合には、検査目的であることを告知した上で同意を得る必要があり、医師等の専門家の手によってなされなければならない。

(2)　**同意がない場合**

　　同意が得られないときは、令状（鑑定処分許可状）を得てなすべきである（⟹ **設問30**参照）。

　　失神状態にある被疑者のアルコール濃度測定のため、捜査官の依頼を受けた医師が、令状なしに、看護師に命じて注射器で被疑者の静脈から血液を採取したのは重大な違法であるとして、この鑑定結果の証拠能力を否定した事例がある（仙台高判昭47.1.25刑月4-1-14、同旨横浜地判昭45.6.22刑月2-6-685、札幌地判昭50.2.24判時786-110）。しかし、無令状・無承諾採血は違法としながら、血液を入手する必要性、緊急性、方

法の相当性が認められるときは、採取した血液の鑑定書の証拠能力まで
は否定されないとする裁判例（高松高判昭61.6.18判時1214-142）もある。

2　体外に流出していた血液を採取する場合

　捜査官が採取をしようとする前に既に体外に流出していた血液は、物体に
すぎないから、被検査者が自ら任意提出する場合は全く問題がない。

　被検査者が意識不明等でその同意が得られないときであっても、その血液
が付着した包帯・ガーゼ等は廃棄物として被検査者の占有を離れていると考
えられるから、これを管理占有する医師・看護師が任意提出すれば、適法に
領置できる（⟹**設問22**、**2**）。

　飲酒運転の疑いがある被疑者が交通事故で負傷し意識不明のまま手術中で
あったとき、手術中の主治医の了解のもとに、看護師に依頼して、手術中の
出血を押さえていたガーゼに付着する血液をもらい受け、血液を採取するこ
と（福岡高判昭50.3.11刑月7-3-143）、傷部から流出して関節部にたまった
血液を捜査官の依頼を受けた医師が、針のない注射器で吸引して採取するこ
と（松山地大洲支部判昭59.6.28判時1145-148）も適法である。

3　唾液・指紋の無断採取

1　適法例

　前記**1**、1と同じ理由で、捜査対象者が吸った煙草を適法に取得し、これ
に付着する唾液を無断で採取したり、これと同様に、捜査対象者が口をつけ
た茶碗を適法に取得し、これに付着する指紋を無断で採取したりすることも、
強制や著しい詐欺的手段が用いられない限り適法と考えられる⟹**設問62**、
10参照。

2　違法例

　積極的偽計によって唾液を提出させた行為を違法とした事例として、相手
が警察官であるとの認識がない対象者に対して、そのＤＮＡ型検査資料を得
る目的で、警察官らが手渡し、お茶を飲ませた後に回収した紙コップについ
て、対象者が同紙コップについてそのまま廃棄される旨思い込んでおり、そ
の錯誤に基づいて占有を警察官らに委ねた物であるとして、「所有者、所持
者若しくは保管者が（捜査機関に）任意に提出した物」にも「被疑者その他

の者が遺留した物」（占有者の意思に基づかないでその所持を離れた物、占有者が自ら置き去りにした物）にも当たらず、強制処分に該当し、無令状によるもので違法とした裁判例（東高判平28.8.23高刑集69-1-16）がある。

おとり捜査、コントロールド・デリバリーなど　設問18　*147*

<table>
<tr><td>設問
18</td><td>おとり捜査、コントロー
ルド・デリバリーなど</td></tr>
</table>

●設　問●

　被告人Ａ（外国人であるが、日本において薬物の営利目的輸入・所持等による実刑前科がある）は、捜査協力者Ｂに対して、大麻樹脂の購入客を紹介してくれるように依頼したので、Ｂは、この内容を捜査官に連絡した。捜査官は、Ａの住居や立ち回り先や大麻樹脂の隠匿場所等を把握できなかったため、他の捜査方法はないと判断し、Ｂに依頼し、Ａへの連絡を取らせ、大阪市内のホテル客室で、捜査官Ｃを購入客としてＡに紹介させた。Ｃが何が売買できるか尋ねたところ、Ａは東京に来れば大麻樹脂を売ることができると答えたので、Ｃは、Ａが大阪まで持ってくれば大麻樹脂２キログラムを買い受ける意向を示した。

　翌日、Ａは東京から大麻樹脂２キログラムを同ホテルに運び入れたところ、あらかじめ捜査官が用意していた捜索差押令状により捜索を受けて、同大麻樹脂を発見され、現行犯逮捕された。

　捜査官Ｃの被告人Ａへの働き掛けは、違法か適法か。理由を付して答えなさい。

本事例は、下記最高裁決定の事案を素材にしたものである。

◆解　答◆

　適法である。理由は次のとおり。

　「おとり捜査は、捜査機関又はその依頼を受けた捜査協力者が、その身分や意図を相手方に秘して犯罪を実行するように働き掛け、相手方がこれに応じて犯罪の実行に出たところで現行犯逮捕等により検挙するものであるが、少なくとも、**直接の被害者がいない薬物犯罪等の捜査において、通常の捜査方法のみでは当該犯罪の摘発が困難である場合に、機会があれば犯罪を行う意思があると疑われる者を対象におとり捜査を行うことは、刑訴法197条１項に基づく任意捜査として許容される**ものと解すべきである。これを本件についてみると、上記のとおり、麻薬取締官において、捜査協力者からの

148 第2章 任意捜査

　情報によっても、被告人の住居や大麻樹脂の隠匿場所等を把握する
ことができず、他の捜査手法によって証拠を収集し、被告人を検挙
することが困難な状況にあり、一方、被告人は既に大麻樹脂の有償
譲渡を企図して買手を求めていたのであるから、麻薬取締官が、取
引の場所を準備し、（中略）被告人が取引の場に大麻樹脂を持参す
るように仕向けたとしても、おとり捜査として適法というべきであ
る。」（最決平16.7.12刑集58-5-333）。⟹**2**参照

1　社会通念上不相当な任意捜査

　任意捜査もその手段が社会通念上相当性を欠くときや実質上の強制処分で
あるときは許容されない。
1　社会通念上妥当でないもの
　任意捜査は、強制の処分にわたらない限り、「必要な取調べ」であれば、
いかなる方法を選んでもよいとされる（法197条1項）が、捜査機関は被疑
者その他の関係人の名誉を害しないように努めるべきとされている（法196
条）趣旨から考え、任意捜査であっても、**その手段が社会通念上妥当性を欠
くものは許されない**。
2　事実上の強制処分であるもの
　承諾留置のように、任意の同意をすることがおよそ考えにくいものは、形
式的には任意捜査の形をとっていても事実上の強制処分と考えられるので、
絶対に許されない。人の住居等に対する任意捜索も避けるべきであるし（規
範108条）、女子に対する承諾を得ての身体検査も禁じられる（規範107条
ただし、通常露出している顔、手足等については、承諾を得て検査できる）。

2　おとり捜査

1　意　義
　おとり捜査は、捜査機関又はその依頼を受けた捜査協力者が、その身分や
意図を相手方に秘して犯罪を実行するように働き掛け、相手方がこれに応じ
て犯罪の実行に出たところで現行犯逮捕等により検挙する捜査手法をいう

（前記最決平16.7.12）。

2　おとり捜査の種類

　おとり捜査には、(1)捜査官又はおとりが、犯人に犯罪を教唆し、その結果、新たに犯意を生じた犯人が犯行を実行した際に逮捕するもの（**犯意誘発型**）と、(2)犯人が犯行を決意し、その実行の機会を待っているときに、捜査官又はおとりが犯人にその機会を提供し（例えば、覚醒剤の密売人が覚醒剤の譲渡を申し込んできたとき、おとりがこれに応ずるなど）、犯行を実行した犯人を逮捕するもの（**機会提供型**）がある。いずれも、直接の強制力を用いていないし、相手の自由や権利を侵すともいえないから、「強制の処分」とはいえないが、捜査官側が、一種の詐術によって、犯人をわなにかける方法であるとして、その方法の相当性が問題となる。

3　おとり捜査の適法性

(1)　かつて、最高裁は、おとり捜査が、犯意誘発型と機会提供型のいずれであるかを区別せず、おとり自身が犯罪の教唆犯などとして処罰されることはあっても、おとり捜査を理由として、おとりの相手となった犯人の犯罪が不成立となったり、訴訟法上公訴提起が違法とされるということはないとした（最決昭28.3.5刑集7-3-482　ただし、この事案は機会提供型であった）。

(2)　同最決は犯意誘発型の事案に対する判断ではなかったため、その後の下級審裁判例は、犯意誘発型のおとり捜査は違法とされる場合があるとし、おとり捜査が、犯人の犯意を新たに生じさせたものかどうかを厳密に吟味する傾向があった（①東高判昭57.10.15判時1095-155　覚醒剤を密売のため所持することを反復・継続していると推認される者に対して、協力者に電話で覚醒剤の注文をさせ、これに応じて覚醒剤を持参させたのを適法とした。②東高判昭54.11.8判タ416-176　既に覚醒剤を隠し持っていた犯人に対し、客を装った警察官が購入を申し込んだのを適法とした。③東高判昭60.10.18判時1213-142　おとりが、覚醒剤取引に関与していると目星を付けた者に近づき、覚醒剤の入手を申し込み、それに応じて取引がなされたとき関係者を逮捕することも一定の限度で容認されるとする。④横浜地判昭62.4.27判タ640-232　犯人が、おとり接近の以

150 第2章 任意捜査

前から覚醒剤密売の犯意を有していたことを理由に、その犯人に接近し、犯人からの売込みに応じたことを適法とする)。

(3) **最決平16.7.12の意義**（⟹本設問解答参照）

同決定は、「機会があれば犯罪を行う意思があると疑われる者を対象」とした「機会提供型」のおとり捜査が、任意捜査として許容され得ることを改めて明らかにしたものである。同時に、これが許容される一つの場合として、「①直接の被害者がいない薬物犯罪等の捜査であること、②通常の捜査方法のみでは当該犯罪の摘発が困難であること」という条件を明示したことにも意義がある。

したがって、おとり捜査の実施の可否が問題になる場合は、同最決を踏まえ犯意誘発型か機会提供型かを意識して検討がなされるべきである。

その場合、同最決の決定文において、「少なくとも」とされているように、上記以外の場合にも、おとり捜査が許容されることがあり得るとされていることに注意すべきである。

上記以外にどのような場合に許容されるかは、判文上は明らかではないが、一般的な任意捜査の適法性判断の枠組みで考えるとすれば、おとり捜査の必要性（犯罪の重大性、嫌疑の濃淡）、緊急性（他に取り得る手段の有無）、働き掛けの手段の相当性、おとり捜査による弊害の有無・程度（働き掛けを受けたものの犯罪性癖の有無・程度）などを総合考慮するべきものと思われる（⟹ 設問15 、 1 参照）。

以上に関し、銃器対策部門の警察官が捜査協力者を通じてロシア人の組員に対し、中古車と交換するという条件で拳銃を日本国内に持ち込むよう働き掛け、これを日本国内に持ち込んだところを銃刀法違反（拳銃加重所持）で現行犯逮捕したという事案につき、当該おとり捜査を犯意誘発型と認定した上で捜査機関から当該組員に強い誘引力のある働き掛けがなされたことや、ロシアからの銃器の密輸入が多数に上るなど、当該おとり捜査をしてでも密輸ルートを解明することが喫緊の課題である事情はなく、当該おとり捜査を行う必要性が認められなかったこと、組織ぐるみで当該おとり捜査の存在を隠蔽していることなどを理由に重大な違法と判断され、押収された拳銃等の証拠能力が否定された裁判例が

ある（札幌地決平28.3.3判時2319-136）。

(4) なりすまし捜査

警察官が、被告人を車上狙いの現行犯として検挙する目的で軽トラック内に発泡酒1箱を置いた上、付近で張り込んでいたところ、被告人が同車から同箱を持ち出したことから、被告人を現行犯逮捕した捜査手法（**なりすまし捜査**）の適法性に関し、「おとり捜査」と同じ問題があるとした上、本件では、①被告人の犯罪傾向が強くなく、本件捜査により車上狙いの実行が促進された面が多分にあること、②車上狙いは他者から観察しやすい犯罪類型である上、被告人が他人の自動車を覗き込む様子が観察されており、新たな被害申告後に捜査に着手するとしても捜査遂行は特に困難でないことなどを理由に、本件捜査は任意捜査として許容される範囲を逸脱しており、国家が犯罪を誘発し、捜査の公正を害するものとして違法であって、その逸脱の程度が大きく、警察官らが、なりすまし捜査を行った事実を捜査書類上明らかにせず、公判でも否認証言をするなど、本件捜査の適法性について司法審査を潜脱しようとする意図が認められることなどを理由に、本件捜査の違法性は重大であって、これと直接かつ密接な関連性を有する被害届等の証拠は証拠能力を欠くとした裁判例がある（鹿児島地加治木支判平29.3.24判時2343-107）。

薬物事犯を摘発するための「おとり捜査」は、前記のとおり、犯意誘発型と機会提供型に分類され、前者は違法、後者は適法とする大枠によって判断されてきたと考えられるところ、本件は、財産犯（盗犯）を摘発するために行われたものであり、この事案のような場合には、機会提供型であっても違法とされ得ることに留意が必要であろう。

3 コントロールド・デリバリー

1 意 義

コントロールド・デリバリーとは、規制薬物や拳銃などの禁制品の不正取引が行われるとき、捜査機関がその事情を知りながら、すぐに検挙することなくその監視の下に規制薬物や拳銃などの禁制品の運搬などをさせて追跡し、当該不正取引に関与する人物を特定し、これらを一網打尽式に検挙しようと

152 第2章 任意捜査

する捜査手法をいう。

現に不正取引（犯罪）が行われているとき、いわば関係者を泳がせるという捜査手法であり、捜査機関が犯罪を誘発・助長する要素を含む「おとり捜査」と区別する必要がある。

コントロールド・デリバリーの種類としては、①禁制品がそのままの状態で犯罪組織（やその手足）によって運搬されるのを監視する**「ライブ・コントロールド・デリバリー」**（これが規制薬物の輸入等について行えるようにするため、「国際的な協力の下に規制薬物に係る不正行為を助長する行為等の防止を図るための麻薬及び向精神薬取締法等の特例等に関する法律」（麻薬特例法）3条及び4条で、規制薬物を所持する外国人の上陸及び規制薬物の通関等に関する特例を定めている）及び②禁制品を捜査機関において抜き取り無害品と取り替え、これが運搬されるのを監視する**「クリーン・コントロールド・デリバリー」**（この捜査手法を実効的に行うため、取り替えた無害品を「禁制品として」授受等した者を処罰できるようにしている。規制薬物については麻薬特例法8条、拳銃・小銃・機関銃・砲については銃砲刀剣類所持等取締法31条の17参照）がある。

2 任意捜査としてのコントロールド・デリバリー

コントロールド・デリバリー（「CD」という）は、その過程で、禁制品を抜き取る必要があり、捜索差押許可状（司法警察職員であれば法218条、税関職員であれば関税法121条による）によってこれを行う場面では強制捜査である。しかし、その余の、例えば、事前の情報収集、外国人の上陸・禁制品の通関、監視・追跡の実施などは任意捜査として許容される範囲内で実施すべきものである。

3 尾行・張り込み、電波発信器の利用

CDの実施に当たっては、禁制品（又はその代替物）を見失うことがあってはならず、十分な人員で監視し追跡することが必要となる。後記の内偵段階の尾行等の場合に比べて、高度の犯罪の嫌疑が認められる場合であるから、尾行や張り込みなども問題なく許容される。

また、禁制品（又はその代替物）の入った荷物に電波発信機を装着して、これから発信される無線電波信号を受信して追跡捜査を行うことがあるが、

これは任意捜査として許容される（検証令状を要しない）ものと考えられる。

なぜなら、①禁制品の不正取引という犯罪が現に行われており、その高度の嫌疑が既に認められている場合であり、当該荷物の最終受領者が当該犯罪に関与している可能性も大きく、その者の所在や氏名等の秘匿性を保護すべき理由は低いと考えられるし、②この追跡捜査は、当該荷物の到着場所を把握することしかできないもので、平成29.3.15最高裁大法廷判決で問題とされたＧＰＳ捜査の場合と異なり、個人の行動を継続的、網羅的に把握することを必然的に伴うものではない上、③運送契約に基づいて当該荷物を運搬する配送業者が、配送途中の荷物の所在を確実に把握する必要があるとき、当該荷物に電波発信機を一時的に装着することは管理権行使の一環として許容されると解されるところ、当該配送業者の同意を得て、電波発信機を一時的に装着することは、配送業者の管理権の観点からも問題にならないと考えられるからである（なお、ＧＰＳ捜査に関する平成29年最高裁判例の射程は、ＣＤにおけるＧＰＳを用いた追跡捜査には及ばないとする見解として滝沢誠前掲125がある）（⟹**設問15**、**3**3(5)参照）。

4 内偵段階の捜査

1 内偵の必要性

捜査を行うに当たっては、被疑者、参考人を取り調べる前に、捜査を行っていることを気付かれないようにして、捜査資料を入手する必要がある。このような段階の捜査を**内偵**という。

内偵段階で用いられる捜査手段としては、**聞き込み**、**尾行**、**密行**、**張り込み等**がある（規範101条）。

この段階での犯罪の嫌疑はさほど確実なものではないから、捜査活動といっても情報収集活動と紙一重であり、内偵手段の許容限度については、情報収集活動に関する許容限度についての裁判例（⟹**設問14**参照）が参考になるであろう。

2 聞き込み・協力者の利用

一種の参考人調べとして許容される。しかし、その手段として盗聴が用いられたり、必要以上に威圧的又は執ようである場合は、法196条の趣旨から

154　第2章　任意捜査

みて問題となろう。

　裁判例として、大学自治会の動静に関する情報収集手段として、学内者と接触して、情報の提供を受ける行為を適法としたものがある（大阪高判昭41.5.19下刑集8-5-686　当時、大学自治会の集団行動が公安に影響を及ぼす事件になっていたという状況から上記情報収集が必要だったこと、接触が学外でなされたこと、協力者に金品などの提供があったものの、協力者が接触を拒絶したにもかかわらず執ように接触を続けたという面はなかったことを理由としている）。

3　尾行・張り込み

(1)　許容されるか

　被疑者の発見を目的とする捜査行為であり、社会通念上相当な態様であれば許容される。

(2)　尾行について

　裁判例として、尾行について、異常な挙動その他周囲の事情から合理的に判断して何らかの犯罪を犯そうとしていると疑うに足りる相当の理由があるときは、この状態が続いている限り**対象者の意思に反しても尾行行為を継続**でき、その場合は、必要性、緊急性等をも考慮した上、具体的状況の下で相当と認められる態様・程度の尾行行為が許されるとしているものがある（大阪高判昭51.8.30判時855-115　ただし、具体的事案では、対象者が集団違法行動を扇動しようとしている疑いの程度に変化はなく、対象者を見失うおそれが生じたとはいえないのに、対象者に尾行を気付かれた後、警察官が対象者の1、2ないし3、4メートル後ろについて密着尾行したのは、許容限度を超え違法であるとした）。したがって、嫌疑や逃走のおそれが濃厚・強大になるに連れて、許容される尾行の態様・程度も強くなるといえよう。

(3)　張り込みについて

　犯罪が発生したと思われる合理的根拠がなくとも、警察法2条1項の趣旨に照らすと、合理的理由があれば、犯罪の発生の予防及び鎮圧に備えて必要な範囲内で張り込みなどの監視警戒行為をなすことができる（東地判昭56.6.22判時1034-141）。

任意捜査としての秘聴（傍受、秘密録音、逆探知など）　設問19　　*155*

設問
19

任意捜査としての秘聴（傍受、秘密録音、逆探知など）

●設　問●

(1)　甲は、知人のＡから殺人を依頼された際、Ａに無断でその依頼状況を録音した。
(2)　警察官乙は、甲が(1)の録音テープを5万円で売り込みにきたので、甲に無断でその売込み状況を録音した。
　上記(1)、(2)の無断に録音されたテープは証拠能力は認められるか。

◆解　答◆

いずれも証拠能力がある。

　「本件各録音テープは、いずれも対話の一方当事者が相手方の同意のないまま対話を録音したものであるところ、かような手段による録音が明らかにされることによって、同意しなかった対話者の人格権がある程度侵害されるおそれが生ずることはいなめないが、いわゆる盗聴の場合とは異なり、対話者は相手方に対する関係では自己の供述を聞かれることを認めているのであつて、その証拠としての許容性はこれを一律に否定すべきではなく、**録音の目的、対象、方法等の諸事情**を総合し、その手続に重大な違法があるか否かを考慮して決定するのが相当である。」

　「いずれもその対象は犯罪に関したいわば公共の利害にかかわる事実であるうえ、本件各録音テープの内容に照らしても、録音者においてことさら相手方をおとしいれたり、誘導等により虚偽の供述を引き出そうとするなどの不当な目的を持っていたとは認められず、これに加えて、録音の場所、方法についても社会通念上格別非難されるようなものとは言えないことをも勘案すれば、本件各録音テープの録音の過程にその証拠能力を否定しなければならないほどの違法な点は存しないというべきである。」（松江地判昭57.2.2判時1051

156　第2章　任意捜査

-162) ⟹ **3**

1 秘 聴 全 般

　会話や電話等の電気通信を、会話や通信の当事者の双方又は一方に知られないで了知することである。

　例えば、脅迫事件において、犯人が被害者を脅迫する会話を被害者の同意を得て録音したテープや、暴力団の組織的殺人事件において、犯人相互の犯行の準備・実行等に関する電話での指示や連絡状況などを、犯人に知られないで了知録音したテープを想定すれば分かるように、秘聴の方法によって得られる証拠は、犯罪の立証上極めて効果的である。

　秘聴を類型化すれば、①捜査官が電話等の電気通信の内容を知るため、通信の当事者のいずれの同意も得ないで送話者と受話者の間の電気通信回路に機械装置を入れ通信を受ける**通信傍受**の方法、②捜査官が電気通信回路で結ばれていない会話を**電気秘聴器**を利用して会話当事者のいずれの同意も得ないで外部から聞き知る方法（**会話傍受**）、③対話者の一方が、相手方の承諾を得ないで会話を聴取録音する**秘密録音**（当事者録音）の方法、④捜査官が一方の当事者の了解を得て、その**当事者を仮装**して電話の応対をし、相手の会話を聴取する方法がある。さらに、⑤捜査官が電話の会話において、通信当事者の一方の同意があるときに他方の発信場所を探索すること（**逆探知**）も広い意味での秘聴に含められる。

　当事者のいずれの同意も得ないで行う①の通信傍受については強制処分であり、傍受令状が必要である（⟹**設問32**参照）が、通信や会話の当事者のいずれかの同意がある場合には、その通信や会話を了知することは強制処分とはいえず、③、④は任意捜査として行うことができる場合が多いと考えられる。

　電気通信事業法は、「電気通信事業者の取扱中に係る通信の秘密は、侵してはならない。」（同法4条1項、罰則179条）としているのみであるから、電話中の者が送話器に向かって話している声や、受話器から聞こえる相手方の声をそばで立ち聞きすることは、電気通信事業法違反にはならない。例え

ば、立ち聞きするため無断で居宅の敷地に立ち入るなど別の犯罪を構成しない限り、原則として許容される。

2 電気秘聴器等の利用による秘聴（会話傍受）

会話当事者のいずれの同意も得ず、当事者のそばに電気秘聴器を設置する前記**1**、②の方法で会話を秘聴することや、当事者から離れたところに設置した強力な集音マイクで会話を集音する方法で秘聴することは、通信傍受に比べて、秘聴器を設置した場所や集音マイクの対象とした場所で行われる全ての会話のみならず物音も知ることができ、プライバシーの利益を制約する程度が高くなるおそれがある。したがって、会話傍受も、一般的に対象者の意思に反して、その重要な権利・利益を実質的に制約するものというべきであり、通信傍受同様、原則として、強制処分に当たり、傍受令状のような特別の根拠規定がない以上、許されないことになる。ただし、当該会話の場所が不特定多数の参集する喫茶店など、会話内容が周囲の人から立ち聞き、あるいは、盗み聞きされることを甘受すべき場合であれば、プライバシーの利益を実質的に制約するとはいえないから、例外的に強制処分に当たらず、また、任意処分として相当と判断される限り許されるときもあるであろう。

3 秘 密 録 音

1 その許容性

秘密録音としては、(ｱ)例えば、脅迫されている被害者が犯人の言動をその同意を得ないで録音する場合や、取調べ官が被疑者等に無断でその取調べ内容を録音する場合のように、**対話者の一方が相手に無断で会話を録音する方法**、(ｲ)例えば、脅迫電話がかかってきたときに被害者の同意を得て、捜査官が電話内容を録音するときのように、**対話者の一方の同意を得て第三者が録音する方法**が代表的である。いずれの場合も、録音を同意していない当事者も、自己の言葉が相手の支配下に入ることを承知してしゃべっているのであるから、相手が自ら録音し又は第三者に録音させることは、あたかも相手が自己の言葉をメモするのと同様、受忍すべきものであって通信の秘密を侵すものではなく、したがってプライバシーの利益を実質的に制約されるとはい

えないから、強制処分に当たらず、任意捜査として相当と判断される限り許される。捜査機関がこれらの方法で録音された録音テープを入手し利用することも任意捜査として許されると考えられる。

最高裁は、私人たる新聞記者が取材目的で、電話での会話を相手に無断で録音した事案について、秘密録音の方法は違法ではないとした（最決昭56.11.20刑集35-8-797　相手方は、未必的にせよ録音されることを認容していたと認定されている）。具体的には、録音の目的、対象、方法等諸事情を総合して違法か否か決めるべきであろう（松江地判昭57.2.2　本設問解答参照）。

詐欺の被害を受けたと考えた者が、被疑者の従来の説明内容に不審を抱き、後日の証拠とするために、被疑者の会話を録音することは、その同意を得ないで行われたものであっても違法ではないとされる（最決平12.7.12刑集54-6-513　これは私人が自衛手段として行った秘密録音に関するもの）。

しかし、私人の秘密録音であっても、**欺罔手段を用いて秘密録音**をした場合には、その録音テープの証拠能力に疑いが生じ得る（静岡地浜松支部判昭40.3.5下刑集7-3-317　私人が録音機在中の鞄を対象者に預け、会話を秘密録音した事案）。

警察官が秘密録音の主体である場合についても、過激派の関係先を捜索した際に、警察官が、**立会人となった被疑者に無断でその声をテープレコーダに録音し、これを声紋鑑定の資料に利用した**ところ、秘密録音したテープの証拠能力が争われた事案において、裁判所は、「対話者は相手方に対する関係では自己の会話を聞かれることを認めており、会話の秘密性を放棄しその会話内容を相手方の支配下に委ねたと見得るのであるから、右会話録音の適法性については、録音の目的、対象、手段方法、対象となる会話の内容、会話時の状況等の諸事情を総合し、その手続に著しく不当な点があるか否かを考慮してこれを決めるのが相当である。」とし、当該事案については、手続に著しく不当な点が認められないとして秘密録音を適法とした（東地判平2.7.26判時1358-151）。なお、同様の事案について、秘密録音は、公共の必要性が高度である場合などに例外的に許容されるとする裁判例もある（千葉地判平3.3.29判時1384-141）。

2 取調べ状況の秘密録音

取調べ官が、取調べ時の会話内容を秘密に録音したものを立証手段として用いるときは、不意打ちであるとの非難を招きやすい。公判での利用を考えるのであれば、少なくとも相手に録音していることを告知すべきである（告知状況も録音するべきであろう）。

3 秘密録音の他の類型

さらに、(ウ)例えば、捜査官が、被害者又は協力者に、小型録音機や小型無線送信機を持たせて、容疑者・捜査対象者に接近させ、会話内容を無断で録音させたり、送信させたものを捜査官が録音するという方法も任意捜査として許され得ると解される。人が他人との会話において、犯罪事実を告白したり、内容自体が犯罪を構成するような言動（麻薬の購入の勧めなど）をしたりしたときは、他人が密かに録音していることや他人が捜査官の協力者である可能性を覚悟すべきだからである（石川弘　前掲221）。

4 一方当事者を仮装する方法による電話の会話の聴取

1 当事者の一方の承諾を得て、その当事者を装ってなす場合

例えば、捜査官が脅迫電話の被害者になりすまし、又は誘拐された児童の親になりすまして、相手と会話しその通話を聴取する場合であるが、任意捜査として問題がなく許容される（前記**1**④の場合）。

2 当事者双方に知られずにする場合

例えば、覚醒剤の常連客甲を装って、捜査官が密売人乙に架電し、同人の会話を聴取する場合であるが、相手の意思に反して私的会話を傍受するものではないから秘聴には当たらず、社会通念上著しく欺罔的手段が用いられたともいえないから許容されると考えられる。

5 逆 探 知

1 強制処分によるべき場合

通信の秘密は、通信の内容のみならず、電話番号、アドレスなど発信元・発信先を識別するための番号、符号や通信の行われた日時など、通信の外形的状況に関する事項にも及ぶので、現に双方で電話がなされている場合の発

信元の探知（逆探知）は、当事者の同意がない場合は、強制処分（検証）によって行わなければならない。

通話の受信者の同意がある場合であっても、発信者が電話番号の非通知設定をしているときは、会話内容は相手方に委ねており、相手方がそれを録音等をしていることを覚悟すべき立場にあるとはいえても、自分の電話番号等までで相手方に伝えられることを覚悟すべき仕組みにはなっておらず、通話者が、発信元の電話番号等を秘匿して電話する権利も一定の保護に値すると考えられるので、受信者の同意があることだけでは、任意捜査としての逆探知は許されないと考えられる。

この場合であっても、受信者の同意に加えて、現に犯罪が行われ正当防衛、緊急避難に該当するような事態であれば、無令状の違法性が阻却されるといえるから、無令状の逆探知も許されよう（松本時夫「条解刑事訴訟法（第5版増補版）」〔弘文堂2024〕406参照）。

2　任意処分によって可能な場合

発信者が、電話番号の非通知設定をしていないときには、自分の電話番号がナンバーディスプレイ装置によって受信者に知られることは覚悟すべきであって、その秘匿性を保護する必要はないと考えられるので、受信者が同意すれば、捜査機関が、ナンバーディスプレイ装置を見るなどして発信者の電話番号を知ることができる。発信者の当該電話番号に係る契約者情報は、通信の秘密の保護の対象外と解されるので、任意捜査（捜査関係事項照会）によって、当該電話番号について契約者情報を知ることができ、逆探知が可能になる（⇒**設問32**、**6**、アドバイス参照）。

3　実　務

実務上、電話を利用して身の代金要求事件等（強要罪、公務執行妨害罪、職務強要罪、威力業務妨害罪、恐喝罪、逮捕監禁罪、略取罪など。ただし、単なる脅迫は含まれない）が現に発生し、発信元を探索して犯人を現行犯逮捕しようとする場合（多くの場合、非通知設定がなされているであろう）は、捜査機関において、被害者の同意書を徴した上、ＮＴＴに対し、書面で発信先の逆探知を要請する取扱いがなされている。急速を要するときは、あらかじめ口頭又は電話で逆探知を要請し、その後速やかに書面により要請するこ

ととされている。

6 無線通信の傍受

アマチュア無線通信は、通信傍受の対象たる「通信」に含まれない（⟹ **設問32**、**4**）。アマチュア無線通信の伝達手段である電波は空間に広く開放され、閉鎖的なものではない（周波数を合わせれば、誰でも内容を知ることができる）から、当事者も通信内容が秘密に保たれることは期待できないはずである。したがって、捜査機関が任意捜査としてアマチュア無線通信の内容を傍受することは、通信の秘密を犯すことにはならず、許されると解される（辻裕教「新刑事手続Ⅰ」〔悠々社2002〕379）。

162 第2章 任意捜査

設問 20 写真（ビデオ）撮影、速度測定

●設 問●

　強盗犯人が被害者を殺害しキャッシュカードを奪い、同カードを利用して被害者Vの預金口座から現金を引き出した事件を捜査中、犯人として疑わしい者としてAが浮上した。Vの預金口座から現金を引き出そうとした人物Xが防犯カメラに撮影されていたので、捜査官は、XとAが同一人であるかどうか確認するため、公道上を歩いていたAの容貌等やパチンコ店内で遊技中のAの容貌等を、ビデオ撮影した。撮影されたAの画像は、現金を引き出したXとAが同一人であるとされた鑑定において鑑定資料として用いられた。

　このビデオ撮影は適法か。理由を付して答えなさい。

本事例は、下記最高裁決定の事案を素材にしたものである。

◆解 答◆

適法。理由は次のとおり。

　「（本件のビデオ撮影は、）捜査機関において被告人が犯人である疑いを持つ合理的な理由が存在していたものと認められ、かつ、前記各ビデオ撮影は、強盗殺人等事件の捜査に関し、防犯ビデオに写っていた人物の容ぼう、体型等と被告人の容ぼう、体型等との同一性の有無という犯人の特定のための重要な判断に必要な証拠資料を入手するため、これに必要な限度において、公道上を歩いている被告人の容ぼう等を撮影し、あるいは不特定多数の客が集まるパチンコ店内において被告人の容ぼう等を撮影したものであり、いずれも、通常、人が他人から容ぼう等を観察されること自体は受忍せざるを得ない場所におけるものである。以上からすれば、これらのビデオ撮影は、捜査目的を達成するため、必要な範囲において、かつ、相当な方法によって行われたものといえ、捜査活動として適法なものというべきである。」（最決平20.4.15刑集62-5-1398）（⟹ **2** 2 (5)

写真（ビデオ）撮影、速度測定　設問20　　*163*

参照）

① 写真撮影（ビデオ撮影も含む）の問題点

　写真撮影は、人の身体・住居等を実力的に侵害するものではないため、住居侵入等の不法手段を伴わずになされる限りは、人の身体・住居等が他人の肉眼にさらされることと同様に、被撮影者において受忍すべきものと理解されていた。しかし、①**望遠撮影**、**赤外線撮影**など写真撮影技術が進歩して、被撮影者が、撮影されると予想もしないような私的生活が、その意に反し容易に撮影されるようになった（荷物に対するエックス線検査結果写真について⟹**設問15**、**③** 3 (4)参照）こと、②写真撮影は、肉眼と違い、目撃・観察内容をフィルム・記録体に定着させるもので、その映像が被撮影者に不利益に利用されるおそれがあると観念されるようになったことから、写真撮影も令状主義の規制を受けるべき強制処分だとする見解も生まれた。

　しかし、最高裁は、捜査目的のための無令状の写真撮影が任意捜査として許容される場合があるとした（最大判昭44.12.24刑集23-12-1625）。

　この考え方は、情報収集・犯罪予防のための写真撮影などにも適用され得る。

② 犯罪捜査目的の写真撮影

1　最高裁の考え方

⑴　現行犯性の要件は必須か

　　上記最大判昭44.12.24は、違法のデモ行進という犯罪が現に行われている場合に、その状況・違反者の確認のために、歩道上からデモ集団の先頭部分を写真撮影した行為を適法とした。同判決では、その判断に先立つ一般的判示において、被撮影者の同意も裁判官の令状もなくても、警察官が犯罪捜査目的のために個人の容貌等を撮影することが許容される場合があるとし、それは、①現に犯罪が行われ又は行われたのち間がないと認められ、②証拠保全の必要性及び緊急性があり、③その撮影が一般的に許容される相当な方法をもって行われるときであるとした。そして、このような場合の写真撮影は、その対象の中に、犯人の容貌等の

164 第2章 任意捜査

ほか、犯人の身辺又は被写体とされた物件の近くにいたためこれを除外できない状況にある第三者の容貌を含むことになっても、憲法13条、35条に違反しないとした。

同判決では、写真撮影については、任意捜査の限界の判断方法として一般に用いられる「必要性・緊急性、相当性」の要件（⟹ **設問15**、**3** 2(2)参照）に加えて、「現に犯罪が行われ又は行われた後間がないこと」という「現行犯性」の要件をも挙げているかのように思われるかもしれない。しかし、「現に犯罪が行われ又は行われた後間がないこと」は「必要性・緊急性」が特に大きい事態を例示しているにすぎないとも解されるから、**犯罪捜査目的で写真撮影を行う必要性・緊急性が特に大きい場合であれば、必ずしも「現に犯罪が行われ又は行われた後間がない」場合でなくても、当該写真撮影が任意捜査として許容される場合がある**というべきである。

ビデオ撮影に関する最決平20.4.15（本設問解答参照）も、前記最大判昭44.12.24について、「警察官による人の容ぼう等の撮影が、現に犯罪が行われ又は行われた後間がないと認められる場合のほかは許されないという趣旨まで判示したものではない」としている。

(2) **被撮影者が公共の場にいる場合と私的空間にいる場合で違いはあるか**

被撮影者のプライバシー権は、重要な利益であることに疑いはない。しかし、被撮影者が公道上や不特定多数者が自由に出入りできる公共空間にいる場合は、自分の行動や容貌等を他人にさらしているとも評価でき、仮に本人が写真撮影されたくないと期待していたとしてもその期待は必ずしも保護に値しない。したがって、この行動や容貌を撮影したとしても、撮影方法手段が通常のものである限り相当であり、任意捜査として許容されるであろう。

これに対し、被撮影者が自宅の中など、通常は他人から見られない場所にいる場合は、自分らの行動や容貌等を他人に見られないという期待は正当なものとして保護されるべきであるし、また、その態様から、対象者の意思に反して、その重要な権利・利益を実質的に制約されるというべきであるから、**望遠カメラや赤外線カメラ**などで撮影することは相

当ではなく、任意捜査として許されない。

2　具体例

⑴　**現に犯罪が行われ又は犯罪を行い終わって間もない状況の撮影**

これは適法である。前記最大判昭44.12.24の事案のほか、例えば、

①　積載制限違反の疑いのあるトラックの荷台から公道に庭石がずり落ちている場面を撮影するのは適法である（高松高判昭46.2.2　撮影対象が人の特別の管理下の物的状況でなく、他見をはばかるものでないことを強調）。

⑵　**犯罪を構成しない場面の撮影**

これは違法とされることがある。必要性・緊急性が欠ける場合が多いからである。例えば、

②　腰にタオルを巻き付けただけの職員が管理職員に抗議しているとしか受け取れず、犯罪を構成するとは認められない場面を写真撮影するのは違法である（東高判昭43.1.26高刑集21-1-23）。

⑶　**犯罪がまさに行われようとしている状況の撮影**

これも適法である。この場合も、一般に必要性・緊急性が肯定されるからである。例えば、

③　逮捕状執行者を多数の者が取り囲んで抗議し、混乱状態となり公務執行妨害罪に発展しうると思料される場面を、至近距離からではなく、その集団の外から撮影することは適法である（大阪高判昭40.3.30高刑集18-2-140）。

④　労組員が集団で暴行脅迫等を加えるかもしれない緊急事態の場面を、特定の人物の容貌のみを写すような撮影方法をとらないで撮影することは適法である（高松地判昭44.1.31）。

⑷　**犯罪の発生が予測される場合に、あらかじめ撮影すること**

これも適法である。例えば、

⑤　いわゆるドヤ街にある派出所に設置された監視カメラによって、現に犯罪が行われる時点以前から犯罪の発生が予想される場所を継続的・自動的に撮影・録画することは適法である（東高判昭63.4.1判時1278-152　駐車中の警察車両が損壊される場面が同カメラによって撮影さ

166 第2章 任意捜査

れ、そのビデオテープの証拠能力が争われた事案について、「(ア)現場
において犯罪が発生する相当高度の蓋然性が認められる場合であり、
(イ)あらかじめ証拠保全の手段、方法をとっておく必要性及び緊急性が
あり、かつ、(ウ)その撮影、録画が社会通念に照らして相当と認められ
る方法でもって行われるときには、現に犯罪が行われる時点以前から
犯罪の発生が予測される場所を継続的・自動的に撮影・録画すること
も許される」とした)。

⑥ 駐車場での連続放火事件が発生し、その容疑者として浮上したAが
更に放火を行う可能性が強いと思われたことから、捜査官が、駐車場
経営Xの依頼により、Aの居住先からの出入り状況等を把握録画する
目的で、X方2階の屋根にビデオカメラを設置し、Aの居住するアパー
トの玄関ドアを撮影したことが適法とされた（東地判平17.6.2判時
1930-174 同判決は、撮影が許されるために必要とされる犯罪の嫌疑
に関し「被告人が罪を犯したと考えられる合理的な理由の存在をもっ
て足りる」とし、将来の犯罪の可能性の程度については、「相当高度
の蓋然性がある場合にのみ許されるとするのは相当ではな（い）」と
した。また、あらかじめカメラを設置することの必要性・緊急性を肯
定する理由として、本件が連続放火という重大犯罪であること、目撃
者の確保や警察官が常時監視することも困難であったことなどが挙げ
られ、撮影手段の相当性を肯定する理由として「公道に面する被告人
A方玄関ドアを撮影するというもので、被告人方居室内部までをも監
視するような方法ではないのであるから、被告人が被るであろうプラ
イバシーの侵害も最小限度にとどまって（いる）」ことを指摘した）。

将来犯罪の捜査は許されるか これに関して、前提として、将来の
犯罪についての捜査は許されるかという問題がある。しかし、例えば、将
来の犯罪についての情報提供者の供述調書を作成することが許される以上、
将来の犯罪についての捜査も一般に許容されるものと解され、これと同じ
く、特定の犯罪の発生が事前に予測できるときには、犯行前の状況を含め
て写真撮影することが許容される。そして、過去の犯罪又は現行犯につい
ての写真撮影と同じく、撮影の必要性・緊急性、撮影方法の相当性が備わ

写真（ビデオ）撮影、速度測定　設問20　　*167*

る場合に、撮影が許容されよう。

⑸　**既に行われた犯罪について、その犯人特定のために行う被疑者等の容貌の写真撮影**

　　これも適法である。本設問の事案である最決平20.4.15のケースがこれに該当するが、このほか、例えば、

⑦　既に行われた犯行の目撃者に写真面割りさせる目的で、被疑者の容貌を写真撮影したことは適法である（東地判平元.3.15判タ726-251　その事案が重大であり、被撮影者がその犯罪を行ったことを疑わせる相当な理由のある者に限定され、写真撮影以外の方法ではその目的が達成できないこと、証拠保全の必要性・緊急性があること、その撮影が相当な方法で行われたことという要件を具備すれば許容されるとした）。

⑧　過激派同士の乱闘事件で病院に運ばれた者の容貌や治療状況を、犯人特定と負傷状況の証拠化のため撮影したことは適法である（京都地決平2.10.3判時1375-143　理由は⑦と同旨）。

⑨　警察官が、7か月半にわたり、放火事件の犯人の嫌疑があった被疑者方前の公道及び玄関をほぼ常時ビデオ撮影し、その間、時折、玄関ドア内側もビデオ撮影していた事案について、さいたま地判平30.5.10判時2400-103は、当該撮影行為について強制処分には当たらないとしつつも、長期間にわたって、プライバシー侵害の程度が高い態様の撮影が継続されていたことから、任意捜査として相当と認められる範囲を逸脱した違法なもので、かつ、その程度は重大で、撮影記録等の証拠能力を否定しており、留意が必要である。

3　隠しカメラの使用

　これは、秘密録音の適否の問題（⇒**設問19**参照）と同様に考えるべきであろう。すなわち、相手の支配下でその肉眼に姿をさらす以上、カメラで撮影されることも受忍すべきであるから、原則として、隠しカメラによる写真撮影は適法とされるべきである。しかし、撮影目的等の諸事情からみて社会通念上著しく不相当と認められるとき（例えば、捜査官が役人を装って、賄賂を要求するなどのトリックを使い、これに応じて相手が賄賂を提供する

168　第2章　任意捜査

場面を撮影するなど）は、違法とされる場合もあろう。

4　私人の撮影した写真の利用

　最近は、事件発生の覚知と同時に、捜査機関が、防犯カメラを設置する民間の私人や企業を当たり、関連する撮影データを入手することが一般化し、これが捜査上有力な証拠として威力を発揮することも増えている。

(1)　私人によって違法に撮影された写真を捜査に利用することの可否

　　捜査機関において、私人がプライバシーを違法に侵害するような手段態様で撮影した写真（データ）を、捜査機関において入手した場合に、これが証拠能力を有するかが問題である。その違法の程度が著しく大きい場合は別であるが、一般には、私人の行為に違法があったとしても、それは捜査官の違法行為ではないから違法捜査防止という観点からは問題がなく、その私人の行為によって得られた証拠の証拠能力への影響はないと考えられよう。

(2)　撮影目的を超えて、撮影データを捜査機関に提供することの可否

　　コンビニ経営者Xが、同店の防犯のため、店内に設置した防犯カメラで、来店した被疑者Aの容貌等をビデオ撮影し、これをビデオテープとして保管していたところ、近隣で発生した事件の犯人が同店に立ち寄った可能性があるとして、捜査官からそのビデオテープの提出を求められて応じ、捜査官は、当該別の事件の捜査にこのビデオテープの画像を使用した。Aは、民事訴訟において、ビデオテープを捜査官に提出したことなどがAの肖像権などを侵害したと主張し、Xに損害賠償を求めたが、裁判所は、Xの提出行為に違法性はないとした（名古屋高判平17.3.30

　　ビデオテープの提出は、捜査機関の適法な任意捜査に対する私人の協力行為として公益目的を有し、ビデオテープ録画されているのは、Aが商品を購入している姿にすぎないとした）。

3　犯罪捜査目的以外の写真撮影

1　許容性

　前記最大判昭44.12.24も、承諾なく個人の容貌等を撮影されない自由は公共の福祉によって制限を受けるとしており、公共の福祉の一場合として犯罪

捜査の必要がある場合を挙げているのであって、犯罪捜査目的以外の無令状写真撮影を絶対的に禁じているのではない。

2 具体例

(1) 労務対策のための写真撮影

目的が正当であり、必要かつ緊急であり、方法が相当であれば適法である（札幌高判昭52.2.23判時851-244、同旨福岡高宮崎支部判昭55.5.30判時979-120）。

(2) 警備情報収集目的の写真撮影

例えば、集団行進の犯罪発生の予防、公安維持の手段として警備情報を得る目的で、特定個人の容貌を撮影する意図なしに、相当の距離を隔てた場所から、適法になされている集団デモ行進状況を撮影することは適法である（東高判昭41.3.24　同裁判例は、情報収集が適法とされるためには、**目的の正当性、行為の必要性、行為の相当性**の3条件を要するとしている）。

(3) 逮捕状・収容状の執行現場での写真撮影

後日の紛争に備えての逮捕状呈示の状況の撮影（東高判昭29.10.7高刑集7-9-1494）や、収監状（刑事収容施設法施行後は「収容状」となった）の執行に先立って、人物確認の目的で被収監者（被収容者）と思われる人物の写真を撮影すること（福岡高判昭33.11.27判時177-30）は、適法である。

(4) 捜索差押え実施に際しての写真撮影

捜査機関が捜索差押えに際して行う写真撮影に関して、①証拠物の証拠価値を保存するために証拠物をその発見された場所、発見された状態において撮影すること、②捜索差押手続の適法性を担保するため、その執行状況を写真撮影することは、捜索差押えに付随するもの（⟹ 設問26、14参照）として許容されるが、①②の**目的に必要な範囲を超えて、捜索差押令状に記載されていない物件を接写などの方法で写真撮影するようなことは許されない**と解されている（東地決平2.1.11（最決平2.6.27刑集44-4-385の原決定））。

違法とした事例として、令状に記載されている書類等そのものでも、

170 第2章 任意捜査

これを補足補充するものでもない物件を、その内容を確保する意図で、被処分者の同意を得ないで撮影することは、押収の目的物とされていない物件をも実質的に押収したこととなるから許されないとしたものがある（大津地決昭60.7.3刑月17-7・8-721 ただし、捜索差押令状に記載されている証拠物を発見場所、発見状態とともに撮影すること、執行の適法性を証拠化するために執行状況を撮影すること、令状に差押物件として記載されている物件自体か、これらを補足補充するものを撮影することは許されるとする。同旨の裁判例として東地決平元.3.1判時1321-160など）。

適法例として、捜索差押え開始時の状況、令状呈示の状況、押収物の発見状況の撮影は許されるとしたものがある（名古屋地決昭54.3.30判タ389-157）。

4 自動速度監視装置による写真撮影

オービスⅢ、ＲＶＳと称される監視装置は、道路の一定場所に設置された測定装置により、自動的に車両の走行速度を計測し、あわせて制限速度を一定程度超過した車両があるときは、連動したカメラによりその車両の前面、運転者を撮影するとともに、測定速度、測定日時等を写真に写し込む機能を有している。

これについて、運転者の肖像権、プライバシーの権利などを侵害するとする批判が一時あったが、オービスⅢなどは、現に行われている人の死傷につながる危険性の高い犯罪を捕捉し、その状況を写真撮影するものであって、直ちに撮影しなければ、違反車は走り去ってしまうのであるから、証拠保全の緊急性・必要性があり、その撮影方法も何ら運転の障害になるものではないから、前記最大判昭44.12.24の基準に照らしても写真撮影が許容されると考えられる。

最高裁も、この写真撮影は現に犯罪が行われている場合になされ、緊急性・必要性もあり、方法も相当であるから適法であるとしている（最判昭61.2.14刑集40-1-48、同旨東高判昭58.4.25判時1107-142など）。

写真（ビデオ）撮影、速度測定　設問20　　*171*

5　防犯カメラ

　防犯カメラは、街頭には警察又は私人によって、金融機関・深夜スーパーなどには私人によって設置され、犯罪の発生の有無にかかわらず、被撮影者の同意を得ないで、その容貌・行動などを撮影・録画するものであり、近時、その設置が推進され、犯罪捜査においても活用されることが増えている。

　犯罪が発生したときの犯人の特定のためなど、まず被撮影者にとって不利益な証拠としても利用され得るものであることから、防犯カメラの設置について、そもそも許容されるか否かが問題となる。

(1)　**警察が設置する防犯カメラ**

　警察が設置する街頭の防犯カメラは、特定の犯罪の捜査としてではなく、犯罪一般の予防・鎮圧を目的として設置されるものであり、任意手段としての行政警察活動の範囲内といえるかとの観点から設置・利用が許容されるかどうかが判断される。犯罪発生の高度の蓋然性が備わっていない場所であっても、繁華街など一定以上の犯罪の発生が見込まれ、防犯カメラに犯罪抑止機能等が期待され、かつ、「設置表示」などでプライバシー権への配慮がなされている場合などには、設置等が許容されることになろう（防犯カメラの撤去を求められた民事訴訟案件において、①目的の正当性、②必要性、③設置状況の妥当性、④効果があること、⑤使用方法の相当性という、設置・使用の許容基準を示した大阪地判平6.4.27判時1515-116参照）。

(2)　**私人が設置する防犯カメラ**

　私人が公共空間に防犯カメラを設置する場合、例えば、商店会が防犯の目的で商店街などに設置・使用する場合は、目的が正当であり、被撮影者の撮影されたくない期待は必ずしも保護されるものではないことから、基本的に許容されよう。

　金融機関の防犯カメラについては、防犯という正当な目的があるのみならず、顧客の容貌を撮影して保存することにより、業務に関する過誤・不正の発生を防止し、後日過誤・不正者の特定を可能とするための取引者としての同一性確認機能があり、顧客も黙示的に、写真撮影されるの

172 第2章 任意捜査

を承諾していると考えられるので、同カメラによる容貌等の撮影は適法と解される（石川弘　前掲212参照）。

　スーパーに設置される防犯カメラについても、深夜スーパーなどでは、強盗などに襲われる危険性が相当高いということから、緊急性が大であることを理由に適法と解することができる（同上）。

　さらに、例えばマンションの管理組合が、マンションという私的空間の安全を確保するために設置する防犯カメラについては、保護されるべきはマンション住人のプライバシーであり、出入りする部外者はマンション管理者によって監視されることを覚悟すべき立場にあるから、同住人がカメラの設置等に同意していれば、設置等は許容されよう。

実況見分、呼気検査、公務所等への照会、捜査協力費の支払、予試験　設問21　*173*

設問 21 実況見分、呼気検査、公務所等への照会、捜査協力費の支払、予試験

● 設　問 ●

　警察官甲は、交通事故を起こし運転していた自動車を大破させたAを、現場から1キロメートル離れた警察署に連行したところ、息が酒臭かったので、Aに呼気検査に応ずるよう求めたが、拒絶された。このAを道路交通法67条3項違反（検知拒否）により現行犯逮捕できるか。

◆解　答◆

　逮捕できない。⟹ **2** 1 ⑵、アドバイス

1 実 況 見 分

1　意　義

　いわゆる**任意の検証**のことである。これは、検証と同じく、捜査官が五官の作用により、物、身体、場所の状態を認識する捜査方法であり、何人の権利も侵害しない場合（例えば、公道における交通事故現場の見分）、又は対象住居等の住居権者等から承諾を受けた場合などに、令状なしに実施することが許される。

　実況見分は、場所その他対象となる物件の所有者・管理者、その他の関係者の承諾を得て、その者を立ち会わせることを要する。また、検証と違い、出入りを禁止したり、退去を命ずることなどできないので、これらの措置を要するときは、あらかじめ検証令状を用意する必要がある。

2　実況見分調書

　実況見分の結果は、実況見分調書に正確に記載すべきである（規範104条2項）。

　実況見分も検証も、結果の法的性質や内容の正確性に差異がないから、実況見分調書は検証調書と同じく法321条3項の書面として取り扱われ、作成

174　第2章　任意捜査

者が作成の真正を証言すれば、調書自体が証拠として採用される（最判昭35.
9.8刑集14-11-1437）。

　実況見分の実施要領、実況見分調書の作成上の留意点等については、検証
の実施要領の説明を参照のこと（⟹ **設問33**参照）。

② 呼気検査──アルコール検知

　飲酒運転の検査としては、身体のアルコールの保有量を科学的に検査する
ことが最も効果的で的確である。被疑者の血液、尿を測定する方法もあるが、
その呼気を採取し、これをアルコール検知管に触れさせる方法が簡易迅速で
あり、第一線において広く実施されている。

1　道路交通法67条3項、同法施行令26条の2の2の呼気検査

(1)　趣　旨

　　交通取締りの必要上、警察官に呼気検査の権限が与えられたものであ
り、飲酒運転という犯罪の捜査の端緒となるものである。

　　同法による呼気検査は、「車両等に乗車し、又は乗車しようとしてい
る者が、酒気を帯びて運転をするおそれがあると認められるとき」に許
容される。呼気検査を求められた際に運転者が身体に現実にアルコール
を保有していなくても、運転手が酒気を帯びていたと疑うべき兆候が存
在すれば、「酒気を帯びて運転するおそれがある。」といえる（東高判昭
58.9.6刑月15-9-431　酒臭はしなかったが、運転手の言動などから、警
察官において酒気を帯びていると判断したのを相当とした）。

　　検査を拒絶した者に検査を強制することはできないが、その翻意を促
すための説得手段として相当と認められる実力行使は許される（上記東
高判昭58.9.6　いったんは検査を受けるためのうがいをしていた運転手
が、急に反転して車両に戻りかけた際、警察官が**追いかけて腕をつかん
だ行為**を適法とした）。

(2)　拒否された場合の対処

　　被検査者が、呼気検査を拒否したときは、道交法118条の2の罰則
（3月以下の拘禁刑又は50万円以下の罰金）が適用され、現行犯逮捕も
可能である。なお、同罰則は憲法38条1項に違反するものではない（最

実況見分、呼気検査、公務所等への照会、捜査協力費の支払、予試験　設問21　　*175*

判平9.1.30刑集51-1-335）。

> **アドバイス**　**呼気検査を拒否する者を道交法違反で逮捕しようとする**
> **場合の留意点**
>
> 　しかし、被検査者が業務上過失致死等によって逮捕されたり、警察署等
> に任意同行されるなどしたのちは、引き続き運転する危険性が消滅したこ
> とになるから、同法67条3項による呼気検査はできず、次に述べる任意捜
> 査としての呼気検査ができるだけであって、検査拒否についての罰則を適
> 用できなくなることに注意すべきである。

2　任意捜査としての呼気検査

(1)　許される場合

　飲酒運転が疑われる被疑者に対しては、その同意を得て、任意捜査の
一環としての呼気検査が許される。

(2)　同意がなくても許される場合

　緊急性が大で、他に容易にとり得る手段がないなどの場合は、被検査
者の同意なくしても実施できる。

　被検査者の同意がない場合でも、任意捜査としての呼気検査が適法と
された例として、①福岡高判昭56.12.16判時1052-159、②福井地判昭56.
6.10判時1052-162、③浦和地越谷支部判昭56.11.6判時1052-161がある。

　いずれも、**意識不明の被疑者が自然に吐きだす息を、特に強制力を用**
いずに採取した事案であり、同意を得て呼気検査が実施できなかったこ
と、早急に酒気帯びの検査をする必要性があったが、令状を早急に得る
ことは困難であったこと、医師の了解を得ていること、採取方法自体被
検査者に苦痛・名誉侵害などを与えるおそれがないことなどが適法とし
た理由にあげられている。

3　呼気検査の性質

　アルコール検知管を用いる方法は、検査自体に特別の知識・経験を要しな
いから、鑑定というよりも、むしろ検証・実況見分といえる。したがって、
アルコール検知管による測定結果を記載した「酒酔い・酒気帯び鑑識カード」
の「科学判定欄」の記載は、検証調書と同じく**法321条3項の書面**に該当す
る（最判昭47.6.2刑集26-5-317）（⟹**設問62**参照）。

176　第 2 章　任意捜査

3　公務所、公私の団体に対する照会（法197条 2 項）

1　意　義

(1)　任意捜査であるという意味

　　法197条 1 項により捜査機関は、第三者に対し、捜査に関する事項について照会することが許される。法197条 2 項は、第三者のうち公務所・公私の団体は、格別の社会的機能をもつことから、これらについては報告義務を課したのである（また捜査機関は、197条 2 項で報告を求める場合、必要があるときは、みだりにこれらに関する事項を漏らさないよう求めることができる（197条 4 項））。しかし、これらの者に対しても、捜査機関が報告を強制する手段はないから、任意捜査に属する。

(2)　報告義務の効果

　　報告義務が生ずるから、これに応じて公務上の秘密、業務上の秘密に当たる事項を捜査機関に報告したとしても、公務員法違反（守秘義務違反）、秘密漏泄罪は成立しないと考えられる。

2　報告を拒める場合

　法144条ただし書（公務員の職務上の秘密についての証人出廷の拒絶）、149条（業務上の秘密に関する証言拒絶）の趣旨から、公務員（公務員であった者）は、その秘密に関する事項について、弁護士・医師等は、その業務上の秘密について報告を拒むことができる。

> **アドバイス**　　捜査関係事項照会に応じない場合の対応策
>
> 　捜査機関には報告を強制する手段はないので、報告を拒絶した場合は、捜索差押令状によって当該団体に保管されている関係書類を差し押さえたり、当該団体の代表者、担当者の出頭を求めて取り調べたりすることになるが、出頭要請にも応じないときは、検察官において、裁判官による法226条の証人尋問を請求し、強制的に出頭させることになる。⟹**設問44**
>
> 　照会に応じない者に対しては、差押令状によって関係書類が差し押さえられることになったり、証人として出頭を強制されたりすることになる可能性がある旨を説明し、照会への協力を促すべきであろう。

4　捜査協力費の支払

1　捜査協力費を交付して入手した証拠物の証拠能力

捜査協力費の交付が、それによって入手された証拠物の証拠能力に影響するかどうかは、「捜査の段階、進展状況、捜査協力費の額、金員授受の状況及び経緯、証拠の種類等の諸事情を総合し、金員授受に捜査の公正を疑わせるに足るほど重大な違法があったかどうかによって決するのが相当」である（松江地判昭57.2.2判時1051-162　殺人依頼状況を録音したテープを売り込んできた協力者からテープを入手するに当たり、警察官が5万円の協力費を支弁したのを適法とした）。

2　情報活動に伴う協力費の支払

金品の供与などにより、協力者に情報を提供させようとする行為は、協力者が接触を拒否したのにもかかわらず執ように接触を続ける場合には違法な行為となる（大阪高判昭41.5.19下刑集8-5-686　協力者に対する接触は何らの強制を伴わない任意な方法で行われた事案で、協力者に金品を提供するなどしたのを適法とした）と解される。

協力者に酒食を提供し、金銭を交付などする方法でなされた情報収集について、情報収集の過程で協力者に人格を傷つけ、その自由意思を歪曲させるような利益誘導があったといえないことなどから、違法とまではいえないとされた事例（金沢地判昭44.9.5判時568-24）もある。

5　薬物の予試験

1　同意による予試験

覚醒剤・LSDなど（以下「覚醒剤など」という）の所持事犯などでは、被疑者が所持する薬物が一見して覚醒剤などであると分かっていても、現行犯逮捕に先立ち、それが覚醒剤などであるか否かを確認するため、試薬を所持する薬物の一部に加えて、その呈色反応により、その薬物が覚醒剤などであるか否かを簡便に検査すること（**予試験**）を実施するのが一般的である。

この検査では、他人所有の資料を一部消費することから、実施に当たっては、原則として所有者・所持人の同意を得ることが必要である。

178 第2章 任意捜査

2 無承諾の予試験

(1) 現行犯逮捕の要件がある場合

　相手方が、一見して覚醒剤と分かる結晶を所持していたり、相手方が所持物件について覚醒剤であることを自認するときは、その時点で相手を現行犯逮捕できる要件がそろっていると解される。

　このような場合、逮捕の直前に、逮捕と場所的・時間的に接着して、その所持物件について予試験を実施することは、逮捕の際の検証として許される（東高判昭55.11.20東高刑時報31-11-129）。

　捜索差押許可状に基づいて捜索した結果、差し押さえるべき物以外の覚醒剤様の結晶を発見し、その所持人と疑われる者の同意を得ないで同結晶に予試験を実施したことを適法とした例もある（東高判平6.5.11高刑集47-2-237　同結晶がその形状、包装などから予試験の結果を待つまでもなく覚醒剤である蓋然性が極めて高く現行犯逮捕も不可能とはいえない状況であったことなどを理由とする）。

(2) 職務質問の一環として許される場合など

　また、犯罪の濃厚な嫌疑があり、予試験を行う必要性・緊急性が強い場合は、職務質問に付随して、強制にわたらない範囲で、予試験が許容される場合がある（東高判昭50.12.5　所持する紙片の形態などから、これがLSDだと強く疑われ、警察官が試薬の説明をしたのに、相手が特に拒絶する意思表示をしなかった場合になしたLSD予試験を適法とした）。

領置・任意提出　設問22　*179*

設問 22　領置・任意提出

◆設　問◆

(1)　氏名不詳の密漁者が設置してあった漁網を遺留物件として領置できるか。

(2)　警察官乙は、被差押物件を会社の帳簿等とする令状により、Bの事務所を捜索中、Bの私物を入れてあった机の中から覚醒剤を発見したが、Bが既に逃走していたので、たまたま、その場にいたBの従業員からこの覚醒剤の任意提出を受けた。この任意提出手続は適法か。

◆解　答◆

(1)　できない。⟹**1** 2

(2)　適法でない。⟹**2** 2 (2)

1　領　　　置

1　領置と差押え

　証拠物若しくは没収の対象となる物の占有を取得する処分を**押収**という。

　押収には、その物の占有を強制的な方法で取得する処分である**差押え**（⟹**設問24**参照）と、その物の占有を任意的に取得する処分である**領置**（法221条）がある。

　領置は占有取得の方法が任意的であるが、領置した後は、任意提出者又は遺留者から還付要求があったとしても、必要がある限り、捜査機関は還付を拒否でき、この意味では、**領置も強制的要素をもつ**。

　差押えと領置をあわせて**押収**というから、例えば、「押収」拒絶権者（法105、222条1項）は、差押えのみならず領置をも拒否できる。

2　領置の意義

　検察官、検察事務官、司法警察職員は、被疑者その他の者が遺留した物や

180　第2章　任意捜査

所有者、所持者、保管者が任意に提出した物を領置することができる（法221条）。

任意提出物件のほか、**遺留物**も領置の対象となり、ここに遺留物とは、「遺失物」より広い概念であり、占有者の意思に基づかないでその所持を離れた物に限らず占有者の意思に基づいて占有を放棄した物を含む。したがって、占有者の氏名は不詳であるが、その占有支配が続いていると認められる場合、例えば、氏名不詳の密漁者が漁網を設置してある場合などは、その漁網は遺留物とはいえず、差押えの方法をとるべきである。

　　　公道上のごみ集積場に捨てられたごみ　　捜査機関が、公道上のごみ集積場に捨てられたごみを、遺留物として領置できるかが問題となった事案がある。

　　これは、犯人が被害者を殺害し奪ったキャッシュカードで、ＡＴＭから現金を引き出し、あるいは引き出そうとした事件の捜査において、捜査機関が被告人の行動を観察中、被告人やその妻が公道上のごみ集積場に出したごみ袋の中からダウンベストと時計を発見し、これらが上記ＡＴＭの防犯カメラに撮影されていた犯人の着用していたダウンベストや時計と類似していたことから、これらを領置したというものである。最高裁は、この事案について「被告人とその妻は、これらを入れたごみ袋を不要物として公道上のごみ集積場に排出し、その占有を放棄していたものであって、排出されたごみについては、通常そのまま収集されて他人にその内容が見られることはないという期待があるとしても、捜査の必要がある場合には、刑訴法221条により、これを遺留物として領置することができる。」とした（最決平20.4.15刑集62-5-1398）。

　　　一戸建ての住宅の敷地内に置かれたごみ箱内のごみ　　捜査機関が、一戸建て住宅である被告人宅の敷地内に置かれたごみ箱内のごみ収集を担当する市職員に依頼して、被告人宅のごみと他のごみが混じらないように清掃事務所まで運搬してもらい、そこで任意提出を受けて領置するという形が取られた事案について、被告人宅のごみは、遅くとも被告人宅敷地内から搬出された時点で、被告人から市職員に占有が移っており、同職員から任意提出されたもので、住居侵入及び強盗殺人という重大事件について

被疑者とされていた被告人と犯人との同一性を検討する上で高度の必要性が認められるので、当該手続は適法とした裁判例がある（東高判平29.8.3 LL1/DBL07220370）。

　　　　集合住宅内のごみ集積場に捨てられたごみ　　捜査機関が、マンション管理会社から清掃業務の委託を受けていた清掃会社がマンション各階のゴミステーションに捨てられたごみ袋を回収した後に任意提出を受けて領置するという形が取られた事案について、ごみ袋の占有は、清掃会社がゴミステーションから回収した時点で、それを捨てた者からマンション管理会社等に移転しているので、その所持者からごみ袋の任意提出を受けて領置し、これを開封してその内容物を確認するなどしたという当該手続は適法とした裁判例がある（東高判平30.9.5判時2424-131）。

3　領置が許されない場合

　郵便物、信書便物又は電信に関する書類は、通信の秘密との関係から、通信事務を取り扱う者等の承諾があっても領置できず、差押えの方法をとるべきである。

2　証拠物の任意提出

1　意　義

　領置一般については、**1**で説明した。ここでは、領置の前提手続である証拠物の任意提出手続が適法とされるための要件を説明する。

2　任意提出権限

(1)　法221条の趣旨

　　法221条は、「所有者、所持者若しくは保管者」は、任意提出をなし得るとしている。所持者・保管者からの任意提出については、任意提出者の占有が適法である以上、その処分権限の有無は問わない（東地判平4.7.9判時1464-160　遺失物の保管者である警察署長からの任意提出を適法とした）。しかし、現に物を所持・保管している者であっても、例えば、その者が他人の家に勝手に入り込んだ結果として、その家の物を保管するに至ったような場合は、その者は正当な権限による所持者・保管者とはいえず、任意提出権限をもたない。

182　第2章　任意捜査

> **アドバイス**　令状記載以外の物件を発見し、関係者から任意提出を受
> ける際の留意点
>
> 　捜査官は、捜索差押現場などで、差押令状に記載されていない証拠物を
> 発見した場合、その場の適宜な関係人からその証拠物の任意提出を受ける
> ことが多いと思われるが、その者が提出権限のある者（例えば、その場所
> の管理者又はその管理を分掌された従業員）かどうか慎重に判断すべきで
> ある。

(2)　権限なしとされた例

　　提出権限がないとされた事例として、①被疑者の雇主らが、所在不明
となった被疑者の居室内を捜して覚醒剤を発見し、任意提出したもの
（浦和地川越支部判昭56.4.17　ただし、証拠能力は肯定）、②被疑者の
私物を入れていた机から発見された覚醒剤をその場にいた被疑者の従業
員が任意提出したもの（鹿児島地判昭47.8.8刑月4-8-1460　ただし、証
拠能力は肯定）がある。

(3)　権限があるとされた例

　　提出権限があるとされた事例としては、③入院中の被疑者のために被
疑者経営の病院の診察室内の貴金属を捜していた被疑者の愛人が、覚醒
剤を発見して任意提出したもの（東高判昭54.6.27判時961-133　このほ
か、警察官が、覚醒剤の発見・取得に全く関与していなかったことを押
収手続が適法であることの理由としている）、④被疑者の愛人からの任
意提出（広島高岡山支部判昭56.8.7判タ454-168　被疑者やその輩下の
者が警察に連行され、家屋やそこに所在する物件を管理できなくなった
ときは、普段から留守番を任されるなどしていた被疑者の愛人が家屋・
物件等の管理・保管者の地位にあったとする）がある。

　　なお、捜査官が身柄拘束中の被疑者のアパートなどから、令状なしに
関係証拠品を警察署に持ってきた上で、これを被疑者から任意提出させ
ることは、証拠品の持ち出し行為が適法といえる特別の事情（例えば、
被疑者からの強い要望を受け、被疑者の身内を立会人とした上で持ち出
すなど）がない限り、問題があろう。

3 任意提出能力

任意提出をするに当たっては、提出すべき物が何であるか及びその物を捜査官に提出するということを正しく認識していれば足り、提出結果についての法律的利害得失の正確な判断で裏打ちされていることまで要しない。したがって、覚醒剤使用により精神錯乱状態に陥った被疑者であっても、自己の尿を検査官に提出するということを認識していた以上、その尿の任意提出手続は適法である（岡山地判昭54.9.28）。

逆に、任意提出の意味を理解した上での任意提出ではなかった疑いが残る場合は、手続が違法とされることがあり得ることに留意すべきである。

184 第2章 任意捜査

設問 23 被疑者の取調べ、供述調書の作成方法

● 設 問 ●
(1) 取調べの役割について説明しなさい。
(2) 取調べの録音・録画制度について説明しなさい。

◆解 答◆
(1) について⟹**1**参照
(2) について⟹**3**参照

1 取調べの役割

1 取調べとは

取調べとは、特定の過去の出来事について記憶を有している可能性がある者に対して、質問するなどして、その記憶を喚起しつつ供述を求め、裁判における証人としての適性の有無という観点から、記憶の程度、表現能力の程度、ひいては供述の正確性・真摯性などをチェックしつつ、その供述するところを供述調書（供述録取書）や報告書に記録し、裁判での立証に備えることをいう。

2 取調べが、犯罪の立証において重要であること

過去の出来事を立証するに当たって、その出来事を記憶している者（例えば目撃者）を発見し、取調べを通じて、その記憶を喚起してもらい、その記憶するところを供述してもらうやり方が有用であることは、科学的証拠が活躍する場面が増えた今日でも変わらない。

関係者の記憶以外の証拠が残らない密室犯罪（例えば、贈収賄、選挙違反（買収等））の立証においては当然であるが、さらに、関係者の供述以外に直接的な立証方法がない犯罪の主観的要件（故意が存在していたことなど）の立証においても、関係人の供述ひいてはその供述を引き出すための取調べの

役割は重要である。

3 取調べにより、被疑者を早期に刑事手続から解放できること

取調べの重要な役割の一つは、被疑者から、自分自身が問題とされる犯罪に関し責任を負うかどうかについての弁解を聞くことである。被疑者が無実であれば、アリバイがあることなど、自分が刑事責任を負わない具体的理由を挙げることは容易なことが多いであろう。捜査機関が、捜査の初期の段階において、被疑者から弁解を聞き、裏付けを取り、被疑者が当該犯罪に無関係なことなどが分かれば、被疑者を早期に刑事手続から解放することもでき、人権保障上も大きな意味がある。

2 被疑者の取調べ

1 意 義

(1) 司法警察職員、検察官、検察事務官は、犯罪の捜査をするについて、必要があるときは、被疑者の出頭を求めて取り調べることができる。被疑者は、逮捕又は勾留されている場合を除いて、出頭を拒み、又は出頭後いつでも退去することができる（法198条1項）。被疑者の現在地でも取調べをなしうる。

(2) **取調べ受忍義務**

身柄拘束中の被疑者は、取調べ場所まで出頭する義務、取調べ場所に留まらなければならない義務、捜査官の取調べを受忍する義務がある（取調べ受忍義務）。取調べ受忍義務を肯定する見解は、「被疑者は、『逮捕又は勾留されている場合』を除いては、出頭を拒み、又は出頭後、何時でも退去することができる」とされている法198条ただし書の反対解釈として最も自然であり、妥当であること。また、身柄拘束中の被疑者に取調べ受忍義務があると解したとしても、直ちにその意思に反して供述することを拒否する自由を奪うことを意味するものでないことを理由とする。なお、近時、起訴前の身柄拘束期間には、厳格な期間制限があり（法203条等）、捜査機関は、その限られた期間内に捜査を尽くして終局処分（起訴・不起訴）の判断をしなければならないため、捜査の便宜を考慮して、被疑者の身柄が拘束されている場合には、取調べのための

出頭・滞留義務を認めるのが相当であること、仮にその被疑者に当該義務を認めても、既に捜査の客体として身柄拘束を受け、人身・行動の自由が制約された地位にあることにかんがみると被疑者に新たな不利益を課すものとまではいえないことを理由として、取調べ受忍義務を肯定する見解もある（濱田毅「新たな取調べ受忍義務肯定説について」〔同志社法学第427号（74巻1号）2022〕138参照）。

　取調べ受忍義務を肯定する見解は判例の立場でもある（最大判平11.3. 24民集53-3-514）。

　しかし、身柄拘束中の被疑者に対してであっても不利益な供述を強要することはできず（憲法38条1項）、被疑者には供述拒否権（法198条2項）があるから、**取調べそのものはあくまで任意捜査である**。

　すなわち被疑者の身柄拘束そのものは強制処分であるが、その被疑者に対する取調べは被疑者の供述を強制する捜査方法ではないから任意手段による捜査である。

⑶　取調べが任意捜査である以上、取調べは、捜査の必要がある、あらゆる事項にわたって許される。身柄拘束中の被疑者の場合だからといって、取調べ事項が勾留・逮捕事実に限定されることはない（ただし、別件逮捕・勾留（⟹**設問39**）のそしりを受けないように注意すべきである）。

2　被疑者取調べの目的

　取調べは、あくまで真実発見のためになされるべきものであり、被疑者の利益になる事情をも明らかにする必要がある（規範166条、167条）。無実の者を処罰することは、捜査官としての職務怠慢の最たるものであるから、被疑者が真犯人であるかどうかを絶えず頭において、取調べを行うべきである。

3　主な取調べ事項

⑴　被疑者の身分関係など

⑵　被疑者の経歴、交遊関係、家族関係、資産状況など

⑶　前科前歴関係

⑷　犯罪構成要件……①「だれが」②「いつ」③「どこで」④「何を、だれに対し」⑤「どのようにして」⑥「何をしたか」⑦「だれと」⑧「なぜ」という「八何の原則」を落とさないようにして聞くべきである。

(5) 情状関係

> **アドバイス** 供述調書への記載事項
>
> 取調べの結果作成された供述調書は、将来の公判審理に供されるべきものだから、審理にとって明らかに無意味な事項を記載する必要はない。一方、供述調書は、生身の人間の生き生きした経験事実が、誰が読んでも感得できる言葉で記載されていなければならないから、場合によっては、犯行状況だけでなく、犯行に至る経緯、犯行前後の心理状態、性格が浮き彫りになるようなエピソードを詳細に聴取し、これを調書に記載する必要もある。

4 供述調書の作成方法

(1) 録取の意義と重要性

取調べにおける「被疑者の供述は、これを調書に録取することができる」（法198条3項）。作成された調書が供述録取書である。供述録取書は供述調書といわれることもある。被疑者の上申書（供述書）の作成主体は被疑者であるが、被疑者の供述録取書の作成主体は、取調べを行った捜査官であるから、供述録取書は公文書である。

取調べで供述が得られても、例えば、その信用性についての吟味が必要な場合などにおいて、捜査官の裁量で調書化しないこともできる。

「録取」とは、捜査官が聴取した供述内容を、時系列又は事項別に整理して文章化し、調書に記載することである。供述していない内容を調書化の過程で付加することは許されない。

今後、取調べの録音・録画などの実施が進めば、調書化に際しての録取の正確性が問題とされることが多くなると思われる。捜査官は、本人の供述を分かりやすく整理し文章化することは許されるが、その趣旨を変えたと誤解されることのないよう心がける必要があろう。

(2) 録取内容の正確性の確認方法

供述を録取した供述調書は、これを被疑者に閲覧・読み聞かせ、誤りがないかどうか問い、誤りがないと申し立てたとき、これに署名押印（指印）を求めることができる。署名押印を強要することはできない。被疑者が、録取内容の増減変更を申し立てたときは、その供述を調書に

188 第2章 任意捜査

記載しなければならない（法198条3項ないし5項）。なお、被疑者が調
書の毎葉の記載内容を確認したときは、それを証するため調書毎葉の欄
外に署名又は押印を求めなくてはならない（規範179条3項）。

　録取内容の増減変更の申立てがあったときは、その申立ての対象となっ
ている調書の記載部分自体を加除訂正するやり方をとっている例がある
が、その作成（録取）過程が分かりづらくなるので加除訂正はできるだ
け避けるべきであるから、その申立て内容を、調書末尾に追加して記載
し、そのあとに署名押印させるべきである。

⑶　**署名の代筆**

　被疑者の署名は、自署が原則であるが、自署できないときは、取調べ
官などが代筆し、代筆した理由を記載して署名押印すべきものとされる
（規則61条、規範181条）。この場合、その調書は、本人が自署した場合
と同様の要件で証拠能力が認められる（福岡高判昭29.5.7高刑集7-5-680
参考人調書に関して判示）。

⑷　**偽名による供述調書**

　供述人の署名又は押印は、供述録取書に証拠能力を付与するための法
定要件である（被疑者につき法322条1項、参考人につき法321条1項）
が、あくまで録取の正確性を確認するためのものであるから、実質的に
その確認がなされている限りは、氏名を詐称して署名・押印されていた
としても、法322条、321条1項の署名・押印と解してよいとされる（東
高判昭31.12.19高刑集9-12-1328）が、このような調書の信頼性は一般
に相当低くなる。

　捜査官が、供述者の本名を知りながら偽名で署名させることは、たと
え、供述人に対する後難を避ける目的であったとしても、後日その供述
につき、取調べ官に迎合してなされた虚偽供述の可能性があると非難さ
れる（大阪高判昭38.1.24高刑集16-1-10　法321条1項の「特信性」を
欠くとされた）から、避けるべきである。このような場合には、証人等
の氏名・住居を、被告人・弁護人に開示しないなどの措置（法299条の
4など⟹ 設問66、8 1参照）や被害者等の個人情報を逮捕手続、起
訴手続等における秘匿措置（法201条の2、207条の3、271条の2、271

条の3 ⟹ **設問36**、**4**）を講じ得ることを説明して、本名による署名を求めるべきである。

　おとり捜査の協力者の氏名を隠蔽するため、協力者に架空名義の署名を調書用紙にさせ、虚偽の面割り状況を記載して、供述調書を作成するごとき行為は、それ自体虚偽公文書偽造に問われるが、更に、その供述調書などを疎明資料として逮捕状、捜索差押令状を得てなした被疑者の逮捕、あるいは捜索差押えも違法とされ、逮捕拘束中の被疑者の供述や捜索差押時に撮影した写真の証拠能力も否定される（大阪高判昭63.4.22高刑集41-1-123）。

5　取調べ権限を有するという意味

　供述人又は第三者のプライバシーを侵す事項についての質問をすることは、一般人のインタビューでは許されない。しかし、権限ある捜査官は、捜査のために必要な場合には、そのような事項についても質問し供述を求めることが正当業務行為として許容され得る。例えば、性犯罪の被害者の供述の信用性を確認するために、その者の過去における異性との交遊状況を聴取することが必要と考えられるときには、その取調べは是認される。しかし、必要最小限のものでなければならないであろうし、取調べ官には同性を充てるなど、取調べ方法が妥当なものになるよう工夫すべきであろう。

　また、取調べが強要等にわたるものであってはならないことは当然である。しかし、捜査官には、被疑者等の供述を受け身で聞くだけにとどまらず、その供述を吟味し、矛盾点があればそれを聞きただし、真相を明らかにすべき職責があることに留意すべきである（自白の任意性については**設問51**、自白の信用性については、**設問54**、**設問55**参照）。

　例えば、手持ち証拠との関係で、合理的にみて、供述者が殊更供述を回避したり、虚偽の供述をしたりしているものと判断できるときなど、相当の理由のあるときは、質問を繰り返し行ったり、その態度の非を指摘したりして説得するような取調べも許容されるであろう（供述者の人格への誹謗中傷にわたるような言動が許されないことも当然である。そもそも人を説得する手段としてふさわしくない）（⟹ **設問51**、**3**、**4** 2）。

　著者の取調べについての考え方は、今述べたとおりであるが、最近の捜査

現場に身を置く、現職の中堅検事から、被疑者取調べに当たっての心構えをヒアリングした。結果は以下のとおりであり、参考になるものと思う。

取調べにおけるフェアプレーの精神の重要性

1　被疑者取調べの重要性

　被疑者には、黙秘権が保障されているが、同時に、任意になされた供述には証拠能力が認められる。そして、被疑者が真犯人である場合、事案の真相を最も知り得る立場にあり、被疑者取調べは、捜査において真相を解明するための重要な手段・手法となることが多い。しかし、被疑者は、真犯人であったとしても、処罰への恐れや世間体をおもんばかる気持ちなど、様々な事情により、供述自体を拒否したり、不合理な供述に終始するなどして真相を明らかにしようとしないことも多い。

2　被疑者に真相を供述するように説得することは必要不可欠

　刑事訴訟法において取調べ権限を付与されている捜査官は、刑事事件に関する真相解明と、これに沿った適切な処罰の実現、ひいては罪を犯した者の改善更生・社会復帰に寄与し、安心・安全な社会を実現するという役割を果たす責任がある。警察官には、上記権限を適切に行使することにより「犯罪の予防、鎮圧及び捜査、被疑者の逮捕、交通の取締その他公共の安全と秩序の維持」という責務（警察法2条1項）を果たすことも求められている。したがって、捜査官は、被疑者取調べに際して、事案の真相を供述するよう説得できることは権限上当然であり、すべきである。それが、被疑者の不合理な言い分を唯々諾々と聞きとるだけのものであるならば、もはや捜査官としての責任・責務を放棄するに等しい。

　捜査官が、様々な方法により、被疑者に対して、真相を供述するよう働き掛けることは、真相解明に必要かつ不可欠であり、これが強制にわたらない限りは、何ら非難されるものではない。

　真相を供述するよう被疑者を説得する場合の捜査官の心構えとして、重要なのは共感的な態度で良心に訴えかけることである。人は、社会とのつながりなくして生きていくことはできない。そうである以上、人は、社会とのつながりを自ら断ち切る行為とも言うべき罪を犯した場合、これを振り返ることがいかに辛いことであっても、これに目を背けることなく真摯に向き合う必要があり、その証しとして、まず捜査官に真相を述べるべきであると真摯に説得すべきである。

被疑者の取調べ、供述調書の作成方法　設問23　　*191*

　被疑者が不合理な供述に終始するような場合には、敢えて詳細な事項を重ねて聴取することで嘘に嘘を重ねさせて、その不合理性を際立たせつつ、これと矛盾する証拠を突き付けて自らの弁解が破綻していること（嘘は通じないこと）をはっきりと自覚させるべき場合もある。

　また、犯行を否認しながら、具体的な供述を避け、詳細を黙秘する被疑者に対しては、早期に犯人でないことの根拠になるような具体的な事実（例えば、アリバイがあること）を説明し、それが裏付けできれば、起訴処分をされないで済む可能性があることを丁寧に説明して説得することもあり得る。

3　被疑者の基本的権利についての理解、捜査におけるフェアプレーの精神

　本書の読者は、捜査における被疑者と捜査官の関係を規律するルール、つまり捜査官が、被疑者取調べ権限を含む様々な捜査権限を有し、被疑者も、黙秘権や弁護人から助言を受ける権利など様々な権利を有しているということを理解しているはずであるが、さらに捜査官は、このルールを心情的・感覚的にも理解し、「**フェアプレーの精神**」として実践する姿勢を持つ必要がある。

　真犯人である被疑者が、自らの罪に向き合わずに、黙秘し、不合理な供述をすることは、その改善更生・社会復帰の観点から決して望ましいことではない。しかし、人は弱いものであり、そのことを前提とすれば、被疑者が、自らの罪を認めることに何らメリットがないとの打算的な考えなどから、真相を述べない態度に及ぶことそれ自体を非難・軽蔑するようなことがあってはならない。

　捜査官が、捜査の過程において、被疑者が真犯人であるとの強い心証を持つことも多いと思われるが、被疑者・被告人は、有罪判決が確定するまで、無罪推定を受ける者であり、とりわけ被疑者は起訴もされていない者であって、あくまで罪を犯した嫌疑があるにとどまる者であり、真犯人として取り扱ってはならない法的立場にあるということを、常に自覚すべきである。そのような法的立場にある被疑者が、取調べにおいて黙秘権を行使することや、弁護人に種々のことを相談し、あるいは、相談したい旨申し出るなどは、当然の権利の行使であり、そのために、仮に、捜査官の捜査が当初の想定どおりに進まなかったとしても、何ら非難すべきものではないことを、常に意識しておく必要がある（もちろん、被疑者が、証拠隠

減などルール違反をしたときには、フェアプレーに反することとして、厳しく対処することになるのは当然である)。

4　フェアプレーの精神の必要性

フェアプレーの精神の目線に立てば、捜査官は、被疑者が罪を犯したか否か、その可能性の有無を新たな証拠によって検討し、可能な限りそのシロ・クロを冷静に判断しようとの態度をもって被疑者に接することが常に求められる。

ここで、捜査官は、まずは**被疑者の言い分に対し、虚心坦懐に耳を傾け、被疑者にとって有利・不利問わず、その裏付けとなる証拠収集を丹念に尽くし、これを冷静に評価する**ことが求められる。このような姿勢を通じ、被疑者に対し、捜査官が被疑者に刑罰を科するためだけに取調べをしているわけでないことを理解させることも重要であろう。

捜査における**フェアプレーの精神**を貫ける捜査官は、しばしば対峙する関係になりがちの被疑者に与えられた権利や、その人格を尊重しつつ、その信頼を勝ち得、真相に関する供述を得られることもできる。

フェアプレーの精神を持つ捜査官は、被疑者に対し、被疑者が権利を正当に行使する限り、これを非難しないし、非難したと誤解を与えるような軽率な言動をすることもないであろう。いかなる場合でも、捜査時の言動が被疑者に対する人格的攻撃を含むようなものになることはない。

捜査官として最も恥ずべきで、決してしてはならぬことは、フェアプレーの精神を失って取調べに当たることである。フェアプレーの精神を忘れて取調べを行えば、捜査官は、被疑者の黙秘権の行使や弁護人からの助言を求める行為を疎ましく思うことになるリスクがあり、被疑者に感情的に反発してしまう可能性もあり、その結果として、捜査官として決してあってはならぬ、被疑者の人格攻撃に及ぶことさえあり得ると自戒するべきである。

3 取調べの録音・録画制度

平成28年刑事訴訟法等改正により導入（令元.6.1施行）。

1 録音・録画制度の目的

　録音・録画制度とは、一定の場合に、被疑者の取調べや弁解録取手続において、被疑者の供述及びその状況を、録音・録画して記録媒体に記録すべきことを義務づける制度をいう。この制度は、被疑者の供述の任意性・信用性の的確な立証と、その取調べ等の適正化に、それぞれ役立てる目的で導入された。

2 録音・録画制度の対象事件

(1) 取調べの主体が検察官及び検察事務官の場合（法301条の2第4項）

> ①死刑又は無期拘禁刑に当たる罪に係る事件（法301条の2第1項1号）
> ②短期1年以上の拘禁刑に当たる罪であって、故意の犯罪行為により被害者を死亡させたものに係る事件（同項2号）
> ③司法警察員が送致・送付した事件以外の事件（①及び②を除く）（同項3号）のうち、関連する事件が送致され又は送付されているものであって、司法警察員が現に捜査していることその他の事情に照らして司法警察員が送致し又は送付することが見込まれるものを除く事件

　このいずれかに該当する事件の被疑者の取調べ等が、録音・録画制度の対象となる。

　①及び②は裁判員裁判対象事件（ただし、①には裁判員裁判対象とはならない内乱罪の一部（刑法77条1項1号、2号前段）も含まれる）である。

　③は、いわゆる検察官独自捜査事件である。検察官の捜査においては、例えば、司法警察員から送致された事件で勾留中の被疑者を、その時点では送致されていないが、今後送致されることが見込まれる同種余罪事件について、検察官が取り調べることがあり得る。このような事件は形式的には「送致・送付された事件以外の事件」ではあるが、実質的に検察官独自事件とはいえないので、除外された。

(2) 取調べの主体が司法警察職員の場合（法301条の2第4項）

　上記(1)の①及び②のいずれかに該当する事件の被疑者の取調べ等が、

194 第2章 任意捜査

録音・録画制度の対象となる。

3 録音・録画制度の対象となる取調べ等

逮捕・勾留中の被疑者に対する対象事件についての法198条1項による取調べ及び法203条1項、204条1項、205条1項（211条、216条で準用する場合を含む）による弁解録取（法301条の2第4項柱書、1項本文）が、録音・録画制度の対象となる。

いわゆる在宅被疑者に対する対象事件についての取調べや起訴後勾留中の被告人に対する当該被告事件たる対象事件についての取調べは含まれない（なお、令和7年4月現在、取調べの主体が検察官の場合、在宅被疑者の取調べのうち一定の要件を備えたものについて、試行的に録音・録画を行うことが検討されているようである）。

逮捕・勾留中の取調べであっても、参考人として行われるものは含まれない。

非対象事件で逮捕・勾留されている場合であっても、対象事件について被疑者として取り調べるのであれば、録音・録画制度の対象となる。例えば、死体遺棄の被疑事実で逮捕・勾留されている被疑者を、殺人について被疑者として取り調べる場合、その取調べは、録音・録画制度の対象となる。

4 録音・録画義務

(1) 全過程の録音・録画義務（法301条の2第4項）

録音・録画制度では、対象事件について、「被疑者を取り調べるとき又は被疑者に対し……弁解の機会を与えるとき」、取調べ官は、被疑者の供述及びその状況を録音・録画しておかなければならない義務がある（法301条の2第4項）。これは、「被疑者を……取り調べる」間、又は「弁解の機会を与える」間、すなわち、取調べ又は弁解録取手続の開始から終了に至るまでの全過程を録音・録画しなくてはならないという趣旨である。

しかし、必ずしも被疑者が取調室に入室する場面から録音・録画していなければならないということではない。例えば、入室後、直ちに録音・録画を開始する旨を告げて録音・録画を開始して取調べを行うなど、実質的にみて取調べ等を開始したときから録音・録画をしていれば、取調

被疑者の取調べ、供述調書の作成方法　設問23　　*195*

べの開始から録音・録画をしたといえる。

(2)　例外事由（法301条の2第4項各号）

　次の例外事由のいずれかに該当する場合には、取調べ官は、録音・録画義務を負わない。

> ①機器の故障その他のやむを得ない事情により、記録をすることができないとき（同項1号）。
> ②被疑者が記録を拒んだことその他の被疑者の言動により、記録をすると被疑者が十分な供述をすることができないと認めるとき（同項2号）。
> ③当該事件が指定暴力団の構成員による犯罪に係るものであると認めるとき（同項3号）。
> ④被疑者の供述及びその状況が明らかにされた場合には被疑者若しくはその親族の身体・財産に害を加え、又はこれらの者を畏怖・困惑させる行為がなされるおそれがあることにより、記録をすると被疑者が十分な供述をすることができないと認めるとき（同項4号）。

　例外事由①については、現実的・客観的にみて「録音・録画ができない」状況にあることが必要である。例えば、現に使用中の録音・録画機材が故障しただけでは足りず、当該警察署に他に使用できる機材がないことが必要になると解される。

　「その他のやむを得ない事情」とは、機器の故障以外の外部的・物理的要因により録音・録画をできない場合を指す。例えば、警察署における録音・録画機材が全て使用中である場合、停電等により全ての機材が使用できない場合、外国人被疑者の通訳人が録音・録画されることを拒否し、他に協力を得られる通訳人が見つからない場合がこれに当たると解される。これに対し、捜査官の機器操作ミスによって録音・録画ができなかった場合は、該当しないと考えられる。

　例外事由②については、録音・録画を拒否したい旨の被疑者の発言等、被疑者の具体的な言動が外部に現れていることが必要である。単に捜査官の感覚として「このまま録音・録画を続ければ被疑者から十分な供述を得ることはできない。」と判断しただけの場合は該当しないと解される。「被疑者の拒否」とは、録音・録画について拒否することであり、被疑事実について黙秘していることは、これに該当しない。

　例外事由③については、「加害や報復のおそれ」は要件になっておら

196 第2章 任意捜査

ず、事件自体に何らかの組織的背景があることも要件になっていない。また、被疑者自身が指定暴力団の構成員でなくても、共犯者が指定暴力団の構成員である場合も、この例外事由に該当すると解される。

例外事由④については、被疑者の具体的言動等の存在は要件とされておらず、犯罪の性質、関係者の言動、被疑者がその構成員である団体の性格等の客観的な状況から、本人又はその親族に対する加害行為等がなされるおそれがあることが認定できればよい。

(3) 録音・録画義務に違反した場合の立証上の不利益

取調べ官が、法301条の2第4項の録音・録画義務に違反し、録音・録画すべき取調べ等を録音・録画しないまま、その取調べ等の機会に被疑者供述調書が作成された場合、その供述調書が立証上使えなくなることがある。例えば、被疑者が対象事件について起訴され、検察官が、当該被告事件の公判において、当該供述調書等を証拠請求したとき、被告人・弁護人が任意性を争う場合、検察官は、その供述調書等が作成された取調べ等の録音・録画記録の取調べを請求しなければならず(法301条の2第1項)、その取調べ状況の録音・録画が存在しない場合には、原則として、当該供述調書等の取調請求は却下される(法301条の2第2項)。

(4) 例外事由

しかし、検察官が、供述調書が作成された取調べについて、録音・録画の例外事由に該当することを立証できれば、当該取調べについては録音・録画義務がなかったことになり、その取調べ状況の録音・録画の取調べ請求が行われないとしても、供述調書の取調べ請求は却下されない(⟹**設問51**、**5**参照)。

5 録音・録画の試行運用

警察では、平成28年10月以来、録音・録画の対象事件でなくても、個別の事件において、録音・録画の必要性が、それをすることによる弊害を上回ると判断されるときや、知的障害者等の障害を有する被疑者に係る事件について、取調べの全過程の録音・録画を試行的に運用実施している。

検察でも、平成26年10月から、罪名にかかわらず、録音・録画が必要な事

件について、原則として取調べの全過程の録音・録画を試行的に運用実施している。

4 被疑者取調べの適正化方策

1 必要性
我が国の刑事司法が適正手続の保障の下で事案の真相解明を使命とする（法1条）ことから、被疑者取調べが適正を欠くことを防止するための方策が必要とされた（平成13年6月の司法改革審議会意見書参照）。

2 不適正取調べとはどういうものか
法は、不適正取調べの定義を明示していないが、憲法の規定、特別公務員暴行陵虐など捜査官の職務上の行為が職務犯罪を構成する場合がどういう場合かを示す刑罰法規（特別公務員暴行陵虐罪など）、さらには、自白が任意性を欠くと判断された事案についての判例・裁判例においてどのような取調べが問題になったかなどを総合すれば、適正でない取調べがどういうものかおのずから明らかとなるであろう。

取調べにおける任意性が問題になるのは、自白が獲得された取調べだけであるが、不適正な取調べは、被疑者が否認や黙秘を通した場合であっても、行為者たる捜査官に対する刑事処分やその所属する行政組織の国家賠償の原因になり得る。

3 被疑者取調べの適正化のための具体的方策

(1) 供述拒否権の告知（法198条2項）
捜査官は、被疑者取調べに際しては、「あらかじめ、自己の意思に反して供述をする必要がない旨を告げなければならない。」。同一の捜査官が、同一の犯罪について取調べを行うとき、1回目の取調べの際に供述拒否権を告げれば、2回目以降の取調べの度に同権利を告知しなくても違法ではない（最判昭28.4.14刑集7-4-841）。しかし、取調べが相当期間中断した後再開する場合などには、改めて告知しなければならない（規範169条2項）。

被疑者の氏名は、原則として、憲法38条1項の「不利益な事項」に当たらず、憲法上供述拒否権を認められている事項ではない（最大判昭32.

198　第2章　任意捜査

2.20刑集11-2-802)。

(2) 供述の任意性、信用性の確保への配慮

ア　被疑者の取調べは、任意に真実の供述を求めるものであって、供述を強要するものであってはならない。

したがって、取調べに当たっては、強制、拷問、脅迫その他の供述の任意性について疑念を抱かれるような方法を用いてはならない（規範168条1項）し、みだりに捜査官が期待する供述を誘導したり、供述の代償として利益を供与すべきことを約束し、その他供述の真実性を失わせるおそれがある方法を用いてはならない（規範168条2項）。また、やむを得ない理由がある場合のほか、深夜に又は長時間にわたり行うことを避けなければならない（午後10時から午前5時までの間に、又は、一日につき8時間を超えて被疑者の取調べを行うときは、警察本部長又は警察署長の承認を受けなければならない）（規範168条3項）。

精神又は身体に障害のある者の取調べを行うに当たっては、その者の特性を十分に理解し、取調べを行う時間や場所等について配慮するとともに、供述の任意性に疑念が生じることのないように、その障害の程度等を踏まえ、適切な方法を用いなければならない（規範168条の2）。

病気中の被疑者については、捜査に重大な支障のない限り、家族、医師、その他適当な者を立ち会わせるべきである（規範172条）。

(3) 取調べ状況報告書の作成（規範182条の2）

被疑者の取調べ過程・状況について、取調べの都度、書面による記録を義務付ける制度である（司法改革審議会意見書において被疑者取調べが適正を欠くことを防止するための方策として提言され、平成16年4月1日から施行された）。

在宅事件も含めた被疑者・被告人（規範198条の微罪事件とできる事件に係るものを除く）の取調べが対象となる。

また、同報告書には被疑者・被告人の署名を求めることとされる。

⑷　被疑者取調べ適正化のための監督制度

ア　意　義

平成21年４月１日から、「被疑者取調べ適正化のための監督に関する規則」（平成20年国家公安委員会規則第４号）に基づいて、「被疑者取調べ適正化のための監督制度」（以下、この設問では「本監督制度」と呼ぶ）が施行されている。

イ　監督対象行為

本監督制度の対象となるのは、被疑者取調べに際し、当該被疑者取調べに携わる警察官が被疑者に対して行う「**監督対象行為**」（同規則３条）である。

「監督対象行為」とは、取調べにおける不適正行為そのものではないが、不適正行為につながるおそれがある行為の類型をいう。本監督制度は、不適正な取調べにつながるおそれのある行為まで広く網をかぶせて監督の対象とし、その有無を確認させること等によって、取調べにおける不適正行為の未然防止を図ろうとするものである。

監督対象行為の類型は、具体的には次のとおり。

㈠　やむを得ない場合を除き、身体に接触すること。

㈡　直接又は間接に有形力を行使すること（㈠に掲げるものを除く）。

㈢　殊更に不安を覚えさせ、又は困惑させるような言動をすること。

取調べはその性格上、取調べ官が意図すると否とにかかわらず、被疑者としては多少なりとも不安を覚え、又は困惑するものであるが、それを超えて殊更に不安を覚えさせ、又は困惑させる言動が監督対象行為に当たる。例えば、具体的に害悪の告知がある場合である。

㈣　一定の姿勢又は動作をとるよう不当に要求すること。

㈤　便宜を供与し、又は供与することを申し出、若しくは約束すること。

取調べに当たって、供述の代償として利益を供与すべきことを約束するなど、供述の真実性を失わせるおそれのある方法を用いることは禁止されている（規範168条２項）から、「自白すれば逮捕しない」などと申し出ることや、自白することの代償として、取調べ室で飲食を提供したり、接見禁止中であるのに接見させたり携帯電話で連絡を取らせたりする行為は、「監督対象行為」に該当し、同時に、**規律違反行為**にも該当する。

なお、供述自白の代償としてではなくとも、身柄拘束中の被疑者に対する処遇として、捜査員が、飲食物を提供したり、接見禁止中なのに携帯電話で外部と連絡を取らせることは、規律違反行為に該当する。

㈥　人の尊厳を著しく害するような言動をすること。

である。

ウ　懲戒処分、刑事事件処理との関係

「監督対象行為」の存在が疑われるときは、必要な調査が行われ、当該「監督対象行為」の存否が最終的に判断される。調査の結果、「監督対象行

為」が存在すると判断されたときであっても、「監督対象行為」は概念上非常に幅が広いものであり、規律違反行為に当たるとはいえない軽微な行為から、犯罪を構成する重大なものまでを含む。したがって、次に、当該「監督対象行為」が規律違反行為に該当するのか、規律違反行為に該当するとしても懲戒処分の対象になるのかなど、個々の事案に即して判断しなければならない。このようにして、個々の「監督対象行為」の悪性などに応じ、懲戒処分や業務上の指導がなされたり、刑事事件として立件されるのである。

エ 取調べ監督官

警察本部に置かれる取調べ室に係るものについては、警察本部長が本部の取調べ監督業務担当課の警察官のうちから警察署に置かれる取調べ室に係るものについては、当該警察署長が同警察署の警務課・総務課の警察官のうちから、それぞれ「**取調べ監督官**」を指名する（同規則4条）。取調べ監督官は、次の権限を持つ。

① 警察官が「取調べ室又はこれに準ずる場所」（規範182条の2参照）において行う被疑者の取調べについて、事件指揮簿（規範19条2項に規定するもの）及び取調べ状況報告書（規範182条の2第1項に規定するもの）の閲覧その他の方法により、**被疑者取調べの状況の確認**を行う（同規則6条1項）。この確認は、全ての被疑者取調べについて行わなければならない。

取調べ室に準ずる場所とは、取調べ室の不足等の理由によって、一時的に取調べ室の代用として使用する警察施設内の応接室、会議室をいう。

なお、警察職員は、被疑者取調べについて苦情の申出を受けたときは、速やかに、当該被疑者取調べを担当する取調べ監督官に、苦情の申出があったことと苦情の内容を通知しなければならない（同規則7条）。

また、警察職員は、検察官から警察官の取調べに関する不満等の陳述等について連絡を受けることもあるが、その場合も、当該不満を適切に処理するとともに、同規則7条に基づき、当該被疑者取調べを担当する取調べ監督官に、苦情の申出があったことと苦情の内容を通知しなければならない。

通知された苦情の内容等も参考にして、取調べ監督官は被疑者取調べ状況の確認を行う。

② その確認の際、現に「監督対象行為」があると認める場合は、当該被疑者取調べに係る捜査主任官に対し、**被疑者取調べの中止その他の措置を求める**ことができ、その場合、捜査主任官は速やかに必要な措置を講ずるものとされ、捜査主任官が現場にいないとき又は捜査主任官から要請があったときは、自ら被疑者取調べの中止その他の措置を講ずることができる（同規則6条3、4項）。

③ ②の措置が講じられたときには、警察本部長に対して、その措置の内容について報告する（同規則9条2項）。

オ　巡察官

　　警察本部長は、必要があると認めるとき、警察本部の監督業務担当課の警察官のうちから「**巡察官**」を指名し、取調べ室を巡察させる（同規則8条1項）。巡察官は巡察に当たり、取調べ監督官と同じく、被疑者取調べの状況の確認（同規則6条1項）を行い、確認によって現に「監督対象行為」があると認める場合は、被疑者取調べの中止その他の措置を求め又は自ら同措置を講ずることができる（同規則8条2項）。

カ　取調べ調査官

　　被疑者取調べにおいて「監督対象行為」が行われたと疑うに足りる相当な理由があるときに、警察本部長は、本部監督業務担当課の警察官のうちから「**取調べ調査官**」を指名し「監督対象行為」の有無の調査を行わせる（同規則10条1項）。

　　警察本部長には、被疑者取調べについての苦情（同規則7条）の内容等が報告される（警察法79条1項の苦情処理に関する規定参照）ほか、取調べ状況報告書の写しを送付するなどの方法で被疑者取調べの状況等について報告がなされたり、取調べ監督官や巡察官が、被疑者取調べの中止その他の措置を求めたり自ら措置を講じたときは、同措置の内容も報告される（同規則9条）から、これらの苦情、報告その他の事情から合理的に判断して、「監督対象行為」が行われたと疑うに足りる相当な理由があるときは、取調べ調査官を指名して調査を行わせなければならない（同規則10条1項）。この調査の目的は、警察として、「監督対象行為」の有無を確定させることである。

① 　取調べ調査官は、調査を実施するため必要があると認めるときは、この調査の対象となる被疑者取調べを指揮する警察本部捜査担当課長又は警察署長に対して、説明・資料の提出を求め、又は当該被疑者取調べに係る捜査主任官、取調べ警察官その他の警察職員を出頭させ、説明をさせるよう求めることができる（同規則10条2項）。なお、取調べ調査官は、被疑者との面談等も行うことができるが、2項に基づくものではなく、1項に基づく任意の調査として行われる。

② 　取調べ調査官は、調査結果報告書の内容を警察本部長に報告するとともに、職員の職責を問う場合など、必要に応じ、監察部門や捜査部門などの関係部署に通知しなければならない（同規則10条3項）。

⑸　弁護人等との接見交通権への配慮

ア　逮捕・勾留中の被疑者と弁護人等との接見への一層の配慮

　　弁護人等との接見に一層配慮することは、取調べの適正の一層の確保に資するものである。その観点から、平成20年5月以降、弁護人等との接見に一層配慮する実務の運用がなされている。なお、検察においても、同様の実務運用が行われている（⟹**設問47**、**4**1参照）。

イ　弁護人等との接見内容を聴取することの制限

　　　弁護人等と被疑者との接見の際の会話等、秘密は保障される必要が
　　あるから、取調べ室において接見内容を被疑者から聴取することは、
　　特段の事情がない限り許されない（⟹**設問47**、**8**参照）。

5　外国語による供述調書

　日本語を理解しない外国人を通訳を介して取り調べて、外国語による供述
を得た場合に作成すべき供述調書としては、次の2種類がある。

1　最も一般的な方式

　供述を通訳人に和訳させ、これを整理して日本語の供述調書を作成し、こ
の調書の記載内容を、通訳人を介して外国語で読み聞かせた上、日本語の供
述調書末尾に供述者の署名押印を求める方式（東高判昭51.11.24高刑集29-4
-639　この方式による供述調書の証拠能力を肯定）であり、実務上最も一般
的に用いられている。

　この方式では、通訳の正確性は、通訳人の署名押印によって担保されてい
ると解されている。

2　他の方式

　供述を通訳人に和訳させ、これを整理して日本語の供述調書を作成すると
ともに、外国語によるその訳文も作成して、供述人には訳文を閲読させてそ
の末尾に署名押印を求める方式（最決昭32.10.29刑集11-10-2708　訳文への
供述人の署名押印の効果は当然、これと一体となっている日本語の供述調書
にも及ぶとし、この方式を適法とした）。

　しかし、この方式では時間がかかる上、通訳人に訳文作成の負担までかけ
ることになり通訳人を確保することが難しくなるなどの問題がある。

被疑者の取調べ、供述調書の作成方法　設問23　　203

書式6　面割り供述調書など（⟹ 設問56 参照）

（その1）

写真面割りした場合の参考人供述調書

> 1　　私は、鈴木一郎さん方の近所の者です。
> 2　　昨日、つまり、令和○○年○月○日午後9時頃、残業で遅くなり、鈴木さんの家の門の前を通り過ぎようとしたとき、ちょうどその門から、初めて顔を見る、年齢40歳ぐらいで、身長160センチぐらいの小柄な男が大きな紙袋を手にして外に出てくるのに出会いました。
> 　　その時の男と私との距離は2メートルぐらいでしたし、門灯の明かりがありましたので、男の顔がはっきり見えました。
> 　　その男は丸顔で顔中ニキビか吹き出物の跡があり、目は二重で大きく、髪型は短めでパーマをかけていました。おととし、飛行機事故で亡くなった歌手の○○さんによく似ていると思いました。
> 　　私は、鈴木さんの家のお客さんと思い軽く会釈したのですが、その男は顔を隠すようにして急ぎ足で駅の方に行ってしまいました。男の様子がおかしかったので鈴木さん方を見ると、家の明かりが全部消えておりましたので、門のインターホンを押しましたが家の人は誰も応答しませんでした。それで「今の人は誰だったのだろう」と思い、気持ち悪く思ったのです。その後、午後11時頃、鈴木さんの家にパトカーが来てから、その夜鈴木さん一家が外出先から戻った午後10時以前に、鈴木さんの家に泥棒が入ったことを知りました。時間的なことや態度から考えて、鈴木さんの家の門の前で見かけたあの男が犯人ではないかと思われます。
>
> このとき本職は、「この中にあなたが門の前で見た男がいるかいないかは分かりません。もし、この中にその男がいれば、その写真を選んでください。」と指示したうえ、当署保管の被疑者甲井太郎の写真を他の被疑者写真10枚と混合して示したところ、供述人は、迷うことなく「あのときの男がいます。それはこの写真の男です。」と申し立てながら被疑者甲井の写真を取り出して提示したので、他の10枚の写真とともに本調書末尾に添付することとした。(*)
> 　　　　この写真の男があのときの怪しい男に間違いありません。目が二重で大きく、顔がアバタで、歌手の○○によく似ているという印象が全く同じですので、そのように断定できます。

*　　（写真を調書添付しないとき）
　　「……と指示したうえ、司法警察員巡査部長○山が当署保管の被疑者甲井太郎の写真と他の被疑者の写真10枚を混合して作成した、令和○○年○月○日付けの「被疑者○○○○にかかる写真面割用写真帳」を示したところ、……供述人は、……被疑者甲井の写真を指で示した」とする。

（その２）

面通しした場合の参考人供述調書

1　私は、平成○年○月頃から、現住所地で質店を営んでいます。

2　昨日、つまり、令和○年○月３日午後10時頃、初めて見る男が、閉店間際の店にカメラを質入にきました。「閉店するのが遅くなるな。」と思い、内心で舌を打ちながら、その男の顔を何度も見ましたので人相や特徴をはっきり覚えています。(＊)

　　その男は、年齢30歳ぐらいで、身長は私よりも５センチぐらい低い感じでしたので160センチだったと思います。頭はきちんと７、３に分け、黒枠のメガネをかけており、派手なサテンのような光沢のある白ワイシャツに黒色の背広上下を着ていましたので水商売関係者だと思いました。顔は丸顔で、左目の横に大きなホクロがあり、二重の大きな目でした。似た顔の喜劇役者がいたなと思い、強く印象に残りました。

3　その男は、私が身分証明を求めると、

○○県○○市○○町○○番○号

山田太郎

という国民健康保険証を見せてくれましたので、差し出したカメラを３万円で質受けすることにし、現金３万円を男に渡しました。

このとき、本職は、被疑者丁井太郎を当署職員甲、乙、丙とともに当署○○号室に入室させその状況を写真撮影し本調書末尾に添付することとした上、透視鏡を通して、供述人に面通しさせたところ供述人は、迷うことなく被疑者丁井を指し示した。

　　今、隣の部屋に入ってきた男性４名のうち、向かって左から２人目の男が、昨日、山田と名乗って、私の店に来てカメラを質入した人に間違いありません。

　　この人は、身長、顔の形が昨日の男と似ているだけでなく、昨日来た人と全く同じく左目の横にホクロがあります。この人は、昨日の人が着ていたのと全く同じ派手なワイシャツを着ていますから、そのように言えるのです。

＊　目撃の確実性を明らかにするための供述記載である。

捜索・差押え・検証（総論　その１）　設問24　*205*

設問 24 捜索・差押え・検証（総論　その１）

● 設　問 ●

　窃盗被疑者Ａ（産業スパイ）が盗品であるマイクロフィルムを足の筋肉内に挿入して隠し持っていることが判明した。警察官は、捜索差押令状等を得て、筋肉の切開手術を施し、同マイクロフィルムを取り出すことができるか。

◆解　答◆

　できない。⟹**2** 2

1　捜査機関による捜索・差押え・検証（法218条等）

　捜索には、**物の捜索**と**人の捜索**がある。

　物の捜索とは、人の身体・物件・住居その他の場所につき、証拠物・没収すべき物の発見を目的とする処分である。人の捜索とは、被疑者を逮捕する際になし得る、住居その他の場所につき、被疑者の発見を目的とする処分（法220条１項１号）である。

　差押えとは、所有者・所持者・保管者から証拠物・没収すべき物の占有を強制的に取得する処分である。

　検証とは、五官の作用により、身体・物・場所の存在・性質・状態を認識することを目的とする処分である。

　このうち身体についての検証を身体検査といい、人権侵害のおそれが一般の検証より大きいので、特段の規制がなされる。いずれも強制処分である。

　捜索、差押え、検証には、捜査機関が行うもの（法218条以下）と裁判所が行うもの（法99条＝差押え等、102条＝捜索、128条＝検証、131条＝身体検査）がある。捜査機関の行うものに関する規制については、裁判所の行うものに関する規制が準用される（法222条１項）ので、条文がやや読みにく

くなっている。

2 差押えの対象になるか問題になるもの

1 無体物

差押えの対象は**有体物**であるから、生きている動物は対象になるが、権利やエネルギーなどの**無体物**は対象にならない。**生きている人間**は、「物」でないから、対象にはならない。

2 身体の一部

生きている**人間の身体の一部**を構成する物（例えば、髪の毛、爪など）はそのままでは差押えの対象にならないが、分離されて生体と別個な存在になれば差押えをなし得る（なお、この場合、強制採尿・強制採血・飲み込んだ物の取り出し・体腔に挿入された物の取り出しなど、分離のための人為的方法が許されるかが問題となる）（⟹設問30参照）。

身体に埋め込んである物件は、事件との関連性が濃厚であっても、捜査目的で、外科的手術を施して取り出すことは、人の身体の完全性を害するもので人倫上許されないから、一般的に、差押えの対象にならないと考えられる。

3 不動産

不動産であっても、証拠物・没収すべき物と思料されるときは差押えをなし得る（千葉地決昭53.2.13　横堀要塞上の妨害鉄塔を差し押さえて、かつ、撤去したのを適法とした）。ただし、不動産の場合は、住居に用いられているなどして強制処分による被処分者の苦痛がより大きいことや、物理的に改変・損壊されるおそれが少ないことなどの理由で差押えの必要性が否定される場合があろう（千葉地決昭53.5.8判時889-20　横堀要塞本体の差押処分を取り消した）。

3 承諾による捜索・差押え・検証

承諾による差押えは、法により**任意提出（領置）**として認められ、承諾による検証も**実況見分**として判例上承認されている。

承諾による捜索については、身体の外表・自動車内に対するものであれば、所持品検査（⟹設問12参照）として承認されている。なお、**関税法120条**

の**身辺開示検査**は、相手方の承諾の下に実施されるべきものであるとともに、社会通念上相当と認められる方法ないし態様及び限度において許容されるとされている（大阪高判平5.12.21判タ843-293　全裸ないしそれに近い状態での身体検査は許容されないとする）。

　実務上、住居・邸宅・建造物・船舶の捜索については、たとえ住居主・看守者の承諾が得られるときでも、捜索令状を得て捜索をしなければならないとされている（規範108条）。身体の外表・自動車内に対する任意の捜索と異なり、**任意の家宅捜索は住居等の不可侵を保障した憲法35条に触れるおそれがある**からである。

４　捜索・差押えの必要性など

1　必要性

(1)　判断権

　逮捕の必要性についての最終判断権が裁判官にあり、裁判官に審査権限があることは明らかである（法199条2項）。捜索・差押え・検証をする場合の要件（法218条1項）である「犯罪の捜査をするについて必要がある」かどうかの最終判断権が捜査官にあるのか、裁判官にあるのか見解が対立していたところ、最高裁は、「諸般の事情に照らして明らかに差押えの必要性がないと認められるときにまで、差押えを是認しなければならない理由はない。」として、準抗告の申立てを受けた裁判所が差押えの必要性について審査できるとした（最決昭44.3.18刑集23-3-153）。

(2)　「明らかに差押えの必要がない」とされる場合

　同最判は、差押えの必要性についての判断基準として「**犯罪の態様、軽重、差押物の証拠としての価値、重要性、差押物が隠匿棄損されるおそれの有無、差押えによって受ける被差押者の不利益の程度その他諸般の事情**」をあげている。特に、被差押者が、事件に無関係な第三者であるときは、被差押者が被疑者であるときに比べ、被差押者の不利益が重視されるから、差押えを要する証拠物と事件との関連性や、その証拠物の証拠価値が相当程度ないときは、「必要なし」と判断される可能性が

より強くなる。

例えば、被疑事実が、被疑者が、第三者であるプロバイダのサーバコンピュータ内にわいせつ画像データの含まれたホームページのデータを記憶・蔵置させてわいせつ画像を公然陳列させたというもので、被疑者の設置したホームページは、そのホームページのアドレスのアカウント（使用者名）により特定できるとき、その余のホームページ開設者に関する顧客データの差押えは、被疑事実との関連性がなく、差押えの必要性が認められないとされた（東地決平10.2.27判時1637-152）。

(3) **実 例**

公選法違反（詐欺投票）の立証上、投票済投票用紙に被疑者らの指紋があるかどうかを知ることは不可欠とはいえず、一方、投票の秘密は憲法上の権利として強く保障されていることなどを理由に、被疑者らの指紋検出を目的に選管事務局から**投票済投票用紙を差し押さえた処分**を違法とした事案（大阪地堺支部決昭61.10.20判時1213-59）がある。しかし、投票済投票用紙の差押えを絶対的に禁じたという趣旨ではなく、その事案の事情下では必要性を欠くと判断したものである（公選法違反の他の態様の罪、例えば、投票増減罪では、投票済投票用紙の差押えが許容されたこともある。最判昭43.5.2刑集22-5-393など）。

2 再捜索・差押え

捜索漏れが判明したために、同一被疑事実について同一物件を発見するために新たに令状を得て、再度同一場所を捜索できるか。

一般論として「必要があるとき」に捜索令状を請求できるのであるから、再捜索をするについてもこの原則どおり、その必要性、つまり同一場所に差し押さえるべき物件が存在する蓋然性が疎明できれば捜索令状の発付を求め得る（河上和雄「証拠法ノート1　捜索・差押」〔立花書房1998〕207）。

捜索・差押え・検証（総論　その２）　適法な令状の要件　設問25　*209*

設問 25　捜索・差押え・検証（総論　その２）
適法な令状の要件

● 設　問 ●

(1)　捜索令状を請求する際に、何通の令状を求めるべきかについての留意点について説明しなさい。

(2)　駐停車場所が一定しない被疑者Ａ使用の自動車内を捜索したいが、捜索対象となる自動車をどの程度特定して令状請求すべきか。Ａ方の住居・敷地内の捜索令状を併せて請求する場合とそうでない場合で違いがあるか（なお、Ａ方の車庫は敷地の奥にあり、車庫に至るまでに敷地内を100メートル近く通過する必要がある）。

◆解　答◆

(1)　⟹ **4** 2、アドバイス

(2)　Ａ方の住居敷地の捜索令状も併せて請求する場合は「Ａ使用の車両番号○○号の普通乗用自動車」と特定する。⟹ **4** 4(3)②

　　　Ａ方の住居敷地の捜索令状を請求しない場合は「○○所在のＡ方車庫又は○○県及びその周辺に存在する、Ａ使用の車両番号○○号の普通乗用自動車」と特定する。⟹ **4** 4(3)③

1　一般令状の禁止原則──各別の令状の規定

　捜索・差押令状について、憲法35条は、捜索する場所と押収する物の明示とともに、同条２項において、令状は**各別の令状**であることを要求している。

　およそ被疑者の手元にある書類、書籍、その他一切の証拠物を押収すべきことを命じた令状を「**一般令状**」というが、憲法はその禁止原則を宣言する。この原則により、１個の令状で数個の場所を捜索することや、同一場所を数回にわたって捜索することが禁じられ、それぞれ別個の令状を要するとされる。

2 令状の記載事項

1 捜索、差押え、検証、身体検査の各令状の記載事項は、①被疑者・被告人の氏名、②罪名、③差し押さえるべき物、記録させ、印刷させるべき電磁的記録及びこれを記録させ、印刷させるべき者、捜索すべき場所・身体・物、検証すべき場所・物・検査すべき身体及び身体検査に関する条件、④有効期間、期間経過後の措置等に関する事項、⑤発付の年月日、その他裁判所の規則で定める事項である（法219条1項）。

捜索、差押え、検証の令状の請求書には、①差し押さえるべき物、捜索・検証すべき場所・身体・物、②請求者の氏名等、③被疑者・被告人の氏名等、④罪名・犯罪事実の要旨、⑤7日以上の有効期間を要するときはその旨、⑥夜間の執行を要するときはその旨の記載が要求されている（規則155条1項）（⇒218頁「**書式7**」、305頁「**書式14**」参照）。

2 特別法の場合、令状に**罰条の記載**を要するか。

差押えを受ける者が、「〇〇法の何条違反かが令状の上で明らかでないから、差押えは違法である。」などと主張してくることがあり得る。判例は、法上、令状に罰条の記載までは要求していないことなどを理由に、特別法の場合でも令状に「〇〇法違反」と記載することは違憲違法ではない（最大決昭33.7.29刑集12-12-2776など）とする。しかし、令状請求書には、犯罪事実の要旨とともに罰条も正確に記載すべきである。

3 令状に**被疑事実の要旨の記載**を要するか。

裁判所が実施するときの捜索・差押状には、犯罪事実の記載が必要な場合もあると解されているが（規則94条）、捜査機関の請求によって発付される捜索差押令状には、法令上犯罪事実の記載は必要とされていない。ただし、裁判官の裁量によって、犯罪事実の要旨を令状に記載することが許されるという見解もある。

③ 差押令状において要求される、目的物の特定の程度

1 目的物の明示

前記の令状記載事項のうち、捜索場所・差押物件の記載については、これらの明示を要求する憲法35条1項に由来するものであるから、令状及び令状請求書には、これを単に記載するだけでは足りず、**「明示」**しなければならない。

2 「明示」したといえるための特定の程度

(1) 明示性を要求する理由

法が、目的物の明示を要求する理由は、令状の執行に当たる捜査機関に差押対象の範囲を知らせその濫用を防止し、かつ、差押処分を受ける者に対し、処分を受忍すべき範囲を明らかにして、範囲外の物が差し押さえられたときは不服申立てをなし得るようにすることにある。したがって、**差押えの執行現場において、執行機関が現に差し押さえようとしている物が、令状によって許容された差押対象物に含まれているかどうかが、令状の記載と対照することにより誤ることなく識別できる程度に目的物の特定が明確になされることが必要**である。

包括的記載 例えば、「本件に関係ありと思料される一切の文書及び物件」、「犯罪事実を証明すべき物一切」、「盗品等と思料される物件全て」などの包括的記載は許されない。この程度しか目的物を特定しない令状請求は却下されるし、このような記載がなされた令状による差押処分は、不適法な令状によって執行されたものとして違法となる場合がある。

(2) 固有番号等を表示する方法

最も明確なのは、例えば自動車のように、対象物に固有の番号等が付されている場合に、その固有番号等を記載して特定することである。

また、自動車同様、人の身体のように移動するものを対象とする場合は、氏名などで特定することが求められる。

(3) 目的物の種類を特定して表示する方法

しかし、捜査の初頭において、ここまで目的物を特定できることは、ほとんどないから、目的物をある程度概括的に表示するのもやむを得な

い。例えば、目的物の類型的な種類を特定するにとどまる「会議議事録、通達書類、連絡文書」程度の記載でも、明示性に欠けるところはない。

⑷ **目的物の種類を特定し、これに包括的記載を付加する方法**

適法例　さらに、通説・実務は、目的物の種類を特定して例示し、これに付加して包括的記載をすることも適法としている。

例えば、「会議議事録、闘争日誌、指令、通達類、連絡文書、報告書、メモ、その他本件に関係ありと思料される一切の文書及び物件」という記載も、明示性の要件を満たす（前記最大決昭33.7.29刑集12-12-2776「その他本件に関係ありと思料される一切の文書及び物件」という記載は、その前の「会議議事録」等の具体的例示に付加されたもので、例示の物件に準ずるような闘争関係の文書を指すことが明らかであることを理由としている）。

このほか、裁判上、適法とされたものとして、①「甲株式会社の物品税法違反嫌疑事件に関する帳簿、書類、伝票、メモ、手帳」という記載（東地決昭42.12.5判タ214-204）、②恐喝事件について、「本件犯罪に関連あるメモ、帳簿書類、往復文書、預金通帳、印鑑等」という記載（東高判昭47.6.29判時682-92　事件の性質上差押えの対象が広範囲にわたることもやむを得なかった事情があり、帳簿書類については、なお限定的表示をする余地がなかったとはいえないが、「本件に関連ある」との限定が付されており、やむを得ないものとして是認できるとした）、③賭博被疑事件に関し、麻雀荘を捜索場所として、「本件に関係ありと思料される帳簿、メモ、書類等」と目的物を特定して記載したもの（東高判昭40.10.29判時430-33「等」に含まれる物件は、例示の物件に準ずるものに限定されず、「本件に関係ありと思料される。」によって限定されるから、明示されているとしている）などがある。

また、捜索の対象を「甲区……乙社ビル並びに同社内に所在する者の身体及び所持品」として、氏名不詳者による銃刀法違反事件の捜索差押許可状が発付され、これに基づき同ビル、その場に居合わせた多数の男女の身体及び所持品に対して実施された捜索に関し、捜索場所及び対象の特定に欠けるところがないか問題となった事案について、上記ビルは全体として

中核派の活動拠点となっており、同ビル内への出入りに際しては監視役の厳重なチェックが必要で、中核派に所属しない者が容易に入ることのできない状況にあったことから、同ビル内に居合わせた者全員の身体及び所持品に本件被疑事実に関係する証拠品が隠匿所持されている蓋然性が高いという本件の特殊な状況に鑑みると、捜索の対象を前記のように定めた本件令状は場所及び対象の特定に欠けるところはないとして適法と判示した裁判例（東地決平2.4.10判タ725-243）がある。しかし、通常の令状請求の運用としては、捜索場所に居合わせた人物や、その所持品を更に具体化して特定する必要があることに留意すべきである。

　　違法例　　また、以上の適法例に類似した特定方法であっても、④表示があまりに概括的にすぎる場合、例えば「本件犯行に関係を有する、文書、図画、メモ類一切」との表示は、あまりにも概括的で明示性を欠く（東高判昭47.10.13刑月4-10-1651　公選法違反事件について）、⑤限定のための用語自体が明確さを欠く場合、例えば、爆発物取締罰則違反に関し、「本件の思想的背景に関係ありと認められる書籍」との記載は、爆発物の製造等を扇動等する類のものを指すのか、被疑者の思想を形成するのに影響を与えたイデオロギー等を指すのか不明で明示性を欠く（名古屋地決昭54.3.30判タ389-157）とされたことに注意を要する。

4　捜索場所の記載

1　捜索場所の明示

例えば、「差し押さえる物件が隠匿保管されていると思料される場所」というような記載は、明示性を欠き違法である。

2　一通の捜索令状に記載できる場所の数の限界

(1)　管理権ごとの令状

　　前述したように、憲法35条2項により、捜索は「各別の令状」によってなされるべきものとされる。この意味は、捜索により侵害されることとなる場所の**管理権ごとに各別の令状を要する**趣旨に解釈されるべきである。

(2) **独立の建物**

まず、社会通念上別個の管理権の対象とみられる、**独立の建物・敷地の場合**は、建物・敷地ごとに各別の令状を要する。例えば、同一管理者が管理する建物であっても、工場棟、事務所棟、従業員寮などに分かれているときは、別個の令状を要する。

なお、物置など**附属建物**といえる程度の建物は、主たる建物の令状中に併せて記載できる。例えば甲が単独で管理し、塀で囲まれた独立家屋を捜索場所とする場合は、行政上の所在地を明示した上、「甲方及びその附属建物」と記載すれば、甲の管理権の及ぶ範囲は十分明確であり、この令状で甲方家屋はもちろん、その附属建物・敷地をも捜索できる。

また、一つの建物・敷地内であっても、そこが区分され、区分された場所ごとに別個の管理権が存在するときは、管理権ごとに別個の令状が必要である（最大判昭23.7.14刑集2-8-894）。例えば、マンション等の集合住宅の場合は、各部屋の居住者に管理権があり、部屋ごとに管理権が別であるから、部屋ごとに別個の令状を請求しなければならず、捜索場所の特定についても、「○○マンション甲方」では不十分で、「○○マンション○○号室甲方」としなければならない。

単一の建物で、管理権が1個の場合（会社、大学、官庁、銀行のビルなど）は、全体を捜索場所とする一通の捜索令状も適法である（東地決昭45.3.9刑月2-3-341　個々の研究室ごとの令状でなく、場所を「○○大学研究室棟」として表示した令状を適法とした）。しかし、運用としては、必要な箇所だけをできるだけ特定して（例えば「研究室棟○号室……」などとして）請求すべきであろう。

なお、業務上横領事件に係る捜索差押許可状1通の「捜索すべき場所」欄に、某会館内の甲労働組合総連合会事務所、乙協会事務所、丙事務所及び丁事務所の4か所が記載されるとともに、その差し押さえるべき物が場所ごとに各別の特定方法が用いられていなかったことを理由に、当該令状発付が憲法35条2項に反するのではないかが争われた事案につき、上記4つの場所は明確に特定され、裁判官がそれぞれの場所につき捜索を許可したことが明示されていること、差し押さえるべき物が存在

捜索・差押え・検証（総論　その２）　適法な令状の要件　設問25　　*215*

するそれぞれの場所はいずれも相互に密接な関係を有する各団体の事務所であることが認められるから、本件捜索差押許可状は憲法35条２項に反するものでない旨判示する裁判例（東地判平21.6.9判タ1313-164）がある。しかし、前記のとおり、通常の令状請求の運用としては、必要な箇所をできる限り特定して独立した場所ごとに令状の発付を受ける必要があることに留意すべきである。

(3)　**同一場所に複数の管理権が及ぶ場合**

　前記(2)は管理権が、いわば平面的に併存する場合である。これに対して、**同一場所に数個の管理権が重なって及ぶ場合**（例えば、ホテルの客室について、経営者の管理権と宿泊客の管理権が競合し、マンションの廊下、共同駐車場等の共用部分について、居住者全員の共同管理権が及ぶという場合）には、管理権の数だけ別個の令状を請求する意味がないから、当該場所を明示した一通の捜索令状だけでよい。

　なお、マンションの一室と同時に、共用部分たる同室に至る廊下・共同駐車場を捜索したいときは、(2)の考え方に戻り、前記居室についての捜索令状のほかに、廊下・共同駐車場についての令状を請求する必要がある（ただし、その部屋の捜索をするために、マンションの玄関から入り廊下を通ることは、居室についての捜索令状の付随的効力として許され、別個の令状は要しない）。

> 　**アドバイス**　　**捜索令状請求に当たっての基本的留意点**
>
> 　捜索令状請求に当たっては、
>
> 　①まず、その場所が別個の建物・敷地にまたがるものではないかを検討し（またがるときは、当然別個の令状を請求する）、②その場所が、１個の建物・敷地内の場所であるときは、いくつの管理権が平面的に併存しているかを考え、管理権の数だけ令状を請求する必要がある。その際、捜索場所の記載は、管理権の及ぶ場所的範囲を明確にしてなされなければならない。
>
> 　③Ａ場所とＢ場所が、別個の管理権が及ぶものかどうか必ずしも明確でない場合があり得る。例えば、同一建物内の会社事務所と同会社労働組合事務所、同一会社事務所内の書類ロッカーと従業員の私物入れ用ロッカー

216 第3章 強制捜査 第1節 対物的強制捜査

などは、管理権が別個独立と考えられる場合も多いから別個の令状の発付を受けておくのが相当であろう。

3 貸金庫・コインロッカーに対する捜索令状請求書の捜索場所の記載方法

　貸金庫の内部空間の管理権は、専ら貸金庫の借用主にあると解されるから、捜索場所を「○○銀行○○支店」と表示した臨検捜索令状によっては、貸金庫内の臨検捜索は許容されない（昭32.1.14法務省刑事局長の国税庁長官への回答）。

　貸金庫・コインロッカー借用主ごとに、管理権は別個であるから、捜索の対象物件が存在すると思われる貸金庫等を金庫番号などによって特定できない限り、捜索令状の発付を受けることはできない。

4 自動車に対する捜索令状請求等

(1) 令状の要否

① 自動車が公道又は自動車の所有者（使用者）以外の住居の敷地内にあるとき

　自動車に対する捜索令状がなければ、自動車内を捜索できない。

② 自動車が、自動車の所有者（使用者）の住居の敷地・車庫内にあるとき

　附属建物に準じ、住居に対する捜索令状によって、自動車内の捜索もできると解される。ただし、車庫とその中に駐車中の自動車は、場所的独立性をもつとし、別個の令状を要するとする反対説もある（岐阜地判昭59.3.26判時1116-114）。自動車は移動するものであり、所有者（使用者）の住居内にあるとは限らないから、なるべく自動車自体に対する別個の令状を用意しておくべきである。

(2) 自動車に対する捜索令状の記載

　捜索すべき物として、少なくとも当該自動車の車両番号を記載して特定すべきであり（このほか、所有名義、車種等が分かれば、記載すべきである）、この特定により、自動車の駐停車場所が変更されても自動車に対する捜索が可能になる。

⑶ **自動車が公道以外に駐車している場合に、その駐車場所までに立ち入るための令状請求の方法**

① 自動車が、公道に接した敷地・車庫にあり、自動車に到着するまでに門扉の開披等が不要な場合は、自動車に対する捜索令状で、その敷地等に立ち入ることもできると解される。

② 自動車が駐車している敷地・車庫が公道から離れている場合や、公道に接する場所であっても門扉やシャッターで公道と隔たっている場合は、原則として、自動車に対する捜索令状だけでは、自動車の駐車場所への立入りは許されないと考えられる。その場合は、自動車に到着するまでに通過する敷地等に対する捜索令状を併せて用意するか、住居権者の承諾を得るか、自動車が公道に出るのを待つしかない。

③ しかし、自動車の特定方法として、「○○方敷地（車庫）に存在する、○○所有（使用）の車両番号○○号の普通乗用自動車」とした場合は、捜索対象をそのように表示した捜索令状によって、自動車に到着するまでに通過するべき場所への立入りも許容されるから、その場所への立入りも許される。

218　第3章　強制捜査　　第1節　対物的強制捜査

書式7　捜索差押許可状請求書（⟹ **設問25**、**2** 参照）

様式第24号（刑訴第218条、規則第139条、第155条、第156条）

捜　索
差 押 許 可 状 請 求 書
（~~検　証~~）

令和○　年　3　月　○　日

　○○○○　裁判所
　　　　裁判官　　　殿
　　　　　　○○県中央　警察署
　　　　　　　司法警察員　警部　甲　野　一　郎　㊞

　下記被疑者に対する　　　　　　　窃盗　　　　　　　被疑事件につき、捜索差押　許可状の発付を請求する。

記

1　被疑者の氏名
　　　　　乙井太郎　昭和○　年　○　月　○　日生（○○　歳）
2　差し押さえるべき物
　　本件の被害品である毛皮コート1着

3　捜索し又は検証すべき場所、身体若しくは物
　　○○県○○市2350番地の被疑者方居宅
　　及び附属建物
4　7日を超える有効期間を必要とするときは、その期間及び事由
　　　　　　　　　　　　　　　　㊞
5　刑事訴訟法第218条第2項の規定による差押えをする必要があるときは、差し押さえるべき電子計算機に電気通信回線で接続している記録媒体であって、その電磁的記録を複写すべきものの範囲
　　　　　　　　　　　　　　　　㊞
6　日出前又は日没後に行う必要があるときは、その旨及び事由
　　ない。
7　犯罪事実の要旨
　　　被疑者は、令和○年3月7日午後8時○○分頃、○○県○○市○町○○○○番地○○アパート1号室丙田善子方居室6畳間において、同人所有の毛皮コート1着、腕時計1個及び現金40万円を窃取したものである。

（注意）　1　被疑者の氏名、年齢又は名称が明らかでないときは、不詳と記載すること。
　　　　　2　事例に応じ、不要の文字を削ること。

（筆者注）　請求に当たっては、罪を犯したと思料される資料及び差し押さえるべき物が、捜索すべき場所に存在することが推定できる資料を併せて提出する。

捜索・差押え・検証（総論　その３）　令状の適法な執行の要件　設問26　*219*

設問 26　捜索・差押え・検証（総論　その３）令状の適法な執行の要件

●設　問●

(1)　捜索場所である会社事務所に居合わせた同会社社員Ａが、捜索中に、Ａの机の上のメモをひそかに背広のポケット内に入れた。これを現認した警察官甲は、事務所に対する捜索令状の効力として、同ポケット内を捜索できるか。

(2)　ある場所を捜索するに際し、その捜索場所の施設をどこまで利用できるかについて説明しなさい。

◆解　答◆

(1)　できる。⟹ **4**

(2)　⟹ **1** 6

1　捜索差押令状、検証令状、身体検査令状の執行手続（⟹捜索差押調書につき、235頁「**書式8**」参照）

以下の説明は、特に注記しない限り、捜索差押令状、検証令状、身体検査令状いずれにもあてはまる。

1　令状の呈示（法222条１項、110条）

令状は、捜索・差押え・検証又は身体検査の処分を受ける者、つまり捜索等を受ける場所・物等を支配する者に示さなければならない。

(1)　相手方不在の場合

不在などのために、処分を受ける者に**示すことができないとき**は令状を示さないで執行をしても違法ではない（東高判昭40.10.29判時430-33）。

しかし、その場合は、法114条２項の「住居主若しくは看守者又はこれらの者に代わるべき者」、これも不在のときは立会人に示すのが妥当である（規範141条２項）。

(2) 相手方が閲覧拒否の場合

令状の呈示は、相手方に記載内容を閲覧・認識し得る方法でなされるべきであるが、呈示したものの**相手方が閲覧を拒絶するとき**は、そのまま執行に着手し得る（東地判昭50.5.29判時805-84）。

しかし、被疑者の自動車の捜索差押令状を執行するに当たり、被疑者が捜索への立会いを拒否したものの、被疑者は勾留中で令状の呈示を困難とする事情がなかった以上、呈示を省略することは許されないとした裁判例（大阪高判平7.1.25高刑集48-1-1）がある。

(3) 会社・官公庁の中にある労働組合事務所

このような場所については、会社・官公庁の管理者の管理権と組合の管理権が重なっているとみるべき場合が多いので、令状呈示の相手、立会人を誰にすべきか問題になることがある。まず、直接的管理権を持つ組合管理権者に呈示し、立会いを求めるべきであろうが、それが困難なときは、間接的に管理権を持つ会社・官公庁の管理者に呈示し、立会いを求めることができると解される。

(4) 令状呈示の時期

令状は、特別の事情がない限り、その執行を開始するまでに呈示することを要し、それで足りる。従業員宿舎の各部屋に対する令状は、その部屋への立入りをもって執行開始とされるから、宿舎の敷地内に立ち入る際に示す必要はない（浦和地判昭56.9.16判時1027-100　国家賠償事件）。

(5) 令状呈示前になし得る措置

捜索差押令状呈示前であっても、執行の準備として**現場保存的措置を**なし得る（東地決昭44.6.6判時570-97）だけでなく、処分を受ける者の行動など状況や事前情報等により、証拠隠滅が行われたり、強力な抵抗が行われる可能性が高い場合などには、令状に基づく捜索・差押えの実効性を確保するための緊急やむを得ない行為として、**証拠の隠滅を防止**するなどのために**必要な措置をとることが許される**場合がある。

①最高裁は、被疑者に対する覚醒剤取締法違反被疑事件について、被疑者が宿泊しているホテル客室に対する捜索差押許可状を執行するに当

たり、警察官が、ホテル支配人からマスターキーを借り受けて、来意を告げることなく、施錠された同客室のドアをマスターキーで開けて室内に入り、その後直ちに被疑者に捜索差押許可状を呈示した措置を、**捜索・差押えの実効性を確保するためのやむを得ない措置であって適法**とした（最決平14.10.4刑集56-8-507、判タ1107-203）。最高裁は、本件においては、令状執行の動きを察知すれば、被疑者が直ちに覚醒剤を洗面所に流すなど短時間のうちに差押対象物件を破棄隠匿するおそれがあったとの事情を認定し、「捜索差押許可状の呈示に先立って警察官らがホテル客室のドアをマスターキーで開けて入室した措置は、捜索差押えの実効性を確保するために必要であり、社会通念上相当な態様で行われていると認められる」とした上、当該事情の下では「警察官らが令状の執行に着手して入室した上その直後に呈示を行うことは、法意にもとるものではなく、捜索差押えの実効性を確保するためにやむを得ないところであって、適法というべきである。」とした。

　②呈示前に相手方が屋外に突如逃走したので、一部警察官がこれを40分間にわたって追跡し、残りの警察官がその場に残って、同家屋内にいた女性から事情を聴いたことを適法とした裁判例（東高判昭58.3.29判時1120-143）、③覚醒剤取締法違反によるマンション居室に対する捜索差押令状の執行に当たり、人が在室していることが予想されたのに、合鍵で居室扉を開け、クリッパーで扉鎖錠を切断して室内に入り、室内で寝ていた被疑者が傍らにあったバッグに手を伸ばそうとしたので、これを制して取り上げ、中から拳銃一丁及び覚醒剤などを発見した後に、被疑者に令状を呈示した事案につき、同居室の実質的借り主である被疑者が拳銃を所持しているとの情報を得ていたこと、一般に覚醒剤事犯では、捜査官が来所したことに気付くと覚醒剤を投棄するなどの証拠隠滅が行われることなどを理由として、違法不当ではないとした裁判例（大阪高判平5.10.7判時1497-134）、④覚醒剤取締法違反による居室の捜索差押令状の執行に当たり、警察官がチャイムを鳴らして「宅急便です。」と声をかけ施錠を外させて居室内に立ち入った行為につき、これは法111条の「必要な処分」として適法であり、居室の中央まで立ち入った後に

222　第3章　強制捜査　第1節　対物的強制捜査

令状を呈示したことも捜索の準備行為ないし現場保存的行為であり許容されるとした裁判例（大阪高判平6.4.20判タ875-291）がある。

　これら裁判例は、薬物事案であって短時間で容易に証拠隠滅されるおそれが高い場合に関するものであることに留意する必要がある。

⑹　被疑者の捜索の場合

　被疑者を逮捕状により逮捕しようとして、その**被疑者を捜索**するために人の住居等に無令状で立ち入ることができる（法220条1項、3項）が、そのとき、住居主等に逮捕状を呈示しなければならないかどうか学説上対立がある。しかし、**呈示は不要**であると解すべきである（大阪高判昭39.5.18　法110条を準用する余地はないとする）。ただし、運用としては、逮捕状が出ていることを告げるなどすべきである。（⟹**被疑者捜索調書の書式**　236頁「**書式9**」参照）

2　立会人

⑴　捜索・差押え・検証の処分を、人の住居、人の看守する邸宅・建造物・船舶内で行うときは、**住居主・看守者**又はこれに代わるべき者を立会人としなければならない。これらの者を立会人にできないときは、**隣人・地方公共団体の職員**（消防署員など）を立会人にすることを要する（法222条1項、114条2項）。急速を要する場合でも、立会人は省略できない。裁判所が行う捜索・差押えの場合（法113条）と異なり、**被疑者、弁護人には立会人となる権利はない**（捜査段階の捜索・差押え・検証には法113条の準用がない。法222条1項）。

　これに対し、被疑者を逮捕する場合に必要があれば、人の住居等に立ち入り被疑者を捜索でき（法220条1項1号）、このときも原則として立会人が必要であるが、**急速を要するときは、立会人は不要**である（法222条2項）。

⑵　捜索・差押え・検証の処分を、公務所内で行う場合は、**公務所の長**又はそれに代わるべき者に**通知**し、これらを立会人にしなければならない（法222条1項、114条1項）。被疑者の逮捕に際して、公務所内で被疑者を捜索する場合は、仮に急速を要する場合であっても、公務所の長等に通知し、その立会いを求めなければならない（法222条2項は、114条1

項の公務所の長などの立会いまで免除していない)。

(3) 女子の身体検査等の場合の立会人の特例

ア 女子の身体の捜索

原則として成年の女子を立会人とすべきだが、急速を要するときは、立会人を要しない(法222条1項、115条)。

なお、女性の身体に触れて捜索する者が女性警察官のみである場合には、法115条は適用されず、別の成年の女子を立ち会わせる必要はない(東高判平30.2.23高刑集71-1-1)。

イ 女子の身体検査

急速を要するときであっても、必ず医師又は成年の女子を立会人としなければならない(法222条1項、131条2項)。成年の女子は、女性警察官であってもよい。

上記ア同様、女性の身体に検査する者が女性警察官のみである場合には、法131条2項は適用されず、別の成年の女子を立ち会わせる必要はないと解される。

(4) 立会いの強制

ア 被疑者に対する立会いの強制

捜査官は、捜索・差押え・検証の執行に必要と認められるときは、被疑者をその意思に関わりなく立ち会わせることができる(法222条6項)。しかし、身柄不拘束の被疑者に対しては、強制的に捜索場所に連行し、立ち会わせることはできない(大阪高判昭59.8.1判タ541-257)ことに注意すべきである。

イ 第三者に対する立会いの強制

捜索差押場所であるマンションの一室前で、同部屋の同居人である甲を職務質問中、甲が同部屋の鍵を持って突如逃走し、追跡した警察官に激しく抵抗したので、甲を取り押さえて手錠をかけ、同部屋の捜索・差押えに立ち会わせたのは違法とされる(上記大阪高判昭59.8.1判タ541-257 ただし、立会いという付随手続中の違法であることなどを理由に、捜索・差押え自体には重大な違法があるとはいえないとし、発見された覚醒剤の証拠能力を肯定した)。

224 第3章 強制捜査 第1節 対物的強制捜査

(5) 立会権の侵害

法が立会人を要求する目的は、捜索・差押え等の執行が違法・不当な方法で行われないよう看視する機会を与えることによって、処分を受ける者の利益が侵害されるのを防止し、手続の公正を担保することにある。

したがって、形式的に立会人を配置しても、現実の執行状況が看視できないような場合は、実質的に立会権を侵害したと非難されよう。

例えば、①立会人1名が研究棟3階にいた時に、1、2階の捜索を終了したことは違法（東地判昭51.4.15判時833-82　国家賠償事件。ただし、賠償責任は否定された）である。なお、同捜索は、刑事の準抗告では違法ではないとされている（東地決昭45.3.9判時589-28）。②5部屋に2名の立会人を配置し、14名の警察官が一斉に捜索をしたのは不当（東地決昭40.7.23下刑集7-7-1540）である。③教職員事務所に、立会人3名を配置し、10名が捜索したことは違法（静岡地決昭42.3.27判時480-74）である。

(6) 立会人たるべき者が立会いを拒否した場合の措置

ア　公務所以外の建造物等における捜索の場合

住居者等に代わる隣人・地方公共団体職員が立会いを拒否したときでも、立会人なしに捜索等はできないとするのが通説である。立会人が、地方公共団体職員でなく国家公務員であっても、その者が公正な第三者であれば、これを立会人とした捜索等は適法と解すべきである。ただし、警察官の実施する捜索等については、いかに地方公共団体職員であっても、同一捜査機関に属する警察官・警察事務職員・警察技官は立会人としては不適である。

イ　公務所における捜索の場合

捜査機関は、公務所における捜索等に当たって、公務所の責任者を立ち会わせなければならない（法114条1項）。なぜなら①公務所の公務の円滑な遂行及び公務上の秘密についての押収拒絶権を確保させ、②捜索・差押えの公正を担保させるためである。

公務所の責任者（例えば、大学の学長など）が、立会いを拒否したときは、①の任務を責任者自らが放棄したといえるから、①の点につ

いて考慮する必要はなくなり、②の点だけを考慮すればよくなる。したがって、その場合は、公正な第三者を立会人として捜索等を実施できる（河上和雄　前掲56、伊藤栄樹「刑事訴訟法の実際問題」〔立花書房1984〕132、ただし、反対説もある）。

3　夜間執行

　捜索・差押え・検証の処分に関し、令状に、夜間でも執行できる旨の記載がない限り、日没後又は日の出前に人の住居・人の看守する邸宅・建造物・船舶内に立ち入ることはできない（自動車内には立ち入ることができる）。日没前から処分に着手していたときは、日没後でも継続できる。ただし、令状に夜間執行を許す記載がなくても、夜間の執行ができる場所（賭博場、夜間でも公衆が出入りできる飲食店など）がある（法222条3項ないし5項、116条、117条）。

4　捜索・差押え・検証、身体検査に必要な処分等（法222条1項、111条、112条、118条）

(1)　捜索・差押えの場合のみ許されるもの（法222条1項、111条）

　捜索差押令状の執行に当たっては、鍵の開披・密封物の開封、差押物に対する施錠開披、その他必要な処分が許される。

　ア　「必要な処分」の内容・方法

　　「必要な処分」は、執行の目的を達するため必要最小限にして最も妥当なものでなければならない。押収された撮影済みの写真フィルムの映像を確認する目的で、これを現像することは「必要な処分」として許容され、新たに検証令状を要するものではない（東高判昭45.10.21高刑集23-4-749）。住居の鍵や窓ガラスを破壊して立ち入ることも、直ちに立ち入らなければ証拠品が隠滅される（例えば、覚醒剤を水洗便所から流すなど）高度のおそれがあるときなどは許容される。一方、貸金庫の鍵を破壊するような処分は、合鍵の製作が不可能であったり、暴力団事務所での銃器の捜索に赴く場合のように速やかに捜索を行わないと妨害が予想されるなどの緊急の必要があるなどやむを得ない場合しか認められないであろう。最小限性を欠く処分の結果、損害を与えた場合は、国家賠償責任を負う場合がある。

226 第3章 強制捜査 第1節 対物的強制捜査

　捜索差押許可状の執行中に、**警察官が被捜索者による携帯電話機での外部者への連絡を制限した行為**について、令状の目的達成のために必要であり、かつ、その方法が社会的に相当なものであれば、刑訴法111条1項の「必要な処分」として認められるとされた裁判例（福岡高判平24.5.16高検速報1492）がある。他方、警察官が被告人方に対する捜索差押許可状に基づく**本件捜索差押の対象物である携帯電話機を使用して弁護士への連絡を制限した行為**について、警察官が、捜索・差押え中は法的に弁護士も含めて電話が一切できない旨被告人に申し向けたものであるので、捜索・差押えに際して必要な処分として是認されず、弁護人依頼権を侵害した違法の疑いがあるとした裁判例（名古屋高判平27.12.17高検速報772）がある。

　前記各裁判例は、警察官が被捜索者による携帯電話機での外部者への連絡を制限した行為について、連絡先が弁護士か否かで判断を異にしている。上記福岡高判の事案は、被捜索者は指定暴力団の組員であり、外部者への連絡を許せば、同暴力団関係者が捜索先に押し掛けてきて捜索を妨害する行動に出る可能性があると判断され、円滑な捜索差押えの要請を確保する必要性が高かったものである。これに対し、上記名古屋高判の事案に関しては、仮に弁護士への連絡を許しても、直ちに関係者が上記のような妨害行動に出る可能性はなかったこと、被捜索者は、実質的に被疑者としても取り扱われて（後に被告人となる）おり、その基本的権利である弁護人依頼権が保障されるべきであるのに、警察官において、「電話が一切できない」旨申し向けていることから、違法の疑いがあると判断されたと考えられる。この事案では、弁護人依頼権の保障の要請が強くあり、これと比較衡量されるべき円滑な捜索差押えの確保の要請が特に存在しなかったと認定されたことが違法判断につながったものと考えられ、実務上留意が必要である。

⑵ **検証の場合許されるもの**（法222条1項、129条）

　身体検査、死体の解剖、物の破壊その他必要な処分をなし得る。

⑶ **捜索・差押え・検証いずれでも許されるもの**（法222条1項、112条、

118条）

①執行中の出入り禁止、強制退去、②執行中止の場合のその場所の閉鎖等

5 直接強制（実力による強行）の可否

(1) 身体検査令状（法222条1項、137条、138条、139条）

捜査官の行う身体検査については、裁判所の行う身体検査の規定が準用される。

身体検査を正当な理由なく拒むものには、①過料、②罰金・拘留の罰則を科し、③①又は②では効果がないと認めるときは、身体検査を強行できる。

なお、この点に関連して**鑑定処分許可状**（⟹**設問34**）の直接強制が問題となる。

裁判所の選任した鑑定人の場合は、鑑定処分としての身体検査を被検査者が拒んだときは、鑑定人において裁判官に身体検査を請求し（法172条）、裁判官において強制的に身体検査をなし得る。

これに対し、捜査官が嘱託した鑑定受託者については、上記172条の準用も、身体検査の直接強制の規定（法139条）の準用もないから、鑑定受託者においては、身体検査を強行できないと解される。

実務では、**捜査官において、鑑定処分許可状とあわせて身体検査令状の発付を受けておき、被検査者が拒絶したときは、身体検査令状の直接強制をなし、これに鑑定受託者が立ち会って鑑定を行うというやり方を**とっている。

(2) 捜索差押令状（法222条1項、99条、102条）

捜査官の捜索・差押えに準用される、裁判所の差押捜索に関し、法は処分を受ける者に何らの拒否権を認めていないから、捜査官は捜索・差押えについて直接強制をなし得る。検証（法222条1項、128条）についても同様である。

捜索・差押えや検証に対する物理的抵抗があった場合には、捜索・差押え・検証の当然の効力として、又は「必要な処分」として排除行為を行うこともできると考えられる。

6 被捜索・差押場所の施設等の利用の可否

令状の執行に当たり、例えば、夜間における照明、高層ビルにおけるエレベーター等の利用の可否が問題となる。

その場所・物件の捜索・差押えに通常必要な施設であって、その利用によって処分を受ける者に必要以上の経済的負担をかけないものであれば、費用を支払わずに当該施設を利用できる。この程度の負担は、国家の刑事司法の維持のために国民が当然受忍すべきものだからである。しかし、捜索等に当たり、通常必要としない施設を利用する場合や、捜索等に必要とする施設であっても、例えば、工場施設全体への照明など、その利用によって相当高額な費用を相手方に負担させる場合は、民事上の費用償還責任を負うこともあり得る。ただ、そのことと当該施設を利用した捜索・差押えの適否とは無関係である。

捜査官としては、捜索・差押えに通常必要としない施設、例えば、休日におけるビルの冷暖房の利用、電話等の通信設備の無償利用などは避けるべきである。

7 捜索・差押場所内にある電話機への外部からの電話、同電話機からの外部への電話の取扱い

電話による会話は、捜索・差押場所への人の出入りと同視できるから、捜査官がその場所への人の出入りを禁止し得る（法112条1項）以上、捜査官においてその場にかかってくる電話に立会人等が出ることを禁じ得るし、逆にその場から立会人が外部に電話をすることも禁じ得る（河上和雄　前掲108）。

8 押収品目録に記載するべき物件の特定の程度

膨大な証拠品全てについて、短時間でいちいち記載することは不可能であるから、捜索・差押場所現場では、ある程度包括的な記載（例えば、書類包1個、雑書一式、帳簿○冊、机引き出し内容物一式という記載）も許される。しかし、財産的価値のある現金、有価証券、貴金属については、一個一個特定しながら記載することが将来の紛争防止のため望ましい。

目録の記載から何が差し押さえられたか判然とせず、捜索差押令状の被疑罪名や差し押さえるべき物との関連性も判然としない証拠品目録の記載は不

捜索・差押え・検証（総論　その３）　令状の適法な執行の要件　設問26　*229*

適法である（東地決平9.2.7判タ968-279　「段ボール箱一、買い物袋一」と、押収した物を収容した容器しか特定していない事案に関するものであり、処分自体が違法で取り消されるべきものとされた）。

❷　令状に記載された物件を差し押さえたかどうか

1　令状記載の「例示」に準ずるものか否かが問題となる場合

　令状において、目的物の種類を特定して**例示**することによって目的物が包括的に記載されているとき（⟹**設問25**、**❸**参照）、現に差し押さえた物件がその目的物に含まれるかどうかが問題になる。その判断の基準として、差押物件が令状に示された**「例示」に準ずるもの**であることを要するか否かについては、以下のように裁判例上見解が分かれている。

(1)　例示に準ずるものであることを不要とした裁判例

　　①　賭博被疑事件に関し、「本件に関係ありと思料される帳簿、メモ、書類等」と目的物を特定した令状により、麻雀パイ、計算棒を差し押さえたことに対し、この種の物件がいずれも麻雀賭博に供される物件であることが明らかであることを理由として、差押えを適法としたもの（東高判昭40.10.29判時430-33　ただし、民事判決。これを是認した最判昭42.6.8判時487-38）。

　　　　目的物件が、「帳簿、メモ、書類」に準ずることを要するとすれば、麻雀パイなどは、目的物件に含まれないことになるが、目的物は例示に準ずる必要がなく、「本件に関係ありと思料される。」かどうかによってだけ限定されると考えれば、通常差押えの対象物件となる犯罪供用物件、組成物件等は、例示として表示されていなくても目的物件に含まれることになる。しかし、この考え方については批判も強い。

(2)　例示に準ずるものであることを必要とする裁判例

　　②　拳銃所持事件につき、「本件に関連ある拳銃、実包及びこれに関する附属物件一切」を目的物とする令状により、猟銃を差し押さえたことにつき目的物に猟銃まで含むかどうか明瞭でないことを理由に差押えを違法としたもの（東高判昭41.5.10高刑集19-3-356　被告人の現行犯逮捕とこれに伴う差押えも可能であったこと等を理由に証拠能力

230　第3章　強制捜査　第1節　対物的強制捜査

は肯定）

③　凶器準備集合、銃砲刀剣類所持等取締法違反などの事件で、目的物を「本件犯罪に関係ある……鉄棒（板）、鉄パイプ、ヘルメット、軍手、タオル、旗、石塊類、火炎びん製造のための原料等」とした令状により差し押さえた、空気銃弾様の金属1個と雨ガッパ1枚を、目的物の範囲内であるとしたもの（東地決昭45.3.9刑月2-3-341）

④　「革マル派」による凶器準備集合、暴力行為等処罰ニ関スル法律違反事件について、目的物を「闘争の組織、編成に関する文書簿冊等」、「日誌、ノート、メモ、ビラ、機関誌紙、領収書等」と表示した令状により差し押さえた、革マル派組織簿、電話帳兼住所録が、表示された目的物に含まれるとしたもの（東地判昭50.5.29判時805-84）

⑤　暴力団員の恐喝事件について、目的物を「本件に関係ある暴力団を標章する状、バッジ、メモ等」と表示した令状によって差し押さえた、賭博の状況、寺銭の計算関係を記録したメモも、「暴力団を標章するメモ」に該当するとしたもの（最判昭51.11.18判時837-104　これにより、被疑者と組との関係、その組の組織内容、暴力団的性格を知ることができることを理由とする）

> **アドバイス**　令状記載の物件かどうかの判断基準
> 　捜索令状を執行する捜査官としては、原則として、令状に例示されている目的物に該当しているか、あるいはこれに準ずるかどうかという基準で差押対象を選ぶべきである。

2　当該被疑事実との関連性を欠く場合

(1)　例示として令状に示される物件の表示の方法が多少類型的になる（例えば、「メモ」、「会計帳簿」などとの表現）のはやむを得ない。しかし、反面、例示に属する物件であっても、差し押さえた物が被疑事実との関連性がないときは、その差押えは許されない（準抗告で取り消される）。

(2)　違法とされた実例として、次のものがある。

①　共産党の戸別訪問事件につき、被疑者方から差し押さえた、当該選挙年度前の事務所開設案内状及び党の活動の情勢分析資料が、被疑事

実と関連がないとされたもの（東地決昭40.7.23下刑集7-7-1540）。このような差押えに対しては、情報収集のための別件差押えと非難されるおそれがあるといえよう。

② 甲会社役員による乙会社の不正輸出を種にした恐喝事件につき、甲会社から差し押さえた文書類のうち、乙社との取引にも、その他犯行の背景等にも無関係な、甲社の財務関係書類、租税関係書類、預金通帳等の差押えを違法としたもの（東地決昭40.1.13）

③ 人事異動反対闘争として行った教職員組合員による県庁からの不退去事件につき、これと別の目的による闘争関係の物件の差押えは違法としたもの（静岡地決昭42.3.27下刑集9-3-377）

アドバイス 被疑事実と差押物件の関連性を意識した令状請求の準備

被疑事件との関連性は直接的である必要はなく、関連性が間接的であっても被疑者の将来の弁解に備える上で必要な物件については差押えが許される。例えば、上記③の裁判例の事案で、被疑者が将来、「自分は、当日他の闘争に参加していたので、不退去には関与していない」とアリバイを主張するおそれがあれば、本件前後の被疑者の活動参加状況を明らかにするため、本件闘争以外の闘争関係の指令文書等を差し押さえ得ると考える。このように、関連性は、被疑事件について予想される争点との関係でも決まるから、令状請求に際しては、被疑事実との関連性を具体的に示し、差押えの必要性を文書で十分説明できるようにするなど、差押処分に対し、将来準抗告などが提起された場合に、備えておくことが大事である。

3 令状発付後、捜索場所の居住者に変更があった場合、その令状の執行の可否

1 原 則

甲方を捜索場所として令状が発付された後、その場所の居住者が第三者である乙に変更された場合は、原則として、その令状の執行は許されず、乙方を捜索場所とした新たな令状の発付を得て執行すべきである。乙方について「押収すべき物が存在すると認められる状況」について司法審査がなされていないからである。

232 第3章 強制捜査　第1節　対物的強制捜査

2 例 外

ただし、令状発付時に、甲方に乙が同居していることが判明しており、甲方捜索によって乙の住居権が侵害されることも勘案されており、令状執行時に甲の荷物が同所に残されているなどの事情がある場合は、それまでに甲が転居し、その場所の居住者が乙単独になっていたとしても、その令状で乙の住居を捜索できる（最決昭61.3.12判時1200-160）。

4　場所に対する捜索令状の執行に際しての、その場の物・居合わせた者に対する捜索

1　その場所にある物に対する捜索

場所に対する捜索令状が捜索対象とするのは、あくまでも場所である。しかし、捜索場所に置かれた「物」は、例えば、机や金庫のように常時その場に置かれている物に限らず、カバンのように外に持ち出される可能性のある物であっても、原則として「場所」の概念に含まれ、場所に対する捜索（差押）令状によって、その物の内部まで捜索することができると解される。捜索場所に居合わせた人が携帯するカバンであっても、場所に対する捜索差押令状によりカバンの中まで捜索することができる（最決平6.9.8刑集48-6-263

ただし、携帯していた者は捜索差押場所の居住者であり、当該携帯品は、もともと捜索場所にあった物と考えられる事案についてのものであることに注意が必要である）。

2　令状呈示後、捜索場所に配達された荷物に対する捜索

捜索許可状の効力は、令状呈示後、捜索場所に配達された荷物にも及ぶ。

Aに対する覚醒剤取締法違反被疑事件につき、捜索場所をA方居室等、差し押さえるべき物を覚醒剤等とした捜索差押許可状に基づき、警察官が、Aを立ち会わせてA方居室を捜索中、宅配便の配達業者がA宛の荷物を配達し、Aがこれを受領したので、警察官が開封したら、その中から覚醒剤が発見された事案に関し、最高裁は、「警察官は、このような荷物についても上記許可状に基づき捜索できるものと解するのが相当である」とした（最決平19.2.8刑集61-1-1）。

なお、Aが荷物の受領を拒否するときは、A方への捜索差押許可状では当

該荷物を捜索できない。別途、宅配業者が保管する当該荷物に対する令状を得て行うべきである。

3　その場所に居合わせた者の身体・着衣に対する捜索

　場所に対する捜索令状は、人の身体・着衣までは対象としていないので、人の身体・着衣を捜索する必要があるときは、原則として別の令状を用意する必要がある。

　しかし、その場所にあった物件には、令状の効力が及んでいるから、**場所に対する捜索の直前又は捜索中にその場所にあった物件を、その場に居合わせた者が、その身体・着衣に隠匿したと認められ、又はそのように疑う合理的な理由がある**ときには、令状に基づいてその者の身体・着衣を捜索できると解すべきである。裁判例もこの状況があるときには、その者の身体・着衣を捜索できるとしている（京都地決昭48.12.11判時743-117、東高判平6.5.11高刑集47-2-237など）。

　捜索場所から逃げ出した者が差押対象物を隠匿所持している蓋然性があるときは、場所に対する捜索令状によってその者を追跡して、その身体着衣を捜索することも適法である（浦和地判昭57.11.11）。

5　別件捜索・差押え

　別件逮捕・勾留（⟹**設問39**、**2**）の類推として、本件（捜査官が本命と考える事件、例えば覚醒剤密売事件）に関する証拠物件の発見を専ら目的として、捜索・差押えの必要性に乏しい別件（例えば暴行）について得た令状によってなされる捜索・差押えのことを別件捜索・差押えということがあり、令状主義に反し違法とされる。

　最高裁も、「令状に明示されていない物の差押が禁止されるばかりでなく、捜査機関が専ら別罪の証拠に使用する目的で差押許可状に明示された物を差し押さえることも禁止される」とし、**別件差押えが違法とされる場合があることを肯定**した（最判昭51.11.18判時837-104　ただし、差し押さえた物が、令状を取得した恐喝事件の証拠ともなり得るものであり、捜査機関が専ら別罪である賭博事件の証拠に利用する目的で差し押さえたとはいえないとして、差押えは適法とした）。

234　第3章　強制捜査　第1節　対物的強制捜査

　これは、別件逮捕・勾留が違法かどうかにつき、別件が本件の取調べのための名目にすぎないかどうかを基準とする考え方（⟹設問39、3 1）に通じるものである。

　多額の業務上横領の嫌疑がかかっている被疑者について、警察が同業務上横領事件の証拠を発見するため、殊更、軽微で、被疑者の自宅を捜索する必要性に乏しいモーターボート競走法違反事件に関し令状の発付を得て、被疑者方を捜索し、貯金通帳を発見して任意提出させたのを違法とした裁判例（広島高判昭56.11.26判時1047-162　ただし、通帳の証拠能力は肯定）もある。

　これに対し、別件（令状を得た犯罪事実）について、証拠を捜索・差押えすべき理由と必要性があり、捜査官にも、別件についての証拠を発見し、これを別件の証拠として利用しようとの意図がある場合には、「本件についての証拠の発見や利用を**専ら目的**」にしたものとはいえない。この場合、仮に、捜査官が、その本件のための証拠を発見する意図や、発見した証拠を本件のために利用する意図があったとしても、捜索・差押えは適法である。

捜索・差押え・検証（総論　その３）　　令状の適法な執行の要件　設問26　　*235*

書式8　捜索差押調書

様式第31号（刑訴第218条、第222条）

捜 索 差 押 調 書（甲）

令和○ 年 3 月 ○○ 日

○○県○○ 警察署

司法 警察員巡査部長 田 中 五 郎 ㊞

　被疑者　甲井太郎　に対する　　　　窃盗　　　被疑事件につき、本職は、令和○ 年 3 月 ○○ 日付け ○○○○ 裁判所　　　裁判官　山田次郎　の発した捜索差押許可状を　鈴木花子　に示して、下記のとおり捜索差押えをした。

記

1　捜索差押えの日時

　　令和○ 年 3 月 ○○ 日午 前10 時 15 分から午 前11 時 20 分まで

2　捜索差押えの場所、捜索した身体又は物

　　○○県○○市○町2350番地

　　甲井太郎方居宅及び附属建物

3　捜索の目的たる人又は捜索差押えの目的たる物

　　本件の被害品である毛皮コート一着

4　捜索差押えの立会人（住居、職業、氏名、年齢）

　　○○県○○市○町2350番地、無職、

　　被疑者の内縁の妻鈴木花子、○○歳

5　差押えをした物

　　別紙押収品目録記載のとおり

6　捜索差押えの経過（刑事訴訟法第218条第２項の規定による差押えをした場合又は同法第222条第１項において準用する同法第110条の２の規定による処分をした場合には、その旨及び経過）（＊）

　　階下の居室洋服ダンス引き出しから毛皮コート一着を発見したので、その状況を写真に撮影した後これを差し押さえた。

（注意）　1　物件の所在発見場所、発見者、発見の経緯等は、できるだけ具体的に捜索差押えの経過欄に記載すること。
　　　　　2　やむを得ない理由により令状を示すことができなかったときは、その理由を付記すること。

（筆者注）＊経過を明らかにするため、必要があれば図面、写真を添付する。

236 第3章 強制捜査 第1節 対物的強制捜査

書式9 被疑者捜索調書（⟹設問26、1参照）

様式第27号（刑訴第220条第1項第1号、第222条）

被 疑 者 捜 索 調 書

令和○年○月3日

○○県○○警察署

司法警察員巡査部長 甲 野 一 郎 ㊞

被疑者 乙井太郎 に対する 窃盗 被疑事件につき、本職は、刑事訴訟法第 199 条の規定により逮捕するため、下記のとおり被疑者の捜索をした。

記

1 捜索の日時

令和○年○月3日午後7時15分から午後7時25分まで

2 捜索の場所

○○県○○市1000番地 乙井良作方居宅内

3 捜索の立会人（住居、職業、氏名、年齢）

○○県○○市1000番地

農業 乙井良作 ○○歳

4 捜索の経過

被疑者の所在を捜査中のところ、令和○年○月3日午後4時頃、被疑者が自宅である父乙井良作方に戻り隠れているとの聞き込みを得たので、被疑者を逮捕するため当署司法巡査○○○○と共に同所に赴き、被疑者の父良作に対し、被疑者に逮捕状が出ていることを告げた上、被疑者の帰宅の有無を尋ねたが、同人は黙して所在を明らかにしないので、同人を立ち会わせて同家1階の6畳間、8畳間と、2階の6畳間、4畳半間を捜索したが、被疑者を発見できなかった。しかしながら、2階4畳半間の机の上に、青年向け芸能雑誌の最新版（○月○日号）が広げて置かれていたので、当日帰宅していると認められた。

（注意） 急速を要し立会人を立ち会わせなかったときは、その理由を捜索の立会人欄に具体的に記載すること。

設問 27 押収についての制限 （その１　公務上の秘密）

●設　問●

　県庁職員の収賄事件に関し、捜査官がA県庁に赴き、A県の人事異動予定表を差し押さえようとしたところ、同県総務部長Bから、この文書は秘指定されているとの理由で押収を拒絶された。捜査官は、差押えを強行できるか。

◆解　答◆

　できる。⟹**1** 2 (3)、3 (1)

1　公務上秘密の申立ての意義

1　立法趣旨

　公務員（又は公務員であった者）が、保管・所持している物について、本人又は当該公務所から、職務上の秘密に関するものであることを理由として押収を拒絶する旨を申し立てたときは、当該監督官庁の承諾がなければ押収をすることができない（なお、押収とは、差押と領置を意味する。⟹**設問22**、**1**）。ただし、当該監督官庁は国の重大な利益を害する場合を除いては、承諾を拒むことができない（法222条、103条）。

　衆議院議員・参議院議員（又はその職にあった者）が上記申立てをした場合は、その院の承諾が、内閣総理大臣・その他の国務大臣（又はその職にあった者）が上記申立てをした場合は、内閣の承諾がなければ押収できない。（法222条、104条１項）。

　本条は、**国の重大な利益に関する公務上の秘密**を保護するために、国家の刑罰権が一定限度で制約される場合を規定したものである。

2　秘密の意義

⑴　**公務員法上の「秘密」の意義**については、判例上、「国家機関が単に

238　第3章　強制捜査　第1節　対物的強制捜査

形式的に秘扱いの指定をしただけでは足りず、秘密とは、非公知の事実
であり、実質的にもそれを秘密として保護するに値すると認められるも
のをいう。」とされ（最決昭52.12.19刑集31-7-1053、同旨最決昭53.5.
31刑集32-3-457）、**指定秘**（行政庁が秘密にすべき必要性があると判断
し指定権者によって秘密と指定されたもの）かつ実質秘（実質的にその
事実・内容を秘匿しておくことに相当の利益・必要性があるもの）であ
ることを要すると解されている。

⑵　**法103条の「秘密」**

　徹底した実質秘説をとれば、秘指定扱いになっていない文書等につい
ても、公務員が「実質的に保護を要する秘密である。」と申し立てた場
合、捜査官には当該文書等が秘密に当たるかどうかの判断をする手掛か
りがないまま、いちいち監督官庁に承諾を求めなければならないことに
なり、ひいては、公務上の秘密を盾に、公務所の文書類全ての押収が拒
絶される事態も予想される。刑訴法103条の「秘密」の解釈としても、
差押え時において当該公務所において秘指定がなされていないような文
書類は「秘密」たり得ないというべきである。

⑶　**明らかに「国の重大な利益を害する」ことがない秘密**

　法103条ただし書き、104条2項にいう「国の重大な利益を害する」と
は、国の基本的な事務ないしその執行の円滑な遂行が困難になるような
場合である。国の事務であっても末端の事務遂行が困難になる程度であ
れば、上記の要件に該当しない。「国の重大な利益」を害しないことが
明らかな場合にまで、国家刑罰権の行使を抑制する必要はないと考えら
れる。

　したがって、例えば、地方公共団体の人事異動予定表のごときものは、
それがあらかじめ秘指定され、かつ、公務所から秘密の申立てがなされ
たとしても押収できると解すべきである（河上和雄　前掲66）。

3　公務員及び監督官庁の意義

⑴　**地方公務員**

　本条の申立てができる公務員は、「国の重大な利益を害する」べき秘
密の主体であるから、地方公務員は原則として除外される。しかし、国

の事務の機関委任を受けている場合や、機関委任ではなくとも事柄の性質上、これを明らかにすることが、国の重大な利益を害する場合（例えば、都道府県警察の行う捜査・警備につきその秘密が存する場合など）には、その限度で、地方公務員にも本条の適用がある。

この場合の監督官庁は、国家行政組織法15条等の法令で定められている。

⑵ **国家公務員**

本条の主体であることは当然である。

監督官庁は、国家公務員法等の組織法の規定による。通常は、国家公務員法上の秘密開示の許可権限（同法100条2項）をもつ責任者たる各庁の長である。

労働委員会などの行政委員会の委員には、監督官庁がないから、本人自身から承諾を得ることになる。

2 押収拒絶の申立てのない場合の措置

公務員又は公務所の押収拒絶の申立ては、公務員等の特権であるから、その行使がなかった場合には、それが秘密であり、その開示が重大な利益を害するものであっても、有効に押収をなし得る（しかし、正当な理由なく、責任者に立会いの機会を与えず、その結果として特権を奪ったとみられる場合は、押収は違法である）。

所持・保留している物が秘密であり、その開示が国の重大な利益を害する場合に、これに有効に差押えがなされた後になって、公務所側から職務上秘密の申立てがなされたときは、その時点で差押えが無効となり押収物を還付すべきことになると解される。しかし、例えば押収物について公判廷で証拠調べまでなされているときは、非公知性がなくなっているから、差押えを無効とする要はなく、証拠物としての証拠能力も肯定される。

3 「国の重大な利益を害する」かどうかの判断権者

公務所側が、差押えを承諾することが国の重大な利益を害すると判断して押収を承諾しないとき、この公務所の判断の当否を準抗告手続において裁判

所が審理できるかどうか問題となる。

　最終的判断権は裁判所にあり、裁判所が、この点の司法審査をなし得るとする見解（新潟地判昭50.2.22高刑集30-1-16）もあるが、この説では、秘密審査手続をもたない我が国においては司法審査の手続の過程で、本条で保護しようとした秘密が外部に開示されてしまうこととなる。したがって、最終判断権は、公務所側にあると解さざるを得ない。

4　捜索・検証への準用

　差押えと同様に、公務所側からの拒絶権を認めるのが通説である。

押収についての制限（その2　業務上の秘密）　設問28　*241*

設問
28

押収についての制限
（その2　業務上の秘密）

●設　問●

(1)　警察官甲が、Ａ公認会計士事務所で保管中の、その依頼者Ｂの会計帳簿を令状によって差し押さえようとしたところ、Ａが差押えを拒絶した。甲は差押えを強行できるか。

(2)　贈賄被疑者Ｃは自宅への捜索を予期し、賄賂資金の流れを記載した日記帳を、自己の犯罪の発覚を免れるだけの目的で、事情をよく知っている顧問弁護士Ｄに預けた。捜査官乙がＤからこの日記帳を差し押さえようとしたところ、Ｄが差押えを拒否した。乙は、差押えを強行できるか。

(3)　医師Ｅについて、診療報酬水増し詐欺の疑いが生じ、Ｅの患者全員のカルテを差し押さえようとしたところ、Ｅが押収を拒絶した。捜査官は、差押えを強行できるか。

◆解　答◆

(1)　できる。⟹ **1** 1

(2)　できない。⟹ **2** 3

(3)　できる。⟹ **2** 4

1　法105条の押収拒絶権の意義

1　立法趣旨

医師・歯科医師・助産師・看護師・弁護士（外国法事務弁護士を含む）・弁理士・公証人・宗教の職にある者（又はこれらの職にあった者）は、業務上委託を受けたため、保管・所持する物で他人の秘密に関するものについては、押収を拒絶できる（法222条により、裁判所の押収についての規定（105条）が、捜査機関の押収に準用される）。

列挙された各業務とこれを利用する社会一般の当該業務に寄せる信頼を保

護するために、各業務者が業務上保管する秘密を保護しようとする規定である。

　例えば、秘密の金の出入りの記載がある商店の裏帳簿を、その秘密の主体である同商店の経営者が自宅で保管しているときには同人に押収拒絶権はないが、これが同商店の顧問弁護士に預けられた場合、同弁護士はこの押収を拒絶できる。この意味で押収拒絶権は、列挙された各業務者の特権といえる。

　この特権を行使できるのは、法定の前記の業務者に限られる。公認会計士、税理士、新聞記者などに前記の押収拒絶権はない。

2　保管・所持する物件の範囲

　「業務上委託を受けた物」とされず、「**業務上委託を受けたため、保管し、又は所持する物**」と規定されていることから、保管・所持する物件は業務上委託された物である場合に限らず、**医師の診療録、弁護士の業務日誌**のように、委託の結果として、業務上作成して所持・保管することとなる場合も含む。

3　業務上秘密の意義

　通説は、上記の商店主の場合の営業上の秘密のごとく、非公知であり、かつ、秘匿の必要性が高度な事項（客観的秘密）、または、秘密の主体が特に秘密にすることを欲している事項（主観的秘密）が本条の「秘密」だとする。しかし、例えば、上記の商店経営者が婿養子であり、そのことを本人が秘密としておきたいという程度にすぎない場合まで、押収拒絶権を行使できるとするのは不当である。客観的にみて、秘密とするのが合理的なものに限られるべきである（河上和雄　前掲74）。

2　押収拒絶権の行使ができない場合

1　委託業務と無関係に所持している物件

　委託業務とは無関係に、友人などから個人的に預かっている物件については、押収可能と解される。

2　秘密の主体の承諾がある場合（法105条ただし書）

　秘密の主体が承諾している場合まで、秘密を保護する必要がないからである。

秘密の主体でない甲が、乙の秘密に係る文書類を預けた場合には、秘密の主体たる乙の承諾が必要であり、かつ、その承諾さえ得ればいい。文書を預けた甲の承諾は不要である。

秘密の主体が死亡したときも、秘密を保護する必要はなくなるから、業務者は拒絶権の行使をできない。

3　権利の濫用に当たる場合（法105条ただし書）

(1)　濫用例

秘密の主体（本人）Aと業務者が結託して、秘密の主体とは別人たる被疑者・被告人Bを罪から免れさせるためだけの目的で、押収を拒絶する場合は、犯人以外の者による一種の証拠隠滅工作であり許されない。例えば、傷害の被害者Aが、その傷害の被疑者Bに同情し、Aを治療した医師と共謀して、Aの負傷関係の診療録の差押えを拒絶させる場合である。

(2)　例　外

秘密の主体（本人）が被疑者・被告人自身であるときは濫用にならない。この場合において本人が業務者とはかって、自己の刑事責任を免れるためだけの目的で押収拒絶権を行使させることは、被疑者・被告人が自分自身で証拠隠滅をする場合と類似しており、やむを得ないこととも考えられるので、押収を拒絶できる（法105条ただし書のカッコ内）。

例えば、弁護士が被疑者に依頼されて、同人の検挙を免れさせるだけの目的で脱税の証拠物たる裏帳簿を保管する場合は、弁護士からの押収拒絶権の行使を妨げることはできない。

捜査官としては、秘密の主体である被疑者を説得し、その承諾を得て差し押さえるべきである。

4　業務者自身の犯罪事実に関し、業務上保管・所持する物を押収する場合

業務上委託を受けたために保管・所持に係る物について、①その物が法禁物であり保管・所持自体が別個の犯罪を構成する場合、②業務者が保管に係る文書等を改ざんするなど、証拠隠滅罪に該当する行為をしたような場合、③医師が患者からの診療報酬をごまかして脱税をしたり、弁護士が依頼者の秘密を種に恐喝をした場合などは、業務者自身に別個の犯罪が成立し、業務

上委託を受けたために保管・所持する物が、業務者自身を被疑者・被告人とする犯罪の証拠物にもなる。これらの犯罪に関し、その物を押収しようとする際に、被告人・被疑者である業務者自身が押収を拒絶することは、「押収の拒絶が被告人のためにのみする権利の濫用」に当たる（法105条ただし書のカッコ内に該当しない）から、押収拒絶権は行使できないと考えられる。

3　押収拒絶権の行使方法等

1　押収時に押収拒絶権の行使がなかった場合

　押収拒絶権は、業務者の特権であるから、押収時に、業務者が押収拒絶権の行使をしなかった場合、適法になされた押収が、事後的な拒絶権の行使によって違法になるのでは法的安定を害するし、有効になされた押収によって、社会一般の当該業務への信頼は既に損われ保護の対象がなくなっているとも考えられるから、原則として、事後に押収拒絶権を行使しても押収は有効である。例外的に、弁護士等の拒絶権者の不在中に押収がなされた場合、その直後速やかに拒絶権者から拒絶権が行使されたときは、拒絶権行使は有効と認めるべきで、押収した物件は還付すべきことになる（伊藤栄樹　前掲277）。

2　行使の際、業務者が陳述すべき理由の程度

　「業務上の秘密」との申立てが合理的であると認め得る程度に具体的に理由を陳述すべきであり、単に秘密であるという程度の申立てでは不十分である。具体的理由を疎明せず、単に秘密である旨の申立てを繰り返すだけの場合は、ほかにその物件の秘密性をうかがわせる事情のない限り、合理性のない申立てとして、押収をなし得る（河上和雄　前掲77）。

4　押収拒絶権を行使しないで、押収に応じた業務者の責任

　形式的には、秘密漏示罪に該当するとも考えられるが、国家刑罰権の実現という、より大きな目的実現に協力したもので正当行為といえるから、可罰性はないと解される。

5 秘密性の判断権者など

「秘密」かどうかの判断権者は、業務者であるとするのが通説であるが、申立てが権利濫用に当たるかどうかの最終判断権者は、裁判所であるから、**秘密でないことが全く明白な場合**は、業務者の申立てにかかわらず押収できる。

246　第3章　強制捜査　第1節　対物的強制捜査

設問 29　押収についての制限（その3　通信の秘密、報道の自由による制限など）

● 設 問 ●

　国会議員甲は、乙会社役員Aから贈賄工作を受けそうになり、証拠保全の意味で、Bテレビ局に依頼して、Aから甲に対する贈賄申込み状況をビデオテープに隠し撮りしてもらった。このビデオテープは、一部テレビニュースで放映されたが、残りは放映されないでBテレビ局内に保管されていた。

　一方、Aは捜査官の取調べに際して、「未放映部分に自分に有利な場面が撮影されている。」と弁解しており、ビデオの未放映部分を入手して検討する必要があった。捜査官は、テレビ局保管の未放映のビデオテープを差押えできるか。

◆解 答◆

　できる。⟹**2**

1　通信事務を取り扱う者が保管・所持中の郵便物、信書便物又は電信に関する書類の押収等

1　押収についての特例（法222条、100条）

　これも法222条により裁判所の押収に関する規定（法100条）が、捜査機関の押収にも準用されるものである。

(1)　通信の秘密との関係

　　憲法21条2項は「**通信の秘密**」の不可侵を宣明し、郵便法等により、郵便物、信書便物又は電信について、検閲の禁止と秘密の保障が規定されているが、郵便物等が犯罪の証拠物・没収すべき物にある場合まで、これを不可侵とするものでなく、令状に基づく差押えは可能とされる。

(2)　郵便物等の特例

　　その場合、**通信事務を取り扱う者が保管・所持中の郵便物**等は、開封

押収についての制限（その3　通信の秘密、報道の自由による制限など）　設問29　*247*

しなければその内容をうかがい知ることができず、事件との関連性も不明という特殊性があるので、法100条は法99条1項の要件を若干修正緩和した。つまり、通信事務を取り扱う者（郵便局員等）が保管・所持している郵便物等について、被疑者から発せられ又は被疑者にあてられたものは、一応全て差し押さえることができ（法100条1項）、これ以外の郵便物等は被疑事件に関係があると認めるに足りる状況があるものに限り差押えできる（同条2項）。

2　通信事務を取り扱う者に対する捜索の可否

差押え可能な郵便物等を発見するために**通信事務を取り扱う者に対し捜索をできるか**。

憲法21条2項の趣旨から考えると、捜索は通信事務を取り扱う者が管理する無関係の郵便物等に関する通信の秘密を侵すことになるから許されないと解すべきである。

ただし、裁判所の差押状の執行については、郵便官署が協力しないときは、差押状自体によって最小限度の捜索をすることができる（昭30.4.14最高裁刑事局長回答）と解されている。しかし、その場合、郵便局関係者の協力を得ないで郵便局等の捜索をしても容易に目的の郵便物等を発見できないであろうから、当該郵便局等の上部組織を説得するなどし当該郵便局等に対して、捜査官への協力を促す職務命令を発せしめるのが得策といえる。

3　私書箱内の捜索

郵便局内の私書箱については、郵便局の業務はそこに投函された後の内容物についての保管の業務を含まないとされ、名宛人が自由に内容物を取り出せることから、本条の適用はない。

2　取材の自由と押収拒絶権

1　取材の自由への制約の合憲性

最高裁は、報道機関の報道のための取材の自由も憲法21条によって保障され最大限尊重されるとしながら、無制約のものではなく、公正な裁判の実現というような憲法上の要請があるときは、ある程度の制約を受けることがあるとしている（最大決昭44.11.26刑集23-11-1490　この事案の事情において

は、**裁判所による取材フィルムの押収**（提出命令　法99条3項）を拒絶できないとした）。

2　捜査機関による未放映のビデオテープの差押え

前記最大決昭44.11.26の趣旨は、**捜査機関による差押えにも妥当し、捜査上の必要のある場合は、報道のための取材の自由も制約される場合がある**と解される（東地決昭63.11.30判時1293-45　賄賂の申込みを受けた国会議員からあらかじめ依頼され、密室における賄賂の申込み状況をテレビ局が隠し撮りしたという場合において、賄賂の申込者とされる者が未放映のビデオテープ中に自己に有利な部分が収録されていると弁解し、同テープを入手することが捜査上ほとんど不可欠であったのに比べ、本件のビデオ撮影は、賄賂の申込みを受けた国会議員の証拠保全的側面もあることなどを理由に、ビデオテープの捜査機関による差押えを適法とした）。同決定を支持し、差押えを適法とした特別抗告審の最決平元.1.30刑集43-1-19は、取材テープの差押えの可否の判断基準について、**「捜査の対象である犯罪の性質、内容、軽重等及び差し押さえるべき取材結果の証拠としての価値、ひいては適正・迅速な捜査を遂げるための必要性と、取材結果を証拠として押収されることによって報道機関の報道の自由が妨げられる程度及び将来の取材の自由が受ける影響その他諸般の事情を比較衡量するべきである」**とした。なお、最決平2.7.9刑集44-5-421（犯罪者の協力を得てその犯罪行為を撮影したビデオテープを押収した事案）も同旨。

3　放映済みテレビニュースのビデオテープの証拠としての使用

放映済みのテレビニュースを捜査官が録画したビデオテープを証拠として使用することは、取材の自由を侵害するものではない（東地決昭55.3.26判時968-27、東高判昭58.7.13高刑集36-2-86）。

3　法令の特別の定めによる制限（法99条1項ただし書）

不動産登記法122条、不動産登記規則31条は登記簿、附属書類など、公証人法25条は公正証書原本、附属書類などについて持ち出しを禁じており（ただし、公正証書については、裁判所の命令等があるとき、持ち出しが許される）、このことから、これらの原本の差押えも禁じられるとする説もあるが、

押収についての制限（その3　通信の秘密、報道の自由による制限など）　設問29　249

差押えは許され、持ち出す代わりに被差押人にその保管をさせることができると解される。

250　第3章　強制捜査　第1節　対物的強制捜査

設問 30 特殊な捜索・差押え（コンピューターデータの取得、強制採尿、強制採血など）

●設　問●

(1)　捜査官甲は、プロバイダ業者乙と契約する特定の者のインターネット上の通信履歴を入手するため、差し押さえるべき物を「プロバイダ乙が管理するサーバ」とする差押令状を得た。乙が「サーバを持ち出されると業務に支障が生ずるので執行を控えてほしい」と申し出た場合であっても、捜査官甲は、令状の記載どおり同サーバを差し押さえるべきであるか、それとも差押えの執行を断念すべきであろうか。

(2)　強制採尿、強制採血に必要な令状について説明しなさい。

(3)　女子の陰部に隠匿された覚醒剤パケを強制的に取り出すことは許されるか。その際に必要とされる令状の種類について説明しなさい。

(4)　捜索差押許可状によって差し押さえることができるものは、当該令状に記載されている「差し押さえるべき物」に限られるが、これに該当せず、かつ犯罪に関係あると思料される物を発見した場合、どのような措置をとるべきか説明しなさい。

◆解　答◆

(1)　サーバ自体の差押えは控えるべきであるが、執行を断念する必要もない。法221条、110条の2に基づき、必要なデータだけを別の記録媒体に複写等して、これを差し押さえるべきである。⟹ **1** 4

(2)　⟹ **2**、**3** 1

(3)　許される。捜索差押令状。⟹ **4** 1

(4)　⟹ **5**

１ コンピューター及び電磁的記録（コンピューターデータ）を記録する記録媒体の捜索・差押え

1 電磁的記録（コンピューターデータ）を取得する必要性

社会におけるコンピューターの普及・発展に伴い、例えば、インターネットを用いた詐欺のようにコンピューターが犯罪手段として使われたり、電子メールを用いて犯行謀議を行う場合のように犯行の経過・結果等が電磁的記録（コンピューターデータ）として記録・蓄積されることが多くなった。そのため、捜査においても、コンピューター及びこれに接続した電磁的記録の記録媒体等（まとめて「**コンピューター・システム**」という）上に記録・蓄積された電磁的記録を取得することが必要不可欠になっている。

最近のコンピューター・システムの特徴は、コンピューターと遠隔地のサーバ等が電気通信回線で接続した、ネットワーク環境で使用される場合がほとんどであること、極めて膨大な電磁的記録が大容量の記録媒体に記録・蓄積されていることなどである。

これら特徴のあるコンピューター・システム上の電磁的記録の証拠収集を一層効率的、有効、適正に行うため、平成23年6月24日に刑事訴訟法の一部改正が行われた（平成24年6月22日施行）。

2 リモートアクセスによる差押え

(1) 意 義

検察官、検察事務官及び司法警察職員は、差し押さえるべき物がコンピューターであるとき、当該コンピューターを操作し、当該コンピューターに電気通信回線で接続している記録媒体であって、当該コンピューターで作成・変更をした電磁的記録又は当該コンピューターで変更・消去をすることができることとされている電磁的記録を保管するために使用されていると認めるに足りる状況にあるものから、その電磁的記録を当該コンピューター又は他の記録媒体に複写した上、当該コンピューター又は当該他の記録媒体を差押えできる（法218条2項）。これを**リモートアクセスによる差押え**という（遠隔地からインターネット回線を経由してサーバ等にアクセスすることを**リモートアクセス**という）。

252　第3章　強制捜査　　第1節　対物的強制捜査

これにより捜査機関は、例えば、差し押さえるべきコンピューターを操作し、これとネットワークで接続している記録媒体であって、当該コンピューターで作成したメールを保管している**メールサーバ**や、当該コンピューターで作成した文書ファイルを保管している**リモートストレージサービスのサーバ**にアクセスし、当該コンピューターがアクセス可能な特定の記録領域から、必要な電磁的記録を当該コンピューターに複写した上、当該コンピューターを差し押さえることができる。

従来も、コンピューターの差押えに当たっては、被処分者の協力を得て、当該コンピューターを操作させて、電気通信回線で接続するサーバ等にアクセスさせ、目的とするコンピューターデータを当該コンピューターに複写させるという方法で一種のリモートアクセスが行われていたと思われるが、今後は、被処分者が協力しない場合でも、令状の効果として、リモートアクセスによる差押えができるようになった。

また、リモートアクセスによる複写の処分の対象となる電磁的記録に被疑事実と関連する情報が記録されている蓋然性が認められる場合、差押えの現場における電磁的記録の内容確認の困難性や確認作業を行う間に情報の毀損等が生ずるおそれの程度によっては、個々の電磁的記録について個別に内容を確認することなく複写の処分を行うことが許される場合がある（最決令3.2.1刑集75-2-123）。

外国に所在するサーバへのリモートアクセス　　被疑者Aが利用するコンピューターを差し押さえるべき物件としたリモートアクセスによる差押えにおいて、捜査機関が、**外国に所在するサーバ**にアクセスすることは、外国の主権侵害となる。しかし、**電磁的記録を保管した記録媒体がサイバー犯罪に関する条約の締結国に所在し、同記録を開示する正当な権限を有する者の合法的かつ任意の同意がある場合は、差し押さえが可能**である。また、リモートアクセスに際し、電磁的記録を保管した記録媒体がサイバー犯罪に関する条約の締結国に所在し、同記録を開示する正当な権限を有する者の合法的かつ任意の同意がある場合、**国際捜査共助によることなく、同記録媒体へのリモートアクセスや同記録の複写を行うことが許される**か否か、高裁レベルの裁判例では判断が分かれ

特殊な捜索・差押え（コンピューターデータの取得、強制採尿、強制採血など）　設問30　　*253*

ていたが、当該問題につき、前記最決令3.2.1は、刑訴法が日本国内に
ある記録媒体を対象とするリモートアクセスのみを想定しているとは解
されないことを理由に許される旨判示した。ただし、サーバの所在地が
非公開で、前記条約締結国でない外国に所在する可能性がある場合は、
差し控えることが望ましい。

アドバイス　サイバー犯罪に関する条約

「サイバー犯罪に関する条約」（平成13年11月8日採択、平成24年11月
1日我が国について効力発生。締約国は、令和5年11月現在、日本、米、
欧州など68か国）によって、条約の締約国の捜査機関は、他の締約国の許
可なしに、コンピューターデータを開示する正当な権限を有する者の合法
的かつ任意の同意が得られる場合などに、国境を越えて当該コンピューター
データにアクセスすることができるとされた（同条約32条）。そこで、同
条約の締約国にサーバが所在する場合、日本の捜査機関は、当該サーバの
正当な利用者（アカウントを有する者）の任意の同意を得て、当該サーバ
にアクセスするためのIDやパスワードの教示を受けて、外国のサーバに
アクセスすることが許される。

しかし、サーバ所在国が、同条約締約国でない場合は、権利者の同意を
得て、捜査機関が、任意捜査としてサーバにアクセスすることも、サーバ
所在国の主権侵害になるので、許されない。この場合は、権利者を説得し
て、権利者にアクセスさせて必要なデータを記録媒体に複写させ、これを
押収するしかないであろう。

権利者が外国所在のサーバへのアクセスに同意しないとき（その見込み
がないとき）は、サーバ所在国の捜査機関に捜査共助を要請するしかない。

---

(2)　令状請求

この処分を行う場合には、令状に、差し押さえるべき電子計算機に電
気通信回線で接続している記録媒体であって、その電磁的記録を複写す
るべきものの範囲を記載しなければならない（法219条2項）。範囲の記
載は、例えば、接続先のサーバが会社のLANで接続されたメールサー
バか、民間クラウドサービス会社が提供するファイルサーバかなど、サー
バ・サービスの種類、アクセスのためのID、記録媒体のうち記録領域
の利用方法等（例えば、「差押対象であるコンピューターにインストー

ルされているメールソフトに記録されているアカウントに対応する」も
のなど）を特定することによって行うことになる。したがって、令状請
求書にもその範囲を記載しなければならない。本処分を行った場合には、
差押調書にその旨を記載する必要がある。

　本処分（リモートアクセスによる差押え）を行うための捜索差押許可
状請求書の記載例は、265頁「**書式10（その1）**」のとおりである。

⑶　無令状差押えの場合

　被疑者の逮捕に伴う逮捕の現場における無令状の捜索・差押えに当たっ
ては、本処分を行うことはできない（法222条1項は、裁判所の行うリ
モートアクセスによる差押えを規定する99条2項を準用していない）。
そのためには別途令状を得る必要がある。

⑷　差押え終了後のリモートアクセスによる差押えの可否

　リモートアクセスによる差押えは、コンピューターを差し押さえるに
当たって行うことができる処分であるから、例えば、**差押え対象のコン
ピューターの差押えを終了し捜査機関の管理下に移した後においては、
リモートアクセスによる差押えを行うことはできない**。また、この時点
においては、当該コンピューターに対する検証許可状によって、同コン
ピューターと電気通信で接続するサーバ等にアクセスすることも許され
ない（検証の対象は、当該コンピューターに記録されている情報に限ら
れるからである）。

　警察官らにおいて、差押え済みパソコンに対する検証許可状を得てメー
ルサーバにアクセスし、メール等を閲覧、保存するなどして作成された
検証調書及びその結果得られたデータ等をまとめた捜査報告書等の証拠
能力が争われた事案について、当該検証は、検証許可状に基づいて行う
ことができない強制処分を行ったものであり、上記パソコンを差し押さ
えた捜索差押許可状にはリモートアクセスによる複写の処分が許可され
ていたことなどを考慮しても、違法の程度は重大であるとして検証調書
及び当該捜査報告書の証拠能力を否定したものの、その他の証拠につい
ては、当該検証がなくても、捜査機関がそれらの証拠を取得することが
可能であったと認められ、当該検証と密接な関連性がないとして証拠能

特殊な捜索・差押え（コンピューターデータの取得、強制採尿、強制採血など）　設問30　*255*

力を認めた原判決の判断を是認する旨判示した裁判例がある（東京高判平28.12.7）。

　前記のとおり検証許可状に基づくパソコンの検証においては、当該パソコンからインターネットに接続し、メールサーバにアクセスすることは許されない。前記裁判例は、当該パソコンからアクセスしてメールサーバ上のメール送受信履歴及び内容を閲覧保存した警察官の行為は、メールサーバの管理者等第三者の権利、利益を侵害するもので強制処分に当たり、必要な司法審査を経ずに行ったことは違法になるという当然の理を明らかにしたものといえる。

3　**記録命令付差押え**（法218条1項、99条の2（定義））

⑴　**意　義**

　これは、捜査機関が電磁的記録の保管者やその他電磁的記録を利用する権限を有する者に命じて、必要な電磁的記録を他の記録媒体に記録させ、又は印刷させて差し押さえることをいう（法99条の2）。

　例えば、プロバイダ等の事業者に命じて、サーバから必要なコンピューターデータをCD-R等の記録媒体に複写させたり、紙媒体に印刷させたりした上で、これを差し押さえる場合である。

　前記のとおり、捜査機関が捜索の執行として、直接外国のサーバにアクセスすることは外国の主権侵害になるが、記録命令付差押えにおいては、対象データを保管利用する権限のある者（捜査官でない者）が外国のサーバへのアクセスを行うので、外国主権を侵害することにはならない。

⑵　**令状請求**

　記録命令付差押許可状には、従来の差押令状に記載されるべき事項に加えて、「記録させ若しくは印刷させるべき電磁的記録及びこれを記録させ若しくは印刷させるべき者」についての記載が必要であり（法219条1項）、記録命令付差押許可状請求書にもその記載が求められる。

　同請求書の記載は、266頁「**書式10（その2）**」のとおりである。

⑶　**無令状差押えの場合**

　被疑者の逮捕に伴う逮捕の現場における無令状の捜索・差押えに当たっ

ては、記録命令付差押えを行うことはできない（法221条1項は、無令
状捜索差押えに法99条の2を準用していないため）。

⑷　「記録させ」の意義

「記録」とは、ある記録媒体に記録されている電磁的記録その他の記
録媒体に転記する「**複写**」のほか、特定の者のインターネットの通信履
歴データの回答を受ける場合のように、複数の記録媒体に記録されてい
る電磁的記録をひとまとめにして新たな電磁的記録を作成させた上で、
これを他の記録媒体に**転記**する場合も含む。

通信記録データなどの通信の秘密に該当するデータは、捜査関係事項
照会（法197条2項）で照会しても通信事業者から回答が得られないこ
とが多かった。そのため従来は、同データが記録されている通信事業者
の記録媒体（サーバ等）の差押令状を得て、実際の執行においては、捜
査官自ら、あるいは被処分者の協力を得て、必要なデータが存在する記
録媒体を探し、当該記録媒体から必要なデータだけを別の記録媒体に複
写して、これを差し押さえる運用をしていたと思われる。

しかし、特定の電磁的記録の記録を命じる裁判官の令状があれば、通
信事業者の協力が見込まれることが多いと思われることなどから、本処
分が新設された。

本処分について、**被処分者の協力**が得られないときに、捜査官自らが、
必要な電磁的記録を探して、これを記録媒体に記録し、印刷することは
認められない。したがって、被処分者の協力が得られないと思われる場
合は、従来どおり、記録媒体そのものの捜索差押令状を得ることが必要
とされるであろう。

4　電磁的記録に係る記録媒体そのものの差押えに代えて、必要な電磁的記録だけを他の記録媒体に複写等してこれを差し押さえる執行方法

⑴　意　義

差し押さえるべき物が電磁的記録に係る記録媒体であるとき、当該記
録媒体の差押えに代え、捜査官自身又は被処分者において、電磁的記録
を他の記録媒体に複写、印刷、移転して、これを差し押さえることがで
きる（法222条1項、110条の2）。

特殊な捜索・差押え（コンピューターデータの取得、強制採尿、強制採血など）　設問30　　*257*

　例えば、コンピューターや外部記憶装置自体を差し押さえるべき物とした令状があるときに、**その執行方法として、**当該コンピューター等を差し押さえることに代えて、当該コンピューター等に記録された必要なコンピューターデータをＣＤ－Ｒなどに複写等し、差し押さえることができる。

　複写等できるのは、差し押さえるべき物として令状で特定された記録媒体に記録された電磁的記録に限られるのであり、その記録媒体とネットワークで接続された別の記録媒体に記録された電磁的記録を複写等することはできないことに注意が必要である（必要な場合は、リモート差押え又は記録命令付差押えについて令状を得ておくべきである）。差し押さえるべき記録媒体自体を差し押さえるか、同記録媒体に記録された電磁的記録を他の記録媒体に複写等するかは、令状執行を行う捜査官の裁量に任されている。

　「複写」とは電磁的記録を別の記録媒体にそのまま写すことであり、「印刷」は、紙媒体にプリントアウトすることであり、「**移転**」は、電磁的記録を別の記録媒体に複写すると同時に、元の記録媒体から当該電磁的記録を消去する（当該電磁的記録を残しておくことが相当でない場合、例えば、爆弾の製造法を記述した電磁的記録が記録されていた場合に行うことが想定されている）ことである。

　差押えの対象物は有体物と解されており、電磁的記録そのものは差し押さえることはできず、それが記録されている記録媒体が差押えの対象物となる。そのため、目的の電磁的記録が記録されている記録媒体に、必要のない他の電磁的記録が記録されていたとしても、その記録媒体（巨大容量を持つサーバなど）の全体を差し押さえざるを得ない。

　この記録媒体が業務に使われている場合などには、被処分者の負担が過大になることがあり、従来から、捜査官が「必要な処分」として、必要な電磁的記録だけを別の記録媒体に複写し、あるいは、被処分者の協力を得て同様の複写を行わせてこれを差し押さえる運用も行われていたところであり、これを踏まえて、上記の代替的な差押えの執行方法が法定された。

258　第3章　強制捜査　第1節　対物的強制捜査

　　今後、第三者的な被処分者（例えば、プロバイダ）の保有管理する記録媒体を差し押さえる場合には、必要な電磁的記録だけを他の記録媒体に複写等する方法が可能であるときは、記録媒体そのものを差し押さえることは差し控えるべきであろう（東地決平10.2.27判時1637-152　他の顧客関係データも含まれている一個のフロッピーディスクを差し押さえた執行が違法として取り消された事案参照）。

(2)　内容を確認せずに行う記録媒体の一括差押え

　　令状により差し押さえようとするフロッピーディスク等の中に被疑事実に関する情報が記録されている蓋然性が認められる場合において、そのような情報が実際に記録されているかどうかを**その場で確認していたのでは記録された情報を損壊される危険があるとき、内容を確認することなしに、フロッピーディスク等を差し押さえることが許される**（最決平10.5.1刑集52-4-275　オウム真理教のアジトにおいて組織的犯行を明らかにするためのフロッピーディスク等を差し押さえるために行った捜索に関するものであり、警察において、コンピューターを起動すると記録された情報を瞬時に消去するコンピューターソフトを開発しているとの情報を得ていた事情があったものである。同旨の裁判例としては、大阪高判平3.11.6判タ796-246　捜索場所が過激派拠点であり、選別に長時間を費やす間に被押収者側から罪証隠滅をされるおそれがあることを包括的な差押えを許容する理由とした）。

　　被疑事実に関連性のある情報が記録されている蓋然性がある場合であれば、その場で内容を確認していたのでは記録された情報を損壊されるおそれがあるときに限らず、やむを得ない事情が認められれば、このような差押方法は許されよう。

(3)　無令状差押えの場合

　　本条の執行方法は、逮捕の現場における無令状の差押えの際にも行うことができる（法222条1項により110条の2の規定が220条の無令状差押えにも準用）。

5　電磁的記録に係る記録媒体の差押えを受ける者等への協力要請

差し押さえるべき物が電磁的記録に係る記録媒体であるときは、差押令状

又は捜索令状の執行をする者は、処分を受ける者に対して、電子計算機の操作その他の必要な協力を求めることができる（法222条1項、111条の2、142条）。

例えば、目的とする電磁的記録が記録されているファイル等について教示させることや、暗号化されている電磁的記録を復号させることなどがある。

協力要請により、被処分者に、協力を法的に義務付けることになるが、拒否した場合の罰則はない。

コンピューターの操作や必要なデータの取り出し等に専門的知識・技術が必要な場合があり、差押えを執行する捜査機関に協力することの法的根拠を被処分者（プロバイダなど）に与える必要があることなどから、上記要請制度が法定された。

6 通信履歴の電磁的記録（ログ）の保全要請

検察官、検察事務官及び司法警察員は、差押え又は記録命令付差押えをするために必要がある場合には、通信事業者等に対して、その業務上記録している通信履歴の電磁的記録のうち必要なものを特定し、30日を超えない期間（特に必要があり延長する場合には、通じて60日を超えない期間）を定めて、消去しないように書面で求めることができる（法197条3項、4項）。

ネットワークを利用した犯罪の捜査においては、関連する通信履歴（通信の送信元、送信先、通信日時など）の電磁的記録を捜査機関が入手することが不可欠である反面、通信事業者においては、これら電磁的記録を一定期間経過した時点で消去することが多いため、捜査機関から通信事業者に対し、これを消去しないように求める必要がある。

2 強制採尿（⟹任意採尿については、設問17、1参照）

1 許容性

被検査者が説得にもかかわらず排尿自体を拒否した場合など「**犯罪の捜査上真にやむを得ないと認められる場合**」には、カテーテルを被検査者の尿道から膀胱内に挿入して体内の尿を強制的に採取することも、捜査の最終的手段として行うことが許される（最決昭55.10.23刑集34-5-300は、排尿を拒否した事例について判示。最決平3.7.16刑集45-6-201は、錯乱状態に陥ってい

260　第3章　強制捜査　第1節　対物的強制捜査

たため任意の排尿が期待できない事例について同旨）。

　その場合、最高裁は**捜索差押令状**によるべきであり、身体検査令状に関する法218条5項を準用し、医師をして医学的に相当と認められる方法で行わせなければならない旨の条件の記載が不可欠であるとしている（前記最決昭55.10.23など）。（⟹267、268頁「**書式11**」参照）

　医師をして行わせるべきことにしたのは、被疑者の身体の安全と人格の保護のためであるから、看護師に行わせるのは不適切である（大阪高判平8.4.5判時1582-147は、令状に「医師をして医学的に相当と認められる方法により行わせること」と条件が付されているとき、医師の指示を受けた看護婦（師）が採尿を実施したとしても同条件に違反しないとしたが、これは、看護婦（師）がカテーテルによる採尿に習熟しており、指示した医師も臨機の対応ができるようにそばの詰め所で待機していたなどの特殊事情が考慮されたものであることに注意を要する）。

　強制採尿のための令状請求に当たっての疎明資料としては、注射痕の存在、言動、覚醒剤使用の前科・前歴、家族・知人の供述、覚醒剤又は使用具の所持事実などが用いられている。

　なお、警察官が、裁判官に請求した内容に即して発付された被告人の尿を採取するための強制採尿令状について、その審査の段階では、本来、「犯罪の捜査上真にやむを得ない」場合と認められず、当該令状の発付は違法であり、警察官が同令状に基づき採尿した行為も違法であるが、警察官らはありのままを記載した疎明資料を提出して同令状を請求していたことなどを理由に、違法の程度は重大でなく、尿の鑑定書等の証拠能力を肯定した事案がある（最判令4.4.28刑集76-4-380⟹**設問63**参照）。

2　実施のための実力行使の限界

　採尿令状も捜索差押許可状の一種であるので、直接強制ができる（⟹**設問26**、**1**5参照）。前記最決昭55.10.23では、被検査者の抵抗を排するために、数人の警察官が被疑者の身体を押さえつけたことが適法とされた。ただし、これも必要最小限度のものに限って許される趣旨と解すべきである。

3　在宅被疑者の採尿令状による採尿場所への連行の可否

　強制採尿は医学的に相当と認められる方法と被検査者の羞恥感情をいたず

らに害しない態様でなされるべきであるので、採尿場所は病院の診察室、警察施設内では医務室など「採尿に適する場所」に限られる。身柄を拘束されていない被疑者は、通常これらの採尿場所にいないので、これらの被疑者に対して発付される強制採尿令状によって被疑者を強制採尿場所に強制連行することが必要である。これについて、最高裁は、「身柄を拘束されていない被疑者を採尿場所へ任意に同行することが事実上不可能であると認められる場合には、**強制採尿令状の効力として、採尿に適する最寄りの場所まで被疑者を連行することができ、その際、必要最小限度の有形力を行使することができる**ものと解するのが相当である。」とする（最決平6.9.16刑集48-6-420 そのように解しないと強制採尿令状の目的を達することができないことと、令状を発付する裁判官は連行の当否を含めて審査し、当該令状を発付したとみられることを理由とする）。

強制採尿令状発付に当たっては、通常、採尿場所への連行の可否などが審査される上、前記最決後は、令状の「捜索差押に関する条件等」欄に、「採尿に適する最寄りの場所に連行することができる。」などと記載され、連行が許されることが明示的に記載される扱いになっている。

なお、強制採尿令状が発付され、被疑者に対して執行するため警察官が令状を携えて被疑者の入院先に向かっているとき、別の警察官が入院先から逃走した被疑者を追跡し連れ戻して、同令状が到着するまでの30分間程度、警察車両内に任意待機させることは許される（広島高判平11.10.26判時1703-173）。

4　連行のための住居への立入りの可否

強制採尿令状が発付されたものの、被疑者が第三者の住居に所在し、警察官が説得しても外に出ようとしない場合、強制採尿令状の効力として当該住居に立ち入ることはできず、立入りは違法とする裁判例がある（札幌高判平29.9.7高検速報188 第三者の居室にいる被告人を採尿場所となる病院に強制連行するために強制採尿令状により当該居室に立ち入ることは、当該令状に関して履践された司法審査の範囲を超え、審査に当たり想定されたものと異なる権利や利益を制約する事態を招くことになるとする。ただし、当該裁判例では、原則として違法と判示されるにとどまり、仮に、令状審査に当た

262　第3章　強制捜査　第1節　対物的強制捜査

り警察官が第三者の居室に立ち入ることも含めて令状が発付されたような事案においては適法と判断される余地があることになる）。

　また、被疑者の居宅から出ようとしない被疑者を連行するために、強制採尿令状の効力として被疑者の居室への立入りができるかについても、逮捕する場合の無令状での住居への立入りについては刑訴法で特別の規定を設け、これを認めていること（法220条1項1号）からしても、第三者の居室への立入り同様、基本的に許されないと考えるべきである（川出敏裕　前掲201）。

　なお、被疑者の居室等に捜査官が適法に立ち入り、強制採尿令状を提示したところ、例えば、被疑者がトイレ個室に立て籠もった場合は、同令状の効力に基づく連行のための「必要な処分」として扉の損壊をすることは許されるであろう（清水真「刑事訴訟法判例百選（第11版）」〔有斐閣2024〕266）。

3　**強制採血・強制採毛**（⟹任意採血については、**設問17**、**2**参照）

1　強制採血に必要な令状

　強制採尿令状についての前記最決昭55.10.23が、強制採血にもそのまま妥当するかは問題である。体内の血液は、いずれは体外へ排出される尿と違って身体の構成要素であり、その採取のためには注射器による採取、耳たぶの切開による採取等、専門的技術的方法による必要性がある上、軽度とはいえ身体に傷害や痕跡を残すので、強制採血に必要な令状としては、捜索差押令状ではなく**鑑定処分許可状が適当**と解される。

2　採血を被検査者から拒絶されたときの強行方法

　この場合、被検査者が血液検査のための採血を拒絶するときは、鑑定処分許可状の他に**身体検査令状の発付を受けて、身体検査を強行し、その間に採血を強行する**ことになる。拒絶されそうなときは、あらかじめ身体検査令状も得ておくほうがよいであろう。

3　強制採毛

　毛髪鑑定（⟹**設問62**参照）を実施するためなどの目的で、被疑者等から頭髪等の毛髪を本人の意に反しても採取する必要がある。採毛を拒絶される場合は、強制採血の場合と同じ理由により、鑑定処分許可状と身体検査令

特殊な捜索・差押え（コンピューターデータの取得、強制採尿、強制採血など）　設問30　*263*

状を併用することが適当である。

4　体腔内の捜索

1　陰部、肛門等の体腔に挿入された証拠品の捜索

　これらは、証拠物の探索という目的からすると「捜索」に当たるから捜索差押令状があればなし得る。しかし、その方法は人を裸にするなど身体検査の性質を有するから、身体検査令状も併せて得ておくのが望ましい（ただし、捜索差押令状に、強制採尿令状の場合同様に「医師をして医学的に相当と認められる方法により行わせること」などの捜索の条件が記載されるのであれば、別途、身体検査令状は要しないであろう）。

2　胃内に飲み込んだ証拠品の捜索

　身体内部にレントゲンを照射するなどして証拠品のある場所を探索したり、下剤吐剤を飲ませて強制的に証拠品を排出させることは、その目的からみれば捜索であるから、捜索差押令状があればなし得る。しかし、その執行に際しては、人の生理的機能を損なうおそれもあり、専門的技術を要することでもあるので、鑑定受託者に実施させるべきものであり、鑑定処分許可状を併せて得ておくのが望ましい（池田修・前田雅英　前掲192注20参照）（ただし、捜索差押令状に「レントゲン検査機器又は下剤の使用による体腔内の検査、異物の採取については、医師をして医学的に相当と認められる方法によること」などの条件が記載されるのであれば、捜索差押令状だけでよいであろう）。

5　捜索差押えすることはできないが、犯罪に関連あると思料される物を発見した場合

　捜索差押許可状によって差し押さえることができる物は、当該令状に記載された「差し押さえるべき物」に限定されるが、犯罪に関係あると思料される物品を発見した場合、これを放置することは、捜査機関として望ましい対応ではない。まずは、当該物品それ自体の所持により被疑者を逮捕することができる場合（例えば、被疑者が覚醒剤や拳銃等といった所持自体が法で禁じられている物を所持していると判断できる場合）は、被疑者を逮捕して、当該物品を逮捕の現場における捜索差押え（法220条1項2号）をすること

が考えられる。ただし、そのような場合でないときは、迅速性を重視して、当該物品の所有者や所持者から任意提出を受け、領置することが考えられる（法221条）。ただし、所有者や所持者の承諾・同意が得られない場合は、任意提出によることはできない。この場合は、迅速性には欠けるものの、既に発付を受けている捜索差押許可状執行に際する「必要な処分」として現場への立入り制限を一層強化するなどして現場保全に留意しながら、速やかに新たな捜索差押許可状の発付を受けて、当該許可状に基づいて差し押さえることとなる。

特殊な捜索・差押え（コンピューターデータの取得、強制採尿、強制採血など）　設問30　*265*

書式10（その1）　捜索差押許可状請求書（リモートアクセスによるもの）

様式第24号（刑訴第218条、規則第139条、第155条、第156条）

捜　索
差 押 許 可 状 請 求 書
（検証）

令和〇 年 〇 月 〇 日

〇〇〇〇 裁判所
　　　裁判官　殿

　　　　　　〇〇県〇〇 警察署
　　　　　　司法警察員 警部 甲 野 一 郎 ㊞

下記被疑者に対する　　　不正指令電磁的記録作成　　被疑事件につき、
　捜索差押　　許可状の発付を請求する。

記

1　被疑者の氏名
　　　　　　乙井太郎　　　昭和〇 年 〇 月 〇 日生（ 〇 歳）
2　差し押さえるべき物
　　本件に関係あるパーソナルコンピューター
3　捜索又は検証すべき場所、身体若しくは物
　　〇県〇市×番地×丁目　　被疑者方居宅
4　7日を超える有効期間を必要とするときは、その期間及び事由
　　　　　　　　　　　　　　　　㊞
5　刑事訴訟法第218条第2項の規定による差押えをする必要があるとき
　は、差し押さえるべき電子計算機に電気通信回線で接続している記録媒
　体であって、その電磁的記録を複写すべきものの範囲
　　メールサーバのメールボックスの記録領域であって、上記パーソナル
　コンピューターにインストールされているメールソフトに記録されてい
　るアカウントに対応するもの
6　日出前又は日没後に行う必要があるときは、その旨及び事由
　　　　　　　　　　　　　　　　㊞

7　犯罪事実の要旨
　　被疑者は、正当な理由がないのに、人の電子計算機における実行の用
　に供する目的で、令和〇年〇月〇日、〇県〇市〇〇所在の被疑者方にお
　いて、被疑者が所有するパーソナルコンピューターを用い、同コンピュー
　ターのハードディスク内に、電子計算機を用いて電磁的記録である動画
　を閲覧する動作を実行した際、実行者の意思に基づかず、わいせつ画像
　等の多数の電磁的記録を同電子計算機内に複製する指令を与える電磁的
　記録を作成した。

（注意）　1　被疑者の氏名、年齢又は名称が明らかでないときは、不詳と記載すること。
　　　　　2　事例に応じ、不要の文字を削ること。

266 第3章 強制捜査 第1節 対物的強制捜査

書式10（その2） 記録命令付差押許可状請求書

様式第24号の2 （刑訴第218条、規則第139条、第155条、第156条）

記録命令付差押許可状請求書

令和〇 年 〇 月 〇 日

〇〇〇〇 裁判所
　　　　裁判官　殿

〇〇県〇〇 警察署
司法警察員 警部 甲 野 一 郎 ㊞

　下記被疑者に対する　　　不正指令電磁的記録作成　　被疑事件につき、記録命令付差押許可状の発付を請求する。

記

1　被疑者の氏名

　　　　　丙井太郎　　　昭和〇 年 〇 月 〇 日生（ 〇 歳）

2　記録させ又は印刷させるべき電磁的記録
　　メールアドレス「taro1234@waruwaru.ne.jp」のメールボックスに保存されている平成〇年〇月〇日以降に受信した電子メール

3　電磁的記録を記録させ又は印刷させるべき者
　　〇〇県〇〇市〇〇番地〇丁目　　株式会社△△ネットワーク　△△管理センター　センター長　乙野 次郎

4　7日を超える有効期間を必要とするときは、その期間及び事由
㊞

5　日出前又は日没後に行う必要があるときは、その旨及び事由
㊞

6　犯罪事実の要旨
　　被疑者は、正当な理由がないのに、人の電子計算機における実行の用に供する目的で、令和〇年〇月〇日、〇県〇市〇〇所在の被疑者方において、被疑者が所有するパーソナルコンピューターを用い、同コンピューターのハードディスク内に、電子計算機を用いて電磁的記録である動画を閲覧する動作を実行した際、実行者の意思に基づかず、わいせつ画像等の多数の電磁的記録を同電子計算機内に複製する指令を与える電磁的記録を作成した。

（注意）　被疑者の氏名、年齢又は名称が明らかでないときは、不詳と記載すること。

特殊な捜索・差押え（コンピューターデータの取得、強制採尿、強制採血など）　設問30　　267

書式11（その1）「強制採尿令状」請求書

様式第24号（刑訴第218条、規則第139条、第155条、第156条）

　　　　　　　　　　捜　索
　　　　　　差　押　許　可　状　請　求　書
　　　　　　　　（検　証）

　　　　　　　　　　　　　　　　　　令和○　年　○　月　○　日

　○○○○　裁判所
　　　　裁判官　殿

　　　　　　　　　○○県○○　警察署
　　　　　　　　　司法警察員　警部　甲　野　一　郎　㊞

　　下記被疑者に対する　　覚醒剤取締法違反（同法第19条違反）(*)　　被疑事
件につき、　捜索差押　　　許可状の発付を請求する。

　　　　　　　　　　　　　　　記
1　被疑者の氏名
　　　　　　乙井太郎　昭和○　年　○○　月　○○　日生（○○　歳）
2　差し押さえるべき物
　　被疑者の尿
3　捜索し又は検証すべき場所、身体若しくは物
　　被疑者の身体
4　　7日を超える有効期間を必要とするときは、その期間及び事由
　　　　　　　　　　　　　　　㊞
5　　刑事訴訟法第218条第2項の規定による差押えをする必要があるとき
　　は、差し押さえるべき電子計算機に電気通信回線で接続している記録媒
　　体であって、その電磁的記録を複写すべきものの範囲
　　　　　　　　　　　　　　　㊞
6　　日出前又は日没後に行う必要があるときは、その旨及び事由
　　　　被疑者の上腕部の注射痕からうかがわれる覚醒剤使用状況からみて、
　　早急に尿を採取しなければ尿中の覚醒剤検出が不可能になるので、本令
　　状の執行が日出前及び日没後に及ぶおそれがある。
7　犯罪事実の要旨
　　　　被疑者は、法定の除外事由がないのに、令和○年○月下旬頃から令和
　　○年○月18日までの間、○○県又はその周辺において、覚醒剤である
　　フェニルメチルアミノプロパンを含有する水溶液若干を自己の上腕部に
　　注射し、もって覚醒剤を使用したものである。

（注意）　1　被疑者の氏名、年齢又は名称が明らかでないときは、不詳と記載すること。
　　　　　2　事例に応じ、不要の文字を削ること。

（筆者注）　＊特別法違反でも、罰条の記載は必ずしも必要ではないと解されている
　　　　　　（最決昭33.7.29刑集12-12-2776）が、この記載が禁じられているとは考
　　　　　　えられないため、実務上、弊害が特にない場合には、対象物件特定に役
　　　　　　立てるため罰条を記載する運用も行われている。

268 第3章 強制捜査 第1節 対物的強制捜査

書式11（その2）「強制採尿」調書

様式第31号（刑訴第218条、第222条）

捜 索 差 押 調 書（甲）

令和〇 年 〇 月 〇 日

〇〇県〇〇 警察署
司法 警察員警部補 丙 田 三 郎 ㊞

被疑者 甲井太郎 に対する 覚醒剤取締法違反 被疑事件につき、本職は、令和〇 年 〇 月 〇〇 日付け 〇〇〇〇 裁判所 裁判官 乙川二郎 の発した捜索差押許可状を 甲井太郎 に示して、下記のとおり捜索差押えをした。

記

1 捜索差押えの日時
令和〇 年 〇 月 〇〇 日午 前10 時 00 分から午 前10 時 30 分
まで
2 捜索差押えの場所、捜索した身体又は物
被疑者の身体
3 捜索の目的たる人又は捜索差押えの目的たる物
被疑者の尿 若干
4 捜索差押えの立会人（住居、職業、氏名、年齢）(*)

㊞

5 差押えをした物
別紙押収品目録記載のとおり
6 捜索差押えの経過（刑事訴訟法第218条第2項の規定による差押えをした場合又は同法第222条第1項において準用する同法第110条の2の規定による処分をした場合には、その旨及び経過）
被疑者に対する覚醒剤取締法違反被疑事件につき、令和〇年〇月〇〇日付〇〇〇〇裁判所裁判官乙川二郎の発した捜索差押許可状を令和〇年〇月〇〇日午前10時00分、〇〇病院診療室において被疑者に呈示し、同院医師丁田四郎が被疑者の外尿道口を消毒して、カテーテルを陰部尿道に挿入し、同人の体内から約150ccの尿を採取したので、その場において本件の証拠物としてこれを差し押さえた。
現場において被疑者に対し、押収品目録交付書を交付した。

（注意） 1 物件の所在発見場所、発見者、発見の経緯等は、できるだけ具体的に捜索差押えの経過欄に記載すること。
2 やむを得ない理由により令状を示すことができなかったときは、その理由を付記すること。

（筆者注）＊被採尿者が女性の場合には、成人の女性を立ち会わせ、捜索差押えの立会人欄に記入する。

設問 逮捕に伴う無令状の捜索、
31 差押え、検証

● 設 問 ●

(1) ホテルの一室でAを逮捕した際、共犯者と思われるBが宿泊する隣室を令状なしに捜索できるか。

(2) マンションの自室で逮捕されそうになった覚醒剤の密売人Cは、ベランダ越しに第三者Dが住む隣室の居間を通り、同室玄関から廊下に出たところで逮捕された。Cが、途中で覚醒剤を捨てたと思われたので、D方をくまなく捜索したいが、許されるか。どの程度までなら許されるか。

◆解 答◆

(1) できない。⟹**3** 2

(2) 原則として、居間と玄関しか捜索できない。⟹**3** 3

1 制度の意義

捜査機関が被疑者を逮捕する場合には、逮捕の種類（通常逮捕・緊急逮捕・現行犯逮捕）のいかんを問わず、必要があれば、令状なしに人の住居等に立ち入って**被疑者の捜索**をし、逮捕の現場で、**目的物件の捜索・差押え・検証**をすることができる（法220条1項、3項）。私人により逮捕された現行犯人の引渡しを受けた（法214条）だけの司法警察職員には、この権限はないことに留意を要する。

逮捕の現場での無令状の捜索・差押えが許される趣旨は、①逮捕の現場には証拠が存在する客観的蓋然性が大きく、改めて司法審査を要しないこと、②逮捕者の安全を図り逮捕の完遂を図る必要があることと解される。①の理由からは、無令状捜索・差押えの対象となるのは、被疑者の身体又はその直接支配下の場所・物件に限られないということになるし、②の理由からは、

270　第3章　強制捜査　第1節　対物的強制捜査

逮捕者に危害を加えるおそれのある凶器のほか、被疑者の逃走の手段となり得る物件（逃走用の自動車など）も対象となるということになる（⟹275頁「**書式12**」参照）。

2　「逮捕する場合」の意義（＝時間的要件）

1　時間的要件

逮捕と捜索・差押え等は**時間的に接着**していることを要する。したがって、逮捕の要件はあったものの、現実に逮捕行為に着手しなかった場合や、逮捕と捜索等の時間的間隔が余りに離れている場合は、無令状捜索等は違法となる。しかし、例えば、逮捕後35分ないし60分後の捜索・差押えを適法であるとした事案がある（東高判昭44.6.20高刑集22-3-352）。

2　逮捕と捜索等の前後関係

逮捕と捜索等の**前後関係は問わない**。

逮捕が捜索等よりも先行する場合だけでなく、捜索等が先行する場合でもいい。例えば、緊急逮捕のため被疑者方に赴いたところ、被疑者が不在であっても、帰宅次第逮捕する態勢の下に捜索・差押えがなされ、しかもこれと時間的に接着して捜索・差押えと同一の場所で逮捕がなされた場合、その無令状捜索・差押えは適法である（最大判昭36.6.7刑集15-6-915）。逮捕が捜索等より先行する場合であろうと、捜索等が先行する場合であろうと、逮捕の現場に証拠が存在する客観的蓋然性は、何ら影響を受けないといえ、無令状捜索等が許される趣旨が妥当するからである。

3　逮捕が不首尾のとき

逮捕が適法に開始されていれば、被疑者が逃走するなどして逮捕が不首尾に終わったときも、その際なされた捜索・差押え等は適法である。

3　法220条1項2号の「逮捕の現場」の意義（＝場所的要件）

1　場所的要件

逮捕に伴う無令状捜索・差押えが許される大きな理由は、その場に証拠の存在する可能性が大であるという点にあるから、「逮捕の現場」には、被疑者の身体やその直接の支配下に限られず、逮捕の着手から終了まで、**逮捕行**

為が行われた場所が含まれる。その場所及びその場所内の物、人の身体が捜索の対象になる。例えば、一軒家の一室内で逮捕がなされた場合は、一軒家の管理は分割できないから、家屋全体（敷地を含む）が「逮捕の現場」であり、その全体を捜索し得る。

管理権がそのまま及ぶ場所の捜索　　被疑者の自宅の敷地内で逮捕された場合には、同一の管理権が及ぶ自宅内も捜索できる。被疑者の居室のあるマンションの共用部分（廊下など）には、被疑者を含む全居住者の管理権が重ねて及んでいるので、同共用部分で被疑者が逮捕された場合には、被疑者の管理権がそのまま及ぶ被疑者居室も「逮捕の現場」として捜索を行うことができる。逆に、被疑者の居室で逮捕した場合、共用部分を捜索できる。

2　逮捕の場所と別の管理権に服する場所

しかし、**逮捕がなされた場所の管理権と別個の管理権に服する場所**まで「逮捕の現場」を広げることはできない。例えば、マンションの一室において逮捕がなされたときは、同一建物であっても別の居住者の居室までは捜索できない。被疑者の自宅の前の公道で被疑者が逮捕されたときは、自宅を捜索することはできない。

旅館・ホテルの場合も、建物全体に経営者の管理権が及んでいるとしても、各客室ごとに各宿泊客の支配権も成立しているから、一つの客室で逮捕したときに他の客室を無令状で捜索・差押えはできない。

しかし、上記のマンションの場合同様にホテル等の共用部分で逮捕し、被疑者の宿泊する部屋を捜索することは許される（東高判昭44.6.20高刑集22-3-352　ホテルの共用部分である待合室において大麻タバコの所持の現行犯人を逮捕し、引き続きその者の宿泊している客室を捜索して大麻を差し押さえたのを適法とした）。逆に、被疑者の宿泊する客室内で逮捕し、共用部分たる廊下、待合室、共同洗面所などを捜索することもできる。

3　被疑者の通過した場所

逮捕の着手から完了までの間、被疑者の通過した場所（例えば、道路、他人の家屋、庭等）は、全て「逮捕の現場」に含まれる。

例えば、自分の居室で逮捕されそうになった被疑者が、マンションの隣室

272　第3章　強制捜査　第1節　対物的強制捜査

に逃げ込み、ベランダを飛び越えて隣接する家屋内に立ち入って逃げたとき
は、隣室、隣接家屋の管理権が別個であっても、「逮捕の現場」であるから、
捜索可能である。

　ただし、第三者の住居等を捜索する場合は、「押収すべき物の存在を認め
るに足りる状況のある」ことが要求される（法222条、102条2項）から、逃
走中の被疑者が第三者の住居等を通過した場合は、その通過した箇所及びそ
の周囲の合理的範囲しか捜索できないと解すべきである。

　例えば、第三者方前の路上を追跡されていた被疑者が、塀越しに盗品をそ
の第三者方の庭に捨てたことが認められるときは、その庭を捜索できるが、
そうでない場合は通過した箇所である路上しか捜索できない。

4　被疑者の身体・所持品に対する捜索をなし得る場所

　被疑者の身体・所持品については、証拠物の存在する可能性が最も強く、
しかも時間が逮捕後ある程度経過したり、場所がある程度逮捕現場から離れ
たりしても、その証拠物の存在する可能性は減少しない。

　逮捕の現場でできる捜索差押処分が、逮捕した被疑者の身体又は所持品に
対するものである場合は「逮捕現場付近の状況に照らし、被疑者の名誉等を
害し、被疑者らの抵抗による混乱を生じ、又は現場付近の交通を妨げるおそ
れがあるといった事情のため、**その場で直ちに捜索・差押えを実施すること
が適当でないときには、速やかに被疑者を捜索・差押えの実施に適する最寄
りの場所まで連行した上、これらの処分を実施する**ことも、同号（※法220
条1項2号）の「逮捕の現場」における捜索・差押えと同視することができ、
適法な処分と解するのが相当である。」とした（最決平8.1.29刑集50-1-1
逮捕後約5分かけて500メートル離れた警察署まで連行し、又は1時間かけ
て約3キロ離れた警察まで連行して、それぞれ被疑者の所持品を差し押さえ
たのを正当とした）。また、逮捕現場が群衆に取り囲まれていて、その場で
被疑者の着衣・所持品等を捜索した事案において、混乱の防止、被疑者の名
誉の保護上不相当であったとして、被疑者を逮捕の3、4分後に400メート
ル離れた警察署に連行し捜索等を実施したことが適法とされた（東高判昭53.
11.15高刑集31-3-265。同旨大阪高判昭50.7.15判時798-102）。

　なお、逮捕の現場又は警察署へ連行する途中で捜索が可能だったのに、合

理的理由なくこれを行わなかった場合は、違法とされる場合がある。

5　逮捕現場に居合わせた第三者の身体に対する捜索

　法は、無令状捜索の対象として、第三者の身体を除外していないから、逮捕現場に居合わせる第三者の身体も捜索の対象になるが、捜索の実施には「押収すべき物の存在を認めるに足りる状況のある」ことが要求される（法222条、102条 2 項）。

　例えば、覚醒剤所持の現行犯人として甲を逮捕した現場にいた乙が、甲から譲り受けるなどした覚醒剤を別に所持している状況が十分存在していた場合は、乙に対し甲の逮捕に伴う身体捜索をすることができる（函館地決昭55.1.9刑月12-1・2-50）。

４　無令状捜索・差押えの対象物件の範囲

1　証拠保全目的で許容されるもの

　この関係では、**逮捕事実に関連する物件に限られる。**

　もし、捜索中に別件の証拠物が発見された場合は、所持人・所有者がいれば任意提出を求めるか、証拠物が法禁物（覚醒剤等）であれば、所持人を新たに現行犯逮捕し、これに伴う差押えとして押収すればいい。いずれもできないときは、監視人を配置し、その間に差押令状を得て差し押さえるべきである。

2　逮捕完遂目的で許容されるもの

　この関係では、**逮捕者に危害を加えるおそれのある凶器のほか、被疑者の逃走の手段となり得る物件（逃走用の自動車など）も対象**となる。

５　無令状捜索・差押えの必要性

1　必要性を欠くとされる場合

　ある場所が「逮捕の現場」と認められても、捜索・差押えの必要性を欠く捜索・差押処分は違法とされる場合がある（法222条、102条 1 項）。例えば、マンションの廊下での暴行事件につき、凶器をその場に投げ捨てて、同マンションの自室に逃げ込んだ被疑者を同室で逮捕した場合、同室は「逮捕の現場」であるとしながら、そこには凶器が遺留されていないことなどを理由と

274　第3章　強制捜査　第1節　対物的強制捜査

して、その部屋を捜索して覚醒剤を発見し任意提出させた手続を違法とした事案（大阪地判昭53.12.27判時942-145　ただし、必要性の裁量を誤ったにすぎないとして、覚醒剤の証拠能力は肯定）がある。しかし、捜索は、実施してみなければ、どこにどのような物があるか分からないのであるから、逮捕現場が被疑者の居宅などである場合は、特別の事情がない限り、広範に捜索が許されると解される。

2　別件捜索・差押え

　「逮捕の現場」の捜索としての必要性が乏しい場合は、逮捕事実（別件）以外の事件（本件）に関する証拠物件の収集を目的としてなされた違法な別件捜索であったと非難されることが多い。

　実例として、①署の刑事課において、監禁等により被疑者を通常逮捕した場所であるその自宅を捜索中、覚醒剤が発見されたので、防犯課の応援を待って捜索を続け、さらに多量の覚醒剤を発見した事案で、防犯課応援以降の捜索は専ら覚醒剤発見のためのもので違法としたもの（広島高岡山支部判昭56.8.7判タ454-168　ただし、覚醒剤の証拠能力は肯定）、②暴行により被疑者を逮捕した現場である被疑者の自宅について徹底した捜索をして覚醒剤を発見した事案につき、暴行の証拠物件の発見は期待し得ず、警察官は被疑者に覚醒剤使用等の疑いをもっていたことなどを理由に、違法な別件捜索としたもの（札幌高判昭58.12.26判時1111-143　ただし、覚醒剤の証拠能力は肯定）がある（⟹設問26、5参照）。

逮捕に伴う無令状の捜索、差押え、検証　設問31　*275*

書式12　逮捕に伴う捜索差押調書

様式第32号（刑訴第220条、第222条）

搜　索　差　押　調　書（乙）

令和〇 年 3 月 〇〇 日

〇〇県中央 警察署

司法 巡査 丙 田 三 郎 ㊞

　被疑者　甲井太郎　に対する　　　窃盗　　　被疑事件につき、本職
は、刑事訴訟法第　　　199　　　条の規定により被疑者を逮捕するに
当たり、その現場において、下記のとおり捜索差押えをした。

記

1　捜索差押えの日時
　　令和〇 年 3 月 〇〇 日午 前 10 時 10 分から午 前 10 時 15 分
　まで
2　捜索差押えの場所、捜索した身体又は物
　　〇〇県〇〇市〇〇町〇〇公園内
　　被疑者甲井太郎の身体
3　捜索差押えの目的たる物
　　本件の被害品である現金40万円（1万円札40枚）
　　及び毛皮コート1着
4　捜索差押えの立会人（住居、職業、氏名、年齢）(*)
　　〇〇県〇〇市〇〇63番地、〇〇市役所職員
　　丁谷四郎、〇〇歳
5　差押えをした物
　　別紙押収品目録記載のとおり
6　捜索差押えの経過（刑事訴訟法第222条第1項において準用する同法
　　第110条の2の規定による処分をした場合には、その旨及び経過）
　(1)　被疑者の身体を捜索したところ、着用していた背広左側内ポケット
　　　の中から現金39万8,000円（1万円札39枚、千円札8枚）を発見し
　　　たので、これを差し押さえた。
　(2)　毛皮コートは発見できなかった。

（注意）　物件の所在発見場所、発見者、発見の経緯等は、できるだけ具体的に捜索
　　　　　差押えの経過欄に記載すること。
（筆者注）＊急速を要するときには、立会人は不要であり、その場合にはこの欄に斜
　　　　　線を引くこと。

276　第3章　強制捜査　第1節　対物的強制捜査

設問 32　通信傍受

●設　問●

(1) 傍受実施前に、サーバのメールボックスに貯えられていた電子メールの内容を、通信傍受令状で読むことはできるか。

(2) 将来発生する犯罪に関して捜索・検証はできないとされるが、通信傍受はできるか。できるとすれば、どのような場合か。

(3) 共謀して常習として賭博を行った暴力団員である被疑者数名が、将来また同一の場所で賭博をしそうな動きがあるので、この被疑者数名の自宅の電話を傍受したいが可能か。

◆解　答◆

(1) 傍受実施前に行われた通信の内容を知るには、捜索・差押え又は検証許可状によらなくてはならない。⟹ **3**

(2) 将来犯される犯罪に関しても通信傍受できる場合がある。
⟹ **6** 2

(3) できない。捜査のための通信傍受ができる犯罪は罪名が限られており、常習賭博は該当しない。⟹ **5**、対象犯罪一覧

1　通信傍受の合憲性・適法性

1　検証許可状による通信傍受

犯人相互間の犯行の準備・実行等に関する電話等での指示や連絡状況等を、犯人に知られないで傍受する捜査の手法は、犯罪の立証上効果的である（⟹ **設問19**、**1**）。

特に、最近の薬物事犯においては、電話等の通信手段を利用して、密売人と客が対面しないで薬物と代金の受渡しを行う場合が増え、客が検挙されても、密売人が特定できないため、密売組織がおおよそ分かっても、密売人や

背後で指揮する者などを特定して検挙することは困難化している。密売組織メンバーの範囲の確定、その氏名の特定、関与の程度・態様などを解明する上で、密売専用電話の通話内容を傍受することは極めて有効であるため、かつての捜査実務では検証許可令状（通信傍受は聴覚の作用で通話内容を感得するものであって、五官の作用で対象の存在・形状を認識する処分である**検証**と共通の性格を有するため）に基づいてその実施が試みられた。

2 通信傍受の合憲性・適法性

この実務に対しては、①通信傍受は、憲法上およそ許されないとの批判、②通信傍受は、憲法上は可能であるとしても、通信傍受は強制処分であり、法（平成11年改正前のもの）に直接これを認める根拠規定がなく、検証や押収にも該当しないから、「強制の処分は、この法律に特別の定のある場合でなければ、これをすることができない。」（法197条1項　**強制処分法定主義**）に違反し許されないとの批判があった。

　　　　電話傍受についての最高裁決定　　**最高裁は、電話傍受は憲法上許容されるとした**上、検証許可状により傍受を実施することは本事案の当時、法律上許容されていたと判示した（最決平11.12.16刑集53-9-1327、判時1701-163　暴力団甲組では、覚醒剤の注文電話受付担当者が、覚醒剤購入を希望する客からの注文を電話で受け、覚醒剤の受渡し場所を指定し、譲渡担当の別の者が、現金と引き替えに客に覚醒剤を交付する方法で、覚醒剤の密売を組織的・継続的に行っており、甲組事務所内に設置されたA電話は、客からの覚醒剤の注文受付専用電話である可能性が極めて高く、同事務所内に別に設置されていたB電話は、注文受付担当者が覚醒剤の譲渡担当者との連絡に利用されていた可能性が高いことが内偵によって判明したものの、受付担当者と譲渡担当者の特定や両者の具体的連絡方法など組織内部の事項は解明されていない状況の下、警察が、A電話に注文して覚醒剤を譲り受けた乙に対する被疑者不詳による覚醒剤の営利目的譲渡の事実を被疑事実として、検証許可状の発付を受けて、A及びB電話に着発信される通話内容を検証し、その結果、覚醒剤密売の方法、受付担当者及び譲渡担当者などを明らかにした事案に関するもの）。

　同最高裁決定は、①合憲性に関して「電話傍受は、通信の秘密を侵害し、

278　第3章　強制捜査　第1節　対物的強制捜査

ひいては、個人のプライバシーを侵害する強制処分であるが、一定の要件の下では、捜査の手段として憲法上全く許されないものではないと解すべきであ（る）」とした上、その要件について「**重大な犯罪に係る被疑事件について、被疑者が罪を犯したと疑うに足りる十分な理由があり、かつ、当該電話により被疑事実に関する通話が行われる蓋然性があるとともに、電話傍受以外の方法によってはその罪に関する重要かつ必要な証拠を得ることが著しく困難であるなどの事情が存する場合において、電話傍受により侵害される利益の内容、程度を慎重に考慮した上で、なお電話傍受を行うことが犯罪の捜査上真にやむを得ないと認められるときには、法律の定める手続きに従ってこれを行うことも憲法上許される**と解するのが相当である。」と判示した。

　また、②検証許可状に基づく電話傍受の適法性に関して「本件当時、…電話傍受を直接の目的とした令状は存在していなかったけれども、前記の一定の要件を満たす場合に、対象の特定に資する適切な記載がある検証許可状により電話傍受を実施することは、本件当時においても法律上許されていたものと解するのが相当である。」とした。そして最高裁は、検証すべき場所及び物を「ＮＴＴ○○支店○○試験室及び同支店管理に係る同室内の機器」とし、検証すべき内容を「Ａ及びＢ電話に発着信される通話内容及び○○試験室内の機器の状況（ただし、覚醒剤取引に関する通話内容に限定する）」とし、検証の方法につき、「地方公務員２名を立ち会わせて通話内容を分配器のスピーカで拡声して聴取するとともに録音する。」などと記載された検証許可状に基づき、これら記載の条件等を遵守して傍受が行われた経緯に照らし、「本件電話傍受は、前記一定の要件を満たす場合において、対象をできるだけ限定し、かつ、適切な条件を付した検証許可状により行われたと認められる。」とし、本件電話傍受を適法とした。

2　「犯罪捜査のための通信傍受に関する法律」制定の経緯

　組織的かつ秘密裡に行われる薬物・銃器関連犯罪などの重大な犯罪では、犯人間において、犯行の準備、実行、証拠隠滅等の指示・命令や連絡などが、電話（携帯電話）や電子メールなどの通信手段を用いて行われることが特に

多く、これら通信を傍受できない場合には、組織の頂点も含めて組織全体を捜査して真相を解明し、首謀者も含め犯罪への関与者をもれなく処罰することができない。このため、平成11年、組織犯罪対策の一環として立法措置が講じられ、通信傍受が行えるようになった。

すなわち、刑訴法の一部改正（平成11年9月7日施行）により追加された同法222条の2において「通信の当事者のいずれの同意も得ないで電気通信の傍受を行う強制の処分については、別に法律で定めるところによる。」とされ、同法上、捜査手段としての通信傍受の根拠規定が設けられ、この「別の法律」として制定された「犯罪捜査のための通信傍受に関する法律」（平成12年8月15日施行。本設問における解説では、単に「本法」という）により、通信傍受の要件・手続等が定められている。

これにより通信傍受は、専ら「犯罪捜査のための通信傍受に関する法律」に従って**通信傍受令状**を得て行うこととなり、検証許可状に基づいて実施することはできないこととなった。

なお、本法は、平成28年法律第54号により改正されたが、同改正前のものを「改正前本法」と表記する。

3 通信傍受の定義

本法において通信の**傍受**とは、「現に行われている他人間の通信について、その内容を知るため、当該通信の当事者のいずれの同意も得ないで、これを受けることをいう。」（本法2条2項）。したがって、通信履歴や携帯電話の位置情報等を探知する目的のみで、他人間の通信を検分する場合は、検証許可状を得て行うことになる（池田修・前田雅英　前掲197注26参照）。また、例えば電子メールのように、プロバイダのサーバ内に通信が蓄積される方式の通信の場合において、捜査開始前に、既に特定の受信者のメールボックスに蓄積されている電子メールの内容を知ることは、「現に行われている通信」を受ける場合ではないから「傍受」に該当せず、サーバ（ないし電子ファイル）の捜索差押許可状により行わなければならない（⟹ **設問30** 参照）。

他人間の通信であっても、当事者のいずれかの同意があるものは、令状を要さず、任意捜査として、その通信内容を受けて知ることができる（⟹

280　第3章　強制捜査　　第1節　対物的強制捜査

設問19、1参照）。

4　通信傍受の対象となる「通信」の範囲

対象となる「通信」は、電話、ファクシミリ、コンピューター通信等の電気通信であって、伝送路（通信が伝送される経路のこと）の全部又は一部が有線であるもの又は伝送路に交換設備があるものに限られる（本法2条1項）。伝送路の一部が有線である場合とは、例えば、携帯電話による通信を指す。アマチュア無線通信は、本法の「通信」には含まれない（⟹設問19、6参照）。

5　対象犯罪の範囲（本法3条1項）

通信傍受の対象犯罪については、特にそのような捜査手法が必要不可欠と考えられる組織的犯罪に限られている。（下記の「**対象犯罪一覧**」参照）。

平成28年の本法改正までの通信傍受の対象犯罪は、本法別表第一の薬物犯罪、銃器犯罪、組織的殺人、集団密航の4罪種に限られていた。

しかし、客観的証拠の収集方法がこのように限定されていることが取調べや供述調書への依存が生じた要因の一つになっていると考えられ、近時、一般市民を標的にした暴力団員による組織的な殺傷犯や振り込め詐欺のような一般市民の生活を脅かす組織的犯罪が相次いでいることを踏まえ、平成28年の本法改正により、本法別表第二の罪が通信傍受の対象犯罪に追加された（平28. 12. 1施行）。

対象犯罪一覧　　　　（令和7年5月1日現在）

● **薬物に関する犯罪**（別表第一第1号、第2号、第4号、第6号及び第8号）

○大麻草の栽培の規制に関する法律（大麻草の栽培）
○覚醒剤取締法（覚醒剤の輸入等・所持・譲渡し等、覚醒剤原料の輸入等・製造・所持・譲渡し等及びこれらの未遂罪、営利目的の覚醒剤原料の輸入等・所持・譲渡し等及びこれらの罪の未遂罪）
○麻薬及び向精神薬取締法（ジアセチルモルヒネ等の輸入等・譲渡し・所持等、ジアセチルモルヒネ等以外の麻薬の輸入等・譲渡し・所持等、向精神薬の輸入等・譲渡し等）
○あへん法（けしの栽培、あへんの輸入等、あへん等の譲渡し・所持等）

○国際的な協力の下に規制薬物に係る不正行為を助長する行為等の防止を図るための麻薬及び向精神薬取締法等の特例等に関する法律（業として行う不法輸入等）

● **銃器に関する犯罪**（別表第一第5号及び第7号）

○武器等製造法（銃砲の無許可製造、銃砲弾の無許可製造、銃砲及び銃砲弾以外の武器の無許可製造）
○銃砲刀剣類所持等取締法（拳銃等の発射・輸入・所持・譲渡し等、拳銃実包の輸入・所持・譲渡し等、拳銃部品の輸入・その未遂罪、拳銃部品の所持、拳銃部品の譲渡し等・その未遂罪）

● **組織的な殺人**（別表第一第9号）

○組織的な犯罪の処罰及び犯罪収益の規制等に関する法律（殺人）

● **集団密航に関する犯罪**（別表第一第3号）

○出入国管理及び難民認定法（集団密航者を不法入国させる行為等、集団密航者の輸送、集団密航者の収受等）

● **殺傷犯関係**（別表第二第1号、第2号イ、ロ、ハ）

○爆発物取締罰則（爆発物の使用、使用の未遂）
○刑法（現住建造物等放火、殺人、傷害・傷害致死又はこれらの罪の未遂罪）

● **逮捕・監禁、略取・誘拐関係**（別表第二第2号ニ、ホ）

○刑法（逮捕及び監禁・逮捕等致死傷、未成年者略取及び誘拐・営利目的等略取及び誘拐・身の代金目的略取等・所在国外移送目的略取及び誘拐・人身売買・被略取者等所在国外移送・被略取者引渡し等又はこれらの罪の未遂罪）

● **窃盗・強盗、詐欺・恐喝関係**（別表第二第2号ヘ、ト）

○刑法（窃盗・強盗・強盗致死傷、詐欺・電子計算機使用詐欺・恐喝又はこれらの罪の未遂罪）

● **児童ポルノ関係**（別表第二第3号）

○児童買春、児童ポルノに係る行為等の規制及び処罰並びに児童の保護等に関する法律（児童ポルノ等の不特定又は多数の者に対する提供等、不特定又は多数の者に対する提供等の目的による児童ポルノの製造等）

6 傍受令状が発付される要件

1 本法3条1項の概要

本法3条1項は、傍受令状が発付されるための要件として、次の各事項を

282　第3章　強制捜査　第1節　対物的強制捜査

挙げる。

> Ⅰ　**犯罪の十分な嫌疑**（⟹2で解説）
>
> Ⅱ　**犯罪関連通信**が行われる疑い
>
>   本法3条1項各号に規定する犯罪（第2号及び第3号にあっては、その一連の犯罪をいう）の**実行、準備又は証拠隠滅等の事後措置に関する謀議、指示その他の相互連絡その他当該犯罪の実行に関連する事項を内容とする通信**（以下この設問において「犯罪関連通信」という）が行われると疑われる状況があること（⟹3で解説）
>
> Ⅲ　**傍受の実施の対象とすべき通信手段の特定**
>
>   電話番号その他発信元又は発信先を識別するための番号又は符号（以下この設問においては「電話番号等」という）によって特定された通信の手段（以下この設問においては「通信手段」という）であって、被疑者が通信事業者等との間の契約に基づいて使用しているもの（犯人による犯罪関連通信に用いられる疑いがないと認められるものを除く）又は犯人による犯罪関連通信に用いられると疑うに足ること（⟹4で解説）
>
> Ⅳ　**捜査の困難性（補充性）**
>
>   「他の方法によっては、犯人を特定し、又は犯行の状況若しくは内容を明らかにすることが著しく困難である」こと（⟹5で解説）

　傍受令状請求書（甲）には、最高裁規則（平成12年第6号）3条により「傍受令状発付の要件たる事項」を記載することになっており、上記ⅠないしⅣの各要件に該当する具体的事実を記載することになる。

2　犯罪の十分な嫌疑

(1)　本法3条1項1号の場合

　過去の犯罪に関しての傍受

　　ア　①本法の別表第一又は第二の罪が**犯されたと疑うに足りる十分な理由**があることに加え、②当該犯罪が**数人の共謀**によるものであると疑うに足りる状況のあることが必要である。

　　　　①は、逮捕の要件である「相当の理由」より高度の嫌疑を必要と

するものである。②は、組織的犯行であることを裏付ける状況として求められるものであるが、譲渡し、譲受け、貸付け、借受け又は交付の行為を罰するものについては、この要件は不要とされる（本法3条2項）。

なお、別表第二の対象犯罪については、「当該罪に当たる行為が、あらかじめ定められた役割の分担に従って行動する人の結合体により行われるもの」であると疑うに足りる状況があることが加重要件として求められている（本法3条1項各号　本設問では、この加重要件を「**別表第二の罪の加重要件**」と呼ぶ）。

ただし、これは、従来からの対象犯罪である「組織的殺人」で求められた組織要件（「団体の活動（団体の意思決定に基づく行為であって、その効果又はこれによる利益が当該団体に帰属するものをいう）として、当該罪に当たる行為を実行するための組織により行われたとき」（組織的な犯罪の処罰及び犯罪の収益の規制等に関する法律3条））よりは緩やかなものが想定されている。例えば、グループ内で、下見役、実行役などの役割分担が事前になされ、それに従って犯罪が遂行されたということがいえれば足りると解されている（河原雄介「法律のひろば」2016年9月〔ぎょうせい〕52）。

イ　この場合、傍受の根拠となる被疑事実は既に行われた犯罪であり、これについて犯罪関連通信の傍受ができることになる。

傍受中に、被疑事実以外の犯罪の実行に関する通信が行われたとしても、本法15条（別の犯罪が、別表記載の罪、死刑若しくは無期若しくは短期1年以上の拘禁刑に当たるものの実行に関するものであることが明らかに認められるときは、傍受ができる）に該当しない限り、それを傍受することはできない。

(2)　**本法3条1項2号の場合**

将来犯される犯罪に関する傍受（その1）

ア　①別表第一又は第二の罪（便宜甲の罪とする）が**犯された**と疑うに足りる十分な理由が存在し、かつ、

②引き続き本法3条1項2号イ又はロに該当する別表第一又は第

二の別の罪（便宜乙の罪とする）が**犯される**と疑うに足りる十分な理由があることに加え、

　③これら犯罪（甲の罪及び乙の罪）が数人の共謀によるものであると疑うに足りる状況があること

が必要（さらに別表第二の罪については、「別表第二の罪の加重要件」が求められる）である。

　　ここで**将来犯される犯罪についての傍受が許される**のは、傍受しようとする通信が既に行われた犯行とこれから行われる犯行の双方共通の証拠になる関係があるからである。したがって、既に犯された罪（甲の罪）と将来犯される別の罪（乙の罪）の関係は、(a)両罪が同一又は同種の罪であって、かつ、同様の態様で犯されるもの（２号イの場合　例えば、営業的に反復継続して行われている薬物密売の事案）、(b)両罪が、あらかじめ立てられた一連の犯行計画において計画されていたもの（２号ロの場合　例えば、暴力団において抗争中の暴力団の複数の幹部を殺害する計画を立て、うち１名の殺害を遂げ、残り幹部の殺害の機会をうかがっている事案）でなければならない。

　　③の要件は、譲渡し、譲受け、貸付け、借受け又は交付の行為を罰するものについては不要とされる（本法３条２項）。

　　傍受令状請求書には、甲の罪及び乙の罪の被疑事実を記載する。

イ　この場合、傍受において、既に犯された甲の罪の実行に関連する犯罪関連通信だけでなく、**将来犯される乙罪の実行に関連する犯罪関連通信をも傍受することができる。**

(3)　**本法３条１項３号の場合**
　　将来犯される犯罪に関する傍受（その２）

ア　①死刑又は無期若しくは長期２年以上の拘禁刑の罪（便宜「丙の罪」とする）が、いまだ犯されていない別表第一又は第二の罪（便宜「丁の罪」とする）と一体のものとしてその実行に必要な準備のために**犯された**と疑うに足りる十分な理由があり、かつ、

　②引き続き当該別表の罪（丁の罪）が**犯される**と疑うに足りる十

分な理由があることに加え、

　③当該別表の罪（丁の罪）が数人の共謀によるものであると疑うに足りる状況があること

が必要（さらに別表第二の罪については、「別表第二の罪の加重要件」が求められる）である。

　ここで将来犯される罪（丁の罪）に関しても傍受が許されるのは、例えば、テロ組織が無差別殺人（丁の罪）を計画・謀議し、その準備として爆発物を製作準備（丙の罪）する事案などのように、丙の罪と丁の罪が客観的にみて一体性があると認められる状況の下においては、丙の罪の実行により、丁の罪の実行が開始されたとも評価でき、これら一連の犯罪行為の関連する通信の全体の傍受が許容される関係にあるからである。したがって、**両罪の一体性については、十分疎明することを要する。**

　③について、準備のために犯された罪（丙の罪）については、この要件は不要である。また、譲渡し、譲受け、貸付け、借受け又は交付の行為を罰するものについても、この要件は不要とされる（本法3条2項）。

　傍受令状請求書には、丙の罪及び丁の罪の被疑事実を記載する。

イ　この場合、傍受において、既に犯された丙の罪の実行に関連する犯罪関連通信だけでなく、**将来犯される丁の罪の実行に関連する犯罪関連通信をも傍受することができる。**

3　犯罪関連通信が行われる疑い

　一般的な交友関係、生活態度等の一般的な情状に関する通信は、犯罪の実行に関係するものではないから、犯罪関連通信には当たらない。

　犯罪関連通信は、犯人によって行われる場合と犯人以外の者相互で行われる場合がある。前者の例としては、①現に犯罪を実行している者の間の犯罪の実行に関する指示その他の相互連絡を内容とする通信、②これから犯罪を実行しようとする者の間における犯罪の実行に関する謀議を内容とする通信、③これから犯罪を犯そうとする者の間における犯罪の準備に関する指示その他の相互連絡を内容とする通信、④犯罪を実行した者の間における証拠隠滅

286　第3章　強制捜査　第1節　対物的強制捜査

等の事後措置に関する謀議、指示その他相互連絡を内容とする通信、⑤犯罪を実行した者の第三者に対する犯行告白を内容とする通信などがある。後者の例としては、⑥犯人から逃亡のための援助を求められた犯人以外の者が、逃亡のための相談を他の第三者との間でする通信、⑦犯人から犯行告白を受けた第三者がその内容を他の第三者に伝える通信などがある。

4　傍受の実施の対象とすべき通信手段の特定

　通信傍受は、傍受の実施の対象とすべき通信手段を特定して行わなければならない。電話は電話番号で、電子メールはメールアドレスで、ホテル等の内線電話はその内線番号等で特定することになる。

　これらの通信手段は、①被疑者が通信事業者等との間の契約に基づいて使用しているもの（犯人による犯罪関連通信に用いられる疑いがないと認められるものを除く）又は②犯人による犯罪関連通信に用いられると疑うに足りるものであることを要する。①の例としては、被疑者がＮＴＴ等との契約に基づいて使用している電話、インターネットのプロバイダとの契約に基づいて使用している電子メールシステム、ホテルとの宿泊契約に基づいて使用している客室電話がある。

> **アドバイス**　傍受の実施の対象となる通信手段の特定等のための捜査
> ア　特定の電話番号やメールアドレスについての**契約者の氏名等の情報**（通信内容、通信の相手方の特定に係る事項、通信年月日など通信の秘密に属する事項を除く）の取得は、任意処分と考えられるので、法197条2項の捜査関係事項照会により行う。
> イ　特定の電話番号に係る**通信の相手方の特定に関する事項、通信年月日等の情報**の収集や、特定の契約者によるプロバイダへの**接続の年月日、接続のための使用されたコンピューターの特定に関する情報**の収集は、通信の秘密に関わるので、検証許可状又は記録命令付差押許可状によって行う（池田修・前田雅英　前掲197注26）（⟹ **設問30**、**1** 3）。

5　捜査の困難性（補充性）

　通信傍受は、他の方法によっては、犯人を特定し、又は犯行の状況若しくは内容を明らかにすることが著しく困難であること、すなわち補充性を要件とする。

これは、令状請求の時点までに、事案に応じて可能な限り、取調べ、捜索・差押え、各種照会などの通信傍受以外の捜査方法で捜査を行ってきたが、犯人を特定し、又は犯行の状況若しくは内容を明らかにすることができず、今後も、通信傍受以外の捜査によっては、犯人を特定し、又は犯行の状況若しくは内容を明らかにすることができず、又は著しく困難であることをいう。

7　令状請求手続

1　令状の請求権者及び令状の発付権者

傍受令状の請求権者は、請求の要否・可否の判断について特に慎重を期すべきものであるため、検察官としては検事総長が指定する検事（具体的には、地方検察庁に属する検事）、司法警察員としては国家公安委員会又は都道府県公安委員会が指定する警視以上の警察官、厚生労働大臣が指定する麻薬取締官及び海上保安庁長官が指定する海上保安官に限定される。これに対応して、令状の発付権者も地方裁判所の裁判官に限定されている（本法4条1項）。

令状請求及びその期間の延長請求（本法7条1項）に当たっては、検察官が請求する場合には検事正の事前の承認が必要であり（犯罪捜査のための通信傍受に関する規程（法務省刑総訓第936号）3条）、警察官が請求する場合には、警視総監又は道府県警察本部長の事前の承認が必要である（通信傍受規則（国家公安委員会規則第13号）3条1項、4条1項）。

2　傍受の期間

請求に理由があると認めた裁判官は、傍受できる期間として10日以内の期間を定めて令状を発付する（本法5条1項）。検察官又は司法警察員の請求により、10日以内の期間を定めて延長することができるが、傍受ができる期間は、通じて30日を超えることはできない（本法7条1項）。

8　傍受の実施

1　令状の提示

令状は、通信手段の傍受を実施する部分を管理する者（会社その他の法人又は団体にあっては、その役職員）又はこれに代わるべき者に示さなければならない（本法10条1項）。

288 第3章 強制捜査 第1節 対物的強制捜査

多くの場合令状の提示の相手は、通信事業者等の当該傍受実施場所を管理する役職者ということになろう。

ここで、通信事業者等とは、①電気通信を行うための設備を用いて他人の通信を媒介し、その他電気通信設備を他人の通信の用に供する事業を営む者（通信事業者）及び、②それ以外の者であって、自己の業務のために不特定又は多数の者の通信を媒介することのできる電気通信設備を設置している者をいう（本法2条3項）。

①の前者の例としては、固定電話や携帯電話のサービスを提供する**第一種電気通信事業者**及び電子メールサービス等を提供する**第二種電気通信事業者**があり、①の後者の例としては、専用回線を提供する第一種電気通信事業者があり、②の例としては、内線網を設置しているホテルやビル運営会社が考えられる。

被疑事実の要旨の提示は不必要である（同項ただし書き）。

2 立会い

傍受の実施をするときは、通信手段の傍受を実施する部分を管理する者（会社その他の法人又は団体にあっては、その役職員）又はこれに代わるべき者を立ち会わせなければならない。これらの者を立ち会わせることができないときは、地方公共団体の職員を立ち会わせなければならない（本法13条1項）。立会人は、傍受実施について意見を述べることができる（同条2項）が、傍受内容を聞いたり傍受を中断する権限はない。

3 通信傍受実施に当たっての必要な処分など

(1) 傍受の実施については、検察官又は司法警察員は、電気通信設備に傍受のための機器を接続することその他の**必要な処分**をすることができ（本法11条1項）、検察官は検察事務官に、司法警察員は他の司法警察職員にその処分をさせることができる（同条2項）。

「その他の必要な処分」とは、傍受を行うために合理的かつ相当なその他の処分をいう。例えば、傍受を行うために通信事業者等の管理する電気通信設備を操作することや、傍受の実施場所への無関係な者の立入りを防止することなどである。

⑵ 通信事業者等の協力義務

通信傍受は、そのあらゆる場面において、検察官又は司法警察員が自力で執行をすることは困難な場合も多く、適当でもない。検察官又は司法警察員は、通信事業者等に対して、傍受の実施に関し、傍受のための機器の接続その他の必要な協力を求めることができる。この場合、通信事業者等は、正当な理由がないのに、協力を拒んではならない（本法12条）。

「必要な協力」とは、個々の通信の傍受を実施するために合理的に必要な協力をいう。例えば、傍受のための機器を接続すべき回線の特定、当該機器の接続、操作をすることなどである。

協力を拒否できる「正当な理由」がある場合としては、例えば、通信事業者等が有する設備、技術により可能な範囲を超えた協力を求められた場合や通信事業者等の業務に著しい支障をもたらす場合などである。

傍受令状の請求やその実施に当たっては、通信事業者等の協力を得て円滑に傍受の実施をすることが必要であるから、可能な限り、通信事業者等と十分な協議を行うことが肝要であり、通信事業者等の負担をできる限り抑制するための配慮も必要である（そこで、通信傍受規則11条１項は「通信事業者等に必要な限度を超えて迷惑を及ぼさないように特に注意しなければならない。」としている）。

4 該当性判断のための傍受

傍受実施中、傍受令状に記載された傍受すべき通信に該当するかどうか不明の通信がある場合、傍受すべき通信かどうかを判断するため、これに必要な最小限度の範囲に限り、その通信を傍受することができる（本法14条１項）。

5 他の犯罪の通信の傍受

傍受実施中に、傍受令状に被疑事実として記載されている犯罪以外の他の犯罪を実行したこと、実行していること又は実行することを内容とするものと明らかに認められる通信の傍受も認められる。しかし、当該他の犯罪は、別表第一、第二に掲げる犯罪又は死刑又は無期若しくは短期１年以上の拘禁刑に当たる罪に限定される（本法15条）。

ただし、後に裁判官により本法15条に規定する通信かどうかの審査を受け、

290 第3章 強制捜査 第1節 対物的強制捜査

該当しないと判断されたときには、当該通信の傍受の処分は取り消される（本法27条3項）。

6 記録の保管

傍受をした通信は全て記録しなければならず（本法24条1項）、立会人の封印（本法25条1項）を得た記録媒体は、傍受の原記録として、傍受令状を発付した裁判官の所属する裁判所の裁判官が保管することになる（同条4項）。

7 傍受記録

検察官又は司法警察員は、記録された傍受通信から関連性のない通信を消去したものを、刑事手続において使用するための記録（傍受記録）として使用する（本法29条1項、2項）。

8 実施状況報告書

検察官又は司法警察員は、傍受の実施終了後、遅滞なく傍受の実施状況を記載した書面を令状を発付した裁判官の所属する裁判所の裁判官に提出する（本法27条1項）。

9 不服申立て等

(1) 事後の通知

傍受記録に記録された通信の当事者に対して、傍受の実施の終了後30日以内（捜査が妨げられるおそれのある場合は、60日以内に限って裁判官による延長が可能である）に、**傍受を行った旨を通知**しなければならない（本法30条1項、2項）。

(2) 記録等の聴取

通知を受けた通信の当事者は、傍受記録のうち、自己の通信について聴取・閲覧・複製作成ができ（本法24条）、正当な理由があるときは、裁判官の許可を得て傍受の原記録の通信について聴取・閲覧・複製作成ができる（本法32条）。

(3) 不服申立て等

裁判官の通信傍受に関する裁判又は検察官・検察事務官、司法警察職員のした傍受に関する処分に不服があるときは、地方裁判所に、その裁判・処分の取消し・変更を請求することができる（本法33条1項、2項）。

10　捜査等に従事する公務員が通信の秘密を侵害した場合の処罰と準起訴手続

捜査又は調査の権限を有する公務員が、その職務に関して通信の秘密を侵す罪（電気通信事業法又は有線電気通信法違反）を犯した場合には、一般人が犯した場合よりも重く罰せられ、法262条1項の付審判請求の対象となる。

⑨　平成28年の本法改正による通信傍受手続の合理化・効率化

平成28年の本法改正により、通信傍受手続を合理化・効率化するために、
①　一次的保存を命じて行う通信傍受の実施の手続（本法20条等）
②　特定電子計算機を用いる通信傍受の実施の手続（本法23条等）
がそれぞれ導入された（令元.6.1施行）。

1　通信傍受手続の合理化・効率化に係る改正の趣旨

平成28年の本法改正前の通信傍受の問題点	平成28年の本法改正の趣旨
①　傍受の実施について立会人が例外なく必要とされている（改正前本法12条1項）などから、通信事業者は、傍受の実施の都度、立会人となるべき職員の確保等に努めることを余儀なくされ、通信事業者にとって大きな負担となり、これが、捜査機関にとっても、臨機に通信傍受を行う上での支障ともなっている。 ②　現行の傍受は、通信が行われたときにリアルタイムでその内容の聴取をすることを前提としているため、捜査官や立会人は、傍受の期間中、常に待機し、長時間にわたって通話を待ち続けなければならないという極めて非効率的な実態となっている。	①　**一時的保存を命じて行う通信傍受の実施の手続** ○裁判官の許可を受け、通信管理者等に命じて、傍受の実施中に行われた通信を暗号化させた上で一旦保存させておき、その後、通信管理者等に命じてこれを復号させ、その立会いの下で再生し、その内容の聴取等をするもの（本法20条、21条） ⇒事後的聴取等が可能となることにより、長時間にわたる待機を回避できることになる。 ○暗号化・復号に用いる鍵は、裁判官の命を受けて、裁判所職員が作成し、通信管理者等に提供することとなる（本法9条1号）。 ⇒一時的保存がなされた通信について、捜査官が通信管理者等のいないところで再生をすることはできない。 ○再生の実施をしているときは、通信管理者等の立会いが必要（本法21条1項後段）。

292　第3章　強制捜査　第1節　対物的強制捜査

○再生することができる通信の範囲は、現行法の規定に基づいて傍受することができる通信の範囲と同一（本法21条3項〜6項）。

② 特定電子計算機を用いる通信傍受の実施の手続

○裁判官の許可を受けて、通信管理者等に命じて、傍受の実施中に行われた通信を暗号化させた上で捜査機関の施設等に設置された特定電子計算機に伝送させ、

ア　これを受信すると同時に復号し、その内容聴取等をするもの（リアルタイム型傍受）
又は
イ　これを受信すると同時に一旦保存し、その後、特定電子計算機を用いて復号して再生し、その内容の聴取等をするもの（事後再生型傍受）（本法23条等）。

⟹立会人が不要となること（上記ア及びイ）により、その確保等に伴う通信事業者の負担や捜査上の支障を回避し得るほか、通信内容の事後的な聴取が可能となること（上記イ）により、長時間にわたる待機も回避し得る。

○この方式で必要となる暗号化及び復号に用いる鍵も、裁判官の命を受けた裁判所職員が作成し、その後、通信管理者等や捜査官にそれぞれ必要なものが提供され、自ら保管することになる（本法9条2号）ので手続の適正が確保される。

○この方式で、傍受又は再生することができる通信の範囲は、現行法の規定に基づいて傍受することができる通信の範囲と同一（本法23条1項1号・4項）。

2　特定電子計算機を用いる方式の通信傍受において立会人が不要な理由

特定電子計算機を用いる方式においては、立会人は不要とされる。この方

式では立会人の役割は、次の表に記載したとおり、特定電子計算機によって完全に代替され、手続の適正が担保されることとなる。

　この方式の傍受令状を発付する際、裁判所職員は、通信の暗号化に必要な鍵(ｱ)、暗号化した通信の復号及び再度の暗号化に必要な鍵(ｲ)、再度の復号に必要な鍵(ｳ)を作成し、(ｱ)を通信事業者に提供し、(ｲ)を捜査機関に提供し、(ｳ)を裁判所において保管する。

　傍受令状を提示された通信事業者は、傍受の対象となる通信を(ｱ)の鍵を用いて暗号化した上で、送信装置から、捜査機関施設に設置された特定電子計算機に送信する。

　捜査員は、捜査機関施設において、特定電子計算機に暗号送信されてきた通信を(ｲ)の鍵を用いて復号して傍受する（**リアルタイム型傍受**）。

　捜査員は、通信内容を事後的に再生・聴取すること（**事後再生型傍受**）も可能であり、その場合には、通信事業者から暗号送信された通信を、暗号化されたまま特定電子計算機に一時的に保存し、それを事後に復号し、再生・聴取することになる。リアルタイム型傍受にするか、事後再生型傍受にするかは、捜査機関の判断によって随時切り替えることができる。

　特定電子計算機は、傍受した通信や傍受の経過を自動的に暗号化して記録媒体に記録する機能を有しており、その暗号化は、(ｲ)の鍵を用いて行うことになっているが、当該記録媒体に記録されたものをこの鍵で復号することはできないため、捜査機関による当該記録媒体の内容の改変は不可能である。

　当該記録媒体は原記録として裁判官に提出され、裁判所において保管され、裁判所では必要に応じて、(ｳ)の鍵を用いて復号して、捜査機関が傍受した通信を確認することになる。

立会人の役割	特定電子計算機によって代替されること
① 傍受機器を接続する通信手段が傍受令状により許可されたものに間違いないかのチェック	通信管理者等が通信の伝送をすることで担保
② 傍受令状により傍受が許可された期間が守られているかをチェック	通信管理者等が通信の伝送をすることで担保
③ 該当性判断のための傍受が適正な方	傍受又は再生をした通信を自動的に暗号

294 第3章 強制捜査 第1節 対物的強制捜査

法で行われているかのチェック	化しつつ記録するという特定電子計算機の機能に加えて、傍受の経過を明らかにする事項を自動的に暗号化しつつ記録する機能によって担保
④ 傍受した通信が全て記録されているかをチェック	傍受又は再生をした通信を自動的に暗号化しつつ記録するという特定電子計算機の機能により担保
⑤ その記録をした記録媒体の封印をする役割	傍受又は再生をした通信を自動的に暗号化しつつ記録するという特定電子計算機の機能により担保

検証、身体検査、実況見分の実施　設問33　*295*

設問 33　検証、身体検査、実況見分の実施

●設　問●

(1)　身体検査令状を得て、被疑者Aの身体を検査しようとしたが、Aが検査を拒否した。この場合、検査官のとるべき措置について説明しなさい。

(2)　検証（実況見分）調書の作成要領について説明しなさい。

(3)　検証（実況見分）の立会人による指示説明と現場供述の区別を説明しなさい。

(4)　指示説明・現場供述はそれぞれどのような形で証拠化すればいいか。

◆解　答◆

(1)　⟹ **1** 1 (2)

(2)　⟹ **2**、アドバイス

(3)　⟹ **4**

(4)　指示説明は、検証（実況見分）調書の本文に記載する。現場供述は、供述調書を別途作成する。⟹ **3** 3

1　検証と実況見分

1　検　証

(1)　意　義

　検証とは、五官の作用により身体・物・場所の存在、性質及び状態を認識することを目的とする強制処分をいう。

　検証を実施するには、検証令状の発付を求め、処分を受ける者等に示す（法222条1項、110条、114条）などし、立会人（法222条1項、114条1項、2項）を立ち会わせなければならない。検証に必要な処分、検証場所への立入禁止、中止の際の閉鎖等の措置をなし得る（法222条1

項、111条、112条、118条）（⟹検証許可状請求書の書式は、305頁「**書式14**」参照）。

⑵ 身体検査

身体検査は検証の一種であるが、これを実施するには、身体検査令状という特別の令状の発付を求める必要がある。加えて**女子の身体を検査**する場合には、必ず医師又は成年の女子を立ち会わせなければならない（法222条1項、131条2項）。また、身体検査を正当な理由なく拒んだものについては、過料又は罰金拘留の制裁がある。過料又は刑罰を科してもその効果がないと認められるときは、被検査者が検査を拒否しても、**身体検査を直接強制（義務の不履行の場合に義務者の身体に実力を加え、履行があったと同一の状態を実現すること）できる**（法222条1項、137条、138条、139条）。

2 任意の検証（実況見分）

⑴ 意 義

任意の検証のことを実況見分という。任意処分でありながら検証と同じ目的を達成できる。法は、検証が人の基本的人権を侵害するおそれがあることから、これを強制処分と規定している。しかし、何人の人権をも侵害するおそれがないような場合、例えば公道上の交通事故の現場の見分をする場合や、窃盗の被害者の承諾を得て被害者の住居において、被害状況の見分を行う場合には、検証令状を得ることなく実況見分の方法で行うことができる。

⑵ 検証令状を求めるべき場合

しかし、被疑者又は被疑者の知人等の被疑者側関係者の住居、事務所等を見分する場合は、仮に承諾があったとしても、将来、承諾の有無、承諾の範囲について争いが生ずる可能性があるから、なるべく検証令状を得て見分すべきと考える。

任意の身体検査は、なるべく避けるべきである。特に女子の身体検査は、衣服から露出している腕部などを見分する場合などは承諾を得てなし得るが、裸にして行う場合は承諾があっても必ず令状を得なければならない（規範107条）。

検証、身体検査、実況見分の実施　設問33　*297*

　　実況見分は、任意捜査であるから、場所が公道だったり、物件が無主
　物である場合などを除き、その対象となる場所、物件等の所有者、管理
　者、その他の関係者の承諾を得て、しかもその者を**立会人**にして見分を
　実施することが必要である。強制処分でないから、検証の場合のように、
　場所への人の出入りを禁じたり、退去を命じたり、看守者を付したりは
　できない。このような措置が必要な場合には、実況見分ではなく、検証
　の方法を選ぶべきである。

② 検証調書、実況見分調書

　検証等の目的は、再現不可能な犯行現場等の場所の状況を、後日、裁判官
等の事件関係者に対し、あたかも実際にその場を観察したと同様にありのま
まに知らせ、その犯罪に関する正確な資料を提供することである。

　検証（実況見分）の結果は、**検証調書（実況見分調書）**に記載され、この
調書は証拠法上も高い証拠能力をもつ（⟹ 設問59 参照）。

　その作成要領は、次のとおりである（⟹303頁「**書式13**」参照）。

> **アドバイス**　検証（実況見分）調書の作成要領
>
> (1)　**客観的、正確な観察と記載**
>
> 　　捜査官が、現場を正確に、冷静に、緻密に観察し、その結果をありの
> まま調書に記載すればいいのであって、文学的形容は必要がない。
>
> 　　また、例えば、「血痕が床に相当広範囲に散らばっていた。」という記
> 載では正確性を欠き、後日争いの原因となる。その場合、見取図にその
> 範囲を特定するなどして正確に記載すべきである。
>
> 　　検証・見分の実施者たる捜査官の単なる主観的意見や判断を記載すべ
> きではない。現場から推測される犯人像等は、捜査の方針樹立のための
> 重要な資料になるが、それは捜査官の主観的意見にとどまり、捜査会議
> 等で発表されるべきものであって、検証・実況見分調書に記載されるべ
> きではない。
>
> (2)　**分かりやすい記載、全体から細部へという記載**
>
> 　　全体から細部へという順序で、現場の全体的・総体的位置関係、現場
> の位置、現場の状況へと順を追って記載し、その途中で必要に応じて、
> 立会人の指示説明を求め、その指示説明内容も記載するというのが、一

298 第3章 強制捜査 第1節 対物的強制捜査

般の記載例であり、読む者にも理解しやすい。

　文章は、分かりやすさを第一義に考えて記載し、必要があれば**見取図、写真等を添付**し、読む者に一見して内容を理解させることができるように工夫すべきである。

(3) **簡明かつ要領のよい記載**

　事件との関連性を無視して、現場の状況を細大漏らさず記載すればいいというものではない。かえって、冗長な内容ゆえに理解が困難になることがある。事件と明らかに関係のない事柄は省略すべきである（ただし、事件に関係があるかどうか不明だが、関係が出てくる可能性のあるものは、記載すべきであろう）。

(4) **調書に作為を施してはならない。**

　検証（実況見分）時の観察によって得た認識でないもの、例えば、別の機会における見分、別の機会における関係者の事情聴取などから得た認識を検証（実況見分）調書上に付加して記載してはならない。

　検証（実況見分）時に撮り忘れた写真を、検証（実況見分）時に撮影したものであるかのようにして調書に添付したところ、後日法廷で、撮影されている天候が検証（実況見分）と異なっていることが指摘されて作為が判明しその結果、**調書全体の信用性が否定されてしまうこともある**ので注意すべきである。検証が不十分であったときは、その部分について、別に実況見分を行うか、あるいは、写真撮影報告書を作成して別途補充すればよい。

　作為があったことを理由に調書の証拠能力が否定された実例として、①実況見分調書の作成後10日も経過した時点で、見分に関与していない他の捜査員からの指示に従って、記載内容を加筆したケースにつき、その加筆部分の内容の真偽を問うまでもなく、加筆部分は実況見分の結果を正確に記載したものであるといえないから、その部分は証拠能力を欠くとした事案（大阪高判昭61.11.13判時1219-140　加筆部分を除く部分の証拠能力は肯定）、②見分者のメモにより、自ら実施していない実況見分調書を作成した場合に調書の証拠能力は否定されるとした事案（高松地判昭31.12.27　2回に分けて行った見分を1回で行ったように虚偽記載）がある。なお、③犯行直後に現場で実施された実況見分の調書に、その後3時間経過時に同一場所で実施した見分に立会し指示説明した被

害者が犯行直後の見分に立ち会った旨虚偽の記載をしたのは違法であるものの、これらの見分は一連のものともいえないわけではないことなどを理由に、その指示説明の証拠能力は否定されないとした例（東高判昭61.4.26）があるが、救済裁判例であることに注意すべきである。

(5) **見分メモ、写真ネガ等の第一次資料の保存**

　公判では、検証・見分自体の正確性、調書記載の正確性について、調書作成者（見分実施者）に対する証人尋問が予想されるのであるから、**検証・見分の正確性、調書記載の正確性の担保であるこれらの資料はなるべく保管整理しておく必要がある**（⟹付録1「警察官の証人尋問例」）。

　実況見分の補助者の作成した実況見分メモに基づいて、見分実施者が、見分には関与していなかったものの、図面作成に長じた捜査官に現場見取図を作成させたが、その元になったメモが廃棄されていたため、メモと見取図との対照ができず、見取図の正確性・真実性の担保がないことなどを理由に、その見取図の証拠能力が否定された事案もある（大阪高判昭59.7.13判タ544-263）。メモが保存されていたとしたら、この見取図は、補助者の見分結果を正確に代筆・清書したものとして、証拠能力が肯定されていた可能性がある。

3　立会人の指示説明

1　指示説明の必要性

　検証、実況見分（以下「検証等」という）において、捜査官は、**立会人**から、当該被疑事件と関連のある場所の特定・指示など、必要な**指示説明**を受け、それを基礎として対象物の形状等を正確に認識し、より正確、能率的に検証等の目的を達することができる。

　例えば、交通事故現場である道路には、当該交通事故と関係のないタイヤ痕、擦過痕等の無数の痕跡があるから、目撃者、事故当事者に当該事故に関連のある痕跡を特定指示させない限り、捜査官が、当該事故と関連ある痕跡の形状等を正確、能率的に検することは不可能である。

300 第3章 強制捜査 第1節 対物的強制捜査

2 検証調書・実況見分調書（以下「検証調書等」という）への指示説明者の署名押印の要否

立会人の指示説明は、検証等の一つの手段であるにすぎず、被疑者及び被疑者以外の者を取り調べその供述を求めるのとはその性質を異にするから、立会人の署名押印を必要としない（最判昭36.5.26刑集15-5-893　実況見分調書に関するもの）。

指示説明の記載部分は、検証調書等と一体であるから、弁護人等の同意がなくても、検証調書の作成者が、検証等の結果をそのまま検証調書に記載した旨の証言（作成の真正の証言）をすれば、指示説明部分を含む全記載を証拠として用いることができる（法321条2項）。

3 現場供述

立会人から、検証等の手段として被疑事実と関連ある場所等の説明を超え、検証等の現場を取調べ場所として、犯行状況などについて供述を求めることがある。これを、検証の手段としての指示説明と区別し**現場供述**という。現場供述を犯行状況の立証のために使う目的で検証調書に記載したとしても、その部分は伝聞証拠とされ、公判で弁護人等の同意がない限り、犯罪事実を立証するための証拠としては用い得ない。（⟹ **設問59** 参照）

> **アドバイス** 現場供述の証拠化の方法
>
> 現場供述を証拠化しようとするときは、その供述を別途供述調書に記載して立会人の署名、押印を求めなければならない。この場合の現場供述の証拠能力は、供述調書一般のそれと同じである。

4 指示説明として許容される限界

1 指示説明と現場供述の相違

検証等の手段としての指示説明と、取調べの結果として得られた現場供述とは、その取扱方法、証拠としての価値において、上記のとおり大きく相違する。

2 指示説明と現場供述の区別

(1) 区別の必要

そこで、いかなる事項についての現場での陳述が、検証等の手段たる

検証、身体検査、実況見分の実施　設問33　*301*

指示説明として認められ、あるいは現場供述にとどまるとされるのかが、問題である。

⑵　**指示説明できる事項**

指示説明できる事項は、現在する検証等の対象の存在又は状態について、**検証等実施に不可欠の事項**にとどまり、検証等の対象に直接関係のない犯罪事実に関する事項や検証等の対象物の現在までの沿革などの事項に関する説明は指示説明に含まれない。しかし、事件当時と検証当時とで、現場の状況が相違しており、現況を精査しても意味がないようなときは、**対象物の沿革などについても説明を求める必要**がある。例えば、交通事故現場が、事故発生当時は砂利道であったが、検証時には舗装道路になっており、舗装道路の痕跡を検する意味がないときは、「立会人は、本件当時指示地点は砂利道であったが、その後舗装したものであると指示説明した。」などと記載する必要がある。

> **アドバイス**　**検証（実況見分）の際の指示説明の記載上の留意点**
>
> 一般に、立会人は、指示説明する場合であっても、対象地点についての特定指示という形態でなく、例えば、「ここで、自分の車両と被害車両が衝突しました。」、「ここで被疑者に声をかけられました。」と、出来事に関する供述という形態で指示説明することが多い。これをそのまま、検証調書に記載すると、現場供述ではないかとの疑いをもたれることになる。
>
> この場合は、検証物を確定するための指示であるとの趣旨を明らかにするため、「自車と被害車両が衝突した地点はここです。」、「被疑者に声をかけられたのはここです。」と、**場所に関する指示の形で検証調書等に記載すべきである。**

⑤　犯行（被害）状況の再現実況見分

犯行状況や被害状況を、視覚的に分かりやすく立証するためには、捜査官が、被疑者や被害者に、犯行状況や被害状況を動作等で再現させ、これを写真撮影し、その場での説明内容を記載するとともに、再現写真を添付して作成した、**再現実況見分調書**を活用することが効果的である。再現現場での説明内容が、前記**③**、**④**の現場供述に当たるときは、これを供述調書化してお

く必要がある。

　再現写真は、再現者が言葉に代えて動作によって犯行態様がどのようなものかを説明・報告するものなので、写真そのものが実質的には、現場供述と解されることが多い。現場供述と同一視された再現写真そのものについて、弁護人が証拠にすることに同意しないとき、これに証拠能力を持たせるためには、被害者による被害再現については、参考人供述調書に準じて法321条1項2、3号の要件（ただし、署名押印は不要）、被疑者の犯行再現については、被疑者供述調書に準じて法322条の要件（同じく、署名押印は不要）が備わっている必要がある（最決平17. 9. 27刑集59-7-753参照）（⟹各要件の解説については、設問58、設問53、設問61、2参照）。

　再現実況見分によって、犯行状況や被害状況等の犯罪事実を立証しようとする場合、実務的には、再現実況見分の後、再現実況見分調書に添付する再現写真を示しながら、犯行・被害状況を聴取して供述調書化し、示した写真の写しをその末尾に付けておくやり方が一般である。これによれば、再現写真は、供述調書と一体のものとして取り扱われ、証拠能力についても一体として判断される。

　また、実務上、証人尋問で証人（被害者等）から被害状況等に関する具体的な供述がなされた後、その内容を明確化するため、再現実況見分調書の再現写真を証人に提示し（規則199条の12）、証人尋問終了後、裁判所がこれを尋問調書に添付する（規則49条）取扱いがなされているが、証人がその写真の内容を実質的に引用しながら証言した場合、その限度で写真の内容は証言の一部となり、これを事実認定に用いることができる（最決平23. 9. 14刑集65-6-949）。

書式13　実況見分調書

様式第46号（刑訴第197条）

実 況 見 分 調 書

令和○ 年 ○ 月 20 日(＊1)

○○県○○ 警察署

司法 警察員警部補　甲　野　一　郎　㊞

(＊2)

　被疑者　　　　戊井太郎　　　　に対する　　　　傷害　　　被疑事件につき、本職は、下記のとおり実況見分をした。

記

1　実況見分の日時

　　令和○ 年 ○ 月 20 日午 後1 時 20 分から午 後2 時 50 分まで

2　実況見分の場所、身体又は物

　　○○県○○市○○町○○○丁目○○番地付近一帯

3　実況見分の目的

　　凶器の遺留位置及び状況等を明らかにし証拠を保全するため(＊3)

4　実況見分の立会人（住居、職業、氏名、年齢）

　　凶器発見者(＊4)

　　乙川二郎　　○○歳

5　実況見分の経過

(1)　現場の位置(＊5)

　　　現場は、市立○○小学校前から市道○号線を歩測１５０メートル南方の道路東側にあり、立会人乙川方の筋向かいに位置する。（現場見取図第１参照）

(2)　現場の模様

　　　付近は、乙川方のほかに人家なく、同人方前には幅員４.２メートルの前記市道が南北に通じており、同市道の東西はいずれも畑となっている。その市道の東側にこれと平行して幅１.４メートルの側溝があり、乙川方前電柱から南東方８.２メートルの位置の側溝に幅１.４メートルのコンクリート橋が架設してある。この橋の直下の側溝内を

304 第3章 強制捜査 第1節 対物的強制捜査

見分するに、澄んだ水がわずかに南方に流れているのが認められる（現場見取図第2及び現場写真第1ないし第5まで参照）。

(3) 凶器の位置及びその状況

前記橋北側直下の側溝西壁より東へ目測40センチメートルの溝の中に包丁が切先を東に向けて投棄されているのが肉眼で確認された。刃渡りは水に洗われているが、柄部は目測7センチメートルが水の外にあって血痕が数滴付着しているのが認められた（現場見取図第3及び現場写真第6ないし第9まで参照）。

立会人乙川は、この凶器について「発見してすぐ警察署へ届け出たもので、発見した時の包丁の位置もこの地点です。」と指示説明した。(＊6)

(4) 証拠資料

包丁（刃渡り24センチメートル）1丁を領置した。

(5) 気象の状況

見分当時、天候は終始快晴であった。

なお、本実況見分には当署司法巡査丙田三郎（現場見取図の作成）、同丁沢四郎（現場写真の撮影）をして補助させ、その結果を明確にするため現場見取図3枚、現場写真9枚を本調書の末尾に添付した。

（現場見取図及び現場写真は省略）

（筆者注）
＊1 調書の作成が終わった日を記載する。
＊2 被疑者が不詳のときは「被疑者不詳」とする。
＊3 目的は事件の内容によって記載方法が異なる。例えば、「犯罪の日時、場所及び原因を明らかにし証拠を保全するため」などと記載する。
＊4 事件と立会人の関係も記載する。
＊5 不動の建造物などを基点とし、方向と距離によって現場を特定する。距離については、「実測」、「歩測」、「目測」などと測定方法を表示する。
＊6 指示説明（⟹ 設問33 参照）

検証、身体検査、実況見分の実施　設問33　　*305*

書式14　検証許可状請求書

様式第24号（刑訴第218条、規則第139条、第155条、第156条）

（~~捜　索~~）
（~~差　押~~）許 可 状 請 求 書
　検 証

令和〇 年 6 月 1 2 日

　　〇〇〇〇 裁判所
　　　　裁判官　　殿
　　　　　〇〇県〇〇 警察署
　　　　　　　　司法警察員 警部 甲 野 一 郎 ㊞

　下記被疑者に対する　　　　　殺人未遂　　　　　　被疑事件につき、検証 許可状の発付を請求する。

記

1　被疑者の氏名

　　　　　不詳　　　　　年　　　月　　　日生（　　　歳）

2　差し押さえるべき物

3　捜索し又は検証すべき場所、身体若しくは物
　　〇〇県〇〇市〇区〇〇町２０７番地 乙田善郎方及びその付近

4　7日を超える有効期間を必要とするときは、その期間及び事由
　　　　　　　　　　　　　　　　㊞

5　刑事訴訟法第218条第２項の規定による差押えをする必要があるときは、差し押さえるべき電子計算機に電気通信回線で接続している記録媒体であって、その電磁的記録を複写すべきものの範囲
　　　　　　　　　　　　　　　　㊞

6　日出前又は日没後に行う必要があるときは、その旨及び事由
　　日出前に行う必要がある。
　　本件の覚知が夜間であり、早急に実施しないと犯罪現場が変更されるおそれがあるため。

7　犯罪事実の要旨
　　被疑者（不詳）は、令和〇年６月１２日午前１時頃、〇〇市〇区〇〇町２０７番地乙田善郎方寝室において、殺意をもって、就寝中の同人の頭部、顔面等を鈍器で殴打し、よって全治６週間を要する傷害を与えたが、急所をはずれたためその目的を遂げなかったものである。

（注意）　1　被疑者の氏名、年齢又は名称が明らかでないときは、不詳と記載すること。
　　　　　2　事例に応じ、不要の文字を削ること。

306 第3章 強制捜査 第1節 対物的強制捜査

設問 34 鑑定嘱託など

●設　問●

(1) 被疑者Aの精神鑑定を嘱託された医師甲は、鑑定のためのAの身体検査を実施する目的で、捜査官を通じて鑑定処分許可状の発付を得たが、Aはあくまで身体検査を拒否した。この場合、甲は警察官の応援を得るなどして、身体検査を強行できるか。

(2) 捜査官が鑑定嘱託を行う場合の留意点について説明しなさい。

◆解　答◆

(1) 鑑定処分許可状だけでは強行できない。⟹ **1** 2 (4)

(2) ⟹ **3**

1 鑑定・通訳・翻訳の嘱託

1 全　般

　司法警察職員、検察官及び検察事務官は、犯罪の捜査をするについて必要があるときは、被疑者以外の第三者に、鑑定・通訳・翻訳を嘱託することができる（法223条1項）。これは、捜査機関自身が必要な知識を補充する目的で、学識経験者などに、鑑定・通訳・翻訳を委嘱する処分であり、任意処分である（したがって、鑑定等を嘱託された者は、その嘱託等を拒絶できる）。しかし、捜査機関は鑑定等の実施上必要があれば、裁判官の令状を得て被疑者の精神鑑定のための鑑定留置や死体解剖・物の破壊等の**強制処分を行うことができる**。この意味で、鑑定嘱託等も強制捜査の一環としても位置付けられる。

2 鑑定嘱託（⟹316、317頁「**書式15**」参照）

(1) 意　義

　　鑑定とは、特別の学識経験、技能をもつ者が、その学識等によって知っ

た法則・その技能等によって実験した法則、あるいはその法則を具体的事実に適用して得た判断の報告のことである。

捜査段階における鑑定は、鑑定受託者によってなされるが、その結果作成される鑑定書等の証拠能力は、裁判所によって命じられた鑑定人の作成した鑑定書等のそれと同じである（⟹**設問 59**、**2**）。鑑定書等の証拠能力や証明力に関する留意事項は、裁判所から命じられて行う場合と鑑定受託者が行う場合とで、基本的に変わらない。

証人は自ら経験した事実を報告する者で代替性がないのに対して、鑑定受託者は法則又はそれを事実に適用して得た判断を報告する者であって、代替性がある。

(2) **鑑定留置**（法224条、167条1項）

精神鑑定のための被疑者の留置であり、強制処分である。

この処分を必要とするときには、司法警察員（司法巡査はできない）、検察官又は検察事務官は、裁判官に鑑定留置請求書を提出して、その請求をする。勾留中の被疑者に対し、鑑定留置状が発せられたときは、鑑定留置の間は、勾留の執行が停止される（法224条2項、167条の2）。鑑定留置期間満了前に鑑定留置処分を取り消すときは、鑑定留置取消請求書により、取消しを請求する。鑑定留置場所は、病院その他相当な場所とされているが、適当な施設が求め難い場合、被疑者に看守の必要が特に強い場合などは、刑事施設（代用刑事施設を含む）への留置も認められる（⟹鑑定留置中の被疑者との接見禁止処分については、**設問 43**、**4**2、接見指定については、**設問 47**、**2**参照）。

(3) **鑑定留置状に代わるものの請求**（法224条3項）

被害者保護の観点から、鑑定留置状の請求においても、その個人特定情報を秘匿するため、鑑定留置状に代わるものを請求できることになった（⟹逮捕状に代わるものの請求に関して**設問 36**、**4**参照）。

検察官、検察事務官又は司法警察員は、所定の要件があり、必要があると認めるときは、鑑定留置を請求すると同時に、裁判官に対して、鑑定留置を請求された被疑者に被疑事実を告げるに当たって個人特定情報を明らかにしない方法によること及び被疑者に示すものとして当該個人

308　第 3 章　強制捜査　第 1 節　対物的強制捜査

特定情報の記載がない鑑定留置状の抄本その他の鑑定留置状に代わるも
のを交付することを請求することができる（法224条 3 項により、勾留
状に代わるものの請求手続（法207条の 2 、207条の 3 ）に準じて行われ
るべきこととされた）。

⑷　**鑑定に必要な処分**（法225条 1 項、168条 1 項）

裁判官の鑑定処分許可状を得た鑑定受託者は、人の住居への立入り、
身体検査、死体解剖、墳墓発掘、物の破壊などの強制処分をすることが
できる。この許可状は、司法警察員、検察官又は検察事務官が裁判官に
鑑定処分許可請求書を提出して請求する。**鑑定のための身体検査**につい
ては、裁判官は、適当と認める条件を付けることができる（法225条 4
項、168条 3 項）。身体検査を拒否したものに対しては、過料・費用賠償、
罰則の制裁を加えることができるが（法225条 4 項、168条 6 項、137条、
138条）、**捜査機関による令状に基づく身体検査の場合と異なり、直接強
制はなし得ない**。拒否されそうな場合は、捜査機関において、直接強制
をなし得る、身体検査令状を併せて得ておくべきである（⟹ 設問 30 、
3 参照）。

2　鑑定の重要性

1　新鑑定により結論が覆されるおそれ

例えば、被疑者が「包丁で被害者を刺し、それを某所に捨てた。」と自供
し、その場所から血痕様のものの付着した包丁が発見された場合において、
その包丁に被害者と同一血液型の人血の付着があるとの鑑定がなされれば、
被疑者のその自供は相当強く信用できる。このように鑑定の結果は、被疑者
の自白の信用性、ひいては被告人の有罪・無罪の判断に際し、重大な役割を
果たす。

逆に、上記鑑定の結果が後日否定され、「実は、包丁に付着していたのは、
獣血であった。」とか、「付着した量の血液では、血液型までは鑑定不能であ
る。」との新鑑定が出され、しかも新鑑定の信頼性の方がより大きいとされ
るときには、自白に信用性があるとの判断や有罪であるとの結論は大きく動
揺する。

鑑定の場合、同一事項について、別の鑑定人が鑑定をなし得ることから、内容が正反対の鑑定結果が出ることも少なくない。また、新鑑定の方が新たな科学的所見を基礎にしているなど、より説得的である場合もあり、捜査官がよりどころとした旧鑑定の正しさを裁判官に納得させることが難しいことも多い。ここに、鑑定の証拠としての難しさがある。

2　実　例

再審無罪事件でも、①有罪判決の決め手とされ、被告人方から押収された**着衣の血痕**が殺人被害者の血痕であるとの鑑定結果について、新鑑定により、その血痕が押収時に付着していたかどうか疑問であるとされた例（仙台高判昭52.2.15判時849-49「弘前大教授夫人殺し事件」）、②有罪判決の主要な証拠であった、強盗殺人事件の**凶器**が押切、藁切りであり被告人の**着衣に付着していた斑点**は人血であるとの鑑定結果について、新鑑定により、凶器は押切、藁切りではなく、斑点も人血であるとする判断の信用性は皆無に近いとされた例（広島高判昭52.7.7判タ350-186「加藤老事件」）、③有罪判決の主要証拠であった、強姦（現：不同意性交等）殺人現場の**遺留精液斑**が被告人の唾液と同じくＡ型・分泌型であるとの鑑定結果について、新鑑定により、被告人の血液型が非分泌型であるとされた例（青森地判昭53.7.31判時905-15「米谷事件」）、④有罪判決の有力証拠であった、凶器とされるナタに付着していた**血痕の血液型**が被害者の血液型と同一であるとの鑑定結果について、その鑑定に要した時間が短すぎる等の理由で鑑定結果が信用できないとされた例（熊本地八代支部判昭58.7.15判時1090-21「免田事件」）、⑤有罪判決の重要証拠であった、犯行後被告人が自宅に戻って就寝したときの掛け布団の襟あてに付着していた**血痕の血液型**が被害者のものと同一であるとの鑑定結果について、その血痕は付着状況、押収、保管、鑑定経過等に鑑みて、押収後に付着した疑いがあり鑑定結果を有罪の基礎にできないとされた例（仙台地判昭59.7.11判時1127-34「松山事件」）がある。

さらに、⑥最高裁による有罪判決の破棄差戻し判決（最判昭57.1.28刑集36-1-67「鹿児島夫婦殺し事件」）においても、(a)犯行直前に被告人が情交関係を結んだ被害者女性の死体の陰部から同女の陰毛と異なる**陰毛**１本が発見され、これが被告人の陰毛と同一であるとの鑑定結果に対し、捜査段階で被

告人から提出された同人の陰毛23本中5本の行方が不明になっていることからみて、その行方不明の5本のどれかが死体の陰部から発見された陰毛に紛れ込み、同鑑定の資料になったのではないかとの疑いを否定できないとし、(b)原判決が犯行当夜、被告人が被害者方に来たと認める証拠とした、被害者方私道から採取された**車轍痕**が被告人の車と同種同型あるいは紋様、摩耗の形状が符合するとの鑑定について同車轍痕が犯行当夜に印象されたものと即断することは許されないとし、(c)原判決が、犯行時刻におけるアリバイ主張がなされているのに、**死体の胃内容物**による死亡推定時刻の鑑定をしないまま、同アリバイ主張を排斥することになる死亡時刻の認定をしたのは審理不尽であるとした。

3 鑑定嘱託に当たっての留意点

1 適任者の選定

鑑定事項について、中正公平な立場にあり、権威ある専門家たる**適切な鑑定人**を選定することが重要である。

2 鑑定事項の適切な選定

捜査官が**適切な鑑定事項**を選定して鑑定嘱託することが重要である。

3 鑑定資料の相当性の確保

(1) 鑑定資料としての由来の真正さの確保

例えば、尿や血液について、その入手経路、鑑定受託者に至るまでの経路が問題とされ、被疑者の提出した尿等との同一性が争われる（前記**2** 2の⑥判決における陰毛の問題もこれである）などがないように、最大限の配慮をする必要がある。

(2) 鑑定資料としての適格性（ありのままの状態で鑑定に供されたこと）の確保

鑑定前に、鑑定資料に対し何らかの作為、加工がなされたとの非難を受けることがないように措置をする必要もある（前記**2** 2の⑤判決における、襟あてについての作為の点がこの問題である）。

(3) 微物鑑定資料についての特段の留意の必要性

特に、犯行現場等における鑑定資料たる微物（陰毛など）については、

その資料の発見・採取過程やその後の保管過程で取り違え、混同等が生じたとして、後日争われるおそれがある。**採取時においてはもちろん、その後の保管、鑑定受託者等への受渡時において、変形、変質、滅失、散逸、混合等がないように厳に注意すべきである。**

毛髪鑑定に備えて、現場の遺留毛髪を採取する際には、採取場所と本数を後日明らかにできるように証拠化しておくこと、保管に際しても、毛髪1本ごとに領置番号を付け採取場所を明記し、混同等が起こらないようにビニール袋等に入れて保管することが必要である。鑑定受託者に毛髪を引き渡した毛髪本数・領置番号・引き渡した時期、鑑定中に消費された場合はその本数・領置番号、返還を受けた本数・領置番号・時期も証拠化しておく必要がある。

なお、指紋や毛髪の採取場所が公共施設等であって、被疑者が事件に無関係にその場に出入りした際に遺留した可能性を客観的に否定できない場合について、設問62、10参照。

4　鑑定の要否

1　鑑定を必要とする場合

裁判所が実施する公判中の鑑定につき、鑑定をしないでも事実が認定でき、この認定が経験則（一般的常識）に反していないならば、鑑定を要しない（精神異常の有無について　最大判昭23.11.17刑集2-12-1588、異常酩酊の有無について　最判昭23.12.11刑集2-13-1735）。しかし、一方で、専門家の鑑定を待たずに、裁判所がたやすく精神状態についての判定を下すときは、経験則違背により違法とされる場合がある（最判昭25.1.13刑集4-1-12）。

覚醒剤かどうか（最判昭31.10.23）、麻薬かどうか（最判昭32.12.10）、巻き煙草が私製かどうか（大阪高判昭24.12.21）、アイクチかどうか（東高判昭25.11.15）、酒税法における濁り酒かどうか（仙台高判昭26.5.15）、アルコール保有量が呼気1リットル当たり0.25ミリグラム以上であったかどうか（東高判昭53.12.13　被疑者が科学的検査を拒否している場合、飲酒量、飲酒状態、飲酒後の経過時間、運転直後の言語、行動、身体的特徴等の外観的観察等から経験則によって認定できるとする）について、いずれも、鑑定に

よらないで、認定できるとしている。しかし、捜査段階で重要な事実について不明の点があるときは、鑑定の嘱託を検討すべきであろう。

2　抽出的鑑定（サンプリング）の可否

多数の注射液入りサンプルについて、その一部を抽出しての鑑定結果により、全体を覚醒剤と認定した裁判例がある（①東高判昭29.2.16は、容器分量も同一で、譲渡人も「同じものだ。」と説明していたという事案、②東高判昭29.8.9は、同時に同一場所、同一状況下に外形を同じくするサンプルが存在した事案、③名古屋高判昭33.1.13は、同一の製造業者が同一の原料、器具、方法により、同一の場所で、同時に製造したものであるという事案）。

5　鑑定資料についての制限

1　鑑定資料に制限を付ける必要がある場合の措置

鑑定受託者は、鑑定嘱託で特に資料を制限していない限り、嘱託で指定された資料のほかに、鑑定をなすのに必要かつ相当な資料を鑑定に用いることができる（最判昭35.6.9刑集14-7-957　これは、裁判所の公判中の鑑定についての判示）。捜査官において、鑑定資料の範囲を制限したいときは、その旨鑑定受託者と協議しておく必要がある。

2　証拠能力等に争いが生ずるおそれがある資料を鑑定資料にする場合

証拠能力がない資料も一概に不相当な資料とはいえず、これを鑑定資料としても鑑定自体は違法とならない（大判昭11.11.16刑集15-1446　検事調書以外の供述調書を鑑定資料とした事案）。不相当な資料を鑑定の資料として用いても、それが資料の一小部分であって、他の資料によっても同一の鑑定結果になるときは、鑑定自体が無効になるものではない（大判昭7.11.21　被告人にかつて情夫がいた旨の根拠のない風評を一資料とした鑑定の事案）。また、イソミタールを用いた麻酔分析の際の被告人の供述を、事実認定の証拠としてではなく、鑑定の一資料として用いることは許される（東高判昭27.9.4高刑集5-12-2049、静岡地判昭41.3.31下刑集8-3-506　ただし、被告人自身麻酔の使用に反対しなかった事案）。

しかし、不相当な資料を主たる資料とした鑑定は、それ自体信用性がない（大阪高判昭56.1.30判時1009-134　客観的状況と食い違う、鑑定人との面接

における被告人の供述を主な資料とした精神鑑定の事案）とされることがある。

　裁判員裁判などにおいて、起訴後の迅速な審理等が求められ、捜査段階において可能な鑑定は終えておくことが望ましいから、捜査段階における鑑定受託者への鑑定資料の提供の仕方として、例えば、(A)将来証拠能力等が争われることがないと思われる資料と、(B)証拠能力等が争われる可能性の強い資料に分類して鑑定受託者に提供し、受託者には、(A)資料だけを前提とした結論と、(B)資料も併せて判断した結論の両方の結論を出してもらうことなどの工夫をすることも検討に値する。

6　鑑定結果の取扱い

1　鑑定主文とそれ以外の記載

　ともすれば、**鑑定主文**のみをうのみにしがちであるが、その主文に至る**推論過程**、推論の**前提となる事実**、これを導き出す**資料の内容**、**入手状況等**についても、十分検討すべきである。

2　鑑定結果の拘束力

　鑑定の結果については、専門家が行ったものであるが、裁判所、ひいては捜査機関が結果を常に受け入れなければならないわけではない。

(1)　**裁判所への拘束力**

　　ア　拘束力を否定する判例

　　　責任能力について、裁判所が精神鑑定の結果と異なる判断をできるか（拘束力を持つか）という点について、最高裁は、従前から、鑑定結果に必ずしも拘束されず事実を認定できるとしている（最決昭33.2.11刑集12-2-168　心神喪失であるとの鑑定結果を排斥して心神耗弱とした）。

　　　比較的近時の同旨の最高裁判例として、

　　　①「心神喪失又は心神耗弱に該当するかどうかは法律判断であって専ら裁判所にゆだねられるべき問題であることはもとより、その前提となる生物学的、心理学的要素についても、右法律判断との関係で究極的には裁判所の評価にゆだねられるべき問題である。」として、拘

束力がない旨判示した例（最決昭58.9.13判時1100-156）がある。

イ　鑑定結果を否定すべき合理的事情がある場合に、拘束力を否定する判例

しかし、鑑定結果の拘束力が常にないとするのが裁判所の考え方ではない。

②最近の最高裁判決は、鑑定結果が、鑑定人本来の専門分野に関するものであるときは、原則として、鑑定結果を十分に尊重すべきであるが、鑑定結果を採用し得ない合理的な事情が認められる場合、例えば、**鑑定人の公正さや能力に疑いが生じた場合、鑑定の前提条件とした事実等に問題がある場合、鑑定において示された推論過程に明らかな論理上の飛躍等がある場合などに、裁判所は、鑑定結果に拘束されないことになるとする**。すなわち、最高裁は、「生物学的要素である精神障害の有無及び程度並びにこれが心理学的要素に与えた影響の有無及び程度については、その診断が臨床精神医学の本分であることにかんがみれば、専門家たる精神医学者の意見が鑑定等として証拠になっている場合には、**鑑定人の公正さや能力に疑いが生じたり、鑑定の前提条件に問題があったりするなど、これを採用し得ない合理的な事情が認められるのでない限り、その意見を十分に尊重して認定すべきもの**というべきである。」と判示した（最判平20.4.25刑集62-5-1559　心神喪失との鑑定結果を否定して心神耗弱と認定した原判決を破棄し、差し戻したもの）。

なお、②判決の事案についての差戻審判決では、被告人を心神喪失とする鑑定は、その推論過程に大きな問題があり信用できないとし、被告人を心神耗弱と認定した。同判決は上告審で確定した。

また、鑑定結果が、例えば法律事項である心神喪失か心神耗弱であるかについての意見である場合など、鑑定人本来の専門分野でない事項に関するものである場合も、鑑定結果を否定すべき合理的事情がある場合と考えられるから裁判所はその意見に拘束されることはない。

最判平20.4.25の考えに立てば、相当の根拠がある鑑定結果を、何らの理由も示さないで排斥し、これと異なる認定をすることを不当と

した裁判例（名古屋高判昭25.7.26、仙台高判昭29.2.15、東高判昭49.10.29　いずれも心神喪失状態であったとの鑑定を排斥し心神耗弱と認定した原判決を不当とした）も、逆に初動捜査の欠陥により客観的証拠が不足していることを理由として、事故を起こした自動車の運転手を特定した鑑定を措信できないとした裁判例（東高判昭50.4.24判時800-108）も妥当ということができる。

(2)　捜査機関への拘束力

捜査機関が、鑑定受託者による鑑定結果と異なる認定をすることができるかは、(1)で述べた鑑定結果の裁判所への拘束力に関する判断に準じて考えればよい。

すなわち、鑑定結果が、鑑定受託者の本来の専門分野に関する事項に関するものである場合には、原則として、この鑑定結果を尊重するべきである。しかし、**例外的に、鑑定受託者が専門家としての水準的な能力・経験や公正を欠く場合や、鑑定の前提条件とした事実等に問題がある場合や、鑑定において示された推論過程に明らかな論理上の飛躍等がある場合などは、そのまま当然のこととして受け入れる必要はない。**他の証拠を総合して、適切に判断すればいい。

また、鑑定で示された意見がその鑑定人本来の専門分野でない事項に関するものである場合も、その意見を当然に受け入れる必要はない。同様に、他の証拠によって適切に判断すればいいことになる。

(3)　私的鑑定への対応

このことは、被疑者・被告人側が専門家に私的に依頼して実施した鑑定の結果（私的鑑定）が提出されるときにも当てはまる。

私的鑑定の結果が、常識に反したり、他の証拠に照らして納得できない場合などは、専門家の援助を受けつつ、私的鑑定人の能力や公正さに問題はないか、鑑定の前提資料に問題がないか、結論を導き出す推論過程に問題がないか、鑑定人の本来の専門外の事項についての意見ではないかなどを十分に検討すべきである。

316　第3章　強制捜査　第1節　対物的強制捜査

書式15（その1）　鑑定処分許可請求書

様式第3号（刑訴第225条、規則第159条）

鑑 定 処 分 許 可 請 求 書

令和〇 年 〇 月 〇〇 日

〇〇〇〇 裁判所
　　　　裁判官　殿

　　　　　〇〇県〇〇 警察署
　　　　　司法警察員 警部 甲 野 一 郎 ㊞

　下記被疑者に対する　　　　　　　殺人　　　　　　　被疑事件につき、鑑定を嘱託された次の者が、鑑定に必要な下記処分をすることの許可を請求する。
　鑑定人の職業及び氏名
　　〇〇大学医学部教授医師 乙 川 二 郎 （〇〇歳）
　鑑定を嘱託した年月日
　　令和〇 年 〇 月 〇〇 日
　鑑定嘱託事項
　解剖した丁田善郎の死体について下記事項
　1　死因及び自他殺の別
　2　死後の経過時間、死亡の推定時間
　3　創傷の種類、位置、方向、程度及び数
　4　凶器の種類、数及び使用方法
　5　疾病の有無及び死因との関係
　6　死体のＤＮＡ型
　7　その他参考となるべき事項
　犯罪事実の要旨
　被疑者は、令和〇年1月〇〇日午後9時30分頃〇〇市〇〇区〇〇町〇丁目〇〇番地飲食店「△△△」こと丙田花子方において、友人丁田善郎（〇〇歳）とともに飲酒中、口論となりその胸部等を包丁で突き刺しこれを殺害したものである。
　　　　　　　　　　　　記
1　被疑者の氏名
　　　　不詳　　　　　　　　　　　年　　月　　日生（　　歳）
2　鑑定人が立ち入るべき住居、邸宅、建造物若しくは船舶、検査すべき身体、解剖すべき死体、発掘すべき墳墓又は破壊すべき物
　　解剖すべき死体
　　〇〇県〇〇市〇〇区〇〇町〇丁目〇番地
　　丁田善郎（〇〇歳）の死体
3　7日を超える有効期間を必要とするときは、その期間及び事由
　　　　　　　　　　　㊞

（注意）　被疑者の氏名又は名称が明らかでないときは、不詳と記載すること。

鑑定嘱託など　設問34　　*317*

書式15（その2）　鑑定嘱託書(*)

様式第2号（刑訴第223条）

鑑 定 嘱 託 書

令和〇 年 〇 月 〇〇 日

〇〇大学医学部法医学教室教授

乙 川 二 郎 殿

〇〇県〇〇 警察署

司法警察員警視 丙 田 三 夫 ㊞

被疑者　　　　甲井太郎　　　　に対する　　　　殺人　　　被疑事件に
つき、下記事項の鑑定を嘱託します。

記

嘱 託 事 項

被害者 丁 田 善 郎 〇〇歳
の死体につき

1　死因及び自殺、他殺の別
2　死後の経過時間、死亡の推定時刻
3　創傷の種類、位置、方向、程度及び数
4　凶器の種類、数及び使用方法
5　疾病の有無及び死因との関係
6　死体のＤＮＡ型
7　その他参考となるべき事項

＊　令和6年1月17日の犯罪捜査規範188条の改正により、鑑定嘱託書への「被害者
の住居・氏名・年齢・性別」の記載の義務付けがなくなり、参考事項として、その
記載が必要なときに限って記載できるものとされた（被嘱託者に交付する書面であ
るので、その記載を必要とするときは、人定事項等報告書を引用するのでなく、直
接嘱託書に記載することになる）。

318 第3章 強制捜査 第1節 対物的強制捜査

設問 35 押収品の保管、還付など（国家賠償責任を負う場合など）

● 設 問 ●
証拠品の還付に関する「差出人還付の原則」について説明しなさい。

◆解 答◆
⟹ **2** 1 (1)、 3 (1)

1 押収品の保管

1 保管者の善管注意義務

差押え又は領置した証拠物は、押収官署において保管することが原則であり、その場合、保管者には、**善良なる管理者の注意義務**（物又は事務を管理する場合に、当該職業、地位にある者として普通に要求される程度の注意義務のこと）が課される。

被疑事件が検察官に送致された後であっても、押収物件の現品が検察官に引き渡されず、検察官がその保管の責任を引き受けていない以上、現実の保管者たる司法警察職員の保管上の責任が免除されるものではない（東高判昭33.1.31下民集9-1-153）。この注意を尽くさずに、証拠物を喪失、破損した場合には、国家賠償責任を負う場合がある。仮に押収物件が没収すべき物件と思われる物であっても、職務上十分な保全措置をとるべきである（東地判昭40.7.8）。

2 保管委託、廃棄、換価処分

運搬に不便な押収物については、看守者を置き、又は所有者その他の第三者の承諾を得て、保管させることができる（**保管委託** 法222条1項、121条1項）。この場合も委託者である捜査官の保管責任は軽減されず、①受託者を適切に選任・監督する義務、②受託者に、損害の発生の防止措置を講じる

ための手段・方法を適切に与える義務がある（最判昭38.1.17裁判集民事64-1）。爆発物のような危険を生ずるおそれがある押収物は、**廃棄**することができる（法222条1項、121条2項）。没収することができる押収物であり、滅失・破損するおそれがあるもの（密漁に係る魚類など）、あるいは保管に不便なもの（船など）については、これを売却してその代価を保管することができる（**換価処分**　法222条1項、122条。ただし、司法巡査にはその権限がない）。「保管に不便」とは、社会通念上押収物それ自体の性質として、保管に不便であることを意味し、保管施設が不十分とか押収物が大量にすぎるなどの捜査官側の事情はこれに当たらない。没収できる物件であるかどうかは、十分検討する必要がある。没収できない物件を、他に売却した場合も、国家賠償の対象とされる場合がある。

2　還付、仮還付、被害者還付

1　還付等の手続

(1)　押収物は、事件につき、検察官の不起訴処分が決定したとき、又は、起訴されて有罪が確定し、その有罪判決で没収の言渡しがなされていないときは、返還（**還付**という）しなければならない（法222条1項、123条1項、346条）。しかし、検察官はそれ以前でも、留置の必要がないものは、事件の終結を待たないで、還付しなければならないとする規定（法222条1項、123条1項）の活用を考慮すべきである（規則178条の17）。

　　捜査官は民事上の法律関係に介入すべきではないから、特別の事情がない限り、原則として押収を受けた者（被押収者、いわゆる差出人）に還付すべきである（**差出人還付の原則**）。最高裁も、この原則を承認し「被押収者が還付請求権を放棄するなどして原状を回復する必要がない場合又は被押収者に還付することができない場合のほかは、被押収者に対してすべきであると解するのが相当である。」（最決平2.4.20判時1346-158）としている（⟹ 3 参照）。

320 第3章 強制捜査 第1節 対物的強制捜査

> **アドバイス** 所有権・還付請求権放棄を受ける場合の留意点
>
> 被押収者（差出人）が所有権・還付請求権放棄の意思表示をした場合は、原則として、その者からの還付請求はもはや認めなくてよくなるから、捜査機関は安心して他の権利者に還付することができる（なお、将来紛争を生じやすい点なので、所有権・還付請求権放棄の意思表示は被押収者の自署・押印のある書面によるべきである）。
>
> 会社から帳簿を押収後、会社が破産したとき、会社の管理権は代表取締役から破産管財人に移ることになるから、帳簿を還付する相手は破産管財人ということになる。

(2) 所有者、所持者、保管者、差出人の請求により、仮に押収物を還付できる（**仮還付** 法222条1項、123条2項）。仮還付を受けた物件は、捜査機関からの要求があればいつでも再び提出しなければならず、仮還付中も押収の効力が続く。仮還付を受けた者は、保管しつつ使用することはできるが、処分等はできない。

> **アドバイス** 仮還付をする場合の留意点
>
> 仮還付を受けた者が、物件を処分、廃棄などし、捜査上証拠品が必要になったとき利用できないというケースもあるので、仮還付を受ける者にその趣旨を十分説明する必要がある。**改ざんのおそれのある帳簿類については、コピーを作成して捜査官において保管しておく必要がある場合もある。**
>
> 再提出に当たっては、改めて任意提出、領置の手続をとる必要はない。

(3) **差し押さえた記録媒体の交付又は複写**

法110条の2（電磁的記録に係る記録媒体そのものの差押えに代えて、必要な電磁的記録だけを他の記録媒体に複写等してこれを差し押さえる執行方法⟹**設問30**、**1**4参照）によって差し押さえた記録媒体が被差押者の所有等するものであるときは、留置の必要がなくなった場合、これは被差押者に還付すべきことになる。

当該電磁的記録（コンピューターデータ）を複写等した記録媒体が捜査機関の所有等に係るものである場合、被差押者は占有を奪われているわけではないので、この者に還付はできない。しかし、この場合でも、当該電磁的記録を記録媒体に移転（当該電磁的記録を新たな記録媒体に

複写するとともに、元の記録媒体から消去すること）する方法で差し押さえた場合には、留置の必要がなくなったとき、手元に当該電磁的記録がなくなった被差押者に対し、原状回復として、**差し押さえた記録媒体を交付し、又は、当該電磁的記録の複写**を許さなければならない（法221条、123条3項）。

(4) 押収物が、贓物（**財産犯の被害物件**であり、賄賂金等は該当しない）である場合には、被害者に還付するべき理由が明らかなときに限り、事件の終結前に、被害者に還付しなければならない（**被害者還付**　法222条1項、124条1項）。

2　還付不能物件についての措置

還付公告　送致された事件に関する押収物の還付を受けるべき者の所在が分からないため（盗品である自転車の所有者が不明であるなど）、又はその他の事由によって、その物を還付することができない場合は、検察官は、その旨を公告し、公告後6か月以内に還付の請求がないときは、その物は国庫に帰属する。送致前の事件に関する押収物について同様の理由がある場合は、司法警察員も還付公告をなし得る（法499条2項）。送致前に公告しようとするに当たっては、留置の必要性がないか十分に検討する必要がある（検察官との連絡を密にして検討することが望ましい）。

3　還付等をめぐる国家賠償問題など

(1)　還　付

押収物に関し、所有権・賃借権・担保物権等の権利関係をめぐって争いがあるときに、誰に還付・仮還付すべきかは難しい問題である。例えば、貴金属の現所持人の甲と前所持人の乙がそれぞれ自分に所有権があることを主張して争っているときに、捜査機関が、甲からこの貴金属を証拠品として差し押さえた上で、捜査機関独自に、乙に所有権があると認定して乙に還付できるかどうかである。もし捜査機関が、「差出人還付の原則」の例外として、乙にその貴金属を還付したときには、捜査機関が民事上の紛争にまともに介入する結果となり、甲から国家賠償請求を起こされる場合がある。

また、「差出人還付の原則」の例外として、その還付請求が「権利の

濫用」に当たる場合がある。

すなわち、捜査機関が押収した押収物に、被押収者に対する各準強制性交等（現：不同意性交等）被疑事件等に関する動画データ等が記録されており、同動画データ等は、被害者とされた女性らに無断で撮影、録音されたもので、これらが流布された場合、同人らの名誉、人格等を著しく害し、同人らに多大な精神的苦痛を与えるなどの回復し難い不利益を生じさせる危険性があり、他方、同動画データ等を含めた各押収物の還付を受けられないことにより被押収者に著しい不利益が生じていることがうかがわれない事情があるような場合、被押収者が押収物の還付を請求することは「権利の濫用」に該当し、被押収者に各押収物を還付する必要はない（最決令4.7.27判時2574-112）。

なお、同最決は、令和 5 年 6 月23日に「性的な姿態を撮影する行為等の処罰及び押収物に記録された性的な姿態の影像に係る電磁的記録の消去等に関する法律」が公布され、消去命令制度（同法11条）が導入された（⟹**3** 3）ことなどに伴い、先例としての意義は乏しくなったと見る余地がある。

しかし、被害者に自己への連絡を強要した強要未遂等事件により有罪判決を受けた申立人が、同事件に関して捜査機関に押収されていた、申立人が偽造・行使した被害者作成名義の委任状 2 通により取得した被害者の住民票の写し等の還付を求めたところ、その還付を拒絶した検察官の処分に対し準抗告を申し立てた事案について、神戸地姫路支部決令2.3.24判タ1497-247は、当該写し等を申立人に還付することは、不正の手段によって戸籍等の交付を受けることにつき刑事罰をもって禁止した戸籍法及び住民基本台帳法の趣旨を没却するものであることを理由に、申立人の還付請求権の行使は「権利の濫用」に当たり、検察官の処分は正当として準抗告を棄却しており、同最決（最決令4.7.27）は、性的姿態の動画データに該当しない証拠物について、なお実務上有用と思われ、参考になる。

⑵　**被害者還付**

「被害者に還付すべき理由が明らかな場合」とは、被害者が、私法上

無条件で、押収された贓物の引渡しを請求する権利を有することが明白な場合である（広島高判昭56.6.9）。その引渡請求権の有無について、事実上又は法律上の疑義があるときは、被害者還付をすべきではない（神戸地判昭56.10.28判タ466-132　盗品たる約束手形を被害者に対してではなく、現所持人たる差出人に還付したのを適法とした）と解される。しかし、これらが具体的にどのような場合かは簡単ではない。例えば、捜査官が、盗品を買い受けた甲からその盗品を押収中、これを窃盗被害者乙に還付したことにつき、第1審は、甲は買受けに過失がなかったから所有権を取得したのであり、乙が還付を受けたのは違法だとしたが、控訴審は、甲が盗品であることを知らなかったことに過失があったから、乙には民法上の取戻請求権があったと認定して、乙が還付を受けたのは適法だとした（東高判昭41.4.27）。これは、この種の判断が難しいことを示すものである。

(3)　このように、還付（仮還付・被害者還付も含む）は、困難な法的判断を伴う行為であるから、司法巡査にはなし得ないとされる（法222条1項ただし書）。

３　押収品に性的姿態等の影像・画像が記録されている場合の取扱い

1　性的姿態等の撮影等の行為に対する対処強化の流れ

近時、着用している下着等を盗撮する事案や性犯罪時に加害者が被害者の姿態を撮影するなどの事案が多数発生し社会問題化したため、性的な姿態を撮影する行為などを厳正に処罰できるようにするとともに、生成された性的姿態等の影像・画像を的確に剥奪できるようにすることが強く求められていた。

そこで、令和5年6月23日「性的な姿態を撮影する行為等の処罰及び押収物に記録された性的な姿態の影像に係る電磁的記録の消去等に関する法律（令和5年法律第67号）」（以下「性的姿態撮影等処罰法」という）が公布され、正当な理由なくひそかに性的な姿態等（性的な部位、身に着けている下着、わいせつな行為・性交等がなされている間における人の姿をいう）を撮

影する行為や、暴行・脅迫によって同意しない意思を形成・表明・全うすることが困難な状態にさせるなどして性的な姿態等を撮影する行為等に対する罰則が新設された（下記参考欄1参照）。

なお、撮影対象者と交友関係にあった者が、撮影対象者の同意を得て性的画像を撮影して保有していた性的画像記録（データ）やその画像記録物（データを記録した有体物）を、交友関係破局後に、撮影対象者の同意なく、インターネットに公表したり、不特定多数に提供したりする等の行為（いわゆるリベンジポルノ）も社会問題化したため、「私事性的画像記録の提供等による被害の防止に関する法律」（いわゆるリベンジポルノ法　平成26年11月27日施行）が制定され、これら行為も処罰されるようになった（後記参考欄2参照）。

性的姿態撮影等処罰法は、これら罰則の整備に加えて、生成された性的姿態等の影像・画像を的確に剥奪するために、その複写物の没収という訴訟法による対応（令和5年7月13日施行）、押収物に記録された性的姿態等の影像・画像の消去・廃棄という行政処分による対応（令和6年6月20日施行）が新たな仕組みとして導入された。

参　考
1　性的姿態撮影等処罰法（令和5年7月13日から施行）の関係罰則
○　性的姿態等撮影罪

次のいずれかの行為をした者は、3年以下の拘禁刑又は300万円以下の罰金（同法2条1項）

① 正当な理由がないのに、ひそかに「性的姿態等」（※性的な部位、身に着けている下着、わいせつな行為・性交等がなされている間における人の姿）を撮影

② 刑法176条（不同意わいせつ）1項各号に掲げる8つの行為・事由（下記ア〜ク）その他これらに類する行為・事由により、同意しない意思を形成、表明若しくは全うすることが困難な状態にさせ、又は相手がそのような状態にあることに乗じて、「性的姿態等」を撮影

ア　暴行・脅迫

イ　心身の障害

ウ　アルコール又は薬物の影響

エ　睡眠その他の意識不明瞭

オ　同意しない意思を形成、表明又は全うするいとまの不存在

カ　予想と異なる事態との直面に起因する恐怖又は驚愕

キ　虐待に起因する心理的反応

ク　経済的又は社会的関係上の地位に基づく影響力による不利益の憂慮

③　性的な行為でないと誤信させたり、特定の者以外はその画像を見ないと誤信させて、又は相手がそのような誤信をしていることに乗じて、「性的姿態等」を撮影

④　正当な理由がないのに、16歳未満の子どもの「性的姿態等」を撮影

　　ただし、相手が、13歳以上16歳未満の子どもであるときは、行為者が5歳以上年長である場合に限る。

○　性的姿態等影像記録罪

情を知って、不特定・多数への性的姿態等影像送信行為（同法5条1項1号～4号）によって影像送信（※電気通信回線を通じて、影像を送ること）された「性的姿態等」の影像を記録した者は、3年以下の拘禁刑又は300万円以下の罰金（同法6条1項）

○　このほか、性的影像記録を不特定・多数に提供するなどの行為の罰則（同法3条）、性的姿態等の撮影により生成された記録等を、記録又は公然陳列の目的で保管する行為の罰則（同法4条）、不特定・多数に性的姿態等の影像の影像送信をする行為の罰則（同法5条）も新設された。

2　リベンジポルノ法違反の罰則

○　公表罪

第三者が撮影対象者を特定できる方法で、電気通信回線を通じて私事性的画像記録を不特定又は多数の者に提供した者、私事性的画像記録物を不特定又は多数の者に提供し、又は公然と陳列した者

⇒3年以下の拘禁刑又は50万円以下の罰金（同法3条1項、2項）

○　公表目的提供罪

326　第 3 章　強制捜査　第 1 節　対物的強制捜査

　　　　公表させる目的で、電気通信回線を通じて私事性的画像記録を提供
　　　し、又は私事性的画像記録物を提供した者
　　　⇒ 1 年以下の拘禁刑又は30万円以下の罰金（同条 3 項）
　　（用語の定義）
　　○　私事性的画像記録
　　　　次のア～ウいずれかの電子情報（電子データ　無形物）のことをい
　　　う。
　　　ア　性交又は性交類似行為に係る人の姿態
　　　イ　他人が人の性器等を触る行為又は人が他人の性器等を触る行為
　　　　　に係る人の姿態であって性欲を興奮させ又は刺激するもの
　　　ウ　衣服の全部又は一部を着けない人の姿態であって、殊更に人の
　　　　　性的な部位が露出され又は強調されているものであり、かつ性欲
　　　　　を興奮させ又は刺激するもの
　　○　私事性的画像記録物
　　　　上記ア～ウを撮影した画像を記録した有体物（写真、ＣＤ-ＲＯＭ、
　　　ＵＳＢメモリなど）のことをいう。

2　**性的姿態等の影像などの複写物の没収**（性的姿態撮影等処罰法 8 条 1 項）

(1)　**性的姿態撮影等処罰法 2 条 1 項及び 6 条 1 項の性的姿態等の影像の場
　　合**

　ア　刑法による没収

　　　性的姿態撮影等処罰法 2 条から 6 条までの罪が創設されたので、こ
　　れらの罪の犯罪行為によって生じた物（記録媒体など）といえる性的
　　姿態等の影像が記録された記録媒体は、犯罪生成物件（刑法19条 1 項
　　3 号　犯罪によって生じた物）として没収できるが、その複写物は、
　　刑法上、没収の対象にはならない。

　イ　複写物の没収の必要性

　　　しかし、例えば、性犯罪の際に被害者の性的な姿態をスマートフォ
　　ンで撮影し当該スマートフォン内に記録された影像データが、パソコ
　　ンのハードディスクに複写されて保存されることは、通常あり得るこ
　　とであり、スマートフォン内の影像データと同様、これら複写された

影像データが他に流通・拡散されるなどの危険性があり、この危険性を除去する必要がある。これら複写物には、原本と同じ影像が記録されているので、性的姿態等撮影罪や性的姿態等影像記録罪の犯罪行為がなければ生成されなかったものであるから、複写行為が介在しているとしても、犯罪行為との関連性は十分に認められるので、このような複写物を没収の対象とすることは適切と考えられた。そこで、刑法19条1項の補充規定として、性的姿態撮影等処罰法8条1項が新設され、**性的姿態等撮影罪（性的姿態撮影等処罰法2条1項）又は性的姿態等映像記録罪（同法6条1項）の犯罪行為により生じた物の複写物の没収ができる**こととなった。

(2) **リベンジポルノ法における私事性的画像記録（体）の場合**

リベンジポルノ法3条1項から3項の罪（公表罪・公表目的提供罪）が、**私事性的画像記録体**（写真、電磁的記録に係る記録媒体などの**有体物**）の提供等として行われる場合は、当該犯罪行為を組成し・犯罪行為の用に供するものは有体物であり、これを刑法19条の犯罪組成物件、犯罪供用物件として没収できるが、その複写物は没収できない。また、リベンジポルノ法3条1項から3項の罪が、**私事性的画像記録（無形物であるデータ）**の提供として行われる場合は、当該画像データそれ自体を刑法19条によって没収することはできない。しかし、このような画像データは、**記録媒体**等に記録されるのが通常であり、さらにその複写物が生成されることがあり得るところ、その記録媒体等、複写物が流通・拡散することによって個人の権利利益の侵害が生じ得るし、その記録媒体等や複写物には、リベンジポルノ法3条1項から3項までの犯罪行為を組成又はその用に供された私事性的画像記録と同じ姿態が記録されている以上、これら犯罪行為との関連性も認められるから、これら記録媒体等や複写物も没収の対象とするのが適切と考えられた。

そこで、性的姿態撮影等処罰法8条1項では、リベンジポルノ法3条1項ないし3項違反の罪の犯罪行為を組成し又は当該行為の用に供した私事性的画像記録体（記録媒体等の有体物）の複写物、又は同法3条1項ないし3項違反の罪の犯罪行為を組成し・当該行為の用に供した私事

328　第3章　強制捜査　第1節　対物的強制捜査

性的画像記録（画像データ）が記録されている物（記録媒体等）若しくはその複写物の没収ができることになった。

3　押収物に記録された性的な姿態の影像・画像の行政手続としての消去・廃棄（性的姿態撮影等処罰法10条1項、2項、同法11条）

(1)　性的な姿態の影像・画像の消去・廃棄の新たな仕組みの必要性

　2で述べたように、性的姿態等撮影罪又は性的姿態等映像記録罪の犯罪行為により生じた物や、リベンジポルノ法3条1項ないし3項違反の罪の犯罪行為を組成した物、さらにこれらの複写物について没収できることになった。しかし、これらの犯罪行為についての公訴時効期間が経過していたり、被害者が性的な姿態の画像の削除を希望する一方で、公開の法廷で審理される刑事手続は回避したい意向を強く示すなどの理由で公訴提起に至らない場合などには、刑事手続において没収することができない。

　このような状況において、被押収者が、所有権を放棄しなかったり、削除に同意しなかったりした場合には、当該押収物の廃棄や、電磁的記録の消去ができないという問題点があり、これには、性的姿態等の撮影によって生じた物などが流通・拡散することになり、撮影対象者である被害者の権利利益の侵害が増大する危険性があった。そこで、これを除去することによって、被害者の保護を図るため、検察官において、行政手続として、性的姿態等影像の消去・廃棄ができることとなった。

(2)　押収物に記録された性的姿態等の影像・画像の消去・廃棄のための新たな制度とは

　検察官が保管する押収物が、次のイからハ記載の性的な姿態を撮影する行為等により生じた物、又はこれらを複写した物である場合に、検察官は、行政手続として、後記①ないし③の措置をとることができる。

イ　性的姿態等撮影罪又は性的姿態等映像記録罪に当たる行為によって生じた物

ロ　リベンジポルノ法違反の画像

ハ　「児童買春、児童ポルノに係る行為等の規制及び処罰並びに児童

の保護等に関する法律」（いわゆる「児童ポルノ法」）2条3項に規
定する「児童ポルノ」

① 当該押収物が電磁的記録を記録したものであるとき、その記録状況
　等に応じて、当該押収物に記録されている電磁的記録を消去し、又は
　当該押収物を廃棄する措置（性的姿態撮影等処罰法10条1項）
② 当該押収物が電磁的記録を記録したものでないとき、当該押収物を
　廃棄する措置（同条2項）
③ 当該押収物に記録されている電磁的記録が、捜査段階においていわ
　ゆるリモート捜査により複写されたものであって、アクセス先の記録
　媒体に当該複写の対象とされた電磁的記録が残存しているときは、当
　該電磁的記録を消去する権限を有する者に対し、その消去を命ずる措
　置（同法11条）

⑶ **留意事項**

　警察官が、性的姿態等の影像・画像を記録する押収物を保管している
ときには、捜査に直接必要がないものだからといって、安易にその所有
者等に（仮）還付するのではなく、任意にその所有権放棄を要請し、所
有者が所有権放棄に応じない意向であるときは、将来、検察官に引き継
いで消去・廃棄の行政手続で処理するのが相当ではないかなどを、慎重
に検討・判断する必要がある（なお、性的姿態等の影像・画像を記録し
た物であっても、その影像・画像が前記⑵イないしハ記載の犯罪によっ
て生成された物やその複写物でない場合には、消去・廃棄の行政手続の
対象にはならないことにも留意が必要である）。

330　第3章　強制捜査　第2節　対人的強制捜査

設問 36 逮捕一般（その1　逮捕状の請求手続など）

●設　問●

(1)　警察官甲が取調べ中の過失傷害罪（法定刑は拘留又は科料のみ）の被疑者Aは、住居もあり、甲の呼出しにも応じていたが、その所属する暴力団組織を背景に目撃者乙に圧力を加えていることが判明した。Aを逮捕することができるか。

(2)　(1)の事例で、Aの被疑罪名が賭博幇助であった場合はどうか。

◆解　答◆

(1)　できない。⟹ **2** 5(1)

(2)　できる。⟹ **2** 5(2)

1　逮捕状の請求手続

1　請求権者

　通常逮捕の場合、逮捕状の請求をなし得るのは、（指定）司法警察員と検察官に限られる（法199条2項）。緊急逮捕後に行う逮捕状の請求は、これらの者に加えて司法巡査・検察事務官もなし得る（法210条1項）。

（通常）**逮捕状請求書**⟹343頁「**書式16（その1）**」参照

2　請求の相手方

　逮捕状請求は、逮捕者所属の官公署所在地を管轄する地方裁判所及び簡易裁判所の裁判官に対して行わなければならない。やむを得ない事情がある場合は、最寄りの下級裁判所（高等裁判所、地方裁判所、家庭裁判所及び簡易裁判所）の**裁判官**に対して行うことができる（規則299条）。例えば、警視庁所属の捜査官が東京で発生した犯罪について大阪に出張して被疑者を追及したところ自白したような場合には、東京の裁判所の裁判官に逮捕状を請求すれば、被疑者が逃亡するおそれがあり、「やむを得ない事情がある」といえ

るから、大阪の裁判所の裁判官に逮捕状を請求することができる。

3 請求手続

逮捕状請求者は、裁判官に対して各種疎明資料を提出し、逮捕の理由（犯罪の嫌疑）及び逮捕の必要についての判断を受け（規則143条）、求められたときは、裁判官のもとに出頭して逮捕の理由、必要性を疎明するために陳述、書類その他の物の提出（規則143条の2）をしなければならない。これらによっても、逮捕の理由がないと判断される場合や明らかに逮捕の必要性がないと判断された場合、請求は却下される（規則140条、143条の3）。

4 逮捕状請求の撤回

逮捕状の却下をすべき場合に、裁判官が、請求書を請求者に持ち帰らせるという便宜な取扱いは、相当ではないとされている。

5 却下に対する対処

逮捕状請求の却下に対する準抗告はできない（法429条1項参照）。しかし、疎明資料を追完して、再請求することはできる。

2 逮捕状発付の要件

1 逮捕の理由と必要性

(1) 逮捕の理由

逮捕状の発付を得るには、**逮捕の理由**、すなわち通常逮捕の場合は、被疑者が「**罪を犯したことを疑うに足りる相当な理由**」（法199条2項）、緊急逮捕の場合は「**罪を犯したことを疑うに足りる十分な理由**」（法210条1項）が備わっていることを要する。

(2) 必要性

さらに、**逮捕の必要性**を疎明しなければならない。通常逮捕の場合は「明らかに逮捕の必要がないと認めるときは」逮捕状を発付しないと明文で規定されている（法199条2項ただし書）が、明文のない緊急逮捕の場合も同様である。

ただ、この「必要性」の有無の判断は、捜査初期の流動的な段階における判断であるから、捜査官としては、裁判官に対し、「必要であるらしい」という程度の心証を抱かせれば足りる。裁判官は、その程度の心

332　第3章　強制捜査　第2節　対人的強制捜査

証にも達しないとき、すなわち、「明らかに逮捕の必要がない」と認めたときに限り、逮捕状の請求を却下できる。

2　「明らかに逮捕の必要がない」という意味

(1)　規則の趣旨

規則143条の3は、「被疑者の年齢及び境遇並びに犯罪の軽重及び態様その他諸般の事情に照らし、被疑者が逃亡する虞がなく、かつ、罪証を隠滅する虞がない等明らかに逮捕の必要がないと認めるときは、逮捕状の請求を却下しなければならない。」とし、「明らかに逮捕の必要がない」とは、①逃亡のおそれがなく、かつ、②罪証隠滅のおそれがないことであると規定している。逆にいえば、**被疑者が逃亡するおそれがあり、又は罪証を隠滅するおそれがあるときは、逮捕の必要性がある。**

(2)　年齢・境遇

必要性の判断要素として挙げられている「年齢」についていえば、被疑者が老齢、幼少なときは、必要性は否定されようし、「被疑者の境遇」についていえば、被疑者が住居不定、現に逃走中であるなどの事情があれば必要性は認められやすい。

3　「逃亡のおそれ」と「罪証隠滅のおそれ」がある具体例

(1)　逃亡のおそれ

逃亡のおそれを推測させる事情としては、以下の事柄が挙げられる。

①　生活が不安定であること

例えば、住居不定者、簡易旅館生活者、作業員宿舎居住者、単身生活者、独身者、無職者、定着性のない職業に就くもの、職業を転々とする者等は、逃亡のおそれが認められやすい。

②　被疑者が処罰を免れようとするおそれがあること

事件が凶悪あるいは前科前歴が多数あり、実刑に処せられる可能性が強い者などは、逃亡するおそれがある。

③　犯行後逃走していたときは、逃走のおそれがあるとみてよい。

④　被疑者の供述態度

被疑者が、積極的に罪を認め服罪する態度を示しているときに比べて否認・黙秘するときは、より逃走のおそれが認定されやすい。

⑵ 罪証隠滅のおそれ

ア 罪証隠滅の意味

① 隠滅の対象となる事実

犯罪構成要件に該当する事実のみならず、量刑に重大な影響をもつ重要な情状事実、例えば計画性・常習性の有無、動機犯罪における動機の内容なども対象となる（札幌地室蘭支部決昭40.12.4下刑集 7 -12-2294　勾留請求の事案）。覚醒剤犯罪においては、覚醒剤の入手ルート、入手状況なども常習性の有無、営利目的の有無を明らかにする上で重要な事実であり、証拠隠滅の対象となる事実であるから、覚醒剤の所持を認めながらその入手先を秘匿する被疑者は、逮捕の必要性がある。

② 証拠隠滅の態様

既存の証拠を隠滅する場合と新たに虚偽の証拠（供述、物証）を作り出す場合いずれであってもよい。通常は、物証の棄損・隠匿・偽造、共犯者との通謀・口裏合わせ、事件関係者その他参考人に対する働きかけ、圧迫等の方法でなされる。

イ　証拠隠滅のおそれを推測させる事情

①現実に証拠隠滅工作をなした事実がある場合は、今後も証拠隠滅の意図があると推測できる。

②犯罪事実又は重要な情状に関する事実について、黙秘・否認するほか、「酔って覚えていない。」として供述しないときなどは、供述態度からみて罪証隠滅のおそれがあると認めていい場合が多い。しかし、このような事情があっても罪証隠滅の客観的可能性がない場合、例えば、被害者が警察官の公務執行妨害のような場合は、同人に証拠隠滅工作を仕掛けてくる可能性はほとんどないと考えられ、証拠隠滅のおそれは少ないとされよう。

4　余罪を必要性判断の資料にできるか

⑴　できる場合

被疑事実だけでは起訴価値に乏しく犯罪として軽微だが、同種余罪を加えれば常習性が認定でき被疑事実の起訴価値が十分になるといえる場

334　第3章　強制捜査　　第2節　対人的強制捜査

合、例えば、1回の窃盗だけでは起訴価値に欠けるが、窃盗余罪が多数
ある場合などは、余罪の存在することを、被疑事実についての逮捕の必
要性の疎明資料となし得る。

(2)　できない場合

しかし、余罪と被疑事実との間に密接関連性がない場合は、余罪によっ
て被疑事実そのものの起訴価値が変わるものではないから、余罪を疎明
資料とすることは難しい。

5　軽微事件の特例

(1)　逮捕の加重要件

30万円（刑法、暴力行為等処罰に関する法律及び経済関係罰則の整備
に関する法律の罪以外の罪については、当分の間、2万円）以下の罰金、
拘留又は科料に当たる軽微な犯罪については、①被疑者が定まった住居
を有しない場合、又は②正当な理由がなく捜査官の出頭の求めに応じな
い場合に限って逮捕状が発付される（法199条1項ただし書）。

同規定は、軽微な犯罪について、一般的な逮捕状発付要件である逮捕
の理由と必要性の疎明を要することを当然の前提とし、加えて、上記①
又は②の要件があることを疎明しない限り逮捕状を発付しないとしたも
ので、必要性に関し逮捕状発付の要件を更に厳格にしたものと解される。
したがって、例えば、過失傷害罪については、一般的な逮捕の理由と必
要性（「罪証隠滅のおそれ」「逃亡のおそれ」のあること）があったとし
ても、住居不定又は正当の理由のない不出頭という上記要件を欠くとき
は、逮捕状が発付されない。

(2)　法定刑基準か処断刑基準か

「30万円以下の罰金等に当たる」罪（法199条1項ただし書）とは、
法定刑を基準として決めるのか、法律上の減軽等をした刑（処断刑）を
基準として決めるのか。

例えば、賭博罪（罰金50万円以下）は、この軽微事件に当たらないが、
賭博幇助は、賭博罪の法定刑から法律上必ず減軽しなければならず、減軽
された刑（罰金25万円以下）を基準にすると軽微事件に当たることになる。

公訴時効期間については、法定刑を基準にするとされ（法252条）、緊

急逮捕をなし得る罪についても、実務・通説は、法定刑が基準であると解している。法199条1項ただし書についても、これと統一的に、**法定刑を基準**とすべきものと解される。前記の賭博幇助の場合は、賭博罪の法定刑を基準とすることになるから軽微事件ではなく、法199条1項ただし書に当たらず、住居不定又は正当の理由のない不出頭という要件を欠いても、一般的な逮捕の理由と必要性を疎明できれば逮捕状を得ることができる。

6 捜査官からの呼出しに正当な理由なく応じないことと逮捕の必要性

逆に住居不定あるいは正当の理由のない不出頭は、直ちに、「逃亡のおそれ、証拠隠滅のおそれ」ありといえるものではないから、これだけでは、逮捕の必要性があるとはいえない。特に、在宅被疑者には出頭義務はない（法198条1項ただし書）から、不出頭のみを理由に逮捕の必要性を認めることには問題がある。

しかし、住居不定や正当の理由のない不出頭は、通常「逃亡のおそれ、証拠隠滅のおそれ」を推認させるから、**正当の理由のない不出頭が数回反復されたときは、その被疑者には、「逃亡のおそれ、証拠隠滅のおそれ」があると認められる**。実務としては、不出頭が少なくとも3回程度反復された時点で、その旨記載した報告書等を疎明資料として、逮捕状を請求する運用とされている（小林充「増補令状基本問題（上）」〔判例時報社1996〕112）。

例えば、被疑事実自体は認めているが、被疑者が再三にわたって警察への呼出しを拒否し組織的な背景が伺われる状況があるときには、明らかに逮捕の必要性がないとはいえないとされる（最判平10.9.7判時1661-70 指紋押捺拒否事件の国家賠償請求事件に関するもの。情状に関する事実について証拠隠滅をするおそれが全くないとはいえないとしたケースと理解されている）。

3 請求書の方式に違反がある場合の逮捕状請求の効力

1 方式に軽微な過誤のあるとき

軽微な過誤（例えば、被疑者の年齢等が不明のときにその旨を記載しなかったような場合）のときは、その他の要件を具備していれば、逮捕状は発付される。

2 重大な方式違反のとき

しかし、方式違反が重大で裁判官の逮捕の許否の判断を誤らせるおそれがあるような場合には、逮捕状請求が却下される。

請求書の被疑事実と同じ犯罪事実又は現に捜査中である別の犯罪事実について、その被疑者に対し、前に逮捕状の請求・発付があったときは、その旨とその犯罪事実を請求書に記載すべきこととされている（規則142条1項8号）。これは**同一事実による逮捕の蒸し返しや、数個の犯罪事実について同時に逮捕して捜査ができるにもかかわらず、順次逮捕・釈放を繰り返すことによる逮捕の蒸し返しを防止する趣旨の規定**であるから、ここに挙げられた事項を故意に請求書に記載しないときの方式違反は重大であり、請求は却下される。単なる手続ミスで、不当な意図がなかったことを疎明した場合は、いったん請求却下を受けた上で、補正した再請求をして、逮捕状の発付を得ることができる（最高裁事務総局刑事局「令状関係法規の解釈運用について」（上）〔法曹会1970〕31）。

なお、規則142条1項8号に規定される「同一の犯罪事実について前に逮捕状の請求又は発付があったとき」とは、①逮捕状の更新の場合（この場合、逮捕状請求書には、「令和○年○月○日、○○○○裁判所裁判官○○○○から同一の犯罪事実について逮捕状の発付を受けたが、有効期間内に被疑者を発見逮捕することができなかった。」などと記載する）、②逮捕状の発付を受けて逮捕したものの、証拠不十分で釈放したが、その後新たな証拠が発見されたので再び同一事実について逮捕状を請求する場合などである（⟹**設問38**、**1**2参照）。

また、「現に捜査中である他の犯罪事実について、前に逮捕状の請求又は発付があったとき」の「現に捜査中の他の犯罪事実」とは、請求書記載の被疑事実と併せて同時に逮捕して捜査できる可能性がある犯罪事実をいうと考えられるから、請求者の勤務する同一所属が捜査中の場合だけでなく、他の所属又は捜査機関が現に捜査中の余罪も含む。例えば、被疑者が他の所属から指名手配されているときがこれに当たる（この場合、逮捕状請求書には、「令和○年○月○日、○○○○裁判所裁判官○○○○から、別紙記載の犯罪事実により逮捕状が発せられている。」と記載する）。また、甲罪で逮捕した

逮捕一般（その1　逮捕状の請求手続など）　設問36　*337*

被疑者を送致したが、検察官において処分保留で釈放した後、乙罪で再び逮捕する場合の甲罪もこれに当たる。

4　逮捕手続における被害者等の個人特定事項の秘匿措置（法201条の2）

1　従来の状況と法改正の必要性

後記**設問37**、**1**で述べるとおり、逮捕状により被疑者を逮捕するには、逮捕状を被疑者に示さなければならず（法201条1項）、逮捕状には被疑事実の要旨が記載される（法200条1項）。従来、実務上、被疑事実の要旨に被害者の氏名等が記載されており、逮捕状の呈示手続を通じて、被疑者が被害者の氏名等を把握することが可能になっていた。そのため、こうした手続を通じて、被害者の氏名等を把握した被疑者が被害者等に対して加害行為に及ぶおそれがあると考えられることになり、実際にも、その点に不安を持つ被害者等から捜査に対する必要な協力が得られず、起訴を断念せざるを得ないなどの事態も生じていた。

そこで、令和5年改正法（法律第28号）によって、逮捕手続における被害者等の個人特定事項（以下「**個人特定事項**」という）の秘匿措置（法201条の2）が新設された（個人特定事項の秘匿措置を**人定秘匿措置**と呼ぶこともある）。同様の趣旨で、同改正法によって、勾留手続における同様の秘匿措置（法207条の3）、起訴状における同様の秘匿措置（法271条の2、271条の3）も、新設された。

2　逮捕手続における個人特定事項の秘匿措置

(1)　逮捕手続における個人特定事項の秘匿措置とは

ア　意　義

検察官又は司法警察員は、対象者の氏名等の個人特定事項について、必要と認めるときは、**逮捕状の請求と同時に**、**裁判官に対して**、被疑者に示すものとして、当該個人特定事項の記載がない逮捕状の抄本その他の**逮捕状に代わるもの**の交付を請求することができる（法201条の2第1項）。

逮捕状に代わるものの交付があったときは、逮捕状により被疑者を

338　第3章　強制捜査　第2節　対人的強制捜査

逮捕するに当たり、当該逮捕状に代わるものを被疑者に示すことができる（法201条の2第3項）。

イ　個人特定事項とは

個人特定事項とは、氏名、住所その他の個人を特定させることとなる事項をいう。具体的にどのような事項が、これに当たるかは、個々の事案における事実関係によっても異なる。例えば、対象者の勤務先や通学先、配偶者や父母の氏名等の情報もこれに該当する場合があり得る（野末宜義「法律のひろば」76巻7号（「刑事訴訟法等の一部を改正する法律」の概要）〔ぎょうせい2023〕）。

⑵　秘匿措置の対象者

秘匿措置の対象となる者は、次の①又は②の者である。

①　次に掲げる事件の**被害者**（法201条の2第1項1号）

1号イ　性犯罪等（刑法176条、177条、179条、181条若しくは182条の罪、225条若しくは226条の2第3項の罪（わいせつ又は結婚の目的に係る部分に限る）、227条1項（225条又は226条の2第3項の罪を犯した者を幇助する目的に係る部分に限る）若しくは3項（わいせつ目的に係る部分に限る）の罪若しくは241条1項若しくは3項又はこれらの罪の未遂罪に係る事件）

1号ロ　児童福祉法60条1項の罪（児童に淫行をさせる行為）、34条1項9号に係る60条2項の罪（児童の心身に有害な影響を与える目的をもって自己の支配下に置く行為）、児童買春、児童ポルノに係る行為等の規制及び処罰並びに児童の保護等に関する法律4条から8条までの罪又は性的な姿態を撮影する行為等の処罰及び押収物に記録された性的な姿態の影像に係る電磁的記録の消去等に関する法律2条から6条までの罪に係る事件

1号ハ　1号イ、ロに掲げる事件のほか、犯行の態様、被害の状況その他の事情により、個人特定事項が被疑者に知られることにより、次に掲げるおそれがあると認められる事件

⑴　被害者等（被害者又は被害者が死亡した場合若しくはその心身に重大な故障がある場合におけるその配偶者、直系の親族若しく

は兄弟姉妹）の名誉又は社会生活の平穏が著しく害されるおそれ

(2)　被害者若しくはその親族の身体若しくは財産に害を加え又はこれらの者を畏怖させ若しくは困惑させる行為がなされるおそれ

②　①に掲げる者のほか、個人特定事項が被疑者に知られることにより、次に掲げるおそれがあると認められる者（法201条の2第1項2号）

2号イ　その者の名誉又は社会生活の平穏が著しく害されるおそれ

2号ロ　その者若しくはその親族の身体若しくは財産に害を加え又はこれらの者を畏怖させ若しくは困惑させる行為がなされるおそれ

(3)　**「逮捕状に代わるもの」の交付請求をすべき時期・場合**

ア　法律の規定と運用上の留意点

逮捕状に代わるものの交付請求は、**逮捕状の請求と同時に行う必要がある**（法201条の2第1項柱書）。したがって、逮捕状を請求するまでに、事案を総合的に検討し、逮捕状に代わるものの交付請求ができる場合（同項1号、2号）に該当するか、また、逮捕状に代わるものの交付を請求する必要性があるかを判断し、必要性や請求要件が具備されていることを確認できた場合に、交付を請求する。

また、交付を請求するのであれば、秘匿措置の対象者が、同項に該当する者であることを疎明するための捜査報告書を取りまとめるなど、必要な資料等を用意しておかなければならない。

逮捕状に代わるものの交付請求ができる場合、被疑者に個人特定事項を秘匿する必要がないといえるときを除いては、逮捕状に代わるものの交付の請求を積極的に検討し、再被害・二次被害が生じないような措置を講じるように徹底することが運用上望まれる。

秘匿措置の対象者が**個人特定事項について被疑者に知られたくない旨の意向を持っている場合**は、当該事件について逮捕状に代わるものの交付請求ができる要件を満たすことが多いと考えられるので、秘匿措置の対象者が、その旨の意向を示したときは、上申書、供述調書、捜査報告書等においてその意向を具体的に記録し、警察部内でこれを共有して周知しつつ逮捕状に代わるものの交付請求を準備するとともに、検察官や裁判官にも秘匿措置の対象者の意向を確実に伝達してお

340　第3章　強制捜査　第2節　対人的強制捜査

く必要がある。

イ　逮捕状に代わるものの交付の請求をしておらず、逮捕状の発付のみ
を受けていた事案について、個人特定事項を秘匿する必要が生じたと
きの対応

発付を受けていた逮捕状を一度返納した上で、再度逮捕状と逮捕状
に代わるものの交付を同時に請求するべきである。

ウ　逮捕状に代わるものの交付を請求することなく逮捕状を請求した後、
逮捕状発付前に逮捕状に代わるものが必要と認められることが判明し
た場合には、裁判所に連絡して、逮捕状の請求を撤回し、必要資料を
用意した上で、逮捕状及び逮捕状に代わるものの交付を同時に請求す
る。

⑷　「逮捕状に代わるもの」の交付請求書への記載事項

交付請求書の記載要件については、規則142条の2で規定されている
（⟹345頁「**書式16（その2）**」参照）。

ア　被疑者　年齢の記載は不要

イ　「法201条の2第1項の規定による請求に係る者が、それぞれ同項
第1号イ、ロ若しくはハ⑴若しくは⑵又は第2号イ若しくはロのいず
れに該当するかの別」を記載することとされている。請求に係る者が、
一人の場合は、チェック欄にチェックすれば足りるが、複数いる場合
は、それぞれについていずれに該当するかを簡潔に記載する。

ウ　「法第201条の2第1項の規定による請求に係る個人特定事項を明
らかにしない方法により記載した被疑事実の要旨」の記載も求められ
ている。

個人特定事項を秘匿した被疑事実とは、氏名に関しては、例えば、
被疑者が秘匿措置の対象者の氏名を知らない場合に被疑者の知ってい
る旧姓を記載すること、著名人であればその通称を記載すること、又
は「甲」「A」などの概括的な記載をすることであり、住居に関して
は、例えば、被疑者に知られていない住所等を記載しないこと、又は
「○○県内において」などの概括的な記載をすることである。

被疑者に逮捕状に代わるものを呈示することが求められる理由は、

秘匿措置の対象者の情報を保護しつつ、被疑者に理由なく逮捕される
ものではないことを保障するものであるから、逮捕状に代わるものの
被疑事実の要旨は、犯罪事実を特定し、他の犯罪事実との識別が可能
な程度に具体的かつ明確に特定することが同時に求められる。

3 個人特定事項の秘匿措置が必要な事件における対応

⑴ 秘匿措置を講じた事件についての送致前における対応

逮捕状の発付とともに逮捕状に代わるものが交付され、逮捕状に代わ
るものを呈示して被疑者を逮捕する予定の事件又は逮捕した事件におい
ては、当該事件が個人特定事項を秘匿すべき事案であることを捜査関係
者が十分認識し、被疑者の取調べ（弁解録取を含む）において個人特定
事項を告げないようにしつつ、被疑者との会話や捜査関係者同士の会話
等においても、被疑者に個人特定事項を推察させるような事項を話すこ
とがないように注意すべきである。

⑵ 秘匿措置を講じた事件についての送致時の対応

逮捕状の発付とともに逮捕状に代わるものの交付を受けた事件につい
ては、個人特定事項を秘匿した事件であることを検察官に確実に引き継
ぎ、勾留手続においても、その必要性等が認められる場合には個人特定
事項の記載がない勾留状に代わるものの交付の請求等の秘匿措置が講じ
られるようにする必要がある。

⑶ 現行犯逮捕又は緊急逮捕の場合であって、逮捕手続における個人特定事項の秘匿措置が講じられていないが、勾留手続以後、同措置が講じられると考えられる事件への対応

現行犯逮捕又は緊急逮捕の場合には、刑訴法上、逮捕状が存在しない
又は逮捕状の呈示が予定されていないので、その場合の逮捕手続での個
人特定事項の秘匿措置の規定が設けられていない。しかし、その場合で
あっても、被疑者が個人特定事項を知ったことによる再被害・二次被害
が生じないようにすべき必要性は変わりないし、勾留請求以降の手続に
おいて個人特定事項を秘匿する措置が考えられる。

したがって、勾留請求以降の手続において個人特定事項を秘匿する措
置が講じられると考えられる事件については、現行犯逮捕又は緊急逮捕

342　第3章　強制捜査　　第2節　対人的強制捜査

をした場合についても、警察における捜査段階から被疑者に対して個人
特定事項が知られないように注意する必要がある。

　そのため、前記の再被害・二次被害が生じないようにする必要がある
場合で、被疑者を現行犯逮捕又は緊急逮捕したとき、弁解録取に当たり、
被疑者に犯罪事実の要旨を告げる際には、個人特定事項を秘匿した被疑
事実の要旨を作成するなどして、個人特定事項を秘匿した犯罪事実を告
げるようにするほか、弁解録取を含めた取調べにおいて、秘匿する必要
のある個人特定事項を告げないようにするなど適切に対応するべきであ
る。

　また、緊急逮捕の場合、緊急逮捕状の発付を受けた際には、個人特定
事項が記載された被疑事実の要旨を被疑者に呈示しないようにするべき
である（具体的には、例えば、当該被疑事実の要旨のうち、個人特定事
項を秘匿したものを口頭で告知することが考えられる）。

⑷　**在宅事件であり、逮捕手続や勾留手続における個人特定事項の秘匿措**
　　置が講じられていないが、公訴提起に当たって、同措置が講じられると
　　考えられる事件についての対応

　在宅事件においては、逮捕手続又は勾留手続がないので、刑訴法上、
捜査段階における個人特定事項の秘匿措置の規定が設けられていないが、
在宅事件であっても、被疑者が個人特定事項を知ったことによる再被害・
二次被害が生じないようにすべき必要性は変わりないし、公訴提起に当
たって、個人特定事項を秘匿する措置が考えられる。

　これを踏まえれば、公訴提起に当たって個人特定事項を秘匿する措置
が講じられると考えられる事件については、警察における捜査段階から、
被疑事実の要旨に記載された個人特定事項を被疑者に知られないように
注意する必要がある。

　そのため、前記の再被害・二次被害が生じないようにする必要がある
場合で、在宅事件として被疑者を取り調べる際には、秘匿する必要があ
る個人特定事項を告げないようにするなど適切に対応するべきである。

逮捕一般（その1　逮捕状の請求手続など）　設問36　*343*

書式16（その1）　逮捕状請求書（⟹ 設問 36 参照）

様式第11号（刑訴第199条、規則第139条、第142条、第143条）　□　逮捕状に代わるものの交付請求あり（＊1）

逮　捕　状　請　求　書　（甲）

令和〇 年 〇 月 〇 日

〇〇〇〇 裁判所
　　　　裁判官　殿

　　　　〇〇県中央 警察署
　　　刑事訴訟法第199条第2項による指定を受けた司法警察員
　　　　　　　　　　　　警部 甲 野 一 郎 ㊞

　下記被疑者に対し、　窃盗　被疑事件につき、逮捕状の発付を請求する。
記

1　被疑者
　　　氏　　名　丙井太郎　（＊2）
　　　年　　齢　　　　　　昭和〇〇 年 12 月 5 日生（〇〇 歳）
　　　職　　業　無職
　　　住　　居　〇〇県〇〇市〇〇2350番地

2　7日を超える有効期間を必要とするときは、その期間及び事由
　　　　　　　　　　　　　　　　　　　　　（＊3）
　　　　　　　　　　　　　㊞

3　引致すべき官公署又はその他の場所
　　〇〇県中央警察署又は逮捕地を管轄する警察署　（＊4）

4　逮捕状を数通必要とするときは、その数及び事由
　　　　　　　　　　　　　㊞

5　被疑者が罪を犯したことを疑うに足りる相当な理由　（＊5）
　(1)　被害者丁田善子の盗難被害届　　　　　　　　　　　　　　　1通
　(2)　被害現場で採取した指紋が被疑者の指紋と一致する旨の現場指紋対
　　　照結果通知書　　　　　　　　　　　　　　　　　　　　　　1通
　(3)　古物商乙川二郎の写真面割結果
　(4)　古物商乙川二郎の供述調書　　　　　　　　　　　　　　　　1通

6　被疑者の逮捕を必要とする事由　（＊6）
　　被疑者は窃盗の前歴を持ち単身生活中であり、盗んだ時計を古物商に
　売却する際、住所氏名を詐称しているので、逃走及び罪証を隠滅するお
　それがある。

344　第3章　強制捜査　第2節　対人的強制捜査

7　被疑者に対し、同一の犯罪事実又は現に捜査中である他の犯罪事実について、前に逮捕状の請求又はその発付があったときは、その旨及びその犯罪事実並びに同一の犯罪事実につき更に逮捕状を請求する理由　（＊7）

8　30万円（刑法、暴力行為等処罰に関する法律及び経済関係罰則の整備に関する法律の罪以外の罪については、2万円）以下の罰金、拘留又は科料に当たる罪については、刑事訴訟法第199条第1項ただし書に定める事由

9　被疑事実の要旨
　被疑者は、令和○年3月7日午後6時10分頃から同月8日午前8時30分頃までの間に、○○県○○市○町○○○○番地○○アパート1号室丁田善子方居室6畳間において、同人所有の毛皮コート1着、腕時計1個及び現金40万円を窃取したものである。　（＊8）

（筆者注）
＊1　逮捕状に代わるものの交付請求を同時に行う場合には、□にレ印を付する。
＊2　被疑者の氏名が明らかでないときは、身体的特徴や被疑者の写真の添付などで特定する。
＊3　必要があれば「1か月、住居不定で逮捕に相当期間を要するため」などと記載する。
＊4　被疑者を指名手配、指名通報（逮捕した警察に事件処理を一任するもの）したり、初期的捜査を現地で行う必要がある場合に、「逮捕地を管轄する警察署」も記載する。
＊5　証拠書類等の標目、通数を記載する。
＊6　逃亡のおそれ、証拠隠滅のおそれを具体的に記載する。（⇒設問36、2参照）
＊7　⇒設問36、32参照
＊8　個人特定事項が含まれている場合でも、人定事項等報告書は引用せず、直接記載する。（⇒設問3、33(3)）

逮捕一般（その1　逮捕状の請求手続など）　設問36　345

書式16（その2）　逮捕状に代わるものの交付請求書

様式第11号の2（刑訴第201条の2、規則第142条の2）

逮捕状に代わるものの交付請求書(*)

令和〇　年　〇　月　〇　日

〇〇〇〇　裁判所
　　　裁判官　　殿

　　　　〇〇県〇〇　警察署
　　　刑事訴訟法第199条第2項による指定を受けた司法警察員
　　　　　　　警部　甲　野　一　郎　㊞

　下記被疑者に対する　住居侵入、不同意性交等　被疑事件につき、被疑者に示すものとして、刑事訴訟法第201条の2第1項第1号又は第2号に掲げる者の個人特定事項の記載がない逮捕状の抄本その他の逮捕状に代わるものの交付を請求する。

記

1　被疑者
　　　氏　　名　丙井太郎
　　　住　　居　〇〇県〇〇市〇〇2350番地

2　引致すべき官公署又はその他の場所
　　　〇〇県〇〇警察署又は逮捕地を管轄する警察署

3　逮捕状に代わるものを数通必要とするときは、その数及び事由
　　　　　　　　　　　　　　　　㊞

4　刑事訴訟法第201条の2第1項の規定による請求に係る者がそれぞれ同項第1号イ、ロ若しくはハ(1)若しくは(2)又は第2号イ若しくはロのいずれに該当するかの別
　　　☑　同項第1号イ　　　　　　　☐　同項第1号ロ
　　　☑　同項第1号ハ(1)　　　　　　☐　同項第1号ハ(2)
　　　☐　同項第2号イ　　　　　　　☐　同項第2号ロ
　　　（住居侵入につき、1号ハ(1)、不同意性交等につき1号イ）

5　刑事訴訟法第201条の2第1項の規定による請求に係る個人特定事項を明らかにしない方法により記載した被疑事実の要旨
　　　被疑者は、正当な理由がないのに、令和〇年〇月〇日午後〇時頃から同日午後〇時頃までの間、〇〇県〇〇市内所在の民家の無施錠の2階ベランダから同方に侵入し、その頃、同方2階寝室内において就寝中のAに対し、その顔面を複数回殴打するなどの暴行を加えたことにより、同意しない意思を全うすることが困難な状態にさせ、同人と性交したものである。

（注意）　刑事訴訟法第201条の2第1項の規定による請求に係る者が複数の場合は、必要な訂正を加えて使用すること。

（筆者注）＊逮捕状に代わるものの交付請求は、逮捕状請求と同時に行う。

346　第3章　強制捜査　　第2節　対人的強制捜査

設問 37　逮捕一般（その2　逮捕状の執行手続など）

●設　問●

(1)　警察官甲は、被疑者Aを逮捕しようとして、逮捕状を呈示したところ、Aはそれを奪い取り、読まないで破り捨てたが、甲はそのままAに手錠をかけ逮捕した。この逮捕手続は適法か。

(2)　警察官乙は、逮捕しようとしていた被疑者Bが、乙に気付き逃げようとしたので、組み付いて取り押さえた直後約10メートル連行した地点で逮捕状をBに示し、逮捕を完了した。この逮捕手続は適法か。

(3)　逮捕して引致した被疑者Cが写真撮影を拒否して、房から出ようとしないので、警察官丙らは数名がかりで、Cの両脇に手を入れてその身体を持ち上げ、房から写真室に連行した。この措置は適法か。

◆解　答◆

(1)　適法⟹ **1** 1(2)

(2)　適法⟹ **2** 2

(3)　適法⟹ **4** 3

1　通常逮捕の逮捕の方式

1　逮捕状の呈示等

（なお、緊急逮捕の逮捕の方式の特例については、 **設問40** 参照）

(1)　**呈示の意義**

　　司法警察員、司法巡査、検察官及び検察事務官は、逮捕状によって被疑者を逮捕できる（法199条1項）。この場合、逮捕状を被疑者に示さなければならない（法201条1項）が、**閲読させ得る状態におけば足り、被疑者に令状を持たせる必要はない**。被疑者に逮捕状を破られるおそれがあるときは、閲読させないで読み聞かせてもよい。

(2) 被疑者が読まない場合

逮捕状を示した以上、被疑者が内容を読まないで逮捕状を破棄したときも、「呈示」がなされたと解されるから、その後の逮捕手続も適法になし得る。

(3) 被疑者の捜索の場合の逮捕状呈示の要否

被疑者を逮捕状により逮捕しようとするとき、その被疑者を捜索するために人の住居に立ち入ることができる（法220条1項、3項）。その際、住居主等に逮捕状を呈示する必要はないと解すべきである（⟹ **設問26**、**1** 1(6)）。

2　逮捕状の緊急執行（法201条2項、73条3項）

(1) 意　義

逮捕状が発せられていながらも、逮捕状を所持しない場合、急速を要するときは、被疑事実の要旨及び逮捕状が発せられている旨を告げて逮捕することができる。これを「**逮捕状の緊急執行**」という。逮捕状が発付されていない場合に行う「緊急逮捕」との違いを理解されたい。

(2) 「急速を要するとき」の意味

逮捕状を所持する警察官とともに被疑者の立ち寄り先に分散して張り込んでいた警察官が、被疑者を発見したが、逮捕状の所持者と連絡して、これを示す余裕がなかったときは、「急速を要するとき」に当たる（最決昭31.3.9刑集10-3-303）。

しかし、被疑者が自宅にいることを確認した後、その逮捕に向けた行動をとるまでの間、他県の警察から逮捕状を取り寄せる時間的余裕が十分あったにもかかわらず、逮捕状の緊急執行をしたのを違法とした例（東地判平15.4.16判時1842-159）もあることに注意する必要がある。

(3) 被疑事実を告知すべき程度

被疑事実の要旨は、被疑者に理由なく逮捕するものではないことを一応理解させる程度に告げれば足りる（東高判昭28.12.14　「宮城前の騒じょう事件で逮捕状が出ている。」と告げるにとどめた場合を適法とした）。罪名を告げるだけでは足りない（福岡高判昭27.1.19高刑集5-1-12）が、罪名を告げただけで被疑者が被疑事実の内容を了知し得る場

合は、罪名と令状が発せられている旨を告げただけでも適法である（大阪高判昭36.12.11下刑集3-11・12-1010）。

⑷　指名手配

　警察相互間で、逮捕状の発せられている被疑者の逮捕方を依頼し、逮捕後の身柄の引渡しを求める手配のことを「**指名手配**」という。手配を受けた警察は、逮捕状を所持していないのが常であるから、該当する被疑者を発見したときは、逮捕状の緊急執行の方法で逮捕することになる。

⑸　緊急執行後の逮捕状の呈示時期

　緊急執行後、令状はできる限り速やかにこれを示さなければならない（法73条3項ただし書）。逮捕状の事後呈示の有無は、逮捕の適否の問題であり、これは検察官の勾留請求時までに明らかになっているべきであるから、緊急執行の場合の逮捕状の事後呈示は、原則として逮捕時から最大72時間以内になされるべきである。

　ただ、例えば遠隔地の警察署からの指名手配を受けて逮捕した被疑者の場合、手配署に被疑者を護送し、あるいは手配署から逮捕状の送付を受けて逮捕状を呈示することについては、交通事情等のやむを得ない事情もあり得るから、そのような例外的場合には令状の呈示が逮捕時から72時間を超えた時期になされることが許されることもある。なお、大幅に制限時間を超過する見込みのときは、緊急逮捕の要件があるならば緊急逮捕の方法で逮捕する方が妥当な場合もある（⟹**設問**　**40**、**1**）。

2　逮捕の際の実力行使

1　許容される実力行使の程度

　逮捕のため又は逮捕を継続するために、その際の状況からみて**社会通念上必要かつ相当と認められる限度内**の実力を行使することは正当行為として許される（最判昭50.4.3刑集29-4-132　現行犯逮捕の事案）。

　現行犯逮捕に際しての実力行使の限度は、**私人による場合**は、捜査官による場合に比べ、より緩やかに解されている（東高判昭37.2.20下刑集4-1・2-

31　私人が不法侵入の犯人に対し、竹の棒で頭部を2、3回殴打し、逃げる途中で転倒したところを上から押さえ付けて殴打し、指にかみ付いた行為を実力行使の限度内とした)。

2　実力行使が逮捕状呈示に先行する場合

逮捕状を示す前に被疑者が逃走しようとして抵抗した場合、警察官がこれを取り押さえるのに懸命で被疑者に逮捕状を示す状況・機会がなく、被疑者もたとえ逮捕状を示されても見る余裕がないときは、逮捕時に密接した時点で、逮捕場所とほぼ同一場所と目される場所で逮捕状を示しても、「逮捕するに当たり逮捕状を示し」たといえる(東高判昭60.3.19　逮捕場所から10メートル離れた場所で示した事案)。

3　第三者に対する実力行使

(1)　逮捕に際しての実力行使

身柄の確保という逮捕の性質上、逮捕に際して、第三者が妨害に出る蓋然性が相当高度に認められるときは、妨害予防のため、それらの者に必要最小限度の強制力の行使が許される(東地判昭49.6.10刑月6-6-651)。違法デモの指揮者を現行犯逮捕するときに、デモ隊の中に警察隊が割り込んで人垣を作る程度のことは許されるが、割り込んだ上でデモ行進者を前方に押し出してなした「分離規制」は必要最小限度を超えているとされた事例(広島高岡山支部判昭57.3.24判タ468-154)がある。

(2)　逮捕の準備段階における実力行使

デモ隊中に逃げ込んだ公務執行妨害の現行犯人の逮捕を目的として、デモ行進者の面割りをするために機動隊員がデモ隊の先頭にまわり込み、その集団の停止を求めた際、警察官の身体や楯が先頭集団の身体に接触した程度のことは、犯人検挙のための捜査活動として許容される(最決昭59.2.13刑集38-3-295)。

3　引　致　等

1　引　致

(1)　意　義

引致とは、身体の自由を拘束した者を所定の公務員の面前に強制的に連行することをいう。

司法巡査が被疑者を逮捕したときは、被疑者を直ちに司法警察員に引致しなければならない。検察事務官が被疑者を逮捕したときは、直ちに検察官に引致しなければならない（法202条、211条、216条）。司法巡査が逮捕後、11時間15分後にようやく司法警察員に引致したことには、重大な違法があるとされ、勾留請求が却下された例がある（大阪地決昭58.6.28判タ512-199　夜間逮捕した時点で逮捕地を管轄する被手配警察署に引致できたのに、あえて翌朝まで待ち、手配警察署に引致した事案）。

(2)　引致場所

(ア)　逮捕状には「引致すべき官公署その他の場所」（法200条1項）としてあらかじめ引致場所が指定されており、引致は、指定された引致場所に被疑者を連行して行われる。

(イ)　逮捕前の引致場所の変更

逮捕前に引致場所の変更を要するときは、裁判官にその旨請求できる。

(ウ)　引致後の留置場所の変更

引致後、勾留前の被疑者の留置場所が逮捕状記載の引致場所と相違してもいいかどうか明文はない。しかし、留置の必要がある場合には、裁判官の同意なくしても、引致場所と異なる他の警察署の代用監獄（旧監獄法上の呼称。刑事収容施設法では留置施設）に押送拘置できる（最決昭39.4.9刑集18-4-127　引致場所たる甲警察署に引致された後、留置のために乙警察署に押送される途中の被疑者が、押送警察官に暴行を加えた事案で、その警察官の押送の適法性が問題とされたもの）。

しかし、留置場所の変更は、弁護人との接見、糧食の差し入れ等に支障を来すこともあるから、なるべく①引致場所の留置施設の収容能力からいって、そこでの留置が不可能であるとき、②引致場所に、共犯者や関係人が収容されていて分散留置しなければ証拠隠滅のおそれがあるとき、③引致場所が報道機関等に注目されていて、捜査の秘密維持が困難なときなど合理的な理由がある場合になされるべきである。引致場所と変更後の留置場所とは、なるべく近接していることが望ましい。

逮捕一般（その2　逮捕状の執行手続など）　設問37　*351*

⑶　**警察官が自己の属する都道府県警察の管轄区域外で逮捕をした場合の引致場所**

㋐　管轄区域外で職務を行える場合

警察官は、原則として、その属する都道府県警察の管轄区域内でしか職務を行えない（警察法64条）が、①例えば、管轄区域内で発生した窃盗犯人を追尾し、他の管轄区域内で現行犯逮捕した場合のように、管轄区域内の公安の維持に関連して必要がある場合（警察法61条）、②他の都道府県公安委員会の依頼（同法60条1項、3項）、警察庁長官、管区警察局長の命（同法73条2項、1項）により、他の都道府県警察に派遣される場合、③交通機関の移動警察につき、関係警察の協議の定めにより職権を行う場合は、管轄区域外で警察官としての職務を行うことができる。

①の場合は自己の属する警察の警察官としての逮捕であるから、引致場所はその所属する都道府県警察であり、②の場合は派遣先の警察の警察官としての逮捕であるから、引致場所はその派遣先の都道府県警察であり、③の場合の引致場所は、協議で定める場所である。

㋑　管轄区域外で職務を行えない場合の現行犯逮捕

例えば、管轄区域内で発見された盗品に関する捜査を管轄区域外で実施中、たまたま、これと全く無関係の殺人事件を目撃し、その犯人を現行犯逮捕したような場合、その逮捕は上記①から③のいずれにも当たらず、その本質は、私人としての現行犯逮捕であるから、その場合は、逮捕地を管轄する都道府県警察に被疑者を引き渡すべきである。ただし、その場合でも、「警察官は、いかなる地域においても、現行犯人の逮捕に関しては、警察官としての職務を行い得る」（警察法65条）から、逮捕に際して武器を使用できるし、逮捕を妨害する者に対しては、公務執行妨害罪により処罰し得る。

2　私人による現行犯逮捕の際の引渡し手続等

私人が、現行犯逮捕をしたときは、直ちに被疑者を司法警察職員又は検察官に**引き渡さなければならない**（法214条）。司法巡査が引渡しを受けたときは、速やかに被疑者を司法警察員に引致しなければならない（法215条）。

私人は留置の必要性を判断する権限がないから、いったん逮捕した現行犯

352　第3章　強制捜査　第2節　対人的強制捜査

人をその判断で釈放することは許されない。

4　引致後の手続

1　手　続

　自ら被疑者を逮捕し、又は司法巡査から逮捕された被疑者を受け取った司法警察員は、直ちに被疑者に犯罪事実の要旨及び弁護人を選任することができる旨を告げ、**弁解の機会を与えなければならない**（法203条1項前段　**弁解録取書**を作成する）。弁解録取時の弁護人選任権の告示及び弁護人選任の申出に関する教示については、**設問46**、**7**参照。（⟹**弁解録取書**　355頁「**書式17**」参照）

　その結果、留置の必要がないと認めたときは直ちに釈放し、留置の必要があると認めるときは、逮捕状の効力として、最大限48時間身柄の留置を継続することができる。

　自ら逮捕した司法警察職員及び私人が現行犯逮捕した被疑者を受け取った司法警察職員は、逮捕手続書を作成する。（規範136条1項、付録2参照）

2　手持ち時間の制限

　身柄を拘束したときから48時間以内に司法警察員は、書類及び証拠物とともに身柄を検察官に送致する手続をとらなければならない（法203条1項後段）。48時間以内に送致の手続をとれば足り、検察官の手元に身柄等が到達した時点が48時間の制限時間を超えたとしても制限違反ではない。しかし、検察官の勾留請求（法205条1項）までの被疑者の身柄の拘束時間は、司法警察職員の下と検察官の下を合わせて**72時間**を超えられない（法205条2項）のが原則であるので、48時間を超過して検察官に身柄等が到達するときは、その分検察官の手持ち時間（24時間　法205条1項）が短くなる（⟹**設問**

1解答(2)）。

　遠隔の地で被疑者を逮捕した場合や、逮捕した被疑者が病気等により保護が必要な場合その他やむを得ない事情がある場合には、上記の時間の制限に従うことができなくても、検察官において勾留請求できる（法206条）。その場合は、**遅延事由報告書**を作成して、送致書に添付しなければならない（規範135条）。

3　逮捕した被疑者の指紋採取など

(1)　法で明示的に認められているもの

　　身柄を拘束した被疑者については、身体検査令状がなくても被疑者を裸にしない限り、その指紋・足型を採取し、身長・体重を測定し、写真撮影することができる（法218条3項）。逮捕等の身柄拘束処分は、この程度の身体検査を当然予定しているからである。指掌紋に関しては、引致後速やかに採取し、指掌紋照会をしなければならない（規範131条）。

(2)　準ずるもの

　　例示として掲げられている指紋採取などと同程度の身体検査、例えば、歯並びの検査、胸囲測定、唾液の採取なども許される。裸にしての身体検査や、身体を多少とも傷つけることになる血液採取を行うには令状を要する。

(3)　直接強制

　　指紋採取なども身体検査の一種だから、法222条1項により、法139条（**直接強制**）が準用され、被疑者が検査に応じないときは、実力で強行できる。例えば、写真撮影を強く拒んで出房しようとしない被疑者に対し、警察官がその脇の下に手を入れ抱きかかえるようにして持ち上げて出房させて写真室まで連行したり、指紋採取を拒んで指を曲げてこぶしを作り、机にかぶる姿勢の被疑者に対し、その体を起こして両腕を引っ張り、両手首を取るなどの行為は適法である（東地決昭59.6.22判時1131-160）。

4　領事通報等

(1)　権利の告知

　　外国人の身柄を拘束したときは、遅滞なく、その者に対し、①当該領事機関に対しその者の身柄が拘束されている旨を通報することを要請することができること、②当該領事機関に対し我が国の法令に反しない限度において信書を発することができることを告知しなければならない（規範232条2項）。

　　この外国人には、領事関係に関するウィーン条約非加盟国の国民も含まれる。

　　領事機関とは、一般に総領事館、領事館、副領事館又は代理領事事務

354　第3章　強制捜査　　第2節　対人的強制捜査

所を指す。

(2)　領事機関への通報

　前記(1)①の規定による要請があったとき又は条約その他の国際約束により要請の有無にかかわらず通報を行うこととされているときは、遅滞なく、当該領事機関に対し、その者の身柄が拘束されている旨を通報しなければならない（規範同条3項）。

　イギリス、中華人民共和国などとは、条約等によって、本人の要請の有無にかかわらず通報を行うこととされているので留意が必要である。（⟹673頁「**参考図6**　領事関係に関するウィーン条約による捜査権行使に対する制限」参照）。

⑤　逮捕後、逮捕状等を紛失などした場合の措置

1　原　則

　規則148条1項1号は、逮捕状請求書、逮捕状（逮捕、引致、送致の年月日等について記載があり、各記載に記名押印があるもの）を、検察官の勾留請求の際の提出資料として要求している。これにより、逮捕が先行しているか、制限時間が守られているか審査しようとする趣旨である。

　やむを得ない理由がない場合、例えば、逮捕状の緊急執行後に逮捕状の取り寄せを失念したため、検察官が逮捕状を提出できないときは、勾留請求は却下される。

2　やむを得ない理由による場合

　しかし、逮捕状がやむを得ない理由によって提出できず、かつ、逮捕状の記載事項が判明する代替資料が提出されるときは、勾留請求は却下されないと解されている。例えば、逮捕時被疑者に逮捕状を原形をとどめないほどに破棄されたり、紛失焼失したときは、やむを得ない理由による場合といえるから、逮捕状の写し、逮捕状を発付した旨の裁判官の証明文書、逮捕状に記載されるべき事項を明らかにした逮捕手続書、送致担当者の報告書、検察庁受理担当者の報告書等の代替資料を提出すればよい。この場合、**逮捕状の再発付を求めることはできない**。

　なお、**逮捕前に逮捕状を紛失した場合**は、逮捕状の再発付を求めることができる。

逮捕一般（その2　逮捕状の執行手続など）　設問37　　355

書式17　弁解録取書

様式第19号（刑訴第203条、第211条、第216条）[＊1]

<table>
<tr><td colspan="2" align="center">弁 解 録 取 書</td></tr>
<tr><td>住　居</td><td>○○県○○市○○2350番地</td></tr>
<tr><td>職　業</td><td>無職</td></tr>
<tr><td>氏　名</td><td>乙井太郎</td></tr>
<tr><td colspan="2">昭和○○年○○月　○　日生（○○　歳）</td></tr>
</table>

本職は、令和○年　○　月　○○　日午前○時　○　分頃、○○県○○警察署において、上記の者に対し、　　　　逮捕状　　　　記載の犯罪事実の要旨及び別紙記載の事項につき告知及び教示した上、弁解の機会を与えたところ、任意次のとおり供述した。[＊2]

1　そのとおり丙田さんの部屋から現金とコート、腕時計を盗んだことに間違いありません。友人の丁田次郎と2人で金に困ってやりました。[＊3]

2　この数年、無職で内妻と2人で暮らしています。[＊4]

3　先ほど弁護人に関する説明文を見せてもらいながら説明を聞き、いつでも弁護人を頼むことができることはよく分かりました。

4　被疑者国選弁護人を頼めることも分かりました。

5　弁護人は国選弁護人を選びたいと思っていますが、とりあえずは、今日の当番弁護士に連絡をとってください。

乙井太郎　指印　㊞

以上のとおり録取して読み聞かせた上、閲覧させたところ、誤りがないことを申し立て、各葉の欄外に指印した上、末尾に署名指印した。

前　同　日

○○県中央　警察署

司法警察員　警部　甲　野　一　郎　㊞

○○○警察

（筆者注）

＊1　この書式は、次頁の別紙と一体のもので、平成28年刑事訴訟法等改正を反映させたもの（**設問46**、**7**参照）。

＊2　取調べではないから、供述拒否権の告知は不要である。しかし、供述の趣旨が不明瞭で、捜査官の側で趣旨を問いただす必要が大きい場合は、供述拒否権を告げておいた方がいい場合もある。

＊3　身柄拘束の最も早い段階で、被疑者が被疑事実についてどのように供述していたかが、将来の公判などで重大な意味をもってくることが多い。したがって、「そのとおりです。」、「事実は違います。」とだけするのではなく、自白しているときは犯行動機なども併せて録取し、否認のときは、弁解の概要を録取すべきである。

＊4　「逃亡のおそれ」に関する記載

別紙

1 あなたは、弁護人を選任することができます。

2 あなたに弁護人がない場合に自らの費用で弁護人を選任したいときは、弁護士、弁護士法人（弁護士・外国法事務弁護士共同法人を含む。）又は弁護士会を指定して申し出ることができます。その申出は、司法警察員（送致された場合は検察官）か、あなたが留置されている施設の責任者（刑事施設の長若しくは留置業務管理者）又はその代理者に対してすることができます。

3 あなたが、引き続き勾留を請求された場合において貧困等の事由により自ら弁護人を選任することができないときは、裁判官に対して弁護人の選任を請求することができます。裁判官に対して弁護人の選任を請求するには資力申告書を提出しなければなりません。あなたの資力が50万円以上であるときは、あらかじめ、弁護士会に弁護人の選任の申出をしていなければなりません。

4 あなたが、弁護人又は弁護人となろうとする弁護士と接見したいことを申し出れば、直ちにその旨をこれらの者に連絡します。

指印

逮捕一般（その3　再逮捕）　設問38　*357*

設問 38　逮捕一般（その3　再逮捕）

●**設　問**●

(1)　警察官甲が、被疑者Aを逮捕状により通常逮捕し、警察署まで引致していったところ、途中で逃走され見失ったが、3時間後に偶然Aを発見した。甲は、持っていた上記逮捕状で再びAを逮捕できるか。

(2)　(1)の例で、Aが警察署に引致された後、留置施設から逃げた場合、甲は持っていた上記逮捕状で再びAを逮捕できるか。

◆**解　答**◆

(1)　逮捕できる。⟹**2** 2

(2)　逮捕できない。⟹**2** 2

1　逮捕勾留の一回性の原則

1　原　則

　同一被疑事実についての逮捕及び引き続く勾留（検察官による起訴前勾留）は、1回しか許されないのが原則である。

2　例　外

　しかし、法199条3項は同一被疑事実についての再度の逮捕状請求、発付を予定しているのであり、法も**同一事実による再逮捕**を絶対的には禁じていないと解されるから、再逮捕に合理的な理由があり逮捕勾留の不当な蒸し返しにならない場合は、例外的に、同一被疑事実による再逮捕勾留は許される（東高判昭48.10.16刑月5-10-1378）。

　　　　再逮捕が許される場合　　①前に発付を受けた逮捕状がその執行前に期間経過により失効したとき、②逮捕中に被疑者が逃走したとき（後記**2**参照）、③逮捕勾留後身柄を釈放した後、新たに逃亡のおそれが発生したとき、④犯罪の嫌疑が不十分として釈放した後、新たな証拠が発見され逮

捕が必要になったときなどには、同一被疑事実での再逮捕勾留をすることにも合理的理由があるから、逮捕状請求も認められる。また、⑤法律上一罪と評価されるが、個々の事実としては異なるときは、それぞれに逮捕勾留の理由、必要性があれば、各事実ごとの逮捕勾留も許される。例えば、常習傷害により逮捕勾留起訴され、保釈中に、先の常習傷害と一罪とされる別の常習傷害事件を起こしたとき、これについての逮捕勾留は許される（福岡高決昭42.3.24高刑集20-2-114）。

不当な逮捕の蒸し返しとされる場合　①先の逮捕勾留期間中に、余罪の取調べが相当行われているとき、その余罪を被疑事実として再逮捕勾留する場合（大津地決昭35.12.17判時254-33）だけではなく、②先の逮捕勾留期間中に、余罪の取調べはなされなかったが、その時既に余罪についての逮捕状の発付を得ていた状況であり、その期間中に余罪についても同時に十分捜査をすることが可能だったのに、あえてしなかったとき、その余罪について逮捕勾留する場合（高松地決昭58.3.29判時1092-161）にも、不当な再逮捕とされることがある。

> **アドバイス**　**余罪による再逮捕の留意点**
>
> 余罪が判明し、それによる再逮捕を予定しているときは、不当な再逮捕と非難されぬよう注意を要する。

2　逮捕後、被疑者が逃走した場合の再拘束の方法

1　問題の所在

逮捕状によって逮捕した被疑者が逃走した場合、当初の逮捕状によって身柄を再拘束できるか、新たに同一被疑事実で逮捕状を求めて、再逮捕しなければならないか問題になる。

2　逮捕状の性質からの帰結

逮捕状は、身柄を拘束して引致する権限を捜査機関に与える許可状である。したがって、捜査機関が、被疑者の身体を拘束して指定の場所に引致できるのは、逮捕状の直接の効果であるが、引致後、一定期間被疑者を留置できるのは、法が特別に認めた付随的な効果と解される。

逮捕後、引致前に逃走した場合　逮捕に着手した後でも、引致が完

了するまでは、逮捕状の本来的目的が達成されていないから、前の逮捕状によって逮捕を続行できるというのが理論上の結論である。この場合、逃走中の時間は、逮捕後の手持ち時間に合算される（なお、手続の明確化の要請やその適法性をめぐる紛糾を避ける意味で、逮捕状を取り直す方が実務として適切であろう）。

引致後に被疑者が逃走した場合　　引致の完了により逮捕状はその本来の目的を達成しているから、当初の逮捕状の効力として被疑者を再拘束することは許されない。新たに逮捕状を請求し再逮捕をすべきである（なお、従前、逮捕中の被疑者が逃走した場合、留置施設、手錠等の戒具を損壊するなど、加重逃走罪（刑法98条）が成立しない限り、単純逃走罪（同法97条）で逮捕できなかったが、令和5年刑法一部改正により、同罪の主体が「裁判の執行により拘禁された既決及び未決の者」から「法令により拘禁された者」に拡張されたことに伴い、単純逃走罪で通常逮捕できるようになった）。

勾留後、逃走した場合　　勾留の裁判は、被疑者を指定場所まで引致し、その後一定期間、刑事施設に留置することを命ずる裁判であるから、勾留中の被疑者が逃走したときは、その勾留の裁判の当然の効力として、その被疑者を再拘束できる（また、勾留中の被疑者は「法令により拘禁された者」に当たるので、単純逃走罪で通常逮捕できる）。

3　逮捕手続の違法のために勾留請求が却下された場合の逮捕のやり直し

逮捕手続の違法を理由に検察官の勾留請求が却下されたとき　　この場合、逮捕のやり直しとしての同一被疑事実による再逮捕が許されるかが問題となる。

これにつき、再逮捕を許さないとする見解も有力である。しかし、当初の逮捕手続に著しい違法があるとき（例えば、犯罪の嫌疑が極めて薄いのに逮捕したとき、故意に逮捕から勾留請求までの制限時間を守らなかったときなど）には、再逮捕は許されないが、その違法の程度がさほど重大でないとき（緊急逮捕の要件はあったが、現行犯の要件がないのに、現行犯

逮捕したときなど）は、再逮捕が許されるとするのが、実務の運用である
（前掲「令状関係法規の解釈運用について（上）」93）。

逮捕一般（その4　別件逮捕・勾留）　設問39　*361*

設問 39　逮捕一般（その4　別件逮捕・勾留）

● 設　問 ●

(1)　警察官甲は、強盗殺人の疑いがあるAについて、強盗殺人で逮捕できるだけの証拠がないため、部下に命じてAの別件を調べさせたところ、飲食店で1500円の無銭飲食をしていることが判明したので、この別件でAを逮捕・勾留の上、その期間の大部分を用いてAを強盗殺人について取り調べたところ、Aは強盗殺人について自供した。無銭飲食による逮捕、勾留は適法か。Aの自供は証拠能力をもつか。

(2)　(1)の例で、別件が起訴価値の十分な、被害額が多額の詐欺であって、別件勾留中の別件取調べの合間に本件取調べがなされた場合、別件逮捕は適法か。

(3)　別件は起訴価値十分な詐欺事件であったが、別件逮捕・勾留期間の大部分を本件である強盗殺人の取調べに当てた場合、別件逮捕・勾留は適法か。強盗殺人の取調べは適法か。

(4)　別件逮捕・勾留についての留意点を述べよ。

◆解　答◆

(1)　違法。自供は証拠能力をもたないとされることもある。⟹**3**　2①、**5**

(2)　適法⟹**3** 3①

(3)　別件逮捕は適法だが、取調べは違法とされることがある。　⟹**4** 3

(4)　⟹**3** 4、**4** 3

1　別件逮捕・勾留という捜査手段が用いられた背景

1　はじめに

逮捕された被疑者の多くは、引き続いて（**起訴前の**）**勾留**に付される。こ

362　第3章　強制捜査　第2節　対人的強制捜査

のように、被疑者の身柄拘束は、逮捕と勾留がセットとして行われるのが通例であるため、違法な別件逮捕は、違法な勾留を伴うことがほとんどである。本設問では、この問題を「別件逮捕・勾留」の問題として解説する。

2　身柄拘束への司法的抑制

　被疑者の身柄を拘束する場合について、法は、逮捕状請求時と（起訴前の）勾留請求時の2回にわたって身柄拘束の理由と必要性を判断する機会を裁判官に与え司法的抑制を徹底するとともに、身柄拘束期間を厳格に制限している（⟹起訴前勾留につき**設問43**、**3**参照）。

　捜査実務として、まず内偵、任意捜査、書類等の捜索・差押えという強制手段を先行させることによって、できる限りの証拠を収集し、被疑者の身柄をとってから二十余日の期間で事件の全貌を解明し、公訴提起できるめどを立てた上で、被疑者の逮捕に着手するというのが常道である。

3　捜査上の必要

　しかし、殺人等の重大事件においては、情況証拠から、被疑者が犯人であるとある程度推定できるが、逮捕状を取れるほどの確実な証拠が収集されておらず、しかも任意捜査を行えば、被疑者が自殺、逃亡、証拠隠滅等に走るおそれがあるという場合があり、捜査が行き詰まることがある。そこで、従来、この捜査の手詰まりを打開するための便法として、本来の狙いの事件とは別の被疑者の身柄を拘束するための事件（いわゆる別件）で被疑者を逮捕・勾留し、その身柄拘束を利用して、捜査の本来の狙いであった重大事件（いわゆる本件）について被疑者を取り調べ、核心的な自供（死体の埋葬場所等の供述）を得て、この自供やその結果発見された証拠（死体等）に基づき、本件について改めて被疑者を逮捕・勾留し本件を解明するという捜査手法が取られたことがある。

　このように、**重大な本件で逮捕・勾留せず、おおむね本件より軽微な別件で逮捕・勾留し、この身柄拘束を利用して本件の取調べを行う場合、この本件のために利用された逮捕・勾留のことを「別件逮捕・勾留」と呼ぶことがある。**

② 別件逮捕・勾留の問題点

1 事件単位の原則違反の問題

逮捕・勾留の効力の及ぶ範囲については、被疑者単位と考える見解（**人単位の原則**をとる立場）と、逮捕・勾留の原因となった被疑事実単位と考える見解（**事件単位の原則**をとる立場）がある。

(1) 人単位の原則

これは、逮捕・勾留の理由である被疑事実はあくまでも逮捕・勾留のきっかけにすぎず、およそなんらかの被疑事実によって逮捕・勾留された以上、その被疑者に対する取調べが逮捕・勾留の理由たる被疑事実以外の犯罪事実に及んでも全く構わないとする見解である。この立場では、別件逮捕・勾留の違法性が問題になる余地はない。しかし、「人単位の原則」をとる見解は実務では採用されていない。

(2) 事件単位の原則

逮捕・勾留の理由・必要性の存否は、逮捕・勾留事実について判断されること、勾留の目的は勾留事実についての捜査・審判・刑執行を確保することにあると考えられることから、逮捕・勾留の効力は逮捕・勾留事実のみに及びそれ以外の事実に及ばない（福岡高決昭30.7.12高刑集8-6-769）と解すべきであり（**事件単位の原則**）、これが通説である。

この原則を適用すると、別件事実についてのみ裁判官の審査を経て別件について逮捕・勾留しただけであるときに、その身柄拘束を利用する方法で、司法審査を経ていない本件事実について取調べをすることが、事件単位の原則に反し違法とされる場合が生じ得る。

2 余罪の並行捜査の是非という問題

次に、余罪取調べの限界を超えるかどうかという問題がある。すなわち、事件単位の原則を機械的に適用すれば、犯罪事実ごとに被疑者に対し逮捕・勾留を繰り返すということになり、かえって被疑者に不都合な結果をもたらす。そこで、**実務では、一つの事実（甲事実）による逮捕・勾留中に、ある程度まで並行して他の事実（乙事実）についての取調べを行うことも認めている。**「**逮捕・勾留の基礎となった事実について逮捕・勾留の理由及び必要**

が存続している間に、この事実の取調べに付随し、これと並行して他の事実について被疑者を調べる限り、右取調べをもって令状主義に反するものとはいえない。」（大阪高判昭47.7.17高刑集25-3-290　六甲山保母殺人事件）とされる。

この観点からは、別件逮捕・勾留は、その身柄拘束中における個々の取調べが余罪捜査の限度を超えているかどうかが問題になる（後の**4**で詳しく解説する）。

3　令状主義そのものを潜脱するものではないかという問題

(1)　別件逮捕・勾留自体が違法となる場合

別件逮捕・勾留を利用して、専ら本件の取調べだけを行うような場合は、その取調べが余罪取調べの限界を超え違法となるだけではなく、逮捕・勾留できる証拠のない本件について、逮捕・勾留をしたのと同様の状況下での取調べを専ら意図して、別件逮捕・勾留がなされたと評価される場合があり、その場合には、別件逮捕・勾留自体が令状主義をかいくぐる（潜脱する）ものとして違法とされることがある。

(2)　本件基準説と別件基準説

令状主義を潜脱するものかどうかを判断する場合の基準としては、二つの考え方がある。

本件基準説　　形式上の逮捕・勾留事実である別件事実について逮捕・勾留の理由・必要性があるかどうかを問わず、捜査官が取調べを意図する本件そのものを基準とする立場で、別件逮捕・勾留時点において、本件についての逮捕・勾留の理由・必要性があるかどうかを判断し、これがない場合には、端的に、別件逮捕・勾留が令状主義を潜脱するものであって違法とする見解であり、学説上有力である。

この立場では、逮捕・勾留事実である別件自体に逮捕・勾留の理由・必要性があったとしても、捜査官側で、「本件の調べは主たる目的ではなかった。」といえない限り、別件逮捕・勾留は違法とされる。

別件基準説　　その逮捕・勾留事実である別件を基準とする立場で、**別件について逮捕・勾留の理由・必要性があれば、捜査官の狙いが本件の調べであったとしても、原則としてその逮捕・勾留自体は令状主義違反と**

はいえないとする見解であり、通説、裁判実務の主流である。

この立場では、逮捕・勾留事実に理由と必要性があれば、「その逮捕・勾留は、令状主義を潜脱する意図で専ら証拠のない本件の調べのみを狙って行われたもので、もともと別件の逮捕・勾留の実質的必要性はなかった。」などと言えない限り、別件逮捕・勾留自体は適法である。

理由と必要性があり、本来適法に逮捕・勾留をなし得る甲事実がある場合に、たまたま捜査官が本件たる乙事実を併せて調べる意図を有しているからといって、甲事実について被疑者を逮捕・勾留して捜査をすることが許されなくなるというのは不合理であること、逮捕・勾留の理由と必要性の判断を求められている甲事実があるのに、その事実と離れた乙事実について理由と必要性を判断し、その判断を基に甲事実の逮捕・勾留の可否を決めるというのは背理であることなど、本件基準説には理論上難点がある。別件基準説が妥当である。

3 別件逮捕・勾留が違法となる場合

1 別件が単なる名目かどうかという基準

前記のとおり、**別件基準説**をとれば、別件について逮捕・勾留の理由と必要がある以上は、原則として、別件逮捕・勾留自体は違法とならない。しかし、別件について逮捕・勾留の理由と必要性が備わっていても、例外的に違法となる場合があることに注意を要する。

この点につき最高裁も、別件逮捕・勾留が違法でないとした事案において、「専ら、いまだ証拠の揃っていない『本件』について被告人を取り調べる目的で、証拠の揃っている『別件』の逮捕・勾留に名を借り、その身柄の拘束を利用して、『本件』について逮捕・勾留して取り調べるのと同様な効果を得ることをねらいとしたものである、とすることはできない。」と判示している（最決昭52.8.9刑集31-5-821　本件である強盗強姦（現：強盗・不同意性交等）殺人事件の被害者の親族に対する身の代金要求事件を別件とした事案「狭山事件」）。すなわち最高裁は、**別件逮捕・勾留に形式的な理由・必要性があったとしても、別件が本件取調べをするための名目にすぎないときには別件逮捕・勾留自体が違法とされる場合がある**としている。

366　第3章　強制捜査　　第2節　対人的強制捜査

　なお、その第1審では、その別件逮捕・勾留については違法ではないとしながら、一般論として、「捜査機関において、当初の逮捕状及び勾留状に記載されている被疑事実について取調べの意図がなく、専ら本来の目的とする事件の捜査の必要上該逮捕・勾留を利用するため、名を別件に藉りてこれを請求したのであれば、それはまさに別件逮捕・勾留として違法であ（る）」としていた（浦和地判昭39.3.11刑集31-5-980）。

2　名目にすぎないとされた事案

　別件が名目にすぎないという理由で、別件逮捕・勾留が違法とされた事案としては、

①　ツケの未払いにすぎない少額の、結果的に不起訴になった無銭飲食を別件とする逮捕・勾留期間の圧倒的大部分を、強盗殺人等の重大な本件の取調べにあてた事案（東地判昭42.4.12判時486-8）

②　結果的に不起訴となった住居侵入、3年6か月も昔の窃盗を別件とした逮捕・勾留期間のほとんど大部分を、本件たる現住建造物放火等の取調べにあてた事案（東地判昭45.2.26判時591-30　東京ベッド事件）

③　結果的に証拠不十分等により不起訴になった寸借詐欺等を別件とする逮捕・勾留期間の相当部分を、本件である殺人、保険金詐欺未遂事件の取調べにあてた（別件については3通、本件については5通の調書を作成）事案（福岡地小倉支部判昭46.6.16判タ267-321　曲川殺人事件「別件について強制捜査に踏み切るべき緊急の必要性が存しないのに、捜査官が本件殺人及び詐欺未遂被疑事件についての自供を獲得するためにしたものであることが客観的に明らかと認められる。」と判示）

④　逮捕の必要性に乏しい日本刀所持を別件とする逮捕・勾留期間の大部分を、本件たる実母殺害死体遺棄事件の取調べにあてた事案（佐賀地唐津支部判昭51.3.22判時813-14　別件について「逮捕の必要がないか、あるいは少なくてもその継続の必要がないものであったのにかかわらず、あえて逮捕した上これを継続した。」と判示）

⑤　本件（放火）の嫌疑がなければ逮捕・勾留の手続をとることがなかったであろう軽微な別件（不法残留）による逮捕・勾留がなされ、不法残留に関する取調べは勾留3日目までで終了し、その後は専ら本件である

放火について取調べがなされた事案（浦和地判平2.10.12判時1376-24
同判決は「主として嫌疑の十分でない放火の事実について取り調べる目
的で、不法残留の事実により逮捕・勾留したと認められる」場合も、違
法な別件逮捕・勾留に含まれるとし、被告人の身柄拘束には令状主義を
潜脱する重大な違法があるとして身柄拘束中に作成された自白調書の証
拠能力を否定）

3　名目ではないとされた事案

前記狭山事件判決のほか、

① 別件たる詐欺事件に十分な起訴価値があり、別件逮捕・勾留中は別件
についての裏付け捜査が相当なされ、本件についての被疑者の取調べは
別件の取調べの合間をぬって行われ、別件の取調べ時間に比べて著しく
少ない事案（福岡高判昭56.11.5判時1028-137）

② 別件（土地詐欺、恐喝）は軽微でなく、現に起訴されている上、本件
の取調べは別件の取調べと並行して数回行われる程度のものであった事
案（東高判昭58.6.28高検速報2674）

がある。

アドバイス　別件で被疑者を逮捕しようとするときの留意点

　以上の裁判例をみると、別件がいわゆる起訴価値ないし逮捕・勾留の必
要性の乏しい軽微事件、あるいは嫌疑の薄い事件であったり、別件逮捕・
勾留中の取調べ時間が本件に偏ったり、捜査官が専ら本件取調べを意図し
ていると推測できる行為（例えば、本件についてのポリグラフ検査の実施）
がある場合は、別件が名目にすぎないと認定されるおそれが大きい。

　捜査官が、甲事件で被疑者を逮捕し、その後、乙事件の取調べを予定し
ているときは、甲事件が名目にすぎないという批判を受けないように、甲
事件としては嫌疑十分で、しかも起訴価値のある事件（言い換えれば、逮
捕・勾留の必要性も十分な事件）を選定する必要がある。さらに、甲事件
での逮捕・勾留中の乙事件の取調べについても、余罪の並行取調べの限度
に配慮する必要がある（⟹ **4**参照）。

4　違法な別件逮捕・勾留中に得られた自供の証拠能力

　別件逮捕・勾留自体が違法とされれば、その別件逮捕・勾留中の取調べに
よって得られた本件の自供は、いわゆる**違法収集自白**とされ、個々の取調べ

368　第3章　強制捜査　第2節　対人的強制捜査

状況いかんに関係なく証拠能力が否定されるとする考えが、裁判実務上有力である（⟹**設問51**、**6**）。

この自白を疎明資料としてなされた本件逮捕・勾留も違法とされ、逮捕・勾留中に得られた新たな自白の証拠能力も否定されることがあり得る。

4　適法な別件逮捕・勾留中の余罪たる本件取調べの限度

1　余罪の取調べについての限度の存在

別件逮捕・勾留が適法であったとしても、その間になされた本件についての自供が無条件で証拠能力を持つとは限らない。

余罪の取調べとして許される限度を超せば、その個々の取調べが違法とされ、そこで得られた自供の証拠能力が否定される場合がある。

2　余罪取調べに際しての取調べ受忍義務

(1)　出頭義務・取調べ受忍義務の根拠

身柄拘束中の被疑者は、出頭拒否や、取調べ室からの退去の自由が認められない（出頭義務、取調べ受認義務がある）。このことは、法198条1項ただし書「被疑者は、逮捕又は勾留されている場合を除いては、出頭を拒み、又は出頭後、何時でも退去することができる。」の反対解釈により明らかである（⟹**設問23**、**2**参照）。

(2)　余罪取調べにも取調べ受忍義務が課せられるか

身柄拘束中の被疑者に、**出頭義務、取調べ受忍義務を課すことのできるのは、逮捕・勾留の基礎となる事実についてだけに限るのかどうか**見解が分かれる。

限定説　　出頭義務、取調べ受忍義務を被疑者に課すことのできるのは、逮捕・勾留の基礎となる事実についてだけであり、余罪については任意な取調べでなければならないとする有力説がある（小林充　前掲218なお、同著者は、かつては本件取調べが任意の取調べといえるための条件として、本件の被疑事実及びそれについての供述拒否権・弁護人選任権を告知し、さらに、本件について出頭義務・取調べ受忍義務がないことを告知し、被疑者が取調べに同意したという状況が絶対的に必要であるとしたが、同書では、これらの状況は任意の取調べがなされたことを推認させる

事情にとどまり、法律的ないし絶対的要件とまで解する必要はないと説を改めている）。この立場では、別件逮捕・勾留中の被疑者につき別件と同じ態様で、余罪たる本件を取り調べることは違法ということになる。本件を取り調べるに際しては、身柄拘束に伴う心理的重圧を取り除くための手段、例えば、余罪取調べでは調べ室から退去する自由があることをあらかじめ告げることなどを講じない限り、余罪（本件）取調べは、違法ということになる（同旨の裁判例として、神戸地決昭56.3.10判時1016-138）。逆に、同手段が講じられる以上、余罪取調べも専ら本件の取調べを実施したような場合でないときは可能ということになる。

　　非限定説　　法198条1項ただし書の文言は、これを素直に読めば、取調べを受ける被疑者が逮捕・勾留されている状態に着目して規定されたもので、取調べ事項がいかなるものであろうと、およそ逮捕・勾留中の被疑者は、取調べ官の取調べを拒否できない趣旨と解される（小野清一郎ほか「刑事訴訟法（新版）ポケット注釈全書」〔有斐閣1986〕439、中谷雄二郎「新刑事手続Ⅰ」〔悠々社2002〕320）。

　また、被疑者以外の者（参考人）が被疑者の逮捕・勾留の被疑事実について逮捕・勾留されていることは考えられないところ、法198条1項ただし書は法223条により参考人の取調べに準用されており、身柄を拘束されている参考人は、事件単位の原則にかかわりなく、他人である被疑者の被疑事実に関する取調べを受忍すべき義務を負う。これは、被疑者の取調べにおける受忍義務等についても、事件単位の原則が適用されないことを前提としているものと考えられる（中谷雄二郎・同上　富士高校放火事件控訴審判決で（東高判昭53.3.29判時892-29）も同旨）。

　この立場では、任意の取調べであることを確保するための告知を捜査官に義務付ける法的根拠はない。この見解によれば、余罪（本件）の並行取調べが違法となるのは、逮捕・勾留事実の取調べに付随又は並行してという態様を外れ、専ら本件の取調べを実施したような場合に限られることになろう。

　別件逮捕・勾留が適法とされる場合は、その間の余罪たる本件調べについても、被疑者に出頭義務、取調べ受忍義務を課すことができるとする**非**

限定説が妥当である。

　ただし、被疑者が余罪についての取調べを明確に拒否したり、黙秘権を行使したりするなどしている場合であって、余罪の取調べを継続すれば、専ら本件（余罪）の取調べを実施したとも評価される可能性が大きいときには、取調べ受忍義務を根拠に余罪の取調べを継続するかどうかは慎重に判断すべきであろう。

⑶　具体例

　違法例　　本件取調べは、原則として任意の取調べとしてのみ許されると明確に判示して、本件取調べを**違法**としたものは、以下のとおり。

① 　被害額17万5000円の詐欺事件を別件とする逮捕・勾留中に本件たる強盗殺人死体遺棄事件についても取り調べたのを違法とする（大阪地判昭46.5.15判タ269-166　本件について十分な資料がなかったこと、別件と本件との関連性がないこと、捜査官が令状主義を潜脱して本件を取り調べる意図を持っていたこと、被疑者が自発的積極的に本件を自供したものではないこと等を理由とする）。

② 　殺人未遂を別件とする逮捕・勾留期間の大部分（64時間中の58時間）を、本件たる殺人事件についての取調べにあてたのを違法とする（旭川地決昭48.2.3判タ289-190　旭川土木作業員殺人事件　被疑者が本件について自発的、積極的に供述したものでないこと等を理由とし「令状を得ていない本件について令状が発付されていると同様な取調べに当たる」と判断）。

③ 　警察官の制服等の窃盗を別件とする逮捕・勾留期間の大部分（110時間中90時間）を、本件たる学校放火の取調べにあてたのを違法とする（東地決昭49.12.9判時763-16　富士高校放火事件第一審証拠決定　「本件と別件の事実が密接な関連性をもっていたり、同種犯罪であるなど、本件の捜査が別件事実の捜査としても重要な意味を持つ場合を除いて、本件の取調べは純粋な任意捜査に限って許される。」と明言する。本事案では、取調べに当たって本件について取調べ受忍義務がないことを告知しなかったこと、痔病で苦痛を訴えていた被疑者に対し連日長時間にわたる取調べを受けさせたこと等を理由に、本件取

調べが実質において強制捜査としての取調べであるとした）。

④ 額面50万円の小切手の詐欺事件を別件とする逮捕・勾留期間の大部分（58時間余中、53時間余）を、本件たる強盗殺人の取調べに当てたのを違法とする（津地四日市支部決昭53.3.10判時895-43　「本件と別件との間に一定の法律上、事実上の関係がある等の場合以外は別件逮捕・勾留中の本件取調べは、被疑者に出頭拒否及び退去の自由が実質的に確保されている場合に許される。」と明言。本事案については、別件で勾留した直後から本件についての調べを開始したこと、同時期に別人を同一の本件の容疑者として別件逮捕し本件につき自白の強要をしていること、当時被疑者は本件についての取調べへの出頭拒否、退去の自由があることを知らなかったこと、本件の取調べ場所は別件の調べの際の取調べ室と異なる、外界に接する窓のない和室であり、身体に障害があり畳に座るのが困難な被疑者に対し常時4人以上の調べ官が追及的に調べたことなどを理由に、違法な強制取調べであるとした）。

⑤ タクシー損壊事件による逮捕・勾留中に、これと接近して発生した殺人事件を、被疑者が否認しているにもかかわらず取り調べたのを違法とした（神戸地決昭56.3.10判時1016-138　神戸まつり殺人事件）。

適法例

㋐ 余罪取調べが、任意の取調べでなければならないかどうか明確に判示していないもの

① 狭山事件控訴審判決（東高判昭49.10.31高刑集27-5-474　別件と本件は社会的事実として一連の密接な関連があり、別件の調べにおいても本件との関連性を調べる必要があり、被疑者の本件当時の行動状況などは本件の捜査であるとともに別件の捜査でもあることなどを理由とする）

② 狭山事件上告審決定（前記最決昭52.8.9　別件逮捕・勾留中の本件についての取調べは「専ら本件のためにする取調べというべきではなく、別件について当然しなければならない取調べをしたものにほかならない。」とした）

372 第3章 強制捜査 第2節 対人的強制捜査

③ 捜査官に別件逮捕・勾留中に本件（強盗殺人・死体遺棄事件）の取調べをする意図があったとしても、別件である詐欺事件は、その被害額が多額で重要性があり現に起訴され有罪となっている事情があれば、別件の逮捕・勾留は違法とはいえないとした（前記六甲山保母殺人事件に関する大阪高判昭47.7.17）。

(イ) 別件逮捕・勾留中の本件の取調べでも、被疑者は、出頭義務・取調べ受忍義務を負うとして、具体的事案での本件取調べを適法としたもの

　富士高校放火事件控訴審判決（前記東高判昭53.3.29判時892-29）がこれに当たる。

3 非限定説における余罪たる本件取調べの限界

(1) 余罪たる本件の取調べが違法になる場合

非限定説に立っても、別件逮捕・勾留期間中における余罪たる本件の取調べには、自ずから制約がある。

そもそも逮捕・勾留期間の定めは、被疑者の身柄を不必要に長期化させないための期間制限であるから、その期間内に、当該逮捕・勾留の基礎となっている被疑事実について、起訴・不起訴の処分が決められるよう、同事実についての捜査を主眼として行うべきことが期待されている。

したがって、別件逮捕・勾留期間中は、別件に関する取調べを主眼として行うべきであり、この限度を超える形で余罪たる本件の取調べが行われるときには、本件の取調べは許されないことになる。つまり、余罪たる本件についての取調べが、別件に並行・付随する形で行われるときなどは許容されるが、本件の取調べが主眼となる形で行われるときは限度を超え許容されないことになる。

(2) 限度を大きく超えた以降における勾留が違法になる場合

限度を大きく超えた場合には、個々の取調べのみならず、限度を超えた時点以降の勾留自体が違法になると評価され得る。

例えば、強盗致傷事件（本件）の犯人ではないかと疑われる被疑者甲を、別件旅券不携帯事件（A事実）で現行犯逮捕・勾留した事案について延長後の勾留が違法になるとした裁判例がある。

同事案においては、勾留延長までは、Ａ事実やこれと関連する不法入国事件（別件Ｂ事実　被疑者が海岸から不法入国したと自供したため発覚したもので、これが真実であればＡ事実は成立しなくなる関係にあるもの）と並行し、本件について取り調べたと言えるが、勾留延長後は、連日行われた長時間の取調べの大半は本件に費やされ、Ａ及びＢ事実については積極的に捜査を行った形跡がない（Ｂ事実については、海岸から入国したとの自供を補強する証拠が集まらず立件を断念せざるを得ない事態に陥っていた）などの状況があった。

この状況について、裁判所は「本件の取調べが旅券不携帯事件による逮捕勾留中に許された限度を大きく超えているのに対して、本来主眼となるべき旅券不携帯ないし不法入国事件の捜査はほとんど行われていない状況にあったというべきであるから、右勾留期間延長後は、旅券不携帯による勾留としての実体を失い、実質上、本件を取り調べるための身柄拘束になったとみるほかはない。したがって、その間の身柄拘束は、令状によらない違法な身柄拘束となったものであり、その間の甲に対する取調も、違法というべきである。」と判示した（東地決平12.11.13判タ1067-283　違法な取調べによって得られた自供調書の証拠能力も否定されるとした）。

(3) 限度を超えているかの判断要素

余罪たる本件の取調べが限度を超えているかどうかを判断するに当たっては、捜査官が専ら本件を取り調べる意図の有無、本件の取調べ状況（特に、別件逮捕・勾留中の本件取調べの流用の限度、被疑者が任意に応じていたかどうかなど）、別件と本件の関連性・関係の程度、別件及び本件についての捜査状況などを総合考慮することになる。

なお、別件及び本件についての捜査状況に関していえば、例えば、別件について起訴・不起訴の判断可能な程度の証拠収集が早期に終了していたときは、それ以降の勾留は、本件の取調べを専ら意図したものになっていたと推認されるであろうし、また、別件による逮捕・勾留時において、本件で逮捕・勾留できる証拠が集められているといえるときは、別件逮捕・勾留を本件の取調べのために使う意図は否定されやすいであろ

374　第3章　強制捜査　　第2節　対人的強制捜査

う。

　限度を超えているかとの判断過程は、別件逮捕・勾留中の捜査におい
て実質的には本件が主眼になってはいないかを検討するものであり、逮
捕・勾留の目的について別件が名目にすぎず、実質的には本件を目当て
としているのではないかを検討することになり、別件逮捕・勾留自体の
違法の有無の判断過程とほとんど重なっている。

> **アドバイス**　別件逮捕・勾留中の本件取調べに当たっての留意点
>
> 　①まず、別件は、**本件と社会的事実として密接性・関連性があるもの**を
> **選定**し、本件の取調べが別件の取調べとしても重要な意味を持つ関係にあ
> ると評価できるか否かがポイントとなる。そうすれば、本件についての取
> 調べが、別件にとっても重要な取調べとして許容されやすくなる。例えば、
> 公職選挙法違反の受供与による逮捕・勾留中に、受供与に係る金員を用い
> て行われた他への供与について取調べを行うことは、受供与の趣旨や使途
> の解明という点で受供与についても重要な意味を持ち当然に許容される。
> また、殺人と死体遺棄の関係のように両者の実態解明が相まって全体とし
> ての犯罪計画や犯罪意図が明らかになる関係にある場合も、死体遺棄によ
> る逮捕・勾留中に殺人の取調べを行うことが許容されることになる。
>
> 　②また、**取調べ時間等の面**においても、本件の取調べが、**別件の取調べ**
> **に並行し又は付随して行われた**ものと評価できるか否かもポイントとなる。
>
> 　③さらに、**任意に応じた本件の取調べ**であれば、違法に身柄拘束を利用
> したとのそしりを受けず、違法と評価されづらくなる。違法な余罪取調べ
> と非難されることを回避するために、被疑者に対し、余罪取調べに当たっ
> て、供述拒否権を改めて告知する等して**任意の取調べであることを担保す**
> **る措置**を講じておくことも一考に値する。また、例えば、被疑者が本件の
> 取調べを拒否したときは、その後追及的な取調べは差し控えるなど、本件
> の取調べが強制にわたるもので違法に身柄拘束を利用したものであると非
> 難されることがないよう留意すべきであろう。

5　違法な別件逮捕・勾留に引き続く本件での逮捕・勾留の違法性、その本件逮捕・勾留中の自白の証拠能力

　別件逮捕・勾留が違法な場合、これに**引き続く本件での逮捕・勾留は適法**

か。その場合の本件逮捕・勾留中の被疑者の供述調書の証拠能力は否定されるかが問題となる。

　本件での逮捕・勾留が、別件逮捕・勾留の違法性を受け継いで違法とされれば、本件の逮捕・勾留中の取調べによって得られた自供も**違法収集自白**として、証拠能力が否定されることが多い（⟹**設問51**、**6**参照）。

　裁判例の多数も、違法な別件逮捕・勾留中の、本件についての自供は証拠能力が否定されるとし、これを証拠資料とした、本件による逮捕・勾留も違法になるとして、本件逮捕・勾留中の自供調書の証拠能力を否定する。

　しかし、本件の逮捕状請求資料として、自供だけでなく、第三者の供述証拠、情況証拠があって、自供のみを手掛かりにしなくても逮捕状が発付されたであろう場合だとして、別件逮捕・勾留の違法性は本件逮捕・勾留に引き継がれないとして、本件逮捕・勾留中の自供に証拠能力を認めた例もある（前記東地決平12.11.13など）。

376 第3章　強制捜査　第2節　対人的強制捜査

設問 40 緊急逮捕

● **設　問** ●

(1)　警察官甲は、盗品を所持しているAに窃盗の前歴があったことから、Aが否認していたのにもかかわらず、窃盗で緊急逮捕し、更にAを追及したところ犯行を全面的に認めたので、この自供調書を疎明資料として逮捕状を請求した。この緊急逮捕は適法か。

(2)　警察官乙は、放火の被疑者Bを緊急逮捕したが、Bを現場の実況見分に立ち会わせて、その供述調書を作成するなどして、逮捕状請求までに6時間余かかった。この緊急逮捕は適法か。

◆**解　答**◆

(1)　違法⟹**1** 2(1)

(2)　違法⟹**3** 1(2)

1　緊急逮捕の要件

1　要　件

　被疑者が、死刑、無期若しくは長期3年以上の拘禁刑に当たる罪を犯したことを疑うに足りる十分な理由がある場合で、急速を要し、裁判官の逮捕状を求めることができないとき（法210条）に、緊急逮捕をなし得る（⟹**緊急逮捕できない刑法上の罪名一覧**　406頁「**参考図5**」参照）。

⑴　**十分な理由の意義**

　　「十分な理由がある」とは、通常逮捕における「相当な理由がある」より高度の嫌疑があることを意味する。有罪判決を言い渡すことが直ちになし得るほど高度の嫌疑を要求しているわけではない。

⑵　**「急速を要し、裁判官の逮捕状を求めることができないとき」の意義**

　　この意味は、逮捕しなければ、被疑者が逃亡又は罪証隠滅をするおそ

れがある場合をいう。例えば、集団暴行の被疑者が、他の仲間と集会を開いており、逮捕状の発付を待っていたのでは、被疑者が、その場所から立ち去り、服装を変え、看視中の警察官に対する反抗態勢を強化するおそれがある状況は、逮捕状を得る余裕がない場合である（最判昭32.5. 28刑集11-5-1548）。

逮捕状の緊急執行との区別　なお、通常逮捕状が発付されている場合、逮捕状を所持しない者が逮捕するときは、普通は、その通常逮捕状の緊急執行という方法をとる。しかし、例えば遠隔地の警察から指名手配されているような場合には、「できるだけ速やかに」逮捕状を被疑者に示すことができないときがあり、このようなときには、同一被疑事実で、被疑者を緊急逮捕することが許される（⟹**設問37**、**1** 2 ）。

2　要件の存在時期

(1)　緊急逮捕時に存在しなくてはならないか

これらの要件は、緊急逮捕時に存在し、逮捕者が認識し得たものでなければならない。

例えば、緊急逮捕時には、犯罪を犯したと疑うに足りる十分な理由がなかったのに、逮捕後の取調べの結果、被疑者が自白したので請求時には嫌疑が明白になった場合は、逮捕時においては緊急逮捕の要件を欠くので、逮捕状請求は却下されることになる。この場合、緊急逮捕時、通常逮捕の要件があったといえるならば、違法の程度は重大ではないと考えられるので、同一事実で再逮捕（通常逮捕）することは許されよう（⟹**設問38**、**3** ）。

(2)　逮捕状請求時に逮捕の必要性はいるか

逮捕状は、既になされた逮捕行為を追認するとともに、将来にわたっての留置を許すものであるから、逮捕時に逮捕の必要性はあったが、逮捕状請求の段階で必要性が明らかになくなった場合、請求は却下される。

例えば、自動車の過失運転致傷で逮捕時には住居が不定であったが、その後、確実な身柄引受人がつき逮捕の必要性がないと判断された場合、逮捕状請求は却下される。

378　第3章　強制捜査　第2節　対人的強制捜査

2　逮捕の手続の特例

　司法警察職員、検察官、検察事務官は、緊急逮捕をなし得る（法210条1項）。逮捕に当たって、被疑者に対し、被疑事実の要旨及び急速を要し逮捕状を得ることができなかった旨を告げなければならない（同項）。

3　逮捕後の手続の特例（⟹381頁「**書式18**」参照）

1　逮捕後の手続
直ちに逮捕状を請求する手続をしなければならない（法210条1項）。

(1)　「直ちに」の意義
　　「直ちに」といえるかどうかについては、緊急逮捕場所と裁判所の距離関係、交通事情も考慮されるべきであり、請求書が裁判所に到達するまでの時間の長短のみによって形式的に判断されるものではない。

(2)　疎明資料作成に要する時間
　　裁判官が緊急逮捕の許否の判断をするために必要な**最小限の疎明資料を捜査官が作成するのに要する時間に限って、逮捕状請求をしないでおくことが許される**。したがって、被疑者からの弁解録取、被害届、被害者、目撃者等の参考人からのごく簡単な内容の供述調書の作成を終えたならば即刻逮捕状請求手続に着手しなければならず、詳細な供述調書を作成し終わるまで請求をしないでおくということは許されない（大阪高判昭50.11.19判時813-102　放火犯人を実況見分に立ち会わせた供述調書を作成するなどしたため、請求までに6時間40分程度を要したのを違法としたもの。大阪地決昭35.12.5判時248-35は8時間後の請求を違法とした）。

　しかし、特別な事情があり、疎明資料作成に時間を要するとき、例えば、内ゲバ事件で、被疑者はもちろん被害者も供述を拒む態度であったので、目撃者の供述による犯人の特定などに時間を要して、請求までに6時間かかった場合は適法（広島高判昭58.2.1判時1093-151）である。同じく、緊急逮捕後、6時間ないし6時間半後に、請求されたのを適法とした例（京都地決昭52.5.24判時868-112　被害者が緊急の会議に出席

緊急逮捕　設問40　　*379*

していたため、取調べが遅れた事情があった）がある。

⑶　**逮捕後、被疑者を釈放した場合**

　この場合も、**逮捕状を請求しなければならない**（規範120条３項）。逮捕状請求前に被疑者が逃走した場合も、同様である。

⑷　**請求者**

　通常逮捕の場合と異なり、司法巡査、検察事務官も逮捕状を請求できる。

⑸　**逮捕状が発付されないとき**

　この場合は、直ちに被疑者を釈放する。また、法220条１項により、現場で差し押さえた物は、直ちに還付しなくてはならない（同条２項）。

⑹　**逮捕状の呈示**

　逮捕状が発付されたときは、明文の規定はないものの、被疑者に示すべきであろう。令状は呈示するのが原則であり、実務もそのように行われているからである。

2　逮捕状請求前に被疑事実の罪名等が変わった場合の逮捕状請求書に記載すべき被疑事実、罪名

　緊急逮捕の直後に請求すべき逮捕状は、主として逮捕行為の追認の意味をもつと解されているから、例えば傷害で逮捕した後、逮捕状請求前に被害者が死亡した場合、逮捕状請求書に記載すべき被疑事実は、傷害致死の事実ではなく、傷害の事実で逮捕状を請求すべきである。

> **アドバイス**　**緊急逮捕に関する留意事項**
>
> 　緊急逮捕をした場合、その後の令状請求は「直ちに」行わなければならないとされている。裁判官による事後審査は、事前の令状審査がない緊急逮捕制度の合憲性（最大判昭30.12.14刑集9-13-2760）を支える重要な要素であり、裁判官は、①逮捕時点での緊急逮捕要件の充足に関するチェック、②令状請求時に被疑者の身柄拘束を継続する理由と必要のチェックを行うものである。例えば、仮に捜査機関が逮捕状請求前に留置の必要がないと判断して被疑者を釈放した場合は、留置の必要がない以上その請求は却下されることが確実と見込まれるが、そのようなときであっても、裁判官が①のチェックを行う必要上、逮捕状請求は必須である。また、①の

380 第3章 強制捜査 第2節 対人的強制捜査

チェックに裁判官が用いることができるのは逮捕時における疎明資料に限られるのであり、逮捕後に得られた被疑者の供述等の証拠を用いることができないのは言うまでもない。他方、②のチェックにおいては、逮捕後令状請求時点までに収集された証拠も疎明資料として用いることができるので、逮捕後の捜査も当然可能である。ただし、逮捕後の捜査により、「直ちに」行うべき令状請求を遅延させることは妥当ではない。

書式18　緊急逮捕後の逮捕状請求書

様式第16号（刑訴第210条、規則第139条、第142条、第143条）

逮捕状請求書（乙）

令和〇 年 〇 月 **1 3** 日

〇〇〇〇 裁判所
　　　裁判官　殿

〇〇県〇〇 警察署
　　　司法 警察員警部 **甲 野 一 郎** ㊞ (＊1)

　下記被疑者に対し、殺人未遂 被疑事件につき、逮捕状の発付を請求する。

記

1　被疑者
　　　氏　　　名　丙井太郎
　　　年　　　齢　　　　　　昭和〇 年 **3** 月 **1 0** 日生（〇〇 歳）
　　　職　　　業　無職
　　　住　　　居　不定

2　逮捕の年月日時及び場所
　　　令和〇 年 〇 月 **1 3** 日午 後**0** 時 **3 0** 分
　　　〇〇県〇〇市〇〇町〇番地〇号先

3　引致の年月日時及び場所
　　　令和〇 年 〇 月 **1 3** 日午 後**1** 時 **4 5** 分
　　　〇〇県〇〇警察署

4　逮捕者の官公職氏名
　　　〇〇県〇〇 警察署 司法 巡査 **乙 川 二 郎**　　　　　㊞

5　引致すべき官公署又はその他の場所

6　被疑者が罪を犯したことを疑うに足りる充分な理由
　⑴　被害者が下記被疑事実記載の被害に遭った事実（検証調書、医師〇〇〇〇の供述調書各1通）
　⑵　捜査の結果、被疑者が有力容疑者と推定されたこと（〇〇〇〇の供述調書、捜査報告書各1通）。
　⑶　被疑者を発見した際、被疑者は血痕付着の鉄棒を所持しており、本

382   第3章　強制捜査　　第2節　対人的強制捜査

件犯行を犯したことを自供した事実（逮捕手続書、弁解録取書、捜索差押調書各1通）

7　急速を要し裁判官の逮捕状を求めることができなかった理由及び被疑者の逮捕を必要とする事由　（＊2）
　　殺人未遂という重大事件の被疑者であり、住居も不定であって直ちに逮捕しなければ逃走のおそれがあった上、今後も逃走及び証拠隠滅のおそれがある。

8　被疑者に対し、同一の犯罪事実又は現に捜査中である他の犯罪事実について、前に逮捕状の請求又はその発付があったときは、その旨及びその犯罪事実並びに同一の犯罪事実につき更に逮捕状を請求する理由

　　　　　　　　　　　　　　　　　　㊞

9　被疑事実の要旨
　　被疑者は、令和〇年〇月12日午前1時頃、〇〇県〇〇市〇区〇〇町207番地丁田善郎宅寝室において、殺意をもって、同人の頭部、顔面等を所携の鉄棒で滅多打ちし、全治6週間を要する頭蓋骨骨折等の傷害を負わせたが、急所を外れたため殺害の目的を遂げなかったものである。

（注意）　引致前に請求する場合は、「引致すべき官公署又はその他の場所」欄に記載し、引致後に請求する場合は、「引致の年月日時及び場所」欄に記載すること。

（筆者注）
＊1　司法巡査、検察事務官も請求できる。
＊2　⇒ 設問 40 、 1 1⑵参照

現行犯逮捕　設問41　*383*

設問 41　現行犯逮捕

●**設　問**●

(1)　警察官甲は、被害者から暴行とガラス損壊の被害通報を受け、30～40分後に現場に赴いたが、犯人はいなかった。被害者は「犯人は、こぶしでガラスを割り、出血した」などと被害状況を説明するとともに、現場から20メートル離れた場所に犯人がいると指示したので、甲が同所に行くと、Aがこぶしを負傷し、パンツ一つになって大声で叫び、足を洗っていたので、甲はAを「罪を行い終わった者」として現行犯逮捕した。この逮捕は適法か。

(2)　自動車の速度違反を現認した警察官乙は、その運転手Bの人定事項を確認しようとしてBに免許証の提示を求めたが拒否され、更に氏名・住所等を質問しても回答を拒否されたので、Bを現行犯逮捕した。この逮捕は適法か。

(3)　(2)の事案のBは警察に引致されて、弁解録取の際に犯行は否認したものの、氏名等を明らかにした。その後も、Bに対する留置を続けることは適法か。

(4)　警察官が、内偵の結果C方でのみ行為が行われているとの情報をつかんで張り込み中、のみ行為の客とマークしていたDがC方に入って出てきたので、Dを職務質問したところ、C方でのみの申込みをしてきたことを自供した。一方、その日、警察官は、C方において、Cが同居人Eからメモらしきものを示されているのも現認していた。以上の資料により、警察はC方へ踏み込み、現にのみの申込みを受けていたCの同居人Eを現行犯逮捕しただけでなく、その時点でC方に居たものの何もしていなかったCを、共謀してのみ行為をしている者として現行犯逮捕した。Cの現行犯逮捕は適法か。

◆**解　答**◆

(1)　適法⟹**2** 1 ②

(2)　適法⟹**3** 2

384　第3章　強制捜査　　第2節　対人的強制捜査

　　⑶　違法とされる場合がある。⟹**3**3
　　⑷　適法　現認結果に加え、内偵結果やDへの職務質問結果も考慮
　　　して、Cを現行犯人と認めることができる。⟹**5**2

1　現行犯逮捕

1　意　義

　令状主義の例外として、何人でも、現行犯人を逮捕状なしに逮捕すること
ができる（法213条）。

　現行犯人には、①**狭義の現行犯人**（法212条1項）と②**準現行犯人**（同条
2項）がある。

　狭義の現行犯人とは、「現に罪を行っている者」、及び「現に罪を行い終わっ
た者」をいう。

2　現行犯逮捕が無令状で許される理由

　現行犯逮捕が、無令状で、しかも私人もなし得るのは、犯罪と犯人が明白
だからである。

　したがって、純客観的には現に罪を犯しつつある者であっても、それが外
部的に明白でなければ現行犯人ではない。しかし、何人にも犯人が識別でき
る状況までは不要であり、**逮捕者にとって犯罪と犯人が明白であれば足りる。**
例えば、速度違反取締りの警察官にとって、ある者が速度違反の犯人である
ことが明白である以上、警察官以外の者からみて、その者がいかなる犯罪を
犯したかが一見して明白な状況がないとしても、その者は現行犯人である
（東高判昭41.1.27判時439-16　数人の警察官が合図係、測定係、記録係、停
車係と分担を決めて1グループになり、互いに連絡をとる方法で速度違反を
取り締まる場合、違反箇所から300メートル離れた地点で、記録係からの通
報によって、停車係が停車させた自動車の運転手も「現に罪を行い終わった
者」に当たるとした）。

3　現行犯逮捕の手続

⑴　逮捕時の手続

　　逮捕に当たって、被疑事実の要旨を告知する必要はない。

捜査機関が現行犯逮捕をした場合は、逮捕の現場で、令状なくして捜索等できるが、**私人が現行犯逮捕した場合はできない**（法220条1項）。

⑵　**逮捕後の手続**

逮捕者において現行犯人逮捕手続書を作成する（⟹その書式は、付録2参照）。

私人が現行犯人を逮捕したときは、直ちに司法警察職員又は検察官に引き渡すことを要する（法214条）。この場合は、引渡しを受けた者が逮捕手続書を作成する。

私人に、逮捕の際、犯人を司法警察職員等に引き渡す意思が欠けていても、その逮捕は適法である（大阪高判昭59.3.14）。

2 　「罪を行い終わった者」の意義

「罪を行い終わった者」とは、「特定の犯罪の実行行為を終了した直後の犯人で、そのことが逮捕者に明白である者」をいう。

「罪を行っている者」の意義は、比較的明瞭であるが、「罪を行い終わった者」については、**準現行犯人**（⟹ 設問 42 参照）、あるいは非現行犯人との区別が難しい。

1　「罪を行い終わった者」と認められた例

① 　スリの被害者が、犯行直後から犯人を追跡し、犯行現場から約50メートル離れた地点で犯人を逮捕した事例（東高判昭27.2.19）

② 　警察官が、暴行・器物損壊の被害申告を受け、現場に到着し、被害者から被害状況と犯人が現場から20メートル離れた飲食店に居るということを聞き、犯行後30〜40分後に同飲食店で、手を怪我して大声で叫び、パンツ一つで足を洗っていた犯人を逮捕した事案（福岡高判昭30.12.27
この上告審の最決昭31.10.25刑集10-10-1439も同旨。本件は、逮捕時点において、**犯行直後の生々しい状況が残っていたといえる**事案である）

③ 　住居侵入事件の目撃者からの急報に接した警察官が、事件直後、侵入現場から30メートル離れた地点で、同所で通報に合致した人相、風体の者を逮捕した事案（最決昭33.6.4刑集12-9-1971）

④ 　強制わいせつ（現：不同意わいせつ）・傷害の被害直後、被害者から

386 第3章 強制捜査 第2節 対人的強制捜査

110番通報を受け、直ちに現場に急行した警察官が、被害者において犯人だと指示した被告人を逮捕した事案（東地決昭42.11.22判タ215-214 警察官が臨場したとき、犯人は閉店後の飲食店の奥の間で寝ていたもので、犯人とその他の者を取り違えるおそれがなかったといえる事案）

⑤ 客から暴行被害を受けたタクシー運転手が、犯行から1分後に、現場から200メートル離れた派出所まで、そのタクシーに犯人を乗せて走行させてきたので、その運転手から被害状況を聴取し、その顔面に殴打された痕跡があることを確認し、さらに客自身も犯行を認める状況だったので、客を逮捕した事案（釧路地決昭48.3.22刑月5-3-372）

⑥ 脅迫事件の犯行から1時間20分経過した時点であったが、その時にあっても、被害者は、なお畏怖状態にあり、犯人も被害者に対し、「いつか、殺してやる。」などと怒号するという、現場の雰囲気があったので、犯人を逮捕した事案（大津地決昭48.4.4刑月5-4-845）

⑦ 過激派が、駅構内でビラ配り（建造物侵入）をした直後に、警察官が臨場し、種々職務質問をし、犯罪事実の存在とその明白性を確認し、同駅構内の派出所で、犯行から1時間十数分経過後に逮捕した事案（東地判昭62.4.9判時1264-143 犯行後間もなく現場付近において職務質問が開始されたこと、逮捕場所も同じ駅構内であったこと、現実の逮捕が遅れたのは確実を期すためであったとの事情があったもの）

2 「罪を行い終わった者」と認められなかった例

① 映画館内で強制わいせつ（現：不同意わいせつ）行為をされた被害者が、その事実を警察に通報し、その約1時間後に現場に来た警察官に対し、ちょうど映画館から出てきた犯人を指示し、これに従って、警察官が犯人を逮捕した事案（大阪高判昭40.11.8下刑集7-11-1947 準現行犯逮捕としても要件を欠くとする）

② 傷害犯人が、犯行後飲酒してからいったん現場に戻り、更に他所に出かけ、犯行から1時間50分後に再び現場に戻ったところを逮捕した事案（京都地決昭41.10.20下刑集8-10-1398 ただし、被害者の供述と被疑者に対する職務質問の結果によって「罪を行い終わってから間もないと明らかに認められる」場合であるとした）

③　犯行から20分後、犯行現場から20メートル離れた場所において、恐喝未遂の被害者の申告する人相着衣等に似た被疑者を発見し、職務質問したところ同人は否認したが、同人と対面した被害者は、その者が犯人であると供述したので、逮捕した事案（京都地決昭44.11.5判時629-103　職務質問時点で、被疑者には犯人の人相等に似ているという以外、異常な挙動もなく、身体・被服などに犯罪の証跡を残していたわけでもないことを理由とする。緊急逮捕相当であったとする）

④　深夜、住居侵入（のぞき）の被害者からの被害申告により、犯人の特徴を知った警察官が、犯行から20分後、現場から250メートル離れた路上を同特徴にほぼ一致した人相着衣の者を発見し職務質問し、同人は犯行を否認したものの、被害者が面割りの結果、その者を犯人であると供述したので、逮捕した事案（東高判昭60.4.30判タ555-330　犯罪の存在、犯人と被逮捕者との同一性について、逮捕者が犯行を現認したのと同一視できるような明白性は存在しないことを理由とする。なお、準現行犯にも当たらないとした）

⑤　傷害等の被害者から被害申告を受け、犯人の特徴と犯人が行き止まりの道路を逃げていったことを知った警察官が、行き止まりとなっているその道路に入って犯人を追跡中、現場から500メートル離れた地点で、引き返してきた被告人らを発見し、職務質問の結果被告人が犯行を自供し、さらに面割りをした被害者が被告人を犯人と断定したので、逮捕した事案（福岡地決昭48.9.13刑月5-9-1338　ただし、「犯人として追呼されている」準現行犯に当たるとした）

⑥　過激派からの脅迫事件につき、犯行直後に犯行現場たる被害者方に警察官が臨場したが、被害者が被告人を畏怖して被害状況を説明できなかったので、被告人を現場から250～300メートル離れた派出所に任意同行し、犯行後40分後に同派出所内で逮捕した事案（大阪高判昭62.9.18判タ660-251　ただし、臨場した時点で現行犯逮捕できたとする）

3　裁判例の検討

　裁判例を分析すれば、「罪を行い終わった者」すなわち、「特定の犯罪の実行行為を終了した直後の犯人で、そのことが逮捕者に明白である者」という

388　第3章　強制捜査　第2節　対人的強制捜査

ための要件は次のとおりと考えられる。

(1)　時間的・場所的近接性

　「犯罪の実行行為を終了した直後」ということから、**時間的・場所的近接性**が要件となる。つまり、逮捕の時点は、時間的に、犯行に極めて接近していなければならず（前記適法事例の最大は1時間20分であった）、逮捕の場所も、場所的に極めて犯行現場に接近していなければならない（前記適法事例で最も遠かったのは、200メートルであった）。時間的に接近していても、自動車・飛行機等を利用して現場からはるかに遠くまで離れ去った場合は、現行犯性が失われる場合がある。

(2)　犯行の明白性

　犯罪があったこと、その者が犯人であることが逮捕者にとって明白なことである。前記適法事例は、逮捕された者や被害者の身体や、現場に犯行の痕跡が残っていたり、逮捕された者に著明な不審挙動があったりすることなどの客観的な現場の状況から、その現場に「**犯行の余熱**」が残っていると評価できる場合である。このような犯行直後の**生々しい状況（ホットな状況）**が残っていない場合は、現行犯性があるとはいえない。

> **アドバイス**　「現に罪を行い終わった者」かどうかの判断基準
>
> 　「現に罪を行い終わった者」といえるかどうかは、犯行との場所的・時間的に極めて近接しているか、現場の客観的状況（犯行直後の生々しい状況、すなわち「犯罪の生々しい痕跡が残り、犯罪が終わったばかりの状況」（池田修・前田雅英　前掲128））によって犯行の明白性が担保されているかがポイントである。

③　現行犯逮捕における逮捕の必要性

1　「必要性」要件の要否

　通常逮捕、緊急逮捕の場合、逮捕の理由の他に逮捕の必要性を要する。

　現行犯逮捕の場合については、令状の発付を予定していないから法199条2項を準用する余地はなく、実際問題としても逮捕者が必要性を判断する余裕がないのがほとんどであることなどから、逮捕の必要性は不要だとする見

解（東高判昭41.1.27判時439-16）もある。

しかし、法217条は、軽微事件では住居若しくは氏名が不明な場合や、逃亡のおそれがある場合に限って現行犯逮捕ができるとし、逮捕の必要性を考慮すべきものとしていることからみて、一般の現行犯逮捕の場合も、**逮捕の必要性が逮捕の要件だとする見解が有力**である（大阪高判昭60.12.18判時1201-93　「国家賠償事件」、前橋地判昭60.3.14判時1161-171　「国家賠償事件」）。

2　証拠の隠滅・逃亡のおそれ

現行犯逮捕の場合は、一般的に、犯罪自体が明白であって**証拠隠滅のおそれは少ない**と考えられる。しかし、現行犯でも共犯者がいたり、現に証拠隠滅工作をしていたり、犯行や犯行の計画性・常習性等を否認したりしているときは、証拠隠滅をするおそれが大きいといえる。

一方、逮捕時は、被疑者の氏名住所等が不明であることが多いから、**逃亡のおそれは**肯定されやすい。例えば、交通事犯の場合、運転手が特段の理由なく、免許証の提示や氏名を告げることを拒否したときは、警察官において、逃走・証拠隠滅のおそれがあると判断するのもやむを得ない（福岡地小倉支部判昭59.3.19判時1114-81、同旨上記前橋地判昭60.3.14、東高判平20.5.15判時2050-103）。しかし、運転手から免許証の提示を拒否されただけで、警察官が氏名を質問するなどの人定確認手段をとらないで、直ちに現行犯逮捕したのは、必要性の要件を欠くとされた例もある（上記大阪高判昭60.12.18）。

3　留置継続の要否

(1)　**逮捕後逃亡のおそれがなくなった場合**

逮捕事実が道路交通法違反のように比較的軽微で日常的なものであるときは、逮捕後に被疑者の氏名等が判明するなどし、逃亡のおそれがなくなった場合は、証拠隠滅のおそれがあるといえない限り、なるべく早く被疑者を釈放すべきものとされている。

ただし、逮捕後、氏名住所が判明したときでも、なお留置の必要性の有無に関する資料収集（家族関係、前科関係の確認など）や関係書類の作成等に通常要する時間に限り、留置を継続することはできる（上記福岡地小倉支部判昭59.3.19）。

390 第3章 強制捜査 第2節 対人的強制捜査

(2) 留置の必要がなくなった場合

留置の必要がなくなった被疑者を、漫然と48時間一杯留置することのないように注意すべきである。例えば、市議会議員である被疑者を速度違反で現行犯逮捕した時点では、被疑者が氏名等を明らかにしなかったことなどからみて逮捕の必要性があったとしながら、引致後弁解録取時に被疑者が氏名等を明らかにした後も留置を継続した措置を違法とした事例（福岡地久留米支部判昭61.5.28判時1209-99　「国家賠償事件」）がある。

4　共謀共同正犯、教唆犯、幇助犯についての現行犯逮捕

1　現行犯逮捕できる場合

現行犯逮捕は、現に犯罪が成立している場合になし得る。

(1) 被逮捕者と共犯関係にある者について必要な要件

共謀共同正犯、教唆犯、幇助犯は、共謀・教唆・幇助行為がなされただけでは犯罪といえず、さらに、これと共犯関係にある実行行為者が犯罪を実行して初めて犯罪として成立する（共犯の従属性）。したがって、共謀共同正犯、教唆犯、幇助犯を被逮捕者として現行犯逮捕するためには、これと共犯関係にある実行行為者についても、「現に犯罪を行い、又は行い終わった」という要件を備えていることが必要である。

(2) 被逮捕者に必要な要件

また、現行犯逮捕される被逮捕者についても、犯人であることの明白性が要求されるから、共謀・教唆・幇助行為についても、「現に行い又は現に行い終わった」といえることが必要である。

例えば、事前の情報によって、暴力団組長甲と組員乙との間に覚醒剤密輸入の共謀がなされたということが捜査官に分かっていた場合、組員乙の覚醒剤密輸入を捜査官が現認したとしても、乙が甲と共謀したとの事前情報だけでは、「共謀」に関して「現に行い又は現に行い終わった」とはいえないので、組長甲を現行犯逮捕することはできない（なお、緊急逮捕の要件があれば、緊急逮捕できる）。

したがって、共謀共同正犯・教唆犯・幇助犯を現行犯として逮捕でき

る場合は、通常、実行行為の現場における現場共謀・教唆・幇助に限られよう。

2 現場共謀・教唆・幇助の現行犯逮捕の具体例

(1) 共謀等を現認できる場合

共謀、教唆、幇助が実行行為の犯行場所で行われ、その直後に実行行為者が犯行に及んだ場合には、共謀者等を現行犯逮捕できる。しかし、捜査官がこのような直前の共謀等の現場を現認することはほとんどあり得ない。

共謀共同正犯の場合は、実行行為者の犯行が開始された後も、現場における共謀が継続されることがある。

例えば、公然わいせつの共謀をしたストリップ劇場の経営者が、公然わいせつ行為開始後も現場にとどまり、声援・照明等の行為をする場合である。係る行為によって、共謀の現行犯性を認定することは許される（これに反して、共謀後、劇場経営者が劇場から退出し、公然わいせつ行為中、現場にいなかったというような場合は、共謀の現行犯性を認めるのは困難であろう）。

(2) 幇助を現認できる場合

幇助犯の場合は、実行行為者の犯行が開始された後にも、幇助が継続され、又は幇助が新たに開始されることは多く、その場合には現行犯人となる。例えば、ストリップ劇場に照明係として雇われたものが公然わいせつ行為が開始された後も、照明をする場合などである。

5 現行犯人の認定資料に供述証拠を用い得るか

私人は犯行を現認したとしても自分で逮捕することは少なく、その私人から通報を受け、現場に臨場した警察官が犯人を捕まえる場合が多い。この場合、現場に赴いた警察官において、その者が現行犯人であるかどうかを認定する資料として、その警察官が現認した現場の状況だけを用い得るのか、私人からの通報内容等も用いることができるかが問題になる（⟹準現行犯逮捕について**設問42**、**2**参照）。

1 現場の状況から犯人と認められる場合

警察官が現場に臨場した際、犯人が現場にまだいて、その現場の状況から現行犯人と認められるときは問題がない。例えば、犯人が暴れているとの通報があり、警察官が現場に行くと、店舗の内部が壊れ、男が「徹底的にやってやる。」とわめいていた場合に、警察官がその男を現行犯逮捕したことに違法はない（名古屋高判昭24.12.27）。

2 通報内容等も資料として現行犯人と認められる場合

①警察官が現場に臨場したとき、現場の状況だけでは、現行犯人かどうか不明であるが、被害者の通報内容や被疑者への職務質問の結果をも考慮すれば、被疑者が、「罪を行い終わった」犯人であると認められる場合、現行犯人として逮捕できるか争われることがある。

この場合に、被害者の通報内容、被逮捕者の自供をも資料にできるとする説が有力である（東高判昭41.6.28判タ195-125、釧路地決昭48.3.22刑月5-3-372、福井地判昭49.9.30判時763-115）。

しかし、警察官の場合は現行犯逮捕できないとしてもほとんど緊急逮捕でまかなえることなどを理由に、現場の状況のみを資料として認定すべきであるとする反対説もある（大阪高判昭33.2.28、釧路地決昭42.9.8下刑集9-9-1234、京都地決昭44.11.5判時629-103、青森地決昭48.8.25刑月5-8-1246）。ただし、この反対説も、警察官において現場状況から現行犯人と認定できないときでも、犯行を現認した私人の逮捕を代行する形で、警察官が現行犯逮捕できる場合があることを認めている（⟹ 設問42 参照）。

②上記①の場合とは異なり、逮捕者が、現場において、「犯人の行為、又は行為の痕跡」を直接現認しつつ、その行為が外観上犯罪であるかどうか不明という場合（例えば、金員の授受の場合、これが賄賂金であるかどうか外観的には不明である）は、その行為がいかなる犯罪かを認定する資料として、事前の捜査情報・知識を用いることはできる（上記①の東高判昭41.6.28など）。

6 確実な証拠を得る目的で、未遂犯を見逃し、その後の既遂を現行犯逮捕すること

警察官が、スリの未遂犯を現認しながら、確実な証拠を得る目的で、それをあえて見逃し、その後の既遂現場を押さえて現行犯逮捕するのは適法である（東高判昭28.4.6）。

394 第3章 強制捜査 第2節 対人的強制捜査

設問 42 準現行犯逮捕・私人による現行犯逮捕

●設 問●

(1) 警察官甲は、住居侵入の被害者から、犯人の人相・服装を教えられて犯人を捜索中、犯行から20分後、現場から250メートル離れた路上を歩いていた、被害者のいう人相、服装に似ているAを発見し、職務質問した際、Aは犯行を否認したが、同人を被害者方に連行し、面割りさせたところ、「犯人に間違いない。」と被害者が明言したので、準現行犯人として逮捕した。この逮捕は適法か。

(2) 警察官乙は、傷害の被害者から、犯人の人相等とともに犯人が行き止まりの道を逃げて行った旨教えられ、その追跡中、その道を引き返してきたBを発見し、職務質問したところ犯行を自供し、被害者もBが犯人であると断定したので、準現行犯人として逮捕した。この逮捕は適法か。

(3) 私人Cから窃盗被害通報を受けた警察官丙が現場に臨場したところ、

(ア) Cが、犯人Dを逮捕すべくDと組み合っており、丙にDを逮捕するように依頼した。

(イ) Dが盗品である自転車に乗っており、Cが「この男が、自分の自転車を盗んだ。」と説明し、Dの逮捕を求めた。

(ウ) Dは盗品の自転車を捨てて自宅に戻っていたが、Cが「Dは自転車を盗み、途中これを捨てて自宅へ帰った。その間、自分はDの行動を見ていた。」と説明し、D方まで丙を案内し、Dの逮捕を求めた。

それぞれについて、丙はDを逮捕できるか。逮捕できるとして、その逮捕の根拠はどのようなものか。

◆解 答◆

(1) 違法⟹ **3** 2 (1)②

(2) 適法⟹ **3** 1 (1)⑥

(3)(ア) できる。現行犯逮捕⟹ **4** 1 (2)

㈠　できる。準現行犯逮捕⟹**4** 2(1)

㈢　できる。Cによる現行犯逮捕を代行するとの考え方もあり得ようが、緊急逮捕すべきであろう。⟹**4** 2(2)、3(1)①

1 準現行犯の意義

1　成立要件

準現行犯人とは、まず、「**罪を行い終わってから間がないと明らかに認められる**」者であることを要する（法212条2項柱書）。

　　　不審状況の要件　　加えて、その者が、①犯人として<ruby>追呼<rt>ついこ</rt></ruby>され、②贓物又は犯罪の用に供したと思われる凶器その他の物を所持し、③身体又は被服に犯罪の顕著な**証跡**があり、④<ruby>誰何<rt>すいか</rt></ruby>されて逃走しようとしている、のいずれか（本設問では、「**不審状況の要件**」という）でなければならない（同項各号）。

　狭義の現行犯人（同条1項）ほどは、犯行との時間的・場所的接近性は厳格に要求されない代わりに、①ないし④の不審状況の要件があることが要求される。

2　不審状況の要件

(1)　「**追呼されている**」こと

　その者を犯人と明確に認識している者により、追跡・呼号を受けていることが外観上明白な場合をいう（仙台高判昭44.4.1刑月1-4-353　追呼を途中で中断した事案について準現行犯とはいえないとしたもの）。必ずしも声をかけて追うことは要求されない（東高判昭46.10.27　傷害の犯人を自動車で追跡した場合）。身ぶり手ぶりで追いかけている場合でもよい。追呼の途中、一時見失って、再度犯人を発見して追呼を続けた場合でも、犯人の同一性が客観的に担保されていると認められれば該当する。

(2)　「**贓物等を所持する**」こと

　「<ruby>贓物<rt>ぞうぶつ</rt></ruby>」とは、財産犯によって得られた物であることを要する。財産犯以外の犯罪（賄賂罪、賭博罪等）によって得たものは含まない。盗品

396　第3章　強制捜査　第2節　対人的強制捜査

自体を所持していなくても、盗品を売却した代金を所持していればいい（最判昭30.12.16刑集9-14-2791）。

「**凶器**」とは、本来の機能として人を殺傷し得る物をいい、例えばネクタイのように、用い方によっては人を殺傷し得る物であるが、本来の機能としては一般人に危険を感じさせない物（「用法上の凶器」）は、ここでの凶器に当たらないであろう。

「犯罪の用に供したと思われる**その他の物**」は、例えば、侵入盗に使用したドライバー等のいわゆる七つ道具の類、放火に用いたライターなどがそれである。

これらの物件は、逮捕の瞬間に所持していることまで要さない。逮捕の直前に所持品を投げ捨てた場合も、逮捕者が、これを現認していればいい。

贓物等を所持していることが、外観上明白な場合をいうのであり、警察官から追及された結果、被疑者が着衣内から盗品を取り出して初めて、その所持が分かる場合は、当たらない（福岡地小倉支部決昭44.6.18）。

⑶　「**証跡がある**」こと

例えば、殺人犯の着衣に血痕が付着している場合、放火犯人の顔に煤煙が付着している場合などである。

⑷　「**誰何<ruby>誰何<rt>すいか</rt></ruby>されて逃走しようとしている**」こと

「誰何<ruby>誰何<rt>すいか</rt></ruby>」とは、「誰かと声をかけて呼び止めること」である。しかし、声を出すことは必ずしも要せず、懐中電灯を照らしたところ、逃走しようとしたときも、これに当たる（最決昭42.9.13刑集21-7-904）。

声をかける前に、犯人が警察官に気が付いて逃走したときも、これに当たると解される。

2　通報者・目撃者等の供述、被逮捕者への職務質問の結果を資料として準現行犯逮捕できるか

1　不審状況の要件について

これについては、その者が犯人であることの明白性を客観的に担保するための要件だから、上記の**不審状況の要件は逮捕者自身が直接覚知すること**を

要する。したがって、通報者・目撃者等の供述、職務質問等の結果得た被逮捕者の自供を資料として、前記**1** 1 ①ないし④の要件を認定することはできない。

したがって、被逮捕者に前記**1** 1 ①ないし④の不審状況が外観上認められないときは、関係者の供述や自供などにより犯罪の嫌疑が十分であっても、緊急逮捕しかできない。

2　「罪を行い終わって間がないと明らかに認められる」との要件について

これについても、被害者の申告内容などは資料にできないとする裁判例もある（青森地決昭48.8.25刑月5-8-1246　恐喝・同未遂の被害者の被害通報があっても、逮捕者たる警察官が、現場の状況からみて、現行犯人又は準現行犯人たることを直接覚知できない限り、（準）現行犯逮捕なし得ないとする）。

しかし、準現行犯逮捕では、逮捕者は、前記**1** 1 ①ないし④の不審状況しか目にしないのが通常であり、その不審状況によって、犯罪の内容や犯罪を犯して間もないかどうかを知ることは、普通できず、その点は他の証拠によって認定することが当然に予定されていると考えられる。

したがって、**逮捕者の現認するところに加えて、被害者等からの通報内容、他の警察からの手配等の内容をも資料として、「罪を行い終わって間もないことが明らか」かどうかを認定してよい**と解される（同旨　京都地決昭41.10.20下刑集8-10-1398　被害者の供述と被疑者に対する職務質問の結果だけによって「罪を行い終わってから間もないと明らか」に認められるとした）。

ただし、職務質問の結果得た自供だけによって「犯罪を行い終わって間もないこと」を認定することはできない（東地決昭42.11.9判タ213-204　深夜、土工風の姿で、ボストンバッグを肩にかけて歩いていた被疑者に対し、職務質問を実施し、その結果、被疑者が窃盗をしてきたことが明らかになったのを、準現行犯として逮捕したのを違法とする。ただし、一般論としては、「罪を行い終わってから間もないことが明らか」なことは、被疑者の挙動、証跡、その他の客観的状況（被害者等の事前の通報も含む）を資料として判断できるとした）。

なお、最高裁は、無線情報により本件凶器準備集合・傷害事件（いわゆる

398　第3章　強制捜査　　第2節　対人的強制捜査

内ゲバ事件）の発生と犯人が逃走中であることを知って警戒ないし犯人検索
中の警察官が、犯人Aについては、犯行から約1時間位経過後、犯行現場か
ら4キロメートル離れた派出所付近を通りがかり、職務質問のための停止を
求められて逃走したので、300メートル位追跡して追いついた際、腕に籠手
をしていたことから準現行犯として逮捕し、また、犯人B、Cについては、
犯行から約1時間40分経過後、犯行現場から約4キロメートル離れた路上で
発見され、職務質問のため停止を求められて逃走したので、約数十メートル
追跡して追い付いた際、両名とも靴が泥まみれで、犯人Cの顔に新しい傷跡
があり、血の混じったつばを吐いていたことから準現行犯として逮捕したの
を適法とした（最決平8.1.29刑集50-1-1　同決定は、法212条2項2号ない
し4号に当たる者が罪を行い終わってから間がないと明らかに認められると
きになされたものということができるとした）。

> **アドバイス**　**自供からたぐって犯行を知った場合の準現行犯逮捕の可否**
>
> 　例えば、警察官が犯罪の発生を知らずに職務質問した結果、たまたま被逮捕者が犯行を自供し、その裏付けをとった結果、自供どおりの犯罪が付近で発生していたことが判明したような場合（**自供からた・ぐ・っ・て・、犯行を覚知した場合**）は準現行犯逮捕できない。この場合は、緊急逮捕すべきであろう。

③　具　体　例

1　適法例

(1)　「追呼されている者」に当たるとされた事例

　　①　窃盗の犯行から約1時間後に、被害者が、盗品を売却しにきた犯人
　　　　を見つけ、盗品を前にして、盗難事件について詰問し、犯人が犯行を
　　　　自認しているときに、その者を準現行犯逮捕した事案（福岡高宮崎支
　　　　部判昭32.9.10、同旨東地決昭43.3.5下刑集10-3-320　寸借詐欺未遂
　　　　犯人を、被害者と臨場警察官が詰問追及し、犯人が犯行を自白した事
　　　　案）

　　②　駅構内での暴行事件の被害者が、当初は、犯人の腕を捕まえ、「暴

行だ」などと呼号していたが、それ以上犯人を追呼するのを断念して鉄道公安官に通報し、直ちに公安官が犯人の探索に当たっていたが、犯行から25分後に被害者が犯人を確認し、同駅構内において、公安官が犯人を準現行犯逮捕した事案（仙台地判昭41.1.8下刑集8-1-19　当初追呼していた者が追呼を断念して、他に犯行発生を報告して犯人の逮捕を依頼し、報告・依頼を受けた者が遅滞なく引き継いで犯人を追跡・呼号したときであっても、当初の追呼断念から逮捕までが短時間で、逮捕者が犯人を明確に識別し得る方策が講ぜられていれば、「犯人として追呼されているとき」に当たるとした）

③　乗車拒否をした際に客に負傷させたタクシーを、自動車で追跡してきた目撃者から、犯行状況についての説明を受け、タクシー運転手を準現行犯人として逮捕した事案（東高判昭46.10.27判時656-101）

④　被害直後に警察官に被害通報した被害者が犯行現場近くで犯人を発見したので、警察官にその者が犯人である旨指示し、引き続き監視を続け、応援警察官にも同一人を犯人として指示したとき、警察官が指示された者を準現行犯逮捕した事案（東高判昭53.6.29）

⑤　内ゲバ事件において、犯行直後から大学の守衛から追跡を受け、引き続き警察官・パトカーによって追跡を受けていた者を準現行犯逮捕した事案（横浜地判昭54.7.10刑月11-7・8-801）

⑥　傷害等の被害者から被害申告を受け、犯人の特徴と犯人が行き止まりの道路を逃げていったことを知った警察官が、行き止まりとなっているその道路に入って犯人を追跡中、現場から500メートル離れた地点で、引き返してきた被告人らを発見し、職務質問の結果、被告人が犯行を自供し、さらに面割りをした被害者が被告人を犯人と断定したので、逮捕した事案（福岡地決昭48.9.13刑月5-9-1338）

⑵　「臓物等を所持している者」に当たるとされた事例

⑦　犯行から2時間10分後に、盗品である荷車を所持している被告人を準現行犯逮捕した事例（広島高松江支部判昭27.6.30）

⑧　警察官が、被告人を追跡していた間、同人が盗品と思われる風呂敷に包まれたモーターを所持し、これを他で換金して立ち去ろうとして

400　第3章　強制捜査　第2節　対人的強制捜査

いたときに準現行犯逮捕した事案（東高判昭28.9.28　この上告審である最判昭30.12.16刑集9-14-2791は、逮捕した時点で贓物を所持していなくてもよいとした）

⑶　**「誰何されて逃走しようとした者」に当たるとされた者**

⑨　窃盗犯行の目撃者から、犯人が腕に傷のある男だと聞いていた私人が、犯行から2時間後に、その目撃者から犯人がいると聞き、犯行現場付近に行くと、腕に傷のある被告人を発見したので、交番に同行を求めたところ逃走したので、追跡して準現行犯逮捕した事案（東地判昭42.7.14下刑集9-7-872　「身体に犯罪の顕著な証跡がある者」にも当たるとした）

⑩　放火未遂事件の犯人と思われる者に対し、懐中電灯で照らし、警笛を鳴らしたところ、「ポリ公」などといい逃走しようとしたので、準現行犯人として逮捕した事案（最決昭42.9.13刑集21-7-904　口で「誰か」と問わないでも、「誰何」に当たるとした）

2　違法例

⑴　**「追呼されている者」に当たらないとされた事例**

①　傷害の被害者が警察に通報に行っている間に、犯人が現場付近の喫茶店に入るのを現認した目撃者が、臨場した警察官と被害者にそのことを知らせたので、警察官らが同喫茶店内で犯人を探索発見して準現行犯逮捕した事案（東地決昭43.9.7下刑集10-9-961　「追呼」とは、犯人と他のものを混同しない程度に客観的なものでなければならないとした上、本件の目撃者が、被害者等が現場に到着するまで犯人の監視を継続していないことを理由に、目撃者の追呼と警察官等の探索との間に断絶があるとした）

②　深夜、住居侵入（のぞき）の被害者からの被害申告により、犯人の特徴を知った警察官が、犯行から20分後、現場から250メートル離れた路上を同特徴にほぼ一致した人相着衣の者を発見し職務質問したが、同人は犯行を否認したものの、被害者が面割りの結果、その者を犯人であると供述したので、逮捕した事案（東高判昭60.4.30判タ555-330　被害者が、全く犯人を追っていないから、被害者が「追呼」したと

もいえないし、警察官が被逮捕者を発見するまでの被逮捕者の足取り
は不明であって被逮捕者と犯行現場との連続性もないから、警察官に
おいて「追呼」したともいえないことを理由とする）

⑵ 「贓物等を所持している者」に当たらないとされた事例

③ 駅構内での窃盗事件について、鉄道公安官が被害者から犯人を指示
され、その人物を派出所まで任意同行し、取り調べた結果、その犯人
が盗品を腹巻から取り出したので、準現行犯として逮捕した事例（福
岡地小倉支部判昭44.6.18 追及されて着衣内から被疑者が贓物を取
り出し、初めて、その所持が判明する場合は該当しないとした）

3 裁判例の検討

準現行犯も、犯行が終わって間がないことが明らかなことが必要であるか
ら、現行犯ほどではないにしても、**時間的・場所的近接性**が要件とされ、**時
間的限界は、せいぜい数時間**と解されている。近接性に疑問がある場合は、
緊急逮捕の手続をとるべきであろう。

なお、準現行犯と区別すべきものとして、現場において現行犯逮捕に着手
したものの、犯人が逃走したのでその身柄を確保するため追跡する場合があ
る。この場合は、見失わない限り、いつまでも、どこまでも追跡できる（最
判昭50.4.3刑集29-4-132、判タ323-273 密漁船の現行犯逮捕に着手した後、
その船が逃走したので約3時間30分追跡したのを適法とした。これは、準現
行犯逮捕の時間的限界を示したものではないことに注意を要する）。

> **アドバイス** 追跡が中断した場合に「追呼されている者」といえるか
> の判断ポイント
>
> 「追呼されている者」に当たるかどうかの判断には、微妙なものがある。
> 原則的には、現場から逮捕地点まで、犯人に対する追跡・監視が、単独
> 又は数人によって継続されていることが要求されていると考えるべきであ
> る。例外的に、追跡・監視が中断されても、その間犯人を他人と混同しな
> い特別の事情（例えば、中断時間が極めて短時間であったとか、人相着衣
> に特徴がある場合とか、逃走路が夜間の行き止まりの道であるなど）があ
> るときには、「追呼されている者」に当たるとすべきであろう。
>
> 疑問があるときは、緊急逮捕の手続をとるべきである。

402 第3章 強制捜査 第2節 対人的強制捜査

4 私人による現行犯逮捕

　一般私人が、犯行を目撃したり被害に遭ったりしても、自らは犯人を逮捕せず、最寄りの警察官に犯罪発生を急報し、警察官に犯人の逮捕を依頼して犯人を指示し、警察官において逮捕行為を行うことが多い。

1　警察官が現場到着時に現行犯性が認められる場合

(1)　臨場時に現行犯逮捕の要件がある場合

　　現場臨場時に現行犯逮捕の要件がある場合には、警察官が現行犯逮捕できることに問題がない。

(2)　臨場時、既に私人の逮捕着手がある場合

　　臨場時に私人が既に現行犯逮捕に着手しているときには、警察官が私人と一緒に又は私人から引き継いで犯人を逮捕することにも問題がない。例えば、被害通報を受け、臨場したところ、私人が犯人を逮捕するため格闘となっているときに、警察官がその私人の依頼を受けて犯人を逮捕することは、許される。

　　裁判例としては、①あわびの密漁船を現認し、これを現行犯逮捕すべく追跡中の甲船から、逮捕を依頼された乙船が追跡を継続し、逮捕したのを適法とした事案（最判昭50.4.3刑集29-4-132　私人が逮捕行為を引き継いだ事案）、②無断で寮に侵入した犯人を寮管理人が発見し、いったん捕まえ警察に連行しようとしたが、振り切られて逃走されたため、警察に電話し、その結果、警察官が犯人を現行犯人として逮捕したのを適法とした事実（東高判昭53.6.29　警察官は現認していないものの、警察官が任意同行した者が現認した犯人と一致するとの管理人の供述に基づいて、私人として逮捕行為に着手し達成できなかった管理人に代わって、警察官が現行犯逮捕したとする）

がある。

2　警察官の現場到着が遅れ、あるいは現場から犯人が離れてしまい、現行犯性が不明になる場合

　警察官の現場到着が遅れたり、犯人が現場から遠くに離れてしまったりした場合は、犯人の現行犯性が明白でなくなることがある。

準現行犯逮捕・私人による現行犯逮捕　設問42　*403*

⑴　**被害者等の供述を加味できるか**

　　準現行犯人の「罪を行い終わって間もないことの明白性」については、被害者の供述等を加味して認定できる（⟹**2**）。

　　この場合、警察官が発見時に犯人に不審状況が外観上明白に存在すれば、準現行犯逮捕できる。

⑵　**準現行犯としての不審状況の要件を欠く場合**

　　被害者等の供述を加味し「罪を行い終わって間がないことの明白性」を認定できても、臨場時に、準現行犯としての不審状況の要件（贓品等の所持など）を覚知できないときは、臨場した警察官は、準現行犯逮捕をなし得ない（⟹2）。

　　このような場合、警察官に逮捕権限があるとする考え方としては、①犯行を現認した私人に、いったん発生した現行犯逮捕権限を、警察官が代行するという見解、②犯行を目撃した被害者等が、犯行を警察官に急報し、犯行後程なく現場付近において、警察官に対して、犯人を指摘する行為を、犯人を「追呼」する行為とみて、犯人と指摘された者を準現行犯逮捕できるとする見解、③緊急逮捕としてなし得るとする見解があり得よう。

3　私人が逮捕行為に着手していないとき、その者の依頼を受けて警察官が逮捕することの可否

⑴　**適法例**

　　①　私人が自転車の窃盗を現認して犯人を追跡し、犯人がその自転車を自宅に持ち帰るのを確認したが、自ら逮捕するのを避け、警察に届け出て逮捕を依頼し、その結果、警察官が即刻現行犯逮捕した事案（仙台高秋田支部判昭25.2.29　私人の現行犯逮捕権限を警察官が代行行使したとの理論構成のようである）

　　②　暴行の被害者から被害状況について申告があり、被害者が犯人として30メートル先を行く被告人を指示したので、警察官が被告人を現行犯人として逮捕した事例（名古屋高判昭26.6.12）

　　③　駅ホーム内において業務妨害の被害を受けた者が、被害直後に改札口から50メートル離れた地点で、警察官に被害状況を説明するととも

404　第3章　強制捜査　第2節　対人的強制捜査

に、そばにいた犯人を指示したため、警察官がこれを現行犯人として
逮捕した事案（東高判昭31.6.16）

⑵　違法例

　恐喝・同未遂の被害者の被害通報があり、これに基づいて警察官が逮
捕したとしても、これは被害者の逮捕権を代行したものでなく、警察官
が独自に逮捕するのであるから、その警察官が現行犯人たることを覚知
しない限り、現行犯逮捕はなし得ないとした裁判例（青森地決昭48.8.
25刑月5-8-1246）もある。

> **アドバイス**　（準）現行犯逮捕ではなく緊急逮捕を選択すべき場合
>
> 　現行犯人、準現行犯人となるかどうか疑問がある者に対しては、緊急逮
> 捕できる罪名であるときは、捜査官はその者を緊急逮捕すべきであり、逮
> 捕後の逮捕状請求の手間を惜しみ、後日、違法逮捕と非難されることがな
> いように留意すべきであろう。

4　私人による現行犯逮捕のための実力行使

　警察官が現行犯逮捕する場合と違い、私人が犯罪を犯したとされる者（以
下、本項目では「犯人」という）に攻撃を加える場合として、「犯人」を逮
捕する目的で行う場合だけでなく、「犯人」への単なる報復目的で行う場合
や正当防衛たる反撃として行う場合があるので注意を要する。

　報復行為は正当化されないし、正当防衛の成立要件は逮捕行為として許容
される要件より厳格である。そのため、まず、**「犯人」への攻撃が犯人を逮
捕する目的で行われたか否かを検討する必要がある**。①「犯人」の行為がお
よそ逮捕の対象となるような行為であったか（犯罪構成要件に該当するのか、
犯罪であるとしても逮捕するまでの重大性があったのか、「犯人」が証拠隠
滅、逃走するおそれがあったのかなど）、②「犯人」への攻撃が逮捕のため
とみて矛盾はないか（抵抗や逃走の態度を全く示さない「犯人」にいきなり
殴る蹴るの暴行をふるうときなどは、そもそも逮捕する目的がなかったと考
えられる）を検討することが必要である。例えば、暴走族風の者に自分の運
転する自動車を蹴られたので、追跡し捕まえ、もみ合いになり実力を行使し
た事案において、その直後に110番通報を近隣の住人に依頼していることな
どから、逮捕のための実力行使であると認定した裁判例がある（東高判平10.

3.11判タ988-296)。

「犯人」への攻撃が、犯人を逮捕する目的で行われた場合であると認められた場合、次にその実力行使が必要かつ相当な範囲のものであったかを検討することになる。なお、前記東高判平10.3.11は、抵抗され自らも負傷しながら、とっさにつかんだ木の棒で相手を殴るなどし、加療2週間を要する傷を負わせたことについて、社会通念上必要かつ相当な範囲内にとどまるとした。

5 私人による現行犯逮捕を他の私人が代行すること

私人による現行犯逮捕を警察官が代行することは日常的にあり得るところであるが、私人による現行犯逮捕を私人が代行することもあり得ると思われる。この点について、電車内で強制わいせつ（現：不同意わいせつ）の被害に遭った被害者から、携帯電話で、その旨の連絡を受け、犯人の特徴等を知らされた被害者の父親が、犯行終了後18分経過した時点で、犯行現場からも距離的に相当離れている場所において犯人を現行犯逮捕した事案について、これが適法な現行犯逮捕であると判示した裁判例があり（東高判平17.11.16東高刑時報56-1〜12-85　被害者の父親は被害者と連絡を取り合い、被害者に協力する形で、被害者に代わり逮捕という実力行動に出たもので、実質的逮捕者は父親と被害者の両名と認められ、被害者との関係では、本件逮捕は「現に罪を行い終わった」との要件を満たしているとしたもの）、実務上参考になる（川出敏裕　前掲75）。

参考図5　緊急逮捕できない刑法上の罪名一覧

注　令和7年5月1日現在

罰条	罪名	刑
92-Ⅰ	外国国章損壊等	2年以下の拘禁刑 20万円以下の罰金
105の2	証人等威迫	2年以下の拘禁刑 30万円以下の罰金
106-(3)	騒乱、付和随行	10万円以下の罰金
107	多衆不解散（首謀者を除く）	同上
110-Ⅱ	自己所有建造物等以外放火	1年以下の拘禁刑 10万円以下の罰金
113	放火予備	2年以下の拘禁刑
116	失火	50万円以下の罰金
117-Ⅰ	激発物破裂（自己所有建造物等以外の場合）	1年以下の拘禁刑 10万円以下の罰金
117-Ⅱ	過失激発物破裂（業務上、重過失の場合を除く）	50万円以下の罰金
122	過失建造物等浸害	20万円以下の罰金
123	水利妨害及び出水危険	2年以下の拘禁刑 20万円以下の罰金
124-Ⅰ	往来妨害	2年以下の拘禁刑 20万円以下の罰金
129-Ⅰ	過失往来危険（業務上の場合を除く）	30万円以下の罰金
133	信書開封	1年以下の拘禁刑 20万円以下の罰金
134	秘密漏示	6月以下の拘禁刑 10万円以下の罰金
140	あへん煙等所持	1年以下の拘禁刑
142	浄水汚染	6月以下の拘禁刑 10万円以下の罰金
152	偽造通貨収得後知情行使等	名価3倍以下の罰金又は科料
157-Ⅱ	免状等不実記載	1年以下の拘禁刑 20万円以下の罰金
158-Ⅰ	不実記載免状等の行使	同上
159-Ⅲ	無印私文書偽造	1年以下の拘禁刑 10万円以下の罰金
161	偽造私文書等行使	同上
168の3	不正指令電磁的記録取得・保管	2年以下の拘禁刑 30万円以下の罰金
174	公然わいせつ	6月以下の拘禁刑 30万円以下の罰金又は拘留若しくは科料
175	わいせつ物頒布等	2年以下の拘禁刑 250万円以下の罰金又は科料（併科可）
182-Ⅰ	16歳未満の者に対する面会要求	1年以下の拘禁刑 50万円以下の罰金
182-Ⅱ	16歳未満の者に対する面会	2年以下の拘禁刑 100万円以下の罰金
182-Ⅲ	16歳未満の者に対する性交等姿態映像送信要求	1年以下の拘禁刑 50万円以下の罰金
184	重婚	2年以下の拘禁刑
185	賭博	50万円以下の罰金又は科料
187-Ⅰ	富くじ発売	2年以下の拘禁刑 150万円以下の罰金
187-Ⅱ	富くじ取次	1年以下の拘禁刑 100万円以下の罰金
187-Ⅲ	富くじ授受	20万円以下の罰金又は科料
188-Ⅰ	礼拝所不敬	6月以下の拘禁刑 10万円以下の罰金
188-Ⅱ	説教妨害	1年以下の拘禁刑 10万円以下の罰金
189	墳墓発掘	2年以下の拘禁刑
192	変死者密葬	10万円以下の罰金又は科料
193	公務員職権濫用	2年以下の拘禁刑
201	殺人予備	2年以下の拘禁刑
206	現場助勢	1年以下の拘禁刑 10万円以下の罰金又は科料
208	暴行	2年以下の拘禁刑 30万円以下の罰金又は拘留若しくは科料
208の2-Ⅰ	凶器準備集合	2年以下の拘禁刑 30万円以下の罰金
209-Ⅰ	過失傷害（業務上の場合を除く）	30万円以下の罰金又は科料
210	過失致死	50万円以下の罰金
212	堕胎	1年以下の拘禁刑
213-前	同意堕胎	2年以下の拘禁刑
217	遺棄	1年以下の拘禁刑
222	脅迫	2年以下の拘禁刑 30万円以下の罰金
228の3	身の代金目的略取等予備	2年以下の拘禁刑
231	侮辱	1年以下の拘禁刑 30万円以下の罰金又は拘留若しくは科料
237	強盗予備	2年以下の拘禁刑
254	遺失物等横領	1年以下の拘禁刑 10万円以下の罰金又は科料
263	信書隠匿	6月以下の拘禁刑 10万円以下の罰金又は科料

現行犯逮捕が制限される刑法上の軽微な罪名一覧

（30万円以下の罰金、拘留、科料に当たる軽微な罪）

条項	罪名
106-(3)	騒乱、付和随行
107	多衆不解散（首謀者を除く）
122	過失建造物等浸害
129-Ⅰ	過失往来危険（業務上の場合を除く）
152	偽造通貨収得後知情行使等（その名価の3倍が30万円をこえる場合を除く）
187-Ⅲ	富くじ授受
192	変死者密葬
209-Ⅰ	過失傷害（業務上の場合を除く）

※　ただし、被疑者の住居若しくは氏名が明らかでない場合、又は被疑者が逃亡するおそれがある場合には、これらの罪の現行犯人でも、逮捕できる。

※　侮辱罪（令和4年法改正前の法定刑は、拘留及び科料のみ）について、改正法施行日（令和4年7月7日）前に行われた行為は、従前どおり、現行犯逮捕が制限される。

送致・送付、検察官の捜査・事件処理　設問43　*407*

設問 43　送致・送付、検察官の捜査・事件処理

●設　問●
(1)　警察官甲は、Aを窃盗の現行犯人として逮捕したが、犯人を誤認した逮捕だと分かったので、直ちに釈放した。Aは警察に好意的であり、警察官への告訴や国家賠償をするおそれはないので、甲はこの件を送致せずにおくことにした。この措置は正しいか。
(2)　留置管理担当の警察官乙は、勾留中の被疑者Bが接見禁止処分に付されていたので、Bとの接見と書籍の差し入れを求めて来署したBの弁護人Cに対し、「接見禁止中ですから、Bとは会わせられませんし、本の差し入れもできません。」と話した。この措置は正しいか。

◆解　答◆
(1)　正しくない。⟹ **1** 3(1)
(2)　正しくない。⟹ **4** 1(2)

1　事件の送致・送付

1　意　義

　検察官への事件の送致・送付は、司法警察職員による捜査の一応の締めくくりである。

　すなわち、司法警察員は、犯罪の捜査をしたときは、速やかに書類及び証拠物とともに事件を検察官に**送致**しなければならない（法246条本文）。

(1)　身柄事件の特則

　　身柄事件については、被疑者が身体を拘束されたときから48時間以内に書類及び証拠物とともにこれを検察官に**送致**する手続をしなければならない（法203条1項、211条、216条）との特則がある。逮捕段階において、司法警察員限りで釈放するときは、一般原則に戻る。

408　第4章　送致後の捜査

(2)　告訴・告発事件等の特則

　司法警察員は、**告訴・告発**を受けたときは、速やかにこれに関する書類及び証拠物を検察官に**送付**しなければならない（法242条）。告訴・告発が取り消された場合でも同様である。**自首**に係る事件もこれに準ずる（法245条）。告訴・告発・自首事件については、なるべく早期に検察官の判断を受けるのが相当であるとして規定された特則である。「送付」も「送致」も同意義であり、**事件を検察官の手に移す手続を意味する。**

2　送致・送付時期

どんなに遅くとも、時効完成の相当前であるべきである。

　告訴状を受理しながら、担当の警察官が、故意又は過失によって、合理的な理由なしに、捜査権限を行使せず、漫然と不当に期間を徒過し、その結果、被告訴人が時効完成によって不起訴処分とされ、これにより告訴人に損害が発生したときには、警察官の属する地方公共団体に国家賠償責任が生ずることがあり得る（東高判昭61.10.28判タ627-91　捜査を漫然と放置したため、時効完成直前に送付する結果となり、時効完成により不起訴となった事案）。

3　全件送致の原則とその例外

(1)　全件送致の原則

　司法警察員は、捜査をした事件については、特別の定めのある場合を除いて、全ての事件を検察官に送致すべきものとされる（法246条　**全件送致の原則**）。

　検察官は、第一次捜査機関が捜査した結果を原則として全て受け取り、これについて起訴・不起訴の別を明らかにし、起訴した事件については公訴を遂行する責任があり、不起訴にした事件については、告訴人・告発人等へは不起訴理由の告知義務を負い、被害者等に対しては、被害者等への配慮の一環として、事案に応じてであるが、不起訴理由を可能な限り説明すべき役割を有するからである。また、被害者等が最終的に検察審査会への申立てをする前提としても、事件送致と検察官の不起訴処分は必要だからである。

　また、公訴官である検察官をして第一次捜査機関の捜査を事後審査させることにより、司法手続の適正を図る趣旨もある。

特に、①**被疑者を逮捕した事件**については、捜査の適正について審査を受ける意味から、現行犯逮捕かどうか、逮捕後釈放したかどうかを問わず、必ず送致しなければならない。②また、**告訴・告発・自首のあった事件**（告訴・告発が取り消された事件も含む）についても、必ず送付されるべきものとされている（警察の捜査の結果、犯罪の嫌疑がないことが明らかになった場合でも、送致・送付をする義務がある）。

上記①、②以外の事件でも、③その事実が重大で、社会の耳目を引いたもの（未検挙凶悪事件など）であるときや、④法律判断、事実判断が微妙で見方を変えれば有罪とされる可能性があるときなど、警察において犯人が特定できないとか犯罪の嫌疑がないと思料した場合であっても、検察官の判断を求めるために、送致をするのが相当であろう。

内偵にとどまる場合　これに対して、司法警察員が事実上情報や証拠の収集に当たったことがあったとしても、どの時点においても犯罪の嫌疑があるものとして被疑者を特定することがなかった場合は、いわゆる「内偵」にとどまり、法246条の「犯罪の捜査をした」とはいえないから、これを送致しないことは相当であろう。

⑵　**微罪処分（例外その１）**

検事正があらかじめ法193条１項に基づき指示する「微罪事件」については、警察官（特別司法警察職員には、今のところ微罪処分は認められていない）は、送致手続をとらず、警察限りで処理できる（法246条ただし書、規範198条）。

⑶　**反則金納付のあった交通犯則事件（例外その２）**

これについても、法246条ただし書に基づき、送致手続を要しないものとされている。

⑷　**少年事件の特例（例外その３）**

少年事件（特定少年（＝18歳以上の少年）に係るものを除く）について、その犯罪が罰金以下の刑に当たるもの、つまり、法定刑に拘禁刑以上の刑が含まれていない事件であることが、送致前に判明したときは、家庭裁判所に送致しなければならない（少年法41条、67条１項、規範210条１項）。法定刑として拘禁刑以上の刑が含まれている犯罪については、

410 第4章 送致後の捜査

原則に戻って検察官に送致すべきである。同一の少年（特定少年を除く）について、罰金以下の刑に当たる犯罪と、拘禁刑以上の刑に当たる犯罪があるときは、一括して検察官に送致、送付すべきである（規範210条2項）。

特定少年に係る少年事件については、刑の軽重にかかわらず検察官に送致、送付すべきである（規範210条1項ただし書）。

なお、罰金以下の刑に当たる少年の事件であって、告訴・告発・自首に係るものについては、少年法41条の趣旨を強調して家庭裁判所に送致すべきとする警察関係者の見解と、法242条等の原則を強調して検察官に送付すべきであるとの検察関係者の見解（「令和3年版検察講義案」〔法曹会2023〕198など）がある。

(5) 入国警備官渡しの特例（例外その4）

これは、「入管渡し」ないし「65条渡し」と呼ばれるものである。

すなわち、司法警察員は、出入国管理及び難民認定法70条（不法入国、不法上陸、不法残留、不法在留等）の罪に係る被疑者を逮捕し、若しくは受け取り、これらの罪に係る現行犯人を受け取った場合には、収容令書が発付され、かつ、その者が他に罪を犯した嫌疑のないときに限り、書類及び証拠物とともに、被疑者を入国警備官に引き渡すことができ（同法65条1項　引き渡す場合は、48時間以内に手続をすることを要する（同条2項））、検察官への送致をしないことができる。

不法入国等をした者が、他の罪を犯した疑いがないような場合には、刑事訴訟手続に乗せるより、退去強制手続に速やかに乗せた方が、我が国の国益に合致しているという考えから特例とされたものである。

4 送致（付）手続

(1) 送致先

送致する司法警察員の所属する官公署の所在地を管轄する第一審裁判所に対応する検察庁の検察官

罰金以下の刑に当たる罪、選択刑として罰金刑がある罪、常習賭博及び賭博場開張等図利罪、横領罪、盗品譲受け等の罪については、所属警察署所在地の簡易裁判所に対応する区検察庁が送致先となる（裁判所法

送致・送付、検察官の捜査・事件処理　設問43　　*411*

33条1項)。

⑵　送致書・送付書

事件の送致・送付に当たっては、犯罪の事実及び情状等に関する意見を付した送致・送付書を作成し、関係証拠及び証拠物を添付する（規範195条)。（⟹421頁「**書式19**」参照）

告訴・告発・自首に係る事件であっても、身柄事件については被疑者を送致することとなる（法203条、211条、216条）ので送致書が用いられる。送付書が用いられるのは、告訴・告発・自首に係る在宅事件に限られる。

犯罪事実　　**犯罪の事実**とは、刑罰法規が定める犯罪構成要件に該当する具体的事実である。起訴状の公訴事実に関する法256条3項の「公訴事実は、訴因を明示してこれを記載しなければならない。訴因を明示するには、できる限り日時、場所及び方法を以て罪となるべき事実を特定してこれをしなければならない。」との規定に準じ、送致書の犯罪事実も、「**六何の原則**」（だれが、いつ、どこで、なに（だれ）に対し、どのようにして、なにをしたかという項目を具体的に明示するという原則）（なお、取調べにおいては「六何」に加え「だれと」「なぜ」についても聞かなければならない「八何の原則」に沿うことが求められる。⟹**設問23**、**2**）に従って、事実を特定記載すべきである。

しかし、犯罪の種類、性質等のいかんにより、犯罪の日時・場所・方法を明らかにすることができない特殊事情があるとき、法の目的を害さない限り幅のある表示をしても、それのみを以て、罪となるべき事実を特定しない違法があるとはいえない（最大判昭37.11.28刑集16-11-1633　白山丸事件)。これは、起訴状の公訴事実（訴因）の特定に関する判断であるが、いまだ事実関係が流動的なことが多い事件送致の段階においては、一層当てはまるものである。例えば、尿から覚醒剤が検出されているのに犯行を否認し又は黙秘するとき、「昭和54年9月26日ころから同年10月3日までの間、〇〇町内及びその周辺において、覚せい剤であるフェニルメチルアミノプロパンを含有するもの若干量を自己の身体に注射又は服用して施用し、もって覚せい剤を使用した。」との犯罪事実の記載も、特定性におい

412　第4章　送致後の捜査

て欠ける違法はない（最決昭56.4.25刑集35-3-116　公訴事実について）。

　　また、傷害致死事件について、「被告人は、単独又は甲及び乙と共謀の上、被害者に対し、手段不明の暴行を加え外傷性脳障害又は何らかの傷害により死亡させた」とした訴因は、検察官が当時の証拠に基づき、できる限り日時、場所、方法等をもって事実を特定して訴因を明示しているとする（最決平14.7.18刑集56-6-307）（⇒訴因・公訴事実については、**設問66**、**5**参照）。

　　　「**犯罪の情状等に関する意見**」　　これは、検察官の適正な処分決定に資するため、司法警察員がそれまでの捜査の過程で明らかにされた具体的事情を踏まえて送致書に記載するべき、検察官の処分に関する総括的意見のことである。

　　「犯情悪質であるから厳重処分願いたい。」とか「事案軽微につき相当処分（寛大処分）願いたい。」などと画一的に記載するよりは、当該事件の個別的事情を具体的に指摘して意見を記載すべきであろう。

　　情状として記載すべきものとしては、①**犯罪自体に関する情状**、すなわち、犯罪の法定刑の軽重・動機・計画性の有無・被害の大小程度・犯人の利得の有無程度・社会に与えた衝撃影響の程度・模倣性の有無など、②**被疑者の個人的情状**、すなわち、性格・年齢・経歴・家庭環境・友人関係・職業・素行（暴力団との交際など）・前科前歴・常習性など、③**犯行後の情状**、被疑者の改悛の情の有無・示談弁償の成否・被害者の被害感情の変化・被疑者の逃亡・証拠隠滅のおそれ・被疑者の監督者の有無などの事項がある。

(3)　追送致（追送付）

　　　追送致（追送付）すべき場合　　事件の送致・送付後において、当該事件の被疑者について、余罪のあることを発見したときは、検察官に連絡するとともに、速やかにその捜査を行い、これを追送致（付）しなければならない（規範197条）。

　　　犯罪事実の変更をすべき場合　　送致事実そのものにつき、送致後事実関係が変更された（傷害被害者が死亡したとか、窃盗被害品が更にあることが判明したなど）ときは、余罪が判明した場合とは異なる。この場合

は、捜査報告書等の形式で、送致事実を変更する必要があることを検察官に確実に連絡すべきである。

2 検察官の捜査と事件処理 （⟹**設問 2**、**3**参照）

1 検察官の捜査

検察官は、他の捜査機関から送致（送付）を受け、又は独自捜査によって自ら犯罪を認知した刑事事件について、必要な捜査を行う。

2 検察官の事件処理

(1) 検察官は、必要な捜査を遂げると、これを**起訴**、**不起訴**及び**その他の処分**に付する（これを「**事件処理**」と呼んでいる）。

(2) **起訴**とは公訴の提起のことである。

(3) **不起訴**の理由は様々であるが、

① 公訴を提起しても有罪の裁判を獲得する見込みがない場合（**嫌疑不十分**、**心神喪失**、親告罪の告訴の欠如など）

② 公訴を提起すれば有罪の裁判を得られるのに、刑事政策的観点から裁量的に起訴を猶予する場合（**起訴猶予**）

の2つに大きく分けられる。

(4) **その他の処分**としては、少年事件の家庭裁判所への送致（少年法42条）、捜査を一時中止するという内容の**中止**処分、他の管轄検察庁の検察官への**移送**処分がある。

3 検察官の不起訴処分に対する不服申立て

検察官の起訴処分は裁判所の審判によりその当否が判断されるが、不起訴処分についても、他の機関によるチェックにさらされている。

(1) **検察審査会**

告訴人や犯罪被害者等の申立て、又は職権により、**検察審査会**が不起訴処分の当否を審査することができる。

検察審査会の議決の効力 検察官の不起訴処分について、検察審査会が、起訴相当の議決をしたのに、検察官が再度不起訴処分をしたとき（又は、3か月以内に処分をしなかったとき）、検察審査会は、再度の審査を開始する。検察審査会が、再度の審理で、起訴をすべき旨の議決（**起訴**

414　第4章　送致後の捜査

議決　検察審査会法41条の6第1項）をした場合は、裁判所によって、検察官の職務を行う弁護士が指定され、指定弁護士が公訴を提起し（いわゆる**強制起訴**）、公判が行われる（同法41条の9、41条の10など）。これは、検察審査会法の改正によるもので平成21年5月21日から施行された。

⑵　**付審判請求**

　　刑法193条ないし196条の罪（公務員、特別公務員の職権濫用、特別公務員暴行陵虐罪）、破壊活動防止法45条の罪（公安調査官の職権濫用）、無差別大量殺人行為を行った団体の規制に関する法律42条・43条の罪について、告訴・告発をした者は、不起訴処分に不服があるときは、その処分をした検察官所属の検察庁の所在地を管轄する地方裁判所に対して、事件を裁判所の審判に付することを請求できる（法262条1項　**付審判請求**）。裁判所は、請求に理由があると判断したときは、審判に付する決定をするが、この決定により、被疑者は検察官から起訴された被告人と同じ地位におかれ（法267条）、検察官役は、裁判所の指定する弁護士が行う。

3　起訴前の勾留（いわゆる検事勾留）

1　勾留請求

　逮捕された被疑者について、検察官は裁判官に勾留を請求できる（法204条1項、205条1項、211条、216条）。検察官は、留置の必要があると思料するとき、司法警察員から被疑者の送致を受け取ったときから24時間以内に勾留を請求しなければならない（法205条1項）。勾留は、裁判官のなす強制処分であり、勾留請求はその職権の発動を求める請求である（勾留却下の裁判には、不服申立て（準抗告）ができる）。

　勾留が認められるためには、被疑者に**「罪を犯したことを疑う相当の理由」**（通常逮捕の要件である「相当な理由」や緊急逮捕の要件である「十分な理由」よりも濃厚な嫌疑である）があり、さらに、①住居不定、②罪証隠滅のおそれがあること、③逃亡し、又は逃亡するおそれがあることのいずれかに該当することを要する（法60条1項　法207条により、明文で除かれているか性質上除かれていない限り被告人の勾留に関する法60条以下の総則規定が、

被疑者の勾留についても準用される）。

　また、軽微な事件（例えば、軽犯罪法違反など）では、住居不定でない限り勾留をなし得ない（法60条3項）。

　前記の「証拠隠滅のおそれ」について、形式論理的な判断ではなく、具体的・実質的な証拠判断を求める姿勢を示したものと考えられる最高裁判例がある（最決平26.11.17判時2245−129）。

　これは電車内での痴漢事案であり、被疑者は前科前歴のない会社員で、逃亡のおそれもなかったが、被疑者は容疑を否認しその供述は被害者少女の供述と全面的に食い違っていた。原々審（勾留裁判官）は、勾留の必要性はないとして勾留を却下し、原決定（準抗告審決定）は、被疑者による被害者少女に対する働きかけの現実的な可能性があるとして、勾留の必要性を肯定し勾留を認めた。最高裁（特別抗告審）は、本件について、京都市内中心部を走る朝の通勤通学時間帯の地下鉄内で発生したもので、被疑者が被害少女に接触する可能性が高いことを示す具体的事情がうかがわれないとし、準抗告裁判所が、被害少女に対する現実的働きかけの可能性があるというのみで、その可能性の程度について、原々審と異なる判断をした理由が何ら示されていないとして、原決定を取り消し、準抗告を棄却した。

　これは、最高裁が、本件の事情の下において「証拠隠滅のおそれ」を否定した勾留裁判官の結論を肯定したものであり、従来であれば、比較的容易に「証拠隠滅のおそれ」を肯定したとも思われるような、本件の事情の下であっても、被疑者が被害者と接触して証拠を隠滅するとは言い難いとの判断を最高裁が示したとも理解できるものである。

2　逮捕前置主義

　逮捕されていない被疑者に対して、直ちに勾留を請求することはできない。逮捕手続がなされた被疑者に対して、初めて勾留請求が許される（**逮捕前置主義**）。

　これは、被疑者の身柄拘束に対する司法によるチェックを逮捕と勾留の2回行うことによって、被疑者の人権をより厚く保障しようとするものである。

　したがって、**逮捕事実（逮捕の基礎となった被疑事実）と勾留事実（勾留の基礎となった被疑事実）とは、同一性のある事実であることを要する。**

416　第4章　送致後の捜査

　勾留請求の実務においては、送致事実（送致書記載の犯罪事実）が勾留事実に用いられることが多いから、逮捕事実と送致事実が同一性のある事実になるように注意を要する。

　逮捕事実がA事実（例えば令和7年8月1日午後9時の甲方での窃盗）であるとき、送致事実がA事実であれば、勾留請求もA事実でなされるので、逮捕事実と勾留事実の同一性に問題はなく、勾留状が発付される。

　しかし、逮捕事実はA事実であったが、捜査してみたらA事実の嫌疑はないことが分かり、全く別の犯罪であるB事実（例えば令和7年8月1日の乙方での詐欺）の嫌疑が新たに生じたという場合、仮に、送致事実をB事実として送致すれば、逮捕事実と勾留事実の同一性はなく勾留は認められないことになる。この場合は、A事実については釈放し、B事実で再逮捕して手続をやり直す必要がある。

　なお、A事実で逮捕中に、A事実だけでなくB事実の嫌疑も生じてきた場合には、A事実にB事実を付け加えて送致事実とすることは許される（逮捕事実はA事実、勾留事実はA事実＋B事実ということでも、A事実についての逮捕前置主義は満たされており、B事実による再逮捕を回避でき被疑者にとっても有利でもあるから、A事実＋B事実を勾留事実とした勾留は認められる）。

　　　逮捕の適法性も勾留の要件　　**勾留の前提となる逮捕は、適法な逮捕であることを要する。**この点、警察が不法滞在中の外国人が居住している疑いのある建物ドアを違法に解錠して立ち入った上で被疑者を現行犯逮捕し、検察官において、勾留請求が却下されたことから、準抗告したものの、当該準抗告が違法な解錠行為を契機とする現行犯逮捕は違法であることを理由に棄却された事案がある（東地決平22.2.25判タ1320-282）。ただし、逮捕に軽微な瑕疵があるにすぎない場合にまで勾留を全て認めないのは捜査による真相解明を過度に阻害するため、勾留請求が却下されるのは、ある程度重大な違法がある場合に限られると考えるべきである（川出敏裕前掲87）。

3　勾留期間など

裁判官は、勾留を決定する前に**勾留質問**を行い、被疑者に弁解の機会を与

える（法207条1項、61条）。

　裁判官は、請求を認容したとき、勾留状を発付する（法207条5項）。勾留状は検察官の指揮により、司法警察職員、検察事務官、刑事施設職員が執行する（法207条1項、70条1、2項）。

　勾留請求をした日から、釈放か起訴かを決めるまでの検察官の手持ち時間は**最大10日間**であるが、やむを得ないときはさらに**勾留期間を延長できる**（**原則として10日以内**。内乱罪等の重大事件は、さらに5日間の延長が可能である。法208条、208条の2）。

　　　釈放権限　　勾留中の被疑者を起訴しないとき、検察官は被疑者を釈放しなければならない（法208条1項）。この釈放権限は検察官にあり、釈放に当たって裁判官の許可を要しない。この意味において、被疑者の勾留は**検事勾留**と俗称されることがある。

　　　保　釈　　起訴後の勾留と違って、**起訴前の勾留には保釈は認められない**（法207条1項）。

4　勾留場所

　裁判官は勾留の裁判をするときは、勾留場所を指定する（法64条1項）。

　勾留された被疑者の勾留場所は、**刑事施設**（拘置所など）とされる（刑事収容施設及び被収容者等の処遇に関する法律（刑事収容施設法）3条3号）が、刑事施設の収容の対象者は、刑事施設に収容することに代えて**留置施設**（警察署の留置施設など）に留置することができる（同法15条1項　**代替収容制度**　旧監獄法の**代用監獄**制度を引き継いだもの）。刑事施設あるいは留置施設のいずれを勾留場所とすべきかは、裁判官の裁量で決定できると解するのが実務の大勢である（東地決昭48.4.14判時722-111、福岡地決昭48.12.8刑月5-12-1677など参照）。

(1)　代替収容により留置施設を勾留場所とできる要素としては、①面通し設備が刑事施設にない、②凶器、大量の証拠品を刑事施設に持ち込んでの取調べができない、③押送要員の制約から引き当たり捜査、実況見分の実施が困難になる、④刑事施設が遠方であって捜査官の取調べ、関係者の面通し等に不便であるなどの事情が考えられる。

(2)　刑事施設を勾留場所とすべき要素としては、被疑者を病舎に入れる必

418 第4章 送致後の捜査

要があるなどの事情が考えられる。

5 余罪捜査のための移送

(1) 検察官は、勾留中の被疑者、被告人を、裁判長（被疑者の場合は裁判官）の同意を得て、他の刑事施設に**移送**することができる（規則80条、法207条1項）。

余罪の取調べを認める立場でも、勾留中の被疑者を余罪捜査のために移送すると、その後の勾留は専ら余罪のための勾留に代わってしまうなどの理由から、余罪捜査のための移送は原則として許容されないとしている。したがって、**起訴前の勾留中の被疑者の移送が必要なときは、余罪について改めて逮捕することが必要である。**

(2) 起訴後の勾留中の被告人を、余罪捜査のために移送する場合（特に刑事施設から留置施設へ移送する場合）については、裁判長は、余罪の存否、内容等を疎明資料によって把握し、裁判の審理への支障、被告人の権利への侵害の有無を判断して慎重に同意をすべきかどうか決すべきであるとされている（前掲「令状関係法規の解釈運用について（上）」270）。しかし、実務は、もっと厳格に適用されており、**余罪について逮捕状を用意しない限り、移送は同意されない**というのが実情である。

4 接見禁止処分（法81条）

1 勾留中の接見禁止処分

(1) 一般人との面会等の禁止処分

検察官は、勾留中の被疑者又はこれから勾留請求すべき被疑者について、逃亡・証拠隠滅のおそれがあるときは、裁判官に接見等の禁止を請求し、裁判官から同禁止決定を得、これによって、弁護人又は弁護人となろうとする者（法39条1項に規定する者）以外の者、つまり、**一般人との接見、書類・物の授受を禁止**することができる（法207条1項、81条）。

実務上、検察官は、起訴前の勾留期間について接見禁止の処分を求めるのが一般なので、起訴によって同処分の効力は失われるが、検察官は、起訴後も、引き続いて接見等を禁ずる処分を求めることができる。

送致・送付、検察官の捜査・事件処理　設問43　　*419*

　　　なお、**逮捕留置中の被疑者**は、一般人と接見し、又は書類・物の授受をする権利はない（法209条が、法80条を準用していない）。被疑者の家族等による逮捕中の被疑者に対する接見申出を拒否したことについて、逮捕中の被疑者が弁護人等法39条１項に規定するもの以外の者と接見することは、法律上権利として保障されていないと判示した事案（神戸地判平14.10.29判時1813-107）がある。

⑵　この接見禁止処分によっては、**弁護人（又はなろうとする者）と被疑者の接見、物等の授受を禁止できないことに厳に注意すべきである。**

アドバイス　接見禁止中の被疑者と弁護人の接見についての留意点

　弁護人（又はなろうとする者）に対しては、法39条３項により、「捜査のため必要のあるとき」に限り、その接見等の日時、場所、時間を検察官等において指定できるだけである。したがって、**弁護人（又はなろうとする者）に対しては、接見等の妨害と非難されるような言動は慎まなければならない。**

　　　ただし、被疑者や弁護人等が「刑事施設」（刑務所、拘置所など）の規律や秩序を害する行為をした場合には、刑事施設の職員がその行為を制止し、面会を一時中止させることができる（刑事収容施設法113条１項１号）。

　　　また、信書の発受については、同法135条に従って検査でき、その結果、刑事施設の規律・秩序を害する結果を生ずるおそれがあるとき、罪証隠滅の結果を生ずるおそれのあるとき等には、一定の要件の下に、信書の発受を禁止、差し止め、削除・抹消できる（同法136条、128条、129条）。

⑶　司法警察職員や刑事施設職員の裁量によって、接見禁止中の被疑者を特定の者に接見させることは許されない。

　　　検察官については、釈放権限があることなどから、その裁量で特定の者との接見をさせることは許されるとする見解もある。しかし、それは被疑者に対する便宜供与手段になる危険があることなどから許されないと解される。必要なときは、裁判官から接見禁止の一部解除決定を得た上で接見させるべきである。

420　第4章　送致後の捜査

> **アドバイス**　接見禁止中の被疑者への便宜提供が問題となる場合
> 　捜査官が、接見禁止中の被疑者に迎合し、取調べ室等において、被疑者を内妻に会わせて談笑させ、差し入れ品を飲食させるなどした場合には、必ずや公判で違法捜査との非難を受けることになるから注意を要する。

(4)　ここにいう接見とは「面会」のことであり、捜査の必要上行う**面通し・対質等**において、接見禁止中の被疑者を他人と接触させることは、接見に当たらないので許容されると考える。

2　鑑定留置中の接見禁止処分

　裁判官は鑑定留置についても、接見等の禁止の決定をすることができる（法224条、167条2項、5項、81条）。

　勾留中の被疑者を鑑定留置する場合に、その勾留に既に接見等の禁止の決定がなされていた場合、勾留と鑑定留置は拘禁目的が異なる上、鑑定留置によって勾留の執行が停止されるから（法167条の2第1項）、その接見等の禁止の決定も当然に失効する。

　したがって、鑑定嘱託とともに鑑定留置の請求をする際、**鑑定留置中における被疑者と一般人との面会等を禁止する必要があると考えるとき**は、検察官において裁判官に対し、新たに接見等の禁止決定を請求すべきである（法224条、167条5項、81条）。

　また、鑑定留置が終了して勾留の執行が再開した後において、接見等の禁止が必要な場合も、新たに接見等の禁止決定を請求すべきである。

送致・送付、検察官の捜査・事件処理　設問43　*421*

書式19　送致書

様式第53号（刑訴第203条、第211条、第216条、第242条、第246条）

（その1）

閲	主 任 検 察 官

不拘束	通常	緊急	現行	告訴	告発	自首

送　致　書

送（刑）第 5 3 8 号
令和〇 年 〇 月 〇 日

〇〇〇〇 検察庁
　検察官 乙 川 二 郎 殿

〇〇県〇〇 警察署
　司法警察員 警視 甲 野 一 郎 ㊞

下記被疑事件を送致する。

検　番　号 （*1）　　（*2） 罪　名　、　罰　条	被疑者の住居、氏名、年齢等	前科	身上	逮捕の日時	身柄連行
検 第　　　　　　　　号 窃盗 刑法第２３５条 　　第６０条	住居 〇〇県〇〇市〇〇２３５０番地 ふりがな ていい たろう 氏名 丁井 太郎 昭和〇 年 〇 月 〇 日生（〇〇 歳）性別 男 外国人登録　　年　　月 No.	添付 〇月 〇日 照会	添付 〇月 〇日 照会	〇 月 〇 日 午 前 〇 時 〇 分	有 無

捜　査　主　任　官　の　職　氏　名	警部　丙田三郎　　　　　　　　警電 〇〇〇〇-〇〇〇〇

（その2）

1	犯罪発覚の端緒 　被害者の届出による
2	余罪の有無 　窃盗余罪７件ぐらい
3	関連する事件につき、被疑者の氏名、逃走中、取調中、送致未送致の別、送致年月日等 　共犯者欲田次郎は逃走中
4	犯罪事実及び犯罪の情状等に関する意見　（*3） 　⑴　犯罪事実 　　　被疑者は戊田次郎と共謀のうえ、令和〇年３月７日午後８時頃、〇〇県〇〇市〇〇町〇、 　　〇〇〇番地〇〇アパート１号室己田善子方居室６畳間において、同女所有の現金40万円、 　　腕時計、及び毛皮コート１着（時価30万円相当）を窃取したものである。 　⑵　犯罪の情状 　　　被疑者には、同種前科が10犯あり、令和〇年〇月仮出所になったばかりで、出所後は素 　　行不良者戊田次郎と交際して、無為徒食していたものであり、本件も遊興費欲しさの犯行 　　であり、計画的であるので厳重処分願いたい。

（筆者注）
*1　特別法犯の場合は、「軽犯罪法違反」などと「違反」を記載する。未遂・教
　　唆・幇助・予備等の場合は、「詐欺未遂」などと区別して記載する。
*2　罰則だけでなく、行為を禁止する条項も記載する。未遂・共謀・教唆・幇助・
　　予備の場合は、未遂処罰規定、刑法60条〜62条も記載する。
*3　⇒ 設問43、1 4

422 第4章 送致後の捜査

設問 44　捜査段階の証人尋問・合意制度（日本版司法取引制度）

◆ 設　問 ◆

(1)　贈収賄事件の贈賄者Aは、警察官甲に対しては、収賄者Bに対する贈賄事実を認め、その旨の供述調書の作成にも応じたが、Bが大物政治家であるため、Aは公判では供述を翻すおそれが大である。この場合、甲はどのような措置をとるべきか。

(2)　検察官の行う、いわゆる日本版司法取引の実施に当たって、警察官はどのように関与するか。

◆解　答◆

(1)　検察官に連絡し、検察官面前調書の作成を依頼するか、法227条の証人尋問請求手続を依頼する。⟹アドバイス、2

(2)　⟹3 2(6)参照

1　は じ め に

検察官は、送致・送付された事件あるいは独自捜査事件について検察官として捜査を行う。検察官は、公訴権を独占する立場にあるため、その事件について適切に起訴・不起訴の判断を下すため証拠収集するとともに、公判に備えて証拠を保全する必要もある。そのような検察官の立場に鑑み、検察官にのみ認められる証拠収集の仕組みがある。

2　捜査段階の証人尋問

1　意　義

これは公判段階の証人尋問ではなく、**捜査段階における強制処分としての証人尋問**のことである。我が国では、いかに必要があっても参考人を捜査機関の下に強制的に勾引（連行）する制度はない。その代わりに捜査段階において、検察官の請求により参考人を裁判官の面前で証人として証言させる制

度がある。これによれば、**参考人を強制的に勾引することもできる**（法152条。平成28年刑事訴訟法等改正で勾引の要件が緩和されたことについて⟹ **設問66**、**2** 3(2)⑨参照）。

(1) **法226条該当の場合**

参考人が、捜査機関からの出頭要請に応じず、又は出頭しても供述を拒否する場合である。

この参考人は、「犯罪の捜査に欠くことのできない知識を有すると明らかに認められる者」であることを要する。

「犯罪の捜査に欠くことのできない知識」の意味について、犯罪の成否には関係のない事実についての知識であっても、それが、被疑者に対する起訴、不起訴の決定ないしは被告人の量刑に重大な影響を及ぼす事項についての知識をも含む（東高判昭48.11.7高刑集26-5-534）。

参考人が、捜査官に対して説明をするものの、これを供述調書にすることを拒む場合も、参考人取調べの目的が達せられないことになるから、「供述を拒否する」場合に当たると解される。

(2) **法227条該当の場合**

参考人が一応捜査機関に対して供述するものの、公判段階で供述を翻すおそれがある場合である。

この参考人の「供述が犯罪の証明に欠くことができないと認められる」ことが必要である。

その参考人が捜査官に任意に供述するものの、公判段階では供述を翻すおそれがあるとき、捜査段階において、検察官は、裁判官にその参考人について証人尋問の実施を求め、証拠能力の大きい裁判官の面前での証言調書（法321条1項1号書面）を作成させ、証拠を保全することができる。

平成17年11月施行の法改正までは、「圧迫を受け」従前と異なる供述をするおそれのあることが要件とされていたが、同改正により、従前と異なる供述をするおそれの理由が問われなくなった。

(3) **共犯者への証人尋問**

当該被疑者の共犯者であっても、当該被疑者との関係では、「被疑

424　第4章　送致後の捜査

以外の者」（参考人）だから、これに対して法226条、227条の証人尋問
を請求し得る（最判昭36.2.23刑集15-2-396　法227条について）。

2　捜査段階の証人尋問の要件

次の要件が全て具備されるとき、証人尋問請求が認められる。

①　法226条、227条のいずれかの要件があること。

ただし、この要件の存在が疎明できたとしても、**「必要性がない」**と
の理由で、請求が却下されることがあり得る。

②　第1回公判期日前であること。

③　被疑事実が存在すること。

架空の被疑事実に基づいて、法226条等の証人尋問をすることはでき
ない。しかし、捜査機関が犯罪ありと考えるのが相当だといえる程度の
被疑事実があれば足りるのであって、被疑事実が客観的に存在すること
までは必要がない（最大判昭27.8.6刑集6-8-974）。被疑者不明でも差し
支えない。

3　請求手続

請求権者は、検察官のみであり、請求は、証人尋問請求書（規則160条）、
請求の要件に関する疎明資料（規則161条）を裁判官に提出してする。

司法警察職員において、裁判官の証人尋問を必要とするときは、疎明資料
をそろえ、検察官にその請求を依頼することになる。

請求が却下されたとしても、不服申立て（準抗告）はできない。

4　尋問手続

公判における証人尋問に関する規定は、捜査段階の証人尋問という性質に
反しない限り準用される。**裁判官は強制的に証人の出頭を求め、宣誓のうえ
証言を求める権限をもつ**（法228条1項）。

検察官は、証人尋問に立ち会い尋問する権利を有する。しかし、この手続
は捜査手続の一環であるので、捜査の密行の要請が働き、被告人、被疑者、
弁護人には原則として尋問に立ち会う権利がない。ただし、裁判官が、捜査
に支障を生ずるおそれがないと認めた場合は、立ち会うことができる（同条
2項）とされている。

アドバイス　捜査段階での裁判官の証人尋問についての留意点

1　法226条の証人尋問

　参考人が、多忙や後難のおそれなどを理由として捜査機関への出頭、供述を拒む場合が、今後増えると思われるので、そのようなときには、法226条の請求をしなければならないことが多くなると思われる。

　同条の証人尋問において、参考人が真実を証言しない場合もあり得るが、その場合であっても、捜査機関として、その参考人の供述がどのようなものか確認する必要があったり、その供述を固定化する必要がある場合には、同条の証人尋問の実施を検討する価値はある。

2　法227条の証人尋問をする場合と検面調書を作成する場合との比較

　捜査機関に対し、一応積極的な供述をするが、将来公判で翻すおそれがある参考人の場合は、あえて法227条の請求をせずに、検察官と連絡をとり、その参考人について、検察官面前調書（いわゆる「**検面調書**」）を作成するやり方をとる場合の方が実務としては一般的であったと思われる。

　今後とも、参考人が捜査段階の供述を翻すことが予想される場合には、参考人の検面調書を作成し、その内容と食い違う証言を公判で行った場合には、検察官の取調べ時における供述に特信性があることを明らかにして検面調書を法321条1項2号書面（「**2号書面**」）として取り調べてもらい、これによって立証を遂げる（⟹ **設問58**、**5** 参照）やり方は有用であろう。

　特に、贈収賄、選挙違反、暴力団関係事件等では、供述による立証が中心であり、しかも公判で関係者が供述を翻す場合が極めて多いので、重要関係人については検面調書作成が必要であろう。

　しかし、裁判員裁判などでは、公判での効率的な審理が求められることから、その参考人の検面調書を作成するとともに、同参考人について法227条の証人尋問をすることも積極的に検討すべきであろう。

　同条の証人尋問で得られる裁判官面前調書は、当該参考人が公判で証人としてこれと食い違う証言をした場合には、無条件で証拠として採用され（⟹ **設問58**、**4** 参照）、**検面調書の場合のように特信性などをめぐって争いにならないし、証人としても、裁判官の前で宣誓し証言した以上、公判でこれと食い違う証言をする可能性も減少すると考えられるからである。**

　他方、同条の証人尋問には、請求が認められない場合もあり、必ず実施

できる保証がないこと、請求から実施まである程度の期間を要する場合があること、被疑者の弁護人が立ち会う可能性があることなども考慮に入れる必要がある。

③ 証拠収集等への協力及び訴追に関する合意制度（日本版司法取引）

平成28年刑事訴訟法等改正により導入（平30.6.1施行）。

1 意 義

「証拠収集等への協力及び訴追に関する合意制度」（以下単に「**合意制度**」という）とは、特定犯罪に係る被疑者・被告人が、特定犯罪に係る「他人の刑事事件」に関する検察官の捜査・訴追に協力するのと引き換えに、検察官において、当該被疑者・被告人の被疑事件・被告事件につき、不起訴処分や求刑の軽減等を合意できる制度である。

会社等の法人も、両罰規定があれば被疑者・被告人となり得るので、その場合には法人も合意の主体となり得る。

「他人の刑事事件」には、**自己が関与していない全くの「他人の刑事事件」**だけでなく、**自己が共犯として関与している「他人の刑事事件」**も含まれる。

合意制度を利用するかどうかは検察官の裁量に任されており、「必要と認めるとき」に合意ができるのであり、被疑者・被告人の側に合意を請求する権利があるのではない。

「必要と認める」かどうかは、合意の相手方となる被疑者・被告人の事件について処分の軽減等を行うこととしてもなお、他人の刑事事件についてその協力を得ることが必要かという観点から行うことになる。

アメリカの司法取引を念頭に制度設計がなされたこともあり、**日本版司法取引**と呼ばれることもある。

2 検察官が合意制度を利用できる要件

(1) 合意制度の対象犯罪

合意制度の対象となる犯罪を、法では**特定犯罪**と呼び、一定の財政経済犯罪（例えば、詐欺罪、横領罪、背任罪、収賄罪、贈賄罪、租税法違

反、独禁法違反、金融商品取引法違反、不正競争防止法違反など）、薬物銃器犯罪及びこれら犯罪に関する犯人蔵匿、証拠隠滅、証人威迫（刑法103条、104条、105条の2、組織的犯罪処罰法7条1項1号～3号、7条の2）に限定している（法350条の2第2項各号）。

　これから、さらに、死刑又は無期拘禁刑に当たる罪が除外される（同項柱書）。

⑵　合意制度を利用するための対象事件に関する要件

　合意制度を利用するためには、被疑者・被告人の事件と、他人の刑事事件の双方が、対象犯罪でなければならない。

⑶　合意の内容にできる事項

被疑者・被告人による協力行為 （法350条の2第1項1号）	検察官による処分の軽減等 （同項2号）
イ　検察官・検察事務官・司法警察職員の取調べの際に真実の供述をすること（＝自己の記憶に従った供述をすること） ロ　証人尋問において真実の供述をすること ハ　検察官、検察事務官又は司法警察職員による証拠の収集に関し、証拠の提出その他の必要な協力をすること	被疑者・被告人の事件について ○公訴を提起しないこと ○公訴を取り消すこと ○特定の訴因、罰条の追加、撤回又は特定の訴因、罰条への変更を要求すること ○特定の訴因・罰条により公訴を提起し又は維持すること ○論告において、被告人に特定の刑を科すべき旨の意見を陳述すること ○略式命令請求をすることなど

　法350条の2第1項1号ハにより、検察官は被疑者・被告人との合意において、例えば、被疑者に対し、当該被疑事件の捜査を行う警察官への捜査協力を約束させることが可能である。

　合意には「（法350条の2第1項1号又は2号の行為に）付随する事項その他の合意の目的を達成するため必要な事項をその内容として含めることができる」（法350条の2第3項）。例えば、検察官は、犯則事件について検察官と連携して犯則調査を行う国税局等、公正取引委員会、証券取引等監視委員会の職員による質問調査に対し真実の供述をし、証拠を提出することを約束させることができる。

428 第4章 送致後の捜査

⑷ 合意の成立

合意は、検察官、被疑者・被告人及び弁護人が連署した書面（合意内容書面）により、その内容を明らかにしてすべきものである（法350条の3第2項）。

合意をするには、弁護人の同意が必要である（法350条の3第1項）。

⑸ 協　議

合意のための協議は、被疑者・被告人だけでなく、弁護人の関与が必要とされる（被疑者・被告人及び弁護人の双方に異議がないときは、協議の一部を弁護人のみが行うことができるが、その双方に異議がない場合でも、被疑者・被告人のみとの間で協議を行うことはできない）。

協議を開始するためには、検察官、被疑者・被告人、弁護人の三者間で協議を開始することについて意思が一致する必要がある。

協議開始の申入れは、協議そのものではないから、三者が一堂に会して行う必要がなく、検察官から行う場合は、被疑者・被告人又は弁護人のいずれに対して申し入れてもよく、被疑者・被告人側が行う場合は、被疑者・被告人又は弁護人のいずれから検察官に申し入れをしてもいい。

検察官は、協議において、被疑者・被告人に対し、他人の刑事事件についての供述を求め、これを聴取することができる（法350条の5第1項前段）。これは、協議手続の一環であり、弁護人の同席が必要になるなどの点で、**取調べとは異なる**。

協議の一般的な流れとしては、①弁護人による、被疑者・被告人がなし得る協力行為の提示が行われ、②検察官による、被疑者・被告人に対する、他人の刑事事件に関する供述の聴取（上記）が行われ、③検察官による、被疑者・被告人に対する処分の軽減等の内容の提示が行われ、④検察官と弁護人による、合意の内容等についての意見交換が行われることが想定される。

⑹ 司法警察員の関与

検察官は、司法警察員が送致・送付した事件等について、その被疑者との間で協議を行おうとするときは、司法警察員と事前協議をしなければならない（法350条の6第1項）。

検察官において司法警察員が現に捜査を行っていると認める事件についても、合意に当たっては、事前協議が必要である（同項）。

　検察官が、かかる事件について合意制度を利用しようとするとき、司法警察員との連携を欠くようなこと、例えば、司法警察員が被疑者の事件について十分な捜査を遂げてその全容を解明しようとしているにもかかわらず、その解明がなされる前に検察官が不起訴合意等をするようなことがあれば、司法警察員の捜査に支障が生じることになる。この事前協議の仕組みは、このような支障が生じるのを回避するため、検察官と司法警察員の連携協調を十分なものにしようとするものである。

　事前協議が義務付けられるのは、「被疑者」と合意のための協議を行おうとするときであるから、その事件について公訴が提起された後に協議を行おうとする場合には、事前協議は不要である。

　司法警察員との事前協議においては、①協議を開始した場合に、司法警察員の捜査に及ぼす影響の有無・程度、②合意をすることによって得ようとしている証拠について、合意をせずに捜査を進めた場合に得られる見込みがどの程度あるか、③協議を開始した場合、信用性のある供述が得られる見込みがどの程度あるかなどについて、協議されることが想定される。

　また、**検察官は、協議に係る他人の刑事事件の捜査のため必要と認めるときは、被疑者・被告人に供述を求めることその他の当該協議における必要な行為を司法警察員にさせることができる**（同条2項）。

　そのような場合とは、例えば、司法警察員が検察官に先行して当該他人の刑事事件について捜査を進めているときや、当該他人の刑事事件の規模や性質等に照らして、まずは、司法警察員において捜査を行うことが適当であると考えられるときなどには、協議において被疑者・被告人に供述を求める行為等を司法警察員にさせる方が、より的確な捜査に資する場合であろう。

　もっとも、検察官による処分の軽減等の内容の提示については、検察官の個別の授権の範囲内に限ってさせることができるにとどまることに注意が必要である（同項後段）。

3 合意制度が利用できるかについての想定事例

(1) 自己の刑事事件についての捜査協力の場合

　　合意制度は、被疑者・被告人が「他人の刑事事件」についての証拠収集等に協力することの見返りに、検察官が当該被疑者・被告人の犯罪の不起訴等を約束できるとする制度である。したがって、事例1のように、例えば、被疑者Aが、自分の犯した甲への贈賄罪を認め、積極的に検察官に対して自分の犯した当該犯罪を立証するための証拠を提供したとしても、「他人の刑事事件」についての証拠収集等への協力とはいえず、「合意制度」における取引の材料とはならないため、検察官は、合意を行うことができない。

事例1　自分の刑事事件についての捜査協力

(2) 「他人の刑事事件についての証拠収集等への協力」の趣旨

ア 他人の刑事事件

事例2は、甲への贈賄の被疑者Aが、自分の関与しない他人の刑事事件であるBの乙への贈賄事件についての捜査協力を約束し、その見返りに、検察官が被疑者Aの不起訴を約束するものであり法解釈上、合意制度が利用できることになる。

事例2　自分が関与しない他人の刑事事件

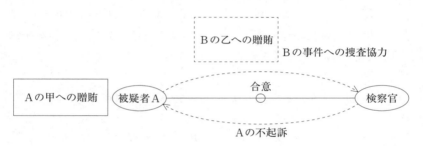

しかし、被疑者・被告人が全く関与していないが、知識としては知っているにとどまる「他人の刑事事件」の捜査・訴追への協力の場合、例えば、勾留中の被疑者がいわゆる同房者からその者の犯行告白を聞いた旨の供述をするなど、被疑者・被告人とは無関係の他人の刑事事件に関する供述を提供するような場合は、「巻き込み供述」のおそれがあるとされ、後記(3)のとおり、運用上、合意制度の対象としない取扱いとされている。

イ　自己の刑事事件であるとともに、共犯者たる他人の刑事事件でもある場合

　自己の犯罪に関する捜査・訴追の協力が、同時に、他人の犯罪に関する捜査・訴追の協力になる場合は合意制度の対象になる。その典型は、被疑者・被告人自身が共犯者として関与した他人の刑事事件の捜査、訴追に協力することである。

　例えば、事例3のように、被疑者Aの被疑事実が、Bと共謀して行った甲への贈賄事件である場合、被疑者Aが、自己の被疑事実に関して捜査に協力することは、同時に、他人である共犯者Bの刑事事件についての証拠収集への協力になるので、これを見返りにして、検察官が、被疑者Aに不起訴等を約束する合意を行うことができる。

事例3　自分が共犯でもある他人の刑事事件

Bの甲への贈賄
Aも共犯

B(共犯)の事件
への捜査協力

Aの甲への贈賄
AとBは共犯

被疑者A　　合意　　検察官

Aの不起訴

(3)　合意制度を利用するかどうかの判断において「当該関係する犯罪の関連性の程度」を考慮すべきとされた趣旨

　前記のとおり、検察官は、合意の相手方となる被疑者・被告人の協力行為により「得られる証拠の重要性、関係する犯罪の軽重及び情状、当該関係する犯罪の関連性の程度その他の事情を考慮して、必要と認めるとき」に合意をすることができる（法350条の2第1項柱書）。

　「関係する犯罪」とは、合意の対象となる被疑者・被告人の事件及び他人の刑事事件に係る各犯罪を指す。国会審議において、法案に上記アンダーライン部が追加され、被疑者・被告人による巻き込み供述を防ぐ

観点から、合意をするか否かを判断するための考慮事情として、当該被疑者・被告人の犯罪と他人の犯罪との関連性の程度が明記された。

合意制度が利用される場合として想定されるのは、基本的には被疑者・被告人と当該他人の犯罪が共犯事件であるなど何らかの関連性が認められる場合である。

しかし、これは前記の事例3のような**共犯事件に限定されるものではなく**、例えば、被疑者・被告人が同一組織内の異なる犯行グループに属する他人の刑事事件について証拠を提供することができるような場合も想定されている。前記の事例2に即して言えば、X省の甲への贈賄をした被疑者Aが、同一会社ではあるがY省への贈賄を担当する部署に属するBの乙への贈賄について証拠を提供することができるような場合には、検察官は、合意制度を利用できると考えられる。

4 合意に向け協議が行われたが合意が成立しなかった場合

(1) その場合、被疑者・被告人が協議において行った他人の犯罪事実を明らかにするための供述は、証拠にすることができない（法350条の5第2項）。

すなわち、被疑者・被告人自身の刑事裁判においても、第三者との関係においても、これが証拠として用いられることはない。

(2) 協議の過程で行われた被疑者・被告人の供述を手がかりとして捜査機関が更なる捜査を行って新たな証拠（**派生証拠**）を発見した場合、当該派生証拠については、合意が成立しなかったとしても証拠として用いることは許される。

派生証拠の使用まで禁じたのでは、捜査機関の捜査活動を著しく制約することになると考えられたからである（例えば、派生証拠の使用が禁止されれば、組織的な犯罪等において、被疑者が、協議において共犯者の関与状況について詳細な供述をした上で、あえて合意を不成立とすれば、裏付け捜査によって得られることとなる共犯者の関与状況に関する様々な証拠が使用できないことになり、他の共犯者の捜査・検挙を戦略的に阻止することが可能になる）。

434 第4章 送致後の捜査

5 合意がなされた場合の公判手続の特例

合意がなされた場合において、検察官は、

① 合意をした被告人の公判において合意内容書面及び合意離脱書面の証拠調べ請求義務を負う（法350条の7）ほか、

② 合意に基づく供述が証拠として用いられている他人の公判においても、合意内容書面及び合意離脱書面の証拠調べ請求義務を負う（法350条の8、350条の9）。

6 合意の履行を確保するための措置

合意の履行を確保するため、合意に違反した当事者には、次の措置が講じられる。

(1) 検察官が不起訴合意に違反して公訴を提起した場合等においては、裁判所は、公訴棄却の判決等をしなければならない（法350条の13）。

(2) 検察官が合意に違反した場合には、被疑者・被告人が合意に基づいて行った供述や提供した証拠、協議の過程で行った供述は証拠として使えない（法350条の14第1項）。

(3) 合意に違反して、検察官等に虚偽の供述をし、又は偽造変造の証拠を提出した者は、5年以下の拘禁刑に処される（法350条の15第1項　通常の取調べでは、虚偽の自白をしても処罰されることはないのに比べ、極めて重いペナルティが課せられる）。

起訴後の取調べ、捜索・差押え　設問45　*435*

設問 45　起訴後の取調べ、捜索・差押え

---◆ 設　問 ◆---
(1)　警察官甲は、被疑者Ａに対し強盗殺人の疑いを持って捜査中、Ａが別件である私文書偽造等事件を犯していることが判明したので、まず、これについて検察官に起訴してもらい、起訴後の勾留を利用して、上記の強盗殺人についてＡを取り調べた。この起訴勾留中の取調べは適法か。
(2)　警察官乙は、選挙違反の事案（多額の買収資金の供与など）について被疑者Ｂを取り調べていたが、同事案でＢが起訴された後も、起訴勾留中のＢに対し、候補者との共謀、買収組織内での地位、役割などについて取り調べた。この取調べは適法か。

◆解　答◆
(1)　適法⟹ **3** 2
(2)　適法⟹ **2** 1 ないし 3

1　起訴後の捜査

　起訴後の捜査について、法は明文の制限を設けていない。制限の有無等は、各関係規定の解釈によって決まる。

　起訴後においては、身柄が拘束されないまま（在宅）審理を受ける場合と起訴事実について勾留の要件があれば、裁判所の権限により、被告人に勾留が付けられる（法60条　**起訴後の勾留**）場合がある。

2　起訴後の起訴事実についての取調べ

1　許容性

　起訴した事件について、起訴後も被告人を取り調べることができるかどうかについては、公判段階になれば被告人は検察官と対等の訴訟の主体となり、

436　第4章　送致後の捜査

もはや捜査官の取調べの客体にはなり得ないとする見解もある。

　しかし、被告人は、公判段階であっても被告人質問や身体の検証の客体でもある。

　この点につき、最高裁は、「刑訴法197条は、捜査については、その目的を達するため必要な取調べをすることができる旨を規定しており、同条は捜査官の任意捜査については何ら制限をしていないから、同法198条の『被疑者』という文字にかかわりなく、起訴後においても、検察官はその公訴を維持するために必要な取調を行うことができる」と判示している（最決昭36.11.21刑集15-10-1764　ただし、第1回公判期日前の取調べの事案であり、その取調べで作成された供述調書は同意されていたもの）。

2　起訴勾留後の起訴事実取調べに対する制約

(1)　取調べ事項

　　取調べをなし得る事項としては「公訴を維持するために必要な取調べをできる。」（上記最決昭36.11.21）のであり、それ以上に具体的な制約があるわけではない（最決昭57.3.2裁判集刑事225-689　多額の買収資金の供与などで起訴された被告人を起訴後《第1回期日前》、候補者との共謀、買収、組織における地位、役割に関して取り調べたのを適法とした）。

(2)　取調べ時期など

　　被告人の当事者としての地位を損なうことは許されないから、防御の準備に支障を来す態様での取調べや、公判廷での被告人の自由な供述を妨害する態様の取調べは避けるべきである。したがって、**第1回公判後は避けるべきである**。第2回公判期日における被告人質問終了後に作成された被告人の検察官調書の証拠能力を否定した例（福岡地判平15.6.24判時1845-158　「被告人の防御権を奪い、憲法37条1項、3項の精神を没却し、被告人の当事者としての地位を侵害するもののみならず、従前公判期日で行われた被告人質問を全く無意味ならしめ、刑事訴訟法の当事者主義や公判中心主義にも反する」とした）がある。

(3)　取調べ受忍義務のないことの告知

　　上記最決昭36.11.21も、**起訴後の起訴事実の取調べは任意捜査として**

のみ許されるとしており、しかも、法198条１項ただし書により取調べ受忍義務を負う者は「被疑者」に限られるから、余罪調べの場合と異なり、**この場合の被告人に対しては取調べ受忍義務を課すことはできない。**任意になされた取調べであることを後日証明するために、取調べ官において取調べ受忍義務のないことを告知した上で、被告人から「すすんで犯行を説明します。」旨の上申書などを徴したり、その旨調書に記載したりするなどの措置をとっておく必要がある場合もあろう。

3　共犯者の取調べに関連した取調べ

起訴後、起訴事実についての共犯者が逮捕され、その**共犯者の取調べに関連して、被告人を取り調べること**は、他人の被疑事件の参考人としての取調べだから許される。例えば、①覚醒剤所持で起訴後の起訴事実についての被告人の取調べにつき、この覚醒剤の入手先、譲渡先など本件に関与した第三者のための捜査ともいえる等の理由で適法（東高判昭59.2.13高検速報2694）としたものがある。

また、前記のとおり、第１回公判期日後に被告人を取り調べることは避けるべきであるが、②第１回公判期日後であっても、専ら被告人以外の共犯者に対する捜査の一環として行われる場合は、被告人に対し、起訴後の取調べは任意であり意思に反して応じる義務はない旨告げるなどの配慮をした上で取り調べることは適法とした裁判例がある（東高判平8.5.29判タ922-295）。

ただし、③第１回公判期日後も含め４か月以上にわたる取調べの結果得られた、共犯者との拳銃等所持の共謀を認める供述を違法収集供述とした上、その共犯者との関係でも使用できないとした例（福岡高那覇支部判昭53.11.24判時936-142）もある。

③　起訴後の余罪についての取調べ

1　身柄不拘束（在宅）で起訴された場合の余罪取調べ

起訴された事実に関しては被告人であっても、余罪に関しては被疑者であり、被疑者の取調べについて法198条は、時期的な制限を設けていないので、いつでも可能である。

438　第4章　送致後の捜査

2　起訴勾留後の余罪取調べ

　起訴された事実に関しては被告人の身分になっても、余罪に関しては被疑者であり、法198条によりその取調べが許される。起訴事実に関し勾留されたとしても、起訴勾留が適法である以上、その勾留中の余罪の取調べは一般に許容されている。

　すなわち、別件（起訴事実）が身柄拘束のまま起訴するのが相当な事件である限り、検察官が本件（余罪）の取調べに利用する意図や目的をもって殊更に別件を起訴し勾留請求したのでない限り、別件による起訴勾留中における本件の取調べは許容される（最大判昭30.4.6刑集9-4-663　私文書偽造同行使等の事実で起訴勾留された者を、余罪である強盗殺人等について39日間にわたり取り調べたのを適法とした事例「帝銀事件」）。

3　起訴勾留後の余罪取調べの限界

　起訴勾留後の取調べは、無制限に許されるものではない。

⑴　違法な余罪取調べに当たる場合（⟹ 設問39 参照）

　　上記最大判昭30.4.6の趣旨から、別件による起訴勾留が、専ら本件の取調べを意図してなされたものと評価できるとき、本件たる余罪の取調べは違法となり得る。

　　すなわち、余罪事実についての取調べが、起訴事実の審理に通常必要と考えられる期間又は通常予想される刑期に相当する期間を超えるほど甚だしく長期にわたり、その間取調べが連続集中して多数回にわたり行われる場合は、起訴勾留は、本件たる余罪の取調べのための身柄拘束に転化していると評価される（広島高判昭47.12.14高刑集25-7-993　住居侵入、窃盗等で起訴勾留中の被疑者を、本件たる強盗殺人について4か月半にわたり、夜間取調べも連続しながらのものは違法とした事案「仁保事件差戻し審判決」）。

　　被疑者が別件で起訴され警察署に起訴後勾留中、被疑者に対し行われた余罪（本件である殺人事件）の取調べについて、本件の嫌疑がそれほど高いものではないのに自白を獲得する目的でなされたものであること、取調べの当初において取調べ受忍義務のないことを知らなかった被疑者に対し、あたかも取調べ受忍義務があるかのような告知をしたことなど

を理由に、取調べが、令状主義を甚だしく潜脱する違法性の高いものであるとした例（佐賀地判平17.5.10判時1947-23　その間に収集された被疑者の自白（上申書）等を、証拠から排除すべきものとした。控訴審である福岡高判平19.3.19もこれを支持した。なお、取調べ受忍義務については、考え方が分かれることにつき、下記(2)）がある。

(2) 取調べ受忍義務

　起訴勾留中の余罪取調べの際、その被疑者に取調べ受忍義務があるかどうかについては、起訴前の逮捕・勾留中の余罪調べの時同様、説が対立する。**起訴勾留後であっても、余罪に関しては「被疑者」であり、かつ、「逮捕又は勾留」されている状態にある以上、法198条1項ただし書きにより、取調べ受忍義務があると解するのが条文に忠実な理解と考えられ、2とは区別すべきである。**（⟹**設問39**、**4**2起訴前勾留中の余罪取調べの解説参照）。

　しかし、いずれの説に立っても、余罪取調べが自白の任意性を疑わせるものであってはならないことは当然である。

　例えば、別件の業務上横領により起訴された者に対し、その起訴直後から本件の殺人について連日深夜まで長時間、取調べを行ったが、その取調べが疲労した者に厳しく追及などを続けたもので、暴行が加えられた疑いもある場合、その取調べで得られた自供の証拠能力は否定される（旭川地決昭59.8.27判時1171-148）。

4　起訴後の起訴事実についての参考人取調べ

　これは任意捜査であり、法223条にも時期的な制限はない以上、一般的に許される（東高判昭36.11.14高刑集14-8-577）。

　しかし、**公判中心主義**の立場からして、公判で尋問する予定の者を取り調べることは原則として相当でないとされ（福井地決昭48.7.17判タ299-419）、既に証言した者を同一事項について取り調べることもできるだけ避けるべきであるとされる（最決昭58.6.30刑集37-5-592）。ただし、前者において、証人予定者が偽証工作を受けている疑いがある場合や、後者について証人が偽証した疑いがある場合には、取調べをなし得ることは当然である。

440 第4章 送致後の捜査

5 起訴後の起訴事実についての捜索・差押え

1 任意捜査の許容性

前記最決昭36.11.21の趣旨から、任意捜査である任意提出、領置をなし得ることは明らかである。

2 強制捜査の許容性

法218条1項の文言上、被告人・被疑者を区別しないで捜索・差押えをできる旨規定していると解されること、被告人に対する捜索・差押えを禁止した規定もないこと、規則155条が差押え・捜索・検証の令状請求書の記載要件として、被疑者・被告人の氏名をあげていることなどから、被告人に対する捜索・差押えは制約なしに許されるとする考えもあり得る。

しかし、**公判中心主義、当事者対等の原則**（法179条により被告人側の**証拠保全**は、第1回公判期日以後はできないことなど）に照らせば、第1回公判期日以後に、捜索・差押え・検証などの必要がある場合には、捜査機関は、原則として、検察官を通じ、裁判所に申し出て証拠調べとして行うべきであり、例外的に、裁判所に申し出て行えば動きを察知されて証拠隠滅のおそれがあるなど、**強制処分の実効を期すことができないと思われる場合**などは、捜査機関において自ら強制処分を行うことができると考えるべきである。

第1回公判期日後に検察官が請求して裁判官が発付した捜索差押許可状による差押処分につき、検察官が裁判所に証拠調べの一環として捜索・差押えを請求したとしたら、被告人らによる差押対象物についての証拠隠滅のおそれがあったことを理由に、同処分を適法とした例（最決平14.12.17裁判集刑事282-1041）がある。

他方、第1回公判期日以前に限って、捜査官による被告人に対する捜索・差押え等の強制処分ができるとする（東地八王子支部決昭44.5.9刑月1-5-595など）裁判例もある。

拘置所で（起訴後）**勾留中の被告人に対し、公判継続中の刑事事件の立会検事の請求により発付された捜索差押許可状を執行し、同捜索差押許可状に基づき押収した被告人の刑事事件に関して弁護人から差し入れられた書面等を還付しない行為**は、いずれも被告人の秘密交通権等を侵害し違法であると

して、国賠法に基づく損害賠償請求の事案について、裁判所は、弁護人が接見時に防御方法の打合せの一環として交付した書類、被告人が接見内容及び防御構想を書き留めたメモ類等信書のやり取りは、憲法第34条に基づく被告人の接見交通権又は防御権及び弁護権として保障されており、これらの内容は基本的に捜査機関に対し秘匿されるべきものであるものの、絶対的に保障されるものではなく、捜査権の行使という国家の権能との間で合理的な調整を図る必要があり、必要かつ合理的な範囲の制約に服すると解し、本件押収物のような書面等に関する捜索・差押えの当否について、犯罪の態様、軽重、差し押さえられるべき物の証拠としての価値、重要性、差押えにより受ける被差押者の不利益の程度その他諸般の事情に照らし、捜索・差押えの必要性と被差押者である被告人の被る不利益とを考慮して判断すべきであると解した上、本件令状請求等は、必要性を欠いたものであったこと等の事情に鑑みて違法と判断した（大阪高判平28.4.22判時2315-61）。

　弁護人から差し入れられた書面等が軽々に押収されることが許されれば、秘密交通権、弁護権等が実質的に保障されないこととなるため、この種の捜索・差押えについては極めて慎重に臨むべきであろう。

6 　家庭裁判所に送致した被疑事実についての補充捜査の実施

1 　捜査機関による補充捜査権限

　捜査機関（特定少年（＝18歳以上の少年）を除く少年に係る罰金以下の刑に当たる犯罪については司法警察員、その他の少年に係る犯罪については検察官）は、捜査を遂げた結果、犯罪の嫌疑があるものと思料するときは、家庭裁判所に送致しなければならない（少年法41、42条）。

　家庭裁判所に送致するまでに捜査が終了されるべきであるなどの理由で、送致後の捜査機関による補充捜査権限自体を否定する考え方もある。

　しかし、送致後であっても、保護処分が確定するまで法律上は未解決の犯罪であって捜査の対象になる上、送致後、捜査機関において証拠の補充が必要であると判断し、追加収集し少年審判が終了するまでに送付した証拠資料を審判の資料とすることは、家庭裁判所の実体的真相解明に寄与することにもなり有益であることなどから、家庭裁判所送致後においても、捜査機関が

補充捜査を行う権限があると解するのが相当である（最決平2.10.24刑集44-7-639も結論同旨）。

　なお、送致後においては、送致に係る事件については、被疑少年は被審人の地位を持つことになるので、被疑少年を取り調べることは差し控えるべきである。

2　家庭裁判所が捜査機関に対し、補充捜査を促し又は求める権限

　家庭裁判所に送致された少年の被疑事件について、送致後において、それまで自白していた被疑少年が新たな弁解を主張し非行事実の有無を争い出す場合などのように、少年審判において、追加的な証拠収集が必要になることがある。その場合、家庭裁判所は、事実調査のため、捜査機関に対して、上記捜査権限の発動を促し、又は少年法16条の規定（警察官等に対して必要な援助をさせ、公務所等に対して必要な協力を求めることができるとの規定）に基づいて**補充捜査を求めることができる**（上記最決平2.10.24）。

　少年審判において非行事実の認定がより厳密かつ適正に行われるように、家庭裁判所からの捜査依頼には的確に対応する必要がある。

弁護人（その１　権利義務　選任方式）　設問46　　*443*

設問 46 弁護人（その１　権利義務　選任方式）

● 設 問 ●

　被疑者Ａは、弁護人Ｂを選任したもののＢの弁護方針に反発し、Ｂが
接見を求めてきた際、「Ｂ先生とは、面会したくない。」旨、捜査主任官
甲に申し出たので、甲は、Ｂに対しＡの意向を説明し、接見を拒否した。
甲の措置は適法か。

◆解　答◆

　違法⟹ **2** 2 (2)

1 弁護人選任権の重要性

　捜査機関と比べて相対的弱者である被告人・被疑者を法的に援助しその正
当な利益を守るために弁護人が存在する。憲法は、被告人に関して、資格を
有する弁護人を依頼する権利を保障し（憲法37条３項）、刑事訴訟法は、被
疑者にも弁護人選任権を認める（法30条１項）。身体を拘束された者に対す
る弁護人依頼権は憲法で保障されている（憲法34条）。

　また、弁護人から法的援助を受けた状況の下で、被疑者・被告人に対する
取調べが行われるときは、その取調べにおいて得られた供述には、任意性・
信用性が与えられやすいし、そのような取調べについての適正さを確保する
上でも有用といえる。

　捜査官は、弁護人選任権について、これが**重要で基本的な権利**であるとい
うことだけでなく、**被疑者・被告人の供述の任意性等の確保や取調べの適正
さの確保という観点からも有用**であることを理解し、これを尊重しなければ
ならない。

444　第 5 章　弁護人

2　弁　護　人

1　弁護人の地位

　弁護人は、原則として、資格ある弁護士の中から選任される（憲法37条 3 項、法31条 1 項）。

　弁護士は、「基本的人権を擁護し、社会正義を実現することを使命とする。」（弁護士法 1 条 1 項）し、「前項の使命に基き、誠実にその職務を行い、社会秩序の維持及び法律制度の改善に努力しなければならない。」（同条 2 項）のであるから、弁護士は、司法の公正妥当な運営に協力すべき公的な性格も有している（池田修・前田雅英　前掲38参照）。

2　弁護人の権利

　弁護人は被告人・被疑者の単なる代理人ではないから、被疑者・被告人の権限を代理人として行使する権限（**代理権**）とは別に、弁護人であるがゆえに独自に認められる権限（**固有権**）をもつ。

(1)　代理権

　　被疑者・被告人が行使できる権限は、弁護人も行使できる。民事訴訟において、原告又は被告の訴訟代理人が、その者の権限を代理行使できるのと同様である。ただし、刑事訴訟の場合は、民事と異なり、本人（被疑者・被告人）の意思に反しても、弁護人は特定の権限、例えば、①勾留請求理由開示の請求（法82条 2 項）、②勾留の取消し、保釈請求（法87条、88条、91条）、③証拠保全請求（法179条）については、**独立して権限を行使**できる（法41条）。

(2)　固有権

　　これは、弁護人という訴訟法上の地位に対して独自に与えられる権限であるから、被疑者・被告人の意思に関わりなく行使できる。**被疑者との接見交通権**（法39条）が代表的な固有権である。したがって、被疑者が弁護人との接見を望んでいないことを理由として、捜査官が、弁護人の接見要求を拒絶することはできない（しかし、接見の機会を与えれば足りるのであり、被疑者が接見を拒否したときに現実に接見できるようにするまでの必要はない）。

3 弁護人の義務

(1) 誠実義務と真実義務

弁護人は、刑事手続における被疑者・被告人の防御力を補うことを職務とし、前記の「……誠実にその職務を行い……努力しなければならない」（弁護士法1条2項）が規定するように、被疑者・被告人のために誠実に職務を遂行すべき義務（**誠実義務**）を負う。弁護人が、法律の専門家として、依頼を受けた被疑者・被告人の正当な権利や利益を誠実に擁護すべきことは当然と考えられている。

他方、刑事訴訟法は、同法の目的として、「事案の真相を明らかにする」ことを挙げており（法1条）、弁護人も事案の真相解明に努めるべき義務（**真実義務**）があるが、これは、**裁判所・検察官による実体的真実の発見を積極的に妨害したり、積極的に真実をゆがめる行為をすることが禁止されるにとどまる**（これを「**消極的真実義務**」があるという）と解されている。

被疑者・被告人は黙秘権を有しているため、これらの者に、実体的（客観的）真実の発見に積極的に協力すべき義務（積極的真実義務）はないので、被疑者・被告人に対して誠実義務を負う**弁護人には、積極的真実義務はない**と解されるからである。

したがって、弁護人の真実義務とは、専ら被疑者・被告人に有利な方向での真相を明らかにすることに限定されるため、捜査官の想定する真実義務とは相違することもあるであろうが、捜査官としては、弁護人にはこのような職業倫理があることを認識しつつ、弁護人との意思疎通を図る必要がある。

(2) 弁護士職務基本規程

日本弁護士連合会が会則として制定した弁護士職務基本規程（平成16年11月制定、同17年4月から施行）では、弁護士業務全般について「弁護士は、真実を尊重し、信義に従い、誠実かつ公正に職務を行うものとする。」とし、真実義務及び誠実義務を規定している（同規程5条）が、ここにいう真実義務は、前記したとおり、消極的真実義務を意味するものと解されている。

446　第5章　弁護人

　また、同規程では、「弁護士は、良心に従い、依頼者の権利及び正当な利益を実現するように努める。」と定められており（同規程21条）、民事・刑事を問わず、依頼者の不当な利益追求や権利の濫用への加担は、正当な弁護活動からの逸脱であることを明らかにしている。

⑶　不当弁護かどうか問題になる場合

ア　無罪主張

　被疑者が無実を主張しているとき、弁護人個人がその被疑者を真犯人だと確信していたとしても、被疑者が無実を主張することは正当な権利であるから、弁護人としても無罪主張をすることは相当である。むしろ誠実義務として義務付けられるから、弁護人として被疑者の主張に反して有罪主張をするときには、懲戒処分の対象になり得る。

イ　積極的な虚偽証拠の提出など

　前記の消極的真実義務に反する行為として、弁護士職務基本規程も、「弁護士は、偽証若しくは虚偽の陳述をそそのかし、又は虚偽と知りながらその証拠を提出してはならない。」とする（同規程75条）。

　弁護人が、第三者に偽証を教唆したり、被疑者に虚偽の弁解を主張させたり、第三者に証拠隠滅（証拠物、証人の隠匿）を教唆したり、弁護人自ら虚偽の証拠を提出するようなことは、消極的真実義務にも反することであり許されない。弁護人の行為が、証拠隠滅やその教唆の犯罪構成要件に該当するときには、弁護活動としての正当性を欠くから、弁護人も処罰の対象となり得る。

ウ　接見禁止の潜脱行為

　弁護人が、接見禁止中の被疑者と外部の者の間の伝言を行ったり、弁護人と被疑者との間の信書の授受にことよせて外部の者との間の手紙などのやりとりをしたりするなどのことは、接見禁止決定に違反するもので許されない。また、その弁護人の伝言行為が、外部の者に対して証拠隠滅を教唆する行為と疑われ処罰される可能性もある。

3 弁護人選任権者

1 被告人・被疑者

被告人又は被疑者は、いつでも弁護人を選任することができる（法30条1項）。これは、いわゆる**私選弁護人**のことである。

2 法定代理人など

被告人又は被疑者の**法定代理人（未成年者の親権者、成年被後見人の後見人など）、被保佐人の保佐人、配偶者、直系の親族及び兄弟姉妹**は、独立して弁護人を選任することができる（同条2項）。なお、「配偶者」には「内縁の夫や妻」は含まれず、「直系の親族」には、父母・祖父母・子・孫などの直系血族のほか、配偶者の父母・祖父母などの直系姻族も含まれる。

「**独立して**」とは、本人である被告人・被疑者の明示・黙示の意思に関わりなく選任できるということであるから、これら選任権者が弁護人を選任した場合には、本人がこの選任に反対であっても、選任自体が無効となったり、これを本人が取り消すことはできず、本人が有効に選任した場合と同様の効果をもたらすこととなる。

したがって、例えば、これら選任権者の選任した弁護人が、接見禁止中の被疑者に接見を求めてきた場合には、捜査機関は、本人が選任に反対していることを理由に接見を拒否することはできず、その機会を与えなければならない。

しかし、本人は、自分が選任した弁護人を解任できるのと同様、選任権者が選任した弁護人を解任することができるから、本人が、接見を求めてきた**弁護人を解任する意思を明確にした場合**には、捜査機関は、解任を理由として接見を拒否できる。

4 被疑者の弁護人の選任方式

1 意思表示の宛先

弁護人の選任行為は、捜査段階においては、検察官・司法警察員を宛先とした訴訟行為とされ、依頼者と弁護人との間の私法上の委任契約とは別個のものであるから、**弁護人選任の意思表示は、捜査官に直接伝えられることを要する**。したがって、被疑者から捜査官へ選任の意思表示がなされず、被疑

448 第5章 弁護人

者が接見に赴いた弁護人に対してだけ口頭で同人を選任すると表明した場合は、その選任は無効である（東地決昭46.7.5刑月3-7-1043）。

2 不要式説と要式説

捜査官への選任の意思表示の方式について、(1)その選任の意思が伝われば足りるとする不要式説があるが、(2)被告人の場合と同様、弁護人と連署した書面を差し出すことを要するとする要式説（東地決昭44.2.5刑月1-2-179、東地決昭46.6.10刑月3-6-834）が妥当である。

不要式説は、規則17条が、捜査段階でなした弁護人選任は、弁護人と連署した書面を差し出した場合に限って、第1審においても効力を有するとされていることの反対解釈として、捜査段階限りの弁護人を選任するには何らの方式を要しないとする。

しかし、法32条1項は「公訴の提起前にした弁護人の選任は、第1審においてもその効力を有する。」と規定していることからみて、法は捜査段階だけ有効で起訴後は無効となるような口頭又は弁護人との連署のない書面などの選任方式を予定していないと解すべきである。

また、最高裁は、手続の厳格性や権利の誠実行使の原則（規則1条2項）を強調し、公判段階の被告人の弁護人選任届の方式についてであるが、氏名については黙秘権が及ばないとし（最大判昭32.2.20刑集11-2-802、最決昭40.7.20刑集19-5-591）、あるいは氏名を記載できない合理的な理由もないのに署名をしないでなした弁護人選任届は無効であるとしており（上記最決昭40.7.20、最決昭44.6.11刑集23-7-941）、捜査段階においても同様の取扱いをするのが合理的である。

> **アドバイス** **弁護人選任届を受理する際の留意点**
>
> 捜査段階において、弁護人選任届を受理する際は、必ず被疑者本人の署名、押印（指印）を求めなければならず、正当な理由なく被疑者が署名しないで選任届を差し出してきた場合は、被疑者に対し、その届けに記載された者が弁護人として取り扱われないということを説明し、署名をするように説得すべきであろう。

5 弁護人の数の制限

被疑者の弁護人の数は、各被疑者について**3人を超えることができない**（規則27条本文、法35条）。弁護人が多数であることによる手続の混乱を防ぐとともに、資力を有する者とない者の公平を図る趣旨の規定である。

ただし、裁判所（当該被疑事件を取り扱う検察官又は司法警察員の所属の官公署の所在地を管轄する地方裁判所又は簡易裁判所）が、特別の事情があるものと認めて許可をした場合は、4人以上であってもいい（同規則27条ただし書）。「特別の事情がある」とは、事案の複雑性、場所的関係（例えば、犯行場所が遠隔の複数の場所にまたがる場合かどうかなど）等に照らして、4人以上の弁護人の選任を相当とする必要性があることである。

6 被疑者国選弁護制度

1 意 義

被疑者に勾留状が発せられており、被疑者が貧困その他の事由により弁護人を選任できないときに、被疑者の請求により、裁判官が国選弁護人を選任する制度である（法37条の2以下　平成18年10月2日から施行）。

2 対象事件

被疑者国選弁護制度の対象は、勾留状が発せられた全ての被疑者である（法37条の2、37条の4）。平成28年刑事訴訟法等改正（平成30年6月1日施行）の前は、同制度の対象は、死刑又は無期若しくは長期3年を超える懲役・禁錮刑に当たる事件とされていた。

3 国選弁護人が選任されるための要件

勾留状が発せられた被疑者及び勾留を請求された被疑者は、裁判官に国選弁護人の選任を請求することができる（法37条の2第1項、2項）。

国選弁護人の選任の請求を受けた裁判官は、①貧困その他の事由により弁護人を選任できないこと、②被疑者以外の者が選任した弁護人がいないこと等の要件を審査し、これを満たすと判断したとき国選弁護人を選任する。

被疑者が国選弁護人の選任をする際には、資力申告書（現金、預金等の流動性のある資産の合計額と内訳を記載したもの）を提出しなければならない

450　第5章　弁護人

（法37条の3第1項）。政令で定められた基準額（50万円）以上の資力を有する者が選任請求をするときは、あらかじめ管轄区域内の弁護士会に弁護人選任の申出をしなければならず、この申出にもかかわらず、弁護報酬等の折り合いがつかない等の理由で弁護人受任に至らなかったとの通知が弁護士会からなされた場合（同条第2項、3項）に初めて、裁判官は、「その他の事情に」当たるとして選任手続を進めることになる。資力のある者は、まず私選弁護人を探すべきだからである（池田修・前田雅英　前掲39注19参照）。

7　弁解録取時における弁護人選任権の告知及び弁護人選任の申出に関する教示

弁護人選任権の告知　　被疑者を逮捕し、又は逮捕された被疑者を受け取った司法警察員は、犯罪事実の要旨及び弁護人を選任できる旨を告げた上、弁解の機会を与えなければならない（法203条1項　規範130条1項は、弁解の結果を弁解録取書に記載しなければならないとしているが、実務上は、これに加え、弁護人選任権などを告知したことなども弁解録取書に記載している）。

弁護人選任申出に関する教示　　平成28年刑事訴訟法等改正により、司法警察員は、逮捕した被疑者に対して、法203条1項の規定により弁護人を選任することができる旨を告げるに当たっては、被疑者に対し、**弁護士、弁護士法人**（以下、**本設問においては、弁護士・外国法事務弁護士共同法人を含むものとする**）**又は弁護士会を指定して弁護人の選任を申し出ることができる旨及びその申出先を教示すべきこと**が義務付けられた（法203条3項）。検察官についても同様である（法204条2項）。

　また、平成28年刑事訴訟法等改正により、被疑者国選弁護制度の対象事件に限定がなくなったことから、弁解録取時において、被疑者に対して、**被疑者国選弁護人の申出に関する教示**を行うことが義務付けられた（法203条4項、204条3項）。

　すなわち、司法警察員は、上記の弁護人選任権告知に当たり、被疑者に対して、㋐引き続き勾留を請求された場合において、貧困その他の事由により自ら弁護人を選任することができないときは、裁判官に対して弁護人

の選任を請求することができる旨、(イ)裁判官に弁護人の選任を請求するには、資力申告書を提出しなければならない旨、(ウ)その資力が基準額以上であるときは、あらかじめ弁護士会（法37条の3第2項参照）に弁護人の選任の申出をしていなければならない旨を各教示しなくてはならない（法203条4項、規範130条2項　これらを各教示した旨も弁解録取書に記載される例となっている。参照⇒355頁「**書式17**」）。

　なお、実務の運用上、弁解録取の際、弁護人等と接見したい旨の申出があれば、直ちにその申出があった旨を弁護人等に連絡する旨を告知すべきこととされ、この告知をしたことも弁解録取書に記載される扱いになっている（参照⇒「**書式17**」）。

8　被告人、被疑者からの弁護人選任の申出及びこれへの対応

1　被告人からの弁護人選任の申出とこれへの対応

　勾引・勾留された被告人は、裁判所や刑事施設の長、その代理人に、弁護士、弁護士法人又は弁護士会を指定して弁護人の選任を申し出ることができる。その申出を受けた裁判所や刑事施設の長その代理人は、直ちに被告人の指定した弁護人、弁護士法人、弁護士会にその旨を通知しなければならない（法78条）。

2　被疑者からの弁護人選任の申出とこれへの対応

　逮捕された被疑者は、検察官又は司法警察員又は刑事施設の長若しくはその代理人に、弁護士、弁護士法人又は弁護士会を指定して弁護人の選任を申し出ることができる。その申出を受けた検察官又は司法警察員、又は刑事施設の長若しくはその代理人は、直ちに被告人の指定した弁護人、弁護士法人、弁護士会にその旨を通知しなければならない（法209条、211条、216条による法78条の準用）。

　弁護人選任の申出を受けた司法警察員等は、「直ちに」申出があった旨を通知することが義務付けられている。通知をしない場合は当然であるが、非常識に遅れて通知する場合も、逮捕手続以降の捜査手続全体が違法性を帯びるおそれがあることに注意すべきである。

　　　被疑者国選弁護人選任希望の取次　　刑事収容施設に収容され、又は

452　第5章　弁護人

留置されている被疑者が、被疑者国選弁護人選任を希望する場合は、裁判所書記官の面前でなされる場合を除いては、被疑者が収容されている刑事施設の長、留置施設の留置業務管理者又はその代理人がこれを取り次ぐものとされ、選任請求書等を裁判官に提出することとされている（規則28条の3）。

　　　私選弁護人選任の申出の取次　　　逮捕中の被疑者が私選弁護人選任の申出をした場合は、被疑者は、裁判所若しくは刑事施設の長又はその代理人に申し出ることができ、申出を受けた裁判所若しくは刑事施設の長又はその代理人は、被疑者の指定した弁護士等に通知しなければならない（法209条、211条、216条により逮捕された被疑者に準用される法78条1項及び2項）。

　逮捕中の被疑者については、司法警察員及び検察官が私選弁護人選任の申出を取り次ぐべき場合もある。例えば、司法警察員が、逮捕中の被疑者の弁解録取をしていた機会に、被疑者が私選弁護人選任の申出をした場合には、法209条、211条、216条により法78条2項が準用され、同項の「裁判所」が「検察官又は司法警察員」に読み替えられることになり、司法警察員において私選弁護人選任の申出があった旨を、被疑者の指定した弁護士等に通知すべきことになる（検察官が、逮捕された被疑者の身柄送致を受け、その弁解録取中に、私選弁護人選任の申出があったときは、同様に、検察官において取り次ぐことになる）。

9　当番弁護士

逮捕等された被疑者やその家族等から弁護士会に接見の依頼があった場合、弁護士会は、当番として置かれた弁護士（**当番弁護士**）を接見に派遣し、1回だけ無料で被疑者の相談に応じる制度のことをいう。

　弁護士会は、被疑者等の申出に応じて私選弁護人の候補者を紹介する法律上の義務を負っている（法31条の2第2項）ところ、弁護士会は、被疑者等からの当番弁護士の接見依頼は「私選弁護人の紹介申出」として取り扱い、当番弁護士の接見派遣は「私選弁護士の候補者の紹介」として運用している。したがって、捜査官としては、接見に派遣されてきた当番弁護士に対して、

弁護人（その1　権利義務　選任方式）　設問46　*453*

「弁護人となろうとする者」としての権利の確保に配慮するとともに、弁護士会の法的義務を果たすための制度でもあることに配意が必要であろう。

454 第5章 弁護人

設問 47 弁護人（その2 接見交通権と接見指定）

●設　問●

(1) 留置主任者たる警察官甲は、勾留中の被疑者Aについて、その弁護人Bから接見申出があったが、Aは接見禁止処分を受けていたので、その旨Bに説明し、接見を拒否した。甲の措置は適法か。

(2) 逮捕中の被疑者に対し、弁護士甲が「誰からも頼まれていないが、新聞で事件を知り、弁護人になろうとする者として来た。」として、接見を求めてきたが、これに応じなければならないか。

(3) 捜査担当官乙が、逮捕後、送致前の被疑者Cを取調べ中に、Cの弁護人Dが接見を求めてきた。乙は捜査主任官丙に連絡したものの丙が会議中だったので、Dに対し、独断で接見日時・時間を指定した。この乙の措置は相当か。不相当とすれば、どうすればよいか。

◆解　答◆

(1) 違法⟹ **1** 1

(2) 応じなくていい。⟹ **1** 2

(3) 不相当。捜査主任官丙にDから接見申出があったことを速やかに連絡し、接見指定権を行使するか、行使しないとき接見日時・時間の調整をどうするかについて判断を求めるべきだった。⟹ **2** 3

1 弁護人等の接見交通の保障（法39条1項）

1 意　義

起訴前の勾留に伴う接見禁止処分（法81条）がなされても、その効力は**弁護人又は弁護人選任権者**（法30条　本人、その法定代理人・保佐人・配偶者・直系親族・兄弟姉妹）からの依頼により**弁護人になろうとする者**（本設問では「弁護人等」という）には及ばず、**弁護人等は、被疑者と立会人のない接**

見又は物等の授受ができる（法39条1項「接見交通権」の保障）（⟹
設問43参照）。

2 「依頼により弁護人になろうとする者」の意義

選任権者から弁護人としての選任の依頼を受け、弁護人としての選任手続
を完了するまでの者をいう。

これは、弁護人選任届を捜査官宛に提出する前であっても、被疑者本人の
依頼意思を確認し、最終的に自分が弁護人となるかどうかを決定する目的な
どで、被疑者との接見を行う必要がある者であり、

① 法30条2項の弁護人選任権者から依頼を受けた弁護士

② 被疑者が特定の弁護士を弁護人とすることを申し出ており、その旨の
通知を受けた弁護士や被疑者が弁護士会を指定して弁護人の選任を申し
出たときに当該弁護士会から通知を受けた弁護士（法207条、209条、78
条）

がこれに当てはまる。

選任権者から依頼を受けることなく接見を求めてくる弁護士　　選任
権者から依頼を受けることなく、一方的に被疑者の弁護人となろうという
考えで接見を求めてくる弁護士は、「弁護人になろうとする者」に該当し
ない。

しかし、被疑者の勤務先の上司などが依頼した弁護士が接見を求めてき
たとき、あらかじめ被疑者においてその上司に弁護人選任の代理権を与え
ていたといえる場合には、有効な代理人による依頼があったとみることが
でき、「弁護人になろうとする者」に該当する。

あらかじめ被疑者において弁護人選任の代理権を与えていたとはいえな
いが、当該弁護士が接見を求めていると告げれば、被疑者本人が同弁護士
を弁護人に選任するのが通常であり、かつ、特段の弊害もないと考えられ
るとき（例えば、上司の依頼した弁護士が接見を求めに来た場合や、弁護
士会が組織として弁護士を接見のために派遣した場合など）には、捜査機
関は、接見を求めて弁護士が来ている旨を被疑者に告知するのが適切であ
る。その結果、被疑者が当該弁護士を依頼する意思を明らかにしたとき、
当該弁護士は、「弁護人になろうとする者」になる。

456　第5章　弁護人

　　　　「弁護人になろうとする者」かどうかの確認方法　　捜査官において
面識がない場合は、日弁連発行の弁護士身分証明書や弁護士バッジで弁護
士であることを確認した上、弁護人選任権者の誰からの依頼かどうかなど
について説明を求め、必要に応じて選任権者名の依頼状の提示を求め、あ
るいは、依頼者に電話するなどして確認する。

3　立会人なくしての接見

　接見に際しては、立会人のない秘密交通権が絶対的に保障される。

4　書類若しくは物の授受

　法39条1項の文言上「立会人なくして」は「書類若しくは物の授受」にか
かっていないので、弁護人等と被告人・被疑者との書類等の授受の際に立会
人をおくことができる。

5　ビデオ撮影を受けること等

　法39条1項の「接見」とは、被告人が弁護人等と面会して相談し、その助
言を受けるなど、会話による面接を通じて意思の疎通を図り援助を受けるこ
とをいい、被告人が弁護人等により写真やビデオ撮影を受けること、弁護人
が面会時の様子や結果を音声や画像等として記録することを本来的には含ま
ないとした民事裁判例（東高判平27.7.9判時2280-16）がある。

2　接見指定権（法39条3項）

1　意　義

　法は、弁護人等の接見交通権と捜査機関の捜査の必要性との調和を図るた
め、「検察官、検察事務官又は司法警察職員は、捜査のため必要があるとき
は、公訴の提起前に限り、第1項の接見又は授受に関し、その日時、場所及
び時間を指定することができる。」（法39条3項）としている。

　つまり、逮捕後の留置段階・起訴前の勾留段階の被疑者と弁護人等との接
見等については、検察官、検察事務官又は司法警察職員（本設問では、「捜
査官」ともいう）が接見等の日時等を指定することができ、この権限を、
「**接見指定権**」と呼ぶ。ただし、接見指定権の行使は、「被疑者が防禦の準備
をする権利を不当に制限するようなものであつてはならない。」（同項ただし
書）。

当然のことながら、接見指定権が行使されないこともある。

2 接見指定の合憲性（平成11年大法廷判決）

最高裁により、法39条3項本文の接見指定の規定は合憲とされている。すなわち、「捜査権を行使するためには、身体を拘束して被疑者を取り調べる必要が生ずることもあるが、憲法はこのような取り調べを否定するものではないから、接見交通権の行使と捜査権との間に合理的な調整を図らなければならない。」とし接見交通は無制約ではないとした上で、「法39条3項本文の接見指定の規定は、憲法34条前段の弁護人依頼権の保障の趣旨を実質的に損なうものではない。」とした（最大判平11.3.24民集53-3-514　国家賠償事件）。

3 接見指定権の行使主体

送致前　司法警察職員が逮捕した被疑者の場合は、送致前の**留置段階の接見指定権**は、その捜査全般の指揮者である**捜査主任官たる司法警察員**（被留置者の留置に関する規則23条2項）によって行使される。

捜査主任官でない捜査担当者は、弁護人から接見等の申出を受けたときは、その独断で接見指定すべきではなく、捜査主任官に連絡をとるなどして、速やかに同人が接見指定権を行使するかどうかの判断をなし得るようにすべきである。

送致後　送致後の留置、勾留段階の被疑者の場合の接見指定権は、釈放権限と勾留請求権限をもつ**検察官**だけが行使できる（東地八王子支部決昭44.5.9刑月1-5-595、東地決昭44.2.5判時590-100、福岡地決昭47.5.29判タ289-324、名古屋高判昭57.12.22民集45-5-969、京都地判昭59.5.11判タ532-199、大阪高判昭61.4.17判時1199-79など）。

指定権限を有しない捜査官が弁護人から接見等の申出を受けた場合は、権限を有する者に当該申出があったことを連絡し、その具体的措置についての指示を受ける等の手続をとる必要がある。

弁護人からの接見等の申出に対して、捜査機関が、迅速な対応を怠るなどして弁護人を不当に待機させたような場合には、都道府県・国に損害賠償責任が生ずることがあり得る。

4 接見指定権の行使方法

(1) **留置段階**では、捜査主任官による指定は、口頭など適宜の方法でなさ

458　第5章　弁護人

れている。

(2)　**勾留段階**では、検察官が発する「指定書」と題する文書を弁護人等に持参させて刑事施設職員、留置担当官に提示させる方法や、内容を電話で弁護人等に告げるとともに、刑事施設職員、留置担当官に指定内容を通知する方法により、指定権を行使する。

　なお、勾留段階で、検察官が、弁護人等との接見についての指定権の行使を必要と認めたときは、実務上「**接見等の指定に関する通知書**」により、留置業務管理者の長たる警察署長等、刑事施設の長にその旨を通知し、この通知がなされた場合は、留置担当官たる司法警察職員や刑事施設職員は、弁護人等から接見の申出があったときには独断で弁護人等に接見等させることなく、検察官に連絡をとり、検察官が接見指定権を行使するかどうかの判断をできるようにしなければならない。一方、同通知書が検察官から発せられないときは、検察官は接見指定権を行使しないと考えてよいから、刑事施設職員等は、検察官に連絡をすることなく、弁護人等に接見等をさせることができる。

(3)　**鑑定留置中の被疑者への接見**

　弁護人の接見交通権に関する法39条は、身柄の拘束を受けている被疑者・被告人について一般的に規定するものであるから、鑑定留置中の被疑者についても適用される。身柄送致後の被疑者については、検察官が接見指定権を持つ。

　鑑定受託者が、弁護人の接見について日時・場所等を指定できるかについては、鑑定受託者に接見指定を認める明文の規定がないことなどに照らして、消極と解するべきであろう。

3　指定権行使の要件──「捜査のため必要があるとき」の意義

1　見解の対立

　従来、「捜査のため必要があるとき」の意義について、「現に取り調べている場合、まさに取調べをしようとしているとき、検証・実況見分に立ち会っているときなど取調べ中に準ずる場合をいう。」と厳格に解する**狭義説**と、

「罪証隠滅の防止等を含め、広く捜査全般の必要性をいう。」と解する**広義説**があり、対立していた。

2　最高裁判例

　これにつき、最高裁は次のとおり判示し、狭義説に立つことを明らかにした。すなわち「捜査機関は、弁護人等から被疑者との接見等の申出があったときは、原則としていつでも接見等の機会を与えなければならないのであり、同条（※著者注法39条）3項本文にいう**『捜査のため必要があるとき』とは、右接見等を認めると取調べの中断等により捜査に顕著な支障が生ずる場合に限られ**、右要件が具備され、接見等の日時等の指定をする場合には、捜査機関は、弁護人等と協議してできる限り速やかな接見等のための日時等を指定し、被疑者が弁護人等と防御の準備をすることができるような措置をとらなければならないものと解すべきである。弁護人等から接見等の申出を受けた時に、捜査機関が現に被疑者を取調べ中である場合や、実況見分、検証等に立ち会わせている場合、また間近い時に右取調べ等をする確実な予定があって、弁護人等の申出に沿った接見等を認めたのでは、右取調べ等が予定どおりに開始できなくなるおそれがある場合などは、原則として、右にいう取調べの中断等により捜査に顕著な支障が生ずる場合に当たると解すべきである。」とした（前記最大判平11.3.24　同旨は、現に取調べ中に申出があった場合についての最判昭53.7.10民集32-5-820、間近に取調べの予定があったとき申出があった場合についての最判平3.5.10民集45-5-919、最判平3.5.31判時1390-33）。

3　同最判を踏まえての運用上の留意事項

　最高裁は、法39条1項の接見交通権について、憲法の保障に由来する重要な権利であることに鑑みて、接見指定の要件が備わり、接見等の日時等の指定をすることができる場合であっても、**「捜査機関は、弁護人等と協議してできる限り速やかな接見等のための日時等を指定し、被疑者が弁護人等と防御の準備をすることができるような措置をとらなければならない」**と留意事項を示している（前記最大判平11.3.24）。このことを、捜査機関としても重く受け止め、運用上十分に配慮する必要がある。

460　第5章　弁護人

4　逮捕・勾留中の被疑者と弁護人等との接見へ一層配慮する運用

1　取調べの適正化方策の一環としての運用改善

前記最高裁大法廷判決の示した留意事項への配慮に加え、弁護人等との接見に一層配慮することは、取調べの適正の一層の確保に資するものであるとの観点から、平成20年5月以降、警察において、次のとおり、弁護人等との接見に一層配慮する実務の運用がなされている（直近のものとして、令和6年2月21日に警察庁刑事局長から発出された『取調べの適正を確保するための逮捕・勾留中の被疑者と弁護人等との間の接見に対する一層の配慮について（通達）』に基づいた運用がされている）。検察においても、同時期以降同様の実務運用が行われている。

(1)　弁解録取時の接見に関する告知

弁解録取の際、弁護人等との接見に関し、取調べ中において弁護人等と接見したい旨の申出があれば、直ちにその申出があった旨を弁護人等に連絡する旨を被疑者に告知することとされている。

(2)　取調べ中に被疑者から弁護人等と接見したい旨の申出があったときの措置

従前の実務運用から一歩踏み込み、特段の事情がある場合を除き、申出があった旨を、直ちに弁護人等に連絡する措置を講ずるものとされた。

連絡方法については、電話等適宜の方法で行うものとされ、警察署長等の所属長が直接行う必要はなく、捜査主任官やその指揮を受ける警察官をして行わせてもよい。また、弁護人等の事務所に連絡したものの当該弁護人等が不在であるような場合には、伝言を依頼すれば足りる。

実況見分や検証等に被疑者を立ち会わせて捜査を行っているような場合には、直ちに連絡することが困難であったり捜査に顕著な支障を来したりすることも考えられるが、その場の状況に応じて、できる限り早期に連絡するべきものとされている。

(3) **取調べ中の被疑者について弁護人等から接見の申出があった場合の対応**

　この場合は、できる限り早期に接見の機会を与えることとされ、遅くとも直近の食事又は休憩の際に接見の機会を与えるように配慮すべきものとされた。

　前記したとおり、法39条 3 項の接見指定の要件である「捜査のため必要のあるとき」について、前記最大判平11.3.24は、「現に捜査機関が被疑者を取調べ中である場合や実況見分、検証等に立ち会わせている場合、また、間近い時に右取調べ等をする確実な予定があって、弁護人等の申出に沿った接見等を認めたのでは、右取調べ等が予定どおり開始できなくなる場合など」がこれに該当するとしており、現に取調べ中である場合は、捜査機関において接見指定権が行使できると解されるのであるが、運用上、遅くとも直近の食事又は休憩の際に接見の機会を与えるべきものとされた。取調べが食事又は休憩をはさんで引き続き予定されているときであっても、引き続き予定された取調べの終了後ではなく、直近の食事又は休憩時に接見の機会を与えるとしたものであり、これまで以上に接見について柔軟な対応を求める内容となっている。

　同様の趣旨から、取調べが、間近いときに予定されている場合であっても、弁護人等と協議して当該取調べが予定どおり開始できる範囲で接見時間の調整が可能なときは、直ちに接見の機会を与えるよう配慮することも求められる。

　　実況見分、検証等に被疑者を立ち会わせている場合など　　実況見分、検証に被疑者を立ち会わせて捜査を行っている場合や、間近いときに実況見分、検証等の予定があるといった場合は、当該捜査の中断や予定変更が困難なときが多いと思われるから、上記の配慮の対象には、このようなときまで含むものではない。

　　検察官との連絡・協議の必要性　　警察官が接見に関して配慮するに当たっては、検察官との調整を要する場合等も考えられるので、必要に応じ、検察官に連絡し協議を行うこととされている。

　例えば、**検察官が、送致された事件につき、留置施設の長等に対して、**

462 第5章 弁護人

あらかじめ接見指定を行う旨を通知している場合に、弁護人が直接留置施設に赴き接見の申出をしたときは、留置施設の係官から、検察官にその旨の連絡がなされることが望ましいであろう。検察官において接見要件を検討し、前記した接見に一層の配慮した運用方針も踏まえて、指定権を行使すべきかどうか判断し、警察の捜査主任官とも協議し、対応が決められることになると思われる。

(4) (2)、(3)の申出があったときの記録の必要性と公判等での活用

事後の検証を容易にするなどの観点から、申出などを記録するべきこととされている。特に、弁護人等から申出があったとき、結果として速やかな対応ができなかった場合には、その理由なども記載することが必要である。

また、捜査公判の必要のため、検察官から要請があったときは証拠化して送致することとされている。

(5) 弁護人等からの接見申出をめぐる最近の実務

前記の弁護人等の接見に対する警察官・検察官による一層の配慮を行う運用がある程度浸透したことにより、弁護人等から接見申出があった場合には、警察官・検察官は、必ずしも接見指定権を行使することなく、弁護人等の便宜に配慮しつつ、双方で協議・調整が行われ、接見の日時・時間が決まっていくということも少なくないようである。

2 逮捕直後の接見指定

逮捕直後の弁護人との接見は防御の準備のために特に重要であるから、捜査機関は、弁護人となろうとする者から被疑者の逮捕直後に初回の接見の申出を受けた場合には、たとえ比較的短時間のものであっても、速やかに接見を認めるべきである（最判平12.6.13民集54-5-1635参照）。

3 面会接見への配慮

取調べのため検察庁に在庁する被疑者（勾留中）に接見を求めた弁護人に対し、接見のための設備のある施設がないことを理由にこれを拒否したときに、弁護人がなお検察庁の庁舎内における即時の接見を求め、即時に接見する必要性が認められる場合には、検察官は、特別の配慮をすべき義務がある（最判平17.4.19民集59-3-563、判タ1180-163　国賠請求事件「検察官は、例

えば立会人がいる部屋での短時間の『接見』などのように、いわゆる秘密交通権が十分に保障されないような態様の短時間の『接見』（便宜上『面会接見』という）であってもよいかどうかという点につき、弁護人等がそのような面会接見であっても差し支えないとの意向を示したときは、面会接見ができるように特別の配慮をすべき義務があると解するのが相当である」とした）。国賠請求事件ではあるが、捜査担当の検察官らにおいて、弁護人と協議などすることなく、より秘密性を保持できるよう工夫して面会接見が適切に実現できるよう配慮すべきであったのに、これを怠ったため、弁護人が同検察官らの立ち会うその執務室で面会接見をすることになった事案について違法性を認めた裁判例がある（広島高判平24.2.22判タ1388-155）。現在、全国の検察庁本庁支部に接見のための設備（接見室）の整備が進み、前記最判等が指摘した問題は実務上ほぼ解消されているが、同設備が修繕中等の事情で利用できない可能性も残されているので、なお留意が必要であろう。

4　任意取調べ中の被疑者について弁護人等から面会の申出があった場合の対応

任意同行後、引き続いて取調べを受けている被疑者について、弁護人等から面会したいとの申出があった場合に、どのように対応すべきか法は規定していない。

しかし、本来、弁護人等との接見指定権を行使できる、逮捕・勾留中の被疑者に対してさえ、前記1(3)のとおり配慮がなされていることとの対比からして、捜査機関は、弁護人等との間で、被疑者との面会時間を具体的にいつにするか合意が成立するなど特段の事情がない限り、**任意取調べ中の被疑者に対し、弁護人等が来訪していること及び弁護人等が被疑者との面会を要求していることを速やかに伝達し、被疑者の意思を確認しなければならない**と解される。捜査機関としては、被疑者の希望に従った対応をすることになる。被疑者が面会を希望するのであれば、面会が実現できるように措置をとればよい。捜査機関が、社会的にみて相当と認められる限度を超えて、弁護人等からの面会希望等の伝達を遅らせたときには、国家賠償法上の違法となることがある（福岡高判平5.11.16判時1480-82は、弁護人となろうとする者が、正午頃、警察官に被疑者との面会希望を伝えたのに、午後1時過ぎになって

464　第5章　弁護人

も、取調べ官が面会申出の事実を伝えないまま取調べを続けた事案につき、警察官の対応を違法とした。また、東高判令3.6.16判時2501-104は、弁護人となろうとする者が、午後3時10分頃、検察官に被疑者との面会希望を伝えた後、検察官は、少なくとも午後3時40分頃以降であれば、被疑者との面会希望をする者が被疑者の弁護人等であることを確認することができた以上、被疑者に面会希望を伝えないまま取調べを続けた事案につき、検察官の対応を違法とした）。

5　捜査官との事前協議を拒否し、留置施設等に直接赴いて接見等を要求する場合の対応

　検察官が指定権限をもつ場合において、弁護人等が事前に協議することなく直接刑事施設（又は代替収容先である留置施設）に赴いて接見を申し出た場合には、刑事施設職員等から検察官にその旨の連絡がなされるが、検察官は、合理的時間内に、指定する要件があれば指定し、要件がなければ指定しないという対応が必要である。

　合理的時間内に指定がなされないときは、刑事施設側では、指定がないものとして取り扱い、接見させざるを得ないことになる（主任検察官が出張等で不在の場合も、同様である）。

5　日時・時間についての接見指定内容

　接見の日時・時間については、具体的事案に応じ、前記4の一層の配慮事項も踏まえ、捜査の必要の内容・程度を勘案しながら、弁護人等と協議して決める。

1　指定すべき接見の時期、回数

　逮捕直後における弁護人になろうとする者との初回接見は、その重要性に鑑み、速やかにその機会を与えるべきであり（最判平12.6.13民集54-5-1635　同判決は、逮捕引致後引き続き行うべき手続のほか、指紋採取や写真撮影等の所要の手続を終えた後において、特段の事情のない限り、たとえ比較的短時間であっても、時間を指定した上で即時又は近接した時点での接見を認めるようにすべきであるとする）、勾留段階の接見指定については、事案の内容、捜査対象の多少、被疑者が自白しているか否か等の具体的事情によっ

て変わり得るが、弁護人等と十分協議すべきである。

2 指定すべき接見時刻

(1) 被疑者の弁護人等との接見の日及び時間帯は、「日曜日、土曜日、国民の祝日に関する法律に規定する休日、1月2日、1月3日、12月29日から12月31日までの日」以外の日の刑事施設の執務時間内とされる。しかし、これによらない接見の申出があるときでも、刑事施設の管理運営上支障があるときを除き、これを許容しなければならないとされる（刑事収容施設法118条1項、3項、同法施行令2条）。

留置施設における場合も、これと同様である（同法220条1項、3項）。

刑事施設や留置施設では、夜間や休日等には最低限度の業務を行うための職員しか配置されておらず、夜間・休日等における接見に無制限に対応することは難しい実情を踏まえつつも、被疑者の防御権にも配慮しなければならない。

したがって、弁護人等が**執務時間外の接見を申し出てきたとき**は、原則としてこれに応じず、執務時間内での接見を指定することになるが、刑事施設や留置施設側の事情が許す場合であれば、刑事施設の長・留置業務管理者（警察署長など）の了解を得て、申出どおり執務時間外の接見を指定することも考慮しなくてはならない。

(2) 留置施設に拘束されている、逮捕段階の被疑者についても、刑事収容施設法の適用があるので（同法14条）、この段階の弁護人等との接見時刻に関しても、上記(1)と同様の規定がなされている（同法220条）。

3 指定すべき接見時間の程度

これも具体的事情を考慮しつつ、弁護人等と十分協議の上で指定すべきである。

6 信書の授受についての指定

1 弁護人等と被疑者との間で授受される信書に対して行うことができる検査

刑事施設の長・留置業務管理者から指名された職員は、罪証の隠滅等を防止する目的で、弁護人等と未決収容者（逮捕された者、勾留された被疑者、

466　第5章　弁護人

被告人）との間で発受される信書を検査できる。

　未決収容者が**弁護人等から受ける信書**については、防御権に配慮する必要がある上、不当な内容が記載されることは考えにくいので、検査は、信書の内容の確認を行わず、弁護人等から未決収容者にあてられたものであることを確認するために必要な限度で行う。

　しかし、未決収容者から**弁護人等に出された信書**は、不当な内容が記載され、これが弁護人等を通じて第三者に転々流通するおそれがあるので、弁護人にあてられたものであることの確認にとどまらず、内容の検査も行う。必要があれば、発出の差止め等を行うことができる（刑事収容施設法135条、136条、222条、224条）。

2　指定権の行使

　弁護人等から信書の授受の申出があった場合には、前記1の検査結果を前提として、指定権者は、指定の要件があれば、授受日時を指定する。

7 起訴された被告人が、別罪について被疑者として取調べを受けているとき、起訴済みの事件のために接見を求める弁護人に対し、捜査官は、接見指定をなし得るか

1　別罪について、逮捕勾留状が発せられていないとき

　接見指定は、被疑者の防御権に対する重大な制限であるから、その被疑事件について司法審査の上、逮捕・勾留されていることが指定権行使の前提となる。したがって、公訴の提起後は、別罪について捜査の必要がある場合であっても、捜査機関は、被告人事件の弁護人又は弁護人となろうとする者に対し、法39条3項の指定権を行使することができない（最決昭41.7.26刑集20-6-728　別罪について逮捕・勾留していない事案）。

2　別罪の被疑事件について逮捕・勾留がなされている場合

　この場合、別罪について接見指定権が行使できるが、被告事件についての弁護人と被疑事件についての弁護人は同一人であることがほとんどであるから、接見指定が被疑事件についてのみ効力があるとして、被告事件についての接見は無制限に許されるとすれば、接見指定権は有名無実になる。

　最高裁は、基本的には被疑事件の接見指定は被告事件についての接見にも

及んで効力をもつとする。すなわち最高裁は、「同一人につき、被告事件の勾留とその余罪である被疑事件の逮捕、勾留とが競合している場合、検察官等は被告事件について防御権の不当な制限にわたらない限り、刑訴法39条3項の接見等の指定権を行使することができる。」とした（最決昭55.4.28刑集34-3-178、同趣旨の判例として最決平13.2.7判タ1053-109）。この考え方によれば、被告事件だけに選任された弁護人に対しても、指定できると解される。具体的な指定内容については、前記**4**の配慮事項を踏まえ、弁護人等と十分に協議すべきである。

8 捜査官が被疑者から弁護人との接見内容を聴取することの制限（⟹ **設問23**、**4** 3(5)参照）

1 接見内容を聴取することの原則的禁止

法39条1項は、身体の拘束を受けている被告人及び被疑者（以下本設問では「被疑者等」という）は弁護人等と「立会人なくして接見」できるとしている（秘密接見交通権）。

秘密接見交通権が保障されているのは、被疑者等が弁護人から有効で適切な援助を受けるためには、被疑者等と弁護人の自由な意思疎通が捜査機関に知られることなくなされることが必要不可欠であり、接見内容が捜査機関に知られることになれば、これを慮って、被疑者等と弁護人の意思疎通に萎縮的効果が生じ、被疑者等が有効で適切な弁護人の援助を受けられなくなると考えられるからである。したがって、捜査官は、接見に際して立ち会うことが許されないのは当然であるが、事後的に、接見内容について聴取することも、「捜査妨害的行為等接見交通権の保護に値しない事情等特段の事情のない限り」許されない（鹿児島地判平20.3.24　志布志事件接見国家賠償判決）。

2 例外的に聴取が許される場合

(1) 捜査妨害的行為等があると疑われる場合

上記鹿児島地判が例外として明示しているとおり、接見を通じて犯罪（例えば、被疑者が第三者に証拠隠滅を教唆したり、逆に、第三者が被疑者に対して偽証を教唆すること）又は弁護士の懲戒事由に該当する捜査妨害的行為（例えば、虚偽の供述をするようそそのかすこと）を行う

468　第5章　弁護人

など接見交通権の保護に値しない事情のあることが強く疑われる場合には、そのような事情が本当にあったのかどうかを確認するため、その内容を聴取することは許される。

(2) 自発的に供述がなされその趣旨を確認する場合

被疑者等が、自発的に接見内容を供述した場合であっても、接見交通権は弁護人の固有権で、被疑者等側で放棄できない以上、基本的に聴取は許されないというべきである。

しかし、例えば、被疑者が自発的に接見内容を供述し始めた場合には、その意味内容が不明なときに、その意味を確認するために聴取することは許されるであろう。そして、その内容が接見内容であることが判明したときには、聴取を続ける特段の必要がない場合には、質問を重ねることなく聴取を打ち切るべきであろう（参照　京都地判平22.3.24判時2078-77　自発的に接見内容を供述された捜査官が、話を聞き取っただけで、質問を重ねなかった事案について、国家賠償責任を否定した裁判例）。

(3) 供述の変遷理由を聴取する過程で供述がなされた場合

捜査側に聴取の必要性があり、聴取態様が相当である場合であって、被疑者の接見内容に関する供述が真摯かつ積極的になされた場合などは、被疑者に接見内容を話す必要がない旨告知するなど、秘密交通権に配慮すべき法的義務を尽くした上で、その聴取が許される場合があろう。

例えば、否認が自白に転じるなど、供述に変遷があった場合に、自白の信用性を担保するために、被疑者から変遷の理由を聴取することは、捜査上必要不可欠である。その聴取をしたところ、被疑者が、「弁護人からのアドバイスを受けたためである。」などと真摯かつ積極的に供述し、被疑者において、接見交通の秘密が法的に保護されていることを十分承知しながらこれを放棄していると認められる場合には、捜査官において、被疑者のその供述の信憑性をチェックするために最小限度必要と思われる事項（例えば、アドバイス話が架空かどうかの裏付けをするため、アドバイスをした弁護士名、アドバイスの日時、場所など）を聴取する程度のことは許されると考える。しかし、さらに弁護人からの具体的なアドバイスの内容等を聴取することは、控えるべきであろう（福岡

高判平23.7.1判時2127-9（国賠請求事件）は、殺意を認めていた被疑者が接見の際に弁護人に殺意を否認する供述をしたことを弁護人自身が報道機関に公表していたことも踏まえ、検察官が被疑者に弁護人に殺意を否認する供述をした事実の有無を確認した点は秘密性が消失しており許されるとする一方、それ以上に殺意を認めると罪が重くなる旨弁護人から言われて分かったことや元々知っていたことかを確認した点、弁護人に対する供述が虚偽であることを弁護人に対して伝えているか否かを確認した点については、被疑者と弁護人との間の情報交換の内容を尋ねるものであり、違法と判示した）。

470　第6章　捜査権限の消滅

設問 48　公訴権の消滅（公訴時効）

● 設 問 ●

(1)　甲は、公職選挙法違反事件（公訴時効期間3年）により逮捕されることをおそれ、犯行直後から逃走し、犯行後から約8年後に出頭するまでの間、家族にも所在を知らせず、知人宅等に隠れ住むなどしていた。このため、検察官は犯行から2年11か月目に同事件で甲をA裁判所に起訴し、その後も起訴状謄本の不送達のために公訴棄却決定がなされる度に、繰り返し起訴手続をとっていた。甲が出頭してきた時点で、時効は完成していたか。

(2)　乙は、酒酔い運転と過失運転致傷事件（自動車の運転により人を死傷させる行為等の処罰に関する法律違反　公訴時効期間5年）により、犯行直後に起訴されたが、乙が住居を移転し、その後の捜査官の所在捜査が不徹底であったことなどから、起訴状謄本の送達がなされず、起訴後6年8か月余経って公訴棄却の決定がなされて確定した。その直後、乙の所在を発見したとして、この時点で時効は完成しているか。

(3)　丙は、不同意わいせつの行為を行った後、所在不明となったが、令和6年（2024年）6月22日に所在が判明した。丙を不同意わいせつ罪で逮捕できるか。以下の場合に分けて答えなさい。

　ア　丙は、平成16年（2004年）12月1日に上記わいせつ行為を行い、その後、国内で逃亡生活をしていた。

　イ　丙は、平成28年（2016年）5月25日に上記わいせつ行為を行い、その後、国内で逃亡生活をしていた。

　ウ　丙は、平成28年（2016年）6月25日に上記わいせつ行為を行い、その後、国内で逃亡生活をしていた。

　エ　丙は、平成16年（2004年）12月1日に上記わいせつ行為を行ったが、直後から、海外で逃亡生活し、令和6年（2024年）6月22日に帰国した。

(4)　丁は、令和6年（2024年）8月1日、V（平成23年10月15日生まれ　被害当時　満12歳9月余）に対する不同意わいせつ行為を行った。

公訴権の消滅（公訴時効）　設問48　*471*

丁には、国外渡航などの公訴時効期間停止の事由がないとして、丁の
当該行為について公訴時効が完成するのはいつか。計算方法も示して
答えなさい。

◆解　答◆

(1)　完成していない。⟹**3** 2

(2)　完成していない。⟹**3** 1

(3)　性犯罪については、法改正によって公訴時効期間の引上げが複
数回行われてきた。改正法施行前の行為に改正後の公訴時効期間
が適用になるのかどうかは、各改正の附則の定めで異なっている
ので注意を要する。例えば、不同意わいせつ罪については、平成
17年（2005年）1月1日施行の改正法（平成16年法律第156号）
によって、当時の強制わいせつ罪の法定刑の長期が懲役7年から
懲役10年に引き上げられたことに伴い公訴時効期間も5年から7
年に延長されたが、附則により、同改正法の施行時前に犯された
ものについては、改正前の公訴時効期間が適用された（同改正法
附則3条2項）。その後、令和5年（2023年）6月23日施行の改
正法（同年法律第66号）によって、公訴時効期間が7年から12年
に延長されたが、附則により、同改正法施行前に犯したものであっ
ても、施行時に公訴時効が未完成なものについては、改正法の公
訴時効期間が適用される（改正法附則5条2項）ことになった。
なお、性犯罪については、平成29年の改正によって非親告罪となっ
た（⟹**設問 7**、**3** 1）。

ア　逮捕できない。

丙は、平成17年（2005年）1月1日の改正法施行前に、当該
行為を行ったので、その改正前の公訴時効期間の5年が適用と
なり、平成21年（2009年）11月30日に公訴時効が完成した（初
日を参入する（法55条1項ただし書⟹**2** 3）ので、犯行日の
5年後の前日の満了をもって時効が完成）。

イ　逮捕できない。

472　第6章　捜査権限の消滅

　　　丙は、平成17年（2005年）1月1日の改正法施行後に当該行
　　為を行ったので、同改正法によって引き上げられた公訴時効期
　　間（7年）が適用され、令和5年（2023年）5月24日にその公
　　訴時効が完成した（これは、令和5年改正法施行日（同年6月
　　23日）前であった）。
　ウ　逮捕できる。
　　　丙は、平成17年（2005年）1月1日の改正法施行後に当該行
　　為を行ったので、同改正法によって引き上げられた公訴時効期
　　間（7年）が適用されることとなった（これを適用すると公訴
　　時効完成は令和5年6月24日）が、令和5年改正法施行日（同
　　23日）の時点では、公訴時効は未完成だった。そのため、同改
　　正後の公訴時効期間（12年）が適用となり時効完成は、令和10
　　年6月24日となる。したがって、令和6年6月22日時点で公訴
　　時効は完成していない。
　エ　逮捕できる。
　　　丙は、平成17年（2005年）1月1日の改正法施行前に、当該
　　行為を行ったので、その改正前の公訴時効期間の5年が適用と
　　なるが、直後に海外に行ったため、帰国までの期間、時効期間
　　の進行が停止する。そのため、丙の行為については、令和5年
　　改正法施行時の令和5年6月23日時点で、時効が未完成なので、
　　同改正法によって引き上げられた公訴時効期間12年が適用され
　　る（当該行為から出国までの期間と帰国後の期間を合計した期
　　間が12年経過したときに完成する）。

(4)　令和23年10月13日
　　その計算方法は次のとおり。
　①　不同意わいせつ罪の公訴時効期間は12年。延長前の公訴時効
　　完成の日は、犯行日である令和6年8月1日の初日を参入し
　　（法55条1項ただし書⟹**2**3）、その12年後の犯行日の前日で
　　ある令和18年7月31日である。
　②　被害者が18歳に達する日は、「年齢計算に関する法律」によ

り、18歳の誕生日の前日である令和11年10月14日である。犯行が終わった日から被害者が18歳に達する日までの期間は、初日不算入（法55条1項）なので5年と2月と13日となる。
③　①の12年に②の5年と2月と13日間を加算すると、17年と2月と13日となり、延長された公訴時効の完成日は令和23年10月13日となる。すなわち、同月13日午後12時の経過によって時効が完成する。

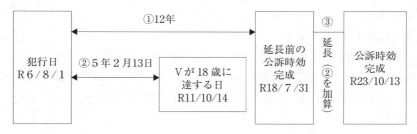

1　公訴時効制度

1　意　義

刑法上の時効（刑法31条）の制度は、刑の言渡しがなされ国家の刑罰権が確定した場合に、時効期間の経過によってその刑罰執行権が消滅するものである。

これに対し、**公訴時効**（法250条以下）の制度は、まだ公訴が提起されず、刑罰権が未確定な場合に、時効期間の経過によって公訴権が消滅するものである。

公訴時効の制度は、(1)時の経過により、証拠が散逸して真実の発見が困難になっていると考えられること、(2)時の経過により、犯罪に対する社会の非難感情等が減少し、刑罰の必要性が減少・消滅していると考えられることから、もはや、犯罪について有罪無罪を明らかにすることの利益、必要性がなくなるという理由で設けられた制度である。

2　公訴時効の対象から除外される犯罪

しかし、近時、殺人など人の生命を奪う犯罪については、時間の経過によっ

474　第6章　捜査権限の消滅

て一律に犯人が処罰されなくなってしまうのは不当であり、より長期間にわたって刑事責任を追及することができるようにすべきであるとの意識が国民の中で広汎なものになったことから、人を死亡させた罪に関する公訴時効について法改正がなされた（平成22年法律第26号　同年4月27日施行）。

　同改正によって、人を死亡させた罪であって死刑に当たるもの（例えば、殺人）は、公訴時効の対象から除外されることになった（法250条1項・2項）。つまり、これらの犯罪には公訴時効制度が適用されず、時間の経過にかかわらず刑事責任が追及できることになった。

3　公訴時効完成の意味

　公訴時効が完成していないことは、訴訟条件の一つである。すなわち、公訴時効が完成した犯罪を起訴することはできない。そのような起訴に対しては、実体審理がされず、免訴の判決で手続が打ち切られることになる（法337条4号）。

② 時 効 期 間

1　時効期間

(1)　時効期間等についての規定は、次の一覧表に記載したとおりである。

	法定刑による区別	公訴時効期間等	注　意　点
①　人を死亡させた罪で死刑に当たるもの	死刑に当たる罪（法定刑に死刑が含まれるもの。殺人、強盗殺人など）	公訴時効の対象から除外（法250条1項、2項）	
②　人を死亡させた罪で拘禁刑に当たるもの（法250条1項）	無期拘禁刑に当たる罪（不同意わいせつ等致死など）	30年（1号）	平成22年4月27日施行の改正法による。　改正法の施行前に公訴時効が完成している罪については、適用はない。　施行前に犯した罪であっても施行時に公訴時効が未完成なものについては、改正法が適用される。　殺人未遂のように、未遂にとどまったために死亡の結果に至らない罪は「人を死亡させた罪」に該当しないことに要注意。
	長期20年の拘禁刑に当たる罪（傷害致死、危険運転致死など）	20年（2号）	
	上記以外の拘禁刑に当たる罪（業務上過失致死など）	10年（3号）	

公訴権の消滅（公訴時効）　設問48　*475*

③　①、②以外の罪であって、性犯罪に該当するものを除くもの（人を死亡させた罪で罰金以下の刑に該当するもの（例えば、過失致死）も含まれる）（法250条2項）	死刑に当たる罪	25年（1号）	左記は、平成16年の改正法（同年法律第156号　同17年1月1日施行）によって改正されたもの。 　この施行前に犯された罪については、平成16年の改正法による改正前の法250条が適用される。
	無期拘禁刑に当たる罪	15年（2号）	
	長期15年以上の拘禁刑に当たる罪	10年（3号）	
	長期15年未満の拘禁刑に当たる罪	7年（4号）	
	長期10年未満の拘禁刑に当たる罪	5年（5号）	
	長期5年未満の拘禁刑又は罰金に当たる罪	3年（6号）	
	拘留・科料に当たる罪	1年（7号）	
④　①、②以外の罪のうち、性犯罪に該当するもの（法250条3項）	不同意わいせつ等致傷罪（刑法181条）、強盗・不同意性交等罪（刑法241条1項）、以上各罪の未遂罪等	20年（改正前は15年）	令和5年改正法（法律第66号　同年6月23日施行）による。 　この改正法の施行前に犯した罪であっても、同改正法施行時に公訴時効が未完成なものについては、改正後の公訴時効期間が適用される（附則5条2項）。
	不同意性交等罪（刑法177条）、監護者性交等罪（刑法179条2項）、以上各罪の未遂罪	15年（改正前は、10年）	
	不同意わいせつ罪（刑法176条）、監護者わいせつ罪（刑法179条1項）、以上各罪の未遂罪、児童福祉法60条1項（自己を相手として淫行させる行為に限る）	12年（改正前は7年）	

　性犯罪は、被害者の尊厳を著しく侵害し、その心身に長年にわたり重大な苦痛を与え続ける悪質・重大な犯罪であり厳正に対処する必要がある。この観点から、平成16年改正法（法律第156号　平成17年1月1日施行）により、当時の強制わいせつや強姦罪の法定刑が引き上げられ、それに伴って公訴時効期間が延長された。

　また、性犯罪は、恥ずかしいとの感情や自責感により、一般に、被害申告が困難であり、被害者の周囲の者も被害に気付きにくいと考えられることから、被害が潜在化しやすく、その結果、訴追が事実上可能にな

476 第6章 捜査権限の消滅

る前に公訴時効が完成し、犯人の処罰が不可能になるという不当な事態が生じる場合もあった。そのため、令和5年改正法（法律第66号　令和5年6月23日施行）では、訴追可能性を確保するため、性犯罪の公訴時効期間が5年延長された。

さらに、若年者については、心身が未成熟で、知識・経験が不十分であり、社会生活上の自律的な判断能力・対処能力が不十分であるため、性犯罪の被害に遭った場合に、大人の場合と比較して、類型的に被害の申告がより困難と考えられる。そのため、同改正では、**18歳未満の者が被害者である場合**には、**犯罪行為が終わった時から被害者が18歳に達するまでの期間に相当する期間、更に公訴時効が延長**されることになった（法250条4項）。

(2) **法定刑の意味**

時効期間は、**各罪の法定刑**に従い定められている（法250条）。例えば、窃盗のように法定刑が一つの「主刑」（刑法9条により、刑罰のうち死刑・拘禁刑・罰金・拘留・科料が主刑とされ、没収が付加刑とされている）として定められているときは、そのまま法250条を適用すればいい。

しかし、例えば、盗品等有償譲受けの罪のように、二つ以上の主刑を併科すべき罪、又は傷害罪のように二つ以上の主刑のうちその一つを科すべき罪については、その重い方の刑を標準として法250条を適用する。また、刑法により刑を加重減軽することが必要な場合（その犯行が中止未遂、幇助犯に当たる場合など）は、**加重減軽しない刑を標準**として、法250条を適用する（法251条、252条）。

なお、身分犯の共犯者で身分がないために軽い罪の刑が科される者については、軽い罪の法定刑が基準となる。例えば、他人の物の非占有者が業務上の占有者と共謀して横領した場合、業務上横領罪の法定刑でなく横領罪の法定刑を基準として公訴時効の期間を定めるべきである（最判令4.6.9刑集76-5-613）。

(3) **法定刑が変更された場合**

犯行後の法改正により、その罪の法定刑が変更された場合、公訴時効期間計算に当たっては、改正された法定刑を常に標準とすべきものでは

なく、法律の規定により当該犯罪事実に適用すべき罰条の法定刑を標準とすべきである（最決昭42.5.19刑集21-4-494）。これは、拳銃所持の事実について、犯行時施行されていた銃砲刀剣類所持取締令では法定刑が３年以下の懲役又は５万円以下の罰金（又はこれの併科）であったのが、犯行後、同取締令が銃砲刀剣類所持等取締法に改正施行され、法定刑も懲役５年以下又は30万円以下の罰金と変更されたという事案について、裁判時に施行されている法の法定刑を常に時効期間計算の標準とすべきでなく、同改正法の附則の「罰則の適用に関する経過規定」によるべきであり、同規定では、犯行時に施行されていた改正前の罰則を適用するとされているから、その法定刑を標準とすべきだとした。

(4) 両罰規定の場合

両罰規定における**業務主**と**従業者**の公訴時効については、それぞれの刑に応じて各別に算定すべきである（最大判昭35.12.21刑集14-14-2162など）。両罰規定では、業務主に対する法定刑が軽いことが多いから、従業者の時効は完成していないのに、業務主の時効が完成しているという事態もあり得る。

科刑上一罪（刑法54条１項。１個の行為にして数個の罪名に触れるとき、「観念的競合」。犯罪の手段若しくは結果たる行為にして他の罪名に触れるとき、「牽連犯」）の場合は、各罪ごとにその刑を標準に時効期間を算定すべきではなく、行為を一体として観察し、その最も重い罪の刑につき定めた時効期間によって算定すべきである（最判昭41.4.21刑集20-4-275　観念的競合の事案）。

2　公訴時効の起算点

(1)　「犯罪行為が終了したとき」の意義

公訴時効は、犯罪行為が終了したときから進行する（法253条１項）。結果を伴うべき犯罪（例えば、殺人、業務上過失致死は、死という結果を伴う）は、その結果発生のときから時効期間を起算する。結果的加重犯は、加重結果発生時が起算点である（最決昭63.2.29刑集42-2-314、判タ661-59）。包括一罪（最判昭31.8.3刑集10-8-1202　医師による多数回のモルヒネの注射の事案）、営業犯（最決昭31.10.25刑集10-10-1447

478　第6章　捜査権限の消滅

　営業としてなした貸金事案）、継続犯（例えば、監禁事案）などの場
合は、いずれもその最終の犯罪行為が終わったときから時効期間が起算
される。

　「犯罪行為が終了したとき」については、**犯罪が既遂に達したかどう
かとは別個に判断されるべきものである**。例えば、競売入札妨害の事案
について、被告人が執行官に対して虚偽の事項を申し向け、内容虚偽の
契約書類を提出した行為は実行行為に当たるが、その後虚偽の事実の陳
述等に基づく競売手続が進行する限りは「犯罪行為が終了したとき」に
は当たらず、時効期間は進行しない（最決平18.12.13刑集60-10-857
虚偽の事実を申し向けるなどして作出された競売入札の公正が害される
状態は、競売手続が続く限り継続しているとした控訴審判決を支持）。

　不作為を処罰する規定（例えば、外国人に対し、外国人登録申請を義
務付け、その登録不申請者を処罰する規定）では、不作為の状態が続く
限り犯罪は継続し、義務が履行されたときに犯罪が終了すると解される
から、公訴時効の進行は、義務を履践して義務が消滅したときから起算
するのが相当である（最判昭28.5.14刑集7-5-1026　外人登録令の登録
不申請罪に関するもの。最高裁はこの種不申請事案を継続犯と理解して
いるものと解される。同旨津地判昭55.3.17判時979-6　工排水法24条の
届出義務違反の罪について）。

　科刑上一罪の場合、公訴時効の起算点は、犯罪を一体として観察して
決めるべきである（前記最判昭41.4.21）。

(2)　共犯がある場合も、最終の行為が終了したときから、全ての共犯に対
　して、時効期間が進行する（法253条2項）。

3　時効期間の計算方法─初日算入

　期間計算における初日不算入の原則（法55条1項本文）の例外として、**被
告人・被疑者の利益のために、時効期間の初日である「犯罪行為の終了した
日」は、時間を問題にしないで、1日として計算する**（法55条1項ただし書）。
例えば、10月10日午後11時59分59秒に犯罪が終了したとき、この10月10日も
時効期間の初日に当たるということである。期間の末日が休日に当たるとき
も、これを期間に算入する（同条3項ただし書）。

③ 時効期間の停止

1 公訴の提起

　公訴時効は、その事件についてした**公訴の提起**によってその進行を停止し、管轄違い又は公訴棄却の裁判が確定したときから、その残りの時効期間が進行を始める（法254条1項）。

　公訴提起の有効無効を問わない。

　捜査官がした被告人の所在捜査の不徹底という、被告人に帰責できない理由により、起訴状謄本の送達ができないため、公訴棄却とされた場合でも、その起訴がなされている間、時効期間が停止する（最決昭55.5.12刑集34-3-185　本設問(2)参照）。

　共犯の1人に対する公訴提起による時効の停止は、他の共犯に対しても効力を有する。この場合、停止した時効は当該事件についてした裁判が確定したときから、その残りの時効期間が進行を始める（法254条2項）。ここにいう共犯には、贈収賄事件における贈賄者、収賄者のごとき、必要的共犯が含まれる。

　検察官の**訴因変更請求**（⟹**設問66**、**5** 2参照）によってその事件も審判対象になった場合も、法254条1項前段に準じ、公訴時効の進行が停止する（最決平18.11.20刑集60-9-696）。

2 犯人が逃げ隠れている場合など

　①犯人が国外にいる場合、②又は**犯人が逃げ隠れているため有効に起訴状謄本の送達若しくは略式命令の告知ができなかった場合**には、犯人が国外にいる期間又は犯人が逃げ隠れている期間、公訴時効は進行を停止する（法255条1項）。

　①の「国外にいる場合」については、②の場合と異なり、起訴状謄本送達等の不能が要件になっていない。捜査官が犯人を知っているかどうか等も問わない（最判昭37.9.18刑集16-9-1386）。

　犯人が国外にいる場合に公訴時効が停止される理由は、犯人に対して、実際上我が国捜査権が及ばないため、捜査権を行使することが困難になることにあると考えられる（同最判参照）。したがって、犯人が国外にいる間は、

480　第 6 章　捜査権限の消滅

それが**一時的な海外渡航による場合**であっても、公訴時効はその進行を停止する（最決平21.10.20刑集63-8-1052　一時的渡航につき、時効の停止が認められなければ、起訴前に公訴時効が完成している事案に関するもの）。

　家族に住居を知らせず、知人方に隠れ住んでいるようなときは、「逃げ隠れている」場合に当たる（福島地判昭60.3.5判タ554-315　本設問(1)参照）。

第3編
証　拠　法

482　第1章　入門

設問 49　証拠法の基礎知識

◆ 設 問 ◆
(1) ① 供述証拠と非供述証拠の区別について説明しなさい。
② 贈賄事件について、贈賄者の自宅から発見された、政治家への
献金を記録した裏帳簿は、供述証拠か非供述証拠か。
(2) 「疑わしきは罰せず」という法格言について説明しなさい。

◆解 答◆
(1) ⟹ **2** 2(1)
(2) ⟹ **6**

1 捜査官が証拠法を学ぶことの重要性

1 証拠裁判主義の原則

「事実の認定は、証拠による。」(法317条)。これは、刑事訴訟法において
問題となる「事実」については、全て「証拠」に基づいて認定しなければな
らないという「証拠裁判主義」の大原則を宣言したものである。

神様のお告げや、代官の恣意的直感によってなされることもあった、前近
代的裁判制度を否定する趣旨である。

2 近代的捜査の意義

この大原則からいえば、**近代的捜査**とは、単に犯人を探索しこれを検挙す
ることに尽きるのではなく、検察官が起訴・不起訴を決定するための十分な
証拠、裁判所が被告人の有罪を認定するのに十分な証拠を収集し、積み重ね
る過程であるといえる。

ところが、後述するように、公判廷に提出できる証拠の種類には制限があ
り、証拠として提出できるとしてもそのために様々な条件を備えなければな
らないとされることがある。また、場合によって法廷には提出できても、裁

判所がその証拠を信用しないとすることもある。

3　捜査官が証拠法を学ぶ必要性

捜査官にとっても、どのような証拠が法廷に提出される資格をもつのか（**証拠能力の問題**）、提出された証拠が信用されず、これによって事実が認定されない場合というのはどのような場合か（**証明力の問題**）などの、**証拠に関するルール**、すなわち**証拠法**を知ることは、極めて重要なことである。このルールを知らずして捜査をすることはできない。

2　証拠の意義と種類

1　意　義

「**証拠**」とは、訴訟において事実関係を確定するために用いられる資料一般をいう。

2　証拠の種類

(1)　**供述証拠と非供述証拠**——証拠資料（人又は物の取調べによって感得される情報内容そのものをいう）の性質によるもので、最も重要な区別である。

　　区別の基準　　証拠資料となるものが、**人の知識・経験の報告（供述）であるときが「供述証拠」であり、それ以外のものであるときが「非供述証拠」**である。

　　例えば、被告人の供述、証人の証言、鑑定人の鑑定などは、その人の知識・経験の報告であるから供述証拠であり、犯行に使用された凶器などは、その性質・形状が証拠資料となるものであるから、非供述証拠である。

　　帳簿類は、それが存在することやその形状を立証するときは非供述証拠であるが、それに記載されている知識・経験の報告（供述）を証拠資料とするときは、供述証拠である。

　　伝聞法則の適用の有無　　**供述証拠には伝聞法則の適用があるのに対して、非供述証拠にはその適用がない。**

　　供述証拠は、人の知識・経験の報告であるから、「知覚——記憶——表現」という過程で誤りを生じる危険性があり、したがって、その誤りの危険性がある証拠を原則として排除すべきであるとの原則（伝聞法則）が適

用される（⟹ 設問57、2参照）。非供述証拠には、そのような誤りが混入する危険性がないから、**要証事実**（立証しようとする事実）との関連性さえ認められれば、これに証拠能力を与えて差し支えない。犯行現場で録音されたテープ、撮影された写真、犯行計画メモなどの証拠としての取扱いに関し、この点が問題となる（⟹ 設問61、設問57、3参照）。

(2) **直接証拠と間接証拠**——証明を要する事実（要証事実）を直接に証明できるか否かによる区別

　　要証事実の存否を直接証明するのに役立つ証拠が「**直接証拠**」であり、要証事実の存否を間接的に推認できる事実（間接事実）を証明するのに役立つ証拠が「**間接証拠**」である。間接証拠のことを「**情況証拠**」又は「**状況証拠**」ということもある。

　　例えば、Ａの窃盗事実が要証事実である場合に、盗んだことを目撃したＢのその旨の供述は直接証拠であるのに対し、盗品をＡが質入れしたという質屋の供述は間接証拠である。

> **アドバイス**　　直接証拠より証明力の高い間接証拠
>
> 捜査官としては、直接証拠の獲得に努力すべきものであるが、直接証拠よりも評価の高い間接証拠があることにも注意すべきである。例えば、Ａがかつて立ち入ったことのないはずの被害現場に遺留されたＡの指紋は、Ａが犯行現場にいたという間接事実を証明する間接証拠であるが、Ａが犯人であることを極めて強く推認させるものである。

(3) **実質証拠**と**証明力を争うための証拠**（弾劾証拠）

　　事実の存否を証明するために使用する証拠が「**実質証拠**」であり、この実質証拠の証明力を弱める（減殺する）ために使用する証拠が「**証明力を争うための証拠**」（弾劾証拠）（法328条）である。

　　例えば、犯行目撃者の法廷証言は実質証拠であり、その証言の証明力を減殺するために用いられる、同証言と矛盾する同人の別の供述（自己矛盾供述）は、法328条の証明力を争うための証拠である（伝聞法則の適用などに関して⟹ 設問60、4）。

3 証明（立証）

1 主張と立証

当事者が事実及び法律の適用に関して裁判所に意見を陳述する行為を「**主張**」といい、当事者が自己の主張事実を証明するために裁判所に証拠を提出する行為を「**立証**」という。

主張は意見の陳述であるから、主張として述べた結果は証拠となり得ない。

例えば、送致書記載の犯罪事実は、警察官において、これが被疑者が犯した犯罪事実だと指摘する旨の主張であり、証拠によって証明されるべきものであるから、これによって犯罪事実を立証することはできない。

2 （狭義の）証明と疎明

証明には、裁判官がそれによって抱く確信の程度によって、「狭義の証明」と「疎明」とに分かれる。

(1) 狭義の証明

ある事実の存否について、それが"間違いない"という**確信の程度の心証**を裁判官に生じさせる必要がある場合である。

(2) 疎 明

ある事実の存否について、確信の程度の心証までは必要でなく、"**一応確からしい**"という**推測の程度の心証**を裁判官に抱かせれば足りる場合である。疎明で足りる事項は、訴訟手続上の事項であり、かつ、法文にその旨が明記されている場合に限られる。

3 厳格な証明と自由な証明

（狭義の）証明は、これに用い得る証拠の資格制限の有無により「厳格な証明」と「自由な証明」とに分かれる。

(1) 厳格な証明

意　義　証拠能力があり、かつ、適法な証拠調べを経た証拠によってなすべき証明のことである。

厳格な証明の対象となる事実　厳格な証明を要求される「事実」は、①犯罪事実自体（被疑者が犯人であること、例えば、アリバイの不存在、常習犯罪における常習性の存在、違法性・有責性の存在、違法阻却事由・

責任阻却事由の不存在、共謀の存在)、②**処罰条件及び処罰阻却事由**（例えば、事前収賄罪における公務員となった事実など)、③**刑の加重減免事由**（例えば、再犯加重（刑法56条）の要件となる前科など)、④**犯罪事実の内容をなす情状**（情状事実のうち、犯罪の動機・手段・方法・被害の大小などいわゆる「犯情」）である。

これらの事実を間接事実（情況証拠）によって認定しようとする場合は、その間接事実が厳格な証明の対象となる。

⑵　**自由な証明**

意　義　証拠能力のない証拠や適法な証拠調べを経ていない証拠によってもなし得る証明をいう。しかし、疎明ではないから、裁判官に確信の程度の心証を生じさせる必要がある。

自由な証明の対象となる事実　厳格な証明を要する事実以外の、重要性が少ない事実、例えば、①**単なる情状**、②**訴訟法的事実**（例えば、親告罪に告訴があった事実）は自由な証明で足りると解されている。これらの事実は、証拠能力のない証拠、適法な証拠調べを経ていない証拠によっても認定できる。しかし、重要な訴訟法的事実、例えば、親告罪の告訴の存否、証拠能力の要件の存否などは、実務上厳格な証明を求められている。

④　証明の対象

1　証拠裁判主義

事実について、原則として、全て証明が必要である（証拠裁判主義　法317条）。

被告人が自白した事実や争わない事実であっても、全て証拠により証明する必要がある。

これに比べ、アメリカ刑事手続の「**アレインメント**」の制度では、被告人が犯行を自認した場合は、犯罪事実の証明が不要になる。

2　証拠裁判主義の例外――証拠による証明を必要としない事実

⑴　**公知の事実**

一般に広く知れ渡っている事実。例えば、著名な災害・事故・歴史的事件などである。

⑵　**裁判所に顕著な事実**

　裁判所が職務上明らかに知っている事実である。例えば、①薄張・合百なる賭博などの方法（大決大13.7.22刑集3-592）、②寺銭は賭場の開張者が利得するものであること（大判昭6.11.9刑集10-557）、③通称ヘロインが塩酸ジアセチルモルヒネを指すものであること（最判昭30.9.13刑集9-10-2059）などがこれに当たるとされている。

　しかし、裁判官が職務を離れて個人的に知っているにすぎない事実はこれに当たらない。

⑶　**法律上推定された事実**

　A事実（前提事実）が証明されたときは、反証がない限り、B事実（推定事実）が証明されたものとして取り扱う旨を法律で明文で定めていることがあり、A事実の存在が証明されれば、B事実の存在については証明を要しない。この場合には、B事実の存在を争う立証（反証）は許される。これに対し、C事実が証明されたときに、法律によってD事実の存在が擬制される場合（**みなし規定**）は、D事実が存在しない旨の立証は許されない。

⑷　**事実上推定された事実**

　A事実（前提事実）が証明されたときは、経験則によって、B事実（推定事実）の存在が事実上推定されることがあり、この場合、裁判所は、A事実の証明があれば、それによってB事実の存在を推定し、これを推認することができる。例えば、犯行に使用された凶器の形状や傷害の部位・程度（A事実）から殺意の存在（B事実）を推定するような場合である（⟹**設問50**、**1**参照）。この場合も、B事実の存在を争う立証（反証）は許される。

⑸　**法規・経験則**

　法規や経験則の存否は、事実認定の問題でないから、証明の対象とならない（裁判所において当然に認識している事項である）。

488　第1章　入門

5　挙証責任（立証責任）

1　検察官に挙証責任があるという意味

　証明の対象となる事実について証明を尽くしても、事実の存否が不明なとき、裁判所は、真偽不明として放置することはできず、当事者（検察官・被告人）のうちのどちらかの不利益に判断するほかはない。

　このどちらかの当事者が受ける不利益・危険を「**挙証責任**」といい、刑事裁判においては挙証責任は、原則として検察官が負担する。

　つまり、**起訴状に記載された犯罪事実が存在することを検察官が積極的に証明しない限り、その事実は存在しないものとして取り扱われ、被告人に無罪が言い渡されるのである。**

　例えば、アリバイの存否が不明なときは、「アリバイの成立が否定できない。」とされ、アリバイが成立したのと同様に取り扱われ、被告人は無罪となる（テレビの刑事物番組などで、取調べ官が被疑者に対し、「無実だと主張するなら、アリバイを証明しろ。」と追及している場面があるが、証拠法的にみれば、取調べ官の側が「アリバイ」をつぶさない限り、無実として扱われるのである）。

2　挙証責任の例外——被告人が挙証責任を負担する場合

　①　名誉毀損罪において、摘示事実が真実であることの証明（刑法230条の2）

　②　同時傷害罪（刑法207条）において、傷害を生じさせたのは自分ではないこと又は自己が与えた傷害が軽度であることの証明

　③　爆発物の製造・輸入・所持・注文罪において、治安を妨げる等の目的がなかったことの証明（爆発物取締罰則6条）

　④　両罰規定（古物営業法38条など）において、業務主に選任監督上の過失がなかったことの証明

　⑤　児童に対する禁止行為違反において、使用者が児童の年齢を知らなかったことに過失がなかったことの証明（児童福祉法違反　60条4項ただし書）

などにおいては、被告人側でその立証をなしたにもかかわらず、真偽いずれ

とも判明しない場合には、被告人に不利益に判断され、被告人は刑責を免れ得ないことになる。

6 「疑わしきは罰せず」の原則

1 検察官に挙証責任があることからの帰結

前述のとおり、刑事裁判では検察官が挙証責任を負う。

言い替えれば、刑事裁判では白（無罪）か黒（有罪）しかなく、灰色（疑わしい）はあり得ず、**検察官の証拠によって裁判官に被告人が黒であるという確信を抱かせられない限り、たとえ黒に近い灰色だとされても、無罪判決が下される。**

これは「**疑わしきは被告人の利益に**」とか「**疑わしきは罰せず**」の原則といわれ、近代刑事裁判の原則とされている。

2 有罪認定に必要な立証の程度

客観的には被告人が犯罪を犯した者であったとしても、証明が十分でないため、なお犯人であることに合理的な疑いを差し挟み得る余地があるならば、無罪とされる（このことを、**英米法では、**有罪を得るには「**合理的な疑いを超える程度の証明**」を要すると表現する）。この点につき、判例も「刑事裁判における有罪の認定に当たっては、合理的な疑いを差し挟む余地のない程度の立証が必要である。」（最決平19. 10. 16刑集61-7-677、判タ1253-118）とする。

また、判例は、「通常人なら誰でも疑いを差挟まない程度に真実らしいとの確信を得ることで証明ができたとするものである。」（最判昭23. 8. 5刑集2-9-1123）、あるいは「刑事裁判において『犯罪の証明がある』ということは『高度の蓋然性』が認められる場合をいうものと解される。（中略）右にいう『高度の蓋然性』とは、反対事実の存在の可能性を許さないほどの確実性を志向したうえでの『犯罪の証明は十分』であるという確信的な判断に基づくものでなければならない。」（最判昭48. 12. 13判時725-104）と、有罪と認定するためには確信が必要であるかのような判断も示す。

3 合理的疑いと不合理な疑い

しかし、ここにいう確信は、反対事実が存在する疑いを全く残さない場合

490 第1章 入 門

をいうものではない。すなわち、前記最決平19.10.16は、「『**合理的な疑いを差し挟む余地がない**』**というのは、反対事実が存在する疑いを全く残さない場合をいうものではなく、抽象的な可能性としては反対事実が存在するとの疑いを容れる余地があっても、健全な社会常識に照らして、その疑いに合理性がないと一般的に判断される場合には有罪認定を可能とする趣旨である**」としていることに留意すべきである。

被疑者に関して、「白」であるとの疑いが合理的に成り立ち得る場合は、**被疑者が、黒に近い「灰色」に見える場合であっても有罪になし得ないが、「白」であるとの疑いが不合理な場合は、有罪にできるのである。**

例えば、被告人が普段出入りしたことのない強盗殺人事件の現場に被告人の指紋が付着しており、現場からなくなっていた財布を被告人が事件発生直後に所持していたという事案において、「被告人が財布を盗む前に、第三者が被害者を殺害していたのではないか。」との疑いを立てることは可能ではある。

しかし、そのような疑いが現場の状況等に照らして常識的に考えてあり得ないものであれば、これは合理的疑いではなく、不合理な疑いにとどまる。このように、合理的な疑いか、不合理な疑いかは、当該事件の証拠や状況を総合して判断すべきものである。

> **アドバイス** 証拠について捜査官が留意すべきこと
>
> 事件の渦中にあるときの捜査官は、ともすれば、証拠の中の、被疑者を「黒」にできる要素ばかりをみる傾向がある。しかし、捜査官も、時には、自分を被疑者の弁護人の立場に置き、証拠の弱いところをみて、「白」の仮説が成り立ち得るかどうかを虚心に考えることが必要である。
>
> その上で、その白の仮説をつぶすことを可能ならしめる、徹底した捜査（証拠の収集）を実行すべきである。

7 証拠能力と証明力

1 証拠能力と証明力の区別

「**証拠能力**」とは、その証拠を事実認定の資料として用いるための証拠の形式的な「**資格**」である。「証拠の許容性」とも表現できる（池田修・前田

雅英　前掲385）。「**証明力**」とは、裁判官に心証をもたせる力がその証拠にあるかどうかの証拠の実質的な「**価値**」である。

　証拠能力があるかどうかは、法律に定められており、裁判官において自由に判断することは許されない。

　　　　自由心証主義　　証明力の有無・程度は個々の証拠によって千差万別であるから、法は、その判断を裁判官の自由な心証に委ねることにしている（法318条）（**自由心証主義**）。

2　証拠能力が認められない証拠

(1)　全く証明力を欠く証拠

　　①当該事件の意思表示的文書（例えば、司法警察員作成の事件送致書など）、②単なる意見、憶測、風評、③何ら科学的信頼性がない占いの結果など。

(2)　当該事件と関連性のない証拠

　　例えば、当該事件と全く関係のない事件に使用された凶器や事件と無関係の場所を撮影した写真など。

(3)　**任意性のない自白**⟹ 設問 **51**

(4)　**伝聞証拠**⟹ 設問 **57**

(5)　**違法収集証拠など**⟹ 設問 **63**

3　自由心証主義とその限界

(1)　法318条の意義

　　「証拠の証明力は、裁判官の自由な判断に委ねる。」（法318条）。これは、証拠の証明力の有無・程度を裁判官の自由な判断に一任しようとするものである（自由心証主義）。

(2)　自由心証主義の限界

　　ただし、自由心証主義は、裁判官の恣意的判断を許すものではない。裁判官の自由な判断も、論理法則、経験則（社会常識）に合致した合理的な判断でなければならない。

(3)　自由心証主義の例外

　　自白については、補強証拠が必要とされている（憲法38条3項、法319条2項）。

492　第1章　入　門

　裁判官が自白によっていかに合理的疑いを超える程度の確信を抱いたとしても、自白だけで被告人を有罪にすることはできないとするものであるから、自由心証主義に対する最も重大な例外である（⟹**設問52**参照）。

間接事実による事実認定　設問50　　*493*

設問 50 間接事実による事実認定

●設　問●

次の見解は正しいか、理由を付して答えなさい。
1　間接事実（情況証拠）による有罪の立証は、目撃者の供述や被疑者の自白などの直接証拠による立証と比べ、より慎重になされるべきであるから、反対事実の存在の可能性の余地が全くないといえるまで有罪方向の立証がなされない限り、無罪とすべきである。
2　類似事実による立証は許されない。
3　消去法的立証は許される。
4　覚醒剤の自己使用に関し、「被告人の尿から覚醒剤成分が検出されている以上、特段の事情がないかぎり、被告人自らの意思により何らかの方法により覚醒剤を身体に摂取したものと認めるのが相当である。」とした上で、被告人の弁解が合理的と認められないときには、自らの意思で摂取したものと推認するとの事実認定ができる。

◆解　答◆

1　正しくない。⟹**5**参照

2　正しくない。⟹**3**参照

3　正しい。⟹**4**参照

4　正しい。⟹**6**参照

1　法律上の推定と事実上の推定

　法律上の推定とは、法律の規定により、前提事実が証明されたときは、反証がない限り、推定事実が証明されたものとして取り扱われることをいう。例えば、ある者が、工場・事業所における事業活動に伴って、その排出行為のみによっても公衆の生命・身体に対する危険が生じ得る程度に人の健康を害する物質を排出したという事実と、その排出によってその危険が生じ得る

494　第1章　入門

地域内に同種の物質による公衆の生命・身体の危険が生じている事実が証明されれば、その危険は、その者が排出した物質によって生じたものであること（因果関係）が法律によって推定される（人の健康に係る公害犯罪の処罰に関する法律5条）。

　これに対して、**事実上の推定**は、前提事実（例えば、凶器にAの指紋が付着していること）が証明されたときに、経験則と論理則を当てはめることによって、反証がない限り、推定事実（Aが犯人であること）が証明されたものと取り扱われることである。**法律上の明文がないのに、常識と論理を適用して行う推認であるため、事実上の推定というのである。**事実上の推定は、捜査関係者・裁判関係者ならずとも、日常生活において、頻繁に行っていることである（推理小説における推理も、この事実上の推定をいうことが多い）。

2　間接事実・情況証拠による立証

　被疑者の自白がなく、目撃証拠のような直接証拠もない場合に、例えば、犯人と被疑者が同一人であることを証明しなければならない事件もある。これについては、昔から、間接事実（情況証拠）による立証という立証手法が存在した。例えば、凶器に被疑者の指紋が付着し、被疑者に犯行時間帯のアリバイがないことなどを総合して、被疑者が犯人であることを立証しようとする場合である。

　この場合、捜査官が立証したい最終的な事実（**要証事実**）は被疑者が犯人であるということである。これを直接に証明できる証拠（自白や目撃証言）や事実（犯人として目撃されたこと）が存在しないときに、被疑者が犯人であることを間接的に証明する事実・情況（上記例においては、被疑者の指紋が付着しアリバイがない事実・情況）を総合し、事実上の推定という判断作用を通じて、要証事実（被疑者の犯人性）を立証しようとするのである。

　要証事実を間接的に証明する事実による立証という観点を強調すれば**間接事実による立証**という言い方になるし、その間接事実を犯行にまつわる情況として捉え、これが別の事実を推認させる証拠のように使われる面を強調すれば、**情況証拠による立証**という言い方になる。

　供述証拠に過度に依拠しない捜査の積極的遂行という観点から、捜査官は、

間接事実ないし情況証拠による立証に慣れる必要がある。

3 類似事実による立証

類似事実とは、立証対象にしている犯罪事実と類似した他の犯罪事実で、被疑者が犯したものをいう。類似事実は、既に処罰されたもの（同種前科）であることもあるが、余罪であることもある。

最高裁は、まず、前科(放火)を、起訴された放火事件の犯人と被告人の同一性の間接事実として立証することが許容されるか争われた事案について、「**前科にかかる犯罪事実が顕著な特徴を有し、かつ、それが起訴にかかる犯罪事実と相当程度類似することから、それ自体で両者の犯人が同一であることを合理的に推認させるようなものであって、初めて証拠として採用できる**」とし、前科立証を許されないとした（最判平24.9.7刑集66-9-907 犯行が侵入した居室内で灯油をまいて行われたものであり、動機が窃盗を試みて欲するような金品が得られなかったことに対する腹立ち解消ということである点で、前科たる放火と本件放火には類似性があるが、最高裁は、犯行態様もさほど特殊なものでなく、動機も際だった特徴を有するものでないとした）。また、最高裁は、前科たる犯罪事実（窃盗、放火等）及び同時に起訴された他の犯罪事実（窃盗等）を、起訴された犯罪事実（住居侵入、窃盗、放火）の犯人と被告人との同一性の間接事実として立証することが許されるか争われた事案についても「**前科に係る犯罪事実や前科以外の他の犯罪事実を被告人と犯人の同一性の間接事実とすることは、これらの犯罪事実が顕著な特徴を有し、かつ、その特徴が証明対象の犯罪事実と相当程度類似していない限りは、許されない**」とし、その立証を認めなかった（最決平25.2.20判タ1387-104）。

ヒ素を混入した食べ物を被害者に提供して殺害しようとした余罪（起訴されていない事実）は、同一手口の起訴されている殺人未遂と関連性を持つとともに、カレー鍋にヒ素を混入させた殺人・殺人未遂の事実とも関連性を持つとして立証が許容された（大阪高判平17.6.28判タ1192-186。なお、静岡地判昭40.4.22下刑集7-4-623、水戸地下妻支部判平4.2.27判時1413-35参照）。

なお、同種前科や同種行為によって、故意、目的、動機、知情のような主観的要件を立証することは許される（最決昭41.11.22刑集20-9-1035、東高判令

496　第1章　入門

元.5.15判時2441-63）し、構成要件としての常習性の立証も許される。

4　消去法的立証

　犯行の機会及び可能性を持つのは被疑者しかいないという間接事実（情況証拠）によって、被疑者と犯人の同一性を立証しようとする方法を消去法的立証という。

　この立証手法は当然に許される。例えば、保険金目的で妻にトリカブト毒等を飲ませて殺害した事件において、被疑者に殺害動機があったことのほか、被疑者以外の者が、トリカブト毒等を入手し、かつ、被害者の死亡当日ないしこの直前頃、被害者にこれが詰められたカプセルを渡すことはできないことを立証し、有罪となった実例（東高判平10.4.28判時1647-53　トリカブト殺人事件）や、自治会の夏祭りで提供されたカレーに亜ヒ酸を投入し、カレーを食べた住人に対して殺人、殺人未遂に及んだ事件において、カレーに投入されたものと組成上の特徴が同一の亜ヒ酸が被疑者の自宅から発見され、被疑者が亜ヒ酸を使用していたと推認されること、夏祭り当日、被疑者のみがカレーの入った鍋に亜ヒ酸を投入する機会を有していたことなどを総合し、被疑者を犯人であるとして立証し、有罪となった実例（和歌山地判平14.12.11判タ1122-464、大阪高判平17.6.28判タ1192-186　和歌山毒カレー事件）がある。

5　間接事実による立証において有罪認定されるために必要な　立証の程度

1　最決平19.10.16刑集61-7-677について

　間接事実による立証の場合、有罪立証に必要な立証のハードルは、直接証拠による立証の場合と比べ、高くなるか。

　最高裁は、間接事実（情況証拠）のみによる立証であっても、有罪認定に必要とされる立証の程度として、直接証拠による立証の場合と同じく、「合理的な疑いを差し挟む余地のない程度の立証」を要するとする。

　すなわち、最高裁は、「刑事裁判における有罪の認定に当たっては、合理的な疑いを差し挟む余地のない程度の立証が必要である。ここに『**合理的な**

疑いを差し挟む余地がない』というのは、反対事実が存在する疑いを全く残さない場合をいうものではなく、抽象的な可能性としては反対事実が存在するとの疑いを容れる余地があっても、健全な社会常識に照らして、その疑いに合理性がないと一般的に判断される場合には有罪認定を可能とする趣旨である。そして、この意義は直接証拠によって事実認定をすべき場合と、情況証拠によって事実認定をすべき場合とで何ら異るところはない」としている（最決平19.10.16刑集61-7-677 高松郵便爆弾事件 妻と離婚訴訟中であった被告人が、妻の母宛に、起爆装置を付けた爆発物を収納させたケースを郵便封筒に入れて郵送し、妻の母にこれを開封させて爆発させ殺害しようとしたが、同人ほか2名に重軽傷を負わせるにとどまった事件。情況証拠のみによって被告人が犯人であることを一審、二審とも認定して有罪とした結論を、上告審も肯定したもの）。

　このように間接事実による立証だからといって、立証のハードルが高くなるものではない。

　したがって、間接事実を総合し、要証事実、例えば、被疑者が犯人であることが推認できる場合に、なお反対事実（他の者が犯人であること）が存在する疑いが残るといえる場合、㋐その**疑いが単なる抽象的な可能性であり、頭の中だけで想定した仮説にとどまるときは、合理性のある疑いではないの**であり、結局、要証事実が合理的疑いを容れない程度に立証されていると判断される。しかし、㋑**反対事実の存在する疑いが合理性のあるものと評価できるときは、**要証事実は合理的疑いを容れない程度には立証されていないと判断される。

　反対事実の可能性が、単なる抽象的仮説にとどまるか、合理性のある疑いであるといえるかが間接事実による立証の成否を分けるポイントである。

2　最判平22.4.27刑集64-3-233について

　前記最決平19.10.16の後、最高裁は、現職刑務官による強盗殺人等事件の原判決及び一審判決について審理が尽くされていないとして破棄し一審に差し戻した判決において、前記平19.10.16決定を引用して、「情況証拠によって事実認定をすべき場合であっても、直接証拠によって事実認定をすべき場合と比べて立証に差があるわけではない」としつつ「直接証拠がないのであ

498　第1章　入　門

るから、情況証拠によって認められる間接事実中に、被告人が犯人でないと
したならば合理的に説明することができない（あるいは少なくとも説明が極
めて困難である）事実関係が含まれていることを要する。」と判示した（最
判平22.4.27刑集64-3-233）。

　「情況証拠によって認められる間接事実中に、被告人が犯人でないとした
ならば合理的に説明することができない（あるいは少なくとも説明が極めて
困難である）事実関係が含まれていることを要する。」の意味は必ずしも明
白ではない。これが、「決め手となるような一個の間接事実が存在しなけれ
ばならない」という命題を意味するものでないことは明らかであろう。この
命題どおりだと、複数の間接事実を総合して行う事実認定はできなくなるか
らである。

　また、複数の間接事実を総合して、被告人が犯人であると認定する場合に
おいて、「被告人が犯人でないとしたならば合理的に説明することができな
い（あるいは少なくとも説明が極めて困難である）事実関係」がある場合と
は、まさしく、被告人が犯人であることが合理的疑いを容れない程度に立証
された場合と同意義になる（同判決の堀籠幸男判事の少数意見）と思われる。

　この場合、個々の間接事実を分断して見たとき、一つひとつは確実な推認
力を持つものではなくても、それが複数重なり合えば、合理的な疑いを容れ
ない程度の立証に至り得ると考えられる。例えば、「被告人が犯人であると
すれば、これらの情況証拠が合理的に説明できる」という事実関係がかなり
重なり合えば、合理的疑いを容れない程度に至り得るはずであるとの指摘も
なされている（前田雅英「薬物事犯における故意の認定」捜査研究725号
〔東京法令出版〕2）。

6　被疑者の不合理な弁解・黙秘の態度

　覚醒剤の自己使用に関し、「被告人の尿から覚せい剤成分が検出されてい
る以上、特段の事情がないかぎり、被告人自らの意思により何らかの方法に
より覚せい剤を身体に摂取したものと認めるのが相当である。」（高松高判平
8.10.8判時1589-144）とされている。

　ここで「特段の事情」がある場合とは、被告人の弁解がそれなりに合理的

で真実味がある場合をいう。

すなわち、被告人の尿から覚醒剤成分が検出された場合には、故意で覚醒剤を摂取したものと事実上の推定ができるものとし、被告人の弁解が荒唐無稽であったり、弁解をあえて拒否する場合などは、「特段の事情がない」とされ、原則に戻って、自らの意思で摂取したものと認定できる。

不合理な弁解をしたことを、事実上の推認を補強する間接事実として取り扱うことに問題はない。

しかし、**弁解を拒否したことを結果的に不利益に扱うことが**、黙秘権の保障との関係で問題となり得る。黙秘したことそれ自体から被疑者に不利益な事実の存在、例えば、被疑者に故意があったことを推認することは許されないと解されている（不利益推認の禁止　札幌高判平14.3.19判時1803-147など）が上記事例の場合は、覚醒剤成分が尿から検出されており、本人の意思に基づいて摂取したものであるとの事実上の推定が働いている状況の下で、弁解を拒否した場合には、事実上の推認を覆すことができなくなるというだけのことであり、黙秘の態度そのものを不利益に取り扱うものではないから黙秘権を侵害することにはならない（石井一正「刑事事実認定入門（第2版）」〔判例タイムズ社2010〕43参照　窃盗罪で被告人が盗品を窃盗被害と接近した日時・場所で所持していた事実が明らかであるのに、被告人が盗品入手の経緯を黙秘していたような場合について、盗品の近接所持という間接事実から被告人の犯人性を推認させる作用を覆すことができないため、黙秘の態度が結果的に不利益に扱われることになるが、それは黙秘権を侵害することにはならないとする）。

被疑者に有利な主張・供述が信用できるかどうかを判断するに際しては、**被疑者の当該主張・供述の出方（陳述経緯）等が斟酌されるのは当然**である。

例えば、被疑者が、捜査段階から弁明の機会を与えられながらも終始黙秘し、公判の最終段階になってようやくアリバイ主張・供述をした場合、その主張・供述の信用性を判断するに当たって、そのアリバイが出てきた経緯（公判終盤まで明らかにしなかったこと）を斟酌すべきであろう。被疑者に有利な主張・供述の出方（態様・時期）が、その証明力判断の判断資料として使われているのであって、黙秘の態度から直接的に不利益推認をしている

500　第1章　入　門

ものではないから、黙秘権侵害には当たらない（石井一正　前掲刑事事実認
定入門（第2版）43参照）。

> **アドバイス**　**間接事実による立証を考えるとき留意すべき事項**

1　まず注意しなければならないのは、この間接事実そのものが証拠に
よって認定できるのかということである。例えば、犯行時刻頃、現場
で被疑者を目撃したという目撃供述が信用できるかどうかの吟味を行
わなければならない。

2　次に注意しなければならないのは、証拠によって当該間接事実が認
められるとした場合、その間接事実が要証事実を推認する力がどの程
度あるのか（**推認力の程度**）ということである。被疑者が殺人事件の
犯人であることが要証事実であるとき、間接事実が、被疑者が犯行時
刻頃、現場付近を歩いているのを目撃されたことというのであれば、
この間接事実の推認力は相当高度のものがあるといえるが、間接事実
が、被疑者に似た男が、その日時・場所に歩いているのを目撃された
ことということであれば、この間接事実の推認力はかなり低くなる。
捜査中は、ともすれば、推認力を強めに（楽観的に）評価しがちにな
る傾向があるが、推認力は、あくまで世間の常識に照らして決まるも
のであるから、これを正しく評価して、当該間接事実によって要証事
実が合理的に推認できるものであるかを、冷静・的確に判断しなけれ
ばならない。

3　一つの要証事実を認定するに当たって、複数の間接事実が総合され
ることが多いが、推認力の乏しい間接事実が、仮に量的にいくらたく
さん集められたとしても、「**ゼロはいくつ足してもゼロ**」であり、総
合的な推認力が高まるわけではない。

4　捜査官は、有罪方向の間接事実に目を奪われがちであるが、事実認
定は総合的なものであるから、無罪方向につながる消極的事実（一見
矛盾事実）、例えば、犯行時刻頃、現場から遠距離にある場所で被疑
者に似た人物が目撃されたことがあることなどが否定できない場合に
は、その事実にもきちんと目を向け、同事実を支える証拠が確実なも
のか、同事実が存在していたとしても要証事実とは矛盾しないといえ
るのかなどを検討し、総合的にみて、要証事実について合理的な疑い
を差し挟む余地のない程度の心証が得られるかどうかを判断すべきで

ある。

　特に、裁判員裁判の対象事件では、積極方向の相当に強い間接事実がある場合であっても、このような消極的事実がある場合には、これを放置せず、一般市民の常識からみて問題がないことについて分かりやすく説明できるだけの証拠収集をしておくことが必要かつ重要である。

502　第2章　自　白

設問 51　自白の意義、自白に関する二大法則（その1　不任意自白の排除法則）、違法収集自白

●設　問●

(1)　殺人事件の被疑者Aは、「Bを殺害したことは間違いない。弁解することはない。」と供述し、その旨の供述調書の作成に応じた。

　　殺人事件の被疑者Cは、「Dを殺害したことは間違いないが、これはDが自分を先に殺そうとしたので防衛行為として行ったものだ。」と供述し、その旨の供述調書の作成に応じた。

　　Aの殺人事件にAの供述調書、Cの殺人事件にCの供述調書を証拠として用いたいが、証拠能力をもたせるための要件は同じか。

(2)　将来、その自白の任意性を証明しなければならないことが予想される被疑者を取り調べる際の留意点について説明しなさい。被疑事実が殺人の場合と窃盗の場合とで違いはあるか。

◆解　答◆

(1)　同じである。⟹**1** 1(1)、2、**3** 1

(2)　殺人の場合、平成28年刑事訴訟法等改正（令和元年6月1日施行）により、取調べの録音・録画が義務付けられたので、その活用を考える必要がある。⟹**5**参照

1　自白の意義

1　自白とは

(1)　「自白」とは、**犯罪事実の全部又は主要部分を肯定し、自己の刑事責任を認める供述**のことである。

　　構成要件に該当する行為を肯定しても、違法性阻却事由（正当防衛など）や責任阻却事由（心神喪失など）を主張して自己の刑事責任を否定する供述は、不利益事実の承認（法322条1項）ではあるが、自白ではない。

(2) 犯罪事実を肯定し、自己の刑事責任を認める供述は全て「自白」に当たる。

① 供述者が置かれている地位のいかんを問わない。証人（民事裁判における証人も含む）の立場でなされた供述（最決昭31.12.13刑集10-12-1629）、参考人の立場でなされた供述も自白である。

② 供述の相手方が誰であるかを問わない。一般私人、家族、弁護人などに対する供述であっても自白となる。

③ 相手方が存在しないのになした供述、例えば、日記帳、手帳、メモなどへの記載であっても自白に当たる。

④ 口頭による供述であっても、書面による供述であっても自白である。

⑤ 捜査段階・公判段階における供述はもちろん、捜査開始前になされた供述も自白に該当する。

(3) その供述を供述者本人に対する関係で証拠に用いる場合に限って自白という。自己の刑事責任を認める供述は、供述者本人の有罪立証の関係では自白であるが、他の共犯者の有罪立証のための証拠として用いるときは自白ではない（供述調書についていうと、前者の場合は法322条、後者の場合は法321条（被告人以外の者の供述調書）によって証拠能力が判断される）（⟹ **設問53**、**1**、**設問58**）。

2 不利益事実の承認

不利益事実の承認（法322条1項）とは、自白には該当しないが、自己に不利益となる事実を承認する供述をいう。例えば、犯行現場にいたことは認めるが、実行行為や実行行為者との共謀を否認する供述をいう。船の沈没事故を仮装した詐欺事件で、沈没事故があったことだけを認める供述（最決昭32.9.30刑集11-9-2403）もこれに当たる。

2 自白に関する二大原則

自白に関しては、**任意性のない自白は証拠とすることができない**という原則（不任意自白の排除法則　法319条1項）と、**自白には補強証拠を必要とするという原則**（補強法則　法319条2項⟹ **設問52**）がある。

504　第2章　自　白

3　自白の任意性（不任意自白の排除法則）

1　自白の証拠能力

　　自白全般　「強制、拷問又は脅迫による自白、不当に長く抑留又は拘禁された後の自白その他任意にされたものでない疑のある自白は、これを証拠とすることができない。」（法319条1項）とされる。これを裏返せば、任意性がある自白は証拠能力が肯定されるということである。この規定は、憲法38条2項（強制・拷問、脅迫による自白、不当に長い抑留・拘禁の後の自白を証拠として排除）の保障をさらに広げて、「その他任意にされたものでない疑のある自白」の証拠能力までも否定したものである。

　　「強制・拷問・脅迫による自白」と「不当に長く抑留・拘禁された後の自白」は、任意性がない場合の例示である。これに該当しなくても、虚偽の自白のおそれ又は供述の自由を侵害するおそれのある情況があれば、「その他任意にされたものでない疑のある自白」として、証拠能力が否定される。

　　供述書・供述調書　自白又は不利益事実の承認が記載された供述書・供述調書は、その供述が任意になされたと認められるときは、証拠能力が肯定される（法322条1項⟹ 設問53 参照）。

2　任意性が必要な理由

　これについては、説が分かれる。

　第一は、虚偽の自白を排除するためだとする説である。強制等が加えられた場合には、嘘の自白をする危険があるから、不任意自白には虚偽が含まれている可能性が強いので、これを排除する必要があるとする（**虚偽排除説**）。

　第二は、被告人の人権保障を担保するためだとする説である。強制等による自白は、拷問の禁止（憲法36条）、黙秘権（憲法38条1項）という被告人の憲法上の権利（供述の自由）を侵害して得られたものであるから、その自白は、被告人の人権保障の見地から、これを排除する必要があるとする（**人権擁護説**）。

　第三は、憲法38条2項、法319条1項は、憲法31条の適正手続（デュープロセス）に違反して得られた自白を証拠とすることを禁止したものであり、

自白の意義、自白に関する二大法則（その1　不任意自白の排除法則）、違法収集自白　設問51　　*505*

強制等による自白を排除するのは、任意性の有無とは関係なく、捜査手続の違法を排除するためだとする説である（**違法排除説**）。

　第四は、虚偽排除説に人権擁護説を加味したもの（**折衷説**）で、通説・判例の立場である。

3　任意性の意義

　任意とは、強制に対応する概念であり、必ずしも自発的というものではない。

　　　　虚偽排除と人権擁護の観点からの検討　　任意性を判断するには、前記2の折衷説に立ち、①虚偽排除の観点からは、自白がなされた状況に関し、**嘘の自白を誘発する状況**の存否・程度を、②人権擁護の観点からは、自白を獲得する手段・方法に関し、**供述人の供述の自由を侵害する違法な圧迫**の存否・程度をそれぞれ考察する必要がある。

　　①の観点から、自白がなされた状況に任意性を疑わせるものがないとしても、例えば、令状主義をかいくぐってなされた身柄拘束が取調べに利用されたような場合は、②の人権擁護の観点から、その取調べで獲得された自白の任意性が否定されることもある（ここまでくれば、違法排除説と紙一重となる）。

4　強制等との因果関係

　自白に任意性が要求されるのは、虚偽の自白の排除と被告人の供述の自由の保障のためであるから、自白が強制等と無関係になされた場合には、自白を排除する必要はない。したがって、証拠として排除されるべき自白は、強制・拷問・脅迫及び不当に長い抑留・拘禁等が原因となり、その結果としてなされた自白（強制等と因果関係のある自白）である。

　例えば、最初から一貫して自白している場合（最大判昭23.6.23刑集2-7-715）には、仮にその後に強制等があってもこれと自白との因果関係はないから、排除する必要はない。

5　任意性の立証

(1)　自白の**任意性の挙証責任**も、検察官にある。

　　　任意性に関して争いが生じ、立証を尽くしたにもかかわらず、任意性の存否が不明である場合には、任意性がないものとされる。強制等と自

506　第2章　自　白

白との因果関係の存否が不明な場合も同様である。

⑵　**厳格な証明**

　　自白の任意性の立証は、本来自由な証明でよいが、実務では、慎重を
期して、取調べ官の証人尋問、留置簿の取調べ、取調べ場所の検証など
の厳格な証明により、任意性を立証する場合がほとんどである（⟹
設問49、**3** 3）。

6　**自白の信用性の立証との関係**

　自白の任意性が肯定されても、後記（**設問54**、**設問55**）のチェックを経
て自白の信用性が否定され、無罪となることがある。

　自白の任意性の有無は、ある程度一般的・定型的な判断であるが、自白の
信用性のチェックは、供述内容自体の合理性、供述と客観的証拠との整合性、
供述の変遷状況に加え（自白獲得過程）、取調べ状況なども踏まえて行う具
体的・総合的な判断である。

　したがって、任意性立証のためだけでなく、**信用性立証のためにも、取調
べにおいて自白がなされた経緯**、特に、**無理や強引な自白の引き出し方はな
かったか、供述に変遷がある場合はその変遷状況・理由**などを立証する必要
があり、そのためにも捜査官の証人尋問が期待されている。

7　**不任意自白の絶対的排除**

　不任意自白については、憲法38条2項で「証拠とすることができない。」
と定められているので、不任意自白の証拠能力は、絶対的に否定され、法326
条の同意があっても、証拠能力が付与されることはない。

アドバイス　　**取調べ段階における任意性担保の工夫**

1　**被疑者取調べの適正の確保の重要性**

　　設問23、**4**で詳細に説明した、被疑者取調べの適正を確保すること
は、任意性を担保するための大前提として極めて重要である。

2　**録音・録画制度に習熟しこれを活用すべきこと**

　　規則198条の4は、取調べ状況の立証に当たって「できる限り、取調
べの状況を記録した書面その他の取調べ状況に関する資料を用いるなど
して、迅速かつ的確な立証に努めなければならない。」としている。

　　任意性の立証に当たって、被疑者の取調べの状況を立証する場合は、

被疑者と取調べ官の言い分が食い違い、ともすれば「水掛け論」の様相を呈するおそれがあるので、取調べに関する客観的な資料を利用することは有益である。

特に、裁判員裁判で審理される罪名に該当する事件については、分かりやすい立証が求められ、令和元年6月1日からは取調べの録音・録画制度が実施されたので、同制度に習熟しこれを活用することも含め、取調べ状況のビデオ録画を含めた客観的資料を利用する必要性が大きい。

3 自白調書の記載内容の工夫

例えば、「秘密の暴露」（⟹ **設問55** 参照）に該当する事実を聴取して録取することや、被疑者の弁解を遺漏なく録取すること、調書を確認した後の訂正申立てがあった場合にこれを遺漏なく録取することがある。

4 自白の任意性に関する裁判例

以下、自白がなされた状況や自白獲得手段・方法別に裁判例をまとめた。任意性の有無については、次の観点で判断すべきものである。

〈ポイント〉

任意性判断に当たり、もつべき観点
1 虚偽排除の観点：自白がなされた状況が、嘘の自白を誘引するものか。
2 人権擁護の観点：自白を獲得する手段・方法が、供述人の供述の自由を侵害する圧迫になっていないか。

1 強制、拷問などの肉体的圧迫による自白

⑴ 強制、拷問による自白

被疑者の身体に対する有形力の行使（暴力）を伴う取調べで得られた自白は、当然に任意性が否定される。

任意性があったことの立証責任は検察官側が負うから、**被疑者側が暴行があったと主張し、捜査官側がこれを否定し、決め手がなく「水掛け論」になった場合は、「暴行がなされた疑いが払拭できない」として、任意性が否定されることになる。**

否定例 強制・拷問による自白であるとして、任意性が否定された事例としては、最大判昭26.8.1刑集5-9-1684、最判昭27.3.7刑集6-3-387、

508　第2章　自白

最判昭32.7.19刑集11-7-1882、東高判昭32.12.26高刑集10-12-826、最判昭33.6.13刑集12-9-2009など多数ある。

(2)　手錠・腰縄を付けたままの取調べの際の自白

否定例　①勾留されている被疑者が捜査官から取り調べられる際に、手錠を施されたままであるときは、反証のない限り、任意性に一応の疑いを差し挟むべきである（最判昭38.9.13刑集17-8-1703　ただし、具体的事案については、穏やかな雰囲気のもとに取調べがなされているとして、自白の任意性を肯定）、②被疑者に逃走・暴行・自殺・証拠隠滅のおそれがあるなど合理的な理由がないのに、両手錠・腰縄つきで取り調べた結果得られた自白（東地判昭40.5.29下刑集7-5-1134）

肯定例　①腰縄だけをつけたままの取調べの際の自白（東高判昭48.5.21刑月5-5-904）、②腰縄・片手錠だけ施用の場合は、両手錠のときと比べて心理的圧迫が弱いから、自白との因果関係が認められない限り、取調べで得られた自白に任意性がある（大阪高決昭48.3.27刑月5-3-236）。

(3)　徹夜・夜間の取調べの際の自白

一般に、**徹夜・深夜の取調べ**は、これを受ける被疑者に対してはその心身に多大の疲労を与えるものであるから、できるだけ避けるべきであるが、一切禁じられるものではなく、特段の事情のある場合は許容される（最決平元.7.4刑集43-7-581　任意捜査として行われた、徹夜に及ぶ22時間にわたる取調べの結果得られた自白につき、任意性に疑いを生じさせるものと認められないとした）。

否定例　①被疑者の承諾があったとしても、午後5時頃から翌日午前5時頃まで継続して追及的取調べを受けた結果得られた自白（高松地判昭39.4.15下刑集6-3・4-428）、②連日、被疑者の睡眠の補充、休養について配慮することなく、深夜まで、追及的取調べを続けた結果得られた自白（宇都宮地判昭45.11.11刑月2-11-1175）

肯定例　①被疑者の希望で徹夜で取り調べた結果得られた自白（名古屋高金沢支部判昭32.12.26　翌日1日休養させている）、②深夜午前0時30分頃、緊急逮捕した被疑者を、徹夜で調べた結果得られた自白（仙台高判昭26.1.24）、③夜間発生した交通死亡事故について、被疑者立会いの

実況見分に引き続いて、夜10時頃から翌日午前2時頃まで取調べをして得られた自白（大阪高判昭27.3.18）、④深夜零時を過ぎることが2日間程度あった取調べの結果得られた自白（東地判平8.9.30判時1587-26 直ちに任意性に疑いが生ずる取調べとはいえないとされた）。

⑷ 身体的圧迫を加えた結果得られた自白

否定例 ①連日深夜まで長時間（早くて午後9時、遅くて午後10時40分）にわたり、片手錠のまま、あたまから被疑者を犯人扱いして否認も黙秘も受け付けず自白を求め、時には机を叩き、大声をあげ、自由な方の手を握り、数時間直立させるなどして取り調べた結果の自白（東高判昭58.6.22判時1085-30）、②粗暴な態度で自白を勧告する私人が同席する取調べによる自白（広島高判昭25.10.20高刑集3-3-508）。なお、③連続殺人事件について自白を得るため、代用監獄として新設された、寂しい警察署留置場を選び、たった一人の状態で留置し、しかも捜査本部の捜査員から看守者を選任して被告人の留置場での言動を捜査資料として提供させた上、取調べを行った結果自白が得られたとしてその自白の任意性を否定した例（東高判平3.4.23高刑集44-1-66 「松戸ＯＬ殺人事件」 自白を強要したとのそしりを免れないとする）がある。

肯定例 ①夜11時過ぎまで取り調べるなど、連日相当な時間の取調べをした事案（横浜地判昭51.12.14）、②勾留事実について、連日朝10時頃から夜9時ないし10時まで取り調べたとしても、被疑者の疲労が蓄積して防御力が弱まり、その結果として自白の任意性がないとの疑いが生ずるとは推定できない（東地決昭56.11.18判時1027-3）。

2 脅迫などの精神的圧迫による自白

自発的に供述する被疑者は別として、被疑者を取り調べて自白を得るには、多かれ少なかれ精神的・心理的圧迫が存することは事実であるが、全ての場合を強制であるとすることはできない（石井一正「刑事実務証拠法（第4版）」〔判例タイムズ社2007〕219）。強制・任意性がない状況とそうでないものを、きちんと限界付ける必要があるのである。

⑴ 威嚇的取調べ

任意性否定例として、京都地決平13.11.8判時1768-159（取調べ官が、

被疑者に対し、暴力団員を使って被疑者の家族に危害を加えると脅迫したと認定された事案）、佐賀地決平14.12.13判時1869-135（取調べを担当していた検察官が、手刀で机をたたきながら「ぶっ殺すぞ」と言って自白を迫ったと認定された事案）がある。

威嚇的取調べは、取調べ官の威嚇的言動の内容や程度によるが、それが脅迫に該当したり、脅迫に準ずると評価される場合には、任意性が否定されることになろう。

(2)　理詰めの取調べないし追及的取調べの結果得られた自白

被疑者が合理的な弁解ができなくなって自白することを目的として、被疑者の弁解の矛盾点、不合理な点、曖昧な点を理屈によって追及し、又は、被疑者の弁解と客観的事実や証拠との矛盾を突いて追及する取調べ方法を「理詰めの取調べ」又は「追及的取調べ」という。

否定例　①警察官が説得中に、被疑者に被害者の死体写真を見せたことが自白の任意性を否定する一要素になる（大阪地決昭59.3.9刑月16-3・4-344）、②駐車禁止違反事件について、自白しない限り現場で被疑者から提出された免許証を返さないという取調べ方法で得られた自白（小倉簡判昭34.10.26下刑集1-10-2240）

肯定例　①理詰めの取調べによる自白だからといって、直ちに強制による自白とはいえない（最大判昭23.11.17刑集2-12-1565）、②否認供述の矛盾点、曖昧な点を追及され弁解できなくなった結果なされた自白（名古屋高判昭25.8.30　自白が任意なものであるためには、必ずしも徹頭徹尾自発的になされたことを要しない）、③被疑者に対し、既に他に証拠（共犯者の供述）があることを明らかにし、それを前提に追及的取調べをしたこと自体には違法性がないとした（東地決昭56.11.18判時1027-3　ただし、被疑者の性格等により任意性は具体的に判断すべしとする）、④記憶喚起、説得により否認を翻させるため、既に収集した証拠（共犯者の供述調書など）を用いて、合理的範囲で理詰め追及的取調べを試みることは許される（東高判昭58.7.13）、⑤捜査の進捗に伴って収集された客観的証拠資料に圧迫されて弁解の方途がたたなくなった結果なした自白には任意性がある（名古屋高金沢支部判昭28.5.28高刑集6-9-1112）、⑥ポリグラフ

検査結果告知後の自白（最決昭39.6.1刑集18-5-177）、さらに、⑦犯罪の嫌疑がある者に対して、その供述の矛盾を追及し、証拠を突き付け、又はその良心に訴える等の方法で自白の説得勧誘を行うことは、それが強制にわたらない限り、非難すべきではない（秋田地判昭37.3.29下民集13-3-608「国家賠償事件」）、⑧供述の任意性とは自発的ということではなく、犯行を否認する被疑者に対し、不審と思われる点をあれこれ問いただすことは、それが法の規定を逸脱しない限り、捜査官としては、むしろ当然なすべきことである（東高判昭45.3.3判時606-97）、⑨捜査官としては、供述をそのままうのみにすれば足りるというものではなく、経験則に照らして納得しがたい供述については、質問を重ねてその供述内容に多角的な検証を加えることは、捜査官にまさに期待されるところである（東地判昭47.12.4判タ289-318）とした裁判例がある。

3　長く抑留、拘禁された後の自白

判例は、「不当に長い」かどうかは、犯罪事実の数、共犯者の数、被害者の数、事案の性質、捜査・公判の難易など、諸般の事情を考慮して決すべきであるとしている。

　否定例　①単純な窃盗否認事件につき、被告人が逃走するおそれがなかったのに109日間勾留を続けた後に公判廷でなされた自白（最大判昭23.7.19刑集2-8-944、同旨最大判昭24.11.2刑集3-11-1732　ただし、単純窃盗事件で6か月10日間勾留した後の自白についてのもの）、②単純な恐喝事件で起訴勾留を7か月余り続けた後の自白（最大判昭27.5.14刑集6-5-769　ただし被告人は少年）、③病気のため生命の危険が生じた者を、更に取調べのため50日余も勾留を継続した後の自白（東高判昭34.5.28高刑集12-8-809　被告人は自白して2か月余の後に留置場で死亡している）

　肯定例　①別件で起訴勾留中、約1か月間、三十数回にわたる取調べの後になされた凶悪事件についての自白（最大判昭30.4.6刑集9-4-663「帝銀事件」　事案が複雑で、被告人の虚言癖に煩わされて取調べに時間を要し、その間多数の参考人を取り調べたという事情が考慮されたもの）、②53日間の勾留後の自白（福岡高判昭25.9.25高刑集3-3-431　事実及び関係人が多数にのぼっていた事情があった）

512　第2章　自　白

4　利益約束、偽計（詐術）により得られた自白

⑴　**利益誘導により得られた自白、利益の約束をしたうえで得られた自白**

利益誘導とは、自白を誘導する目的で、取調べ官が被疑者に対して、利益を提示することである。被疑者に物品を供与し、接見などで便宜をはかり、あるいは不起訴・刑の減軽・不逮捕・身柄の釈放などの可能性を示唆・約束することが代表的である。

従来の捜査実務では、このような利益誘導によって自白を得たとされた場合、自白の任意性は例外なく否定されると考えられ、かかる利益誘導的な捜査手法は厳に禁じられていた。

しかし、平成28年刑事訴訟法等改正によって導入された「**合意制度**」（日本版司法取引）は、特定犯罪の被疑者・被告人が特定犯罪に係る他人の刑事事件に関する検察官の捜査・訴追に協力するのと引き換えに検察官において、当該被疑者・被告人の被疑事件・被告事件について不起訴や求刑の軽減を合意する制度であり（⟹**設問44**、**3**）、同制度によって、例えば、詐欺事件の被疑者が、同事件について検察官が不起訴を約束することの見返りとして、共犯者と行った別件贈賄事件について供述することがあり得るのであり、これは外形上、利益誘導に基づく自白に当たり得る。しかし、合意手続においては、弁護人が手続全体に関与し被疑者等に助言を与えており、被疑者の虚偽供述への罰則が規定されているなど、被疑者等の供述の信用性を担保するための措置が講じられているため、類型的に虚偽供述をする可能性が高いとは言えない。そのため、合意制度による供述であることのみによって、任意性に疑いが生じるとは言えないと解される（池田修・前田雅英　前掲409参照）。

今後も、**合意制度によらないで、事件の寛大措置などを約束して、自白を引き出そうとする捜査方法は、利益誘導による捜査手法として任意性が問題になるし、合意制度によって得られた自白であっても、具体的な合意形成の状況に照らして、信用性が慎重に吟味される**こととなる。その意味で、利益誘導による自白の任意性に関する先例を学習する意義はなお大きい。

取調べ官による利益の提示が虚偽自白を誘発するおそれがある状況で

あるかどうかは、次の各要素を総合して判断するべきである（石井一正前掲刑事実務証拠法（第4版）227）。すなわち、①提示された利益の内容が、**虚偽自白を誘発する強い誘引となるかどうか**（「不起訴にする」とか「罰金で済む」という利益の誘引力は大きい）、②**利益の提示者がその利益を左右できる権限を有するか、あるいは、被疑者において、取調べ官がその権限を有するように受け止めてもおかしくないかどうか、**③**利益の提示が確約か、暗示にとどまるかである。**

否定例　①公職選挙法違反事件において、警察官の「候補者は助けてやる」との約束を信じてなされた、候補者から現金を受領した旨の自白（岡山地判昭38.4.30下刑集5-3・4-414）、②警察官の「罰金で済むことではないか」との言を信じてなされた自白（福井地決昭46.10.5刑月3-10-1427、同旨大阪地決昭49.9.27刑月6-9-1002）、③「言えば帰してやる」との警察官の言を信じてなされた自白（徳島地判昭47.6.2刑月4-6-1113、同旨横浜地判昭46.4.28刑月3-4-586　「自白すれば釈放する」との約束）、④検察官の「お前もいわなきゃ帰れん」との発言を、自白すれば帰してもらえると理解してなした自白（大阪高判昭41.11.28下刑集8-11-1418）、⑤警察官が、あらかじめ被疑者に、拳銃を任意提出しても罰金で済むようにすると約束した疑いが否定できずに得られた自白（京都地決昭54.7.9判タ406-142）、⑥警察官が爆発物取締法違反の事実を法定刑が格段に低い火薬類取締法違反の罪名で取り調べたため、被疑者としては軽い火薬類取締法違反により処断されるものと信じ、又はこれを期待し、そのために自白したのではないかと疑われた自白（東高判昭58.12.15判時1113-43）、⑦取調べ等に応じない被疑者に対し、取調べと被害付けに応ずれば近親者に連絡して弁護士費用を持参させてやる旨約束して得られた自白（大阪高判昭53.1.24判時895-122）、⑧別件で起訴勾留中の贈賄被疑者に対し、取調べ室において愛人と自由に面会させ、警察署備付けの電話を使用するのを黙認し、被疑者のテレビを取調べ室に持ち込ませて視聴させるなどの便宜を与えた結果得た自白（福岡地小倉支部判昭41.8.29下刑集8-8-1141）、⑨公選法違反により勾留中の被疑者に対し、近く皇太子の御成婚があり、その際には従来の例からみて選挙違反も恩赦になるだろうなどと話して取り調べた結

果得られた自白（高松地判昭39.5.18下刑集6-5・6-681）、⑩他の事件を検察官に送致しないという約束の下になされた自白（福岡高判平5.3.18判時1489-159）、⑪自白すれば、別件の贈収賄事件の相手方を立件しないとの約束の下になされた自白（浦和地判平4.3.19判タ801-264）、⑫自白すれば処分保留をとってやると約束して得た自白（広島地判平9.9.18判時1630-156）、⑬警察官が自白すれば保釈の可能性があると暗示したことにより得た自白（和歌山地判平6.3.15判タ870-286）

肯定例　被疑者の方から、捜査官に「保釈がきくだろうか。」と質問してきたのに対して、捜査官が「否認なら保釈がきかないだろう。」と述べたことは、自白を条件とした釈放約束とはいえない（神戸地判昭34.7.3下刑集1-7-1580）。

(2)　偽計を用いて得た自白

　取調べ官が、**事実に反し「共犯者はもう自白した」などと偽計（トリック）を使って被疑者を錯誤に陥れて得た自白**の任意性が問題となる。偽計によって、虚偽自白が誘発されるおそれが大きいし、トリックを用い被疑者を錯誤に陥らせて供述を得るようなやり方は、人権擁護上も相当でないから、偽計によって得た自白の任意性は、多くの場合、否定されることになろう。

　否定例　①夫婦による拳銃の共同所持事件につき、両名が共犯関係を否認しているときに、捜査官が、まず妻を取り調べるに当たって、被告人（夫）が共犯関係を自白しているかのごとき説得をして、妻から自白を得、次に妻が自白している旨被告人を説得して得た自白（最大判昭45.11.25刑集24-12-1670　いわゆる**切り違い尋問**の事例である。同判決は、取調べに際しての偽計一般について「偽計によって、被疑者が心理的強制を受け、その結果虚偽の自白が誘発されるおそれがあるときは、偽計によって獲得された自白はその任意性に疑いがあるものとして証拠能力を否定すべきである」とする）、②生きている人を川に捨てた事実を否認し、「死んだ人と思って捨てた。」と主張している被疑者に対し、「そういうことをすれば、殺人だけでなく、死体遺棄にもなる。」と説得した結果得られた自白（大阪高判昭44.5.20刑月1-5-462）、③取調べ官が暴力団員を意のままに用

いて被告人の子どもに対して危害を加えるとの脅迫的文言を申し向けた取調べの結果得られた自白（京都地決平13.11.8判時1768-159　なお、被告人は医師であること、被告人には扁桃腺の持病がありタバコの煙を苦痛と感じていることを知りながら、取調べ官は喫煙を続けるなど、配慮を欠いていることも考慮された）。

　　肯定例　　専売監視員の身分を偽り、私立探偵であると詐称して得た自白（広島高岡山支部判昭27.7.24　供述者の警戒心を解く目的でなされたもので、性質上虚偽自白を誘発する危険がないとする）

5　その他

(1)　黙秘権の告知を欠いた場合

　　肯定例として、①最初の取調べに際し告知し、その後新たに黙秘権を告知しないで得た自白（最判昭28.4.14刑集7-4-841）、②別件で起訴勾留中の被告人につき、本件で取り調べるに当たって新たに黙秘権を告げずに得た自白（東地判昭52.3.1判時858-30）、③供述拒否権を告知しないでの取調べで得た自白（最判昭25.11.21刑集4-11-2359）がある。

　　なお、外国人のように取調べ官からの告知によって初めて黙秘権の存在を知る者もあり、このような被疑者にとっては、黙秘権の不告知は、自白の任意性に影響を及ぼす一事情となり得、弁護人選任権の告知が不十分なことなどと相まって、自白の任意性が否定されることがある（否定例　浦和地判平2.10.12判タ743-69　病中であることも考慮、同地判平3.3.25判タ760-261　取調べ官に脅迫的言動があったことも考慮）。

　　また、捜査機関が、実際は放火事件の立件を視野に入れて被告人を捜査対象としていたのに、黙秘権を告知せずに、参考人としての事情聴取を行った結果、被告人から不利益な事実の承認に該当する供述を得てこれを録取した警察官面前調書は、黙秘権を実質的に侵害して作成した違法があると言わざるを得ず、これを法322条1項により証拠として取り調べ、有罪認定の証拠として用いることは許されないとした裁判例がある（東高判平22.11.1判タ1367-251）。

(2)　被疑者の身体的、精神的状態等が不調なときになされた自白

　　被疑者の身体的、精神的状態が不調なときの典型は、病気中の状態と

516　第2章　自　白

いう場合であるが、捜査官が、被疑者が病気中の状態であることを知ら
ずに取り調べた場合や、知っていても病状や被疑者の意向に適切な配慮
を加えながら取り調べた場合には、病状は被疑者側の主観的事情にとど
まり、任意性の問題にならないと解される。しかし、取調べ官が、被疑
者の病状が、取調べに耐え得ない程度であるのに、あえて取り調べた場
合は、任意性が否定されることがあり得る（石井一正　前掲刑事実務証
拠法（第4版）235、236）。

　　否定例　　①交通事故により脳挫傷を受けた疑いがあり、単独で歩行
できない被疑者を、事故翌日に現場まで同行し、3時間以上にわたって取
り調べた結果得られた自白（新潟地判昭48.9.6判時735-111）、②精神鑑定
の際に麻酔薬を用いたアミタール・インタビューによる自白（東高判昭27.
9.4高刑集5-12-2049　直ちに任意性がないとは断定せず、慎重に判断すべ
きとする）、③産じょく期（出産後の母体が回復するまでの期間）である
にもかかわらず、その健康状態を配慮しないでなされた取調べの結果得ら
れた自白（浦和地判平元.3.22判時1315-6　黙秘権や弁護人選任権の告知
も十分なされなかった事情も考慮）。

　　肯定例　　　①37度少し程度の発熱がある被疑者を取り調べて得た自白
（東高判昭26.11.13）、②服毒未遂事件の後に残存する疲労苦痛は、外部か
ら加えられた強制ではないとして、その状態下の取調べで得られた自白
（東高判昭32.4.30高刑集10-3-296）、③医師の診察を受けていても、病状
が取調べに耐え難いものではなく、供述が病状に影響されていないと認め
られるときの、その状態下の取調べで得られた自白（東高判昭26.10.16高
刑集4-12-1601）、④ヒステリー性格の者の自白（最判昭33.7.10刑集12-11
-2492）、⑤麻薬中毒者の自白（東高判昭26.2.8）

⑶　**弁護人選任権を妨害して得られた自白**

　　任意性を否定した例として、身柄拘束を受けた被疑者からなされた、
弁護人の氏名を指定した弁護人選任通知の申出を無視し、その間に得た
自白（大阪高判昭35.5.26下刑集2-5・6-676）がある。

　　また、取調べ官が被疑者に対し、弁護人選任権について「弁護士は必
要ないな。」と述べただけで、黙秘権の告知は一切しないという取調べ

状況の下で得られた自白は任意性に疑いが生ずるとした例もある（浦和地判平3.3.25判タ760-261）。

(4) 弁護人との接見を制限して得られた自白

任意性を肯定した例として、接見指定権を行使したとしても、任意性は肯定されるとしたもの（最決平元.1.23判タ689-276）がある。

弁護人との接見時間が2分から3分と制限され、その間警察官が立ち会ったことは不当としても、これと自白との間に因果関係がないとした古い判決（最判昭28.7.10刑集7-7-1474）があるが、現在においてはこのケースのような弁護権への制限は重大な違法であるとされ、自白は違法収集自白として証拠能力が排除されることが多いと考えなくてはならない。

(5) 糧食の差し入れを禁じる措置をとっている間に得られた自白

否定例　7月6日から12日まで糧食の差し入れ禁止がなされ、その期間にまたがる同月11、12、15日に得られた自白（最判昭32.5.31刑集11-5-1579）

肯定例　自殺用具等の授受を防ぐために、被疑者の愛人からの弁当の差し入れを禁止していた間に得られた自白（名古屋高金沢支部判昭28.5.28高刑集6-9-1112　ただし、官給の食事は与えられていた）

5　自白の任意性の立証

1　録音・録画制度の対象となる取調べで作成された供述調書の任意性等の立証

録音・録画制度の対象となる事件の被疑者取調べ（⟹**設問23**、**3**2参照）において供述調書が作成された場合、その被疑者が起訴された被告事件の公判において、供述調書の任意性が争われた場合には、その録音・録画の記録媒体を取り調べることが義務付けられている（法301条の2第1項）。

2　証拠調べ請求義務

(1) 取調べの録音・録画記録の証拠調べ請求が義務付けられる場合

公判段階において、検察官は、次の①及び②のいずれにも該当する場合には、任意性が争われた供述調書・供述書が作成された取調べ又は弁

518　第2章　自　白

解の機会（本設問では、「取調べ等」という）の開始から終了までの全
過程の録音・録画の記録媒体の証拠調べを請求することが義務付けられ
る（法301条の2第1項）。

　記録媒体の取調べ請求が義務付けられる取調べは「任意性が争われた
供述調書等が作成された取調べ」であるから、例えば、被疑者がある供
述を最初にした際の取調べでは供述調書が作成されず、後日、被疑者が
別の取調べで同じ供述をし、その際これを内容とする供述調書が作成さ
れたという場合には、後者の取調べについての録音・録画のみを取調べ
請求すべきことになる。

---

① 　検察官が、録音・録画制度の対象事件である被告事件の公判において、被告人
に不利益な事実の承認を内容とする被告人の供述調書又は供述書の証拠調べを請
求した場合において、被告人又は弁護人が任意性を争う旨の主張をしたこと。
② 　当該供述調書又は供述書が逮捕・勾留中における当該事件についての被疑者の
取調べ等の際に作成されたものであること。

---

　①は、公判段階の被告事件が録音・録画制度の対象事件であることが
必要とするものであるから、捜査段階の被疑事実は対象事件（例えば傷
害致死）であったが、起訴は非対象事件の罪名（例えば傷害）で行われ
た場合には、その公判において、傷害致死の被疑者として勾留中に作成
された供述調書の取調べ請求をするときであっても、録音・録画記録の
証拠調べは義務付けられない。

　②は、任意性が争われた供述調書・供述書が作成された取調べ等が録
音・録画制度の対象となるものであることが前提とされるということで
ある。したがって、傷害致死事件の公判で請求された被告人の供述調書
が、在宅の取調べで作成されたものであったり、逮捕勾留中には傷害の
被害者が死亡しておらず傷害事件について取り調べられたものであった
場合には、そもそも取調べの録音・録画が義務付けられていないため、
その録音・録画記録の証拠調べも義務とされない。

　逆に、死体遺棄事件で逮捕勾留中に、殺人についても被疑者として取
調べが行われて供述調書が作成されるとき、その取調べは録音・録画の
対象になる（⇒**設問23**、**3**）ところ、殺人について起訴された後、
検察官がその殺人被告事件の公判において、その殺人について取り調べ

た供述調書の証拠調べ請求をし、その任意性が争われたときには、その取調べの録音・録画の記録媒体の取調べ請求義務が生じる。

(2) 例外事由

次の例外事由があるときは、証拠調べ請求は義務付けられない（法301条の2第1項ただし書き）。

> ① 録音・録画義務の例外事由（法301条の2第4項各号）に該当することにより、録音・録画がなされなかったため、任意性が争われた供述調書・供述書が作成された取調べ等についての録音・録画記録が存在しないとき。
> ② その他やむを得ない事情により当該録音・録画記録が存在しないとき。

②は、捜査段階において、録音・録画記録が一旦作成されたことを前提として、当該録音・録画記録がその証拠調べ請求のときまでに存在しなくなったことについて「やむを得ない事情」がある場合を指す。災害等により滅失した場合はこれに該当するが、捜査官の機器操作ミスにより記録データを消失させた場合は該当しないとされることが多いであろう。

録音・録画すべき取調べ等を録音・録画しなかった場合において、当該取調べ等において作成した供述調書等を証拠請求したとき、その供述調書等の任意性等が争われれば、上記①又は②の例外事由があったことが立証できない限り、当該取調べの状況の録音・録画の証拠調べが義務付けられる（法301条の2第1項）ので、その取調べ状況についての録音・録画がない場合には、供述調書等の取調べ請求が却下されることになる（同条第2項）。

3 任意性の判定に用いられるその他の証拠

取調べの録音・録画制度の対象とならない被疑事件であっても、捜査段階における自白の任意性を立証するためには、その取調べの録音・録画が有効・効率的であるから、必要に応じてその録音・録画の実施を検討すべきであろう。録音・録画以外にも、自白の任意性立証には次のような証拠が利用され得る。

(1) 被留置者出入簿等

被留置者の管理のために作成される書類であり、事件捜査に関して作

成される書類ではないが、留置施設からの出し入れ状況が比較的客観的に記録されるとして、取調べ時間等を把握する有力な証拠とみられ、検察官の捜査関係事項照会に応じて写しの提出をしたり、弁護人の申立てによる裁判所からの照会に応じて写しの提出をすることが多い。

このほか、被留置者診療簿、被留置者面会簿、被留置者金品出納簿、看守勤務日誌などの客観的資料も、裁判所等から写しの提出要請がなされることが多い。

(2) **犯罪捜査規範に基づいて作成する「取調べの状況を記録した書面」**

逮捕・勾留により身柄を拘束中の被疑者又は被告人を取調べ室やこれに準ずる場所で取り調べたときは、取調べを行った日ごとに、「取調べ状況報告書」の書式で、速やかに作成することが義務付けられている（規範182条の2）。これによって、取調べの開始時刻、終了時刻、作成された供述調書の有無などの客観的な事項が分かる。

(3) **捜査報告書**

作成は任意であり、記載事項も取調べ状況が中心になろうが、制限はない。

被疑者に不利な内容（自白に任意性があるとの内容）であれば、弁護人が証拠とすることに同意せず、結局捜査官が公判廷で取調べ状況を証言することになる場合が多い。

事件の種類によっては、取調べの度に、この種報告書を作成しておくことが、法廷で的確な証言をするために必要なことがあり得るであろう。

(4) **犯行再現状況を録画したＤＶＤ等**

映像に表れた被疑者の動作、表情、発言等が自然、迫真的であれば、その当時なされた自白も任意になされたと判断されるであろう。

しかし、その再現方法について、事前に捜査官からコーチがあったとか、取調べの過程で犯行状況についての知識を得ていたから真に迫った再現も可能であったなどとされたときには、任意性の認定資料とされないことになろう（⟹ 設問61、2 3 参照）。

(5) **自白当時、被疑者が作成した上申書、手記等**

被疑者の自筆で書かれた、犯行を認める内容の書面である。

これは、法322条１項本文の「被告人が作成した供述書」に該当するから、自白・不利益事実の承認の記載があり、この作成の際の任意性が認められれば、証拠能力が肯定される。これに対しても、「捜査官が内容の下書きを作ってくれた。」「自白に合わせた手記を書くように強要された。」などと反論される場合があるので、注意が必要である。

⑹ 捜査官の証言

取調べの録音・録画が存在する事件であっても、録音・録画されていない捜査官の言動を理由に自白の任意性が争われる場合には、捜査官の証言によって任意性を立証しなければならない。

任意性立証に用いられることの多い証拠である。

裁判官の中には、捜査官が自己の捜査の内容について、自己や同僚に不利な証言はしないであろうという前提に立ち、その証言の信用性に懐疑的な見解をもつ者もいることに注意を要する。

一般に、**取調べ状況について客観的取調べ・捜査状況と矛盾したり、取調べ官相互の供述が食い違ったり、曖昧な供述に終始するようなときは、その証言に対する不信感は相当大きくなる**といえよう。重要事件では、取調べメモ、取調べ状況報告書等を作成し、取調べ状況の記録化を心掛け、被疑者側からの言い掛かり的主張には、毅然として反論できるような準備が必要である（⇒付録１「警察官の証人尋問例」参照。「取調べメモ」については、設問67、3 3、アドバイス参照）。

6 違法収集自白の排除

1 自白への違法証拠排除原則適用の可否

違法に収集された証拠物が証拠から排除される場合があることを宣明した最高裁判例（最判昭53.9.7）が、虚偽性の入り込まない証拠物についてさえ、収集手段の違法性だけを理由として証拠能力が否定される場合があるとしたことを根拠として、自白についても、違法な身柄拘束など、自白収集手続に違法があるときは、その違法だけを理由として（供述の任意性を問題とせず）自白の証拠能力が否定され得るとの考え方が裁判実務上定着化しつつある（違法収集証拠物については、設問63参照）。

522　第2章　自　白

2　証拠排除原則を適用すべき基準

　自白の証拠能力を排除する基準としては、違法収集証拠物の場合に準じた基準が適用になると考えられる。自白収集手続に憲法・刑事訴訟法上の基本原則を没却するような**重大な違法**があり、これを証拠として許容することが将来における違法な捜査の抑制の見地からして相当でないと認められる（**排除相当性**）場合に、当該自白の証拠能力は否定される。

　この基準を明示した裁判例として、①㋐違法な任意取調べの結果得られた自白（上申書）、㋑同上申書が有力な証拠となって逮捕・勾留の手続に移り、違法な任意取調べの影響下にあったことが否定できない状況下で得られた自白（検察官調書）は、**違法な捜査手続により得られた証拠あるいはこれに由来する証拠**であるとした上、「**自白を内容とする供述証拠についても、証拠物の場合と同様、証拠排除法則を採用できない理由はないから、手続の違法が重大であり、これを証拠とすることが違法捜査抑制の見地から相当でない場合には、証拠能力を否定すべきである。**」とし、上記自白の証拠能力を否定した例（東高判平14.9.4判時1808-144）がある。

　また、②「各供述調書作成の基礎となった逮捕・勾留手続そのものが適式で、しかも、その各自白自体には任意性が認められる場合であっても、それに先行する身柄拘束手続に憲法、刑事訴訟法の所期する令状主義の精神を没却するような重大な違法があり、これを証拠として許容することが将来における違法捜査抑止の見地から相当でないと認められる場合には、自白収集手続が全体として違法性を帯び、その間に得られた自白調書は、違法収集証拠としてその証拠能力が否定される」とした例（札幌地判平6.3.14判タ868-296

　ただし、同行を拒否する被告人の手を払い足を持ち上げるなどしてパトカーに乗せ警察署まで連行したことを違法としたが、同行を求めた時点で逮捕状請求が行われており、実質的に緊急逮捕が可能な状況であったことなどを理由に、令状主義の精神を没却するような重大な違法とまではいえないとし、各自白調書の証拠能力は肯定した）、

　③「自白自体に任意性があったとしても先行する捜査手続に違法があった場合にはその違法がその後に収集された自白の証拠能力に影響を及ぼし、当該自白が証拠から排除されなければならない場合がある。……自白収集の手

続に憲法や刑事訴訟法の所期する基本原則を没却するような重大な違法があり、右の取調手続の過程で収集した自白を証拠として許容することが相当でないと認められる場合には、仮に自白法則の観点からは任意性が認められたとしても、排除法則の適用により、当該自白の証拠能力は否定されるというべきである」とした例（千葉地判平11. 9. 8判時1713-143　前記東高判平14. 9. 4の原判決　当該宿泊を伴う取調べの事案に関しては自白の証拠能力肯定）がある。

　さらに、④いわゆる鹿児島夫婦殺人事件の差し戻し審判決は、同事案における別件逮捕勾留中の本件の取調べは実質的に令状主義を潜脱するもので違法であるとし、別件逮捕勾留中及びその後の本件による逮捕勾留中に作成された自白調書の証拠能力を否定した（福岡高判昭61. 4. 28判時1201-3）。

3　実務上の具体例

　実務においては、**違法な身柄拘束中の自白**について違法な自白収集手続があったとして自白の証拠能力が問題になることが多い。

　例えば、違法な現行犯逮捕中の自白の証拠能力を否定した例（東高判昭60. 4. 30判タ555-330）と肯定した例（福岡高那覇支部判昭49. 5. 13判時763-110）があり、違法な緊急逮捕（緊急逮捕状請求の遅延）中になされた自白の証拠能力を否定した例（大阪高判昭50. 11. 19判時813-102　ただし、逮捕に引き続く検事勾留中の自白については、証拠能力を肯定）がある。

　また、前記2①ないし③の事案のように、実質的な逮捕というべき任意同行・任意取調べ中の自白の証拠能力（⟹**設問13**、**5**）、上記2④の事案のような別件逮捕・勾留中の自白の証拠能力（⟹**設問39**、**5**）も問題になることが多い。

4　任意性との関係

　自白に任意性が必要な理由に関する説（⟹**3**2参照）において、違法排除説に立てば、違法な身柄拘束を利用して得られた自白については、それが任意になされたかどうかに関わりなく、身柄拘束の違法の程度によって、自白を排除するかどうかを決めることになる。

　しかし、通説・判例の立場である折衷説（虚偽排除と人権擁護の双方を考慮する説）に立てば、まず条文上の根拠がある自白の任意性の有無を検討し、

524   第 2 章　自　白

任意性があるとされた場合に身柄拘束の違法性の程度を判断し自白を違法収集証拠として排除すべきかどうかを検討することになる。

自白に関する二大法則（その2　補強証拠を要するとする法則──補強法則）　設問52　*525*

設問 52　自白に関する二大法則（その2　補強証拠を要するとする法則──補強法則）

● 設　問 ●

(1)　殺人の被疑者甲の自供の補強証拠として、逮捕前に、甲が逮捕されることを覚悟して友人宛に送った犯行告白手記を使用できるか。
(2)　業務上横領の被疑者乙の自供の補強証拠として、犯行発覚前から乙が備忘のために記載していた手帳・日記を利用できるか。

◆解　答◆

(1)　できない。⟹ **3** 2 (1)
(2)　できる。⟹ **3** 2 (2)

1 法319条2項（補強法則）の意義

「被告人は、公判廷における自白であると否とを問わず、その自白が自己に不利益な唯一の証拠である場合には、有罪とされない。」（法319条2項）。この規定は、憲法38条3項（「何人も、自己に不利益な唯一の証拠が本人の自白である場合には、有罪とされ、又は刑罰を科せられない。」）を受け、自白に補強証拠を要求したものである。

2 補強証拠が必要な理由

1　誤判防止

補強証拠が必要な理由の一つは、「被告人の主観的な自白だけによって、客観的には架空な、空中楼閣的な事実が犯罪としてでっち上げられる危険──例えば、客観的にはどこにも殺人がなかったのに被告人の自白だけで殺人犯が作られるたぐい──を防止するにある。」（最判昭24.4.7刑集3-4-489）。

2　自白偏重の防止

また、自白の証明力は極めて高いことから、捜査官や裁判官は、ともすれ

526　第2章　自　白

ば被告人の自白を偏重し、被告人の人権侵害を招くおそれがある。そこで、自白以外に補強証拠を必要として、自白の偏重を防ごうとしたのである。

3　補強証拠となり得る証拠——補強証拠資格

1　証拠能力のある証拠

補強証拠は、証拠能力を有する証拠でなければならない。

2　本人の供述以外の証拠

⑴　原　則

本人の自白をいくら積み重ねてみても、所詮は本人の自白にすぎないから、本人の別の自白を自白の補強証拠とすることはできない。

①盗難事実を知らない者が、被告人の自白に合わせて記載した盗難届は、実質は本人の自白を記載したものと同じであるから補強証拠資格がない（東高判昭31.5.29）。また、②無免許運転行為について警察官が被告人から事情を聴取して作成した捜査報告書や警察官が被告人から指示説明を受けるなどして作成した実況見分調書は、いずれも補強証拠資格がない（東高判平22.11.22判タ1364-253）。しかし、③被告人の妻が被告人から聞いた事実を含む自己の体験事実を供述した場合に、その妻の供述に補強証拠資格がある（最決昭40.10.19刑集19-7-765）。

⑵　例　外

事件と無関係に本人が記載した日記帳・手帳・メモ・日報・帳簿などの中には、本人の供述から独立した証拠とみるべきものもある。

例えば、①業務上横領事件で被告人が備忘のため記載していた手帳・日誌（広島高松江支部判昭28.3.2）、②食管法違反の被告人が記載していた米の未収金控帳（最決昭32.11.2刑集11-12-3047）、③高金利違反で被告人が貸借関係を記載していた手帳（仙台高判昭27.4.5高刑集5-4-549）には補強証拠資格があるとされる。いずれも、**犯罪の嫌疑を受ける前に、捜査公判を意識しないで、事件と全く無関係に作成されたもの**であることをその理由としている。

⑶　共犯者の供述

憲法38条3項及び法319条2項にいう「自白」には、共犯者の自白は

含まれないから、共犯者の自白は、本人の自白に対する関係で補強証拠となり得る。しかし、その共犯者の自白について更なる補強証拠は不要であるから、本人が否認している場合に、共犯者の自白だけで本人を有罪とすることもできる。

このように解したとしても、否認している被告人を共犯者の自白だけで断罪するに当たっては、共犯者が責任を他に転嫁するための虚偽供述（**ひきずり込み供述**）をすることも少なくないから、**共犯者の自白の信用性**は十分に吟味すべきである（⟹ 設問54、**6**）。

4 補強証拠を要する事実の範囲

補強証拠は、自白のどの部分に必要であるかということである。

1 犯罪の客観的構成要件事実

犯罪の**客観的構成要件事実**（罪体）については必要である。

⑴ 客観的構成要件事実であって補強証拠が不要なもの

犯罪の客観的要件事実とは、犯罪事実からその主観的側面（犯意・故意・過失など）を除いた犯罪の行為と結果のことをいう。しかし、判例は、必ずしも、その全部又は重要な部分に補強証拠が存在する必要はなく、自白に係る**犯罪事実が架空のものでないことが証明できる程度の範囲に存在すればよい**とする。

具体例として、①強盗致傷の自白に対しては、強盗の部分に補強証拠がなくても、暴行・傷害の部分について被害者の供述があればよく（最判昭24.4.30刑集3-5-691）、②贓物運搬・贓物故買の自白に対しては、運搬・故買の部分に補強証拠がなくても、贓物の部分について被害者の盗難届があれば足り（最決昭26.1.26刑集5-1-101、同29.5.4刑集8-5-627）、③殺人の自白に対しては死因についての補強証拠がなくても、被害者の死亡事実を証明する証拠があればよく（広島高松江支部判昭26.3.12高刑集4-4-315）、④業務上過失致死傷事件における業務性については、補強証拠を要さない（最判昭38.9.27判時356-49）。いずれも、その程度に補強証拠があれば、自白の真実性は担保できるという趣旨であるが、⑤覚醒剤所持等の「法定の除外事由がないこと」についても、補強証拠

528　第2章　自　白

を要さないとした裁判例もある（東高判昭56.6.29判時1020-136、東高判平17.3.25東高刑時報56-1〜12-30）。下記無免許運転の場合の無免許の事実について補強証拠が必要とされていることとの違いは、法定の除外事由がある場合は稀であり、通常、覚醒剤使用等の状況から法定の除外事由の不存在が推認でき、その使用等の行為について補強証拠があれば、法定の除外事由の不存在まで含めた自白に係る事実の真実性が担保できるからとされる（川出敏裕　前掲398）。

(2)　補強証拠が必要なもの

しかし、①無免許運転の場合の無免許の事実（最判昭42.12.21刑集21-10-1476、判タ216-114）、②無許可営業の場合の無許可の事実（仙台高判昭43.3.26高刑集21-2-186）、③自賠法の責任保険契約締結違反の保険契約不締結の事実（名古屋高判昭43.9.5高刑集21-4-338）、④不法在留の場合の違法入国の事実（東高判平19.11.5高検速報3371）、⑤報告義務違反の場合の「報告をしなかった」事実（大阪高判平2.10.24高刑集43-3-180）については、補強証拠を要する。

2　犯罪の主観的構成要件事実

犯罪の**主観的構成要件事実**については、不要である。

故意・過失の存在、不法領得の意思の存在など、犯罪事実の主観的側面に属する事実は、外部から裏付ける補強証拠がないのが普通であるから、判例は補強証拠は必要ではないとする。

例えば、①贓物の知情（最大判昭25.11.29刑集4-11-2402）、②共謀の事実（最判昭32.1.22刑集11-1-103）、③強盗の決意（最判昭23.10.21刑集2-11-1366）、④目的犯の目的（最判昭23.3.30刑集2-3-277）などは、被告人の自白だけでこれを認定することができる。

3　被告人と犯人との結び付き

被告人と犯人との結び付きについても、不要である。

被告人と犯人との同一性（結び付き）について、補強法則は、あくまで被告人が自白した犯罪が架空でなく、現実に行われたものであることを証明するもので足りるから、当該犯罪が被告人により行われたことの補強証拠は必ずしも必要ではないと考えられる（最判昭24.7.19刑集3-8-1348）。

4 犯罪事実以外の事実

犯罪事実以外の事実についても、不要である。

処罰条件の存在、累犯前科の存在、情状など、犯罪事実に属しない事実については、補強証拠は必要でない。

5 補強証拠として必要な証明力

1 証明力の程度

補強証拠自体で犯罪の客観的要件事実を証明できる程度の証明力までは不要である。判例は、自白と相まって**罪体**の存在が証明できる程度のものであればよいとする。

例えば、①「被告人が盗んだと言っているから盗まれたことに間違いないと思う。」旨の被害てん末書であっても、被害物件の保管場所・保管者・保管状況などを詳述し、被害の可能性が認められるものであれば、窃盗の補強証拠となる（最決昭32.5.23刑集11-5-1531）、②被害届記載の被害日時が自白と4日間違っていても、被害場所・被害者・被害物件等が自白と一致していれば、窃盗自白の補強証拠として用い得る（最判昭24.7.19刑集3-8-1341）、③買受日時・数量が自白と一致しない買受人の供述でも、密造焼酎売渡の自白が架空でないことを保障し得るものであれば、補強証拠となり得る（最判昭29.12.3判時41-19）、④犯人は1人であったという被害者の供述も、2人で脅迫したという自白を補強する証拠たり得る（最大判昭24.7.22刑集3-8-1360）としている。

しかし、⑤盗まれたかどうか不明であるという被害者の証言（東高判昭26.1.30高刑集4-6-561）、⑥自白の内容と重要な部分で大きく食い違う補強証拠（福岡高判昭25.11.22　犯罪日時が1年相違している場合）などは、自白と相まって自白に係る罪体の存在が真実であることを保障するには足りないから、補強証拠とはなり得ないとしている。

2 間接的証拠

補強証拠となし得る証拠としては、間接的証拠であってもいい（最判昭26.4.5刑集5-5-809）。

例えば、無免許運転罪における運転行為自体の補強証拠としては、警察官

530   第2章 自 白

等による運転行為自体の現認等の直接証拠でなくとも、①無免許運転に係る
車両が駐車違反をしていた事実及び被告人が同車両のところに来て運転席ド
アの横に立った事実などの現認でも足りる（大阪高判昭57.5.31判時1059-157）
し、②無免許運転に係る車両が駐車違反をしていたことの現認でも足りる
（札幌高判平13.10.25　違法駐車が現認された時点より以前で、それほど以
前に遡らない日時において何者かが当該車両を駐車場所まで運転してきたこ
とが推認できるとする）とされる。

被告人（被疑者）の供述調書・供述書の証拠能力など　設問53　　*531*

設問 53　被告人（被疑者）の供述調書・供述書の証拠能力など

●設　問●

(1)　被疑者の自供を録取した供述録取書（供述調書）は、警察官が作成したものと、検察官が作成したものとで、証拠能力に差があるか。

(2)　被疑者が取調べ官に自供するものの、供述調書への署名押印を拒否する場合、その自供内容を公判で証拠とする方法を説明しなさい。

◆解　答◆

(1)　差がない。⟹**1** 1(2)

(2)　⟹**3**

1　被告人ないし被疑者の供述録取書・供述書（法322条）

1　本条は、被告人ないし被疑者（以下単に「被告人」という）の供述書（例えば、上申書）、供述録取書（通常、**「供述調書」**と呼ばれる）を、**被告人本人に対する関係で証拠とする場合**の規定である（⟹被告人以外の供述調書・供述書については、**設問 58** 参照）。

　被疑者の供述録取書・供述書の証拠能力が実際に問題になるのは、当該被疑者が起訴されて被告人となった後の場面であり、当該被告人を被告人として刑責を問う関係でこれを証拠とするときは、「被告人の供述録取書・供述書」の証拠能力の規定が適用される。しかし、これを、第三者が被告人となる事件でその刑責を問う関係で証拠にするときは、「被告人以外の者の供述録取書・供述書」の証拠能力の規定が適用される。被疑者の供述録取書・供述書の証拠能力に関しては、将来ほとんどが、「被告人の供述録取書・供述書」として使われることになるので「被告人の供述録取書・供述書」に関する法322条、319条等の規定の「被告人」を「被疑者」に読み替えて理解すればよい。しかし、これが「被告人以外の者の供述録取書・

532 第2章 自 白

供述書」として使われることもあることに留意すべきである。

(1) 伝聞証拠といえるか

　被告人の供述録取書等も、被告人の供述自体を直接公判廷に提出しないで、書面を代用するという点で、「伝聞証拠」に一応該当する （**設問57**参照）。しかし、参考人の供述録取書等の場合と異なり、そもそも被告人自身が、原供述者であり原供述者を反対尋問することがあり得ないのであるから、書面を証拠として使用しても被告人の反対尋問権を侵害することはない。この点で、**被告人の供述調書等は本来の伝聞証拠ではない**。

(2) 参考人供述調書との違い

　したがって、参考人の供述調書等の場合と異なり、

(ｱ) **供述書と供述録取書の間で証拠能力の区別がなく**、

(ｲ) **供述録取書の場合、裁判官、検察官、警察官、一般私人いずれの面前で録取されても証拠能力の差別がなく**、

(ｳ) **内容が被告人に不利なときは、任意性がある限り証拠能力を有する**ことになる。

2 共犯者に対して証拠とする場合

　被告人の供述書・供述録取書であっても、それを他の共犯者に対する関係で証拠とする場合には、「被告人以外の者」の供述として伝聞証拠となるから、法321条（1項・2項前段）の条件を満たさない限り、証拠として使用できない（⟹ **設問58**）。

2 供述書・供述録取書（法322条1項）

1 対象書面

　対象となる書面は、「**被告人が作成した供述書**」又は「**被告人の供述を録取した書面で被告人の署名若しくは押印のあるもの**」である。

(1) 供述書

　被告人の供述書に当たるとされたものとしては、①買受始末書・販売始末書（札幌高判昭26.3.28高刑集4-2-203）、②司法巡査作成の交通違反現認報告書の裏面に印刷された「表記の通り違反を認む」の文字の下

に被疑者が署名押印した文書（最決昭32.9.26刑集11-9-2371）、③被告人作成のメモ（東高判昭40.1.28高刑集18-1-24）などがある。

⑵ **供述録取書**

供述録取書には、その内容と供述内容の同一性を担保するための**被告人の署名又は押印を要する**ことは、参考人供述録取書の場合と同様である。

2 被告人の供述書、供述録取書の証拠能力

⑴ **不利益事実の承認である場合**

不利益事実の承認（自白も含まれる）に当たる書面は、任意性がある限り無条件で証拠能力が与えられる（法322条1項本文前段）。

人が自己に不利益なことを供述する場合には、虚偽が少ないのが一般であるから、その不利益承認自体で供述が特に信用できる情況（特信情況）の下でなされたものとみなされているのである。

⑵ **不利益事実の承認でない場合**

不利益事実の承認に当たらない書面（被告人に有利な内容の書面）は、その供述が特信情況の下にされたものと認められる場合に限り証拠能力が与えられる（法322条1項本文後段）。

3 証拠能力が否定される場合

書面の内容が自白のときはもちろん（法319条1項）、その内容が自白以外の不利益な事実の承認であるときも（同条の規定に準じ）、任意にされたものでない疑いがあると認めるときは、証拠能力が否定される（法322条1項ただし書）（⟹ **設問51**）。

3 被疑者が捜査官に自供はするものの、供述調書への署名押印を拒否する場合、この自供を証拠として公判で利用する方法

被告人以外の者Aが、公判において、法廷外で被告人Xから聞いた事実（例えばXが「Yを殺した」と供述したと聞いたこと）を証言する場合は、一種のまた聞き証言であるが、被告人Xの原供述（「Yを殺した」との供述）が法322条の要件を満たせば、そのまた聞き証言に証拠能力が認められる

534　第2章　自　白

（法324条1項、322条を準用）。

　したがって、**被告人から自供を聞いた捜査官が、その自供内容を法廷で証言すれば、捜査官のその証言には証拠能力が与えられる**。だから、被告人が捜査段階で自供したにもかかわらず供述調書の署名押印を拒否したような場合には、取調べ官が出廷してその自供内容について証言をすれば、法324条1項によりその自供内容を証拠化することが可能である（しかし、署名押印のある自供調書に比べ、信用性は大幅に低くなる）。

設問54 自白の信用性（その1　信用性が否定されやすい自白）

●設　問●
捜査段階のどのような自白が、信用性がないとされるか説明しなさい。

◆解　答◆
⟹本問の解説1から5まで全般参照

1　はじめに

1　自白の信用性に関する判断枠組み

　自白の信用性に疑いがある場合には、その信用性を検討しなければならない。その際には、「**自白を裏付ける客観的証拠があるかどうか、自白と客観証拠との間には整合性があるかどうかを精査し、さらには、自白がどのような経過でされたか、その過程における捜査官による誘導の介在やその他虚偽供述が混入する事情がないかどうか、自白の内容自体に不自然、不合理とすべきところがないかどうかなどを吟味し、これらを総合考慮して行うべきである。**」（最判平12.2.7民集54-2-255　「草加事件」民事訴訟　少年による強姦（現：不同意性交等）・殺人事件の被害者側から被疑少年の両親に対して起こされた民事裁判において、捜査段階の自白の信用性が問題となり、本判決は、自白の信用性に疑いがあるとしたもの）。

2　一般的に信用性が否定されやすい自白

　公判において、捜査段階での被疑者の自白の信用性が疑わしいとされ、その結果、起訴事実が無罪とされる事例が少なくない。一般に、①**客観的事実と符合しない自白**、②**重要事項について不自然な供述の変遷がある自白**、③**供述内容が不自然、不合理な自白**は、信用性が否定されやすい。

536 第3章 自白等の信用性

3 取調べ状況立証の意義

前述（ **設問51** 、 **3** 5）したように、取調べ状況（自白獲得過程）は自白
の任意性の立証のみならず自白の信用性を立証する上でも極めて重要な資料
となる。自白獲得過程において捜査官の誘導などが働いていると判断される
場合などには、信用性が減殺・否定されることがあり得る。 **取調べ状況に関
する証人として召喚された捜査官は、任意性立証とともに信用性立証も期待
されていることを十分わきまえて尋問に臨む必要がある** （⟹付録1「警察
官の証人尋問例」参照）。

2 供述内容が客観的事実と一致しない自白

1 客観的事実との不一致の意味

(1) 客観的事実との積極的矛盾──あるべき事実と矛盾する事実が存在する場合

例えば、 **殺害態様** に関する自白と被害者の死体の所見が矛盾する場合
である。

罪を悔い、犯行の全貌を捜査官に告白する気持ちになっている真犯人
であれば、通常その自供内容は、客観的事実に完全に合致するはずであ
る。したがって、自供内容が客観的事実と食い違うことは、特別の理由
のない限り、供述者が真犯人であることを疑わせる要素となる。

特別の理由があるのは、記憶違い・錯覚があるのも当然な状況につい
ての供述（例えば、興奮状態での犯行状況などに関する供述）の場合や
被疑者が故意に虚偽供述をするのも当然な状況に関する供述（例えば、
余りにもむごい殺害方法についての供述など）の場合などである。この
場合は、細部についての供述が客観的事実と食い違うとしても、直ちに
自白全体の信用性が否定されるものではない。

なお、客観的事実とはいっても、不変不動のものではないことに注意
すべきである。例えば、死体の死因についての鑑定結果に関し、自供が、
捜査段階のA鑑定嘱託医の鑑定書記載の死因（客観的事実）に沿うとさ
れたのが、公判になって異なる結論のB医師の **新鑑定** がでて、新鑑定の
方が信用できるとなれば、自供は一転して客観的事実に反するものとさ

自白の信用性（その1　信用性が否定されやすい自白）　設問54　　*537*

れるのである（⟹ **設問34**、**2**）。

　　この観点から信用性が否定された例として、

　　①被告人とともに被害者の口の回りなどをガムテープで巻き付けるなどして六甲山中に連れ出し殺害した旨の共犯者の供述について、被害者の死体は下顎歯4本が欠けていることからガムテープを巻き付ける前に暴行が行われていた可能性があるのに、共犯者の供述にはこの点に触れるものがないとし、「（同供述は）被害者がガムテープを巻き付けられるなどされるに至った具体的態様について少なくとも一部虚偽を交えている疑いが否定できない」とした例（最判昭63.1.29刑集42-1-38　「六甲山殺人事件」上告審判決）

　　②強盗殺人・死体遺棄事件に関する自白につき、自供に係るバットでの打撃態様やナイフによる刺突態様と被害者の骨折状況や創傷部位と符合しない可能性が高いことなどを理由として信用性を否定した例（釧路地判昭61.8.27判時1212-3　「梅田事件」再審無罪判決　被告人の自供内容自体が常識上首肯し難い点があることも考慮。なお、共犯者の自白の信用性も否定した）

　　③殺人及び死体遺棄事件に関する自白につき、客観的証拠（被害者の頭蓋骨の骨折や着衣の損傷状態）と矛盾し、存在するべき事実（自動車内の血痕や凶器の存在）について裏付けが得られないなどとして信用性を否定した例（最判平元.6.22刑集43-6-427　「山中事件」上告審）

がある。

(2)　**客観的事実との消極的矛盾**──あるべき事実が存在しない場合

　　意　味　　自供（例えば、至近距離から被害者を刺したとの自供）が真実だとすれば、ある一定の結果（例えば、被疑者の着衣等への返り血）が客観的事実として存在しなければならないときに、それが存在しない場合は、自白の信用性が否定されることになる。積極的矛盾と異なり、見すごされやすい事柄であるので、この矛盾発見のためには冷静に事件を観察する姿勢が必要である。

538　第3章　自白等の信用性

> **アドバイス**　供述と客観的事実との消極的矛盾の発見方法
> 　被疑者の犯行時の行動を頭に浮かべ、その行動からみて当然残されてい**なければならない痕跡はどんなものがあるかを想像し、現場等にその痕跡が残っているかどうかを点検すべきである。**

　　信用性否定例　　消極的矛盾があるとして信用性が否定された事例としては、

　　①出血している被害者甲の首をタオルで絞めて殺害し、被害者乙を馬鍬で殴打して出血させタオルで首を絞めて殺害したとの自供があるのに、綿密な捜査によっても人血が付着した被疑者の着衣が発見されなかった事案（最判昭57.1.28刑集36-1-67、判タ460-68　「鹿児島夫婦殺人事件」）

　　②一家4人を薪割で殺害した際、ズボン、ジャンパーに大量の血が付着し、自宅に帰る途中、ため池で洗ったとの自供があるのに、数回にわたる血液検出鑑定が陰性であり、当初からズボン、ジャンパーに大量の血が付着していなかった蓋然性が高いと判断された事案（仙台地判昭59.7.11判時1127-34　「松山事件」再審無罪判決）

などがある。

> **アドバイス**　供述と客観的事実との間に消極的矛盾があった場合の措置
> 　自供（例えば、鉄棒で頭を強く殴ったとの供述）からいけば、通常存在しなければならない事実（例えば、着衣への返り血）が発見されない場合には、捜査官は、
> 1　更に徹底して捜査を尽くし（例えば、徹底した捜索、クリーニングなど事後に証拠隠滅した事実の有無の捜査）、その事実が本当に存在しなかったのかどうかを解明する必要があり、
> 2　その事実が存在しないことがはっきりしたときは、被疑者の自供する犯行方法や状況でも、例外的にその事実が存在しないこともあることを鑑定・実験等によって証明する（例えば、打撃の方向によっては返り血を浴びないことがあること）必要があるし、
> 3　鑑定等によっても、その事実が存在しないこともあり得ることが証明できないときは、その部分の自供が、記憶違い・記憶の欠落又は作為的

> 虚偽供述であることを、積極的に証明する必要がある。

2 被疑者が客観的事実と符合しない自白をする原因とその防止策

(1) 原因その1

捜査官の記憶是正努力にもかかわらず、**あえて被疑者が客観的事実と反する供述を維持する場合**

この場合は、被疑者が犯人であるとすれば、何らかの理由で記憶の欠落・錯覚があったか、作為的な虚偽の供述をしているかである。したがって、記憶の欠落・錯覚があったと考えられるときは、供述人に錯覚等がある可能性を合理的に説明させ、録音・録画に記録しておく必要がある。供述人が故意に虚偽の供述をしているとの心証が得られるときは、それを浮き彫りにする問答を実施して記録し、捜査官のその心証を公判廷にも顕出できるようにしておく必要がある。

(2) 原因その2

捜査官が、客観的事実を知らなかったか、別の事実を客観的事実と誤信していたため、客観的事実と異なる自供内容をそのまま見過ごして聴取する場合

公判でなされた鑑定の結果、自供と異なる客観的事実が判明する場合や、公判においてアリバイ証人が登場し被告人のアリバイが証明されるような場合が典型例である。

裁判例としては、

①「ナタで被害者の後頭部を殴打──►起き上がろうとする被害者の一人ののどを刺身包丁で刺してとどめをさした。」との自供があり、捜査段階ではこれに沿う内容の鑑定があったのに、公判において犯行の順序が「包丁での攻撃──►ナタでの攻撃」であったとの新鑑定がなされた事案（熊本地八代支部判昭58.7.15判時1090-21 「免田事件」再審無罪判決）

②自供で殺害日時とされた日の翌日に被害者を目撃したとの証人が公判段階で出現した事案（大阪地判昭46.5.15判時640-20 「六甲山保母殺人事件」無罪判決）

③自白した多数の窃盗事実のうち、一部は被告人が受刑中の期間の事

540　第3章　自白等の信用性

件であったことが判明した事案

　④小包爆弾をリレー搬送したとの自供をした被疑者について、当該日時において、運転免許試験を受けていたことが判明した事案（東地判昭58.3.24判時1098-3　「日石土田分離組無罪判決」）
など少なくない。

　鑑定についていえば、捜査官は捜査段階における鑑定結果については、結論だけをうのみにするのではなく、鑑定経過・推論過程をも十分検討し、公判でも耐えられる鑑定内容かどうか吟味する必要がある。

(3)　原因その3

　捜査官が、自供当時の証拠関係を検討すれば客観的事実を知り得たのに、**検討不足等のため、客観的事実に反する自供を問いただすことなく漫然と聴取**した場合

　例えば、①殺害前に被害者に腹部、腰部に対する足蹴り等の激しい暴行を加えたとの自供について、死体解剖鑑定書には、このような暴行を推測させる痕跡が見当たらなかったとの記載があった事案、②立った姿勢で、立っている被害者の横から咽喉を刺身包丁で一突きしたという自供について、被疑者と被害者の身長が23センチ違うという事実からみてその犯行は実行困難とされた事案、③自動車の運転席にマッチ1本をすって火をつけたとの自供につき、運転席の燃焼痕に点火材料らしき小紙片が付着していたという矛盾する状況があった事案（名古屋高金沢支部判昭45.12.3刑月2-12-1261）である。

　被疑者の取調べ担当者と裏付け担当者を統括する捜査指揮官はもちろん、被疑者取調べを担当する捜査官も、犯行痕跡、現場の状況等の客観的証拠関係を十分頭に入れ、これと矛盾する自供を軽信し漫然と聴取・録取するようなことがないように気を付けなくてはならない。

3　供述内容が不自然に変遷する自白

1　変遷の内容──重要な事柄についての変遷か否か

(1)　変遷があっても信用性に影響がない場合

　被疑者が、事実を実際に経験している場合であっても、

自白の信用性（その1　信用性が否定されやすい自白）　設問54　　*541*

(ア)　被疑者が、記憶を失ったり、誤った記憶に基づいて供述する場合

(イ)　被疑者が、自己に有利に虚偽の供述内容を作り、自己に都合の悪い
　　ことについてあえて供述しない場合

は、供述内容が終始一貫しなかったり、客観的証拠と食い違うことがあ
り得る。

　だから、内容が終始一貫しないことや、客観的証拠と食い違うことか
ら、直ちに供述全体の真実性がないとはいえない（最決昭52.8.9刑集31
-5-821　「狭山事件」上告審）。

(2)　信用性に影響する場合

　しかし、①「供述人自身の行動に関する事項」であって、②「重要な
事柄」については、記憶違いや錯覚はまれなことであるから、供述人が
故意に虚構を供述したと証明できない限り、供述の変遷や客観的証拠と
の食い違いがあるときは、その供述は、取調べ官に迎合して体験しない
事実を供述したものと疑われ、信用できないとされる（最大判昭34.8.
10刑集13-9-1419　「松川事件」第一次上告審）。

> **アドバイス**　被疑者が供述変遷の理由を「記憶違い」と説明する場合
> 　　　　　　の対処
> 　「被疑者自身の行動に関する供述でしかも重要な事柄についての供述」
> の変遷については、「記憶違い」「錯覚」という説明は簡単には通用しない
> ことに注意すべきである。そのような場合は、被疑者に対して更なる説明
> を求めるべきである。

(3)　「重要な事柄」の例

(ア)　犯行前の準備、計画段階の行動（立ち寄り先など）、犯行後の行動
　　に関する供述（いわゆる犯行の「前足・後足」についての供述も含む）

　　　その時点は興奮状態にないのが通常で、記憶の混乱も考えにくいし、
　　被疑者にとっても故意に虚偽供述をする必要性が乏しいとされ、この
　　事柄についての供述の変遷があるときに信用性を否定されることがあ
　　る。

(イ)　記憶違い・錯覚があり得ない、特殊な犯行状況に関する供述

　　　犯行状況に関する供述は、犯人に興奮・驚がく等による記憶の欠落・

錯覚が伴いやすく、その供述内容が刑事責任の存否、犯情の軽重に直ちに影響するため、被疑者も故意に虚偽供述をすることが多い。

しかし、犯行状況に関するものであっても、記憶の欠落や錯覚が通常あり得ない事柄（例えば、共謀の態様、犯行の動機、殺害時に被害者が大声をあげたかどうか、絞頸の方法、姦淫と絞頸の先後関係、被害者の抵抗の有無、凶器の形態など）に関しては、錯覚等があり得ないと考えられるから、その自供の変遷の合理的説明（罪責を免れるため故意に虚偽の供述をしたなど）が被疑者から説明され、それが証拠化されていない限り、自供の信用性が否定されることが多い。

(ウ)　犯行後の凶器、盗品等の処分状況

これは、記憶違いがあり得ず、しかも明らかに「重要な事柄」であるが、一方いわゆる「最後の悪あがき」として、犯人が故意に虚偽の供述をしがちな事柄でもある。しかし、場合によっては、「既に強盗殺人の犯行について自白している以上、盗品等の投棄場所についてのみ嘘をつく理由がない。」との論法で、自白全体の信用性が否定されてしまうこともある。

2　変遷の態様──不自然な変遷か否か

(1)　自然な変遷

記憶の誤り・錯覚が次第に訂正される場合、興奮状態のため不鮮明だった記憶が次第に取り戻されていく場合、あるいは、故意に虚偽の供述をしていたことを認めて被疑者が真実の内容に供述を訂正した場合などである。これらは自然な供述の変遷であり、自白の信用性は肯定される。

例えば、被告人からその妻の殺害を指示され実行したとする実行役女性の供述が変遷していること（捜査段階だけでも、アメリカで犯行直前に被告人に強圧的に命令された。⟹日本にいるときに殺害を指示され承知したが、アメリカに来て実行をちゅうちょしたら被告人に脅されたので実行した⟹日本にいるときに殺害を指示され被告人の歓心をかいたいとの気持ちから承諾したもので脅しはなかった。実行時には殺意があったなどと変遷）について、捜査段階において供述者自身が変遷の理由を詳細に説明する内容が合理的であり、全体として供述の変遷につい

て合理的説明が可能であり、信用性を否定する理由にならないとした（東高判平6.6.22判タ859-82　「ロス疑惑殴打事件」控訴審判決）。

⑵　不自然な変遷

記憶の欠落・錯覚を訂正したという程度の理由では説明できない変遷であり、自白の信用性を否定させる要因となる。

変遷の程度、回数が著しい場合　同一人が否認、自白、否認を繰り返す場合、取調べ官が替わるごとに供述に変遷がある場合、共犯者がある場合において、捜査の進展に従って共犯者相互の供述が大きく矛盾、変遷する経過をたどる場合など。

記憶違い等もあり得ず、かつ、刑事責任に直接影響がないと思われる事柄についての供述の変遷　例えば、強盗殺人の犯行事実そのものについての供述は一貫しているのに、犯行前のはいかい中の行動、犯行後の逃走状況等についての供述が変転動揺しているとされた場合（最判昭45.7.31刑集24-8-597　「仁保事件」）は、供述人が、体験していない事実について捜査官に迎合的に供述をしたと評価されることがある。

詳細な自供から、重大な点で、これと矛盾する別の詳細な自供に変遷する場合　例えば、「共犯者甲とともに謀議場所に赴き、同人も謀議に参加した。」との詳細な自供──▶「単独で謀議場所まで行き、甲は謀議に参加していない。」との詳細な自供──▶「甲と同行し同人も謀議に参加した。」との詳細な自供に変遷する場合は、詳細な自供が重大な点で変遷しているとの理由で、自供の信用性が否定された（前記「松川事件」最高裁判決）。

⑶　変遷が不自然であるだけでなく、捜査官からの強引な誘導暗示があったとみられる変遷

いったん客観的事実に反する自供がなされ、捜査官が客観的事実を知った後にこの客観的事実に合致した自供に変遷する場合　捜査官が、客観的資料に基づいて、供述人の記憶を喚起し、その記憶違い、記憶の忘却・混乱等を正すことは許される。しかし、新たに得られた自供の中に、いわゆる「秘密の暴露」（⟹ 設問55 参照）を欠くときは、供述人が捜査官に迎合し、その誘導暗示に従って、体験しない事実を自供したと疑われる可能性がある。

544　第3章　自白等の信用性

　　　捜査官が既に知っていた**客観的事実についての供述は一貫していても、**
その他の部分の供述の変遷が顕著な場合　　例えば、凶器の種類、殴打部
位、放火場所等に関する自供は、捜査官に知られていた事実に関する自供
であって、捜査官の知識の反映にすぎないのではないかとの疑問があり、
一方、凶器の所在場所、犯行現場に来る途中での休憩状況、犯行時に着て
いた着衣の処理状況等についての自供が顕著に変遷しているのは、供述人
が、体験していない事実について、思い付きで次から次に虚偽の事実を述
べたためではないかとの疑いがあるとされ、自供全体の信用性が否定され
た例がある（前記「松山事件」再審無罪判決）。

> ［アドバイス］　**供述の変遷に対してとるべき措置**
>
> 1　供述の変遷があった場合は、後日、その自白の信用性が否定されるこ
> とがないように、**供述変遷についての合理的な理由（①これまでの供述**
> **が真実ではないといえる理由、②新たな供述が真実だといえる理由、③**
> **これまで真実と反する供述をした理由、④真実の供述をする気持ちになっ**
> **た理由）**を被疑者に明確に供述させ、録音・録画に記録するとともに供
> 述調書に記載するようにするなどしなければならない（取調べの録音・
> 録画の中で記録しても、この記録媒体が取り調べられないこともあり得
> るので、供述調書の中でも明らかにするようにすべきである）。この理
> 由の供述の記録がないときは、不合理な供述の変遷であるとされて、自
> 供の信用性を否定されても仕方ない。
>
> 　特に、記憶違いや記憶の欠落があり得ない事柄について供述の変遷が
> あった場合は、おざなりな理由ではだめである。その事柄についての記
> 憶違い・記憶の欠落があった特別の理由、又は供述人が故意に虚偽の供
> 述をした具体的理由を明らかにし記録しておかない限り、到底裁判官を
> 納得させられない。
>
> 　参考事例として、逮捕前の時期には共犯者から脅されて殺人の指示を
> 承知したと供述し、逮捕後、共犯者の歓心をかうために殺人を承知した
> などと供述を変遷させた理由について具体的に説明させ供述調書化する
> とともに、自筆のメモとしても供述を変更させた心情などを記載させ、
> 逮捕後の自供の信用性の立証に成功した例（前記「ロス疑惑殴打事件」
> 控訴審判決）がある。ささいな事項であっても、変遷の理由をきちんと

問いただし、それを記録しておくことが肝要である。

2　変遷理由が不審なとき

　　供述の変遷の真実の理由が、将来否認するための布石としての故意の虚偽供述であったと考えられるときに、被疑者が「単なる記憶違いだった」と主張する場合は、問答をして記録するなどして、捜査官がその主張を信用していないことを明らかにしておく必要がある。

3　軽微事件の被疑者を除いては、犯行を自白した被疑者であっても、刑罰を軽くしたい心情、世間体を気にする気持ちなどから、犯行状況の細部、犯行前後の状況、犯行の動機などについて、当初から一気に真実を自供するとは限らない。したがって、虚実が混合している可能性のある最初の自供段階で、「自供したので、気持ちがすっきりしました。全てのことを正直にお話しします。」などという、きまり文句的な供述があったとしても、うのみにすべきではない。

④　供述内容が不自然、不合理な自白──その種類と対策

1　供述内容が常識に反して不自然な自白

　これは、例えば、①強盗殺人の凶器を偶然に拾ったとする自供、②盗んだ現金の一部を紛失又は盗難被害に遭ったとする自供などである。

　被疑者が犯人であれば、これは故意の虚偽供述であり、公判で否認するための布石であることが多い。問答を記録することにより、その状況を明らかにしておく必要がある。

　また、例えば、③被告人単独で体重70キロの被害者を山中の急斜面を引きずるなどして死体発見場所まで運んだ旨の共犯者の供述について、被告人が背広・革靴で、ロープも使わず、20分で戻ってきたとし、被告人の着衣の乱れや汚れについても触れていないことなどから、「少なくとも、被告人が、深夜たった一人で被害者を六甲山中の停車地点から死体発見現場まで運んで殺害したことを推定させる部分については、これをこのまま信用することは困難」とされる（最判昭63.1.29刑集42-1-38　「六甲山殺人事件」上告審判決　暴力団組織の上位者が一人で真っ暗な山中で殺害を実行しているのに、下位の者が車の中でその間待機していただけであったという役割分担は不自

546　第3章　自白等の信用性

然であるともする)。

2　あるべき説明が欠如する自白

　犯人であれば体験しているはずの事項、犯人であれば容易に説明でき言及するのが当然な犯行の特異な内容等について、何らの説明がない自白である。

　このような自供になる原因としては、㋐被疑者が意図的に隠蔽した、㋑捜査官が質問しなかった、㋒体験していない事実なのに、捜査官の誘導によって自供がなされたこと等が考えられる。

　しかし、裁判所は、このような自供の場合、その**原因が上記㋐、㋑であることが積極的に証明されない限り、被告人に利益に、すなわち、専ら捜査官の誘導により自供がなされたものとして、自供の信用性を否定する傾向にある**ことに注意を要する。

　例えば、①被害方に金品物色の形跡があり、犯行後、犯人が女性被害者の死体の下半身を露出したことが明らかなのに、これらの点について何らの説明がない自白（最判昭57.1.28刑集36-1-67　「鹿児島夫婦殺人事件」　これらの事実に関する説明が欠落している事情が明らかにされない限りは、この点も自白の信用性を疑わせる事情であるとする)、②侵入口付近は暗く、障害物もあって通行には配慮が必要だったはずであるのに、その点の説明がない自白、泥酔状態であって、直前に数回おう吐した被害者に接吻したというのに、被害者の泥酔や口の悪臭等の特徴的状態に触れた供述がない自白、闇夜、山中の細道を2人がかりで殺害現場である崖上まで被害者を運んでいったというのに、その運搬の困難さについて触れられていない自白（最判昭55.7.1判時971-124　「鹿児島ホステス殺人事件」）などは信用性が否定されることになる。

3　詳細すぎる自供、詳細な部分と空疎な部分とがアンバランスな自供

　捜査官の知っている客観的事実に関する供述が、興奮状態にいたはずの犯人としてはあまりに詳細すぎたり、その逆に捜査官が知らない事実関係の供述が異常に内容空疎である場合は、捜査官からの誘導があったとみられがちである。

5 自白の信用性を否定させるその他の要素

1 被疑者が少年等の場合

被疑者が、少年、知的障害者である場合には、暗示、誘導にかかりやすいということから信用性の吟味が慎重になされる傾向にある。

2 被疑者の虚言癖等

被疑者に、虚言癖があったり、取調べ時において自暴自棄になっていたり、その逆に釈放を強く願い迎合的な心境になっていたときも、自供の信用性の吟味は厳しくなるであろう。

6 共犯者の自白の信用性

1 信用性が問題となる場面

共犯者の自白は、その共犯者自身の刑事責任を立証する関係ではまさしく「自白」としての任意性・信用性が検討されることになるが、共犯者である他人の刑事責任を立証する関係では、被告人以外の者の供述として、証拠能力や信用性が付与できるかどうかが問題となる。どちらの立証の関係でも、その自白（供述）の信用性を慎重に検討する必要がある。ここでは、その信用性を検討するに当たっての留意事項を述べる。

2 共犯者の自白に特有の危険性と信用性検討の留意点

最高裁は、共犯者の自白については、**無実の者を共犯者として巻き込むことにより責任をその者に転嫁しようとする危険性**を指摘した上、その信用性を慎重に吟味する必要があるとしている。

すなわち、①「（老夫婦に対する強盗殺人のように極刑に値するであろう凶行を犯した）犯人が自己の刑責に軽からんことをねがうの余り、他の者を共犯者として引き入れ、これに犯行の主たる役割を押しつけようとすることは、その例なしとしない。」とした上「その供述内容が他の証拠によって認められる客観的事実と符合するか否かを具体的に検討することによって、さらに信用性を吟味しなければならないのである。しかし、この場合に、符合するか否かを比較される客観的事実は、確実な証拠によって担保され、ほとんど動かすことのできない事実かそれに準ずる程度のものでなければ意味が

ない。」（最判昭43.10.25刑集22-11-961　「八海事件」第3次上告審判決　他の共犯者の行為に関する自白部分については、確実な物的証拠による裏付けがないので信用できないとした）とか、

②「犯行に関与しているものの、関与の程度が客観的に明確となっていない者は、一般的に、自己の刑責を軽くしようと他の者を共犯者として引き入れ、その者に犯行の主たる役割を押しつけるおそれがないとはいえない」とし、共犯者の自白の信用性について慎重に吟味する必要があるとした上、「その供述内容の合理性、客観的事実との整合性等について、具体的に検討することが必要である。」（最判平元.6.22刑集43-6-427　「山中事件」上告審判決　共犯者の自白に信用性を認めた控訴審判決を破棄し差し戻したもの。当該共犯者は、被告人から別件の強盗被害を受けていること、知的障害があったことが考慮されている）。

と各判示していることに留意しなければならない。

3　具体的検討例

　共犯者の自白の信用性のチェックに当たっては、自白の信用性を検討するための前記**1**ないし**5**に挙げた一般的検討事項がチェックされなければならないが、共犯者の自白の場合は、加えて、**他人を共犯者として巻き込む動機（怨恨・真の共犯者の隠匿など）の有無**、**共犯者について供述するようになった経緯（最初から当該人物を共犯者として特定して供述していたかどうか）**などが問題とされなければならない。

　共犯者の自白の信用性を肯定した例として、①被告人からその妻の殺害を指示され実行したとする実行役女性の供述についてのもの（東高判平6.6.22判タ859-82　「ロス疑惑殴打事件」控訴審判決　信用性を肯定した理由として、証拠上明白な多数の事実と符合し裏付け証拠を有すること、供述に変遷があるものの合理的説明が供述者自身によってなされていることなどが挙げられている）、②被告人（オウム真理教団教祖の妻）が教祖らによるリンチ殺人の謀議の場面において教祖の意向に賛成する言動があった旨の共犯者（教団幹部）の供述についてのもの（東地判平10.5.14判タ1015-279　当該供述自体が具体的・詳細で、内容も合理的であることのほか、他の共犯者の供述と整合することなどを理由とする）がある。

自白の信用性（その１　信用性が否定されやすい自白）　設問54　　*549*

　共犯者の自白の信用性を否定した例として、前記の八海事件、山中事件の
ほか、③被告人とともに被害者をガムテープ等で拘束し、六甲山中に連れ出
し、被告人単独において被害者を殺害した旨の共犯者の供述の信用性には疑
いがあるとした例（前記「六甲山殺人事件」上告審判決）など凶悪事件に関
するものに加えて、

　④被告人から覚醒剤を預けられて共同所持していた旨の共犯者の供述の信
用性を否定した例（札幌地判平2.6.20判時1381-139　別件で逮捕されたとき
に被告人から差し入れしてもらえると期待していたのに、差し入れがなかっ
たことに腹を立てていたとうかがわれること、覚醒剤を預かった日付など重
要事項について不合理な変遷があることなどが考慮されている）、

　⑤被告人が見張りをし、自らが窃盗の実行行為を行ったとする共犯者の供
述の信用性を否定した例（大阪地判平3.10.3判時1405-126　共犯者が被告人
に憎悪心を抱いていたこと、被告人とともに被害品の処分をしたとの供述部
分に裏付けがないこと、見張りをしたとされる場所は、見張りを必要としな
い場所であるなど被告人の見張り状況に関する供述内容が不自然であること
などが考慮された）

などがある。

550　第3章　自白等の信用性

設問 55　自白の信用性（その2　信用性が肯定されやすい自白。特に「秘密の暴露」を含む自白）

---●設　問●---

　被疑者の自白にいわゆる「秘密の暴露」があって、自白が信用できるとされるのはどのような場合か。

　◆解　答◆

　　⟹ **2** 以下参照

1　信用性が高いとされる自白

裁判例で信用性を高く評価されている自白

裁判例において、一般に信用性が高いと評価される自白は、

(ｱ)　**客観的事実と合致する自白**

(ｲ)　**供述に変遷がなく安定した自白**

(ｳ)　**自然かつ具体的であって、ひしひしと真実味が感じられる内容の自白**

(ｴ)　**逮捕後早い時期からなされている自白**

(ｵ)　**犯人しか知り得ない「秘密の暴露」が含まれている自白**

などである。

　アドバイス　**信用される自白を獲得するための留意事項**

(1)　上記(ｱ)(ｲ)の点については、**設問54** で対策を説明した。

(2)　上記(ｴ)の早期自白獲得の方法であるが、内偵・任意捜査段階において、決め手となり得る証拠を一つでも多く収集しておくことが重要である。

(3)　**真実味がひしひしと伝わる自供の獲得方法**

　　上記(ｳ)の、真実味がひしひしと伝わる供述を被疑者から引き出す能力は、捜査実務の中で体得し向上させ得るものであるから、捜査官は、日頃から、この能力を身に付け、高めるように自己研さんすべきである。

①　供述人の個性が浮き彫りになる供述でなければならない。

被疑者には、その教養・経歴・職業・家庭環境等により、それぞれの個性があり、それを反映して物事に対する感じ方、表現の仕方にも個性が現れるから、発問内容や発問態度を工夫してこれをよく引き出し、供述の記載にも工夫する必要がある（同じ殺人被疑者であっても、それが、例えば学生と会社社長では供述ぶり、ひいては供述調書の表現内容が違ってくることは明らかであろう）。

② 具体的エピソードを引き出すことが必要である。

例えば、「私は前から甲と仲が悪かったのです。」と抽象的供述に終わらせるのではなく、さらに発問を工夫し、その具体的エピソード、例えば「高校時代から、甲に対し虫が好かない奴だという印象をもっていたが、令和○年○月頃、○○で開かれた同窓会で、甲は一流会社の社員であることを鼻にかけ、私がスナックのボーイをしていることを馬鹿にしたので、取っ組み合いのけんかになった。」という供述を引き出し調書に織り込めば、被疑者の感情がひしひしと伝わる。抽象的言葉で何十回説明するよりも、適切なエピソードを一つ引き出す方が説得力が大きい場合がある。

当事者のありのままの会話を聞き出して、これを記載することも具体性をもたせるのに有効である（方言を使っているなら、方言そのままを引き出し記載する）。

③ 内心の動きも具体的に聴いて記録することが必要である。

調書には、被疑者の客観的行為を具体的に聴いて記載することが必要なのは当然であるが、それだけでは、説得力が乏しい。行為の前後、最中にわたる、被疑者の内心の動き（ちゅうちょ、自問自答、決意、興奮、虚脱感、後悔、不安など）を被疑者の言葉で説明させ、記録しておくと供述に被疑者の個性が浮き彫りになり、信用性が高まる。

2 秘密の暴露とは何か（前記**1**㋠の点）

1 意 味

例えば、殺人の被疑者が犯行を認めるとともに、それまで誰も知らなかった被害者の死体の埋葬場所を供述し、それに基づいてその場所から死体が発見されたときは、その自白の真実性は極めて高く、被疑者が真犯人だと断定

552 第3章 自白等の信用性

さえできる（一例として、いわゆる連続幼女誘拐殺人事件の被疑者の自白には、その自供によって被害者の遺骨等が発見されるなど「秘密の暴露」があったことが、信用性が肯定された大きな理由となっている。東地判平9.4.14判時1609-3参照）。

　従来から自供の真実性のチェック基準として、**それまで捜査官が知らなかった事実が自白に含まれているか**、すなわち、「秘密の暴露」が自白に含まれているかという基準が形成され、実務家・裁判例により支持されてきたこともうなずけるのである。

2　秘密とされる事項が証拠によって裏付けできない場合

　自供の内容が証拠によって裏付け不可能な場合であっても、その**自供によって初めて犯行現場の特異な痕跡が説明できるような場合**は、被疑者が真犯人であるとの捜査官の心証形成に役立つだけでなく、その自供の信用性を高く評価できる場合がある。

　例えば、ある強盗殺人事件で、その現場には電灯がともっており、犯人が誤って被害者の死体を踏み付けたり、小机につまずくはずがないのに、死体の腹部に足跡がつき、小机がひっくり返っていたという現場状況のとき、逮捕された被疑者が犯行を自供するとともに、この現場状況について「被害者を殺して物色したが、手にした現金があまりに少額だったので腹を立て、側にあった小机を蹴飛ばしたが、まだおさまらず、『この野郎』と思って、死体の腹を土足で踏み付けた。」と供述した場合（村上久「凶悪犯罪とその捜査」〔立花書房1982〕49）などである。この場合、被害者が死亡しているので、被疑者の現場における行動を裏付けることはできないが、この供述は捜査官の想像を超えたもの（**「事実は小説よりも奇」**）であり、**現場についての「謎」を一気に氷解させる内容であって、真犯人でなければ供述できない**ものであり、自供の信用性を高める要素になることは明らかである。

3　最高裁による「秘密の暴露」の定義

　しかし、最高裁は、前記いわゆる鹿児島夫婦殺人事件（最判昭57.1.28）において、被告人の自白の信用性を否定する理由の一つとして、「（筆者注：自白内容の）中には、**あらかじめ捜査官の知りえなかった事項で捜査の結果客観的事実であると確認されたというもの**（いわゆる「秘密の暴露」に相当

するもの）は見当たらず」と判示（最判昭57.1.28刑集36-1-67）し、①供述の内容が、捜査官においてそれまで知り得なかった秘密事項を暴露するものであること（**「秘密性」の要件**）、②供述内容が、その後、客観的事実と合致することが確認されること（**「真実性の確認」の要件**）の2要件を備えた自供のみが「秘密の暴露」を含む自白に当たるとし、これが自白の信用性を認めるための決め手になるとした。

したがって、確認（裏付け）を欠く場合は、自白全体の信用性を認めるかどうかはケースバイケースであり、「秘密の暴露」程の決め手にはならないことに注意すべきである。

> **アドバイス**　「秘密の暴露」を含む供述を得るための留意事項
>
> 1　捜査官は、被疑者から「秘密の暴露」を含む信用性の高い自白を得ようとするときは、犯行全般に関し、捜査官に未知の事実を可能な限り聞き出し、その供述の裏付けをとる必要がある。
>
> 　なお、犯行全般とは、犯行それ自体の態様に限らず、犯行現場の様子、犯行の動機、犯行の計画・準備状況、犯行前後の状況（犯行現場に至った経路及び犯行後の逃走経路＝いわゆる前足・後足に関すること）、凶器や被害品の処分状況などを意味する。
>
> 　裏付けがとれれば、まさしくその供述内容は「秘密の暴露」であり、信用性は絶対的なものになる。裏付けがとれないとしても、自白に秘密性、迫真性が加わり、自白の信用性は増大する。
>
> 2　秘密性をもつ供述の引き出し方
>
> 　捜査官自身が、被疑者取調べの前に、犯行現場の状況等を精査し、「この点は、どうしてこうなっているのだろう。」、「この点は、犯人心理としてどうも納得できない。」などと、**事件に含まれる「謎」**の部分を頭にたたきこんだ上で取調べを行うことが必要である。
>
> 　真犯人であり、真実を話す気持ちになっている被疑者であれば、捜査官が「謎」に思っている点を質問されれば、必ず「謎」を氷解させる供述をし、これが捜査官の想像を超える、秘密性のある事項であることが極めて多いのである。
>
> 3　被疑者が供述した時点では、捜査官側に供述内容が未知であったことを、捜査日誌等により、明確に証拠化しておく必要がある。後日、「捜

554 第3章 自白等の信用性

査官は、供述事項をあらかじめ知っており、被疑者に押しつけた。」と
弁護人等から主張されたときに備える必要があるからである。
4 秘密性のある供述の獲得時点と裏付け実施時点との**先後関係**を明白に
すること
　注意すべきは、裏付け実施より前に、秘密性のある供述を獲得したこ
とは、供述の録音・録画に記録するか、それができないときは、書面作
成の時刻まで記入させた上申書等で証拠上明確にしなければならないこ
とである。
　例えば、死体を埋めた場所についての自供があり、この自供に基づい
て発掘作業をし、供述どおりの地点から死体が発見されたとしても、自
供時に死体遺棄場所の図面を被疑者から作成提出させる等の証拠化措置
を怠ったり、この図面を紛失したりしたときには、後日、「捜査官が先
に死体遺棄場所を発見し、その結果を被疑者に押しつけた。」と争われ
ることがある（大阪地判昭46.5.15判時640-20　「六甲山保母殺人事件」）。

3 捜査官にとって未知の秘密事項であったこと（秘密性の要件）

1 「捜査官にとって未知であった」との意味

(1) 取調べ担当官にとっては未知であっても、捜査幹部等が知っていた事
実は、「捜査官側」に既に知られていた事実だとされ「秘密の暴露」と
はいえないとされる場合がある。
　また、捜査官において容易に確認できる事柄であれば、犯行後ある程
度の期間が経過した時点では捜査官が知っていたと推定されてしまう場
合も多い。
　捜査官にとって未知の事項ではないとされた例としては、①現場の柱
時計にガラスがなかったことについて、犯行直後の現場検証の際に、捜
査官が知ったはずであるとされた事例、②死体埋葬場所について、死体
が発見される前の時点で死体埋葬場所を指示する被疑者の供述調書が作
成されず、死体発見後に作成された供述調書も図面が添付されていない
ものであり、死体発見前に被疑者から死体埋葬場所を指示した図面の提

出を受けながら、捜査官がその図面を紛失し法廷に提出できなかったことなどからみて、捜査官があらかじめ死体埋葬場所を知っていた疑いがあるとされた事例（前記「六甲山保母殺人事件」）、③死体損壊の凶器について、犯行直後の死体解剖に立会いしていた捜査幹部は、解剖医から意見を聞き、凶器として十字ドライバーが適当であることを知っていたはずであり、解剖に立会いしなかった捜査官も被疑者の自白前にこれを知っていたとみるのが相当であるとされた事例、④凶器のナイフの購入先について、購入先を自供した当日にその自供を調書にとらず、購入先でその自供を裏付けした2日後にこの点の自供調書を作成したことについて、自白前に購入先を捜査官が知っていたのではないかと疑われた事例、⑤胸部へ刺した包丁を全部抜かないまま、さらにもう一度突き刺したことについて、死体解剖に立ち会っていた捜査幹部が知っていたのは当然であるが、解剖に立ち会っていなかった取調べ担当者がこれを知らなかったというのは甚だ怪しいとした事例（最決昭51.10.12刑集30-9-1673　「財田川事件再審無罪判決」）、⑥金庫扉のボルトの最初の1本は右回しをしてみたが緩まなかったので左に回して緩め、残り3本は左回しで緩めたことについて、その旨の検察官に対する自供調書より前の日付で、4本のボルトのうち1本の頭部には右回りに、残り3本の頭部には左回りに回された工具痕跡があることを指摘する警察官作成の報告書があることから、検察官もこの痕跡のあることを知っていたといわざるを得ないとされた事例（最決昭57.3.16判時1038-34　「大森勧銀事件」）がある。

2　ありふれた事実

世間にありふれた事実、犯人でなくとも容易に想像できるような事実の供述では、いかに捜査官にとって未知であったとしても、秘密性の要件を欠く。

例えば、被害者を刺したら「ぎゃー」と大声を出したとか、放火をして帰る途中、遠くから消防車のサイレンの音が聞こえてきたというようなありふれた供述内容である。

3　公知の事項

被疑者が、日常生活や、マスコミ報道で知り得た事実も、犯人でないと知

り得ない秘密事項といえないから、これを含む自白があっても「秘密の暴露」とはいえない。

例えば、①犯行状況や被害者方への侵入状況について、被疑者逮捕まで約40日を要し、その間、付近住民において殺害状況等が話題となり被疑者もこれを聞き知っており、被疑者は被害者方に何度も行ったことがあり、出入口の模様などを知っていたとされた事例、②犯行状況等について、被疑者は被害者方で働いていた者で、事件発生後、被害現場の検証等に何度も立ち会い、事件に関する新聞記事を読んでいたため、現場状況、死体の状況等について予備知識があったから想像で相当詳細な供述をしたとも考えられるとされた事例、③犯行状況、現場状況について、被疑者は放火現場である大講堂の扉を毎日開閉しており、その中の状況等は詳細に知っていたから、犯行の詳細な自白は、被疑者の日常生活上の体験と捜査官の詳細な質問によって得られた疑いがあるとされた事例、④マイクロスイッチの購入先について、被疑者は、それまでの日常生活において、秋葉原の電気街にスイッチ等の部品を買いに行ったことがあることから、犯人ではなくとも、ある特定のタイムスイッチの販売店を指示することはできたとする事例などがある。

アドバイス **事件についての報道内容の点検の必要性**

　被疑者の逮捕までの、その事件についての新聞、週刊誌等の報道内容も点検する必要がある。

4　当該犯行との関連性を欠く秘密事実

例えば、たまたま別の機会に、強盗殺人事件現場と同じ場所から、物品を盗み隠匿していた者が、その隠匿場所を自供し、そこから物品が発見されたとしても、その者が強盗殺人の犯人と認める決め手とはいえないであろう。

また、強盗殺人の犯人が、「強盗殺人の際に財布も奪った。」と自白し、財布の遺棄場所を供述し、その指示した場所から財布が発見されたとしても、その犯人が「強盗殺人は第三者が実行した。たまたま自分はその直後に現場へ行き財布を盗んだだけである。」と弁解した場合には、財布の捨て場所についての供述も、強盗殺人に関する「秘密の暴露」とはいえなくなるとされることがある。

実例として、①被疑者が本件犯行（強姦（現：不同意性交等））で使用し

たコンドームは他から盗んだものであると供述し、その後の捜査でその窃盗の事実が確認されたことについて、本件犯行でそのコンドームが使われたことは被疑者らの自白があるだけで客観的に明らかになっていないことを理由に、コンドームの窃盗との関係では秘密の暴露になり得ても、本件犯行との関連では秘密の暴露に当たらないとした事例（前記最判平12.2.7「草加事件」民事上告審判決　「秘密の暴露になるか否かは犯行との関連において判断されるべきものである」とした）や②被疑者の供述により、強盗殺人現場からなくなっていた宝石5個のうち、1個が美術館に売却され、残り4個が土中に埋蔵されていたことが判明した場合につき、被疑者が、強盗殺人事件の発生した5日前に被害者方に侵入し、寝室からその宝石5個を窃取したとの疑いを消しがたく、宝石5個が被疑者の自白によって発見されたことをもって、被疑者が強盗殺人を敢行した旨の自白の信用性を担保するとはいえないとされた事例（岡山地判昭52.9.21判時883-95）がある。

4 真実性の確認について

1 確認の手段

供述内容の真実性を確認する手段としては、供述に基づいて凶器、死体等が発見される事案のように「物証」で確認できる場合と、目撃者の供述等の「供述証拠」で確認できる場合とがある。

2 確認不能とされる場合

(1) 性質上、確認不能な供述内容

例えば、被害者が死亡し目撃者もいないときの、被疑者や被害者の犯行時における言動である。

(2) 確認がとれないもの

性質上、裏付け可能な事項だが、結果的に裏付けがとれない場合であり、「秘密の暴露」がないとされる通常の場合である。

558　第3章　自白等の信用性

> **アドバイス**　供述内容の裏付けができない場合の措置
>
> 　注意すべきは、供述が真実であれば通常確認がとれるはずの事項について、確認がとれないときは、かえってその供述の信用性が疑われるということである。
>
> 　例えば、殺人を自供する者が、記憶間違いがあり得ない場所に死体を埋めたとの供述をしたのにもかかわらず、そこから死体が発見されない場合は、その自供自体が信用されなくなる。この場合、被疑者が、その供述を変更しないときは、**必ず確認（裏付け）がとれない合理的な理由**（現場が宅地開発で大幅に変更された。死体がその場所の土砂とともに他所に運ばれた等）を明らかにし、証拠化しておく必要がある。

面割り供述の信用性、児童等の供述の信用性　設問56　　*559*

設問56 面割り供述の信用性、児童等の供述の信用性

● 設　問 ●

　犯人割り出しのための、いわゆる写真面割りを実施するに当たっての留意点を説明しなさい。

◆解　答◆

⟹**1**、アドバイス

1　面割り供述

1　犯人識別における面割り供述の重要性と問題点

　被疑者が黙秘を通す事件などでは、目撃者が被疑者を直接見た上での**面割り又は面通し**（「直（ジカ）面割り」ということもある）、又は被疑者の写真を見た上での面割り（以下「**写真面割り**」という）で得る、被疑者が犯人本人である（被疑者と犯人との同一性）か否かについての供述（**面割り供述**）が決め手となることが多い。

　しかし、面割り供述には、暗示等による各種の誤認が入り込みやすいと指摘されており、公判でもその信用性について様々なチェックが加えられている（信用性を否定した裁判例としては、横浜地判平元.12.21判時1356-156、浦和地判平2.3.28判時1359-153、東地判平3.3.20判タ772-284、東地判平3.6.27判タ763-74など）。捜査官が、安易・粗雑なやり方で、面割り供述を得たとしたら、公判において、その信用性は簡単に否定される。

2　面割りを実施する場合の基本的考え方——最初の面割りが決定的である

　目撃者が犯人と初対面で、目撃時間も短時間な場合は、犯人についての記憶はかなり脆弱と考えられるから、最初の面割りの際、目撃者において、いったんある人物を犯人又は犯人に類似している者として指摘してしまうと、今度は、逆に犯人についての記憶が、面割りで指摘した人物像に影響され、次

第に変容していき、その後、いかに面割りを繰り返しても、訂正不可能になりがちである。

したがって、**目撃者による犯人の同一性の確認供述（犯人識別供述）は、1回目の面割りの時のものこそが決定的に重要で、その際の面割りの正確さの程度が証拠価値のほとんど全てを決する。**

捜査官としては、1回目の面割りが公正になされるように配慮すべきであり、さらに、それが正確になされたことを公判で立証するための証拠化措置にも留意すべきである（大阪高判昭60.3.29判タ556-204は、公判で、事件当日の写真面割りの経緯、時期、場所、方法はもちろん、事件当日の写真面割りに用いた写真帳が何冊あったか、誰が持ち込んだかさえ明らかにできず、結局、1回目の写真面割りに当たって他からの暗示がなかったかについて疑問が残るとして、面割り供述の信用性を否定。また、浦和地判平2.10.12判時1376-24は、写真面割りにおいて用いられた写真の枚数などについて、報告書も作成されておらず捜査官の記憶も曖昧であるとして、被告人の写真だけが多数枚示された可能性が高いとし、面割り供述の信用性を否定する）。

> **アドバイス** 　面割りに当たっての留意点
>
> 1　面割り状況（写真面割りか直面割りか、写真面割りに用いた写真の内容・枚数、直面割りの面割り対象者については面割りの際の身長・体重・容貌・メガネ着用か否か、着衣の状況など）を写真報告書などにとりまとめて証拠化しておくことが不可欠である。
>
> 2　目撃者に面割りを実施する前に、**目撃者の「生の記憶」としての犯人の性別・人相・着衣・体型・その他の特徴についての供述を十分聞き出して供述調書化したり、日時・時刻入りの上申書を作成させるなど証拠保全の措置をとることが不可欠である**（その際には、目撃者において、犯人の特徴につき確実に記憶している部分と記憶が曖昧な部分をきちんと区別して聴取し、きちんと区別して調書に記載する必要もある。また、必要があれば、供述を録音しておくなどの措置も講ずるべきであろう）。**その目撃者が110番通報した際に、犯人の特徴をどのように説明したか**も証拠化しておく必要性もある。
>
> 特に、目撃から面割りまで期間が経過しており、その間に犯人像に関するマスコミ報道が大量になされている場合や、他の目撃者などとの間

で事件についての話し合いがなされ、他の目撃者等から犯人に関する情報がもたらされているなど、暗示・誘導がなされているおそれのあるときには、**自分が直接目撃（体験）した事実と、そうでない事実（他人から教示された事実）を厳格に区別して聴取し**、直接経験した事実のみを証拠化すべきであろう。

3　適正な写真面割り

　裁判例（例えば、東高判昭60.6.26判時1180-141　内ゲバ事件の目撃者の面割り供述が信用できるとした事案）は、**写真面割りが信用されるための条件**として、次の事項をあげている。

① 目撃者が誠実であること。

② 目撃状況が良好であること。

③ 写真面割りの全過程が十分公正であること。

　特に、

ア　写真の性状、写真展示方法に、暗示・誘導の要素が含まれていないこと

　　例えば、特定の人物の写真だけ大きかったり、枚数が多かったりすることは相当ではない。上記東高判昭60.6.26の事案でも、末尾に被告人の写真が数枚まとめて配列された写真帳は公正さに疑問があるとしている。この視点から、**被告人の写真1枚だけを示して犯人かどうかを確認する方法も暗示性が高いものと非難されることになるので望ましくない。**

　　また、例えば、被害者が、脅迫犯人の特徴について「色の付いたメガネをかけていた。」と供述した上、写真面割りで被告人の写真を提示して犯人と特定した事案において、写真面割りで用いられた写真11枚のうち10枚がメガネ着用のもので、そのうち被告人の写真だけが色付きメガネ着用のものであり、残り1枚は、被告人が脅迫の真犯人と主張している甲の写真であってこの写真だけはメガネなしのものであった場合について、被害者が色の付いたメガネをかけていたことを特徴として挙げていたことに着目し、被告人の写真だけが色付きのメガネをかけていたことからその写真を犯人のものとして選び出してしまった可能性があり、甲の写真がメガネをかけていなかったことからその写真の人を知らないと答えてしまったので

はないかとの疑問があるなどの理由で、面通し供述の信用性が否定された例がある（東高判平7.3.30判時1535-138）。

イ　捜査官において、特定の者を犯人として指摘する等の暗示・誘導を行っていないこと

例えば、面割りを実施した警察官からの、特定の者が犯人だとの説明に影響された面割り供述の信用性が否定された事案（札幌高判昭58.3.28判タ496-172）がある。

④　なるべく多数者の多数枚による写真が使用されていること。

⑤　呈示された写真の中に必ずしも犯人がいるとは限らないということを目撃者に承知させていること。

⑥　写真面割りの後、直（ジカ）面割りを実施し、その者の全体像に直面させた上で、再度同一性を確認させること。

⑦　複数の目撃者がいるときは、できるだけお互い別々に実施すること。

（⟹**面割り供述調書**　203頁「**書式6**」参照）

4　適正な直面割り

これは、目撃者に被疑者等を直接見させて犯人との同一性を確認する方法である。この場合も、写真面割りの場合同様、捜査官が目撃者に対し、特定の者を犯人として暗示・誘導したとの疑いを差し挟まれることがないようにすることが肝要である。

①　**単独面割りの方法を避け、選択的面割りの方法**をとる。

面割りの対象者が1名しかおらず、しかも目撃者において、その面通し対象者が警察から犯人の疑いをかけられて取調べを受けていることを事前に告げられるなどしていた場合には、目撃者は、その対象者が犯人であるとの暗示を受けるおそれがある（最判平元.10.26判時1331-145は、強制わいせつ（現：不同意わいせつ）の犯人識別供述の信用性を否定したが、その理由の中で、**単独面割りについて暗示性が強いためできるだけ避けるべきであるとされている**のに、単独面割りの方法が行われていることを問題だとする。浦和地判平2.10.12判時1376-24、大阪地判平16.4.9判タ1153-296、広島高判平17.1.18も同旨）。

面通しの対象者はできるだけ複数として（「選択的面割り」）、特定の者が犯人であると暗示・誘導したとのそしりを受けないように努めるべきであろう。

② 単独の直面割りを行わなければならないときには、それに先行して、目撃者から犯人の特徴を十分聴取してこれを供述調書化した上、被疑者及び被疑者に類似した容貌の複数の者の写真を用いた**写真面割り**を行うことが望ましい。

2 犯人識別供述の信用性を減殺させる事情

　事件後間もない頃は、特定の人物と犯人との結び付きをうかがわせる供述をしていなかった者が、常識では考えられないほど経過した時期になって、にわかに特定の者の犯行を裏付けるような重要な供述を始めた場合、格別の合理的事情がない限り、軽々しくこれを有罪認定の証拠とすべきではない（神戸地判昭60.10.17判時1179-28　事件直後になされていなかった、被告人と犯人を結び付ける供述が、再捜査の結果、事件から3年ないし4年経過後初めて獲得された事案で、その供述の信用性を否定、ただし目撃者は知的障害のある児童）とされることがある。

　また、犯人識別に関し、最高裁が、第1審における被害者の証言に比べて控訴審における被害者の証言の方が詳細・断定的になっている場合について、「犯人識別供述の信用性は、一般的にも、むしろ犯行時により近い時点での供述内容が重要であり、被告人について見聞きした後に至っての詳細・強固となった供述をそのとおり信用することには問題がある。」としている（最判平元.10.26判時1331-145）ことに注意を払う必要がある。

3 供述能力が劣る者の供述の証拠能力と信用性

1　児　童

(1)　証拠能力

　　「証言事項について、事理をわきまえる能力」（最判昭23.4.17刑集2-4-364）、「自分の体験した過去の事実を記憶にもとづいて供述しうる精神的能力」（東高判昭61.9.17判タ631-247）があれば児童の証言にも証拠能力がある。

564 第3章 自白等の信用性

(2) **信用性**

　一般に、児童の観察、記憶、表現能力は成人に比して劣り、暗示にかかりやすく、近親者に迎合して供述する傾向があるといわれているが、このような問題のない児童の供述は信用性をもつ。

　肯定例

① 　4歳児の強制わいせつ（現：不同意わいせつ）被害状況の供述（大阪地判昭52.10.14判時896-112、京都地判昭42.9.28下刑集9-9-1214）

② 　6歳児の窃盗目撃供述（広島高岡山支部判昭28.4.28）

③ 　3歳と4歳の児童の、自動車事故目撃供述（大阪地判昭42.12.26判タ221-234）

④ 　4歳児の自動車事故目撃供述（東高判昭46.10.20判時657-93）

⑤ 　実父による妹に対する虐待状況の目撃状況についての8歳男児の供述（東高判平10.7.16判時1679-167　「年少の者の供述証拠については、暗示や誘導に乗りやすく、また、その表現等が必ずしも適切でなく、内容に不明瞭、不完全な点があることを、当然の前提とした上で、関係証拠と併せ慎重に検討し、要証事項の解明に寄与するか否かを吟味すべきものであって、**形式的あるいは末節的な欠陥にとらわれることは相当ではない**」とする）

⑥ 　6歳児によるわいせつ被害状況の供述（札幌地判平17.6.2判タ1210-313）

　否定例

① 　6歳の児童の強制わいせつ（現：不同意わいせつ）事件につき、被害発覚当日、両親が被害の日付についての児童の記憶を積極的に訂正し、両親において犯人と考えた特定の者が犯人である旨あらかじめ児童に暗示して面通しさせ、その際、追及的に「いたずらしたおじちゃんはこの人かね。」と質問したため、被害者が肯定した経過があるもの（福岡高判昭50.10.16判時817-120）

② 　10歳の女児の強姦（現：不同意性交等）未遂被害についての供述（札幌高判昭59.8.23判タ533-251）

③ 　9歳の女児の強制わいせつ（現：不同意わいせつ）の犯人の同一性に

関する供述（最判平元.10.26判時1331-145　小学 4 年生程度の年少者は被暗示性が強いので、信用性を慎重に吟味する必要があるとする）

④　実母の強盗致傷の犯行目撃状況についての 4 歳児の供述（札幌地判平11.3.29判タ1050-284　外国暮らしが長かったため、年齢相応の言語能力が備わっていないことなどを考慮したもの）

2　いんあ者

いんあ者（聴力、発声能力を欠く者）の強姦（現：不同意性交等）被害状況に関する証言を、信用した例がある（東地判昭35.3.4下刑集2-3・4-417）。

3　知的障害の疑いのある者

児童の場合に準じて考えるべきであろう。

> **アドバイス**　児童や知的障害の疑いのある者の取調べにおける留意点
>
> 　取調べ官は、これらの者には、年長者や健常者と違い、取調べ官に迎合しやすい傾向、取調べ官の質問を誤解しやすい傾向、質問から答えを出すまでに相当な時間がかかる傾向があることに留意する必要があり、これらの特徴・傾向のある供述者から真実を聞き出すためには、特別の工夫・努力が必要であることを自覚する必要がある。取調べ官は、例えば、これらの供述者に対しては、その最近の興味に関することなど話しやすい事柄から質問し、供述者が話しやすい雰囲気を作りながら、経験したことを自分の言葉でありのままに話せばよいことを分からせ、相手の能力に応じて分かりやすい質問を工夫し、質問から答えが出るまで辛抱強く待つなどして真実の供述が得られるように努力しなければならない。
>
> 　この点、性・身体的虐待、ネグレクト等の被害を受けた児童や知的障害の疑いのある者らから、その経験した事実を適正に聴き取る「司法面接」の手法が、各種専門家によって研究されてきた。現在、これら専門家と捜査機関との連携も相当に深まり、こうした手法を用いた聴取が広く行われるようになっているが、従前、児童相談所や警察、検察官が児童らの聴取を重ねる間に、記憶の変容や暗示・誘導的質問のおそれ、精神的負担の増大といった問題点が指摘されていたことを踏まえ、警察及び児童相談所の担当者と検察官とが児童の聴取方法等について協議を行った上で、その代表者による聴取にとどめる取組（代表者聴取）が本格化されている。
>
> 　そして、こうした代表者聴取においては、原則として供述調書は作成せ

ず、代表者聴取の開始から終了までの間を録音録画し、その記録媒体を犯罪事実立証のための実質証拠として活用されている（詳細につき、**設問58**、**7**参照）が、供述の信用性を確保するために留意すべき点は、具体的には、以下のとおりである。

1　**立会人を工夫する。**

　児童の場合、取調べ前に両親や担任の教師から問いただされ被害の説明をしているときには、これらの者を立会いにした場合には、既にした説明内容に強く影響された供述になりがちであるから、事件に関係のない教師などを立会人にするなどの工夫が考えられる。知的障害の疑いのある者は、身近で世話を受けている人などに依存する傾向があり、これらの人が立ち会うと、供述が立会人の顔色をうかがってなされる場合があるとされるので、注意が必要である。

　なお、聴取に先立って児童や知的障害の疑いのある者の家族ら近親者が、児童や知的障害の疑いのある者に対して、被害の模様を改めて尋ねることは差し控えるように近親者に注意喚起しておくことも必要である。

2　**誘導質問**（「○○でしたね。」など）や、**暗示質問**（「ええっ、○○だったの？」とその答えを期待していない語調・態度で聞くことなど）は避けなくてはならない。まずは、**オープンクエスチョン**で自由に供述させ（例えば、「昨晩、何があったのか言ってください。」など、いわゆる5W1Hに即して聞くこと）、その上で、さらに質問を重ねるやり方が望ましい。記憶喚起を図るために、誘導的な質問をする必要がある場合も、「○○でしたか、それとも△△でしたか、それとも覚えていなかったですか。」と他の選択肢を示す方法をとることが望ましい。

　なお、児童や知的障害の疑いのある者は、一般にWhy（理由）の質問に答える知的能力が乏しく精神的に混乱しがちであり、その直前の答えぶりに対して、質問者が不満をもっているものと誤解することさえあるということに注意すべきである。

3　できる限り**早期**に、かつ、**集中力が保たれる時間を限度**に聴取を実施する。

　児童や知的障害の疑いのある者については、時間の経過により記憶が減退したり、事後情報によって記憶が汚染されたりしやすい傾向があるため、聴取はできる限り早期に実施すべきである。また、聴取が長時間

にわたった場合、児童らの**集中力**が保たれず、記憶に沿わない供述をするおそれもあることから、これが保たされる時間を限度に聴取を実施すべきである。

　なお、司法面接報告書における児童の供述は、犯人の年齢層、体格、服装等の全般にわたり、具体的な特徴を挙げるものであったのに対し、公判における児童の供述は、そうした特徴を十分挙げることができなかった事案について、大阪高判令元.7.25判タ1475-84は、両供述は実質的に異なるものであるとした上で、同報告書における児童の供述について特信状況を肯定し、同報告書を法321条1項2号後段に基づいて証拠採用している。

4 被害者の供述の信用性

　被疑者と被害者の1対1の事件では、被害者の供述が決め手になる。

　この場合でも、被害者だからといって供述の信用性が当然に認められるのではなく、目撃者と同様の信用性についての吟味を受けるのである。むしろ、被害者であるが故に、犯人に対する憎悪感などにより、不確実なことについて断定的な表現をしたり、体験事実よりオーバーに表現しているとして、供述の信用性が疑われる場合もある。

　捜査官としては、被疑者の弁解を慎重に裏付けるとともに、被害者の供述の信用性を担保するための裏付けを積極的に実施することが必要である。

　例えば、被告人が、被害者（女性）に対して、強姦（現：不同意性交等）目的でかみそりを突き付けて車に乗せ監禁した旨の被害者の供述に関し、被害者が捜査官にテレホンクラブを通じて被告人と知り合ったことを隠していたこと、被害者が被害直前の携帯電話での通話相手について具体的に供述をしないことなどを総合し、信用できないとした事例がある（最判平11.10.21判タ1014-177）。

　また、満員電車中の痴漢事件のように、通常よりも、無実の一般市民を誤認逮捕するおそれのある事件で、被疑者と犯人を結び付ける直接的証拠が被害者の供述しかない場合には、被害者の供述の信用性を相当詳細かつ多角的に分析検討する必要があり、被害者の供述が、被害者において人違いをした

568　第3章　自白等の信用性

可能性がないといえるほど高度の信用性を有するものでなければならないとする裁判例（大阪地判平12.10.19判時1744-152　被害者の証言態度がなげやりなこと、被疑者を犯人と特定する十分な根拠がないこと、重要部分に供述の変遷があることなどを総合して、信用性を否定した）にも傾聴すべきものがある。

伝聞証拠の原則的禁止（伝聞法則）　設問57　　*569*

設問 57 伝聞証拠の原則的禁止（伝聞法則）

● 設　問 ●
(1)　なぜ伝聞証拠が原則的に禁止されるのか説明しなさい。
(2)　なぜ供述調書や供述書は、「また聞き」供述ではないのに伝聞証拠とされるのか説明しなさい。

◆解　答◆
(1)　⟹ **1**、**2** 3
(2)　⟹ **2** 1 (2)

1　伝聞証拠に関する入門的解説

1　はじめに、無実の被告人になったつもりで考えよう

　妻を殺した疑いで刑事から追われる、無実の医師を主人公にしたドラマがあった。捜査官が、分かりにくいとして敬遠することが多い「伝聞証拠」・「伝聞法則」の論点については、自分が、このドラマの主人公になったつもりで考えると分かりやすい。

2　目撃者の誤った証言の原因

あなたが、妻殺しの疑いで起訴された無実の被告人としよう。

　この事件の最も有力な証拠が、目撃者甲の「あの人（注、あなたのことである）が、血まみれのナイフを手にして殺人現場から逃げ出すのを確かに見た。」との捜査官に対する供述であったとしよう。無実のあなたは、当然、一生懸命考えるはずである。「なぜ、甲は、このように真実に反する供述をしたのだろうか。」と。

　その場合、次のような理由が思い浮かぶであろう。

①　目撃者は、極度の近眼等の視力障害者で、あなたと別人を見誤ったのではないか（「**知覚**」の誤り）。

570　第4章　伝聞証拠

② 目撃者は、別人を見たにもかかわらず、新聞などの、あなたが犯人ではないかというセンセーショナルな疑惑報道に繰り返し接するうちに、当夜あなたを見たものと思い込んでしまったのではないか（「**記憶**」の変容）。

③ 目撃者は、犯行現場から逃走した人物について、あなたなのか別人なのかはっきりした記憶はなかったのに、生来の見えっ張りであったため、捜査官に対して、「間違いなくあの人（あなた）を見た。」と虚偽の供述をしたのではないか（虚偽の「**表現**」）。

④ 目撃者は、知的障害者で、甲の人物と乙の人物を区別して表現する能力がなく、実際は別人を見たことを記憶していたのに、それを表現できず、あなたに面通しされて、「この人を見た。」と表現したためではないか（「**表現**」の誤り）。

3　目撃者の証言の誤りを明らかにする方法

　裁判で無実をはらすためには、どうすればいいであろうか。目撃者甲の供述に前記①ないし④の誤り・虚偽があることを裁判の場で明らかにすることが決定的に重要であろう。

　甲の捜査官に対する供述調書がそのまま裁判の証拠となってはまずい（調書の記載だけでは、前記①ないし④の供述の欠陥を明らかにできないし、事実に反する甲の供述が裁判官・裁判員の目に触れ、あなたが犯人であると予断を持たれてしまう危険がある）からである。

　無罪を勝ち取るためには、目撃者甲をぜひとも法廷に証人として喚問し、あなたやあなたの弁護人が直接甲に対して質問し、甲の供述には前記①ないし④の欠陥があって信用できないことを裁判官・裁判員に納得させる必要がある。

　例えば、前記①の点については、法廷で甲の視力検査を実施し、②の点については、甲が殺人事件の報道、特にセンセーショナルで断定的な記事を好み、それに影響されやすい傾向を持つことを明らかにし、③の点については、目撃状況の詳細について質問し、普通の人が記憶しているはずのない細かい状況まで証言させ、しかもそれが現場の客観的状況と異なることを明らかにし、証人が平気で嘘をつく性格であることを暴露し、④の点については、知

能が極めて劣っていることを甲の証言態度から明らかにできれば、あなたが
無罪になる可能性は相当に大きくなるであろう。

4 供述証拠の特質

過去の出来事に関する人の供述（供述証拠）がなされるまでの間、供述者
の精神作用は、「**知覚→記憶→表現**」という過程をたどり、その各過程に前
記3で述べたような、無意識的又は意識的な誤り・変容が生じ得る。これが、
非供述証拠（例えば、凶器のナイフ、指紋など）との根本的相違であり、供
述証拠について警戒を要する点である。

5 反対尋問の効果

反対尋問は、供述証拠の信用性のチェック効果をもつ。

被告人側が、検察官側の供述証拠（証人）の知覚・記憶・表現の誤りの有
無を吟味するためにする質問を、被告人の**反対尋問**といい、反対尋問をする
権利を**反対尋問権**という。

英米法では証人の信用性の吟味の方法として、反対尋問が最も有効と考え
られ、反対尋問のチェックを受けていない供述証拠は原則的に証拠として排
除される。

我が国でも、憲法37条2項により、被告人の反対尋問権が特に保障されて
いる。また、刑訴法が規定する後述の「**伝聞法則**」つまり「**伝聞証拠の原則
的禁止の原則**」というのも、被告人の反対尋問権を不当に侵害する態様の供
述証拠を原則的に事実認定の資料から排除しようとする原則である。

6 伝聞証拠の原則的禁止の原則の効用

伝聞証拠の禁止の原則により、あなたは、前記のドラマの例で、自分に不
利な供述をする甲を直接反対尋問でき、無実をはらすことが可能になるわけ
である。

2 伝聞法則

1 伝聞証拠の意義

「伝聞」とは、日常用語としては「**また聞き**」という意味で用いられるが、
刑訴法上はもっと広い意味で使われている。

⑴ その一つは、**他人から聞いた事実を法廷で裁判所に供述すること**（伝

聞供述）、つまり、「また聞きした事実を供述する」ことであり、日常生活上の用法に近い。

例えば、犯行を目撃したAが、その目撃した事実をBに話し、BがAから聞いた内容を法廷で証言するような場合である。

(2) その二つ目は、**供述に代えた書面**（**供述書、供述調書**）である。

例えば、①目撃者Aが、目撃事実を法廷に出て証言する代わりに、これを自ら書面に記載し、その書面（これを「**供述書**」という）を裁判所に提出する場合、あるいは、②Aが目撃事実をB（通常は捜査官）に話し、Bがその供述を書面に録取し、この書面（これを「**供述録取書**」又は簡単に「**供述調書**」という）を裁判所に提出する場合の各書面のことである。

この場合、Aが作成した供述書、Aの供述をBが録取した供述調書は、Aが法廷で直接供述する代わりに作成された書面である。この供述書、供述調書を法廷に提出することは、Aの代わりにBが法廷に出てAから聞いた事実を口頭で供述するのと異ならないから、供述書、供述調書は前記(1)の伝聞供述（また聞き供述）と同様に扱われる必要がある。

(3) 以上をまとめて、**伝聞証拠とは、事実を知覚体験した者が、直接裁判所に対して証言（報告）せず、書面又は他人の口頭供述という形で裁判所に知覚体験した事実を報告する場合の、その報告のことを意味する。**

2 伝聞法則（法320条1項）──伝聞証拠の原則的禁止原則

法320条1項は伝聞法則を宣明し、「供述書、供述調書」（前段）及び「伝聞供述」（後段）の証拠能力を原則的に否定している。

> **アドバイス** 供述に代えた書面は原則として証拠として使えないこと
>
> 捜査官の捜査活動の相当部分は、捜査の結果獲得された参考人の供述等（供述証拠）を書面化することにあるが、このようにして書面化された供述証拠は、原則的には、証拠としての使用を禁じられているということを頭に入れておくことが必要である。

3 伝聞法則の存在理由

伝聞証拠の証拠能力が原則的に否定される理由としては、次のことがあげられる。

(1) 供述証拠には、前記**1**で述べたように、原供述者（例えば、目撃者A本人）が直接法廷で供述する場合でも、その「知覚→記憶→表現」という過程の間に誤りが存在するおそれがある。

① 伝聞供述（また聞き供述）の場合は、原供述者Aに対する反対質問が行われないので、その誤りがチェックできない上、原供述者Aの供述をまた聞きした、別人Bの「知覚→記憶→表現」という過程が加わるから、なおさら誤りが混入する危険がある。

② 供述書、供述調書の場合も、原供述者Aに反対尋問は行われず、その誤りがチェックできない上、供述調書の場合は録取者が供述を不正確に記載している危険もある。

このように、伝聞証拠は、その信用性が一般に低いと考えられ、原則的に排除する必要があるとされる。

(2) また、伝聞供述や伝聞代用書面に安易に証拠能力を認めると、憲法で保障された被告人の反対尋問権を奪う結果になる。

そこで、被告人の反対尋問権を保障するためにも、反対尋問を経ていない伝聞証拠の証拠能力が原則として否定される。

(3) 伝聞供述や供述書・供述調書の原供述は、法廷外でなされたものであるから、これに安易に証拠能力を与えると、裁判官・裁判員が証人・被告人から供述を聞き、直接的に供述の真実性を吟味し心証をとるという**「直接審理主義」**、「公判中心主義」に反することになる。この意味からも、法廷外における証人・被告人の供述を原則的に排斥したものである。

3 伝聞法則の適用がない場合

一見すると伝聞証拠のように見えても、それが本来の伝聞証拠の性質をもたないものであるときは、伝聞法則の適用はない。

1 適用がない場合（その1）

第一に、伝聞証拠は、原供述を内容とするところの供述であり、ここに供述とは知識・経験の報告を意味する。したがって、

(1) まず原供述が**知識・経験の報告的内容ではない**ときは、伝聞証拠ではない。

574　第4章　伝聞証拠

　　言葉が「行為の一部分」である場合　　例えば、**甲が行為時にとっさに発した「この野郎」、「痛い」、「助けて」などの言葉**は、知識・経験の報告ではなく、かけ声や悲鳴などの音声と同じく、人の行為の一部である。したがって、この言葉を聞いた乙が「甲は殴られながら『痛い。やめて』と叫んでいました。」と法廷で証言しても、伝聞証拠として排除されることはない（証言どおりの事実が認定される）。

　　強制わいせつ（現：不同意わいせつ）の被害直後に、母親が感じ取った被害児童の言動は、その児童の被害に対する原始的・身体的反応のそのものについての母親の体験であり伝聞証拠ではないとした例（山口地萩支部判昭41.10.19下刑集8-10-1368　なお、東地判昭48.11.14刑月5-11-1458は、被害児童の被害直後の供述を聞いた母親の供述は、伝聞証拠だとしても、児童本人の証言の意味を理解する必要がある場合には、例外的に証拠能力をもつとする）がある。

　　現在の心の状態（精神状態）を表す供述　　原供述者が現在の精神状態（感情、意思など）を述べる供述を、その者がその精神状態にあったことを立証するために用いる場合である。

　　例えば、証人甲が「Vへの殺人事件の前日、被疑者Aが『必ずVを殺してやる』と話していた。」と供述している場合である。甲供述により、Aの殺意を立証しようとするときには、『Vを殺してやる』とのA供述があったことそれ自体を証明するにとどまらず、A供述の内容が真実であることを証明することになるから、甲供述は伝聞供述であると一応考えられる。

　　しかし、この場合、原供述者Aの供述時点における心の状態に関する供述は、通常の供述証拠について見られる「知覚→記憶→表現」の過程のうち「知覚→記憶」の2段階を欠いている。

　　通常の供述証拠の場合のように、原供述者が知覚・記憶した事実についての報告的供述ではなく、**その時点での自らの感情（喜怒哀楽）や意思（決意、計画）などを直接表現したもの**といえる。

　　通常の供述証拠の場合は、原供述者に対する反対尋問を実施して、その知覚・記憶の正確性、真摯性をテストする必要があるが、現在の心の状態に関する供述の場合には、原供述者Aの知覚・記憶についての確認は不要

であり、専ら表現の真摯性（冗談で言っただけかどうかなど）の確認をすれば足りる。したがって、原供述者Aに対する反対尋問をしなくても、それを聞いた者（甲）に対する反対尋問によって、原供述者の供述時の態度や状況をただすことにより、A供述の真摯性を確認できるとも考えられる。

よって、現在の心の状態に関する供述は、伝聞証拠に当たらないと考えるのが相当であろう。

犯行計画メモ　　過激派による他派メンバー襲撃事件などにおいては、そのアジト等から犯行の事前共謀場所において、謀議参加者が謀議内容を正確に記録したとみられる「犯行計画メモ」が発見されることがある。謀議の存在したこと、謀議の内容を立証するために、このメモを証拠として利用できるか、いかなる条件を備えたときに利用できるかが問題となる。

もし、このメモが「供述書」（法321条1項3号書面）とされれば、作成者が不明であったり、作成者が公判廷に出廷し証言すれば（それが謀議を否定するものでメモの記載と相反したとしても）このメモを実質証拠として利用することはできない（この種メモは、作成者が不明であることが多く、仮に作成者が分かったとしても、その者はメモに記載されている謀議の存在を否定するのが常である）。

まず、①犯人が犯行計画を立てつつ、犯行の手順などを確認する趣旨で**犯行計画メモを作成する場合**には、同メモは、メモ作成者の現在の心の状態（意思、計画）に関する供述を記載した書面であるので、伝聞証拠には当たらないと解される。原供述者（メモ作成者）への反対尋問は不要であり、書面の記載の真摯性をメモの体裁やメモの発見状況などによって判断し、これが肯定されれば、証拠能力があるとされる（東高判平20.3.27東高刑時報59-1～12-22において判例評釈がなされている。　同判決は、迎賓館事件において、非公然アジトから発見された、水溶性の紙に暗号を用いて書かれていた犯行計画メモについて、「事件の準備や謀議が行われていたことを示す痕跡であって、かけがえのない証拠価値を持つ」とした上、「本件メモを、その作成者が、記載された内容の認識、意図、計画、決意を有していたことを認定するために用いる場合には……、『知覚、記憶』の過程を欠く、いわゆる『心の状態を述べる供述』として伝聞証拠に当た

576 第4章 伝聞証拠

らない。」とした）。

　次に、②犯行の共謀者全員で、共謀した犯行計画を確認する趣旨で、犯行計画メモが作成される場合にも、犯行計画メモは、共謀者全員の犯行意図、計画という心の状態を記載した書面といえるので、伝聞証拠には当たらないと解される。

　この点、恐喝の計画を記載した犯行計画メモについて、伝聞証拠ではないとした上、作成者への反対尋問がなくても作成の真摯性が認められるならば証拠能力があるとした事案（東高判昭58.1.27判時1097-146）、鉄パイプによる襲撃事件の事前共謀に際して、犯行現場図面に犯行の手順や逃走方法等が記載されるなど、犯行内容を明らかにし、具体化するために作成されたと思われる犯行計画メモについて、伝聞証拠ではないとした上、その記載に真摯性が認められる限り証拠能力があるとした事案（京都地決昭55.11.19判タ447-158　なお、控訴審判決である大阪高判昭57.3.16判時1046-146は、同メモは伝聞証拠であるが、伝聞法則の例外として、メモの記載の真摯性が認められれば証拠能力が肯定される、とした）がある。

(2)　その存在と形状が証拠となる「**非供述証拠**」、例えば、犯行に用いられた凶器のような証拠物は伝聞証拠ではない。

　　しかし、証拠物だからといって、必ず非供述証拠となるものではない。証拠物であっても、帳簿・手帳・メモ・日誌のように、その存在と形状だけでなく、それに記載されている報告的内容をも証拠とする場合（**証拠物たる書面**）や、ＤＶＤ等に録音・録画された報告的内容を証拠とする場合、これらは「供述証拠」であるから伝聞法則の適用を受ける（⟹供述録音につき 設問61 、 3 ）。

2　適用がない場合（その2）

　第二に、伝聞証拠は、原供述の報告内容たる事実が真実であることを証明するために使用されるものである。

　したがって、その証拠によって「**原供述がなされたこと自体**」を証明しようとするときは、伝聞証拠に該当しない。

(1)　「原供述がなされたこと自体」を証明し、それを間接事実（情況証拠）として、別の事実を証明する場合は伝聞法則の適用はない。

例えば、ＡがＢに対して「おれは火星からきた宇宙人だ。」と言った事実をＢが証言する場合に、Ｂの証言によって「Ａが火星からきた宇宙人である」事実が真実であり、そのことを証明しようとするときは、Ｂの証言は伝聞供述であるが、Ａがそのようなことを言ったこと自体を証明し、これを間接事実（情況証拠）として「Ａが精神異常である」という事実を証明するのであれば、Ｂの証言は伝聞証拠とはならない。

(2)　「原供述がなされたこと自体」が証明の対象となる事実（要証事実）である場合も同様である。

例えば、「自分はＢが盗みをしたのを見た」と記載したビラをＡが配布したという事案で、そのビラをＢの窃盗事件の証拠とする場合は伝聞証拠となるが、それを、Ａが、Ｂの名誉を傷つける内容のビラを配布したという名誉毀損事件の証拠とする場合は、ビラの記載内容そのものがこの事件の要証事実であるから、伝聞証拠とはならない。脅迫事件における脅迫文書、詐欺事件における欺罔文書、偽造事件における偽造文書などについても同様である。

(3)　このように、**伝聞証拠になるか否かは、それによって証明しようとする事実（要証事実）が何であるか、すなわち、証明しようとする事実が、「原供述の内容の真実性」であるか、それとも「原供述がなされたこと自体」であるかによって決まる。**

例えば、

①　新聞記事を証拠とする場合、その日付当時の新聞紙上において、近く国会解散が行われると予想されていた事実及びＡの氏名が立候補予想者として発表された事実自体を証明し、これを間接証拠として、饗応者、被饗応者の認識を推認しようとするものであるときは、伝聞法則の適用がない（大阪高判昭30.7.15）。

②　密輸の共犯者間に授受された手紙につき、これを手紙が発送された事実と被告人がこの手紙を所持していた事実を立証するための証拠とするものであって、その記載内容の真実性を立証するための証拠とするものでないときは、伝聞証拠とはならない（福岡高判昭28.12.24高刑集6-12-1812）。

③　「Xはもう殺してもよい奴だ。」とAが言った、という内容のBの
供述は、BがAから直接聞いて自ら知覚した事実の供述であり、かつ、
Aがそのような発言をしたこと自体を要証事実としている場合である
から、伝聞供述には当たらない（最判昭38.10.17刑集17-10-1795、判
時349-2　白鳥事件　Aがそのような発言をしたことを間接事実とし
てAの内心の敵意を推認させようとした事案）。

とされる。

3　適用がない場合（その3）

第三に、伝聞供述は、供述者が直接経験しない事実を述べるものである。

したがって、**供述者が自ら知覚・経験した事実を述べる場合**には、伝聞供
述ではなく、伝聞法則の適用を受けない。

例えば、自分や兄弟姉妹の生年月日は、両親等から教えられて知った事柄
ではあるが、近親者の密接な生活関係において集積された自己の体験によっ
てその真実性を確信するに至ったものであるから、直接体験による認識といっ
て差し支えなく、これに関する供述は伝聞供述ではない（最決昭26.9.6刑集
5-10-1895）。

伝聞法則の例外（その1　参考人の供述調書、供述書）　設問58　　*579*

設問 58　伝聞法則の例外（その1 参考人の供述調書、供述書）

●設　問●

(1)　警察官が取り調べて供述調書を作成した同一の参考人について、検察官が重ねて取調べを行い、その供述調書を作成する理由を説明しなさい。

(2)　警察官の作成した参考人供述調書が、証拠としてどのように利用されているか説明しなさい。

◆解　答◆

(1)　⟹ **5** 2

(2)　⟹ **6** 3

1　伝聞法則の例外を認めなければならない理由

原供述者の死亡・所在不明・国外居住などの理由のため、原供述者に対して反対尋問をすることが不能であり、しかも、その伝聞証拠以外に証拠がないときであっても、例外なく伝聞証拠の証拠能力を否定すると、適正な刑罰権の実現が困難になる。

それゆえ、このような場合などには、**特に信用すべき情況の下になされ、虚偽の危険が少ない伝聞証拠について、例外的に事実認定の資料として使用を許す**のが常識にかなっている。

このような考えから、法321条ないし法327条が一定の要件で伝聞法則に対する例外を認めているのである。

2　法321条の概説

法321条は、①被告人以外の者の供述を録取した**供述録取書**（いわゆる参考人供述調書）、②被告人以外の者が作成した**供述書**（一般の答申書等、検

580　第4章　伝聞証拠

証調書、鑑定書）について、伝聞法則の例外として証拠としての資格が認められる場合を規定したものである（⟹被告人以外の者の供述の「また聞き証言」（伝聞供述）については**設問60**参照、被告人の供述調書、供述書については**設問53**参照）。

3　被告人以外の者の供述書・供述録取書（法321条1項）

1　供述録取書

(1)　総説

　被告人以外の者の供述録取書（いわゆる参考人供述調書）は後述（**4**）するとおり、裁判官の面前でなされた供述であれば1項1号の要件、検察官の面前でなされた供述であれば1項2号の要件、それ以外の者（警察官など）の面前でなされた供述であれば1項3号の要件を、それぞれ満たす場合に証拠能力が与えられる。

(2)　供述者の署名・押印

　供述録取書には、**供述者の署名若しくは押印がなければならない**（法321条1項柱書）。供述録取書は、供述者の供述を第三者が聴取して書面に録取するものであるから、供述どおり正確に録取されているかどうかを供述者本人に確認・認証させて、**録取の正確性を担保するために供述者の署名・押印を要求**しているのである。

　法上は、署名・押印のいずれか片方があればよいが、実務上は、録取の正確性を厳密に担保させる意味で、署名・押印の双方を得ておくべきである。「押印」できないときは、「指印」でもよい。

(3)　録取者の署名・押印

　供述録取書には、録取者の署名**及び**押印が必要である（規則42条、58条、60条）。録取者の署名・押印の両方が必要とされている。

2　供述書

　被告人以外の者が作成した供述書の場合は、提出する相手方がいかなる地位にあったとしても、後記**6**の法321条1項3号の要件を備えていなければ証拠能力は認められない。

　供述書には、供述者の署名・押印は要求されていない。しかし、可能であ

伝聞法則の例外（その1　参考人の供述調書、供述書）設問58　*581*

れば、署名・押印をさせるべきであろう。

　匿名により犯罪事実を捜査機関に密告する内容の**匿名投書**は、ここにいう「供述書」には該当せず、証拠能力を有しない（東地判平3.9.30判時1401-31

　投書作成時の外部的状況が明らかでない上、作成者がその文面に責任を負わず作成者に対する反対尋問の機会もないなどの理由から、法321条1項3号で必要とされる特に信用すべき情況下で作成されたものとは認められないとした）。

3　共犯者、共同被告人の供述

　「被告人以外の者」とは、当該被告人以外の者を全て意味するから、共犯者・共同被告人も含まれる（最判昭28.7.7刑集7-7-1441）。

　共犯事件の1人の犯人の警察官に対する自白調書は、その者自身の関係で用いるときは任意性さえあれば無条件で証拠能力がある（法322条1項⇒ 設問 53 、2参照）が、他の共犯者の関係で用いるときは、法321条1項3号の要件があるときに限り証拠能力をもつことに注意を要する。

4　裁判官面前調書

　裁判官の面前でなされた供述を録取した書面（法321条1項1号）を、**裁判官面前調書**という。

1　意　義

　当該事件の**捜査段階における裁判官による証人尋問調書**（法226条、227条。⇒ 設問 44 ）や他事件での**公判調書・公判準備調書**がこれに当たる。

　これに対して、当該事件の公判期日外の証人尋問調書や公判手続更新後の公判調書は、法321条2項前段により、無条件で証拠能力をもつ（公判手続更新前は、公判での証言そのものが証拠であり、伝聞証拠ではない。裁判官の交替による公判手続更新後は公判調書が証拠となる）。

2　裁判官面前調書の証拠能力

　裁判官面前調書は、次のいずれかの場合に証拠能力を与えられる。

(1)　供述不能

　　一つは、前に裁判官の前で供述した者が、再び法廷で供述することが不能な場合（1項1号前段）である。例えば、証人が捜査段階における

裁判官による証人尋問には応じられたが、公判には、病気のため出廷できないとき、裁判官面前の証人尋問調書を採用できる。

⑵　**相反供述**

　　もう一つは、前に裁判官の前で供述した者が、法廷に出頭して供述をした際に、前に裁判官に述べたことと違ったことを述べた場合（1項1号後段）である。例えば、捜査段階の裁判官による証人尋問では「被告人が、甲を殴るのを見た。」と供述していたのに、法廷では「被告人は甲を殴っていない。」と供述を翻した場合である。

3　ビデオリンク方式による証人尋問の状況を記録した記録媒体及びこれと一体をなす証人尋問調書の特例（法321条の2）

　例えば、これまでは、性犯罪が複数犯人によって行われ、共犯者の公判が分けて審理されているときには、被害者はそれぞれの公判で、被害状況をはじめから繰り返し証言しなくてはならなかった。

　性犯罪被害者など証人保護の立場から、法157条の4第1項により、ビデオカメラ、モニターを利用した**ビデオリンク方式の証人尋問**が認められるとともに、一度ビデオリンク方式で証人尋問がなされた場合は、他の共犯者の公判において、ビデオリンク方式の証人尋問の状況が記録されたビデオテープ及びこれと一体の証人尋問調書の証拠能力が認められ、このビデオテープ等の取調べで、立証のかなりの部分がまかなえることとなった。ただし、被告人には、ビデオテープ等の取調べ後、被害者を証人として尋問する機会が与えられる。

5　検察官面前調書

　検察官の面前における供述を録取した書面（法321条1項2号）を、**検察官面前調書**（略して**検面調書**又は**検察官調書**）という。

1　検察官面前調書の証拠能力

　検察官面前調書は、次の⑴、⑵のいずれか一つの要件を備えれば証拠能力が認められる。

⑴　**供述不能**

　　その一つは、「供述者が死亡、精神若しくは身体の故障、所在不明若

しくは国外にいるため公判準備若しくは公判期日において供述することができないとき」（2号前段）つまり、**法廷での供述不能の場合**である。

供述者が法廷に出頭しても、記憶喪失（最決昭29.7.29刑集8-7-1217）、証言拒否（最決昭44.12.4刑集23-12-1546）、黙秘（札幌高判昭25.7.10高刑集3-2-303）の場合、強姦（現：不同意性交等）の被害者が泣くなどし、どうしても証言できない場合（札幌高函館支部判昭26.7.30高刑集4-7-936）、外国の大使館職員が外交特権を行使して証人出廷を拒否した場合（東高判昭50.3.6判時794-121、同昭51.7.13判時829-107）が「供述不能」に当たる。

ただし、供述不能というには一時的なものでは足りず、その状態が相当程度継続して存在しなければならず、例えば、証人が証言を拒絶した場合、翻意して証言する見通しが少ないときに限ると解される（東高判平22.5.27判タ1341-250）。

強制退去によって供述不能となった場合　供述者が外国人であって、これらの者が国外にいることになった事由が**入国管理当局により強制退去**された場合について、最高裁は、「①検察官において当該外国人がいずれ外国に強制退去させられ公判期日又は公判準備期日に供述できなくなることを認識しながら殊更そのような事態を利用しようとした場合はもちろん、②裁判官又は裁判所が当該外国人について証人尋問の決定をしているにもかかわらず強制送還が行われた場合など、当該**外国人の検察官面前調書を証拠請求することが手続的正義の観点から公正さを欠くと認められるときは、これを事実認定の証拠とすることが許容されないこともあり得る**」としている（最判平7.6.20刑集49-6-741　本件では、検察官が強制送還前に収容令書に基づいて入管施設に収容されている当該供述人を取り調べて作成した検察官面前調書を法321条1項2号の書面として請求したものであるが、本件では、弁護人からの証拠保全としての証人尋問請求がなされる以前に当該供述人が強制送還されていた事情があり、当該供述人の検察官面前調書の取調べ請求は許されるとした）。

最決が挙げた上記②の場合がどのようなときかについては、例えば、検察官等が、証人尋問を阻止する目的で、殊更公判期日を引き延ばすなどし

584 第4章 伝聞証拠

た結果、強制送還により証人尋問が不可能になった場合など、検察官等の不当・不法な行動により、**手続的正義の観点から公正さを欠くと認められる極端な場合**に限られると解される（証人尋問決定後に退去強制処分を受けたことについて公正さを欠く場合とはいえないとしたのは、東高判平20.10.16高刑集61-4-1）。

これに対し、検察官が、被告人（供述人）の起訴後直ちに当該供述人の立証上の重要性や同人が強制退去される可能性があることを弁護人や裁判所に早期に通知するなどの配慮を怠り、弁護人に証拠保全としての証人尋問の機会を与えず、第1回期日前の証人尋問の実施も試みなかったなど、検察官が、被告人・弁護人に対し、強制退去が見込まれる供述人に直接尋問する機会を与えることについて、相応な尽力はおろか、実施することが容易な最低限の配慮もしなかったと判断され、手続的正義の観点から公正さを欠くとして、強制退去によって出国した者の検察官への供述調書の証拠採用が認められなかった裁判例（東地判平26.3.18判タ1401-373）がある。

⑵　相反供述かつ特信情況の存在

二つ目は、㋐供述者が**「公判準備若しくは公判期日において前の供述と相反するか若しくは実質的に異なった供述をしたとき」**で、かつ、㋑**「前の供述を信用すべき特別の情況の存するとき」**（2号後段）である。

㋐は、前に検察官に対して供述をした者が法廷で供述をしたものの、検察官に述べた内容と違ったことを述べた場合をいう。

「相反する供述」、「実質的に異なった供述」は、裁判官面前調書で要求される「異なる供述」よりも食い違いの程度が大きい場合をいう（法廷供述よりも検面調書の記載の方が詳細というだけでは、相反性の要件をクリアしない）。

また、裁判官面前調書では要求されない㋑の要件、つまり、法廷供述より法廷外での供述の方を信用すべき特別の情況（**特信情況**）が検察官調書では必要とされている。これは、先になされた検察官に対する供述と後でなされた法廷供述とを比較してみて、前者の方がより信用できる情況ということである。

2 検面調書による立証の重要性

(1) 贈収賄事件、選挙違反事件、多数共犯者のある暴力団犯罪事件などにおいては、参考人（共犯者）が捜査官に対する供述と相反する法廷供述をするのが常であるため、検察官調書を法321条1項2号後段によって裁判所に提出し、調書の記載内容を証拠とすることによって立証を遂げることが多い。今後とも、難事件においては、検面調書が、有罪立証の主要な柱の1つになっていかざるを得ないであろう。

(2) 供述を公判廷で覆すおそれのある参考人や共犯者については、警察官の取調べの後に重ねて検察官の取調べを実施し、検察官調書を作成することが多い。このような参考人等に対しては、警察官が安易に「取調べのための呼出しは、もうないだろう。」と説明するのは、適切ではない。

6 警察官面前調書・その他の面前調書、供述書

1 警察官面前調書等の証拠能力

①被告人以外の者の裁判官・検察官以外の者の面前での供述録取書、②被告人以外の者が作成した供述書については、法321条1項3号が規定する、**次の3つの要件を全部充足しない限り証拠能力が与えられない。**

(1) **供述不能**

第1の要件は、裁判官面前調書、検察官調書の場合と同じ「法廷での供述不能」の要件である（3号本文前段）。

(2) **立証上不可欠性**

第2の要件は、「その供述が犯罪事実の存否の証明に欠くことができないものである。」（3号本文後段）ことである。具体的には、その供述が犯罪事実の存否に関連ある事実に属し、その事実の証明に実質的に必要と認められる場合であればよいとされている（東高判昭29.7.24高刑集7-7-1105）。捜査段階で取調べを必要とした被害者・目撃者・共犯者などの供述であれば、大体この要件を満たすものと解される。

(3) **特信情況**

第3の要件は、「その供述が特に信用すべき情況の下にされたものである。」（3号ただし書）ことである。

586　第4章　伝聞証拠

特信情況を認めた裁判例として、①札幌高函館支部判昭24.7.25（スリの被害者が被害の現場で提出した答申書）、②大阪高判昭26.2.24（利害関係のない犯行目撃者が進んで警察官に述べた供述調書）、③仙台高判昭26.4.19（被害当日又はその翌日に作成された具体的・詳細な届）などがある。

2　供述人の「法廷での供述不能」が不可欠の要件であること

以上で分かるように、いわゆる参考人の供述に関しては、裁判官・検察官以外の者の面前での供述録取者の場合や供述書の場合は、供述人が「法廷での供述不能」といえない限り書面に証拠能力が与えられない。

つまり、この場合、**供述人が、法廷に出頭して供述する限りは、法廷供述の内容がどんなに書面の供述と食い違っていても、書面に証拠能力を与える方法はない**。このため、贈収賄事件、選挙違反事件、公安労働事件、暴力団関係事件のように、共犯者や参考人の法廷供述が十分に期待できない事件において、検面調書が必要となるわけである。

外国の司法機関が作成した供述調書等　　外国の司法機関で作成された供述調書等については、供述者が日本の法廷で供述不能であることが多く、特信情況も認められることが多いと考えられる。

例えば、日本国政府からアメリカ合衆国政府に対する捜査共助の要請に基づいて作成された**宣誓供述書**（最決平12.10.31刑集54-8-735）、国際捜査共助の要請に基づき中国の捜査官が取調べを行い、その供述を録取して作成した**供述録取書**（最判平23.10.20刑集65-7-999）、大韓民国における刑事裁判の**公判調書**（最決平15.11.26刑集57-10-1057）は、法321条1項3号書面として証拠能力が肯定され、我が国の法廷で証拠として利用された（⟹捜査共助についての 設問64 、6 4参照）。

3　警察官の作成する参考人供述調書の証拠としての用いられ方

法321条1項3号に該当しない警察官作成の参考人供述調書であっても、決して無駄になるわけではない。

(1)　疎明資料

逮捕状請求、勾留請求等の疎明資料として、第一級の資格をもつ。

(2) 同意書証

公判段階で被告人が法326条の同意（**設問60**、**3**参照）をする場合、証拠能力をもつ。刑事事件の大部分を占める、争いのない事件においては、公判でも供述調書のほとんど全てが同意されるし、争いのある事件でも、争点に関係のない事実に関する供述調書類は同意されることが多いから、警察官作成の参考人供述調書の大部分は、裁判で利用されている。

(3) 弾劾証拠

同意がないときでも、証人等の法廷供述の信用性を争うための証拠（**弾劾証拠**）として使用できる（**設問60**、**4**参照）。

例えば、捜査段階で、「被疑者が手を出したかどうか記憶がない。」、「被疑者のアリバイの有無は分からない。」と中立的供述をしていた参考人が、公判では、被告人に同情して「被告人は手を出さなかった。」とか「被告人にはアリバイがある。」などと被告人に有利な証言をする場合がある。この場合、捜査段階の供述が記載された供述調書を法廷に提出し、その参考人（証人）が安易に供述を変遷させる人ないし嘘つきであって法廷での証言は信用できないことを証明するのである（この場合、捜査段階の供述内容が真実であることを証明するものではない）。

> **アドバイス　供述を調書化することの必要性**
>
> ここで注意すべきは、参考人の供述内容を調書にせず捜査報告書にまとめただけの場合は、供述人に書面の内容を確認させ署名・押印によって認証させていないから、その書面は弾劾証拠としての価値も少ないということである。
>
> したがって、将来公判に証人として登場して、被疑者に有利なことを証言する可能性のある者（例えば、目撃者や被疑者の知人・親族・事件前後の立回り先の家人等アリバイ主張をしそうな者）に対しては、漏らさず取調べを行い、「分からない。」、「記憶にない。」との中立的供述であっても必ず調書化して、供述を固定しておくことが重要である。

第4章　伝聞証拠

7 性犯罪の被害者等からの聴取結果を記録した録音・録画記録媒体に係る証拠能力の特則（法321条の3）

1 制度導入の背景

　性犯罪の被害者等（被害者又は被害者が死亡した場合若しくはその心身に重大な故障がある場合における配偶者若しくは直系親族、兄弟姉妹をいう。法201条の2第1項1号ハ(1)）にとって、被害状況等を繰り返し供述すること自体が大きな心理的・精神的負担になる。そこで、近時は、性犯罪の被害者等からの事情聴取において、聴取の状況を録音・録画して記録した上で、誘導を避けるなど不当な影響を与えないようにするなど、供述の信用性を確保するとともに、不安・緊張を緩和するなど工夫して負担を軽減しつつ、十分な供述を得るという手法（いわゆる**司法面接的手法**）を用いた聴取が広く行われるようになっている。

　しかし、これまでは、捜査段階において、このような手法を用いた聴取が行われたとしても、被害者等からの聴取結果を記録した録音・録画記録媒体は、公判では、伝聞証拠となり厳格な要件（法321条1項2号、3号）を充足しない限りは証拠能力が認められず、証人尋問によって被害者等から改めて最初から証言を求めざるを得ない実情があり（⟹ **5**、**6**）性犯罪の被害者等の心理的・精神的負担の軽減という観点から課題となっていた。

　そこで、令和5年改正法（法律第66号）によって、**司法面接的手法を用いた聴取によって得られた供述を公判に証拠として提出するための新たな伝聞例外**が創設された。

2 対象者

　前記1で述べた背景に鑑み、対象者（法321条の3における「供述者」）は、被害状況等を繰り返し供述することによって大きな心理的・精神的負担を負うことを回避すべき要請が大きい者となるべきであり、性犯罪の被害者のほか、犯罪の性質、年齢、心身の状態その他の事情により、裁判官及び訴訟関係人が証人を尋問するために在席する場所において供述するときは圧迫を受け精神の平穏を著しく害されるおそれがあると認められる者とされた（法321条の3）。

3　聴取結果を記録した録音・録画記録媒体に、法321条の3によって証拠能力を付与するための要件

録音・録画記録媒体について、次の①、②がいずれも満たされれば、証拠能力が付与され、公判で取り調べることができる（法321条の3）。

① 　供述が、法321条の3第1項2号に掲げられた、次のイ・ロの措置が特に採られた情況の下にされたものであると認めるとき

   イ　供述者の年齢、心身の状態その他の特性に応じ、供述者の不安・緊張を緩和することその他の供述者が十分な供述をするために必要な措置

   ロ　供述者の年齢、心身の状態その他の特性に応じ、誘導をできる限り避けることその他の供述の内容に不当な影響を与えないようにするために必要な措置

② 　聴取に至るまでの情況その他の事情を考慮して相当と認めるとき

4　公判で取り調べられた聴取結果の録音・録画記録媒体の裁判での取扱い

証拠として採用され公判で取り調べられた、録音・録画記録媒体に記録された被害者等の供述は、公判で供述されたものとみなされる（法321条の3第2項）。

裁判所は、記録媒体を取り調べた後、訴訟関係人に対し、その供述者を証人として尋問する機会を与えなければならない（法321条の3第1項）。

この録音・録画記録媒体の証拠能力が認められ、これを公判で取り調べることができたとしても、被害者等は、録音・録画記録媒体にある供述を公判でしたものとして、これについて被告人側からの尋問（実質的には、反対尋問）を受けることは回避できない。

5　法321条の3の適用を想定した被害者等への聴取をする場合の留意点

法321条の3の適用を想定し、司法面接的手法を用いるなどの措置を講じつつ聴取するのは、警察官・検察官のいずれでもよいが、聴取結果に対しては、弁護人から被害者等に対して、尋問（実質的な反対尋問）が行われることとなり、このような公判対策も視野に入れる必要があるので、警察官が聴取する場合には、主任検察官と十分に打ち合わせる必要がある。

590　第4章　伝聞証拠

設問 59　伝聞法則の例外（その2　検証調書、実況見分調書、鑑定書など）

●設　問●
(1)　警察官作成の実況見分調書を法廷で証拠として用いるための手続を説明しなさい。
(2)　医師の診断書を法廷で証拠として用いるための手続を説明しなさい。

◆解　答◆
(1)　⟹ **1** 3 (3)
(2)　⟹ **2** 3

1　検証調書（法321条2項後段、3項）

1　検証調書の証拠能力を緩和した理由

　検証調書は、検証者が検証の結果を報告する一種の「供述書」である。しかし、検証実施者に検証の結果を口頭で報告させるよりも、書面自体を証拠とした方がより正確であるから、書面自体の証拠能力を認める要件を、一般の供述書に比べ大幅に緩和したのである。

2　裁判所・裁判官の実施した検証調書（法321条2項後段）

　これらは、無条件で証拠とすることができる。

3　捜査機関の検証調書（法321条3項）（⟹作成要領については **設問33** 参照）

(1)　証拠能力付与の要件

　　検察官、検察事務官又は司法警察職員の検証の結果を記載した書面は、公判期日において、検証実施者が、**書面が真正に作成されたものであることを証言**したとき、証拠能力が与えられる。

　　捜査機関の検証は、一方当事者が行うもので、弁護人・被告人を立ち会わせないで実施するものであるから、検証結果が正確であることにつ

いて証言が要求されるのである。

⑵ 作成の真正

作成の「真正」の証言とは、**単に偽造書面ではないということだけではなく、検証実施者の観察が正確であったこと、認識したとおり正確に書面に記載したものであることの証言**である（⟹付録 1「警察官の証人尋問例」参照）。

⑶ 実況見分調書

本項の検証調書には、捜査機関の作成する**実況見分調書**も含まれる（最判昭35.9.8刑集14-11-1437）。

①交通取締警察官が自記式速度測定器により測定した車両の速度を記載した測定テープ（東高判昭38.9.11判時357-49）、②レーダースピードメーター用記録紙に記載した違反車両の特定部分（東高判昭49.10.24判時769-110）、③速度違反自動取締装置により撮影された写真に基づき作成した速度違反認知カード（東京簡判昭55.1.14判時955-21）は、いずれも本項の書面に当たるとされる。

なお、本項が明文で作成の主体を捜査の専門家である捜査機関に限っている点などから考え、**私人が作成した実況見分調書には、本項の適用はなく、いわゆる法321条 1 項 3 号書面として取り扱われるべきものである**（最決平20.8.27刑集62-7-2702は、私人の作成した書面に本項の準用はできないとした）。

ただし、税関職員が犯則事件の調査において作成した写真撮影報告書等につき、税関職員による犯則事件の調査は、検察官、検察事務官又は司法警察職員が行う犯罪の捜査に類似する性質を有するものと認められることを理由に本項の書面として取り扱うことが可能である（東高判平26.3.13判タ1406-281）。

⑷ 添付図面

検証調書（実況見分調書）添付の図面・写真は、検証調書と一体不可分のものとして証拠能力が認められる。実況見分調書と一体となっている司法巡査作成の現場見取図が該当する（東高判昭44.6.25高刑集22-3-392）。

592　第4章　伝聞証拠

⑸　作成の真正が立証できない場合

　　検証実施者が死亡・病気・所在不明・国外在留などで公判期日での供述が不能であるときは、一般の供述書として、法321条1項3号の要件が備わっている場合に限り証拠能力が認められる。

⑹　指示説明部分

　　立会人の指示説明の記載部分は、検証の結果の記載にほかならないから、検証調書と一体となって証拠能力を有する。指示説明の記載に、指示説明者の署名押印は不要であるし、指示説明者に対する反対尋問の機会を被告人に与える必要もない（最判昭36.5.26刑集15-5-893）。

> **アドバイス**　いわゆる現場供述の取扱い
>
> 　検証の手段として必要な限度（指示説明）を超えて記載された供述部分（いわゆる**現場供述**）は、もはや検証結果の記載ということはできない。指示説明の限度を超える供述部分については、別途供述調書を作成しておくべきである（⟹指示説明の限界については、**設問33**参照）。

⑺　意見の記載

　　「検証の結果」の中には、検証実施者が観察・認識した事実だけでなく、その観察・認識した事実から推理・判断した事項が含まれてもよいが、検証実施者の単なる意見の記載は証拠となり得ない。

②　鑑定書（法321条4項）

1　証拠能力付与の要件が緩和されている理由

　鑑定書は、鑑定人が特別の知識・経験に基づいて行った判断の結果と経過を報告する書面であり、本来は「供述書」である。

　鑑定の経過と結果も、検証の場合と同様、口頭で報告させるよりも、書面（鑑定書）自体を証拠とした方が正確であるので、鑑定人が、公判期日において、**鑑定書が真正に作成されたものであること（作成名義が真正であるだけでなく、鑑定書の記載内容が鑑定人の鑑定したところを正確に記載したものであることも含む）を証言**したとき、書面に証拠能力が与えられる。

　もっとも、裁判実務においては、鑑定書が同意されない場合に実施する鑑定人に対する尋問において、鑑定書の記載内容の信用性についても弁護人か

らの反対尋問を行わせる例となっている。

2 鑑定受託人による鑑定

捜査機関が鑑定を嘱託した者は、「鑑定受託者」であって、鑑定人ではないが、鑑定受託者作成の鑑定書にも本項が準用される（最判昭28.10.15刑集7-10-1934）。

3 その他本項の書面とされるもの

法321条3項では、検証調書の作成主体を捜査機関に限定しているが、法321条4項の鑑定書は限定がないから、私人が作成するものも含まれる。

民事事件の鑑定書（最判昭37.4.10裁判集民事60-97）、警察技官作成の掌紋鑑定書（東高判昭24.12.10高刑集2-3-299）、医師の**診断書**（最判昭32.7.25刑集11-7-2025）、私人作成の火災原因に関する報告書（最決平20.8.27刑集62-7-2702　特別の学識経験に基づいて行った実験結果を考察報告したものだからとする）、運輸省航空事故調査委員会が作成した航空事故調査報告書（名古屋地判平16.7.30判時1897-144）、柔道整復師作成に係る施術証明書（福岡高判平14.11.6判時1812-157）、現場指紋対象結果通知書（札幌高判平10.5.12判時1652-145）も、本項により証拠能力が付与される。

594 第4章 伝聞証拠

設問 60 伝聞法則の例外（その3 特に信用できる書面・伝聞供述・同意書面など）

●設 問●
(1) 戸籍謄本を法廷で証拠として用いるための手続を説明しなさい。
(2) 伝聞証拠に対して、検察官・被告人が同意した場合の効果について説明しなさい。

◆解 答◆
(1) ⟹ **1** **2**
(2) ⟹ **3**

1 特に信用できる書面（法323条1号ないし3号）

1 証拠能力付与の要件が緩和される理由

法323条の各書面の実質は「供述書」であるが、各書面とも、書面に高度の信用性が認められ、しかも書面を証拠に使用する必要性が高いので、無条件で証拠能力が認められている。

2 公務員の証明文書（1号）

(1) 意 義

戸籍謄本・公正証書謄本など、公務員（外国の公務員を含む）が、その**職務上証明することができる事実について作成した書面**である。

(2) 具体例

①警察本部刑事部鑑識課作成の指紋対照結果回答書（大阪高判昭24.10.21）、②検察事務官作成の前科調書（名古屋高判昭25.11.4）、③検察庁出納官吏作成の換価代金預入証明書（東高判昭25.7.27）、④国鉄駅長作成の小荷物受託関係回答書（東高判昭27.4.8）、⑤市町村長作成の身上照会回答書（札幌高判昭26.3.28高刑集4-2-203）、⑥検察官・検察事務官が証拠物の写真に付記した認証文（東高判昭26.12.27）、⑦外国公

務員作成の会社設立を証明する文書（東地決昭56.1.22判時992-3）など
が、本号の書面に当たるとされている。

しかし、ビラ貼りを承諾した事実はない旨の市交通局長作成の回答書
は本号書面に当たらず、法321条1項3号書面とされている（名古屋高
判昭39.8.19高刑集17-5-534）。

3 業務文書（2号）

(1) 意 義

商業帳簿、航海日誌その他**業務の通常の過程において作成された書面**
である。業務の通常の過程で作成される帳簿・日誌・記録等の業務文書
は、継続的かつ正確に記載されるから虚偽が入り込む余地が少なく、信
用性が高いと認められるのである。

文書それ自体だけからでは業務文書であることが明らかでなくとも、
作成者の供述などによって業務文書と認定できる（最決昭61.3.3刑集40
-2-175）。

(2) 具体例

判例では、①商人の仕入帳・売上帳（大阪高判昭25.9.9）、②会社の
検量証明書（東高判昭29.1.8）、③被告人が備忘のため継続的に記帳し
ていた未収金控帳（最決昭32.11.2刑集11-12-3047）、④漁船間の無線受
信記録（上記最決昭61.3.3）などが本号書面と認められている。また、
医師の診療録（カルテ）は、商業帳簿・航海日誌と同様に、法律で作成
が義務付けられており、診療の都度正確に継続的に記載されるものだか
ら、本号書面に該当する。

しかし、捜査機関が業務上作成した交通事件原票や「速度違反取締り
実施結果報告書」は、事実報告文書にすぎず、法323条各号に掲げられ
た文書のごとき高度の信用性の情況的保障があるものではないから、業
務文書に当たらない（東高判昭48.12.19）。

4 その他の特信書面（3号）

(1) 意 義

そのほか、特に信用すべき情況の下に作成された書面も、無条件で証
拠能力をもつ。

596　第4章　伝聞証拠

本号に該当する書面は1号・2号の各書面と同程度、又はそれに準じる程度の高度の信用性がある書面に限られる。

(2)　具体例

判例で3号の書面に該当するものとされたのは、①検察庁の前科回答電信訳文（最決昭25.9.30刑集4-9-1856）、②医師の診療録の写しで外国語の部分を日本語に直してあるもの（仙台高判昭25.11.28）、③服役者と妻との往復文書（最判昭29.12.2刑集8-12-1923　文書の外観と妻の証言により信用性が認定された）、④紙の市場価格表（仙台高判昭28.5.11）、⑤法人税の確定申告書（東高判昭28.7.13）、⑥小切手帳・金銭出納帳（東高判昭36.6.21下刑集3-5・6-428）、⑦脱税事件の裏帳簿（東高判昭37.4.26高刑集15-4-218）、⑧高金利違反における賃借関係記載の手帳（仙台高判昭27.4.5高刑集5-4-549）、⑨ドル表示軍票の不正取引状況記載の手帳（東高判昭27.10.20）、⑩犯罪の嫌疑を受ける前に備忘のためにカレンダーの裏に記載された、競馬のノミの申込状況に関するメモ（東高判昭54.8.23判時958-133）、⑪銀行支店次長が業務のため個人的に記載していた日誌（東地決昭56.6.29　ただし、支店長の個人的日記は本号の書面に当たらないとした）、⑫いやがらせ電話の被害を受けていた被害者が、その受信日時や内容等を、直後かその後遅滞ない時期に、正確に記録した「被害ノート」（東地判平15.1.22判タ1129-265）などが本号書面とされている。

一方、①犯行状況立証のための現行犯人逮捕手続書（東高判昭28.7.7高刑集6-8-1000）、②司法警察職員の捜査報告書（最決昭24.4.25）、③売掛帳に基づいて作成した、帳簿の摘要書というべき売買答申書（東高判昭27.7.8高刑集5-10-1561）、④国税庁監察官作成の所得額調査の経過・結果報告書（東高判昭34.11.16下刑集1-11-2343）、⑤単に心覚えのため、密造タバコ取引状況を書き留めた手帳（最判昭31.3.27刑集10-3-387）については、本号書面ではなく、法321条1項3号書面であるとされている。

(3)　新聞・雑誌の記事は、記事内容の真実性を立証するために使用する場合は、法321条1項3号又は法322条1項の「供述書」に該当する。

しかし、記事の中でも、統計表・価格表・株価表・スポーツ記録・気象状況などの部分は、正確性の保障があるから法323条3号書面に該当する。

2 伝聞供述（法324条）

1 また聞き供述

伝聞証拠の典型である「また聞き供述」も、一定の条件のもとに証拠能力が認められる。

2 被告人からのまた聞き供述（証言）（1項）

これについては、被疑者（被告人）供述調書の項（⟹ 設問53、3 参照）で説明したとおり、法322条の要件があれば証拠能力をもつ。

3 被告人以外の者からの伝聞供述（2項）

被告人以外の者甲が、法廷外で被告人以外の者（乙）から聞いた供述内容（例えば「被告人がVを殺すのを目撃した」との供述内容）を法廷で証言する場合、参考人の供述調書等の証拠能力を定めた法321条1項3号の規定が準用される。

つまり、「被告人がVを殺すのを見た」という乙の原供述に関し、(ｱ)乙本人の法廷における供述の不能、(ｲ)犯罪の証明に当たっての原供述の不可欠性、(ｳ)原供述がなされた際の特信情況、の3要件を具備する場合に限り、法廷での甲の「また聞き供述」が証拠能力をもち、「被告人がVを殺した」事実を証明するために使うことができる。

証拠能力が認められた例として、①ひき逃げ事件の目撃者A（氏名・所在不明）が、事故現場で「加害車両は小森某のものだった。」と供述するのを聞いたBが、Aの同供述内容を法廷で証言した場合、また、その際被害者C（後に死亡した）が、「ヤラレタ、ヤラレタ、小森、小森」と叫んだのを聞いたDが、Cの叫んだ内容を法廷で証言した場合（福岡高判昭28.8.21高刑集6-8-1070）、②ひき逃げ事件の目撃者（後に所在不明となった）から目撃状況の供述を聞いた者が、そのまた聞き内容を法廷で証言した場合（東高判昭36.2.1下刑集3-1・2-32）、③共犯者E（後日、所在不明となった）から「甲を殺したのは自分である」旨を聞いた共犯者Fが、Eからのまた聞き内容を法廷

で証言した場合（最判昭38.10.17刑集17-10-1795）、④共犯者G（法廷では黙秘）を取り調べた検察官が、捜査段階におけるGの自供内容を法廷で証言した場合（札幌高判昭47.12.19刑月4-12-1947）、⑤強制わいせつ（現：不同意わいせつ）の被害児童から、被害直後に、被害状況についての供述を聞いた母親が、法廷で児童から聞いた供述内容を証言した場合（山口地萩支部判昭41.10.19下刑集8-10-1368）などがある。

3 同意証拠（法326条）

法は、検察官・被告人が反対尋問権を放棄した場合には、伝聞証拠に証拠能力を与える。これが法326条による「同意」の規定である。

争いのない事件では、この同意が活用され、捜査機関の収集・作成した証拠書類が法廷に出され、事実認定に用いられている。

同意書面・同意供述（法326条1項）

(1) **同意の効果**

　検察官又は被告人が証拠とすることに同意した書面又は供述は、その書面が作成され又は供述のされたときの情況を考慮し相当と認めるときに限り、伝聞証拠であっても、証拠とすることができる（法326条1項）。

　弁護人は被告人の意思に反しない限り、代理権の行使として、同意・不同意の意思表示をすることができる。

(2) **同意の方法**

　同意の意思表示は、明示であっても黙示であってもよいが、裁判所に対してなされることを要する。

(3) **同意の限界**

　同意があると、伝聞証拠に証拠能力が与えられる。しかし、①本来的に証明力がないため証拠能力がない証拠（例えば、風評、関連性のない証拠など）は同意があっても証拠能力を生じないし、②同意があっても、書面作成時の情況又は原供述時の情況からみて「相当性」がないときも、証拠能力が生じない。

4 証明力を争うための証拠（法328条）＝弾劾証拠

1 弾劾証拠の意義

証拠とすることができない伝聞証拠たる書面又は供述であっても、公判段階での被告人、証人その他の者の供述の証明力を争うための証拠（弾劾証拠）とすることができる（法328条）。なお、証明力を増強するための証拠を**増強証拠**、いったん証明力を減殺された証拠の証明力を回復するための証拠を**回復証拠**という。

(1) 限定説

本条の弾劾証拠が、法廷での供述者本人の法廷外における**自己矛盾の供述**（法廷での供述と食い違う内容の供述）に限られるのか（限定説）、その供述者以外の者の供述・書面であってもよいのか（非限定説）については争いがあったが、判例は限定説をとった（最判平18.11.7刑集60-9-561）。

これによれば弾劾証拠とは、法廷での供述者（証人、被告人）が、法廷外で警察官等に対し法廷供述と矛盾する供述をしていることを理由として、法廷供述の信用性を争うようなことをいう。例えば、「被告人は犯人に似ていない。」旨の犯行目撃者の証言の証明力がないことを主張するために、同人が前に警察でなした「被告人は犯人に似ている。」との供述を内容とする供述調書を提出する場合である。

(2) 弾劾証拠として使えない証拠

①任意性のない自白は弾劾証拠としても使用できない。②録取の正確性の担保を欠く供述者の署名・押印のない供述調書も、本条の証拠としても使えない（上記最判平18.11.7）。

2 実質証拠としての利用の禁止

(1) 本条の証拠として提出された証拠は、証明力を争うためにのみ使用でき、これによって犯罪事実を認定することは許されない。

(2) 本条による証拠を自白の補強証拠とすることも、許されない（名古屋高判昭28.1.16）。

600　第4章　伝聞証拠

設問 61　特殊な伝聞証拠（写し、写真、動画映像・録音、メモ類など）

●設　問●

　警察官甲は、過激派による集団騒乱事件を捜査していたが、たまたま私人Aが同事件の犯行の模様を写真撮影していたことを知り、Aからその写真フィルムを入手した。しかし、Aは後難をおそれ、Aが写真撮影をしたことを秘密にしてほしいと求めた。Aから入手した上記写真を法廷で証拠として用いることができるか。

◆解　答◆

できる。⟹ **2** 2

1　謄本・抄本・写し

　「謄本」は、原本の全部について転写したうえ原本と同一である旨を認証したもの、「抄本」は、原本の一部について転写したうえ原本と同一である旨を認証したもの、「写し」は、原本の全部又は一部について転写しただけで、認証文がないものである。

　①原本が存在するか又はかつて存在したこと、②その原本を正確に転写したものであること、③原本の提出が不可能又は困難であること、の3要件が備わっていれば、謄本・抄本・写しには原本に準じる証拠能力が付与される（東高判昭54.6.22判時958-131、東高判昭54.8.23判時958-133、東地決昭56.1.22判時992-3）。写真コピーの一般化により、②は容易に立証できるようになったが、コンピューターによる画像加工が容易にできるようになったことも考慮しなくてはいけない。

特殊な伝聞証拠（写し、写真、動画映像・録音、メモ類など）　設問61　*601*

2　写真（動画映像）

1　写真の利用方法

(1)　写真が、検証調書・実況見分調書・鑑定書などに添付され、その記載を補充し明確化するために使用される場合は、検証調書等と一体をなしているものであるから、それぞれの書面の証拠能力と同一に考えられる。

(2)　写真が、原本の写しとして使用される場合には、謄本・抄本・写しの証拠能力と同じである。

(3)　犯行状況を写した現場写真のように、写真を独立の証拠として使用する場合については、次の2で述べる。

2　現場写真（現場の動画映像）

　現場の状況を撮影した写真のことである。かつては、検証調書に準じ、現場写真が証拠能力を獲得するためには、撮影者が撮影状況の真正であったことを証言することを要するとの見解もあった。

　しかし、現場写真は、光学機器によって、現場の状況を科学的・機械的プロセスで忠実かつ正確に記録するものであるから、その性質は非供述証拠であり、知覚→記憶→表現の過程に反対尋問を入れる余地がなく、**証拠物又は証拠物に準じて証拠能力が与えられる**とするのが判例（最決昭59.12.21刑集38-12-3071）である。

　判例によれば、写真自体又は何らかの方法でこの写真が犯行現場を撮影したものであることなど（関連性）さえ立証できれば、無条件で証拠能力が認められる。撮影者による撮影状況の証言が必須でないから、撮影者が不明な場合や撮影者が死亡した場合の写真にも証拠能力が付与できる。

　このことは現場の状況を撮影した動画映像についても当てはまる。

3　犯行再現状況を録画したＤＶＤ等の証拠能力

　捜査段階において、犯行現場又は模擬犯行現場等で、被疑者に犯行時の状況を再現させ、犯行時の位置や身体の状況などを実況見分等する際、被疑者が犯行を再現する様子を動画で撮影してＤＶＤ等に録画し、同ＤＶＤ等を証拠として取調べ請求することがある。

　その立証目的（立証趣旨）が、**同ＤＶＤ等の録画内容の真実性**、すなわち

被告人が再現映像どおりの犯行を行ったことであるときには、後記**3**の供述録音に準じ、法322条（被疑者調書の証拠能力）の条件を満たすとき、つまり、その映像内容が被疑者に不利なものであり、かつ、再現に任意性があるとき証拠能力があるとされる（⟹犯行再現写真について**設問33**、**5**参照）。

犯行再現映像の任意性を判定するための資料としては、ＤＶＤ等の録画の内容そのものが重要である。例えば、ビデオテープの映像自体により、被疑者が犯行再現に当たって、自ら積極的に、てきぱきと手際よく行動し、記憶の不鮮明な点についてはその旨を述べたり、従前の供述を訂正するなどしていると判断し、「再現が捜査官の強制や圧迫の下で行われたと疑う余地のないのはもとより、それが実際の経験に基づく記憶を体現したものであることをうかがわせるに十分である」としてビデオテープの再現の任意性を肯定した事案がある（東高判昭52.5.19）。

4 テレビニュースを録画したビデオテープ・ＤＶＤ等

(1) 報道の自由との関係

テレビ局が放映したニュース等を録画したビデオテープを証拠に使用する場合に、報道の自由を侵害しないか問題とされたことがある。しかし、ニュース放映とは、受信者を特定せず、受信したい者は何人でも自由に受信することができ、また、放映したものを受信側でいかに利用しても差し支えないことを前提として電波を放つことであるから、法令によって禁じられた場合以外は、何人がこれを受信し、録画し、使用しても、何ら放映の権利を侵害するものではない（東地判昭45.9.11刑月2-9-970）。放映された録画を刑事裁判の資料とすることで将来の取材の自由が妨げられるおそれがあるとしても、公正な刑事裁判の実現のためには、その程度の不利益は受忍されるべきである（札幌高判昭47.12.19刑月4-12-1947）。

(2) 被疑者へのインタビュー映像

被疑者へのインタビュー映像がテレビで放映され、これを捜査機関が録画したビデオテープについても、後記**3**の供述録音に準じて証拠能力が判断された事例がある。この事例では、**映像の編集に相当性がない**と争われたのであるが、裁判所は、放映された供述部分と独立した供述が

編集上省略されていたとしても、「当該供述が趣旨を異にすることなく録画されていると認められるのであれば、前後の供述の省略は、当該供述部分が供述録取書に該当することを妨げるものではない」とした（和歌山地決平14.3.22判タ1122-131　和歌山カレー事件）。

(3) 写しの取調べ請求として許容されるか

　捜査機関がテレビニュースを録画したビデオテープを証拠請求することは、テレビ局保管のテレビニュースの**テープ原本に代えてその写しを証拠として請求する**ことになるところ、これが許容される要件に関し、①原本の存在、②写しが原本を正確に再現したものであることは要件であるが、③写しによっては再現し得ない原本の性状（例えば、材質、凸凹、透かし文様の有無、重量など）が立証事項とされていないことから、原本の提出が不可能又は著しく困難であることは要件ではないとして、証拠請求が許されるとした裁判例（東高判昭58.7.13高刑集36-2-86）がある。

　写しの方法が、ビデオテープ録画のように電子的複写の方法で行われた場合については、必ずしも原本の取調べを原則としなくてもよいという考え方に立つものであろう（⟹一般的要件については、**1**参照）。

3　供述録音・現場録音

1　録音の種類

　録音テープやボイスレコーダのような録音体に記録された録音には、人の供述内容を録音した「供述録音」と、犯行現場の物音・人声・雰囲気などを録音した「現場録音」とがある。

(1) 供述録音

　これは、人の知識・経験の報告を内容とするものであるから、供述証拠であり、伝聞法則の適用を受ける。それは、供述書又は供述録取書に準じ、法321条1項（被告人以外の者の供述録音の場合）又は法322条（被告人の供述録音の場合）によって証拠能力が認められる。

　録音テープは、器械の科学的正確さで供述をそのまま正確に録取するものであり、録取の正確性は録音テープ自体で担保されているので、供

述者の署名押印は不要である。ただし、供述者が誰であるかを冒頭部分で自己紹介させ、供述中は録音を中断しないなどの工夫は必要であろう。

(2) 現場録音

これは、現場写真と同様に、犯行現場の状況を器械的・科学的に正確に録音したものであって、知覚→記憶→表現の過程に誤りが介入するおそれがなく、それを反対尋問によりテストする余地のないものであるから、非供述証拠であり、伝聞法則の適用を受けない。したがって、証拠物に準じ、証明すべき事実との関連性さえ認められれば、証拠能力があるものと解すべきである。

2 被疑者の取調べ状況の録音・録画

被疑者の取調べ状況の録音・録画制度の立法担当者は、録音・録画記録は、供述調書に準じるとし、これを**犯罪立証の実質証拠として用いることができる**と解している。しかし、その必要性について、裁判所は、公判における直接主義などを理由として消極的であるように見える。

検察官が罪体立証のための実質証拠として捜査段階で犯行を自白していた被告人の取調べ状況を録音・録画した記録媒体（以下「本件媒体」という）を取調べ請求したのに対し、原審がその必要性を認めず当該取調べ請求を却下した事案について、控訴審である東京高裁は、当該取調べ請求を採用すれば、公判審理手続が、捜査機関の管理下において行われた長時間にわたる被疑者の取調べを記録媒体の再生により視聴し、その適否を審査する手続と化すという懸念があり、直接主義の原則から大きく逸脱し、捜査から独立した手続とはいい難い審理の仕組みについて適正な公判審理手続ということに疑問があることや、本件では自白内容が被告人質問で明らかになっていること、争点の判断の決め手は共犯者等の供述であること、取調べ中の供述態度を見て自白の信用性を判断するのは容易とはいえないこと等縷々指摘し、原審が本件媒体の証拠調べ請求を却下した判断が合理的な裁量を逸脱したものとはいえない旨判示した（東高判平28.8.10高刑集69-1-4）。

特殊な伝聞証拠（写し、写真、動画映像・録音、メモ類など）　設問61　　*605*

4　メモ・日記・手帳

1　意　義

　メモ・日記・手帳（以下「メモ類」と呼ぶ）は、その存在・形状だけでなく、それに記載されている内容が真実であることを証明しようとする場合には、供述証拠とされ伝聞法則の適用を受ける。それは一種の「供述書」であるから、作成者が被告人以外の者であるときは法321条1項3号書面に該当し（したがって、作成者が法廷でメモ類の記載内容と食い違う証言をしたときは、メモ類の記載によって法廷証言を弾劾することはできるが、メモ自体を証拠にすることはできない）、作成者が被告人であるときは同項が適用されることになると一応いえる。

2　法323条の特信書面として利用できる場合

　しかし、メモ類が、出来事のあった都度、継続的かつ正確に記載され、しかも、事件の嫌疑を受ける前に、事件を意識しないで作成されたものであるときには、その作成及び内容には高度の信用性が認められるから、そのようなメモ類は、法323条2号又は3号の特信書面に該当し、記載内容を無条件で証拠として用いることができる場合がある（⟹ **設問60**、**1** 4参照）。

(1)　**法323条2号書面とされた事例**

　　　米穀小売販売業者である被告人が、食管法違反の嫌疑を受ける前にこれと関係なく、販売未収金関係を備忘のため、闇米と配給米を問わず、その都度記入した未収金控帳（最決昭32.11.2刑集11-12-3047）。

(2)　**法323条3号書面とされた事例**

　　①　高金利違反事件において、被告人が犯罪の嫌疑を受ける前にこれと関係なく、貸金関係を備忘のため、その都度記載した手帳（仙台高判昭27.4.5高刑集5-4-549）

　　②　被告人がドル表示軍票の不正取引状況をその都度書き留めた手帳（東高判昭27.10.20）

　　③　備忘のため競馬ののみ行為申込状況を記載したカレンダー（東高判昭54.8.23判時958-133）

606　第4章　伝聞証拠

⑶　法321条1項3号書面とされた事例

①　闇タバコの売却について、単に心覚えのため取引状況を書き留めていた手帳（最判昭31.3.27刑集10-3-387　原審は法323条3号書面としていた）

②　単に心覚えのため、取引事項を断続的に書き留めていた手帳（東高判昭36.6.21下刑集3-5・6-428）

③　事件に備えて被害状況を書き留めたメモ（東高判昭47.6.29判タ285-314）

⑷　法322条1項書面（供述書）とされた事例

労組事務所での応酬状況を記載した被告人作成のメモ（東高判昭40.1.28高刑集18-1-24）

科学的証拠の証拠能力と信用性　設問62　*607*

設問 62　科学的証拠の証拠能力と信用性

● 設　問 ●

(1)　警察犬による臭気鑑定について、「証拠能力が認められるためには、鑑定の基礎となる科学的原理及び鑑定に用いられる技術が、関連する専門分野で一般的に承認されたものであることを要するが、臭気鑑定の原理は科学的には未解明であるので、証拠能力はない。」との主張は妥当か。理由を付して説明しなさい。

(2)　ＤＮＡ型鑑定について、「資料を全量消費し鑑定の正確性を後日検証できないようなやり方で実施された」ことを理由に、証拠能力が否定されるべきであるとする主張は妥当か。理由を付して説明しなさい。

◆解　答◆

(1)について

　　妥当ではない。⟹**1**、**2** 4 (2)参照

(2)について

　　妥当ではない。⟹**2** 4 (3)参照

1　科学的証拠の証拠能力

　科学的証拠とは、科学的知識や技術を用いた科学的捜査の結果として得られる証拠をいう。従来からポリグラフ検査、声紋鑑定、筆跡鑑定、毛髪鑑定、さらに、**ＤＮＡ型鑑定**などをめぐって、これらに科学的な信頼性及び正確性があるかどうかが問題とされてきた。

　当該検査・鑑定が立脚する科学的原理や検査・鑑定に用いられる技術が関連する専門分野で一般的に承認されたものであることを要するとする考え方がある。この考えに立てば、例えば、警察犬の臭気選別検査に関して、警察犬が臭気選別を行う原理も、その方法による選別の結果が確実であることも、100％は科学的に解明されていないということから、証拠能力がないとされ

608 第5章 科学的証拠

得る。しかし、警察犬の臭気選別については長年の実績と方法の工夫改善が
あり、訓練された警察犬には極めて高い臭気選別能力があることは経験上認
められており、検査方法も偶然や誤りを可能な限り回避できるように相当に
工夫されているものであって、**原理や方法について専門分野で一般的承認が
ないが故におよそ証拠として利用できないとするのは、硬直的と言わざるを
得ない。**

　我が国の判例は、後述するように、科学的証拠について、当該鑑定・検査
の科学的根拠が確定されていないからといって、直ちに証拠能力を否定する
立場はとっておらず、その科学的原理の理論的正確性と具体的実施方法の科
学的信頼性の具備など一定の条件があれば証拠能力を認めている。

　なお、科学的証拠をどの程度、有罪立証に使えるかという証拠の信用性に
ついては、各鑑定・検査のよって立つ原理や方法の科学的信頼性、結果の確
実性の程度いかんによって、慎重に判断すべき場合があることはもちろんで
ある。

2　ＤＮＡ型鑑定

1　ＤＮＡとは

　ＤＮＡ（デオキシリボ核酸）とは、細胞核内の染色体（ヒトの場合、1つ
の核の中に23対、46本存在）にあって、個体の成長等についての指令を行う
遺伝子の本体となる**核内ＤＮＡ**を指す。

　同一人の細胞であれば、どこから採ったものであっても、ＤＮＡは同一で
ある。

　ＤＮＡ分子は、デオキシリボース（糖の一種）とリン酸が鎖状に結合し、
このデオキシリボースに「塩基」（窒素を含む環状化合物であるが、ＤＮＡ
の組成成分としての塩基は、アデニン、グアニン、チミン及びシトシンの4
種類しかない）が付着して組成され、このデオキシリボースとリン酸の鎖上
に「塩基」が順序よく並んだ状態（これを「**塩基配列**」という）になってい
る。

　なお、ＤＮＡとしては、細胞内に多数存在するミトコンドリアの中にあっ
てその働きの維持に関わる**ミトコンドリアＤＮＡ**もあり、これは核内ＤＮＡ

科学的証拠の証拠能力と信用性　設問62　　*609*

に比べ極めて小型で環状のもので、組成等は核内ＤＮＡと変わらないが、全て母親から引き継がれる点で核内ＤＮＡと異なる。

（以下本設問では、ＤＮＡといえば、特に断らない限り核内ＤＮＡを指すことにする）

2　ＤＮＡ型鑑定の原理

(1)　繰り返し領域の長さの差異（鎖長多型）に着目したＤＮＡ型鑑定

　１本の核内ＤＮＡの中には、同じ塩基配列（数個ないし数十個の一定の塩基配列であり「**コア**」と呼ぶ）が１か所で縦につながって繰り返して並ぶ「縦列反復配列」領域があって、人ごとに繰り返しの回数に個人差があり、したがって、この領域のＤＮＡの長さ（鎖長）も人ごとに差異がある（「鎖長多型」＝ＶＮＴＲという）ので、これを調べることで個人を識別するのが、ＤＮＡ型鑑定の第１の方法である。この方法による核内ＤＮＡ型の鑑定が、現在、捜査実務で行われているものである。

　警察において平成15年８月に導入された**ＳＴＲ**（Short Tandem Repeat 短鎖繰返配列）**型検査法**は短い塩基配列が反復繰り返されているＤＮＡの特定座位（平成18年11月までの検査では９座位、平成30年４月までの検査では15座位、同月以降の検査では21座位が検査対象）における反復回数（すなわち鎖長）を型として検査し比較するものである。21座位について特定のＤＮＡ型が出現する確率は、最も出現しやすい型でさえ、565京人（一京は一兆の１万倍である）に１人というものであるから、このＤＮＡ型が一致すれば、同一人と認めてよい高度の証明力がある（ただし、一卵性双生児は相互識別できない）。

　なお、警察がＤＮＡ型鑑定を実用化した平成元年当初に採用した検査法の一つとして、**ＭＣＴ118型検査法**（第一染色体のＭＣＴ118という座位において、16個の塩基が反復繰り返される領域を検査対象とするもの）がある。現在は、必要があるときに実施するものとされているが、ＳＴＲ型検査法に加えて実施する必要がある場合は少ないであろう。

(2)　塩基配列の差異（配列多型）に着目したＤＮＡ型鑑定

　核内ＤＮＡの特定座位や、ミトコンドリアＤＮＡの特定領域の塩基配列は、人ごとに高度の差異を示す（「配列多型」という）ので、この座

位の塩基配列を読み取ることによって個人を識別するのが、ＤＮＡ型鑑
定の第２の方法である。この方法は、現在はミトコンドリアＤＮＡの鑑
定でのみ行われている。

⑶　「型」鑑定と呼ぶ意味

　　１本の核内ＤＮＡに配列される塩基配列の数は30億にも達し、一卵性
双生児以外は、塩基配列が一致する者はいないと考えられる。もし血液
等の資料からそのＤＮＡの全塩基配列が読み取れるならば、これと特定
個人のＤＮＡの全塩基配列を対照し、両者のＤＮＡが同一かどうかを判
定して個人識別ができることになる。

　　しかし、捜査実務におけるＤＮＡ型鑑定は、資料のＤＮＡと対象者の
ＤＮＡの同一性を判定するものではなく、**ＤＮＡの特定の座位における
縦列反復配列回数の差異（鎖長多型）や配列の差異（配列差異）によっ
て当該ＤＮＡの型分類を行い、資料の「ＤＮＡ型」と対象者の「ＤＮＡ
型」の同一性を判定するものであり、それゆえ「型鑑定」と呼ばれるの
である。**

3　ＳＴＲ型検査法によるＤＮＡ型鑑定の実施

⑴　鑑定資料

　　ＤＮＡ型鑑定の対象とすべき資料には、ヒトのＤＮＡが含まれている
ものでなければならない。

　　一般に、対象となる資料としては、血液（白血球）、精液（精子）、膣
液（扁平上皮細胞）、精液・膣液等混合液、毛根鞘の付いた毛髪、皮膚・
筋・骨・歯・臓器等の組織片、汗・唾液（いずれも脱落した細胞）が考
えられている（なお、赤血球には細胞核がないので資料とならない）。

⑵　鑑定の手順

①　資料からタンパク質を除去しＤＮＡだけを精製する。

②　**ＰＣＲ（ポリメラーゼ連鎖反応）増幅**

　　型鑑定の対象とするＤＮＡの特定の座位だけを選び出し、ＤＮＡ合
成酵素（ポリメラーゼ）を用いて、数百万倍ないし数千万倍まで増幅
する。これにより、資料のＤＮＡがごく微量であっても、ＤＮＡが古
くなり細分化されていてもＤＮＡ型の鑑定が可能な場合が増えた。

③　ＤＮＡ型の判定

　　ＰＣＲ増幅されたＤＮＡ溶液を、フラグメントアナライザーという装置にかけ、ＤＮＡの断片を電気泳動させ、21座位の型判定がコンピュータ解析ソフトによって自動的に行われる。

(3)　**ＤＮＡ型鑑定の留意事項**

　　ＤＮＡ型鑑定は、微量の資料中のＤＮＡの特定座位を、ＰＣＲ増幅したものを対象としており、原資料への他人の細胞の付着があれば誤った結果が生まれるので、資料の採取や保管は適切に行われなければならない。

　　またＤＮＡ型鑑定は、ＤＮＡの全塩基配列を読み取るものではないが、特定座位とはいえ、ＤＮＡの塩基配列という個人のプライバシーに密接に関連した資料を対象としており、資料の適切な取扱いが求められる。

　　警察庁では、ＤＮＡ型鑑定の適正を図るためのガイドラインとして、**「ＤＮＡ型鑑定の運用に関する指針」**（平成15年7月7日制定　令和6年3月29日改正）を定めているので、これに従った取扱いを行う必要がある。

4　ＤＮＡ型鑑定の証拠能力と証明力に関する最高裁決定

(1)　**事　案**

　　殺害された幼女の半袖下着に付着していた精液と被告人が投棄したティッシュペーパーに付着していた精液のＤＮＡ型（ＭＣＴ118型）の一致という鑑定結果を有罪の証拠として許容できるかが争われた事案について、一審（宇都宮地判平5.7.7判タ820-177）及び控訴審（東高判平8.5.9高刑集49-2-181）は、いずれも証拠としての許容性を認めたが、被告人側は、本件で用いられたＭＣＴ118法を用いたＤＮＡ型鑑定はまだ専門分野において一般的承認を得ているとはいえず、信頼性に問題がある旨など主張して上告した。

(2)　**証拠能力についての最高裁の判断**

　　最高裁は、「（ＤＮＡ型鑑定は）、その科学的原理が理論的正確性を有し、具体的な実施の方法も、その技術を習得した者により、科学的に信頼される方法で行われたと認められる。したがって、右鑑定の証拠価値

612　第5章　科学的証拠

については、その後の科学技術の発展により新たに解明された事項等を
も加味して慎重に検討するべきであるが、なお、これを証拠として用い
ることが許されるとした原判決は相当である。」とし、**科学的原理の理
論的正確性と具体的実施方法の科学的信頼性の要件が具備されていると
して、ＤＮＡ型鑑定の証拠としての許容性を初めて認めた**（最決平12.
7.17刑集54-6-550）。

　　科学的証拠の証拠能力に関して、最高裁が、「一般的承認」を要件と
せず、「実質的信頼性」ないし「関連性」の具備をもって足りるとの姿
勢を示したものとみることができる。

(3)　追試のための現場資料の保存の要否

　　控訴審において、被告人側は「被害者の半袖下着に付着した精液斑に
ついて、第三者による追試がほとんど不可能な状態にあり、これは、鑑
定の正確性についての事後検証の機会を予め奪ったもので許し難い。」
として、証拠能力を否定すべきとしたが、控訴審判決は、この点につい
て、「（被害者の半袖下着の）精液斑からはごく少量のＤＮＡが抽出精製
されたにとどまり、ＭＣＴ118法による型判定の作業で全量を消費して
しまった……というのであって、そこには、追試を殊更に困難にしよう
とする作為はなかった。一般に、鑑定の対象資料が十分にあれば、鑑定
作業を行った後、追試等に備えて、変性を予防しつつ残余資料を残して
おくのが望ましいことはいうまでもないが、犯罪捜査の現場からは質量
とも限られた資料しか得られないことの方がむしろ多いのであるから、
**追試を阻むために作為したなどの特段の事情が認められない本件におい
て、鑑定に用いたと同一の現場資料について追試することができないか
らといって証拠能力を否定することは相当ではない。**」とした。

　　もっとも、追試ができる場合と比べて追試ができない場合は、その鑑
定結果の信用性が低くなることは当然のことであり、その意味からも現
場資料はともかく、ＰＣＲ増幅したＤＮＡ座位については可能な限り保
存しておくことが望ましいであろう（前記運用指針でも資料の残余、試
料（鑑定のための資料から採取等して分離したもの）の残余は再鑑定に
配慮し保存するものとされている）。

⑷　ＤＮＡ型鑑定の証明力について

　証拠能力が肯定されたとしても、具体的な鑑定方法への信頼性及び鑑定結果の信頼性いかんによって証明力に大きな差が生じ得る。

　鑑定方法に関しては、①資料の採取・保存の確実性、腐敗・汚染による変質の可能性、他の体液の混合の可能性、分離・精製の精度など、②検査者が、技術・経験をもつ適格者かどうか、③機器の作動、試薬の性状が妥当であったかどうかが問題とされる。

　特に、資料の採取・保存の確実性について、例えば、資料のすり替えや取り違えが許されないのは当然であるが、さらに、その点に疑問が生じることもないように十分に注意することも必要である。

　なお、最判平30.5.10刑集72-2-141は、15座位のＳＴＲ型の検出状況を分析した結果等に基づいて鑑定資料が１人分のＤＮＡに由来し、被告人のＤＮＡ型と一致するとしたＳＴＲ型によるＤＮＡ型鑑定の信用性を否定し、被告人を無罪とした原判決を破棄するに際し、当該鑑定資料に犯人の精子以外の第三者のＤＮＡが混入した可能性が認め難いとの事情を認定した上、当該鑑定資料を１人分のＤＮＡに由来するとした理由の重要な点を見落とした上、科学的根拠を欠いた推測によって、鑑定の信用性の判断を誤った旨判示しており、最高裁として初めてＳＴＲ型によるＤＮＡ型鑑定の信用性を認めている。

⑸　前記最決平12.7.17事案のＤＮＡ型鑑定に関する再審公判での判断

　同最高裁決定の事案に関しては、再審請求審において、幼女の半袖下着に付着していた精液痕について、精度の高いＳＴＲ型検査が実施され、このＤＮＡ型と被告人のＤＮＡ型が異なることが判明したため再審が開始され、無罪が言い渡された（宇都宮地判平22.3.26判時2084-157）。

　これは、同最高裁決定にいう「その後の科学技術の発展により新たに解明された事項等」が加味された結果、当初のＤＮＡ型鑑定結果の証拠価値（被告人の犯人との同一性を推認）が、事後的に否定された場合といえよう。

　同再審判決では、当初のＤＮＡ型鑑定の証拠能力を否定した。同再審裁判所は、ＤＮＡ型鑑定が科学的原理の理論的正確性を欠くとの弁護人

の主張に対する判断は示さなかった。しかし、裁判所は、鑑定書に添付された資料のDNAの電気泳動写真が不鮮明であったり、異同識別に用いられたとする写真ネガフィルムが証拠として提出されなかったことなどを指摘し、当該事案でのDNAの異同識別判定が適正になされたか疑問があるとし、前記平成12年最高裁決定がDNA型鑑定を証拠として許容するための要件とした「具体的な実施の方法も、その技術を習得した者により、科学的に信頼される方法」で行われたと認めるには疑いが残るとして証拠能力を否定した。

この種科学的証拠については、科学的に信頼できる方法によって実施されたものであることを、後日になっても立証できるように、必要な資料やデータを保全しておくなどの配慮が必要である。

3 ポリグラフ検査回答書

ポリグラフは、呼吸・血圧・脈拍・皮膚の電気反射等による被検査者の生理的反応の測定データによって、嘘をついている場合の心理変化を探知するものである。拒絶的心理状態の下で実施するのではなく、同意を得て実施することが望ましいであろう。

ポリグラフ検査の結果を記載した回答書の証拠能力については、一定の規格に合った器材を使用し、かつ、技術と経験を有する適格者が検査したものであれば、一種の「鑑定書」とされ、法321条4項により証拠能力が与えられる。

判例では、①法326条の同意があった場合に、相当性ありとして証拠能力を認めたもの（最決昭43.2.8刑集22-2-55、判タ221-173）、②鑑定書に準じて法321条4項で証拠能力を与えたもの（東高決昭41.6.30高刑集19-4-447、東高判昭47.12.26）、③法328条の証拠として認めたもの（東高判昭37.9.26）、④ポリグラフの結果を証人の信用性を裏付ける一資料として認めたもの（東高判昭57.4.21）がある。

また、ポリグラフ検査により公判段階になってからの被告人の弁解の信憑性を判定した例（前橋地判昭40.6.3下刑集7-6-1225）もある。

しかし、被告人と取調べ官の供述のいずれが信用できるかを公判段階にお

いて同検査を実施しようとしても、被告人も取調べ官も証拠調べの結果、争点に関する互いの供述を知悉するところとなっているので、同検査によって信頼性を備えた結果が得られる見込みが事実上存在しないとして、同検査の実施請求を却下した例もある（浦和地決平元.10.25判時1331-161）。また、ポリグラフ検査回答書の証明力自体が否定された裁判例も少なくない（名古屋高判平19.7.6高検速報724、大阪高判平29.3.2判時2360-95等）。ポリグラフ検査は、捜査の初期段階で実施されるのが通例であろうが、その結果は過大に評価されるべきでなく、あくまで捜査の一手法にとどめるのが妥当であろう。

④ 酒酔い鑑識カード

警察官作成の酒酔い鑑識カードのうち、(1)警察官が被疑者の呼気を通した飲酒検知管の着色度の観察検査結果を記載した部分と、(2)警察官が被疑者の外部的状態を観察した結果を記載した部分は、警察官の実況見分（検証）の結果を記載した書面の性質をもつものであるから、法321条3項によって、作成の真正について警察官が証言すれば証拠能力が認められる（⟹ **設問21** 参照）。

しかし、(3)警察官が被疑者から聴取した事項を記載した部分は、捜査報告書の性質をもつから、一般の供述書として、法321条1項3号の要件を満たす場合にだけ証拠能力が認められる。

⑤ 警察犬による臭気選別の経過・結果を記載した書面（臭気選別報告書）

1 臭気選別の意義

警察犬の鋭敏な臭覚を利用して、犯人が犯行現場等に遺留した所持品や足跡などから採取した臭気と被疑者の体臭が同一であるかどうかを確認する検査が**臭気選別**といわれる。

犬が臭気の識別について人間より高い能力をもち、個々人の体臭をかぎ分けることができることは経験的に確かな事実であり、臭気選別能力の特に優れた犬を選び出して訓練を施すことにより、個人の臭気の異同を高度の正確

616　第5章　科学的証拠

性をもって識別することができるようになることも経験上明らかといえるので、訓練された警察犬による臭気選別実験結果が、被疑者の犯人性を認定する証拠としての能力をもつことも明らかと思われる。

　しかし、犬が個人の臭気の異同を識別できる科学的メカニズムが解明されていないこと、後に同一の臭気選別実験を追試して実験結果の正確性の検証もできないことなどを理由として、およそ証拠能力を欠くという批判もなされていた。

2　証拠能力肯定のための要件

　最高裁は、臭気選別結果を記載した報告書の証拠能力・証明力が争われた事案に関し、「臭気選別の結果を犯人か否かの直接的証拠として用いる場合には、……選別結果の信頼性を担保するための情況的保障が必要とされなければなら（ない）」とし、具体的状況の下で臭気選別結果の証拠能力・証明力を肯定した原判決の結論を正当とした上で、臭気選別の結果を証拠として用いるためには、①指導手が、選別について専門的な知識と経験を有し、②使用される警察犬がもともと臭気選別能力が優れていることはもちろん、選別時においても体調等が良好でその能力がよく保たれており、③臭気の採取、保管の過程に不適切な点がなく、④臭気選別の方法にも不適切な点がないことを要するとした（最決昭62.3.3刑集41-2-60）。

　この条件を守って実施された臭気選別の結果を記載した書面は、法321条3項（検証調書の証拠能力）により、選別に立ち会った捜査員が選別の経過と結果を正確に記載したものであることを証言すれば、証拠能力が認められる（上記最決）。

> **アドバイス**　臭気選別結果の利用について
> 　臭気選別結果については、それを被告人の犯人性を立証する唯一の証拠として使用するのではなく、犯人識別に関する他の証拠と総合して事実認定を行うべきである（東高判昭60.6.26判タ564-288参照）。

　上記②の条件を欠くため証拠能力が否定された例として、警察犬の訓練時における能力テスト、検査時の予備テストのデータが不十分だとされた事例（京都地決昭55.2.6判タ410-151）がある。

　上記③の条件とは、例えば、遺留物件の臭い（原臭）と被疑者の体臭等が

付着していると思われる物件の臭い（対象臭）に、他人の体臭やその他の臭気が混合するような状況がなかったことであり、前記④の条件とは、例えば、本選別の前に予備選別が実施されていること、警察犬、その指導手に対しどれが選別対象物件（特定の人物の体臭が付いていると分かっている物件）であるかあらかじめ示唆がなされていないと認められること、経過が写真等で客観的に記録されていることなどである。

3 信用性が減殺される場合

証拠能力が肯定されても、前記1の①ないし④の条件が十分遵守されていないときには、証明力が否定ないし大幅に減殺され得る。

例えば、使用された警察犬の訓練過程のデータが十分でないこと、原臭を採取した遺留物に臭気選別ができるほどの臭気が残存していたか疑わしいこと、選別方法についても犬の待機場所と選別台を遮蔽していなかったことなどを理由として、臭気選別結果に証拠能力は肯定されたものの高度の証明力は認められないとされた事案もある（京都地判平10.10.22判時1685-126）。

> **アドバイス** 臭気選別結果の証拠能力・証明力を担保するための留意点
>
> 1 使用する警察犬の臭覚が極めて優れていることを証明するデータ（過去の競技会での成績、過去の臭気選別実施記録、訓練記録など）を保存・整理しておくこと。
> 2 原臭を採取するために適切な遺留物品（犯人の体臭が移ったと思われる物品）を探すこと。
> 3 犯行場所から遺留品の発見まで余りに長い期間が経過しているなどして、原臭が保持されているとは考えにくい場合には、臭気選別の実施そのものを実施する価値があるかどうか再検討すること。
> 4 予備選別・本選別実験のいずれもビデオ撮影を行い、実験の条件・方法が適切だったことを証拠化しておくこと。
>
> が重要である。

618　第5章　科学的証拠

6　声紋鑑定

1　意　義

声紋鑑定とは、人の音声を高周波分析や解析装置によって紋様化し、画像にして行う個人識別方法である。同一人が同じ語を同じ話し方で話したときのその紋様（声紋）は、ほとんど同じように現れるという原理に基づいて、複数の声紋を比較してその話者が同一人かどうかの識別を行うことができる。

2　証拠能力

声紋鑑定の結果を証拠として利用するためには、①その鑑定の実施者が必要な知識と経験をもつ適格者であり、②使用した器具の性能・作動が正確で、結果が信頼性のあるものと認められることを要する（東高判昭55.2.1判時960-8　元判事補による偽電話事件に関するものであり信用性も肯定された。同様に、声紋鑑定の証拠能力を肯定した裁判例としては、北海道庁爆破事件に関する札幌高判昭63.1.21判時1281-22、過激派が県収用委員会予備委員を電話で脅迫した事件に関する東地判平2.7.26判時1358-151がある）。

なお、声紋鑑定を行うため、被疑者との会話を本人の同意を得ないで録音することも許される場合がある（⟹ 設問19、3参照）。

上記条件を満たした声紋鑑定の結果を記載した書面は、鑑定書として法321条4項の要件を備えれば証拠能力を認められる。

7　筆跡鑑定

1　意　義

人の筆跡の個性に着目し、複数の文書の筆跡の個性を対比し、その文書の筆者が同一かどうかを識別する方法である。

2　証拠能力

いわゆる伝統的筆跡鑑定方法は、鑑定人の経験と勘に頼るところがあり、その証明力には限界があるとしても、直ちに非科学的・不合理とはいえないから、犯罪の証明のために用いることができる（最決昭41.2.21判時450-60、最決昭52.8.9刑集31-5-821）。鑑定結果をまとめた書面（鑑定書）は、法321条4項の要件を満たせば、証拠能力が認められよう。

賭金の帯封に書かれた算用数字と被告人の書いた文書中の数字を対比し、筆跡が同一だとした鑑定の信用性に関し、①鑑定資料（帯封）と同じ文字が対照文書の中にできるだけ多く存在し、しかも両者の文字ができるだけ近い条件（紙質、筆記具など）で書かれていることが鑑定の信用性を肯定するために必要であり、②対照文書に存在する特徴が、鑑定資料に存在しないときは、筆跡の同一性を疑う余地があり、③鑑定資料、対照文書に共通する特徴が、一般人の筆跡にもみられる特徴（例えば「0」の字が、他の数字より小さく書かれること）であるときは、その程度の特徴の共通性をもって、筆跡の同一性の根拠とできないとした（岡山地判昭62.9.14判時1256-124）。

このように、筆跡鑑定の信用性は必ずしも高度のものでないことに留意が必要である。

8 足 跡 鑑 定

1 意 義

履物の底には、製造過程で、それぞれ異なった模様（**既成特徴**）ができるほか、その靴の使用過程で、その履物の底に特有な摩耗状態・損傷痕など（**固有特徴**）が生ずるから、犯行現場に残された足跡に、このような特徴があり、その特徴が被告人の使用する履物の特徴と一致するということは、被告人と犯行とを結び付ける**決め手の証拠となり得る**（東高判昭59.4.16判時1140-152）。

2 証拠能力

足跡の対照方法としては、①計測比較法（固有特徴の形、位置、特徴相互間の距離、角度などを計測して比較する方法）、②写真切断接合法（対照する足跡をフィルムに焼き付け、双方を重ねて比較する方法）などが用いられているが、いずれも主観が入る余地が乏しいから、足跡鑑定の結果を事実認定の用に供することは何ら差し支えない（上記東高判昭59.4.16）。鑑定結果をまとめた書面（鑑定書）は、法321条4項の要件を満たせば、証拠能力が認められる。

620 第5章 科学的証拠

9 毛 髪 鑑 定

1 毛髪の同一性を識別する鑑定

これは複数の毛髪の形態学的検査、血液型検査、成分中の元素分析結果の結果を総合して両者の異同識別を行う鑑定である。例えば、犯人が遺留した毛髪（遺留毛髪）と被告人から由来する毛髪（対照資料毛髪）を照合し、両者が同一人から由来するものであるかどうかを識別する目的などで従来から実施されており、その証拠能力に問題はない。鑑定結果をまとめた書面（鑑定書）は、法321条4項の要件を満たせば、証拠能力が認められる。

しかし、指紋鑑定と異なり、毛髪鑑定による異同識別判定の信用性は絶対的なものとまではいえず、被疑者の犯人性を判断する決め手となるとは限らないことに注意を要する（福井地判平2.9.26判時1380-25）。

2 毛髪による薬物使用の有無の鑑定

身体に摂取された覚醒剤等の薬物は、毛細血管から毛髪に取り込まれて固定され、固定された薬物は毛髪の成長とともにその先端部に移動する。そこで、被疑者等から採取した毛髪を、薄層クロマトグラフィー法やガスクロマトグラフィー質量分析により検査し、薬物含有の有無、その種類、薬物使用の時期などを判定することができる。

ただし、毛髪鑑定は、ある一定の（1か月とか2か月の）幅をもった薬物使用歴を証明することはできても、通常は、ある特定の時点における使用事実を直接的に証明するまでの力はないことに留意する必要がある。

被告人の頭部から採取された毛髪中にコカイン及びその代謝物の含有が認められるとした毛髪鑑定について、①ヒトがコカインを摂取した場合、コカインは吸収されて血液中に移行し、毛髪はその毛根部に入り込んだ毛細血管から血液中のコカインを毛髪内に取り込みコカインを含有するに至る原理は科学的根拠を有するものであること、鑑定が相当な科学的方法を用いて、必要な知識・技術・経験を有する専門家によって実施されたことを併せ考える鑑定書の証拠能力・証明力に欠けることはない、②再鑑定に必要な被告人の毛髪が残されていないという一事をもって鑑定書の証拠能力・証明力が失われるものではない（千葉地判平8.6.12判時1576-3　同旨千葉地判平6.5.11判

タ855-294　なお、覚醒剤含有についての毛髪鑑定の証拠能力・証明力を肯定した東地判平4.11.30判時1452-151は、被疑者の尿から覚醒剤が検出されたとする尿鑑定も存するもの）。

なお、毛髪は、いわゆる「微物鑑定資料」として、その採取・保管などの場面で他の資料との混同などがないように特段の注意が必要である（⟹ 設問34、3参照）。また、毛髪を被疑者から強制的に採取する方法については、設問30を参照すること。

10　指紋鑑定

1　意　義

指紋鑑定とは、**万人不同、終生不変という指紋の特性**に基づいて、指紋相互の隆線の形状や特徴点の位置関係等を比較対照する方法で、2つの指紋（例えば、犯人が犯行現場に残していった指紋と被疑者の指紋）が同一かどうか判定するものであり法321条4項により証拠能力が肯定され、犯罪捜査・公判遂行の上で、極めて大きな証拠価値をもつ。

2　採取・保存に当たっての留意点

犯行現場で採取した指紋は、極めて重要な証拠資料であるから、その採取・保存過程を証拠化しておき、公判で説明を求められたときに的確に証言できるようにしておく必要がある。例えば、犯行現場の金庫扉裏から採取したとする指紋と被告人の指紋が一致することを決め手として被告人が起訴された窃盗未遂の事案において、その**現場指紋が犯行現場から採取・保存されたものでなく、別の機会に別の場所で採取されたものではないかと疑われ、被告人が無罪となった例**がある（豊島簡判平元.7.14判時1336-156　裁判所は、指紋採取に当たった警察官が、公判での当初の証言で、問題の指紋採取の数日前に別の場所で指紋採取をしたことを認めなかったことに、不信感を抱いたようである）ことを他山の石とすべきであろう。

3　任意捜査としての指紋採取

被告人（被疑者）の指紋を、本人の同意を得て採取することは、任意捜査として許される。

任意同行に応じた被疑者にお茶を出した際、被疑者が湯飲みに付着させた

622 第5章 科学的証拠

指紋を採取することは、本人の同意を得ていないとしても、何らの強制的手段や欺罔手段を用いているものでないこと、被疑者において、その湯飲みに付着させ拭いもしないまま放置した指紋について、捜査に使用されないことを期待できないことなどから考え、任意捜査として許されると解する（⟹設問17、3）。

11 顔 貌 鑑 定

顔貌鑑定とは、犯人と思われる人物の顔貌写真と被疑者の顔貌写真を対比させ、両者が同一人かどうかを判別する鑑定のことをいう。

顔貌鑑定では、次の①、②の手法で個人識別を行っている。

①形態学的検査の手法として、顔の各部の形態の特徴を分類し、その出現頻度を考慮しつつ、比較対照した個人間の特徴の合致度をはかる。

②スーパーインポーズ法の手法として、同じような角度で撮られた写真を重ね合わせて、パーツの位置や輪郭線の合致をみる。

犯人と思われる人物の写真が不鮮明であったり、マスクや帽子で顔の一部しか写っていない場合には、被疑者の三次元画像データを入手し、**三次元顔画像識別システム**を利用し、被疑者の三次元画像を加工して重ね合わせることで、個人識別を行うことができる。これも法321条4項により、証拠能力が肯定されよう。

防犯カメラ画像が証拠として活用されることが多くなっているが、犯人の容貌画像と被告人の容貌を比較して同一であると、捜査官において判断することが難しい場合には、上記の科学的手法を用いた顔貌鑑定等を積極的に実施すべきである。

この場合には、防犯カメラが犯人を撮影した条件とできるだけ同じ条件（撮影角度、距離、明るさ、更には服装）で、被疑者の容貌を撮影することが望ましい（例えば、当該防犯カメラによる被疑者の容貌の撮影状況について検証許可状を得て、被疑者を犯人のいた場所に立たせ、犯人と同じ姿勢を取らせるなどした上で、当該防犯カメラで写真撮影することなどが考えられよう）。

なお、捜査官が撮影した写真に写った人物と被告人が同一人であるとした

県警技術吏員作成の顔貌鑑定書の証明力が争われた事案において、最終的に両者が合致しているかどうかの判断は鑑定を行った者の主観的判断に頼らざるを得ないものであることを理由に、被疑者と写真に写った人物との同一性を積極的に認定するだけの十分な証明力はないとした例がある（名古屋地判平19.11.13判タ1285-335）ので、注意が必要である。

624 第6章 違法収集証拠

設問 63 違法収集証拠物の証拠能力

●設 問●

事例1　私服警察官Ａらは、午前9時30分頃、令状もなく、被疑者甲の明確な承諾もないのに同人方奥8畳間に上がり込み、自分らが警察官であることを明確に告げないまま甲に同行を求めたため、甲は当初はＡらを金融業者と誤信して反抗することなく同行に応じ、途中で初めてＡらが警察官と気付いたものの抵抗することなくＡらの用意した自動車に乗って、午前9時50分頃、警察署まで連行された。甲は、警察署における警察官の事情聴取に対して、覚醒剤使用の事実を認め、午前11時30分頃、求めに応じて尿を提出した。甲は、採尿の前後各1回、警察署からの退出を警察官に求めたが、警察官は返事をしなかったり、「尿検の結果がでるまでおったらどうや。」と答えるなどしたため退出できないでいたところ、午後5時2分頃、尿鑑定結果に基づいて発付された逮捕状により、通常逮捕された。

問1　この採尿手続は適法か。

問2　尿の鑑定書の証拠能力は否定されるか。

事例2　警察官は、乙について窃盗の嫌疑が強まったので、窃盗を被疑事実として、乙への逮捕状と乙方への捜索差押令状の発付を受けていた。ある日、警察官は、逮捕状を持参しないまま乙方付近の動静を捜査中、乙を発見したが、乙が警察官の姿を見て逃走したので追いかけ、逮捕状の緊急執行手続をとることを失念し、逮捕状の呈示もないまま乙を逮捕した。連行された警察署において、乙は警察官の求めに応じ自発的に尿を提出し、これを鑑定したところ覚醒剤成分が検出されたので、乙について覚醒剤使用の容疑が強まった。警察官は尿の鑑定書を疎明資料とし覚醒剤使用を被疑事実とした捜索差押令状の発付を受け、既に発付されていた窃盗被疑事件についての捜索差押許可状と併せて、乙方の捜索を行った結果、乙方からビニール袋入り覚醒剤1袋が発見されたので差

違法収集証拠物の証拠能力　設問63　　*625*

し押さえた。

　　　警察官は、前記捜査過程において、逮捕状を呈示して乙を逮捕
　　した旨の虚偽の記載を行うとともに、その旨の捜査報告書を作成
　　し、さらに、本件の公判審理の過程においても、逮捕状を呈示し
　　て逮捕した旨の虚偽の証言をした。
問3　本件における違法な逮捕の後に、乙が任意に提出した尿及びその
　　鑑定書の証拠能力は否定されるか。
問4　前記尿及びその鑑定書の証拠能力が否定されるとした場合に、こ
　　れに基づいて発付された捜索差押令状によって発見された覚醒剤の
　　証拠能力は否定されるか。

　事例1は、違法な先行手続により後行手続が違法性を帯びる要件を示した
①最判昭61.4.25刑集40-3-215（以下、①、②……の番号は、本設問におけ
る裁判番号の意味である）を素材とし、事例2は、具体的事例において違法
収集証拠の証拠能力を否定することを、最高裁として初めて肯定した②最判
平15.2.14（刑集57-2-121）に基づいている（なお、最判平15.2.14の原審、
原原審では、逮捕時に逮捕状の呈示があったかどうかが争われたが、裁判に
おいて、逮捕状の呈示はなかったとの事実が確定しており、本設問では裁判
上認定された事実を前提とした）。

◆解　答◆

　問1　違法性を帯びる。
　問2　鑑定書の証拠能力は否定されない。

　　　　①最判昭61.4.25は、「尿の提出・押収自体は何らの強制を加
　　　えられることなく甲の自由な意思での応諾に基づいて行われて
　　　いると認められる場合でも、被告人宅への立ち入り、同所から
　　　の任意同行及び警察署への留め置きの**一連の手続と採尿手続は、**
　　　被告人に対する覚醒剤事犯の捜査という同一目的に向けられた
　　　ものであるうえ、採尿手続は右一連の手続によりもたらされた
　　　状態を直接利用してなされていることにかんがみると、右採尿
　　　手続の適法、違法については、採尿手続前の右一連の手続にお

626　第6章　違法収集証拠

ける違法の程度、有無をも十分考慮してこれを判断するのが相
当である。そして、そのような判断の結果、採尿手続が違法で
あると認められる場合でも、それをもって直ちに採取された尿
の鑑定書の証拠能力が否定されると解すべきではなく、その違
法の程度が令状主義の精神を没却するような重大なものであり、
右鑑定書を証拠として許容することが、将来における違法な捜
査の抑制の見地からして相当でないと認められるときに、右鑑
定書の証拠能力が否定されるというべきである。」とした。

問3　尿及びその鑑定書の証拠能力は否定される。

　　②最判平15.2.14は「本件逮捕には、逮捕時に逮捕状の呈示
がなく、逮捕状の緊急執行もされていない（逮捕状の緊急執行
の手続が執られていないことは、本件の経過から明らかである。）
という手続的な違法があるが、それにとどまらず、警察官は、
その手続的な違法を糊塗するため、前記のとおり、逮捕状へ虚
偽事項を記入し、内容虚偽の捜査報告書を作成し、更には、公
判廷において事実と反する証言をしているのであって、本件の
経緯全体を通じて現れたこのような警察官の態度を総合的に考
慮すれば、本件逮捕手続の違法の程度は、令状主義の精神を潜
脱し、没却するような重大なものであると評価されてもやむを
得ない。そして、このような**違法な逮捕に密接に関連する証拠**
を許容することは、将来における違法捜査抑制の見地からも相
当でないと認められるから、その証拠能力を否定すべきである。」
とし、本件逮捕と密接な関連を有する証拠として尿及び尿の鑑
定書の証拠能力を否定した。

問4　覚醒剤の証拠能力は否定されない。

　　②最判平15.2.14は「本件覚せい剤は、被告人の覚せい剤使
用を被疑事実とし、被告人方を捜索すべき場所として発付され
た捜索差押許可状に基づいて行われた捜索により発見されて差
し押さえられたものであるが、上記捜索差押許可状は上記尿の
鑑定書を疎明資料として発付されたものであるから、**証拠能力**

のない証拠と関連性を有する証拠というべきである。しかし、本件覚せい剤の差押えは、司法審査を経て発付された捜索差押許可状によってされたものであること、逮捕前に適法に発付されていた被告人に対する窃盗事件についての捜索差押許可状の執行と併せて行われたものであることなど、本件の諸事情にかんがみると、**本件覚せい剤の差押えと上記尿の鑑定書との関連性は密接なものではない**というべきであり、本件覚せい剤及びこれに関する鑑定書については、その収集手続に重大な違法があるとまではいえず、その他、これらの証拠の重要性等諸般の事情を総合すると、その証拠能力を否定することはできない。」とした。

⟹解説**4**、**5**参照

1 違法収集証拠物の証拠能力に関する基本的考え方

1 古典的理解

かつては、証拠物については、その収集手続に違法があったとしても、「その物自体の性質、形状に変異を来す筈がないからその形状等に関する証拠たる価値に変わりはない」（最判昭24.12.13）から、その手続の違法を理由として証拠能力が否定されることはないとの理解が一般的であった。

2 違法収集証拠排除原則の台頭

証拠の収集手続に違法がある場合には、㈎憲法35条の令状主義に違反する押収手続は、それ自体が無効であるから、その手続で得られた証拠の証拠能力を否定すべきである、㈏捜査機関の、将来の違法捜査を防止するには、証拠能力を奪うのが効果的である、㈐実体的真実の発見も、憲法31条の適正手続によってなされるべきものであるなどの理由により、違法な手続で収集された証拠の証拠能力を否定するべきだとの見解が有力になってきた。

3 硬直的な排除原則適用の問題点

しかし、収集手続に少しでも違法があれば、硬直的に、証拠の証拠能力が否定されるとしたときには、実体的真実発見が犠牲にされ、処罰すべき犯罪

者を許す結果になるという問題点も指摘されていた。

② 違法収集証拠物が排除される場合のあることを認めた最高裁判決

1 趣 旨

③最判昭53.9.7刑集32-6-1672は、覚醒剤使用、所持の疑いが濃厚で、職務質問に第三者からの妨害が入りかねない状況があったとき、被質問者の上衣左側ポケットに手を差し入れて所持品を取り出して検査したという事案について、違法収集証拠物の排除原則を肯定した。しかし、同判決は前記**1**で指摘された問題点を踏まえ、手続の違法が少しでもあれば、その手続で収集された証拠物の証拠能力を直ちに否定するという硬直した見解はとらなかった。

2 証拠排除の要件

すなわち、同最判は、

(1) 「証拠物の押収等の手続に、憲法35条及びこれを受けた刑訴法218条1項等の所期する**令状主義の精神を没却するような重大な違法**」があること（「**違法の重大性**」の要件）、

(2) 「これを**証拠として許容することが、将来における違法な捜査の抑制の見地からして相当でない**」こと（「**排除相当性**」の要件）

の両要件が備わる場合に、その手続で収集された証拠物の証拠能力は否定されるとした。

このように(1)、(2)両方の要件が備わって初めて証拠排除されるという考え方が確立した判例であり、通説である。

③ 証拠排除の要否についての判断基準

1 証拠収集方法の違法の重大性を判断するに当たっての考慮要素

(1) 最判昭53.9.7の場合

③最判昭53.9.7は、上記一般理論を前提として、同事案において証拠が排除されるかどうかについて、「被告人の承諾なくその上衣左側ポケットから本件証拠物を取り出した○巡査の行為は、職務質問の要件が存在

し、かつ所持品検査の必要性と緊急性が認められる状況のもとで、必ずしも諾否の態度が明白でなかった被告人に対し、所持品検査として許容される限度をわずかに超えて行われたにすぎないのであって、もとより同巡査において令状主義に関する諸規定を潜脱しようとの意図があったものではなく、また、他に右所持品検査に際し強制等のされた事跡も認められないので、本件証拠物の押収手続の違法は必ずしも重大であるとはいえないのであり、これを被告人の罪証に供することが、違法な捜査の抑制の見地に立ってみても相当でないとは認めがたいから、本件証拠物の証拠能力はこれを肯定すべきである。」とした。

前記③最判昭53.9.7は、証拠獲得手段たる捜査手法の違法が重大かどうかを判断するに当たって、(a)**手続違反の程度**、(b)**手続違反のなされた状況**（本事例では、検査の必要性・緊急性）、(c)**捜査機関の意図**、(d)**強制等の有無**を考慮したものと考えられる（なお、手続違反のなされた状況は、手続違反の程度を判断する前提となるものであり、独立の考慮要素ではないとする考え方もある（川出敏裕　前掲498））。

(2) 最判平15.2.14の場合

②最判平15.2.14は、設問の事例2で示した事案について、最高裁において初めて証拠排除を認める判断を示したものである。同事案では、緊急執行手続をとらずに逮捕状を示すことなく行われた逮捕行為に引き続く採尿手続で得られた尿、そして、これに引き続いてなされた捜索差押えによって得られた覚醒剤の証拠能力が問題になったものであるが、同最判は、「本件逮捕には、逮捕時に逮捕状の呈示がなく、逮捕状の緊急執行もされていないという手続的な違法があるが、それにとどまらず、**警察官は、その手続的な違法を糊塗するため、逮捕状へ虚偽事項を記入し、内容虚偽の捜査報告書を作成し、更には、公判廷において事実に反する証言をしている**のであり、本件の経緯全体を通して表れたこのような警察官の態度を総合的に考慮すれば、本件逮捕手続の違法の程度は、令状主義を潜脱し、没却するような重大なものであると評価されてもやむを得ないものと言わざるを得ない。」とした。

証拠獲得手段の違法性の重大性を判断するための考慮要素としては、

630 第6章 違法収集証拠

③最判昭53.9.7を踏まえていると評価することができよう。

2 証拠排除の要否判断の一般的な判断基準

　判例は、③最判昭53.9.7が示した証拠排除の要件、すなわち、違法の重大性及び排除相当性の2つの要件が具備されているかを、証拠排除の要否の判断基準としている。しかし、前記②最判平15.2.14は、ある捜査方法（当該事案では、逮捕行為）の違法が重大であるといえるときには、「このような違法な逮捕に密接に関連する証拠を許容することは、将来における違法捜査抑制の見地からも相当でないと認められるから、その証拠能力を否定すべきである。」としており、「**違法の重大性**」とともに、この**違法捜査方法と証拠**との「**密接関連性**」が具備しているかどうかを、判断基準としていると解される。

4　違法収集証拠物排除法則の適用が問題となる典型例

1　手続の違法性が軽微である場合

　押収手続が違法であっても、その程度が弱いときは、押収物の証拠能力には影響がないと考えられる。令状の誤記や不備程度の過誤の場合は、一般に証拠排除までされない。

　しかし、捜査官が、故意に違法な方法をとった場合は、証拠として許容するのが不相当とされ証拠排除される可能性がある。

　証拠能力が肯定された例として、

前記③　最判昭53.9.7（承諾なしに上衣のポケットから証拠物を取り出した所持品検査は違法ではあるが、適法な所持品検査の限界を超えているにすぎないとした事案）

④　仙台高秋田支部判昭28.10.6（令状なしに押収した衣類につき2日後令状を得て押収した事案）

⑤　最判昭31.4.24刑集10-4-608（捜索差押許可状掲記の「執行を受けるべき者」以外の者の所有物を押収した事案）

⑥　東高判昭41.5.10高刑集19-3-356（拳銃に対する捜索差押許可状で令状記載物件に含まれるか否かが不明な猟銃を押収した事案）

⑦　大阪高判昭49.7.19刑月6-7-809（交通係警察官が交通事故被害車両に

無断で立ち入り、被害者の名刺入れを点検中、実包及び覚醒剤を発見したが、連絡を受けた捜査係警察官が令状を得てこれを押収した事案）

⑧　東地判昭50.1.23判時772-34（所持品検査は違法であるが、その段階で緊急逮捕を行い適法に捜索差押えをすることができたとした。なお、本件の上告審最判昭53.6.20刑集32-4-670は所持品検査を適法と認定）

⑨　最決昭55.10.23刑集34-5-300（強制採尿を捜索差押令状でなく身体検査令状及び鑑定処分許可状によって実施した事案）

などがある。

2　手続の違法性が重大である場合

押収手続の違法性が重大な場合については、それが令状主義を没却するごときものであるときは、証拠排除されることが多いであろう。

その程度まで至っていないときは、前記**3**2の諸事情を総合し、証拠として許容することが不相当といえるかどうかを判断して、証拠排除の要否が決まる。

証拠能力を否定した例として、

⑩　東高判昭41.5.10高刑集19-3-356（令状主義の精神を没却する程度の重大な違法であれば証拠能力がないとした事案）

⑪　仙台高判昭47.1.25刑月4-1-14（捜査官から依頼を受けた医師が、血中アルコール濃度測定のため、酒酔い運転で負傷し失神中の被疑者から承諾も令状もないのに採血した事案）

⑫　大阪高判昭49.11.5判タ329-290（現行犯逮捕の現場から1キロメートル離れた警察署での捜索差押えは要件を欠き令状主義に違反するから違法であるとした事案）

⑬　大阪高判昭56.1.23判時998-126（所持品検査の要件がないのに、いきなりポケットに手を突っ込んで身体捜検した事案）

⑭　東地判昭56.1.12（不確実な容疑情報に基づいて、同行を拒否する者を、車に乗せて警察まで同行し、退出を求めるのにこれを制止し事実上の支配内におき、承諾もないのにカバンの内容物を取り出した事案）

⑮　札幌高判昭57.12.16判時1104-152（職務質問を拒否する者を、力ずくで、深夜、遠方の警察庁舎に連行し、尿を提出させた事案）

632　第6章　違法収集証拠

などがある。

3　証拠収集手続が令状主義に無関係な法規に違反している場合

　警察官が、パトカーにより最高速度を超過して速度違反車両を追尾するとき、赤色警光灯をつけていないならば、警察官に道路交通法違反（速度違反）の違法があることになる。道路交通法規違反を犯してなされる速度測定結果が、違法収集証拠として証拠排除されるべきかどうか問題とされていた。

　この件について、⑯最決昭63.3.17刑集42-3-403は、警察官について速度違反の罪の成否が問題になるのはともかく、「右追尾によって得られた証拠の証拠能力の否定に結び付くような性質の違法はないと解するのが相当」と判示し、赤色警光灯を点灯しなかったパトカーの速度測定結果の証拠能力を肯定した。

　もともと**違法収集証拠にいう「違法」とは、令状主義の精神を没却するような違法**、言いかえれば、捜査の対象とされた者の人権侵害をもたらすおそれのある違法を指しているのであるから、捜査対象者の人権侵害と全く関係のない、パトカーの赤色警光灯の不点灯のごとき違法によっては証拠が排除されることはありえない。

4　手続の違法と証拠の収集との因果関係がない場合

　違法収集証拠の問題は、違法行為の結果として収集された証拠の証拠能力の問題であることが前提とされており、違法行為があったとしてもこれと無関係に証拠が発見された場合にはそもそも証拠排除の問題にならない。

(1)　事後の違法行為の場合

　　⑰最決平8.10.29刑集50-9-683は、覚醒剤取締法違反により被疑者方を捜索した際、寝室から覚醒剤用の粉末包みを発見したので警察官がこれを被疑者に示したところ、被疑者が「そんなあほな」と発言したことから、居合わせた警察官数名が被疑者を後ろに引っ張って倒し脇腹や背中等をけるなどの暴行を加えたという事案に関し、「警察官の違法行為は捜索の現場においてなされているが、その**暴行の時点は証拠物発見の後であり、被告人の発言に触発されて行われたものであって、証拠物の発見を目的とし捜索に利用するために行われたものとは認められない**から、右証拠物を警察官の違法行為の結果収集された証拠として、証拠能

力を否定することはできない。」としている（なお、一審判決は、暴行が覚醒剤包み発見の後になされたことは認定しながら、暴行の程度が大きいことなどを理由として、「本件捜査は全体として著しく違法性を帯びている」とし覚醒剤包みの証拠能力を否定した。このように、**事後に生じた事情も「全体的考察」として考慮して違法性を判断される場合があるので、注意が必要である**）。

(2) **事前の違法行為であっても証拠収集と無関係な場合**

　⑱東地判平15.7.31判タ1153-303は、捜索差押許可状に基づく捜索に先立ち、被告人に捜索への立会いを求めるため、逃げる被告人の背後から着衣をつかみ、その体に両腕を回して一緒に路上に倒れ、背後から首のあたりに両腕を回して締めつけた行為は違法な有形力の行使であるとしたが、その後行われた捜索で差し押さえられた覚醒剤や、引き続き被告人から提供を受けた尿については、捜索そのものは平穏のうちに行われたこと、覚醒剤の押収手続、現行犯逮捕手続、尿の押収手続そのものにも違法はなかったこと、警察官の有形力行使に令状主義潜脱の意図はなく、捜索の手続やこれに引き続いて行われた捜査の諸手続が、被告人に対する一連の有形力の行使を利用して行われたとか、本件覚醒剤や尿が有形力の行使の結果収集されたといえるような状況などは見当たらず、有形力の行使とは無関係に行われたものであるとして、本件覚醒剤や尿の押収手続を適法とした。

5 　先行捜査手続の違法が後行の証拠収集手続に及ぼす影響についての判断枠組み

1　問題の所在

　捜査手続は、関連性を持つ複数の手続の積み重ねであることが多い。先行する違法な捜査手続によってもたらされた状態を利用し、又は違法に獲得された情報に基づいて、後行の捜査手続が実施され証拠が収集された場合に、その証拠の証拠能力が問題になる。そこで、当該証拠の証拠能力を判断する際に、先行する捜査手続の違法性をどのように考慮すべきかが検討されなくてはならない。

634　第6章　違法収集証拠

2　「同一目的」・「直接利用」の基準

　これについては、設問の事例1において紹介した①最判昭61.4.25がリーディングケースであり、ここでは先行手続の違法を後行手続が承継するかどうかの問題とされ、後行行為による先行行為の利用関係、先行行為の違法の有無・程度を考慮して判断するという手法を最高裁として初めて示した。この判断手法は、⑲最決昭63.9.16刑集42-7-1051、⑳最決平6.9.16刑集48-6-420、㉑最決平7.5.30刑集49-5-703も採用している。

　①最判昭61.4.25においては、**「同一目的」・「直接利用」の基準**が示されていると考えられるが、その趣旨は、それほど厳格なものを要求するものではなく、要は、利用関係の実態に照らして、先行行為と後行行為を一体のものと評価できるかという基準を意味すると解される。

3　「密接関連性」の基準

　しかし、設問の事例2において紹介した②最判平15.2.14の事案は、当初の逮捕が窃盗の嫌疑によるものであったため、逮捕中の採尿手続との関係について、両者は「同一目的」とは言い難く、①最判昭61.4.25の判断手法を採用できないものであった。そのため、ここでは、違法な逮捕（先行行為）とその後の採尿行為によって収集された尿（後行行為で収集された証拠）との関連性の有無・程度を端的に判断する手法（**密接関連性の基準による判断手法**）を採ったものと解され、先行行為と後行行為の一体性が乏しい場合であっても、後行行為で得られた証拠が、違法な先行行為と密接に関連していれば、違法と評価される場合があり得ることになる。

　①最判昭61.4.25などの判断手法では「先行行為の違法の後行行為への承継の有無」と「違法性を承継した後行行為によって収集された証拠の証拠能力の有無」という2段階の判断を経ることになるが、これと実質的に同じ判断過程を、②最判平15.2.14の判断手法では、違法な先行行為と後行行為で収集された証拠との関連性の有無・程度という1段階の判断過程の中でシンプルに行っているといえる。

　その後、「同一目的」とみることができ、先行行為と後行行為が一体と評価できる場合であっても、違法な先行行為と後行行為で収集された証拠との関連性の有無・程度を端的に判断するアプローチを採る最高裁の裁判例（㉒

最決平21.9.28刑集63-7-868　違法なエックス線検査の結果を一資料として発付された捜索許可状に基づく捜索によって発見された覚醒剤につき、違法なエックス線検査と**関連性を有する証拠物**であるが、本件の事情の下では、覚醒剤の収集過程に重大な違法があるとまではいえず、これらの証拠の重要性等諸般の事情を総合して、証拠能力を肯定したもの）も現れている。下級審では、㉓東高判平19.9.18（判タ1273-338　長時間にわたって留め置き職務質問を続行し、これに抵抗した被告人を現行犯逮捕し逮捕に伴う捜索によって大麻が発見された事案において、現行犯逮捕に至る手続及び逮捕には一体として重大な違法があり、このような違法な手続に密接に関連する証拠（大麻等）を許容することは将来における違法捜査抑制の見地からも相当でないとして、証拠能力を否定）が同じアプローチを採っている。「密接関連性」の基準に立つと考えられるこれら裁判例の立場からは、「同一目的」・「直接利用」の事実の有無は、先行手続と直接の証拠獲得手段との間に密接関連性が認められるか否かを判断するための一要素にとどまると解することになる（川出敏裕　前掲508参照）。

4　証拠排除の要否の判断枠組み

　この種の事案であっても、最終的に、③最判昭53.9.7の示した「違法の重大性」と「排除の相当性」について検討し、問題となる証拠が証拠から排除されるかどうか（証拠能力が否定されるかどうか）を判定することになる。

　前記2の**「同一目的」・「直接利用」の基準**を採れば、先行行為の違法が後行行為に承継された違法の程度が重大かどうかを判定した上で、後行行為で収集された証拠を排除することが相当かを判断することになる。

　前記3の**「密接関連性」の基準**を採れば、先行行為の違法性が重大かどうかを判定した上で、これと密接関連性のある証拠（後行行為で得られた）を証拠として排除する事が相当かどうかを判断すればよく、後行行為の違法性の程度について判断する必要はないことになる。例えば、②最判平15.2.14は、違法な逮捕の後の採尿手続によって得られた尿とその鑑定書の証拠能力を否定しているが、その理由として、これらの証拠（尿・鑑定書）が「重大な違法があると評価される本件逮捕と密接な関連を有する証拠である」ことだけを述べており、逮捕手続の違法が採尿手続に承継されるかどうかを判断

636　第6章　違法収集証拠

していないので、「密接関連性」の基準の判断枠組みで証拠能力を判定していると考えられる。

　また、同事案では、証拠能力を否定された前記の尿・鑑定書を資料として得た被告人の自宅への捜索差押許可状と、本件逮捕とは無関係に得ていた窃盗事件の疑いによる捜索差押許可状を同時に執行し、その結果差し押さえられた覚醒剤は、証拠能力を欠く尿と鑑定書を資料として得た捜索差押許可状に基づく捜索によって発見・差し押さえられたものであるので、証拠能力のない証拠と関連性を持つが、司法審査が介在していることや、適法に発付された窃盗罪による捜索差押が同時になされていることが両者の関連性を弱めることになるとして、当該覚醒剤の証拠能力を肯定した。これは、直接的には、証拠能力のない証拠と覚醒剤の差押手続の関連性を問題にしているが、実質的には、重大な違法性を帯びた逮捕手続と覚醒剤の差押手続の関連性を問題にしているものと考えられる（川出敏裕　前掲518）。

　㉒最決平21.9.28は、違法なエックス線検査によって得られた射影の写真等を資料の一つとして捜索差押を実施したことで発見された本件覚醒剤等について、違法な本件エックス線検査と関連を有する証拠であるのでその収集手続は違法であるとしながら、同捜索差押は司法審査を経て発付された捜索差押許可状に基づいて行われ、同捜索差押許可状の発付に当たっては、本件エックス線検査結果以外の証拠も資料として提供されたと窺われることなどに鑑みれば、本件覚醒剤等は、その証拠収集過程に重大な違法があるとまではいえないとし、本件覚醒剤等について、「その他、これらの証拠の重要性等諸般の事情を総合するとその証拠能力を肯定することができる」とした。司法審査が介在していることや、違法手続とは無関係の資料も司法審査に提供されたことなどが、先行行為と本件覚醒剤等との関連性を薄めることになり、それが証拠能力を肯定させる方向に働いたといえる。（⟹**毒樹の果実**に関する議論　**7**参照）

　なお、②最判平15.2.14も、㉒最決平21.9.28も、「証拠としての重要性」が、証拠排除の相当性に関する判断要素となり得るとしており、この点でも、先例価値がある。

　②最判平15.2.14においては、逮捕行為の違法性を判断するに当たって、

警察官の内容虚偽の捜査報告書の作成と逮捕状への虚偽事項の記入、そして、公判廷での事実と反する証言という、逮捕行為からみて事後の事情をも考慮していることに注目すべきである。本件判決では、「本件の経緯全体を通して表れたこのような警察官の態度を総合的に考慮すれば、本件逮捕行為の違法の程度は、令状主義の精神を潜脱し、没却するような重大なものといわざるを得ない。」としている。逮捕からみて後発の事情が、遡って逮捕手続の違法性を増強することは論理的にあり得ないところであるので、本判決は、**内容虚偽の捜査報告書の作成と逮捕状への虚偽事項の記入は、警察官に令状主義の諸規定を潜脱する意図があったことを推認させるものとし、公判廷で警察官が事実と反する証言をしたことは、更にその推認を強めるものとした**と理解するのが相当であろう。

　捜査官に不正直・不公平な態度・言動があるとされた場合には、問題となる捜査手続の後にその態度・言動が生じたものであっても、上記の論理で、当該捜査手続の違法性の判断で考慮されるおそれがあることに留意が必要である。

　下級審でも、同様の判断手法を採った例がある。すなわち、警察官が、逮捕と同視し得るような実力行使をもって被告人を警察署に連行し、その後採尿したという事案について、「警察官らが連行時の実力行為の状況を隠蔽して、さらに、本件審理の過程において、公判廷で警察官らが強度の実力を行使したことを認めつつもあくまでも任意同行と言い張り、ひいては強度の実力行使を正当化するために新たな不自然な供述をしたという、捜査官側がはなはだ不公正な態度をとっていることを考え合わせると、本件での捜査の違法は、結果的に令状主義の精神を没却するような重大なものとなり、将来における違法捜査抑制の見地からもこれに基づく証拠は排除せざるをえない。」とし、違法な連行とその後の採尿手続とは関連があり、同手続で採取された尿の鑑定書の証拠能力を否定した（㉔宇都宮地判平18.8.3）。

> **アドバイス** 捜査官の不公正、不正直な言動の違法性判断への影響
> 　問題の捜査手続より後発の事情（特に捜査官の不公正・不正直な言動）であっても、当該捜査手続の違法性判断において考慮されることがあることに留意すべきである。

638　第6章　違法収集証拠

6　先行の捜査手続の違法性の有無・程度が後行捜査手続で収集された証拠の証拠能力に及ぼす影響が問題になった具体的事例

　この問題が生じる場合としては、警察官が、職務質問によって、対象者に覚醒剤使用の嫌疑を持ち、強制採尿令状を請求してその発付を受けるまでの間、対象者を職務質問の現場や任意同行先に留め置き、令状によって採尿した場合が多い。

1　先行の捜査手続が適法とされ、証拠能力が肯定された事例

　　先行の留め置き行為自体が適法とされる場合　㉕東高判平21.7.1（判タ1314-302）は、**強制採尿令状請求の準備開始以後の段階においては、被疑者の所在確保の必要性が高くなることを重視し、一定限度の有形力を伴う留め置き行為が適法とされる場合があることを認めたもので、実務上参考になる。**

　本件は、警察官が、職務質問を開始した被疑者について、覚醒剤使用の嫌疑が認められたことから、警察署に連行し取調べ室で尿の提出を求めたが拒否したので、強制採尿令状を請求しその発付を得て執行することにし、連行の40分後頃、令状請求の準備を開始し、その2時間15分後頃、令状請求を行い、その25分後に令状の発付を受け、その18分後に同令状を被疑者に呈示して強制採尿したが、令状請求の準備の開始以降、警察官は、被疑者が取調べ室から退出しようとした都度、取調べ室の出入口付近で、被疑者の前に立ちふさがったり、背中で被疑者を押し返したり、被疑者の身体を手で振り払うなどして退出を阻止したという事案である。

　本判決は、㋐一般的に、令状請求が検討されるほどに嫌疑が濃い被疑者については、令状が発付後速やかに執行されなければ捜査上著しい支障が生じることも予想され、そのような被疑者については所在確保の必要性は高く、令状請求によって留め置きの必要性・緊急性が当然に失われるとは限らないこと、㋑本件では、令状請求の準備から令状執行まで約2時間58分かかっているが、著しく長いとはいえないこと、㋒令状請求の準備が開始された後の留め置きの態様は、受動的なものにとどまり、積極的に被疑

者の意思を制圧する行為ではなかったこと、(エ)警察官は、被疑者と妻子との面会や物品の授受や弁護人も含む外部との携帯電話による通話等を許すなど、留め置きは、被疑者の所在確保のための必要最小限のものにとどまっていること、(オ)警察官は令状主義にのっとった手続を履践すべく令状請求をしていたのであり、令状主義を潜脱する意図などなかったと見られることなどから、「本件における強制手続への移行段階における留め置きも、強制採尿令状の執行に向けて対象者の所在確保を主たる目的として行われたものであって、いまだ任意捜査として許容される範囲を逸脱したものとまでは見られない。」とし、尿とその鑑定書の証拠能力を肯定した（なお、本判決は、「強制手続への移行段階における留め置きであることを明確にする趣旨で、令状請求の準備手続に着手したら、その旨を対象者に告げる運用が早急に確立されるのが望まれる」と判示しており、これも参考となろう）。

　なお、㉖職務質問開始後40分後に採尿令状請求の準備が開始され、その2時間半後に令状請求が行われ、その35分後に令状が発付され、その16分後に令状が対象者に呈示され、その間、対象者を職務質問の現場で留め置いた行為を適法とした裁判例（東高判平22.11.8高刑集63-3-4　令状準備から執行までの時間が著しく長いとまで認められず、留め置きの態様も必要最小限内であるとしたもの）もある。

　このほか、**先行手続が適法とされ、ひいては採尿も適法とされた例**としては、

㉗　挙動不審な被疑者を職務質問し、2時間30分にわたって説得した結果、同人が腕の注射痕を見せたので、警察署に同行し、尿の提出を説得したところ承諾したので、約5時間にわたって被疑者にジュースなど多量の水分を与えたことにより、被疑者が尿を提出した事案において、先行手続が任意捜査として適法であるとした例（東高判昭61.2.27判時1214-135）

㉘　派出所に任意同行した被疑者を背後から肩に手をかけて留めるなどし、その後警察署に同行させたが、そのころ被疑者車両で発見された注射器を被疑者が提出し、被疑者はあからさまに退去の意思を示すも

のでもなく、尿の提出に応じるような態度をとることもあった状況下
で約9時間留め置き、尿の任意提出を受けたケースにおいて、同留め
置きを適法としたもの（東地判昭62.6.26判時1263-51）

㉙　覚醒剤使用の嫌疑が濃厚であった被疑者に対し、有形力や脅迫を用
いることなく、尿の任意提出を求めたが、被疑者がトイレに行きなが
ら排尿しなかったり、偽って水を出すなどの行動に出たため、提出ま
で留め置き、尿の任意提出を受けたケースにおいて、留め置きを適法
としたもの（浦和地判平3.9.26判時1410-121）

なお、強制採尿の事案であるが、

㉚　尿の任意提出を求められた被疑者がこれに応じず、腹痛を訴えてう
ずくまるなどしたため、救急車で病院に搬送するとともに、強制採尿
令状請求手続に入ったところ、同人は令状発付後その到着前に病院か
ら逃走し、警察官が、全身の力が抜け歩行もできない被疑者の肩と腰
を押さえて連れ戻そうとしたが、病院から入ることを拒否されたため、
令状到着までの約30分間、警察車両に乗せて留め置いたことを適法と
したもの（広島高判平11.10.26判時1703-173）

がある。

2　先行の捜査手続に違法があり、後行捜査手続ひいては証拠物取得手続も
違法だがその程度は重大ではないとされ、証拠能力が肯定された事例

最高裁レベルでは、前記①最判昭61.4.25は、覚醒剤使用事犯の捜査に当
たり、警察官が被疑者自宅寝室内に承諾なしに立ち入り、更に明確な承諾な
しに被疑者を警察署に任意同行し、退去の申出にも応じず警察署に留め置い
て採尿した事案について、違法な先行手続に引き続く採尿手続は違法性を帯
びるが、違法性は重大とまではいえず尿やその鑑定書の証拠能力を肯定した
（㋐警察官は当初からＡ方に無断で立ち入る意図はなかったこと、㋑任意同
行に当たって有形力の行使がなく、Ａは相手が警察官と気付いた後も異議を
述べることがなかったこと、㋒採尿行為自体は、何らの強制力を加えられる
こともなく、Ａの自由な意思での応諾に基づいて行われていることなどの事
情を考慮した）。

前記⑲最決昭63.9.16は、覚醒剤常用者と思われた被疑者が警察署への同

行要求に対し、パトカーの屋根などに手をついて突っぱり、乗車を拒んだの
に対し、警察官4人で取り押さえて乗車させ、乗車後も、その者が暴れたの
に対し、両側からその手首を握って制止し、両側から抱くようにして、所轄
署の調室まで連行した行為及びその直後になされた所持品検査を違法とした
上、同検査で発見された覚醒剤の所持により現行犯逮捕した後に、被疑者の
承諾を得てなされた採尿手続についても「**前記一連の違法な行為によりもた
らされた状態を直接利用して、これに引きつづいて行われたものである**」と
して、違法とした（ただし、被疑者はパトカーに乗車する際に覚醒剤入りの
包みを落としたのを警察官に発見されており、これらの状況などから、その
時点での現行犯逮捕ないし緊急逮捕も許されたといえて、強制的な連行も違
法性の程度が実質的に大きくはないこと、所持品検査の必要性・緊急性が認
められたこと、採尿手続は自由な意思に基づいてなされたことなどの事情を
考慮して、尿の証拠能力は肯定）。

　前記⑳最決平6.9.16は、職務質問開始から身体検査令状・強制採尿令状請
求準備の開始までに4時間20分、その後令状の執行まで2時間10分、職務質
問の現場において留め置いた行為について、「当初は前記のとおり適法性を
有しており、被告人の覚せい剤使用の嫌疑が濃厚になっていたことを考慮し
ても、被告人に対する任意同行を求めるための説得活動としてはその限度を
超え、被告人の移動の自由を長時間にわたり奪った点において、任意捜査と
して許容される範囲を逸脱したものとして違法といわざるを得ない。」とし
た。しかし、警察官が行使した有形力はエンジンキーを取り上げるなどした
程度で、被告人に運転をさせないため必要最小限の範囲にとどまること、交
通危険の防止の面からも被告人の運転を阻止する必要性が高かったこと、任
意同行をかたくなに拒否する態度だったため、説得が長時間に及んだのもや
むを得なかった面があること、警察官が当初から違法な留め置きをする意図
があったとは認められないことなどから、違法の程度は令状主義の精神を没
却するような重大なものではないとして、令状によって収集した尿の証拠能
力は肯定した。

　前記㉑最決平7.5.30は、警察官が自動車を運転していた被疑者に対する職
務質問中、所持品検査として被疑者の承諾なく自動車内を調べて覚醒剤を発

642　第6章　違法収集証拠

見したので、被疑者を現行犯逮捕し、引き続き任意採尿した事案について、承諾なく自動車内を調べた行為は違法で、これによって発見された覚醒剤の所持による現行犯逮捕手続も違法であり、採尿行為も一連の違法な手段によってもたらされた状態を直接利用し、これに引き続き行われたから違法性を帯びるとしたが、採尿の違法は重大とはいえず尿の鑑定書の証拠能力は肯定した（(ア)被疑者には覚醒剤所持又は使用の嫌疑があり、所持品検査の必要性と緊急性が認められる状況下で、覚醒剤の存在する可能性の高い自動車内を調べたもので、被疑者が明示的に異議を唱えるなどしていないこと、(イ)被疑者は警察署への同行には任意に応じており、採尿も何ら強制を加えられることなく、被疑者の自由意思に基づいて行われていることなどを理由とする）がある。

　下級審レベルでは、

㉛　ホテルの部屋からの同行については、被疑者が渋々ながらも任意に承諾して応じたといえるが、付近に停車中の警察車両までの間、2名の警察官が被疑者の両側から両腕を抱えたという状況があったときは、その任意同行は違法であり、これによってもたらされた状態を利用して引き続き行われた被疑者の尿の任意提出手続も違法性を帯びるとされたもの（大阪高判昭61.9.17判時1222-144　しかし、捜査官に令状主義を潜脱しようとする意図がなかったことなどから、違法の程度は重大とまではいえず、鑑定書の証拠能力は肯定した）

㉜　採尿に先行する任意同行、職務質問に際し、被疑者の拒否的態度が明白であるのに、足首付近の靴下のふくらみ部分から在中品を取り出すなどしたのは任意捜査の限界を超え違法としたもの（東高判昭62.7.15判時1252-137　ただし、重大な違法とまではいえないとして、採尿結果の鑑定書の証拠能力を肯定）

㉝　覚醒剤使用を自認する被疑者を任意同行し、被疑者が尿の任意提出に応じてもよいとして採尿用の容器を受け取ったものの、実際には便器に排尿してしまったため、被疑者を約1時間説得したが、その過程で、被疑者が帰宅すると言って席を立とうとした際、その肩を押さえていすに座らせて帰宅を阻止するなどして留め置き、尿を任意提出させた事案に

おいて、留め置き及び採尿は違法であるとしたが、尿の鑑定書の証拠能力は肯定したもの（大阪高判平元.7.11判時1332-146）

㉞　警察官が被疑者の交通違反を現認し、パトカーに乗せた上、警察署に連行しようとしたところ、被疑者が自らの自動車で警察署に行くと述べたものの、無免許の疑いが強かったため、警察官が被疑者がパトカーから下車しようとするのを阻止して留まらせ、警察署に同行し、尿を任意提出させた事案において、同行及び採尿は違法であるとしたが、尿の鑑定書の証拠能力は肯定したもの（大阪高判平4.9.2判タ823-262）

㉟　交通違反を端緒として、警察官が、逃げる被疑者の襟首をつかみ、腕を後ろにねじり上げてパトカーまで連行して乗車させ、車内で同人を小突いたりかばんを取り上げるなどしながら警察署まで同行し、警察署内で約2時間留め置き、尿を任意提出させた事案において、留め置き及び採尿は違法であるとしたが、尿の鑑定書の証拠能力は肯定したもの（大阪高判平4.9.11判タ823-256）

㊱　治療のため病院にいた被疑者に対し、警察官が強く同行を求め、警察署に連行後は常時監視態勢下におかれていたものの、被疑者が病院に行きたい旨述べたが警察署あるいは取調べ室から退去しようとする行動をとっていなかったという状況において、強制採尿令状執行のため病院に連行するまでの約4時間、尿の提出を求め、有形力の行使や強制的言辞を用いることなく警察署に留め置いた上、強制採尿令状を執行しようとしたら被疑者が尿を任意提出した事案において、留め置き及び採尿は違法であるとしたが、尿の鑑定書の証拠能力は肯定したもの（広島高松江支部判平6.4.18判時1519-153）

㊲　違法な任意同行の機会に、長時間留め置いて尿を任意提出させたことは違法だが、違法は重大ではないとしたもの（大阪高判平16.10.22判タ1172-311　警察官らが被告人が乗車する不審車両について被告人に職務質問を行ったところ、盗難車両であることが判明したので、しゃがみ込んだ被告人の背後から右脇の下に右腕を差し込んでパトカーまで連行したが、被告人は足を踏ん張ったり、パトカーの屋根やドアを手でつかんだりして抵抗したので、警察官が右手で被告人の腰付近を押してドアの

644　第6章　違法収集証拠

方へ押しやり、被告人の左肩を左手でたたくなどしてパトカーに乗車さ
せ警察署まで任意同行した。警察署においては、別の警察官が、被告人
に尿を任意提出するよう促したところ、被告人が自ら尿の提出に応じた。
職務質問開始から尿の提出まで約3時間が経過していたため、警察官は
被告人をいったん帰宅させ、被告人が提出した尿を鑑定した結果、覚醒
剤成分が検出されたので、その旨記載された鑑定書等を疎明資料として
被告人の通常逮捕状を請求し、同逮捕状により被告人を逮捕したという
事案について、警察署への連行は全体として違法であり、尿提出につい
ても違法性を帯びるとしながらも、本件の任意同行は、警察官において
当初から覚醒剤事犯の捜査を目的としたものでないこと、被告人が尿の
提出に応じる姿勢を見せてからは帰宅の意思を明示していないこと、尿
の提出自体は、被告人の任意の意思に基づくものであることなどから、
採尿手続は重大な違法があるとまではいえないとした)

㊳　警察署に同行した被疑者が、その所持していたセカンドバッグの開披
を頑として拒絶し、再三にわたって退去を申し出たのに応じず、約8時
間にわたって警察署に留め置いた措置について適法な捜査とはいえない
としながら、その違法の程度は重大ではないとして、同行後1時間30分
経過頃から請求準備を始めて発付を得た捜索差押令状に基づいて同セカ
ンドバッグ内から発見し差し押さえた覚醒剤等の証拠能力は肯定したも
の(広島高判平8.4.16判時1587-151　被疑者に対する覚醒剤所持の嫌疑
の程度が高かったこと、同行後早期に令状請求の準備をしていること、
退去の申出に対しては説得が中心であり退去を制圧したことはなかった
ことなどに照らして、捜査官が当初より令状主義を逸脱する意図は全く
なく、違法は重大なものでないとした)

㊴　車両に爆発物を積載している疑いがある被疑者らを路上で停止させ、
約2時間余り職務質問を続けながら捜索差押令状の請求準備を行い、同
令状が発付されたことを確認した上で、被疑者らをその意思に反して警
察まで同行し、車両ともども約3時間にわたって警察に留め置いた後、
同令状によって、同車両内を捜索した結果、手製爆弾等が発見された事
案において、警察までの同行や被疑者ら及び車両の留め置きは違法性を

帯び、ひいては、令状に基づく捜索や差押えも違法となるが、違法性は重大なものとはいえないとして、発見された手製爆弾等の証拠能力を肯定したもの（東高判平8.6.28判時1582-138　警察署への同行前後において令状が発付されたことを警察官において確認しており、その後、警察署での留め置きは、令状の緊急執行の規定がないために令状の到着を待たざるを得ないためになされたものであることや、車両に爆発物が積載されている疑いが強いという極度の危険性と緊急性があったことなどを理由としている）。

⑩　職務質問の際、被疑者が当初から職務質問に対して拒否する態度を明らかに示し、所持品検査にも強く抵抗する態度を示していたところ、警察官3人で被疑者を押し止め、同人が寝ころんで大声を出したり、座り込んで動こうとしなかったにもかかわらず、体に触れる有形力を行使して、パトカー内に身柄を留め置いた上で、強制採尿した事案において、留め置き及び採尿は違法であるとしたが、尿の鑑定書の証拠能力は肯定したもの（東地判平4.9.3判時1453-173）

⑪　長時間の留め置きと、同一目的、直接利用関係にある採尿手続も違法であるが、重大ではないとしたもの（神戸地判平19.11.1　任意同行後、被疑者を警察官の監視下に置き、友人らとの面会も認めない態様で約13時間留め置いた行為は、任意捜査の限界を超え違法な身柄拘束であり、これに引き続いて行われた強制採尿手続も、被疑者に対する覚醒剤事犯の捜査という同一目的に向けられたもので、一連の手続によりもたらされた状態を直接利用したものであるから違法性を帯びるが、違法に身柄を拘束していた時間は、採尿令状執行まで7時間足らず（令状発付までは4時間余り）であること、採尿令状発付後の令状の執行が遅れたのは交通渋滞による令状到着の遅延や被疑者に任意での尿提出の説得を続けたためで、警察官らが当初から令状主義を潜脱する違法な留め置きをする意図を有していたとは認められないことなどを理由とする）

がある。

646 第6章 違法収集証拠

3 先行の捜査手続に重大な違法があり、後行手続ひいては証拠物の取得手続にも重大な違法があるなどとされ、証拠能力が否定された事例

前記②最判平15.2.14のほか、

㊷ 挙動不審の被疑者に職務質問を開始し同行を求めたが拒否的態度をとられたので、数名の警察官が被疑者の腕をつかんでパトカーに乗せるなど逮捕と同視し得る程度の物理的強制力を加えて警察庁舎に連行し、尿の提出を求めたところ、被疑者が応じたので採尿した事案において、先行手続の違法性は重大であり、採尿もその違法な強制的連行・身体の拘束状態を直接に利用してなされたもので違法とし、やはり尿の鑑定書の証拠能力も否定したもの（札幌高判昭57.12.16判時1104-152　同様の事案でやはり尿の証拠能力を否定したものとして、㊸大阪地判昭50.6.6判時810-109がある）

㊹ 被疑者を警察署へ任意同行し、尿の任意提出を求めたが応じないため、強制採尿のための捜索差押令状の発付を求めたが却下等により果たせず、被疑者が母親に電話して帰宅のための車の手配を依頼し、母親が車の手配をして警察署に電話したが、警察官が被疑者に連絡せず、留め置きが継続された中で、尿が任意提出された事案において、同留め置き及び採尿が違法とされ、尿の鑑定書の証拠能力も否定されたもの（奈良地五條支部判昭62.3.18判時1236-160）

㊺ 警察官4名が被疑者を取り囲んで同行の説得を続け、腕に手をかけるなどすると、被疑者もやむなく同行に応じたが、警察署において尿の提出を拒み帰宅を強く要求したので、警察官は、尿を提出すれば帰す旨述べたところ、被疑者が弁護士を呼ぶよう要求したのに対し、警察官は連絡が付くか分からない旨述べる中で4時間余り留め置き、尿の任意提出を受けた事案において、留め置き及び採尿が違法とされ、尿の鑑定書の証拠能力も否定されたもの（福岡高判平6.10.5判時1520-151）

㊻ 警察官が無令状で被疑者宅に赴き、たまたま鍵のかかっていなかった掃き出し窓から侵入し、その後、黙秘権の告知や任意同行の説明もしないまま、覚醒剤の自己使用について質問し、警察官3名に取り囲まれて観念した被疑者を警察署に同行した上、尿の任意提出を受けた事案にお

いて、同行及び採尿が違法とされ、尿の鑑定書の証拠能力も否定されたもの（松山地判平9.7.3判時1632-159）

㊼　同行拒否の態度が明確であった被疑者の腕を数名の警察官がつかむなどして捜査用自動車に押し込み、連行した警察署において、強制採尿令状が示されるまで約6時間、「出してくれ」とわめき、窓から逃げ出そうとするなどした被疑者を取り押さえるなどして留め置いた。その間、被疑者から弁護人を特定して連絡を頼まれたにもかかわらず、連絡をしなかったという状況の下、強制採尿をしようとしたところ尿の任意提出がなされた事案において、留め置き及び採尿が違法とされ、尿の鑑定書の証拠能力も否定されたもの（仙台高判平6.7.21判時1520-145）

㊽　微罪による現行犯逮捕の機会を利用して、採尿を強く求めたが拒否され、虚偽内容を交えた資料によって強制採尿令状を得て採尿を行った一連の手続が違法とされたもの（浦和地判平4.2.5判タ778-142。なお、任意に採尿を求める際に被告人が便意を訴えた際に、採尿逃れと判断し、警察官の面前で排便させたとされる）

㊾　職務質問開始後、警察署への任意同行に要した時間を除いて約1時間もの長時間にわたって被告人の自動車や被告人の着衣に対して所持品検査をし、自動車内のテスター内及びシャツ胸ポケット内から覚醒剤を発見して現行犯逮捕し、さらに強制採尿令状によって採尿をした一連の手続が違法であるとされたもの（東地判平4.9.11判時1460-158。警察官の証言は信用できず、自動車内を被告人の立会いなく捜索したことや捜査官が胸ポケットに手を入れて取り出した疑いがあるとした）

㊿　偽造調書によって発付された令状によってなされた捜索では証拠物が発見されなかったが、引き続いて、その場にいた被告人を警察署に同行して採尿した手続について、捜索の結果を直接利用する関係にはないが、捜査官において、当初から捜索に引き続いて採尿する意図をもっていたことを理由にして、両手続は一体のものであるとして、捜索手続の違法性が採尿手続にも及ぶとしたものがある（岡山地倉敷支部判平7.8.4判タ891-271）。

なお、**強制採尿令状を示したところ尿を自ら提出したものであるが、先行**

する任意同行・留め置きが違法であり、尿の鑑定書の証拠能力も否定された例として、

(51)　警察官が覚醒剤使用の疑いのある被疑者を、その意思に反して、頭部、肩及びベルトをつかんでパトカーに押し入れようとするなどして警察署に同行した上で、注射器や注射痕を発見し、捜索差押許可状請求の準備をする間、被疑者が退去しようとするのを実力で押し戻して阻止し、留め置いた事案（大阪高判平4.1.30高刑集45-1-1）

(52)　覚醒剤使用の疑いのある被疑者に対し、警察官が、鉄柵にしがみついた被疑者の指を鉄柵から引き離し、パトカー内に被疑者を押し込むなどして警察署に同行したが、同人が身元につき虚偽の事項を述べるなどして時間の引き延ばしを図り、警察官らが被疑者を厳重な監視下におき留め置いた事案（大阪高判平4.2.5高刑集45-1-28）

がある。

後行行為が採尿以外のものとしては、

(53)　偽造調書によって発付された令状によって違法な第一次捜索がなされ、その際に本件覚醒剤が発見され、この発見状態を直接利用して発付された別の令状により第２次捜索がなされ本件覚醒剤が押収されたもので、違法性が第２次捜索にも及ぶとした事案（福岡高判平7.8.30判時1551-44）

(54)　職務質問の対象者である被疑者が所持していたバッグの所持品検査を拒否し、電話で呼び出した知人に対し、「預かっていてくれ。」などと言って、同バッグを投げた際、被疑者から約４メートル先の地面に同バッグが落ちたので、これを警察官が拾い上げ、被疑者の承諾を得ることなく、ファスナーが閉まっていた同バッグを開披し、その中から覚醒剤を取り出して写真撮影するなどして覚醒剤を押収したことについて、当時、被疑者に同バッグの占有を放棄する意思がなかったことは明らかであり、警察官が同バッグを拾い上げるまでごく短時間であったこと等の事情から、同バッグに対する被疑者の占有は継続しており、被疑者が同バッグを投げたのも、これに先立ち警察官５、６名が１時間ほど現場で被疑者を留め置いて行動の自由を相当程度制約される状況下に置いていたこと

からすれば、プライバシー保護の必要性が低下していたとは評価できず、また、被疑者の知人も同バッグを拾いに行くことはなく、これが持ち去られる危険性はさほど高くなく、その中身を至急確認しなければならないような緊急性が認められないのに、警察官は、同バッグを開披し、その中身を一つ一つ取り出し、覚醒剤を発見して写真撮影までしていたことは令状主義に関する諸制度を潜脱する意思があったことを強くうかがわせるとして覚醒剤等の証拠能力を否定した事案（東高判平30.3.2判タ1456-136）

⑤ 違法に収集された自白を疎明資料として発付された捜索差押令状によって獲得された覚醒剤やその鑑定結果等の証拠能力を否定した事案（東高判平25.7.23判時2201-141）がある。

　これは、覚醒剤使用の疑いで勾留中の被疑者に対し、警察官が、覚醒剤所持では逮捕も捜索もしないで、ここだけの話にするからと、虚偽かつ利益誘導的な約束をし、これを信じた被疑者が自宅の居室内の覚醒剤の隠匿場所を供述（本事案の解説では「本件自供」と呼ぶ）し、本件自供に基づいて、被疑者の居室から覚醒剤を差し押さえ、これについて覚醒剤であるとの鑑定がなされ、被疑者は、覚醒剤所持により通常逮捕され起訴されたという事案である。

　裁判所は、本件における警察官の上記取調べは、被疑者の「黙秘権を侵害する違法なもので、本件自供が任意性を欠いていることは明らか」とし、かつ、押収された覚醒剤やその鑑定結果等は、本件自供と「密接不可分な関連性を有する」とし、かつ、「捜査官が利益誘導的かつ虚偽の約束をしたこと自体放置できない重大な違法である。」とし、警察官の違法な取調べにより直接得られた第一次証拠である本件自供のみならず、「第二次証拠である本件覚せい剤や鑑定結果等をも違法収集証拠として排除しなければ、令状主義の精神が没却され、将来における違法捜査抑制の見地からも相当ではない」とした（これに対し一審裁判所は、取調べは違法であり、本件自供と本件覚醒剤等との密接関連性はあるとしながら、第二次証拠の証拠能力は肯定）。

4　先行行為が、適法手続を名目にした不法な身体拘束である場合

　　警職法3条の保護手続が先行する場合　　精神錯乱者を警察官職務執行法3条によって保護中に、覚醒剤使用の疑いが生じ保護下にある者から尿の任意提出を受けることにより、覚醒剤使用事件の端緒を得ることも多い。この場合、任意提出の意味を理解した上で任意提出されたものであるか否かが問題になるほか、保護手続が、保護を名目とした不法な身体拘束であり、その状態を利用した採尿は違法であると争われることもある。

　　例えば、56被疑者が客観的に保護の要件を欠く者であること、警察官も被疑者を警察署に連行後10分で保護を解除し、脅迫等の事実について事情聴取して尿の提出を求めていること、当然作成すべき保護カードを作成しなかったことなどから、本件保護措置は覚醒剤事犯の取調べを目的として正規の令状手続によらないで、被疑者を警察署に連行したものではないかとの疑いを払拭できないとし、要保護者からの採尿を、違法な強制連行に基づく強制的効果が排除されないままの状態を直接利用してなされた違法手続であるとし、尿の鑑定書の証拠能力も否定したもの（大阪地判昭61.5.8判時1219-143）がある。

　　また、同様に57「保護」の要件を満たさない知人方への連行等の後の所持品検査・採尿によって得た証拠物の証拠能力を否定したもの（千葉地松戸支部判平5.2.8判時1458-156　警察官が捜索を実施中の覚醒剤密売所と思われていた場所を訪ねてきた被告人が、捜査員の隙をみて逃げ出したので、被告人に対して、捜査員が50メートル追いかけて取り押さえ、左右の腕を抱えて捜索場所まで連行し、バッグを手放すまいとする被告人に馬乗りになり両頬を3、4回殴打し、手放されたバッグを開披してその中にあった覚醒剤を発見し現行犯逮捕し、その翌日採尿を行った一連の手続を違法としたもの）がある。

　　また、軽微事案による逮捕は重大な違法性があるとし、これと極めて強い結び付きを有する証拠も排除した裁判例もある。

　　58軽犯罪法違反による現行犯逮捕について、そもそも逮捕の要件を欠き、別件逮捕にも該当する違法な逮捕であるとし、逮捕期間中に発付された強制採尿令状の執行によって得られた尿の鑑定書については、逮捕の違法性

は令状主義の精神を没却する重大な違法であり、将来に向けた刑罰規定が濫用される事態を禁圧すべき要請が高い上、違法な逮捕期間中に得られた資料に基づいて請求・発付された強制採尿令状の執行によって獲得された尿を資料として作成された本件鑑定書と違法捜査との結び付きは極めて強いとして、その証拠能力を否定したもの（大阪高判平21.3.3判タ1329-276）である。

> **アドバイス** **任意同行・留め置きに引き続く採尿手続の適法性確保のための留意点**
>
> 先行する任意同行・留め置き等が違法とされる場合に、これが重大な違法とされ、引き続く採尿手続も重大な違法性を帯び尿の鑑定書等の証拠能力が否定されるかどうかの判断においては、任意同行・留め置きに当たってどの程度の有形力が行使されたか、その時点で現行犯逮捕や緊急逮捕できるだけの嫌疑があったかどうかが極めて大きく考慮され、あわせて尿提出自体が被疑者の自由な意思に基づいているかどうかや、捜査官に令状主義潜脱の意図があったかどうかも考慮される。そこで、特に現行犯逮捕や緊急逮捕に関する手続書には、任意同行・留め置きにおいて、いかなる有形力を行使したのか、できる限り具体的かつ詳細に記述することに留意すべきである。仮に、これに関する記述が不足あるいは欠如しているとき、捜査官において、違法捜査との誹りを受けかねない事情を敢えて記述しなかったとの疑念を抱かれ、その結果、令状主義潜脱の意図があったと認定されることがあり得るからである。

5 違法な令状発付に基づいて採取した尿の鑑定書の証拠能力が肯定された事例

警察官が、裁判官に対し、覚醒剤事案を内容とする犯歴を多数有し、覚醒剤譲渡の嫌疑のあった被告人について、覚醒剤譲渡を被疑事実とする被告人方等の捜索差押許可状のほか、過去4回、被告人に任意採尿を拒否されて強制採尿となり、うち1回は拒否後、逃走するなどされ、本件において被告人が警察官の説得に応じ尿を任意提出する可能性が極めて低いと判断し、その接触前から、覚醒剤自己使用を被疑事実とする被告人の尿を採取するための捜索差押許可状（本件強制採尿令状）も請求し、当該請求に即し、裁判官も、

被告人方等の捜索差押許可状及び本件強制採尿令状を発付したものの、本件強制採尿令状の発付は、「犯罪の捜査上真にやむを得ない」場合と認められないとして、本件強制採尿手続により得られた被告人の尿の鑑定書等の証拠能力が争われた事案について、最判令4.4.28刑集76-4-380は、被疑者に対して強制採尿を実施することが、「犯罪の捜査上真にやむを得ない」場合と認められないのに、その実施を許可した本件強制採尿令状の発付は違法であり、警察官らが同令状に基づき採尿した行為も違法であるが、警察官らはありのままを記載した疎明資料を提出して同令状を請求し、裁判官の審査を経て発付された適式の同令状に基づき強制採尿を実施したもので、その点で違法はなく、また、「犯罪の捜査上真にやむを得ない」場合であることについて、疎明資料において、合理的根拠が欠如していることが客観的に明らかであったものではなく、更に警察官らは、直ちに強制採尿を実施することなく被疑者に尿を任意提出するよう繰り返し促すなどしていたという事情の下、強制採尿手続の違法の程度は重大でなく、被告人の尿の鑑定書等の証拠能力を肯定した。

　本件は、警察官らの認識としては、専ら適法な手続を遵守しようとしており、何ら脱法の意図はないにもかかわらず、結果として、違法な令状発付と評価された事案であり、控訴審では、証拠能力が否定されたのに対し、上告審では、これが覆された判例であるところ、違法収集証拠か否かの判断要素として、改めて「警察官において手続を潜脱する意図があったか否か」という点が非常に重要なポイントであることを示唆していると考えられ、参考になる。

6　押収した当該「証拠物」に関して作成された捜索差押調書・鑑定書・写真撮影報告書などの関連書証とその証拠物に関する被告人・押収捜査官・参考人の供述などの関連供述の証拠能力

　押収証拠物と関連書証及び関連供述とは、表裏一体の関係にあり、押収証拠物に証拠能力が認められれば、関連書証・関連供述の証拠能力も肯定され、逆に、押収証拠物に証拠能力が認められなければ、関連書証・関連供述の証拠能力も否定される。

7 毒樹の果実の理論

1 毒樹の果実の理論とその例外

　先行の捜査手続の違法が後行の証拠収集手続に及ぼす影響や後行証拠収集手続で収集された証拠の証拠能力に関し、その判断枠組みや考慮要素について、**5**及び**6**において説明した。

　この一つの場合として、先行の捜査手続に重大な違法があり、その手続によって直接収集された証拠の証拠能力が否定されるとき、この証拠に基づいて別途収集された証拠の証拠能力が否定されるかどうか問題となる（重大な違法性がある先行の捜査手続と別途収集された証拠の密接関連性の程度によって証拠能力の有無が判断される）。

　これと同じ状況について、違法収集証拠として証拠能力が否定される証拠（第一次証拠）に基づいて獲得された新たな証拠（派生証拠）の証拠能力が否定されるのかが問題となり、「毒樹の果実」の理論として議論されている。アメリカ合衆国では、違法収集証拠である「毒樹」に基づいて獲得された新証拠は、「毒樹の果実」であるから、「毒樹」と同様に違法性を帯び、違法収集証拠となるので、原則として証拠から排除されるとされる。同理論では例外的に、違法捜査による第一次証拠の発見とこれに基づく派生証拠の因果関係が希薄になっている場合には派生証拠の証拠能力が肯定される（**希釈の法理**）し、違法捜査がなかったとしても、捜査機関が別個独立の捜査によってその派生証拠を獲得できたはずといえる場合も、派生証拠の証拠能力が肯定される（**不可避的発見の法理**）。

2 我が国の判例の考え方

　前記②最判平15.2.14の事案の原審、原原審では、重大な違法性を帯びた採尿手続において採取された尿の鑑定書を疎明資料として発付された捜索差押許可状によって捜索を行い、その際発見された本件覚醒剤の証拠能力について、証拠能力を否定した。

　しかし、②最判平15.2.14は、本件覚醒剤が、証拠能力のない証拠（尿及びその鑑定書）と関連性を有する証拠であるとしながら、「本件覚せい剤の捜索差押えは、司法審査を経て発付された捜索差押許可状によってなされた

ものであること、逮捕前に適法に発付されていた被告人に対する窃盗事件についての捜索差押許可状の執行と併せて行われたものであることなど、本件の諸事情にかんがみると、本件覚せい剤の差押えと前記鑑定書（著者注：尿の鑑定書）との関連性は密接なものではないというべきである。したがって、本件覚せい剤及びこれに関する鑑定書については、その収集手続に重大な違法があるとまではいえず、その他、これらの証拠の重要性等諸般の事情を総合すると、その証拠能力を否定することはできない。」と判示して、本件覚醒剤及びその鑑定書の証拠能力を肯定した。

指摘された事情の前段には、アメリカ合衆国の「希釈の法理」、後段には「不可避的発見の法理」と同様の思考が働いているものと推察され、違法収集証拠と派生証拠との間に介在した事情の内容、ひいては両者の因果関係の希薄化の程度をも考慮し、両者の関連性を判断する立場に立っていると考えられる。

下級審においても、前記②最判平15.2.14と同じ手法を用い、第一次証拠の証拠能力を否定しつつも、これから派生した証拠の証拠能力は肯定した裁判例（(59)大阪地判平18.6.29）がある。

この事案は、警察官が被告人に対し、器物損壊ないし窃盗未遂等の嫌疑をもって職務質問に付随する所持品検査を行った際に、被告人のポケットの内容物を下からつかんで押し上げ意図的に落下させて、本件覚醒剤を発見したというものである。(59)判決は、このような所持品検査自体は、令状主義の精神を潜脱、没却するような重大なものであるとしてその証拠能力を否定し、覚醒剤所持については被告人を無罪としたが、「一次証拠の証拠能力が否定された場合、派生証拠の証拠能力も当然に否定されるものではなく、派生証拠の証拠能力は、先行手続の違法の重大性、先行手続と後行手続の捜査目的の異同や関連性の程度を考慮して、将来における違法捜査抑制の見地から、当該証拠の排除相当性を検討すべき」であるとして、本件覚醒剤の存在を疎明資料として発付された捜索差押許可状に基づいて実施された強制採尿手続に固有の違法は存しないとし、同手続によって得られた尿の鑑定書の証拠能力は肯定し、覚醒剤使用について被告人を有罪とした（⟹違法収集自白については、設問51参照。違法な別件逮捕・勾留に引き続く本件での逮捕・勾留中の自白の証拠能力については、設問39、5参照）。

第4編
国際捜査

656 第4編 国際捜査

設問 64 捜査共助

● 設 問 ●

(1) 外国からの依頼によって日本国内で日本捜査機関が捜査をする場合、どの程度のことまでできるか。

(2) 外国に依頼し、外国において外国捜査機関に捜査してもらう場合の依頼手続について説明しなさい。

(3) 日本の捜査機関が外国で捜査できるか。外国捜査機関が日本国内において、捜査をなし得るか。

◆解 答◆

(1) ⟹ **4** 3

(2) ⟹ **6**

(3) ⟹ **7**

1 捜査共助の意義

捜査共助とは、外国の刑事事件に関し、外国が必要とする証拠を収集してこれを提供することである。

社会の国際化に伴い、犯罪が国境を越えて行われることが増え、我が国の捜査機関が外国の捜査機関に捜査を依頼し、逆に、外国の捜査機関から捜査を依頼されることも多くなってきた。

このような情勢を背景にして、外国と我が国相互において、捜査共助が迅速で確実に行われるように法整備等がなされてきた。

2 捜査共助の枠組み

1 外交ルートの枠組み

従来、我が国と外国との間においては、捜査共助の要請を発出・受理した

り、収集した証拠を授受することは、いわゆる外交ルートを通して行われてきた。

しかし、この枠組みにおいては、相手国には、要請に従って捜査共助を履行する義務は生じず、履行がなされるかどうかは、相手国の外交上の好意に委ねられ、確実性も迅速性も十分とはいえなかった。

2 条約による枠組み

これらの点を改善するため、外国と我が国との間での**捜査共助に関する条約・協定**が締結されてきた。アメリカ合衆国（平成18年発効 日米刑事共助条約）との間が最初であるが、令和7年5月現在で、大韓民国、中華人民共和国、香港、欧州連合（EU）、ロシア連邦、ベトナム社会主義共和国との間で捜査共助に関する条約・協定（以下、本設問では「条約」という）が締結され発効している。

条約締結国との間においては、要請に基づく捜査共助は条約上の義務となり、捜査共助の履行の確実性が高まった。また、捜査共助の要請の発出・受理や証拠の授受の事務は、条約で定める中央当局（この事務の関係では国を代表する機関）の間で直接行われることとなり、捜査共助の迅速性も大幅に向上した。

条約未締結の国との間では、従前どおり、外交ルートを通じての枠組みで、相互に捜査共助が行われている。

3 国際捜査共助等に関する法律

1 国際捜査共助等に関する法律が制定された理由

外国ないし国際刑事警察機構（ICPO 刑事警察間の国際的協力及び犯罪の予防・鎮圧のための制度の確立を目的とした国際機関）からの捜査依頼があった場合、対象になる犯罪が日本の犯罪であれば、日本の捜査機関にも捜査権があるから法に基づいて共助のための捜査を実行できたが、対象となる犯罪が外国の犯罪（例えば、外国人による外国における麻薬犯罪等）であるとき、かつては日本の捜査機関には捜査権がなく、法による捜査活動ができなかった。そのため、法的根拠が明らかでないまま、外国の犯罪に関する捜査協力に応じていた。

658　第4編　国際捜査

　昭和55年に成立した国際捜査共助等に関する法律（以下、本設問において
は単に「**本法律**」という）は、外国の刑事事件の捜査について、外国からの
要請によって、我が国捜査機関が、日本国内で証拠を収集して提供する手続
（共助手続）、及び国際刑事警察機構への情報等を提供する手続（協力手続）
を定めたもので、**外国の犯罪の捜査について日本の捜査機関が協力する法的
根拠を明らかにした**ことに大きな意義がある（後述するように、我が国捜査
機関が、外国に対して外国での捜査協力を要請することについては、我が国
の法において既に根拠付けられていると理解されていた（⟹**6**参照）ので、
この方面について、本法律は何ら触れていない）。

2　平成16年の本法律改正の理由

　前記のとおり、日米刑事共助条約の締結に当たって、同条約による捜査共
助手続を迅速に行えるように、同条約においては、本法律と異なる規定を設
けることにした。これと本法律の間の整合性を図るため、平成16年に本法律
の改正がなされた。

　同改正では、要請国における証人尋問に出頭させるなどのために受刑者等
の被拘禁者を要請国に移送する制度（被拘禁者移送制度　本法律19〜25条）
なども新たに規定された。

4　外国からの要請に基づく我が国における捜査共助

1　共助の要件

　これは、外国からの共助要請に従って本法律により共助を行うための要件
である。

⑴　本法律の規定

　　外国の刑事事件の捜査について、外国からの共助要請があったとき、
　日本の捜査機関は共助に必要な証拠を収集して提供できる。ただし、次
　の①ないし③の事由があるときは、共助をなし得ない。

　①　その外国の刑事事件が「**政治犯罪**」であったり、その要請が「政治
　　犯罪」について捜査する目的で行われたとき（本法律2条1号）

　②　要請が条約に基づかないで行われたものである場合において、将来、
　　日本国が行う同種の要請にその外国が応ずる旨の保証（**相互主義の保**

証）がないとき（本法律4条2号）

③　条約に別段の定めがある場合を除き、その外国の刑事事件が日本で行われたと仮定した場合、日本の法令によっても罪に当たるものでないとき（本法律2条2号**双罰性の欠如**）

政治犯罪とは、一般に、内乱罪等のように、その国の政治的秩序を直接破壊することに向けられた犯罪を指す。行為自体が道義的・社会的に非難されるべきハイジャック、殺人、強盗等の刑事犯罪である場合は、犯人の目的・動機が政治的なものであったとしても、本法律にいう「政治犯罪」には当たらず、捜査共助を拒むことは相当ではないと解される。

本法律において要求される**双罰性**は、共助に基づく捜査の対象となる行為が、要請国及び被要請国のどちらの法律においても罰則の構成要件に該当すること（**抽象的双罰性**）で足りる。逃亡犯罪人引渡法と異なり、双方の国の罰則で実際に処罰することができるものであること（**具体的双罰性**　例えば、正当防衛などの違法性阻却・責任阻却事由がないことや、公訴時効が完成していないことなどを要すること。ただし、共助要請に基づく捜査の対象行為の国外犯処罰規定が日本に存在していることまでは不要）は要求されない。

前記①ないし③の制限事由のある場合はもちろん、その他諸般の事情から法務大臣において要請に応ずることが不相当と認めるときは、共助依頼に応ずる必要はない（本法律5条1項柱書）とされる。

⑵　**日米刑事共助条約における規定**

本条約においては、双罰性が欠ける場合にも、共助の内容が任意捜査にとどまるときは捜査共助を拒めないこととなった（同条約1条4）。例えば、ある行為が日本では不可罰とされ、アメリカ合衆国では処罰されるという場合、当該行為をアメリカ合衆国の刑事事件として、アメリカ合衆国から我が国に捜査共助の要請があった場合には、共助しなくてはならない。ただし、強制処分の実施については、義務ではなく被要請国の裁量に委ねられる。例えば、捜索令状を得て行う捜査は義務付けられない（同条約3条1⑷）。

外交ルートによる共助要請があった場合、双罰性の判断は必ずしも容

660 第4編 国際捜査

易でなく、その検討にかなりの時間を要していたが、この条約ベースの共助では、これらの検討に要する時間が短縮され、共助の迅速化が促進されることになった。

2 外国から共助要請があった場合の共助手続

(1) 本法律の規定

共助要請の受理、要請国への証拠の送付は外務大臣が行う（本法律3条1項）が、条約に基づき法務大臣が共助要請の受理を行うこととされているときは、法務大臣が行う（同項ただし書き）。

したがって、外国からの共助要請は、通常、外交機関を経由する（本法律3条1項）のであるが、要請に応ずるか否かは法務大臣が判断するものとされる（本法律5条1項）。我が国において共助のための証拠収集を行うのは、地方検察庁検事正（検察官）、都道府県警察、あるいは司法警察職員がおかれている国の機関である（本法律7条）。

警察に対してなされる通常の共助手続のルートは、まとめると「外国政府──→在外日本大使館（又は在日外国大使館）──→外務省──→法務省──→国家公安委員会（警察庁）──→都道府県警察」であり、収集した証拠の提供については、この逆のルートでなされる。

(2) 日米刑事共助条約の規定

アメリカ合衆国が共助を要請する際の我が国の**中央当局**は、法務大臣又はその指名する者とされた（同条約2条、交換公文）ので、アメリカ合衆国の捜査機関からの捜査共助の要請を法務大臣が直接受け、収集された証拠も、法務大臣が直接外国の捜査機関に送付できる。

3 捜査共助の実施

検察官及び司法警察員は、外国からの要請による共助に必要な証拠の収集に関し、関係者の取調べ、鑑定の嘱託、実況見分等の任意的手段のみならず、裁判官の発する令状によって捜索、差押え、記録命令付差押え、検証という強制処分をなし得る（本法律8条2項）。

証人尋問を要請された場合、又は関係人が任意出頭に応じない場合、検察官は、裁判官に証人尋問を請求できる（本法律10条）。司法警察員が共助として関係人を任意に取り調べようとして拒否されたときは、関係書類は法務

大臣に返戻され、改めて法務大臣から検事正に証人尋問が命じられることになる。

ただし、証人尋問、証拠物の提供の要請については、条約に別段の定めがある場合を除き、その証拠が捜査に欠くことのできないものであることを明らかにした要請国からの書面が提供されないときは、共助が許されない（本法律2条3号）。

5 外国の捜査機関の我が国における捜査の可否

外国捜査機関が我が国において直接関係者の取調べなどの捜査活動を行うことは、我が国の主権と当該外国の主権の行使が衝突する面があるので、我が国では、これを認めていない。

実務の運用としては、外国から要請を受け、我が国捜査機関が捜査共助を実施する際、例えば、我が国に居住する当該外国人を参考人として取り調べる場合に、当該要請国の捜査官が、その取調べへの立会いを希望するときには、立会い自体は外国の主権の行使とはいえないから、特段の支障がない限り、立会いを許容している実情にある。

しかし、我が国の捜査官が通訳を介し、当該外国人をその外国語を用いて取り調べ、当該外国の捜査官は一切発問できないというのはいささか硬直的で、真相解明にとって不便であるなどの理由で、捜査対象者（取調べの相手）の同意がある場合に限り、我が国捜査官の立会いの下に、外国の捜査官が直接発問をすることを許容することも検討されて然るべきであるとの見解もある。

6 我が国捜査機関から外国に対する捜査共助の要請

1 共助要請の許容性

外国に対する捜査共助要請については、法にも本法律にも規定はない。しかし、捜査段階においては強制にわたらない限り、捜査を行う上で必要かつ相当と認められる手段を講じることができる（法197条1項）から、そのような手段の一つとして外国捜査機関に捜査共助を求めることができることに問題はない。

2 共助要請の手続

一般には、捜査を行う捜査機関に応じ、これを所管する中央官庁すなわち、警察庁、法務省などが外交ルートで外国に要請する。具体的には、例えば、「都道府県警察→警察庁→外務省→外国政府（在日外国大使館）」というルートで、共助要請を行うことになる。

これに対し、**日米刑事共助条約**では、警察官・皇宮警察官の場合は国家公安委員会又はその指名する者、検察官又は警察官・皇宮警察官を除く司法警察職員の場合は法務大臣又はその指名する者が**中央当局**となる（同条約2条2）。

対アメリカ合衆国の場合は、我が国の**中央当局**が、アメリカ合衆国の**中央当局**であるアメリカ司法長官又はその指名する者に対して直接に捜査共助の要請を行うことになる。

3 得られた証拠の我が国での許容性

我が国から外国への捜査共助が行われた場合、当該外国の捜査手続によって証拠が得られることになるが、その証拠の我が国での証拠としての許容性は、単にその外国の当該手続が我が国にあるものかどうかという形式面ではなく、**我が国の法の精神・趣旨に反するかどうかという実質面に照らして判断されるべき**である。

ロッキード事件丸紅ルート最高裁判決（最大判平7.2.22刑集49-2-1）は、米国において刑事免責を付与して得られた**嘱託証人尋問調書**について、我が国が刑事免責制度を採用していないことを理由として、我が国での証拠能力を否定したが、同判決は、その冒頭で、「証拠は、刑訴法の証拠能力に関する諸規定のほか、『刑事事件につき、公共の福祉の維持と個人の基本的人権の保障とを全うしつつ、事案の真相を明らかにし、刑罰法令を適正且つ迅速に適用実現することを目的とする』（同法1条）刑訴法全体の精神に照らし、事実認定の証拠とすることが許容されるものでなければならない。本件嘱託尋問調書についても右の観点から検討する必要がある。」と判示しており、証拠が獲得された手続（刑事免責制度）が我が国にあるかないかという形式的理由だけではなく、その手続が我が国刑事訴訟法全体の精神にかなうかどうかという実質的理由によって、証拠能力の有無が判断されたとみるべきで

ある。

4 外国で作成された書面の証拠能力 (⟹ 設問58、6)

(1) 外国の裁判官・検察官・捜査官等により作成された被告人・被疑者の供述録取書

法322条は、供述録取を行った主体によって証拠能力を区別していないから、外国の裁判官・検察官・捜査官により作成された被告人・被疑者の供述録取書は、我が国の裁判官・検察官・捜査官の作成したものと同じ証拠能力をもつ。

(2) 外国の捜査機関、裁判官・検察官の面前における被告人以外の者の供述録取書

外国の捜査機関の面前で録取した被告人以外の者の供述録取書は、我が国捜査官の作成したものと同じく法321条1項3号の書面として取り扱われる。

日本の捜査機関からの国際捜査共助の要請に基づき、中国の捜査官が、日本で起訴された殺人事件被告人の共犯者2名の取調べを行い、その供述を録取して作成した供述録取書について、「取調べに際しては、両名に対し黙秘権が実質的に告知され、また、取調べの間、両名に対して肉体的、精神的強制が加えられた形跡はないなどの…具体的事実関係を前提とすれば、上記供述調書等を刑訴法321条1項3号により採用した第一審の措置を是認した原判決に誤りはない」とした（最判平23.10.20刑集65-7-999 中国捜査官による本件の取調べの際に、中国刑訴法によって被疑者に真実供述義務を課して行われたことが、我が国の憲法や刑事訴訟法の精神や基本理念に照らして許容されるかが問題となった事案）(⟹ 設問58、6 2参照)。

外国の裁判官・検察官の資格・権限は国によってまちまちであるから、外国の裁判官・検察官を一律に我が国の裁判官・検察官と同一に扱うことはできないので、外国の裁判官・検察官の面前で作成された被告人以外の供述録取書は、外国の捜査機関の面前で作成された供述録取書の場合と同様、法321条1項3号の書面として取り扱われる。

これら書面は、①供述者が、死亡・心身の故障・所在不明又は外国に

いるため我が国の法廷で供述できないこと、②その供述が犯罪証明のために不可欠であること、③その供述が特に信用すべき情況の下になされたことの各要件を具備しているとき、証拠能力が認められる。

「供述が特に信用すべき情況の下になされたこと」の要件の立証は、我が国における警察官の面前での供述録取書の場合と同様、取調べ主体、その時間・場所、宣誓の有無、供述拒否権の告知の有無、取調べ・調書作成の状況、署名等の有無など各般の状況を明らかにして行うが、具体的には、**外国の捜査機関による取調べ等に立ち会っていた我が国の捜査官が証言するなどして明らかにする**ことになる。

(3) **外国の裁判官・検察官・捜査官が作成した検証調書、実況見分調書**

法321条2項又は3項の裁判所・裁判官・検察官・司法警察職員には、外国の裁判官・検察官・捜査官は含まれないと解されるので、外国の裁判官・検察官・捜査官の作成した検証調書・実況見分調書は、(2)の外国の捜査員等が作成した供述録取書と同様に**法321条1項3号の書面**として取り扱われる。

「供述が特に信用すべき情況の下になされたこと」の要件の立証も、(2)の場合と同様、外国の捜査機関による検証等に立ち会っていた我が国の捜査官が検証の実施状況等について専門家によって正確に行われた旨などの証言をするなどして立証することになる。

(4) **外国の医師等の鑑定書・診断書など**

法321条4項が、鑑定書等の作成の真正が立証されることを条件に、鑑定人等の作成した鑑定書等の証拠能力を肯定しているのは、作成者の高度の専門性に着目したからであり、作成者の資格を我が国の専門家に限定する必要はないので、**外国の鑑定人が作成した鑑定書等は、法321条4項の書面として取り扱われる**。

ただし、鑑定人が、我が国法廷で鑑定書等の作成の真正を証言できない場合は、法321条1項3号の書面として取り扱われることになり、鑑定及び鑑定書作成に立ち会った我が国捜査官などが当該鑑定書等が特に信用できる情況の下で作成されたことを証言することが必要になる。

(5) **外国公務員作成の戸籍謄本等**

外国の公務員が職務上証明できる事実について作成した、戸籍謄本等の書面は、法323条1号の書面として、当然証拠能力をもつ。

(6) **外国で作成された商業帳簿、航海日誌等**

外国で作成されたとしても、我が国のそれらと同様、業務の遂行上、規則的・機械的かつ連続的に記載・作成され、虚偽の介入するおそれが類型的に少なく、正確性が担保されているものは、法323条2号の書面として証拠能力をもつ。

(7) **外国で作成された被告人以外の者の供述書**

法321条1項3号の書面として取り扱われることになる。

例えば、日本からアメリカへの捜査共助要請に基づき、アメリカ国内に在住する者が、黙秘権の告知を受け、アメリカの捜査官及び日本から派遣された検察官の質問に対して任意に供述し、アメリカの公証人の面前において、偽証罪の制裁の下で記載された供述内容が真実であることを言明する旨を記載して署名して作成された**宣誓供述書**について、最高裁は、これが法321条1項3号の特に信用すべき情況の下にされた供述を録取した書面に当たり、証拠能力が認められるとした（最決平12.10.31刑集54-8-735　「角川コカイン密輸入事件」）。

7　我が国捜査機関の外国における捜査の可否

1　原　則

我が国内法において、その犯罪について我が国捜査機関が捜査権をもつとしても、捜査活動は権力行為の最たるものであるから、外国の承諾なしに、日本捜査機関が、外国において無断で捜査活動を行うことはその国の主権侵害行為になる。

その外国の承諾を得て日本の捜査機関が捜査をした場合は、将来、その外国が日本の国内で捜査をしたいと要請してきたときに、拒絶するのが困難になるおそれがあるから、日本の捜査機関が外国において捜査活動を実施することは差し控えるべきである。

しかし、日本の捜査機関の捜査官が外国に赴き、依頼した捜査共助の具体

666　第4編　国際捜査

的内容を外国捜査機関に説明し、外国捜査機関に同行し、関係者からの事情
聴取に立ち会い、質問事項についてアドバイスし、外国捜査機関の供述調書
作成の特信情況を将来我が国の法廷で証言するための準備をすることなどは
許される。

2　国外における日本船籍船舶内での捜査

　我が国領海外を航行中の日本船籍船舶内で犯罪が発生した場合、当該船舶
が帰国するまで、我が国捜査機関が全く証拠保全をできないとするのは不適
当であるが、他方、外国の主権が当該船舶に及ぶ場合はその主権と我が国の
主権の衝突を回避する必要もある。

⑴　船舶が公海上にある場合

　　　船舶が公海上にある場合、外国の主権は及んでおらず、当該船舶及び
　　乗員は旗国（船籍の属する国）の排他的管轄権に服する（旗国主義　海
　　洋法に関する国際連合条約92条1項）ので、公海上の船舶では、我が国
　　の捜査官は、強制処分も含めた捜査活動を行うことができる。

⑵　船舶が外国の領海上にある場合

　　　領海とは、沿岸国が基線から12海里を超えない範囲で設定した海域で
　　あり、沿岸国の主権が及ぶが、商船及び商業目的のために運航する政府
　　船舶が沿岸国の領海上にある場合でも、上記国際連合条約は船舶内で発
　　生した犯罪について当該船舶の自律権を重んじ、沿岸国の捜査権を制限
　　している。

　　　すなわち、①犯罪の結果が沿岸国に及ぶ場合、②犯罪が沿岸国の平和
　　又は領海の秩序を乱す性質のものである場合、③当該船舶の船長又は旗
　　国の外交官若しくは領事官が沿岸国の当局に対して援助を要請した場合、
　　④麻薬又は向精神剤の不法な取引を防止するために必要である場合を除
　　くほか、当該沿岸国は、領海を通航中に当該船舶内で行われた犯罪に関
　　連して逮捕又は捜査を行ってはならないとされる（同条約27条1項）。

　　　また、領海に入る前に行われた犯罪に関連しては、一定の場合を除い
　　て、領海を通航中の船舶において逮捕又は捜査を行えない（同条約27条
　　5項）。

　　　条約において、沿岸国が捜査権の行使を差し控えるべきものとされる

場合には、我が国も、捜査官を派遣して船舶内において捜査活動を行うことができる。

ただし、船舶には、沿岸国の主権も及んでいるので、捜査官の派遣には、沿岸国の承認が必要であるし、相互主義の保障の観点から、船舶内で行う我が国の捜査官の捜査は任意捜査を限度とすべきである。

(3) 船舶が外国の内水にある場合

内水とは、領海の起点となる基線の内側の全ての水域、例えば、河川・湾・港・湖等であり、沿岸国は、陸地と同様に排他的な主権を行使できるから、船舶内の犯罪については、それが行われた場所を問わず、沿岸国の刑事実体法によって処罰できるものである限り、沿岸国が捜査権をもつ。

しかし、国際儀礼上、犯罪が、沿岸国の秩序に影響のない事案（例えば、日本人船員同士のけんかの上の殺人事件）である場合には、船長からの要請がない限り、沿岸国は捜査権の発動を差し控えるのが通常であるから、船舶が沿岸国の内水に入った後も沿岸国の承認を得て、我が国の捜査官は任意捜査を行うことができる。

8 　ICPOルートによる協力

1　ICPOルートによる捜査協力

外国の刑事事件の捜査について国際刑事警察機構（ICPO）から協力要請を受けたとき、国家公安委員会は、要請に係る犯罪が政治犯罪であるとき、双罰性の要件を欠くときを除いて、都道府県警察に必要な調査を指示し又は司法警察職員が置かれている国の機関の長に協力の要請に関する書面を送付する。この場合、警察官又は国の機関の長は、上記調査に関し、関係人に質問し、実況見分をし、その他の照会等をなし得る（本法律18条）。

2　国際間の犯罪情報の交換

ICPOは、加盟警察組織間における刑事事件に関する情報又は資料の交換がその最も重要な活動・任務とされている。

そこで、外国に逃亡した被疑者の所在・動向、外国人たる被疑者の旅券の記載の真否・人定・前歴・手口・国際手配の有無・来日するまでの足取り等

668　第4編　国際捜査

に関する情報などは、主としてＩＣＰＯを通じて照会可能であり、同機構を通じて外国警察からも照会がなされる。我が国における同機構との協力のための担当機関（**国家中央事務局**　ＮＣＢ）は警察庁であり、同機構を通じての外国からの犯罪情報を得たいときは、同庁経由で照会することになる。

犯罪人引渡し　設問65　*669*

設問 65　犯罪人引渡し

● 設　問 ●
　いわゆる赤手配書により国際手配されている逃亡犯罪人を我が国で発見した場合、どのような措置をとればいいか説明しなさい。

◆解　答◆
⟹ **1** 1 参照

1　逃亡犯罪人を外国に引き渡す方法

1　逃亡犯罪人を外国に引き渡すための要件

　逃亡犯罪人とは、請求国において、被疑者として捜査対象となっている者、訴追された者、刑の言渡しが確定しているがその執行が終わっていない者（刑の免除等のため刑を受けることがなくなっていない者）をいう。

　逃亡犯罪人引渡法では、逃亡犯罪人の引渡しのための要件として、①**引渡可能犯罪**であること（２条４号）、②**政治犯罪でないこと**（同条１号、２号）、③**相互主義の保証**があること（３条２号）、④**双罰性**を有すること（２条５号　同法では**具体的双罰性**まで要するとされる）、⑤証拠が十分にあること（同条６号）を規定し、東京高裁の審査で引き渡すことができる場合に当たると決定され、法務大臣が引渡しを相当と認めるときに引渡しが行われる（同法９条、10条、14条）（⟹政治犯罪、相互主義の保証、具体的双罰性の意義については、**設問64**、**4** 1 参照）。

　引渡条約がない国との間では、引渡可能犯罪は、「請求国と我が国の両国で、死刑・無期・長期３年以上の拘禁刑に当たる罪」に限定されており、加えて、「日本国民（自国民）の引渡しは行わない」ものとされている。

　これに対し、**逃亡犯罪人引渡条約**（令和６年版犯罪白書107頁によれば、アメリカ合衆国及び大韓民国との間で締結されている）が締結されている国

との間では、条約が優先し、アメリカ合衆国及び大韓民国との間では、「自国民についても、裁量で引き渡すことができる」とされ、また、引渡可能犯罪も拡張されている。

2 赤手配書の対象となる犯人を我が国で発見した場合の措置

ICPO事務総局が発行する（緊急時には、事務総局を通さないで直接他の国家中央事務局に対して電話等で発することができる）主な国際手配としては、犯人の逮捕や身柄引渡しを求める国際逮捕手配書（いわゆる**赤手配書**）、犯人等の所在や身元・前歴等の情報を求める国際情報照会手配書（いわゆる**青手配書**）などがある。

赤手配書の対象となる犯人を我が国で発見したときに、裁判官ではないICPOが発行した赤手配書のみに基づいてその犯人の身柄拘束を行うことはできないと解されている。また、赤手配書に基づいて、我が国の裁判官に令状を請求する制度もない（赤手配書は、特定国の警察機構から要請されて発行されたもので、当該外国からの相互主義の保証も得られるとは限らないなどの理由から、そのような制度は創設されなかった）。

警察官が赤手配書の対象となる犯人を発見したときは、その旨を警察庁に通報し、警察庁ではこれをICPOルートで当該赤手配書の発行を要請した警察機構に通報する。その後は、通報を受けた警察機構の属する外国から外交ルートを通じ、我が国法務大臣に対して、犯罪人引渡請求の要請がなされる。法務大臣が引渡しを相当と判断すれば、東京高検検事長に引渡しの審査を請求するように命じ、東京高検検事長は東京高裁に対して、引き渡すことができる場合か否かの審査請求を行い、東京高裁は、審査して決定を行い、引き渡すことができる場合に該当するとの決定があれば、法務大臣に同決定が提出され、法務大臣は受領日から10日以内に、釈放するか引渡命令を出すか決め、引渡しを相当とするときは、東京高検検事長に**引渡状**を交付して引渡しを命じる。

仮拘禁　実務では、本引渡しの請求に先立って、逃亡犯罪人の身柄を仮に拘禁することが通常行われている。この場合は、外交ルートを通じて**仮拘禁の要請**がなされれば、法務大臣は、東京高検検事長に対して仮拘禁するように命じ、東京高検検事長は、東京高検検察官に指示して、東京

高裁に対して、仮拘禁請求を行って**仮拘禁許可状**を得て逃亡犯罪人の身柄を拘束できる（逃亡犯罪人引渡法23条）。

3 外国への犯罪人引渡手続における警察官の役割

警察官は、東京高検検察官の指揮を受けて、逃亡犯罪人に対する仮拘禁許可状、**拘禁許可状**の執行をしなければならないときがある（同法6条、25条）ほか、逃亡犯罪人の所在等についての外国からの捜査共助依頼、国際刑事警察機構からの捜査協力依頼によって、証拠・情報の収集をすることがある。

2 外国に逃亡した我が国の犯罪の逃亡犯罪人を、我が国が外国から引渡しを受ける方法

1 条約に基づく引渡し

まず、相手国が、我が国と逃亡犯罪人引渡条約を締結している国の場合は、**条約に基づいて引渡し**を受ける方法がある。

2 外交交渉による引渡し

相手国が、引渡条約を我が国と締結していないときは、**個別に外交交渉**をし、逃亡犯罪人の身柄の引渡しを受ける方法がある。この場合も、我が国との外交関係の良否いかんで結果が異なるが、相互主義の保証を求められることは当然である。

外国政府に働きかけ、逃亡犯罪人を日本航空機を利用して**国外退去させ**、公海上等で日本捜査機関が逮捕する方法もある。

逃亡犯罪人の身柄拘束が外国による国外退去手続に便乗する方式でなされ、その外国の犯罪人引渡手続によるものでないとしても、**どのような方法によって犯罪人の身柄の引渡しを受けるかは、ある程度日本政府の政治判断に委ねられるべき性質のものである**とした裁判例（東地判平14.1.15判時1782-162

レバノンで服役中の日本赤軍メンバーについて、日本が身柄引渡を要求したが、レバノンはこれに応じず、服役終了後、ヨルダンに向けて国外退去となったが、ヨルダンは入国を拒否したため、日本政府チャーター機に同乗させ成田空港に到着し、入国手続を終えた後逮捕したケースについて重大な違法はないとした）がある。

3　その他

逃亡犯罪人を説得して帰国させ、**帰国した時に逮捕する方法**もある。

3　没収及び追徴の裁判の執行及び保全についての国際共助

外国から、薬物犯罪等に当たる行為に係る外国の刑事事件に関して、条約に基づき、没収等の共助の要請があったときには、我が国における財産に対して、外国の確定判決により没収・追徴の執行を行い、又は没収・追徴のための保全手続を行うことができる（国際的な協力の下に規制薬物に係る不正行為を助長する行為等の防止を図るための麻薬及び向精神薬取締法等の特例等に関する法律（麻薬特例法）21条）。

検察官は、没収・追徴の確定裁判の執行の共助については、裁判所に対し、共助をすることができる場合に該当するか否かについて審査の請求をし、審査の結果、共助をすることができる場合に該当する旨の決定が確定したときは、当該没収・追徴の確定裁判が、共助の実施に関して、我が国の裁判所が言い渡した没収・追徴の確定裁判とみなされ（同法22条）、検察官の命令により執行される。

参考図6　領事関係に関するウィーン条約による捜査権行使に対する制限
（⟹ 設問64 参照）

1　領事機関に与えられる公館及び公文書等の不可侵 （31条、33条及び61条関係）

対象別 ＼ 項目	公館の不可侵	公文書の不可侵	公用通信の不可侵	領事封印袋の不可侵
本務領事官を長とする領事機関	あり（ただし、領事機関の長の個人的住居はない）	あり（いずれの時及びいずれの場所においても不可侵で外交関係が断絶しても同様）	あり（公用通信は、絶対不可侵）	あり（領事封印袋に公の物品以外のものが含まれていると信ずる十分な理由があるときは、派遣国の代表に開封を要求し、これが受け入れられないときは、当該封印袋は発送地に返送される）
名誉領事官を長とする領事機関	なし	あり（ただし、他の文書及び書類と区別して保管されていることを条件に同上）	あり（同上）	あり（同上）

2　領事機関の構成員等に与えられる裁判権からの免除・身体の不可侵 （35条、41条、43条、58条及び71条関係）

対象別 ＼ 免除特権	本務領事官 我が国の国民又は我が国に通常居住者	本務領事官 左記以外の者	名誉領事官 我が国の国民又は我が国に通常居住者	名誉領事官 左記以外の者	事務技術職員 我が国の国民又は我が国に通常居住者	事務技術職員 左記以外の者	役務職員・領事機関構成員の家族・個人的使用人	領事伝書使	臨時領事伝書使
裁判権からの免除	あり（ただし、任務の遂行に当たって行った公の行為に限る）	あり（ただし、任務の遂行に当たって行った行為に限る）	あり（ただし、任務の遂行に当たって行った公の行為に限る）	あり（ただし、任務の遂行に当たって行った行為に限る）	なし	あり（ただし、任務の遂行に当たって行った公の行為に限る）	なし	なし	なし
身体の不可侵	あり（ただし、任務の遂行に当たって行った公の行為に限る）	あり（ただし、重大な犯罪について、逮捕状の発付等身体の拘束を認める裁判官の決定がある場合を除く）	あり（ただし、任務の遂行に当たって行った公の行為に限る）（71条関係）	条約上明文規定はないが、運用上左記に同じ	なし	なし	なし	あり（ただし、任務の遂行を離れて不回必要なう又は長期の滞在をした場合を除く）	あり（ただし、領事封印袋を受交付後を除く）

3　領事機関に対する各種の通報及び領事官の訪問通信権等 （36条、37条(a)、(c)号及び42条関係）

国別 ＼ 対象別	抑留の際の通報 領事機関の長を抑留	抑留の際の通報 領事機関の構成員を抑留	抑留の際の通報 当該国国民を抑留	抑留された当該国国民との接見の際における立会	接見禁止の効力の有無
領事関係に関するウィーン条約加盟国	速やかに本部主管課経由警察庁に報告	速やかに領事機関の長に通報	希望する場合は遅滞なく、管轄権を有する領事機関に通報	立会人を置くことができる。	あり

674　第４編　国際捜査

参考図７　外交関係に関するウィーン条約による捜査権行使に対する制限

1　住居及び公文書等の不可侵など

外交使節団の公館 （外交使節団の長の住居も含む）	不可侵（22条１項　ただし、使節団の長が同意した時は、公館内への立ち入り可）
外交官の個人的住居	不可侵（30条１項）
公館内の用具類、その他の財産 使節団の輸送手段	捜索、差押えの免除（22条３項）
使節団の公文書、書類	不可侵（24条　絶対的で、外交関係断絶時でも同様）
使節団の公用通信	不可侵（27条２項）
外交官個人の書類、通信、財産	不可侵（30条２項）
外交官の家族の構成員でその世帯に属するものの書類、通信、財産	不可侵（37条１項　ただし、その家族が日本国民であるときを除く）
使節団の事務及び技術職員並びにその家族の構成員でその世帯に属するものの書類、通信、財産	不可侵（37条２項　ただし、そのものが日本国民であるとき、通常日本国に居住しているときを除く）
外交封印袋	開くこと、留置することの禁止（27条３項）

2　使節団構成員等の裁判権からの免除、身体の不可侵など
（治外法権）

	刑事裁判権からの免除	身体の不可侵 （抑留・拘束の禁止）
外交官	あり（31条３項　ただし、その外交官が日本国民、または通常日本に居住するものであるときは、任務の遂行にあたって行った行為に限って）証言義務も免除される。	絶対的（29条）
外交官の家族の構成員でその世帯に属するもの	あり（37条１項　ただし、そのものが日本国民であるときは除く）証言義務も免除される。	同左
使節団の事務及び技術職員ならびにその家族の構成員でその世帯に属するもの	あり（37条２項　ただし、そのものが日本国民、または通常日本に居住するものであるときは除く）証言義務も免除される。	同左
使節団の役務職員	その公の任務の遂行にあたって行った行為に限って、あり（37条３項　そのものが日本国民、または通常日本に居住するものであるときは除く）	なし
使節団の構成員の個人的使用人	なし（37条４項）	なし（37条４項）
外交伝書使	なし	あり（27条５項　絶対的）
臨時外交伝書使	なし	あり（27条５項　外交封印袋を受取人に渡すまでに限る）

＊　外交職員を除く使節団の職員、職員の個人的使用人に刑事裁判権の行使が許される場合であっても、使節団の任務の遂行を不当に妨げないような方法によらなければならない（37条４項、38条２項）。

外交官と領事

外交官とは、外交交渉を行うために外国に派遣される外交使節（大使、公使、代理公使など）とその主要な随員（参事官、書記官、外交官補）を総称し、ウィーン条約上は使節団の長または使節団の外交職員を指すとされている。

領事は、外国との外交交渉を行うものではなく、外国にあって、本国の利害に関する事項の観察と報告、自国民の保護と監督を行うものをいい、本国から派遣されて領事の事務に従事する職務領事と接受国に居住する人の中から選任されて領事事務を委託される名誉領事の２種類がある。

領事には、普通、総領事、領事、副領事の区別がある。

職員・使用人の種類

①事務・技術職員　外交使節団または領事機関の職員で、その事務的業務・技術的業務のために雇用されている者。例えば、タイピスト、電話交換手など。

②役務職員　外交使節団または領事機関の職員で、その役務（サービス）に従事する者。例えば、大使館が雇用するコック、運転手など。

③構成員の個人的使用人　外交使節団または領事機関の構成員の家事に従事するもので、派遣国が雇用するものでない者。例えば、大使が個人的に雇用するメイドなど。

第 5 編
公判手続と証拠開示

676 第5編 公判手続と証拠開示

設問 66 公判手続の基本知識

● 設 問 ●
(1) 公判手続の特徴を、捜査手続と対比して説明しなさい。
(2) 訴因制度について説明しなさい。

◆解 答◆
(1) ⟹ 4
(2) ⟹ 5 1

1 公 判 手 続

1 公判手続の意味

検察官が被疑事件を起訴（**公訴提起** 法247条）し、裁判所が受理すると、事件は裁判所に係属（事件が所属した裁判所を受訴裁判所という）し、事件は被告事件と呼ばれ、被疑者は被告人と呼ばれることになる。

公訴提起から裁判確定に至るまでの一連の訴訟手続の全体を「**公判手続**」という。

2 公判手続の主体

公判手続は、**裁判所**、**検察官**、**被告人**の三者によって進められる。

裁判所は、公判手続を主宰し、事件の審理・裁判を行う機関であり、複数の裁判官で構成される合議制と一人の裁判官で構成される単独制がある。

裁判長の訴訟指揮権と法廷警察権 公判手続を迅速、円滑、適正に進めるためには、審理を秩序づけて行う必要があり、このために認められた権限が**訴訟指揮権**である。

公判期日における訴訟指揮権は、迅速に行使されなければならない関係上、包括的に**裁判長**に与えられている（法294条 なお、裁判長は裁判所を代表する機関である裁判官を意味するから、合議制裁判所では裁判長が

これに該当し、単独制の裁判所の場合は、裁判所を構成する単独の裁判官が裁判長の権限を行使し、ここでいう裁判長に該当する)。

訴訟指揮権は、訴訟関係人（検察官・被告人・弁護人）に及ぶが、訴訟関係人以外の者（例えば、傍聴人）には及ばない。

法廷の秩序を維持するために認められた権限が、**法廷警察権**である。

同権限も、臨機応変・迅速に行使される必要があるので、その行使は、「裁判長」又は「開廷した1人の裁判官」に委ねられている（裁判所法71条1項)

法廷警察権の具体的内容は、①法廷における裁判所の職務の執行を妨げ、又は不当な行状をする者に対し退廷を命じること（退廷命令)、②その他法廷における秩序を維持するのに必要な事項を命じること（在廷命令、発言禁止など)、③又は処置を執ることである（同法71条2項)。

そのため必要があるときは、警察官の派出を要求することができる（同法71条の2第1項)。派出された警察官は、法廷の秩序の維持について、裁判長又は開廷した1人の裁判官の指揮を受ける（同条2項)。

法廷警察権の範囲は、人的には、訴訟関係人に限らず、法廷内及びその近接地にいる全ての者に（陪席裁判官や裁判所書記官なども含まれる)、時間的には、法廷の開廷中に限らず、それに接着する前後の時間にも、場所的には、法廷内に限らず、裁判所が妨害行為を直接目撃・聞知できる場所に（例えば、法廷に隣接する廊下や庭など)、それぞれ及ぶ。

当事者と訴訟関係人　　検察官と被告人は**当事者**と呼ばれる。検察官は、原告官の役割を果たし、公訴を提起、維持・遂行する。

被告人は、捜査段階における被疑者とは異なり、基本的には検察官と対等の地位を与えられている。

当事者たる被告人を補助するものとして、弁護人と補佐人がある。いずれも、被告人の「補助者」であって、当事者ではないが、**訴訟関係人**の一員として、公判手続に関与する。

678　第 5 編　公判手続と証拠開示

2　第一審の公判手続の流れ（⟹688頁「**参考図 8**」参照）

1　第 1 回公判期日までの手続

起訴状謄本の送達　　公訴の提起があり、裁判所が受理すると、裁判所は起訴状の謄本を被告人に送達する（法271条 1 項、規則176条 1 項）。

第 1 回公判期日の指定　　公判期日は、裁判長が定める（法273条 1 項）。なお、裁判長が定めた公判期日の変更は、裁判所（合議制裁判所であれば、裁判長ではなく合議体）が、検察官・被告人・弁護人の請求により又は職権で行うことができる（法276条 1 項）。

被告人の召喚　　第 1 回公判期日が定まると、被告人の召喚手続がとられる（法273条 2 項）。

第 1 回公判期日前の公判準備　　公判期日における審理を迅速・円滑に行うための準備として、裁判所が公判期日外に行う手続を**公判準備**という。

公判準備には、第 1 回公判期日前に行われる**公判前整理手続**（法316条の 2 以下⟹**設問67**、**2**）と、第 1 回公判期日後に行われる**期日間整理手続**（法316条の28）及び後記の**公判期日外の証拠調べ**（期日外尋問＝法158条、281条、現場検証＝法128条）がある（⟹公判前整理手続、期日間整理手続については、**設問67**、**2** 4 で解説）。

2　公判期日における取調べの意義

公判廷とは　　公判期日における取調べは、公判廷で行われる（法282条 1 項）。「公判廷」とは、「公開の法廷」のことである。「取調」とは、証拠の取調べのみならず、公判期日における手続一切を意味する。

開廷のための要件　　公判廷は、裁判官及び裁判所書記官が列席し、かつ、検察官が出席して開かれる（法282条 2 項）。この三者がそろうことが開廷の絶対要件であり、いずれかが欠けているときには公判廷を開くことはできない。

被告人・弁護人の出頭　　公判廷は、原則として、被告人が出頭しなければ開廷することができない（法286条）が、例外として、被告人が出頭しなくても開廷することができる場合がある（法27条、283条、314条、

公判手続の基本知識　設問66　*679*

284条など)。

　弁護人の出頭は、一般的には公判開廷の要件ではないが、「死刑又は無期若しくは長期3年を超える拘禁刑」に当たる事件(いわゆる**必要的弁護事件**)を審理する場合には、弁護人の出頭が開廷の要件となる(法289条1項)。

3　公判期日における手続の流れ

　公判期日における手続は、「冒頭手続」→「証拠調べ手続」→「弁論手続」→「判決宣告」の順序で行われる。

(1)　**冒頭手続**

　人定質問　　裁判長は、被告人に対し、被告人が人違いでないことを確かめるための発問(人定質問)を行う(規則196条)。

　起訴状朗読　　人定質問が終わると、検察官が起訴状を朗読する(法291条1項)。これによって、審理が開始される。

　黙秘権等の告知　　裁判長は、起訴状朗読が終わった後、被告人に対し、「終始沈黙し」、「個々の質問に対して陳述を拒む」ことができる旨(法291条4項前段)のほか、「陳述をすることもでき」、「陳述すれば自己に不利益な証拠ともなり、利益な証拠ともなるべき」旨を告知する(規則197条1項)。

　罪状認否　　その後、裁判長は、被告人と弁護人の双方に対し、被告事件について陳述する機会を与える(法291条4項後段)。このとき、被告人・弁護人は、公訴事実を自認するか、それとも否認するかの「認否」を行うのが通例であり、この手続を実務上「**罪状認否**」と呼んでいる。

(2)　**証拠調べ手続**

　証拠調べとは、裁判所が「証拠方法」を取り調べて「証拠資料」を得ることである。証拠調べ手続としては、証拠調べを行う前提として行われる手続と証拠調べそのものに当たる手続がある。

　冒頭陳述　　検察官は、証拠調べのはじめに、「冒頭陳述」として、証拠によって証明すべき事実を明らかにしなければならない(法296条本文)。検察官の冒頭陳述は義務であり、事件の全貌を明らかにするとともに、立証方針の概要を示し、それによって裁判所に対しては、証拠調べに

680 第5編 公判手続と証拠開示

関する訴訟指揮を適切にさせ、被告人・弁護人に対しては、攻撃の範囲を明確にすることにより防御の準備をさせることが期待されている。

証拠調べ請求 　当事者が裁判所に対し証拠の取調べを請求する手続である。まず、検察官が、事件の審理に必要と認める全ての証拠の取調べを請求する（規則193条1項）。その後、被告人又は弁護人も、事件の審判に必要と認める証拠の取調べを請求することができる（反証段階）。

　一般事件では、証拠調べ請求の時期は、検察官の冒頭陳述後であれば、いつでもできるものとされるが、公判前整理手続又は期日間整理手続に付された事件については特例がある（⇒設問67、**2** 5 参照）。

証拠調べ請求の方法 　証拠調べ請求は、立証趣旨（証拠とそれによって証明すべき事実との関係）を具体的に明示してしなければならない（規則189条1項）。

　証人・鑑定人・通訳人・翻訳人の尋問を請求するときは、氏名・住居を記載した書面を裁判所に差し出さなければならない（規則188条の2第1項）。相手方に対しても、原則として、あらかじめ、その住居・氏名を知る機会を与えなければならない（法299条1項本文）。

　証拠書類・証拠物の取調べを請求するときは、原則として、あらかじめ、相手方にこれを閲覧する機会を与えなければならない（証拠開示　法299条1項）。

証拠決定・証拠調べ 　証拠調べ請求がなされた場合、裁判所は、証拠調べをするか、証拠調べの請求を却下するかの決定をしなければならない（規則190条1項）。これを証拠決定という。

　裁判所が証拠調べをする決定をした証拠については、証拠調べがなされる。

証人尋問など （⇒実例については、付録1「警察官の証人尋問例」参照）

① 　人証（証人・鑑定人・通訳人等）は、**尋問**の方法で行う（法304条）。

② 　証人に対しては、尋問開始前に、人定尋問（規則115条）、宣誓（規則116～119条）、偽証の警告（規則120条）、証言拒絶権の告知（規則121条）が行われる。鑑定人等についても同様である（規則128条、135条、136

公判手続の基本知識　設問66　　*681*

条）。

　　なお、証人等が正当な理由がなく宣誓・証言を拒否した場合は、過料等の制裁があるほか、刑罰の制裁（法161条）がある。宣誓した証人等が虚偽の証言・鑑定等をした場合は、偽証罪（刑法169条）、虚偽鑑定罪（同法171条）等が適用となる。

③　証人は、法146条、147条、149条本文に該当する場合は、証言を拒むことができる（証言拒絶権）。

④　尋問の順序は、法上は、裁判所側が先に尋問した後、当事者が尋問するのを原則とし（法304条1項、2項）、当事者が先に主尋問及び反対尋問として交互に尋問する方式（交互尋問の方法）は例外となっている（同条3項）。しかし、実務上は、証人尋問は交互尋問の方法によるのが原則となっている。

⑤　**主尋問**は、「証明すべき事実」及び「これに関連する事項」について行うが、「証人の供述の証明力を争うために必要な事項」についても行うことができる（規則199条の3第1項、2項）。**主尋問では、誘導尋問は原則として許されない**が、一定の場合には誘導尋問も許されている（同条3項）。**反対尋問**は、「主尋問に現われた事項」及び「これに関連する事項」並びに「証人の供述の証明力を争うために必要な事項」について行う。**反対尋問では、原則として誘導尋問が許される**が、不相当な誘導尋問は制限される（同条3項、4項）。反対尋問に続く再主尋問は、「反対尋問に現われた事項」及び「これに関連する事項」について行う（規則199条の7第1項）。

⑥　「**証人の供述の証明力を争うために必要な事項**」についての尋問では、証言及び証人の信用性に関する事項について尋問することができるが、みだりに証人の名誉を害する事項に及ぶことは許されない（規則199条の6）。

⑦　証人には、「**実験した事実から推測した事項**」についても供述させることができる（法156条）。これは、単なる意見や想像の供述ではなく、自己の実験した事実に関する供述として許されるのである。

⑧　裁判長は、訴訟関係人の尋問が重複するとき、事件に関係のない事項

682　第5編　公判手続と証拠開示

にわたるとき、その他相当でないときは、訴訟指揮権に基づいて制限することができる（法295条）。「**威嚇的尋問**」、「**侮辱的尋問**」は、いかなる場合でも許されない。「すでにした尋問と重複する尋問」、「証人に意見を求める尋問」、「議論にわたる尋問」、「証人が直接経験しなかった事実（伝聞事実）についての尋問」は原則的には許されないが、正当な理由がある場合には許される（規則199条の13第2項）。

⑨　**証人の勾引要件の緩和等**（平28.12.1施行）

　　勾引とは、特定の者を一定の場所に引致する裁判及びその執行のことをいう。勾引は、勾引状を発して行い、勾引状は、検察官の指揮により、検察事務官又は司法警察職員が執行する（法62条、70条、153条）。

　　勾引要件の緩和　　平成28年刑事訴訟法等改正前は、召喚に応じない証人に対しては、更にこれを召喚し又は勾引することができるとされていた（改正前法152条）ため、証人が召喚に応じないことが明らかでも、一旦召喚をしてその不出頭を確認しなければ勾引をすることができず、そのため、公判期日が空転することもあった。改正後は、裁判所は、証人が正当な理由なく、召喚に応じないとき、又は応じないおそれがあるときは、その証人を勾引することができることとされた（法152条）ので、召喚の手続を経ることなく勾引できることとなった。

　　証拠書類の朗読　　証拠書類（書証）の証拠調べは「朗読」の方法で行う（法305条）。例えば、供述証書のように、それに記載されている内容が証拠資料となるものであるから、証拠調べはその記載内容を公判廷で朗読するという方法による。

　　証拠物（物証）の展示　　証拠物（物証）の証拠調べは「展示」という方法で行う（法306条）。例えば、犯行に使用された凶器などのように、その物の存在及び状態（性質・形状）が証拠資料となるものであるから、証拠調べは、その物を公判廷で展示するという方法による。

　　被告人の自白調書等の請求と取調べ　　被告人の自白供述調書等は、犯罪事実に関する他の証拠が取り調べられた後でなければ、その取調べを請求できない（法301条）。

公判手続の基本知識　設問66　*683*

　　被告人質問　　被告人が任意に供述する場合は、裁判長は、いつでも
被告人の供述を求めることができる。陪席裁判官、検察官、弁護人、共同
被告人、その弁護人も、裁判長に告げて、被告人の供述を求めることがで
きる（法311条）。被告人は、訴訟の当事者であるとともに、証拠方法の一
つでもあることの現れである。

　　被告人の公判廷での供述は、任意になされる限り、有利にも不利にも証
拠とされる。

　　被告人には黙秘権があるため、質問に対し、供述を拒否することができ
る。現行法上、被告人が、被告人質問に対して虚偽の供述をしても、制裁
規定はない。

⑶　**弁論手続**

　　論　告　　証拠調べが終了すると、まず検察官が、「事実」及び「法
律の適用」について意見を陳述する（法293条1項）。これが「論告」であ
る。実務上、量刑についての意見（求刑）も行っている。

　　被告人側の最終陳述　　論告が終わった後、被告人・弁護人も意見を
述べることができる（法293条2項）。これを「最終陳述」という（規則211
条）が、実務的には、弁護人の陳述を「弁論」といい、被告人の陳述を
「最終陳述」と呼んでいる。

　　結　審　　被告人の最終陳述が終わると、審理が終結される。これを
「結審」という。

⑷　**判決の宣告**

　　結審の後、公判手続の最終段階として判決が言い渡される。判決は、
　　公判廷において、宣告により告知される（法342条）。

4　**公判期日外の証拠調べ**

　　例えば、証人が病気等のため公判期日に出頭できない場合、あるいは犯行
現場を検証する場合のように、公判期日では証拠調べを行うことができない
場合がある。そこで、法は、公判期日外に証拠調べを行う便法を認めている。
公判期日外における証人尋問としては、例えば、証人の入院先病院での証人
尋問がある。

684　第5編　公判手続と証拠開示

5　被告人の勾留と保釈

⑴　被告人の勾留

　被疑者の勾留（⟹ **設問43**、**3**）と同様に、被告人が罪を犯したことを疑うに足りる相当な理由がある場合で、かつ被告人が①住居不定のとき、②罪証隠滅のおそれがあるとき、③逃亡のおそれがあるときのいずれかに当たる場合に、裁判官（第1回公判期日まで）又は受訴裁判所（被告事件を審理すべき裁判所）は、被告人を勾留できる（法60条1項）。

⑵　保　釈

　一定額の保証金（保釈保証金）の納付を条件として、勾留の執行を停止し拘禁状態から解放する制度のことをいう。被告人の勾留について認められ、被疑者の勾留には認められない。

　勾留されている被告人・弁護人・法定代理人・保佐人・配偶者・直系親族・兄弟姉妹は、保釈を請求することができる（保釈請求　法88条1項）。保釈請求があったときは、原則としてこれを許さなければならない（**権利保釈**　法89条本文）が、次の権利保釈の例外に該当する場合は、裁判所の裁量によって保釈の可否が判断される（裁量保釈　法90条）。

法89条
①死刑又は無期若しくは短期1年以上の拘禁刑に当たる罪を犯したものであるとき。
②前に、死刑、無期又は長期10年を超える拘禁刑に当たる罪につき有罪宣告を受けたことがあるとき。
③常習として長期3年以上の拘禁刑に当たる罪を犯したものであるとき。
④罪証隠滅のおそれがあるとき。
⑤被害者その他事件の審判に必要な知識を有すると認められる者若しくはその親族の身体・財産に害を加え、又はこれらの者を畏怖させる行為をするおそれがあるとき。
⑥被告人の氏名又は住居が分からないとき。

⑶　裁量保釈における考慮事項

　平成28年刑事訴訟法等改正（平成28年法律第54号）前は裁判所は適当と認めるときは、職権で保釈を許すことができる（改正前法90条）とされていたが、同改正により、裁判所は、<u>保釈された場合に被告人が逃亡し又は罪証を隠滅するおそれの程度のほか、身体の拘束の継続により被告人が受ける健康上、経済上、社会生活上又は防御の準備上の不利益の</u>

公判手続の基本知識　設問66　*685*

程度その他の事情を考慮し、適当と認めるときは、職権で保釈を許すことができる（法90条）とされ（平28.6.23施行）、裁量保釈の判断に当たっての考慮事項が明確化された。これは、実務上確立している解釈を明記することによって、法文の内容をできる限り明確化し、国民に分かりやすいものにするとの観点から、前記のアンダーライン部を法文に追記したもので、現状の運用を変更しようとしたものではない。

6　保釈中の被告人の公判期日等への出頭、裁判の執行を確保する制度

保釈中の被告人の国外逃亡事案が発生するなどの事態を受け、令和5年刑事訴訟法等改正により、公判期日等への出頭及び裁判の執行を確保するための規定の整備がなされた。

具体的な改正（新設）事項と施行期日は次のとおりである。

①公判期日への出頭罪等の新設（保釈中又は勾留執行停止中の被告人の公判期日への不出頭を処罰する規定（法278条の2　令和5年11月15日施行）・制限住居から離脱した行為を処罰する規定（法95条の3　前同日施行）・保釈等の取消し・失効後に被告人が出頭命令に違反した行為を処罰する規定（法98条の2等　前同日施行）等）、②保釈等をされている被告人に対する報告命令制度の新設（法95条の4等　前同日施行）、③保釈等をされている被告人の監督者を裁判所が選任できる制度の新設（法98条の4等　令和6年5月15日施行）、④拘禁刑以上の実刑判決を受けた者等について、裁判所の許可なく出国してはならないとする制度の新設（法342条の2　令和7年5月15日施行）、⑤位置測定端末（ＧＰＳ）により保釈されている被告人の位置情報を取得する制度の新設等（法98条の12　令和10年5月16日までに施行）である。

なお、⑥刑の言渡しを受けた者が国外にいる間、刑の時効が停止する制度（刑法33条2項）も新設され、令和5年刑事訴訟法等改正法の公布（令和5年5月17日）と同時に施行された。

第5編　公判手続と証拠開示

3 刑事免責制度

1 刑事免責制度の意義

　刑事免責制度とは、検察官の請求に基づいて、裁判所の決定により、免責を与える条件の下で、証人にとって不利益な事項についても証言を義務付けることができる制度であり、平成28年刑事訴訟法等改正により導入された（法157条の2、157条の3　平30.6.1施行）。

2 刑事免責決定

　裁判所は、検察官の請求に基づいて、

- (ア)　証人尋問によって得られた供述及びこれに基づいて得られた証拠（派生証拠）は、原則として、証人の刑事事件において不利益な証拠とすることができない、
- (イ)　証人は、その証人尋問において、法146条の規定（憲法38条1項に基づく証言拒絶権）にかかわらず、自己が刑事訴追を受け又は有罪判決を受けるおそれのある証言を拒絶することができないとの条件により証人尋問を行う旨の決定（免責決定）を行う。

3 刑事免責を求めることができる場合

　証人尋問の開始の前後を問わず、免責決定及び免責決定の請求を行うことができる。

　証人尋問の開始前であれば、検察官は、証人が刑事訴追を受け又は有罪判決を受けるおそれのある事項についての尋問を予定している場合であって、「当該事項についての証言の重要性、関係する犯罪の軽重及び情状その他の事情を考慮し、必要と認めるとき」に、免責決定を請求でき、裁判所は、尋問すべき事項に刑事訴追を受け又は有罪判決を受けるおそれのある事項が含まれないと明らかに認められる場合を除き、免責決定をするものとされる（法157条の2）。

　証人尋問開始後であれば、検察官は、証人が刑事訴追を受け、又は有罪判決を受けるおそれのある事項についての証言を拒んだと認める場合、「当該事項についての証言の重要性、関係する犯罪の軽重及び情状その他の事情を考慮し、必要と認めるとき」に、それ以後の証人尋問について免責決定を請

求でき、裁判所は、証人が証言を拒んでいないと認められる場合や尋問すべき事項に刑事訴追を受け、又は有罪判決を受けるおそれのある事項が含まれないと明らかに認められる場合を除き、免責決定をするものとされる（法157条の3）。

参考図8　第1審の公判手続の流れ

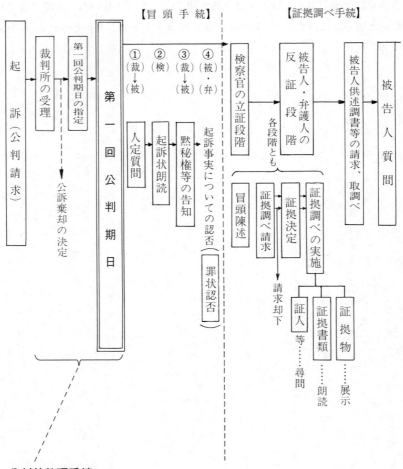

公判前整理手続
第1回公判前において事件の争点整理等を行う準備手続（⟹**設問67**参照）

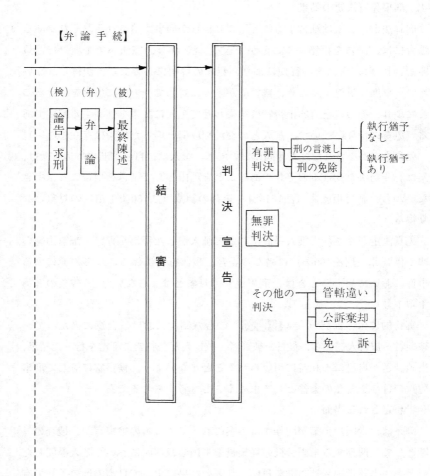

690　第5編　公判手続と証拠開示

4　刑事免責決定の効果

　刑訴法上、証人は証言することにより自らが刑事訴追されるおそれがある場合には、証言を拒絶することができる（法146条、憲法38条1項（自己負罪拒否特権））が、その行使により、犯罪の解明に必要な証言が得られないという事態に対処するため、裁判所が証人に対して一方的に免責を与えることにより、その自己負罪拒否特権を失わせて証人に証言を強制する制度である（免責の付与について、証人との交渉や取引といった要素は存在しない）。

　免責決定がなされた証人尋問においては、証人は、自己が刑事訴追を受け、又は有罪判決を受けるおそれのあることを理由として証言を拒むことはできないから、証言拒絶罪（法161条）、過料の制裁（法160条1項）の対象となり得る。

　免責決定がなされた証人尋問において証人がした行為が宣誓・証言拒絶の罪や偽証罪（刑法169条）に当たる場合、当該行為に係るこれらの罪に係る事件において用いるときは、刑事免責の対象とはならない（法157条の2第1項1号）。

　実務的には、前記（⟹ 設問44）の合意制度における合意に当たって、被疑者・被告人側から、後日、被疑者・被告人が公判廷で証言を行った結果、当該証言が自己に不利益に用いられることがないよう、検察官に対して刑事免責の付与を合意の条件として求めることも考えられるであろう。

5　想定される場面

　例えば、米国の企業が関与する事案において、日本の検察官が、捜査の一環として、関与する米国会社の従業員を米国の裁判所において証人尋問したいとき、当該米国会社の従業員は、証言の結果によって日本の刑事手続で有罪にされることを恐れて日本における刑事免責付与を条件として求めることがあり得る。

　このことは、ロッキード事件の捜査において現実に問題となった。東京地検検察官は、米国在住のロッキード社関係者であるコーチャン氏の米国裁判所での証人尋問の実施が必要と判断し、東京地裁裁判官に対し、法226条（公判前の証人尋問）に基づき、コーチャン氏の尋問を米国の管轄裁判所に嘱託されたい旨請求したところ、コーチャン氏は、日本の検察のみならず裁

判所も履行を保証する刑事免責を条件として求めた。そのため、日本の法律上は認められていないものではあったが、検事総長が、コーチャン氏が日本で将来訴追されることはない旨を宣明し、最高裁においても日本の検察が同検事総長の約束を履行する旨を宣明し、これを前提として、米国においてコーチャン氏の証人尋問が行われた。その後、日本で訴追されたロッキード事件刑事事件において、この証人尋問の結果を証拠として使うことができるか争われたが、同事件の最高裁判決においては、我が国では、刑事免責制度が刑訴法上立法政策として設けられていないことを理由に、米国の裁判所で行われたコーチャン証言は、証拠として採用できないとされた（最大判平7.2.22刑集49-2-1）。

このため、日本での刑事免責が付与されない限り証言しないと考えられる、米国等に在住する重要関係人に対して国際共助制度を利用した捜査を実施することは、非常に困難とされてきた。

しかし、平成28年刑事訴訟法等改正によって、我が国に刑事免責制度が導入されたことにより、前記のロッキード事件の例でいえば、東京地検検察官が、東京地裁に対し、法226条に基づいて、米国の裁判所における重要関係人の嘱託尋問を請求すると同時に、東京地裁から刑事免責の付与を得ておけば、そのことが、尋問嘱託時に伝えられ、日本での刑事訴追を恐れる関係人の証言を得ることが可能になる。このようにして、海外がらみの案件（クロスボーダー案件）の捜査が円滑に行えるようになると考えられる。

4 捜査手続と公判手続の違い

1 公判手続の特質

(1) 捜査手続段階では、被疑者は捜査官による取調べの対象であると観念されているが、公判手続段階では、被告人は審判の対象ではなく、検察官と**対等の訴訟の当事者**であると観念される。

(2) 捜査手続段階においては、捜査機関側の一方的な証拠収集活動に終始するのが通常であるが、公判手続段階では、被告人側も検察官と**対等**の立場で主張・立証、攻撃・防御をする。

(3) 捜査手続段階においては、関係者の名誉を尊重するとともに、証拠が

692　第5編　公判手続と証拠開示

隠滅されるのを防止するために捜査は隠密裡に行われるべきだとされる（これを「**捜査密行の原則**」という）が、公判手続段階では、裁判公開の原則があるため、「**公開主義**」が支配する。

(4)　捜査手続段階においては、迅速かつ能率的に、証拠の収集保全を遂げ犯人を特定し検挙しなければならないという合目的性の要請が強いため、捜査手続における捜査手段の選択、順序等については捜査機関の裁量に任される面が強い。しかし、公判手続段階では、手続的厳格性の要請が強く、その手続の順序、方法は法・規則等で細部にわたって定められている。

2　証拠の規制

捜査官が忘れてはならないことは、公判の裁判官・裁判員はその有罪・無罪の心証形成のために、捜査機関が心証形成に用いることができた証拠のうちのほんの一部の証拠しか用いることが許されていないということである。証拠として裁判官の心証形成に用い得る資格のことを「**証拠能力**」というが、公判手続では、この証拠能力について極めて厳格な制限が規定されている。

(1)　伝聞証拠の原則的禁止

例えば、捜査段階では、被疑者の内妻などから、被疑者の犯罪事実（覚醒剤の所持等）を現認した旨の通報、俗にいう「タレこみ」を受けることがあり、その供述内容を詳細に記載した供述調書等を疎明資料として、令状担当裁判官に見せ、逮捕状を得ることは可能である。しかし、公判においては、原則として、犯行を直接聞知・経験した者の法廷における証言しか証拠としない建前（伝聞証拠の禁止法則）があるので、その供述調書等は原則として裁判官の目に触れさせることが禁じられ、内妻が証人として出廷しない限りその供述は事実認定に利用できないのである（⟹ **設問57** 参照）。

(2)　違法収集証拠の排除

例えば、捜索令状もないのに、被疑者の自宅に立ち入り、その内部を捜索した結果、拳銃が発見された場合や、逮捕状もないのに、被疑者を逮捕し、その間に被疑者が殺人を詳細に自白し、その自白に基づいて死体も発見されたような場合、拳銃の存在や殺人の自白は、捜査官に被疑

者の有罪の心証を抱かせるに十分であるが、前者は「違法収集証拠」、後者は「違法収集自白」として、各証拠能力が否定され、裁判官の心証形成に用いることが禁止される場合がある（⟹ **設問63** 参照）。

> **アドバイス** 捜査官が証拠法について十分知識をもつべきこと
>
> 捜査官は、①捜査の過程で収集保全した証拠のどれが、どのような要件のもとに、公判の裁判官の目や耳に触れるのか、②どのような場合に証拠収集方法が違法とされるのか、その場合に収集された証拠（証拠物、供述）の証拠能力までも否定されるのかについて、十分な知識をもたなければならない。

5 訴因と公訴事実

1 訴因制度

起訴状で求められる記載　公訴の提起に当たって裁判所に提出される**起訴状**には、**公訴事実**を記載しなければならない（法256条2項2号）。そして、「公訴事実は、**訴因**を明示してこれを記載しなければならない。訴因を明示するには、できる限り日時、場所及び方法を以て罪となるべき事実を特定してこれをしなければならない」（同条3項）とされる（⟹ 犯罪事実の明示・特定については、**設問43**、**1** 4(2)参照）。

実務上、起訴状には、被告人を特定する記載の後に、**公訴事実**の標題で、犯罪事実（罪となるべき事実）が記載される例になっており、そこに記載されることになる具体的に特定された犯罪事実が**訴因**である。

とりあえず、**起訴状に書かれた具体的犯罪事実が訴因だと理解すればよ**い。

公訴事実と訴因の関係　「公訴事実」とは、社会的事実の中で、検察官が何らかの犯罪に該当すると考える生の事実（社会的事実）である。これに対して、「訴因」は、そのような生の社会的事実を、特定の構成要件に当てはめて、法律的に構成した具体的事実である。例えば、「甲が乙を死亡させた」という社会的事実は何らかの犯罪に該当すると考えられる、生の社会的事実であり、これが「**公訴事実**」である。この社会的事実を、特定の犯罪構成要件に当てはめて法律的に構成し具体的に特定した事実が

訴因である。例えば、「甲が殺意をもって乙をナイフで刺し殺害した。」との具体的事実に構成したのであれば、殺人の訴因であるし、これを「甲が傷害の意思で乙に暴行を加え死亡させた。」との事実に構成したのであれば、傷害致死の訴因となる。

訴因の拘束力　　当事者主義の下では、裁判所は、中立的な判断者の立場にあり、検察官の設定した訴因について有罪か無罪かを判断しなければならず、訴因と異なる事実を認定することは許されない。この意味で、裁判所は、検察官の掲げた訴因に拘束されるのであり、これを**訴因の拘束力**という。

被告人の防御への考慮　　検察官に訴因を掲げさせることによって、審判の対象・範囲を明確にさせ、被告人の防御に不利益を与えないようにすることも、訴因制度の目的の一つである。

2　訴因変更

⑴　訴因変更制度の必要性

どうして訴因変更が必要か　　訴因の変更とは、起訴状に記載している訴因の内容を変えることである。

起訴状に記載された当初の訴因は、起訴段階の検察官の手持ち証拠によって構成された事実であるから、公判の審理が進むにつれて、公判で取り調べられた証拠と訴因が食い違ってくることがある。例えば、令和〇年〇月10日、東京都内において甲を殺害したとする訴因（訴因①とする）で起訴したところ、公判審理の中で、その殺害日時場所が、令和〇年〇月8日、埼玉県内と分かった場合である。

この場合、訴因が変更できないとすると、裁判所は、当初の訴因について有罪・無罪の判断をするしかないので、上記例では訴因①について無罪判決を余儀なくされる。その場合、令和〇年〇月8日、埼玉県内での甲殺害の訴因（訴因②とする）で再起訴できるとしても、訴因①の裁判で積み重ねてきた訴訟手続が無駄になり、訴訟経済に反する。

しかし、無制限に訴因変更が許されるならば、それまでの訴訟手続と無関係な訴因が突如審理されることになり、不都合なことは明らかであろう。

そこで、旧訴因Ａと新訴因Ｂを比べ、両者が一定の範囲内にある場合に

は、訴因Ａが審理される裁判手続の中で、訴因Ａを訴因Ｂに変更できることとし、裁判所は訴因Ｂについて判断することを可能にした（前記例では、訴因①の裁判手続中で、訴因①を訴因②に変更できることとし、令和○年○月８日、埼玉県内での甲殺害の訴因について判決を出せるようにした）。

⑵ 訴因変更が許される限界（訴因変更の可否）

公訴事実の同一性　　訴因変更が許される限界について、裁判所は、検察官の請求があるときは、「**公訴事実の同一性**を害しない限度において」許さなければならない（法312条１項）。

旧訴因Ａと新訴因Ｂを比べて、両者が「公訴事実の同一性」の範囲内にあるときは訴因変更が許され、「公訴事実の同一性」の範囲を外れているときは、訴因変更はできない（訴因Ｂで処罰したいときは、別途起訴しなければならない）。

「公訴事実の同一性」の範囲内にあるかどうかは、訴因Ａと訴因Ｂの関係をみたときに、両者を訴訟において実質的に同一事件として取り扱い、同一手続の中で審理・決着させるのが相当といえるかとの観点から決められる。

訴因が公訴事実の同一性の範囲内にある場合は、一つの訴訟手続の中で審理され決着をつけられるべきだとの考え（一事件一手続の原則）は、二重起訴禁止規定（法338条３号）や、確定判決の既判力（法337条１号）においても適用されており、訴因変更の場面でも、同様の考え方をとることは合理的であろう。

実体法上の一罪に当たる場合　　実体法上の罪数論において、訴因Ａと訴因Ｂが、例えば、常習犯等のような**本来の一罪関係**にある場合はもちろん、**科刑上一罪（牽連犯、観念的競合）**に当たる場合も、当然に一事件として取り扱うべきものであって、同一手続内で審理決着をつけなければならないことも当然であるから、公訴事実の同一性の範囲内にあることは明らかであり、訴因変更は許される（訴因相互が罪数論上一罪関係にある場合を、「**公訴事実の単一性**」があるということもある）。

基本的事実が同一である場合　　Ａ訴因の事実とＢ訴因の事実が「**基本的な事実関係**」を同じくしていれば、両者は公訴事実の同一性の範囲内

696　第5編　公判手続と証拠開示

にあるとするのが判例の立場であり、**「基本的事実同一説」**と呼ばれる。具体的には、日時、場所、犯行方法、被害者、被害物件等の近接性、共通性、同一性の有無・程度などを考慮して決められるほか、**判例は、「両立する関係か、択一関係か」という基準を示している。**

　これは、A訴因とB訴因を対比してみて、これらが両立しない関係（択一関係）にある場合には公訴事実の同一性があるが、逆に、これらが両立する場合には公訴事実の同一性はないというものである。両立しない場合の例としては、旧訴因（馬の売却代金の横領）と新訴因（当該馬の窃盗）について、犯行場所、行為態様に多少の相違があるが、被害者を同一にし特定の物あるいはその物の換価代金の不法領得行為であることに変わりなく、一方が有罪になれば、他方がその不可罰的事後行為として不可罰となる関係にあり、両事実間には、基本的事実関係が同じと評されるとして、公訴事実の同一性があるとした事案（最決昭37.3.15刑集16-3-274）がある。両立する場合の例としては、旧訴因（○月30日ころ、自宅において、Bが銅板を窃取するに当たって、リヤカーを貸したという窃盗幇助）と新訴因（○月31日ころ、自宅において、Bが他から窃取してきた銅板をその情を知って買い受けたという贓物故買）は、併合罪の関係にあり、その間に公訴事実の同一性はないとした事案（最判昭33.2.21刑集12-2-288）がある。

　これは、**基本的事実関係が同一で、両立しない訴因は、訴訟上同一事件として取り扱い、同一手続の中で審理・決着させるべきである**が、基本的事実は共通していても両立する訴因は、別途起訴すれば足り、同一手続中で審理決着をつける必要はないというものであり、実務的にも首肯できる。

⑶　訴因変更の要否

　訴因の事実と証拠関係から認定できる事実が、わずかしか食い違わない場合には、訴因変更しないまま、判決できるかということである。

　判例の考えは、以下のとおりである。

①　事実の差異が、犯罪の構成要件に変化を生じる場合は、被告人の防御に影響を及ぼすから、原則として訴因変更を要する。

②　事実の差異が犯罪の構成要件に変化をもたらす場合であっても、裁判

所の認定する事実が訴因の中に含まれている場合（例えば、強盗を恐喝に変更するように、訴因を縮小的に認定する場合）には、被告人の防御に不利益を生じることがないから訴因の変更を要しない（「**大は小を兼ねる**」の理論）。

③　犯罪構成要件には変更がなく、犯罪の日時・場所・被害金額等が変わる場合、わずかの相違であって被告人の防御に不利益を生じないときは、訴因変更は必要ない。

また、実行行為者が「被告人」との訴因に対し、裁判所が、訴因の変更がないまま、「Ａ又は被告人あるいはその両名」と認定したとしても、被告人がＡとの共謀及び実行行為への関与を否定し、実行行為者は被告人である旨のＡ証言につき自己の責任を被告人に転嫁するものである旨の主張をするなどしていた場合には、違法とはいえないとした事案がある（最決平13.4.11刑集55-3-127）。

⑷　**訴因の追加、撤回など**

訴因の追加とは、当初訴因Ａ（例えば、窃盗）を維持したまま、公訴事実の同一性の範囲内の別の訴因Ｂ（同機会の住居侵入）を付け加えることである。**訴因の撤回**とは、当初訴因Ａ＋Ｂ（例えば、窃盗及び同機会の住居侵入）について、公訴事実の同一性を害しない限度で、訴因Ｂ（住居侵入）を公訴事実から除外することをいう。

訴因の追加・撤回・変更は、第一次的には、検察官の請求によってなされる（法312条１項）。訴因変更等は、裁判所の許可によってはじめて効力を生じる。

6　裁判員裁判

1　意義と目的

裁判員裁判とは、選挙権をもつ国民の中から抽選で選ばれた裁判員６人が、裁判官３人とともに一定の事件を審理し、事実認定とともに刑の量定を行い、判決に至るまでの裁判の全過程に参加する我が国独特の制度であり、平成21年５月21日から施行されたものである。

同制度導入の目的は、国民が司法に参加し、裁判内容に国民の感覚が反映

698 第5編 公判手続と証拠開示

されることによって刑事裁判への国民の理解と支持が一層深まり、司法がより強固な国民的基盤を得ることにあると考えられる（裁判員の参加する刑事裁判に関する法律（裁判員法）1条参照）。

同制度を円滑に実施するためには、審理に参加する一般の国民に過度の負担をかけないように配慮が求められる（裁判員法51条）ため、審理においては連日的開廷が求められるとともに、検察官等の主張・立証については、迅速で、分かりやすく、ポイントを押さえたものであることが期待されている。

公判前整理手続が義務的　そのため、裁判員裁判対象事件については、争点整理等が十分行われることが期待され、公判前整理手続を行うことが義務付けられている（裁判員法49条）。

公判前整理手続に付された事件は、同手続の中で、証拠請求から証拠決定まで終了することとされており、同手続が終了後には、やむを得ない事由によって当該手続において請求できなかったものを除いては、新たに証拠調べを請求することはできないとの**立証制限**を受ける（法316条の32第1項）。検察官は、起訴後、短期間のうちに証拠請求すべき証拠に漏れがないかどうかなどを点検する必要があるので、捜査官においても、協力する必要がある（⟹ 設問67、2）。

また、一般事件では被告人側の冒頭陳述は義務とされていない（規則198条1項）が、公判前整理手続に付された事件については、検察官の冒頭陳述に引き続いて、被告人側も冒頭陳述を行うべき義務がある（法316条の30）。

捜査実務への影響　前記したように、検察官等は、一般国民である裁判員が、法廷で「見て、聞いた」だけできちんと心証が得られるよう、分かりやすく、ポイントをついた主張や立証を行うことが不可欠になった。そのため、法廷で用いられる実況見分調書などの捜査書類も、裁判員に対しいかに容易に理解させられるかという観点から、表現ぶりや体裁等を工夫する必要も出てきたし、捜査員が証人出廷する際も、裁判員にいかにして実務を理解してもらえるかという観点で証言する必要が出てきた。

2　裁判員裁判対象事件

裁判員法は、対象事件として、①死刑又は無期拘禁刑に当たる罪の事件、

②法定合議事件であって、故意の犯罪行為により被害者を死亡させたものの二種類を規定している（裁判員法2条1項）。

①は、多くの凶悪事件が該当するが、刑法犯では通貨偽造・同行使、現住建造物放火が該当するほか、刑法犯以外でも覚醒剤の営利目的密輸や、ジアセチルモルヒネ等の営利目的密輸等も含まれる。

②の法定合議事件とは、死刑又は無期若しくは短期1年以上の拘禁刑に当たる罪（刑法236条、238条、239条及びその未遂罪、暴力行為等処罰に関する法律1条の2第1項若しくは2項又は1条の3第1項並びに盗犯等の防止及び処分に関する法律2条又は3条の罪を除く）をいう。このうち、故意の犯罪行為により被害者を死亡させたという条件に合致する罪種としては、例えば、傷害致死、危険運転致死がある。なお、危険運転致死については、刑法208条の2に規定されていたもの（裁判員裁判対象事件）が、新たに制定された「自動車の運転により人を死傷させる行為等の処罰に関する法律」の2条1号ないし5号として規定されることになったほか、新たな類型の危険運転致死も新設された（同条6号＝裁判員裁判対象事件、同法3条＝裁判員裁判非対象事件）。

3　裁判員裁判の合憲性

　裁判員制度が、憲法31条、76条3項、18条等に違反するとして合憲性が争われた事案について、最高裁は、裁判員制度は裁判官の職権行使の独立性を侵すことはなく、国民の裁判員としての司法参加も「苦役」に該当しないことなどを理由に、その合憲性を認めた（最大判平23.11.16刑集65-8-1285）。

7　被害者参加制度

1　意義と目的

　犯罪被害者等（犯罪等により被害を被った者及びその家族及び遺族をいう。犯罪被害者等基本法2条2項）は、刑事訴訟の当事者ではないが、事件の当事者であり、その心情を刑事訴訟手続においても、十分尊重する必要があるとの観点から、犯罪被害者等の中の一定の者については、被害者参加人として、法廷内に在席し、一定の要件の下に、被害者参加人自らが被告人や証人に質問し、求刑を含めた意見を陳述できることにした。これが被害者参加制

度であり、平成20年12月1日から施行された。

2 被害者参加の手続

参加申出ができる者　殺人、傷害等の故意の犯罪行為により人を死傷させた罪、業務上過失致死傷の罪に係る事件等（法316条の33第1項各号）の被害者等若しくは当該被害者の法定代理人又はこれらの者から委託を受けた弁護士が参加申出をすることができる（同条1項本文）。

ここで「被害者等」とは、「被害者又は被害者が死亡した場合若しくはその心身に重大な故障がある場合におけるその配偶者、直系の親族若しくは兄弟姉妹」をいう（法290条の2第1項括弧書）。

参加申出の手続　裁判所は、上記の参加申出ができる者から、被告事件の刑事手続への参加の申出があるときは、被告人又は弁護人の意見を聴き、犯罪の性質、被告人との関係その他の事情を考慮し、相当と認めるときは、決定で、当該被害者等又は当該被害者の法定代理人の被告事件の手続への参加を許す（法316条の33第1項）。

申出は、あらかじめ、検察官にしなければならず、この場合において、検察官は、意見を付して、これを裁判所に通知する（同条2項）。

3 被害者参加人の具体的権利

① 裁判所が不相当とする場合以外、公判期日に出席することができる（法316条の34）。

② 被告事件についての検察官の権限行使に関し、意見を述べ、説明を受けることができる（法316条の35）。

③ 情状に関する事項についての証言の証明力を争うために必要な事項について、証人を尋問することができる（法316条の36）。

④ 意見の陳述をするために必要があると認められる場合に、被告人に質問をすることができる（法316条の37）。

⑤ 証拠調べが終わった後に、訴因の範囲内で、事実又は法律の適用について、意見を陳述することができる（法316条の38）。

公判手続の基本知識　設問66　　*701*

8 証人等保護のための制度

1 証人等の氏名及び住居の開示に係る措置の導入（平28.12.1施行）

⑴ **平成28年刑事訴訟法等改正前の状況**

　　検察官、被告人又は弁護人は、証人、鑑定人、通訳人又は翻訳人の尋問を請求するについてはその氏名及び住居を知る機会を、証拠書類又は証拠物（「証拠書類等」という）の取調べを請求するについてはこれを閲覧する機会をそれぞれ相手方に与えなければならない（法299条1項）とされており、改正前は、検察官としては、相手方に、それらの機会を与えることにより証人その他の者に対して加害行為等がなされるおそれがある場合であっても、弁護人に対して、それらの機会を与えた上で、一定の事項が被告人等に知られないように配慮や秘匿を求めることができるにとどまっていた（法299条の2、299条の3）。

⑵ **平成28年刑事訴訟法等改正**

　　同改正によって、検察官は、証人等の氏名、住居の開示に関し、証人等の氏名等の情報を保護するための措置を講じることができるようになった（氏名又は住居のいずれか一方についてのみとることも、その双方についてとることも可能）。すなわち、検察官は、一定の場合に、次の措置をとることができるようになった。

ア　法299条1項により、**証人、鑑定人、通訳人又は翻訳人の氏名・住居**を知る機会を与えるべき場合

　① 弁護人に対して、当該氏名及び住居を知る機会を与えた上で、当該氏名又は住居について、被告人に知らせてはならない旨の条件を付す等の措置（法299条の4第1項　条件付与等の措置）

　② 被告人及び弁護人に対して、当該氏名又は住居を知る機会を与えないこととした上で、氏名にあってはこれに代わる呼称を、住居については、これに代わる連絡先をそれぞれ知る機会を与える措置（同条2項　代替的呼称等の開示措置）

イ　法299条1項により、**証拠書類又は証拠物**を閲覧する機会を与えるべき場合

702　第5編　公判手続と証拠開示

　　（**書証**とは、記載内容が証拠資料となる書面のことであり、書証の
　うち記載内容だけが証拠となるものが**証拠書類**といわれ、この中に**供
　述調書（供述録取書）**も含まれる。記載内容とともにその存在・状態
　も証拠となるものは、証拠物たる書面といわれる。供述録取書とは、
　供述を録取した書面で供述者の署名若しくは押印があるもの又は映像
　若しくは音声を記録できる記録媒体であって供述を記録したものをい
　う）。

①　弁護人に対して、証拠書類又は証拠物を閲覧する機会を与えた上
　で、証拠書類又は証拠物に氏名若しくは住居が記載され若しくは記
　録されている者であって検察官が証人、鑑定人、通訳人、若しくは
　翻訳人として尋問を請求するもの若しくは供述録取書等の供述者
　（以下「検察官請求証人等」という）若しくは検察官請求証人等の
　親族の身体若しくは財産に害を加え、又はこれらの者を畏怖させ若
　しくは困惑させる行為がなされるおそれがあると認めるときは、弁
　護人に対し、検察官請求証人等の氏名又は住居について、被告人に
　知らせてはならない旨の条件を付す等の措置（同条6項　条件付与
　等の措置）。

②　被告人及び弁護人に対して、証拠書類又は証拠物のうち検察官請
　求証人等の氏名又は住居が記載され、又は記録されている部分につ
　いては閲覧する機会を与えないこととした上で、氏名にあってはこ
　れに代わる呼称を、住居については、これに代わる連絡先をそれぞ
　れ知る機会を与える措置（同条8項　代替的呼称等の開示措置）

前記ア、イいずれの場合であっても、条件付与等の措置をとるためには、

(a)　証人等若しくはその親族の身体・財産に害を加え、又はこれらの
　者を畏怖・困惑させる行為がなされるおそれがあると認めること

(b)　証人等の供述の証明力の判断に資するような被告人その他の関係
　者との利害関係の有無を確かめることができなくなるとき、その他
　の被告人の防御に実質的な不利益を生ずるおそれがあるときでない
　ことが必要である（法299条の4第1項、6項）。

代替的呼称等の開示措置をとるためには、(a)(b)に加えて、(c)条件付与等

公判手続の基本知識　設問66　　*703*

の措置によっては、前記イ①の加害等の行為を防止できないおそれがある
と認められることが必要である（同条2項、7項）。

　なお、裁判所は、検察官が前記措置をとった場合において、所定の要件
を満たさないと認めるときは、被告人・弁護人の請求により、決定で、当
該措置の全部又は一部を取り消さなければならない（法299条の5第1項）。
この決定に対しては、即時抗告が可能である（同条6項）。

2　公開の法廷における証人等の氏名等の秘匿措置の導入（平28.12.1施行）

　平成28年刑事訴訟法等改正前は、性犯罪等の被害者等についてのみ、氏名
等の被害者特定事項を公開の法廷で明らかにしないで訴訟手続をすることが
できた（法290条の2第1項）。

　しかし、同改正によって、被害者以外の証人等（証人、鑑定人、通訳人、
翻訳人又は供述録取書等の供述者をいう（法290条の3第1項））についても、
次の①及び②の場合に、証人等からの申出があるときは、裁判所は、検察官
及び被告人又は弁護人の意見を聴き、相当と認めるときは、**証人等特定事項**
（氏名及び住居その他の当該証人等を特定させることとなる事項）の秘匿決
定を行い、証人等の氏名等の被害者特定事項を公開の法廷で明らかにしない
で訴訟手続をすることができるようになった（法290条の3等）。

①　証人等特定事項が公開の法廷で明らかにされることにより証人等若し
　くはその親族の身体・財産に害を加え又はこれらの者を畏怖・困惑させ
　る行為がなされるおそれがあると認めるとき（同条1項1号）。

②　証人等特定事項が公開の法廷で明らかにされることにより証人等の名
　誉又は社会生活の平穏が著しく害されるおそれがあると認めるとき（同
　項2号）。

3　ビデオリンク方式による証人尋問の拡充（平30.6.1施行）

　ビデオリンク方式とは、法廷とは別な場所に証人を在席させ、法廷内の訴
訟関係人等がテレビモニターを用いて証人の姿を見ながら、マイクを通じて
証人尋問を行うことである。平成28年改正前は、同方式の証人尋問の対象を、
性犯罪の被害者である証人に限定し、かつ、証人が裁判官等の在席する場所
と同一構内の別室に出頭して、裁判官等の在席する場所との間をビデオリン
クでつなぐ方式に限って認められていた。平成28年改正により、同方式の証

704 第5編　公判手続と証拠開示

人尋問の対象を性犯罪の被害者以外の証人にも拡大するとともに、方式に関しても、次の①ないし④の場合には、裁判所は、相当と認めるときは、検察官及び被告人又は弁護人の意見を聴き、証人が裁判官等の在席する場所と同一構内以外に出頭して、裁判官等の在席する場所との間をビデオリンクでつなぐ方式で、証人尋問を行うこともできるようになった（法157条の6第2項）。

①　犯罪の性質、証人の年齢、心身の状態、被告人との関係その他の事情により、証人が同一構内に出頭するときは精神の平穏を著しく害されるおそれがあると認めるとき（同項1号）。

②　同一構内への出頭に伴う移動に際し、証人の身体・財産に害を加え、又は証人を畏怖・困惑させる行為がなされるおそれがあると認めるとき（同項2号）。

③　同一構内への出頭後の移動に際し、尾行等の方法で証人の住居・勤務先等が特定されることにより、証人若しくはその親族の身体・財産に害を加え、又はこれらの者を畏怖・困惑させる行為がなされるおそれがあると認めるとき（同項3号）。

④　証人が遠隔地に居住し、その年齢、職業、健康状態その他の事情により、同一構内に出頭することが著しく困難であると認めるとき（同項4号）。

9　即決裁判手続

1　即決裁判手続の問題点

　刑事手続の合理化・効率化を図るため、争いのない軽微な事件について、簡易な手続で迅速に裁判を行うことができる制度として、平成18年から、即決裁判手続が、施行されていた。この制度を利用しようとする検察官は、被疑者の同意等を得た上で、公訴提起と同時に、即決裁判手続の申立てをし、裁判所は、その申立てがあった場合には、速やかに公判期日を開き、その手続において、被告人が有罪の陳述をしたときは、特段の事情がない限り、この手続によって審判することを決定し、簡易な方法による証拠調べをし、原則として即日判決を言い渡さなければならない。被告人が否認に転じた場合

公判手続の基本知識　設問66　*705*

や、被告人や弁護人が即決裁判手続で行うことについて同意を撤回した場合などには、裁判所は、即決裁判手続の申立てを却下し、通常の公判手続をとることになる。

2　即決裁判手続を利用しやすくするための措置の導入（平28.12.1施行）

このような理由で即決裁判手続によらないこととなった場合であっても、検察官が、公訴を取り消せば再起訴が制限されるので、公訴を取り消して捜査をやり直すことができず、不十分な証拠で公判対応をしなければならなくなるおそれがあったため、即決裁判手続が相当な簡易な自白事件であっても、起訴前に念のための捜査を余儀なくされるとの問題があった。そこで、平成28年刑事訴訟法等改正によって、即決裁判手続の対象となり得る簡易な自白事件について、即決裁判手続の申立てがなされた後に被告人が否認に転じるなどして同手続によらないことになった場合に、公訴を取り消し、再捜査・再起訴できるようにした（法350条の26）。

これによって、即決裁判手続申立前の捜査を合理化・効率化し、同手続を利用しやすくした。

設問67 公判前整理手続における証拠開示

設 問

　居酒屋甲店で、飲食中の被告人Aと隣席の客Bが口論になり、Aが隠し持っていたナイフでBの胸を刺して即死させた。警察はAを逮捕して検察官に送致し、検察官がAを殺人罪で公判請求したところ、公判前整理手続に付された。
　検察官が、公判前整理手続において、取調べ請求した証拠は次のとおりである。
　(a)現場に遺留されていたナイフ（以下「本件ナイフ」という）、(b)本件ナイフに付着していた血液・指紋、その血液が被害者Bの血液型と一致する旨の血液型鑑定書、その指紋が被告人Aの指紋と一致する旨の指紋対照結果報告書、(c)甲店内の検証調書、(d)甲店の別の席で犯行を目撃した客Cの犯行目撃状況についての検察官面前調書、(e)被告人Aの身上に関する警察官面前調書、犯行状況に関する検察官面前調書（自白）。

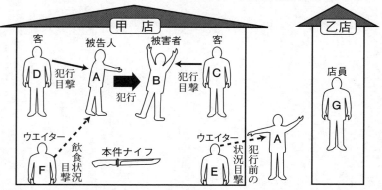

(1)　弁護人は、検察官が取調べ請求した証拠の証明力を検討するための「**類型証拠**」として、以下の証拠の開示を求めた。これらが存在する場合、検察官は開示要求に応じなければならないか。
　①　本件に関し甲店内で採取された指紋の**指紋原紙**
　②　本件ナイフに付着した他の指紋と被告人Aの指紋との**指紋対照**

結果報告書

③ 本件ナイフに付着した血液のＤＮＡ型と被害者Ｂの血液のＤＮＡ型との異同に関する**ＤＮＡ型鑑定書**

④ (ア) 本件に関し甲店内で実施された他の**検証調書・実況見分調書・**これらに準ずる**写真撮影報告書**

　　(イ) 本件に関し甲店内を撮影した**写真**

⑤ 本件現場から採取され血痕が付着した物件、この血痕と被告人Ａの血液との血液型の異同に関する**鑑定書**

⑥ (ア) 本件に関して作成された客Ｃの他の**供述調書**

　　(イ) 客Ｃが別件の窃盗事件に関し被害者として供述し作成された**供述調書**

　　(ウ) 捜査員が客Ｃから聴取した結果を記載した**捜査報告書**

⑦ (ア)犯行時に甲店内にいた他の客Ｄ（犯行を目撃）の**供述調書**、(イ)ウエイターＥ（犯行は目撃していないが、Ａが入店時に別の客と口論していた状況を目撃）の**供述調書**、(ウ)ウエイターＦ（犯行は目撃していないが、Ａが甲店内で飲食していた状況を目撃）の**供述調書**

⑧ Ａが甲店に来る前に立ち寄った居酒屋乙店でのＡの飲食状況を供述する乙店店員Ｇの**供述調書**

⑨ (ア) 本件に関する被告人Ａの他の**供述調書**

　　(イ) 本件以前に犯した酒気帯び運転に関する被告人Ａの**供述調書**

　　(ウ) 捜査官が被告人Ａからの聴取結果を記載した**捜査報告書**

⑩ 被告人Ａの**酒気帯び鑑識カード**

⑪ 本件直後の被告人Ａの負傷状況を撮影した**写真、診断書**

(2) 検察官請求証拠と類型証拠の開示を受けた弁護人が、「(ア)被告人Ａは、甲店に立ち寄る前に寄った乙店で多量に飲酒し、甲店でも多量に飲酒したため、犯行当時、高度に酩酊しており心神耗弱であった、(イ)犯行直前にＢがコップでＡの顔を殴打し出血させたので、Ａはやむを得ず反撃したもので正当防衛であった、(ウ)被告人Ａの警察における自白は、取調べを担当した警察官の威圧的な態度によって意に反してなされたものであり、その影響下でなされた検察官の取調べにおける自白も任意性がない。」旨主張を明らかにし、(1)で検察官が開示に応じないとした証拠を「**主張関連証拠**」として開示請

708　第5編　公判手続と証拠開示

> 求した。これについて検察官は、開示に応じなければならないか。

　公判前整理手続（平成17年11月から実施）に伴い同手続における新たな証拠開示ルールができ、証拠開示の対象が従前に比べて大幅に拡大された（⟹**1**参照）。

　このルールに従って、弁護人に開示された証拠は、吟味点検され、被告人の防御のために活用される。このルールを知っておくことは、証拠収集に携わる捜査官にとっても必要不可欠かつ極めて有益である。

　本設問は、公判前整理手続における証拠開示ルールの基本的事項の理解を確認するためのものである。

◆解　答◆

　設問(1)について

　　　本問では、開示を求められた証拠が、法316条の15第1項各号（以下、同条について、本設問では、単に号数のみを記載することもある）の「**類型証拠**」に該当し、検察官請求証拠の証明力検討のため**重要性**があり、かつ、開示の**必要性**と開示した場合の**弊害**を考慮して開示が**相当**と認められるかどうかを検討すればよい（⟹**2**3(3)(イ)参照）。

　①　　（指紋原紙）　本件ナイフに付着した他の指紋…○（開示を要する。以下、本設問では同じ意味）、それ以外の店内から採取された指紋…×（開示不要。以下、本設問では同じ意味）

　　　いずれも類型証拠（1号・証拠物）に該当。本件ナイフに付着した他の指紋は、検察官請求証拠(b)（本件ナイフの指紋、同指紋と被告人の指紋との指紋対照結果報告書）の証明力を検討する上で重要性があり、開示の弊害はなく、開示相当。しかし、不特定多数の来客がある甲店内から採取された他の指紋は、不特定多数の者に由来すると考えられるので、検察官請求証拠(b)の証明力を検討する上で重要性がない（⟹「重要性」の意義については、**2**3(3)(イ)参照）。

　②　　（本件ナイフに付着した他の指紋と被告人の指紋との指紋対

照結果報告書）…○

　　類型証拠（４号・鑑定書等）に該当し、検察官請求証拠(b)の証明力（Ａが被害者Ｂを刺したことを推認）を検討するために重要（仮に、本件ナイフに被告人Ａの指紋と異なる指紋が付着していたら、同推認は妨げられる可能性がある）であり、開示の弊害がなく、開示相当。

③　（本件ナイフの血液と被害者の血液とのＤＮＡ型異同鑑定結果）…○

　　類型証拠（４号・鑑定書等）に該当し、検察官請求証拠(b)の証明力（本件ナイフが本件の凶器であることを推認）を検討するために重要であり、開示の弊害がなく、開示相当。

④　(ｱ)　（他の検証調書・実況見分調書・写真撮影報告書）…○

　　　　類型証拠（３号・捜査機関の検証調書等）に該当し、検察官請求証拠(c)（甲店内の検証調書）の証明力を検討するために重要と考えられ、開示の弊害がなく、開示相当。

　　(ｲ)　本件に関し甲店内を撮影した写真…○

　　　　類型証拠（１号・証拠物）に該当し、検察官請求証拠(c)の証明力を検討するために重要と考えられ、開示の弊害がなく、開示相当。

⑤　本件現場から採取された血痕が付着した物件、血液型鑑定書…×

　　類型証拠（１号・証拠物、４号・鑑定書等）には該当。しかし、現場に被告人の血液型以外の血痕が付着していた物件がある場合はもちろん、被告人の血液と同一血液型の血痕が付着する物件があったとしても、検察官請求証拠の証明力を左右する関係にはないと考えられ、重要性を欠く。

⑥　(ｱ)　犯行目撃者Ｃの本件に関して作成された他の供述調書…○

　　　　類型証拠（５号・証人、証人予定者の供述録取書等）に該当し、検察官請求証拠(d)（Ｃの検察官面前調書）の証明

力を検討する上で重要であり（犯行目撃状況等についての、供述変遷の有無やその程度は証明力を左右する関係にある）、ＣはＡと知人関係にもないと認められ、開示の弊害はなく、開示相当。

　(イ)　本件以外に関して作成されたＣの供述調書…×

　　　類型証拠（5号）には該当。しかし、本件に無関係な事項についての供述調書は重要性がない。

　(ウ)　捜査員が客Ｃからの聴取結果を記載した捜査報告書…×

　　　形式上、同報告書は捜査員の供述書であってＣの供述書ではない。実質的にこれをＣの供述録取書としてみたとしてもＣの署名・押印を欠いているので、類型証拠（5号・供述録取書等）に非該当（⟹**2** 3 (3)(ウ)(e)参照）。

⑦　(ア)　犯行時に甲店内にいた他の客Ｄ（犯行を目撃）の供述調書…○

　　　検察官は、検察官請求証拠(d)（Ｃの検察官面前調書）によって、その犯行目撃状況を直接証明しようとしているところ、客Ｄの供述調書は、**内容的に同一場面、同一状況を供述するもの**であり、類型証拠（6号・検察官請求証拠により直接証明しようとする事実の有無に関する供述を内容とする参考人供述録取書等）に該当し、重要性も認められ、Ｄは被告人Ａと知人関係にもないと認められるから開示の弊害はなく、開示相当（⟹**2** 3 (3)(ウ)(f)参照）。

　(イ)　ウエイターＥ（犯行は目撃せず）の供述調書…×

　　　Ｃと同一場面、同一状況を供述するものではなく、類型証拠（6号）に非該当。

　(ウ)　ウエイターＦ（犯行は目撃せず）の供述調書…×

　　　Ｃと同一場面、同一状況を供述するものではなく、類型証拠（6号）に非該当。

⑧　乙店でのＡの飲食状況を供述する乙店店員Ｇの供述調書…×

　Ｃと同一場面、同一状況を供述するものではなく、検察官請

求証拠(d)との関係では類型証拠（６号）に非該当。

⑨　(ｱ)　本件に関する被告人Ａの他の供述調書…○

類型証拠（７号・被告人の供述録取書等）に該当し、その供述の変遷等の有無・内容は、検察官請求証拠(e)（被告人の供述調書）の証明力を検討する上で重要であり、開示の弊害も認められず、開示相当（⟹ **2** 3 (3)(ｳ)(g)参照）。

(ｲ)　別件に関する被告人Ａの供述調書…×

別件に関する供述調書は本件と関連せず、重要性がない。

(ｳ)　捜査官が被告人Ａの聴取結果を記載した捜査報告書…×

形式的には上記報告書は捜査員の供述書であり、実質的にこれを被告人の供述を録取した書面としてみたとしてもその署名・押印を欠いているので、類型証拠（７号・被告人の供述録取書等）に非該当（⟹ **2** 3 (3)(ｳ)(e)参照）。

⑩　被告人Ａの酒気帯び鑑識カード…×

類型証拠（３号）に該当するが、本件について検察官請求証拠の証明力を左右する関係になく重要性を欠く。

⑪　本件直後の被告人Ａの負傷状況を撮影した写真、診断書…×

類型証拠（１号、４号）には該当するが、検察官請求証拠と関連するところがなく、その証明力を左右する関係になく重要性を欠く。

設問(2)について

本問では、開示を求められた証拠が、法316条の20の「**主張関連証拠**」としての開示の要件を備えているかを検討することになる。すなわち、(a)被告人又は弁護人が明らかにした主張に関連する証拠であるか（**関連性**）、(b)その関連性の程度・被告人の防御の準備のために開示をする必要性の程度、開示による弊害の内容・程度を考慮し、開示が相当と認められるか（**相当性**）の２つの要件が備わっているか検討すればよい（⟹ **2** 3 (4)(ｲ)参照）。

①　（指紋原紙）　本件ナイフ以外の甲店内から採取された指紋…×

弁護人のいずれの主張とも関連しない。

⑤　本件現場から採取され血痕が付着したコップ・その破片、その血痕と被告人Ａの血液型の異同についての血液型鑑定書…○

弁護人主張㈦（ＢがコップでＡの顔を殴打し出血させた）と関連し、被告人の防御の準備のため開示の必要性は強く（仮に、Ａの血液型と同一の血液型の血痕が付着したコップ又はその破片が現場に存在していれば、弁護人の主張が裏付けられる関係になる）、開示による弊害はなく、開示相当。

⑥　㈦　犯行目撃者Ｃの本件以外に関して作成された供述調書…×

記載事項からみて弁護人主張との関連性がない。

㈢　捜査員が客Ｃからの聴取結果を記載した捜査報告書…×

記載事項からみて弁護人主張との関連性がない。

⑦　㈦　ウエイターＥ（Ａが入店時に別の客と口論していたことを目撃）の供述調書…○

同供述調書には、口論の際のＡの言動について記載があり得、その記載があれば、当時のＡの酩酊状態を推認できる関係にあるから、弁護人主張㈠（Ａは酩酊）と関連性があり、開示の必要性もあり、開示の弊害も想定されないので、開示相当。

㈢　ウエイターＦ（Ａの飲食状況を目撃）の供述調書…○

同供述調書には、Ａの酩酊状態についての記載があり得るので、弁護人主張㈠（Ａは酩酊）と関連性があり、開示の必要性もあり、弊害も想定されないので、開示相当。

⑧　乙店でのＡの飲食状況を供述する乙店店員Ｇの供述調書…○

弁護人主張㈠（Ａは酩酊）と関連性があり、開示の必要性もあり、弊害も想定されないので、開示相当。

⑨　㈦　本件以前に犯した酒気帯び運転に関する被告人Ａの供述調書…×

本件と関連性がなく、弁護人の主張とも関連性なし。

(ｳ) 捜査官が被告人Ａの聴取結果を記載した捜査報告書…○

同捜査報告書は、取調べ状況についての捜査官の体験事実を記載した供述書であって弁護人主張(ｳ)（取調べ時の捜査官の威圧的態度）と関連し、関連性の程度も小さくなく、開示による弊害も少ないと認められるから、開示相当。

⑩ 被告人Ａの酒気帯び鑑識カード…○

弁護人主張(ｱ)（Ａは酩酊）と関連性があり、開示の必要性もあり、弊害も想定されないので、開示相当。

⑪ 本件直後の被告人Ａの負傷状況を撮影した写真、診断書…○

弁護人主張(ｲ)（ＢがＡを先に殴打）と関連性があり、開示の必要性もあり、弊害も想定されないので、開示相当。

1 証拠開示

1 証拠開示とは

証拠開示とは、事件が起訴された後、訴訟当事者（検察官、被告人、弁護人）、特に検察官が、手持ちの証拠（証拠書類及び証拠物）をあらかじめ相手方に閲覧・謄写させることをいう。

2 証拠開示ルール

(1) 取調べ請求証拠の開示

法は、「証拠書類又は証拠物の取調を請求するについては、あらかじめ、相手方にこれを閲覧する機会を与えなければならない」（法299条1項後段）としている。取調べ請求された証拠に対して、同意・不同意の意見を言う前提として、その開示が必要とされたのである。

この規定では、開示を義務付けられる証拠は、取調べを請求する意思の確定したものに限られるので、取調べをする意思のないもの、又は、取調べを請求するか否か未定のものを開示すべき法的義務はない。

この点につき、創設された公判前整理手続における証拠開示ルールによって証拠開示対象が拡大された（⟹**2**参照）。

714 第5編 公判手続と証拠開示

(2) 裁判長の訴訟指揮の一環として行われる証拠開示

　　最決昭44.4.25（刑集23-4-248）で示された基準に従って、第1回公判期日の後、審理が証拠調べ段階（検察官の冒頭陳述以降）に入った後、裁判長が訴訟指揮の一環として証拠の開示命令を出せるものとされていたが、基準の内容や開示のためのルールが必ずしも明確でなかったこともあって、開示の要否をめぐって紛糾することがあり、円滑な審理を阻害する要因の一つと指摘されることもあった。

2 公判前整理手続における証拠開示制度

1 迅速審理の必要性

　刑事裁判では、充実した審理を迅速に行うことが求められる。特に、裁判員裁判においては、裁判員として審理に加わる一般国民の負担に限界があるので、充実しつつも迅速な審理を実現することが強く求められている。

　充実・迅速な審理を実現するためには、争点中心の充実した審理を連日的に行わなければならず、そのためには、第1回公判前に、事件の争点を明らかにし、公判で取り調べる証拠を決定し、明確な審理計画を立てておかなければならない。

2 公判前整理手続

　そこで、第1回公判前において争点整理等を行うための公判準備手続として新たに設けられた制度が、**公判前整理手続**である。

(1) 公判前整理手続で行われる事項

　　同手続では、受訴裁判所（当該事件を公判審理することが予定されている裁判官又は合議体（以下、本設問では単に「裁判所」という））の主宰で、①検察官及び被告人又は弁護人（以下、本設問では、「被告人又は弁護人」のことを「被告人側」ということもある）が、公判においてする予定の主張を明らかにし、②立証のための証拠の取調べ請求を行い、これらを通じて、③事件の争点を明らかにし、④公判で取り調べるべき証拠を決定し、⑤その取調べ順序・方法を定め、公判期日を指定するなどして充実した審理を迅速に行うための明確な審理計画（例えば、一日に数人の証人を連日的に調べるなどの審理計画）を策定する。

(2) 公判前整理手続に付される事件

(ア) 必要的な場合

裁判員制度の対象事件は、必ず公判前整理手続に付さなければならない（裁判員法49条）（⟹裁判員制度対象事件について、**設問66**、**6** 2 参照）。

したがって、いわゆる重大凶悪事件のほとんどは、公判前整理手続に付され、同手続における証拠開示ルールの適用を受けることになる。

(イ) 裁判所の裁量による場合

裁判所は、充実した公判の審理を継続的、計画的かつ迅速に行うため必要があると認めるときは、検察官、被告人若しくは弁護人の請求により又は職権で、事件を公判前整理手続に付することができる（法316条の2第1項）。

公判前整理手続・期日間整理手続に付すかどうかについて、従来は職権で決めていたが、平成28年刑事訴訟法等改正によって、職権に加えて、検察官、被告人若しくは弁護人にも請求権が付与された（法316条の2第1項、316条の28第1項　平28.12.1施行）。

請求に対し、裁判所が整理手続に付するか却下するか決定することになる。ただし、これらの決定に対して抗告することはできない（法420条1項）。

(ウ) 裁判所の裁量によって公判前整理手続に付される場合

複雑な事件など同手続に付することが必要な事件について、検察官において同手続に付すべきことを請求することが多いであろう。

また、被告人側と検察官が熾烈に争う事件は、証拠開示請求をめぐって両者の意見の対立が見込まれることが多いので、審理の紛糾を避けるため、公判前整理手続に付され同手続における証拠開示ルールが適用されることになる。

3　公判前整理手続における証拠開示制度

(1) 公判前整理手続における証拠開示制度創設の目的

この証拠開示制度では、開示の要件・手続や、争いが生じた場合の裁判所による裁定等の**ルールが整備**されるとともに、**証拠開示が大幅に拡**

充された。その目的は、第1回公判期日前の段階から、事件の**争点及び証拠を十分に整理**するとともに、被告人が防御の準備を十分に整えることができるようにすることである。

以下、公判前整理手続の流れに沿いつつ、同手続における証拠開示ルールを説明する。

(2) 取調べ請求証拠の開示

事件が公判前整理手続に付されたとき、検察官は、①**証明予定事実**（公判期日において証拠により証明しようとする事実）を記載した書面（公判段階における冒頭陳述書のようなもの）を裁判所に提出し、被告人側に送付し（法316条の13第1項）、②証明予定事実を証明するための**証拠の取調べを請求**し（同条2項）、同時に、③取調べ請求証拠を被告人側に**開示**しなければならない（法316条の14）。

この場合、従来の請求証拠に関する開示（法299条⟹**1**2(1)）においては、供述調書の取調べを請求せず、初めから証人の取調べを請求したときには、その氏名・住居を知る機会を与えるだけで足りた。しかし、公判前整理手続における証拠開示ルールでは、その場合であってもその証人が証言すると思料される内容が明らかになるような、その者の供述録取書等を開示しなければならない（供述録取書等が存在しないとき、又はこれが存在するがその開示が相当でないと認めるときは、**証言すると思料される内容の要旨を記載した書面**を開示しなければならない）とされ（法316条の14）、開示の対象が拡大された（「供述録取書等」の意味について⟹後記(3)(ウ)(e)参照）。

(3) 類型証拠の開示

(ア) 意 義

被告人側は、上記(2)の手続が終わった段階で、検察官請求証拠への意見（同意・不同意など）や事実関係についての主張を明らかにすることもできる。

しかし、公判前整理手続における証拠開示ルールでは、被告人側が請求すれば、一定の類型に該当し、かつ、**検察官請求証拠の証明力を判断するために重要な証拠**について、一定の要件の下に、さらに開示

公判前整理手続における証拠開示　設問67　　*717*

を受けられることとし、これによって、被告人側が、どのような主張・立証をするかを決めることができるようにした。これを**類型証拠の開示**という。

㈡　類型証拠の開示が認められる要件

　　被告人側から開示請求がなされた証拠について、検察官が開示に応じなければならないのは、①当該証拠が法316条の15第１項各号のどれかに該当するいわゆる類型証拠であり（**類型証拠該当性**）、②当該証拠が特定の検察官請求証拠の証明力を判断するために重要であると認められ（**重要性**）、③その重要性の程度その他の被告人の防御の準備のためにその開示をすることの必要性の程度、その開示によって生ずるおそれのある弊害の内容及び程度を考慮し、開示が相当と認められる（**相当性**）という３要件が備わっている場合である。

　　重要性の判断のポイントは、**開示を求められている証拠が、特定の検察官請求証拠の証明力や同証拠によって検察官が証明しようとする事実の推認力を左右し得るか**（これに対して、齟齬・矛盾し、あるいは両立しない証拠であり得るか）ということである。

　　類型証拠の開示要件として「関連性」はあげられていないが、関連性を欠く証拠は重要性を欠くことになるのは当然である。

㈢　法316条の15第１項各号の類型証拠の意義

　⒜　１号「**証拠物**」

　　　例えば、押収物・指掌紋などの採取資料、写真などである。客観的証拠の典型であり、検察官請求証拠との齟齬・矛盾の有無等を吟味することによって、同証拠の証明力を検討できることになる。

　⒝　２号「**法321条２項に規定する裁判所・裁判官の検証の結果を記載した書面**」

　　　裁判所・裁判官の検証調書である。１号と同様の吟味がなされる。

　⒞　３号「**法321条３項に規定する書面又はこれに準ずる書面**」

　　　捜査機関の検証調書や実況見分調書である。実質的にこれと同視できる写真撮影報告書や酒気帯び鑑識カードなどもこれに当たる。１号と同様の吟味がなされる。

(d) 4号「**法321条4項に規定する書面又はこれに準ずる書面**」

裁判所・裁判官が鑑定を命じた鑑定人が作成した**鑑定書**、捜査機関から鑑定嘱託を受けた者の作成した**鑑定書**である。指紋対照結果報告書などもこれに当たる。1号と同様の吟味がなされる。

(e) 5号「**イ　検察官が証人として尋問を請求した者の供述録取書等**」「**ロ　検察官が取調べを請求した供述録取書等の供述者であって、当該供述録取書等が法326条の同意がなされない場合には、検察官が証人として尋問を請求することを予定しているものの供述録取書等**」

これは、証人又は証人予定者（以下、本設問では「証人等」という）の供述録取書等である（なお、初めから証人として尋問を請求する場合には、法316条の14により、証言すると思料される内容が分かる供述録取書等又はこれに替わる書面が開示されているので、5号の供述録取書等とは、開示済みの供述録取書等とは別のものを意味する）。

これら証人等の従前の供述経過、すなわち**変遷・自己矛盾の有無**やその内容を吟味することにより、証人等の証言の証明力が検討されることになる。

証拠開示に関する法の規定にいう「**供述録取書等**」とは、「**供述書**」、「**供述録取書で供述者の署名・押印のあるもの**」、「**供述を記録した画像・音声を記録できる記録媒体であって供述を記録したもの**」である（法290条の3第1項）。

上申書や提出図面はその作成者の供述書であり、捜査員作成の捜査報告書は、作成者である捜査員の供述書である。

供述録取書は、**供述調書**のことである。しかし、その体裁をとっていても、供述者の署名・押印のないものは、類型証拠としての供述録取書には該当しない。

供述する状況を録画したビデオテープだけでなく、被害者が被害状況を身体的な動作で再現する状況を録画した「**被害再現ビデオ**」もこれに該当する（最決平17.9.27参照）。

(f) 6号「前号に掲げるもののほか、**被告人以外の者の供述録取書等**
であって、検察官が特定の検察官請求証拠により直接証明しようと
する事実の有無に関する供述を内容とするもの」

いわゆる参考人（「被告人以外の者」であるから**共犯者**も含む）
の供述録取書等であって、検察官が特定の**検察官請求証拠**によって
直接証明しようとする事実があったこと又はなかったことを供述す
るものが、この類型証拠に当たる。

例えば、殺人事件について、検察官が特定の目撃者甲の証言や被
告人の自白調書によって犯行状況を立証しようとしているときに、
同じ犯行状況を目撃した別の目撃者乙の供述録取書等の開示を受け
れば、この記載内容との齟齬・矛盾の有無や内容を吟味することに
より、目撃者甲の証言や被告人の自白調書の証明力を検討できる。
検察官請求証拠によって直接証明しようとしている事実と同一場面、
同一状況、同一事項について供述している参考人の供述録取書等が
この類型に当たる。

(g) 7号「**被告人の供述録取書等**」

被告人を供述者とする供述調書、被告人作成の上申書や図面など
の供述書、供述する状況を録画したビデオテープだけでなく、身体
的動作で犯行再現をした状況を録画した**犯行再現ビデオテープ**もこ
れに当たる（前記最決平17.9.27参照）。

被告人の従来の供述経過（変遷・矛盾の有無やその内容）を吟味
することにより、検察官が請求する被告人の自白調書の証明力が検
討されることになる。

(h) 8号「**取調べ状況記録書面**」

規範182条の2に基づき、司法警察職員等が、身体の拘束を受け
ている者の取調べに関し作成が義務付けられている、いわゆる取調
べ状況等報告書であって、被告人又はその共犯として身体を拘束さ
れ、公訴を提起された者であって検察官が証人として尋問を請求し、
又は請求を予定するものに係るものをいう。被告人やその共犯者の
取調べ状況に関する客観的証拠であり、この吟味によって被告人や

その共犯者の供述調書などの証明力を検討することができる。

平成28年刑事訴訟法等改正により共犯者の取調べ状況記録書面も、類型証拠に追加された（平28.12.1施行）。

(i) 9号「**証拠物の押収手続記録書面**」

類型証拠である1号の「証拠物」についての押収手続記録書面のことである。開示の必要性があり、しかも開示による弊害は少ないと考えられたので、平成28年刑事訴訟法等改正により追加されたものである（平28.12.1施行）。

㋔ 主張明示義務、立証義務

被告人側は、類型証拠まで開示されれば、検察官請求証拠の証明力を十分に検討できる状況にあると考えられるので、この段階において、検察官請求証拠に対する意見や検察官の証明予定事実に対する認否をはじめ、公判で予定している事実上・法律上の主張を明らかにする義務を負う（**主張明示義務**。法316条の16、316条の17）。また、主張予定の事実を証明するために用いる証拠の取調べを請求しなければならない（**立証義務**。法316条の17第2項）。

(4) 主張関連証拠の開示

㋐ 意 義

被告人側は、その主張を明らかにした場合には、この主張に関連する証拠の開示を求めることができる（法316条の20第1項）。

これにより開示された証拠を検討することによって、被告人側でさらに主張を具体化したり、変更したり、場合によっては撤回することもあり得るので、争点整理を一層深めることが期待される。この証拠開示を、**主張関連証拠の開示**と呼ぶ。

㋑ 主張関連証拠の開示が認められる要件

被告人側から主張関連証拠として証拠の開示を求められたときに、検察官が開示に応じなければならないのは、①当該証拠が、被告人又は弁護人が明らかにした主張に関連すると認められ（**関連性**）、②その関連性の程度その他の被告人の防御の準備のためにその開示をすることの**必要性**の程度、その開示によって生ずるおそれのある**弊害**の内

容及び程度を考慮し、開示が相当と認められる（**相当性**）という2要件が備わっている場合である（ここでは、証拠の類型該当性のような形式的判断は不要となることに注意を要する）。

なお、被告人側が主張を明らかにしないまま主張関連証拠の開示を要求したとしても、その要求は、主張関連証拠の開示制度の前提を欠くものであるから、主張関連証拠の開示要件を検討するまでもなく、検察官としては開示要求に応じる必要はないと考えられる。

また、弁護人の主張が抽象的なものにとどまるときは、主張の真摯さが乏しく、開示の必要性が乏しいと評価され、開示が不相当とされることもあり得る。

⑸　**裁判所による裁定**

公判前整理手続において、検察官と被告人側との間で、証拠開示の要否などについて争いが生じたときには、公判前整理手続を主宰する裁判所がこれを裁定する（法316条の25第1項）。裁定のための裁判所の決定に対しては、不服申立て（**即時抗告**）をすることができる（同条3項、法316条の26第3項）。

4　期日間整理手続

第1回公判期日後でも、審理の経過によっては、争点・証拠を整理する必要が生じる場合がある。そこで、第1回公判期日後の事件の争点・証拠を整理するための公判準備として**期日間整理手続**が創設された。

裁判所は、審理の経過をみて必要と認めるときは、検察官、被告人若しくは弁護人の請求により又は職権で、事件の争点及び証拠を整理するため、事件を期日間整理手続に付することができる（法316条の28第1項　平成28年刑事訴訟法等改正により当事者の請求によって同手続に付することもできることになった。ここでは、証拠開示を含めて、公判前整理手続に準じた手続が行われる（同条2項）。

5　公判前整理手続（期日間整理手続）終了後の立証制限

公判前整理手続（期日間整理手続）が終了した後は、検察官及び被告人側は、やむを得ない事由によって同手続において請求できなかったものを除いて、証拠調べを請求することができない（法316条の32第1項）。この拘束力

722　第5編　公判手続と証拠開示

を**立証制限**という。この拘束力があるため、事件が公判前整理手続（期日間整理手続）に付された場合には、同手続内で、主張すべき事柄は主張し尽くし、証拠請求すべき証拠は漏れなく請求しておかなければならない。

6　証拠の一覧表の交付手続

(1)　趣　旨

　　平成28年刑事訴訟法等改正によって、公判前整理手続・期日間整理手続において、被告人側による類型証拠・主張関連証拠の開示請求が円滑・迅速に行われることにより、整理手続の円滑・迅速な進行に資するために、開示請求の手がかりとして、検察官がその保管する証拠の一覧表を被告人側に交付しなければならないこととされた（法316条の14第2項〜5項　平28.12.1施行）。

(2)　一覧表の交付手続

　　検察官は、①検察官請求証拠の開示をした後、被告人又は弁護人から請求があったときは、速やかに、被告人又は弁護人に対し、検察官が保管する証拠の一覧表を交付しなければならず（法316条の14第2項）、②その交付をした後、証拠を新たに保管するに至ったときには、速やかに被告人又は弁護人に対し、当該新たに保管するに至った証拠の一覧表を交付しなければならない（同条5項）。

　　一覧表に記載しなければならない事項は次のとおりであり、これを証拠ごとに記載しなければならない（同条3項）。

証拠の種類	記載事項
証拠物（法316条の14第3項1号）	品名及び数量
供述を録取した書面で供述者の署名又は押印のあるもの（同項2号）	当該書面の標目、作成の年月日、供述者の氏名
その他の証拠書類（同項3号）	当該証拠書類の標目、作成の年月日及び作成者の氏名

　　一覧表に記載することで、次のおそれがあるものと認めるときは、これを一覧表に記載しないことができる（同項4号）。

　　　①人の身体・財産に害を加え又は人を畏怖・困惑させる行為がなされるおそれ（同項1号）

②人の名誉・社会生活の平穏が著しく害されるおそれ（同項 2 号）

③犯罪の証明又は犯罪の捜査に支障を生ずるおそれ（同項 3 号）

一覧表の記載や交付に関して不服申立てをすることはできない。

3 メモ類が証拠開示の対象になり得るとした最高裁判例

最高裁は、以下の決定を通じ、検察官が手持ちしておらず、捜査官が個人的目的で作成・保管するメモ類も証拠開示の対象になり得るとのルールを示した。捜査官は、同ルールを踏まえ適切に対応しなければならない。

1 検察官の手持ち証拠でない証拠

⑴ **最決平19.12.25**（刑集61-9-895 以下、本設問では「平成19年決定」ともいう）

通貨偽造・同行使事件において、期日間整理手続で、弁護人が、被告人の自白の任意性を争い、主張関連証拠として、警察官が作成した被告人の取調べメモ、備忘録等の開示請求を行った。検察官は、請求に係る取調べメモ等は記録中に存在しないと回答したのみで、警察保管の有無は回答しなかった。地裁は開示請求を棄却したが、即時抗告審（東京高裁）は、開示命令の決定を行ったので、検察官が特別上告した。

検察官が手持ちしていない証拠も開示対象となり得る 平成19年決定は、「証拠開示制度は、争点整理と証拠調べを有効かつ効率的に行うためのものであり、このような証拠開示制度の趣旨にかんがみれば、刑訴法316条の26第 1 項の**証拠開示命令の対象となる証拠は、必ずしも検察官が現に保管している証拠に限られず、当該事件の捜査の過程で作成され、又は入手した書面等であって、公務員が職務上現に保管し、かつ、検察官において入手が容易なものを含む**のが相当である。」として、検察官の手持ち証拠でない証拠についても証拠開示を認める判断をした。この判断は、後記の最高裁決定（最決平20.6.25、最決平20.9.30）でも維持された。

⑵ **「公務員が職務上現に保管」の意義**

「公務員が職務上現に保管」の要件に関して、平成19年決定は、「（原決定が）捜査機関において保管中のものの開示を命じたものと解するこ

とができ、このように解すれば原決定を是認できる。」としたため、開示の対象になるのは、「組織的に保管」されている場合に限られ、公務員が私的に保管している場合は、対象とならないとも解された。

組織的に保管されていない取調べメモも開示対象となる　しかし、後記最高裁決定（最決平20.9.30刑集62-8-2753　以下本設問では「平成20年9月決定」という）は、警察官が私物ノートを使って作成した参考人取調べメモであって、転勤を機にいったん自宅に持ち帰って保管し、検察官から問い合わせがあった後、警察署の自分の机の中に保管していたというものについても、「警察官が、**警察官としての職務を執行するに際して、その職務の執行のために作成したもの**であり、その意味で公的な性質を有するものであって、職務上保管しているものというべきである。」とした。

捜査官が、捜査の過程において作成するメモ・備忘録類でありながら、「職務を執行するに際して、その職務の執行のために作成したもの」に該当しないものとは想定しにくく、今後、これらについては個人的に保管していた場合であっても「職務上保管しているもの」と評価され開示の対象となり得るとの前提で対応すべきであろう。

2　捜査の過程で作成されるメモ類

(1)　裁判の証拠として予定されていない取調べメモ類

取調べ状況や捜査経過などを記載した取調べメモ類など、作成の目的や利用の実態などからみて、裁判等での「証拠」としての利用が本来的に予定されていない資料は、「証拠」開示の対象にならないとも考えられた。

平成19年決定　平成19年決定は、捜査過程で作成された**被疑者の取調べメモ**が証拠開示の対象になり得るとした。

平成19年決定は、前記のとおり、①開示命令の対象となる証拠の範囲について、「**検察官が現に保管している証拠に限られず、当該事件の捜査の過程で作成され、又は入手した書面等であって、公務員が職務上現に保管し、かつ、検察官において入手が容易なものを含む**」とした。

その上で、同決定は、公務員がその職務の過程で作成するメモに関し、「個人的メモ」と規範13条に基づいて作成される備忘録に仕分けし、前者

は開示の対象とならないが、後者は開示の対象になるとの枠組みを示した。

すなわち、同決定は、②「公務員が職務の過程で作成するメモについては、**専ら自己が使用するために作成したもので、他に見せたり提出することを全く想定していないものがあること**は所論のとおりであり、これを証拠開示命令の対象とすることが相当でないことも所論のとおりである。」としながら、③「犯罪捜査規範第13条は、『警察官は、捜査を行うに当り、当該事件の公判の審理に証人として出頭する場合を考慮し、および将来の捜査に資するため、その経過その他参考となるべき事項を明細に記録しておかなければならない。』と規定しており、警察官が被疑者の取調べを行った場合には、同条により備忘録を作成し、これを保管しておくべきものとしているのであるから、**取調べ警察官が、同条に基づき作成した備忘録であって、取調べの経過その他参考となるべき事項が記録され、捜査機関において保管されている書面**は、個人的メモの域を超え、捜査関係の公文書ということができる。これに該当する備忘録については、当該取調べ状況に関する証拠調べが行われる場合には、証拠開示の対象となり得るものと解するのが相当である。」としたのである。

(2) **最決平20.6.25**（刑集62-6-1886　以下、本設問では「平成20年6月決定」ともいう）

覚醒剤の自己使用事件について、期日間整理手続で、弁護人が警職法上の保護措置ないし任意採尿手続の違法性を主張し、主張関連証拠として、捜査に当たった警察官が作成した捜査経過メモの開示を請求した。検察官は「『個人的メモ』以外は存在しない。」と回答し、裁判所が、同メモが開示対象に当たるかどうか判断するため発出した同メモの提示命令（法316条の27第1項）に応じなかった。

一審は証拠開示を命じ、即時抗告審（福岡高裁）は一審決定を支持したので、検察官は、一審が開示を命じた「保護状況及び採尿状況に関する記載のある警察官A作成のメモ（捜査経過メモ）」について「個人的メモであり、最三小平19.12.25にいう証拠開示の対象となる備忘録に当たらない。」などと主張して特別抗告した。

「捜査経過メモ」も開示対象となり得る　平成20年6月決定は、捜査過程で作成され捜査経過を記載した**「捜査経過メモ」**について、規範に基づき作成された備忘録に該当することを理由として証拠開示の対象になり得るとした。

平成20年6月決定は、「犯罪捜査に当たった警察官が犯罪捜査規範13条に基づき作成した**備忘録であって、捜査の経過その他参考となるべき事項が記録され、捜査機関において保管されている書面**は、当該事件の公判審理において、当該捜査状況に関する証拠調べが行われる場合、証拠開示の対象となり得るものと解するのが相当である。」とした上、検察官が、捜査経過メモの提示命令に応じなかったという本件の事実関係の下において、当該捜査経過メモの開示を命じた一審決定は違法ではない、とした。

本決定は、検察官が提示命令に応じなかったという特殊な事案における判示であるが、「個人的メモ」、「規範に基づいて作成された備忘録」のいずれに該当するかにより開示対象かどうかを決めるとの平成19年決定の判断枠組みに沿って判断がなされたと考えられる。

⑶　平成20年9月決定

> 強盗致傷等事件について、被告人が犯人性を争ったので、検察官が、被告人から犯行を自認する言動を聞いたとの供述が記載された参考人Bの検察官供述調書を証拠調べ請求した。これに対し、弁護人が、Bの当該供述の信用性を争い、主張関連証拠として、C警察官がBを参考人として取り調べた際に作成した取調べメモの開示を請求した。
>
> 一審はその開示を命令し、即時抗告審（東京高裁）も一審の決定を支持したので、検察官が特別抗告した。検察官は、参考人取調べメモが存在することを明らかにし、これはC警察官が個人的に保管していたもので、規範13条に基づいて作成されたものではないと主張した。

本決定は、参考人取調べメモが開示対象になり得るかどうか問題となった事案について、規範13条に基づいて作成されたものに該当するかどうか判断することなく、平成19年決定が証拠開示の対象の一般的範囲として示した「**本件犯行の捜査の過程で作成され、公務員が職務上現に保管し、検**

察官において入手が容易なもの」に該当するかどうかを端的に判断し、開示対象になり得るとしたものである。

平成20年9月決定　　また、平成20年9月決定は、参考人取調べメモ（本件メモという）が作成された経過等について、(A)本件メモが記載されたノートは、Ｃ警察官が私費で購入して仕事に利用していたもので、自分が担当ないし関与した事件に関する取調べの経過その他の参考事項をその都度メモとして記載しており、勤務していた甲警察署の当番編成表をこれに貼り付けるなどしていたこと、(B)本件メモは、Ｃ警察官がＢの取調べを行う前ないしは取調べの際に作成したものであり、Ｃ警察官は、記憶喚起のためにこのメモを使用して、Ｂの警察官調書を作成したこと、(C)Ｃ警察官は、本件メモが記載されたノートを甲警察署の自分の机の引き出し内に保管し、乙警察署に転勤した後は自宅に持ち帰っていたが、本件事件に関連して検察官から問い合わせがあったことから、これを乙警察署に持って行き、自分の机の中に入れて保管していたことなどを認定した上、「以上の経過からすると、**本件メモは、Ｃ警察官が、警察官としての職務を執行するに際して、その職務の執行のために作成したものであり、その意味で公的な性質を有するものであって、職務上保管しているものというべきである。**したがって、本件メモは、本件犯行の捜査の過程で作成され、公務員が職務上現に保管し、かつ、検察官において入手が容易なものに該当する。」とし、本件メモが開示対象になり得るとした。

　本件メモは、作成目的（個人的手控えであり、上司や同僚に見せたことはない）、メモが記載されたノートの形状・内容（ノートの表紙にはハート型のシールと自分の名を記載した模様入りのシールを貼付、記載内容のほとんどが単なる単語を書き留めたもので、本人以外の者が見ても内容を正確に理解することは難しいなど）、保管状況などに照らすと、平成19年決定にいう**「専ら自己が使用するために作成したもので、他に見せたり提出することを全く想定していないもの」**（個人的メモ）に該当するものとも考えられるものであったことから、これが開示対象にならないとした平成19年決定と、開示の対象になり得るとした平成20年9月決定との関係が理論的には問題となるとの考えもあり得る。

728　第5編　公判手続と証拠開示

　しかしながら、実務的には、平成20年9月決定により最高裁は、**開示の対象外とされる「個人的メモ」の範囲について極めて限定的に理解すべきものとする考えを示したものと理解できるので、捜査機関としては、これ**を踏まえ、適切な対応をすべきであろう。

> ### アドバイス　捜査過程で作成したメモ類の保管・整理の在り方
>
> 　したがって、捜査官が捜査の過程で作成・保管したメモ類については、例えば、個人的に使うつもりで、個人的に保管していたメモであっても、捜査過程に関する記載があり、その記載内容を捜査公判のために用いる客観的可能性が否定できないものなどは、「職務を執行するに際して、その職務の執行のために作成したもの」ないし「捜査の過程で作成されたもの」と評価され、証拠開示の対象になり得ると考えるべきである。そして、これらメモ類のうち、捜査指揮のため、又は公判の審理に関する用務に備えるためなど必要があると認めるものを、必要と認める期間、事件ごとに適切に保管すべきである（取調べメモについて、平成20年5月13日「取調べに係る事項を記載した書面の保管に関する訓令」参照）。

3　第一次証拠・資料に基づき二次的に作成したチャート・検討表等

　捜査の過程で作成された書面等であっても、証拠関係を分析したり捜査方針等を検討したりするために、取調べメモ・捜査メモや他の証拠（第一次証拠・資料）を引用・加工するなどして二次的に作成したチャートや検討表等は、類型的に、第一次証拠・資料から離れて事実を証明する資格がないものであり、およそ「証拠」としての本質を欠くので、開示の対象にはならないと解すべきであろう。

　捜査方針や法律論の検討結果を記載したメモなども、意見・見解の記載であって「証拠」の要素を全く欠くので、開示の対象とならない。

> ### アドバイス　公判前整理手続における証拠開示制度を念頭に置いた捜査について
>
> #### 1　一般的留意事項
>
> 　裁判員制度の対象事件は、公判前整理手続に必ず付される。非対象事件であっても、逮捕段階から被疑者側が熾烈に争うような事件は、公判前整理手続に付される可能性が大きい。このように「骨のある」事件については、公判前整理手続における証拠開示ルールが適用され、開示さ

れる証拠が、従来に比べて飛躍的に拡大していることを十分認識する必要がある。

2 客観的証拠との整合性の一層の確保について

証拠物、検証結果、鑑定結果などの客観的証拠は、一般的に開示の弊害が乏しいと考えられており、検察官請求証拠の信用性を検討する上で重要と認められたり、被告人側の主張と関連すると認められれば、比較的簡単に広範な開示が認められる可能性がある。捜査官、特に捜査指揮官は、これら客観的証拠の内容を有利・不利にかかわらず一層正確に把握し、これら相互及びこれらと他の証拠との整合性の確保に努めながら、適正な捜査を行う必要がある。

3 供述調書の作成について

被疑者の供述調書は、起訴事実について作成されたものならば、ほぼ全面的に開示の対象になり得る（7号の類型証拠）し、参考人の供述調書も、公判において証人として尋問されることが見込まれるような重要な参考人（共犯者を含む）のものであれば、これもほぼ全面的に開示の対象となり得る（5号の類型証拠）。捜査官にとって重要性が乏しいと思われる参考人調書であっても、開示の対象となり得る（6号の類型証拠）。

捜査官が供述調書を作成するに当たっては、客観的証拠のみならず、他の参考人の供述との整合性にも留意するとともに、当該供述人（被疑者・参考人）の従前の供述経過を正確に把握し、変遷や相互矛盾の有無や内容を検討し、もし、供述の変遷があれば、供述人から変遷の合理的理由を聴取して供述調書に記載する必要があるし、矛盾があるときは、供述人に訂正を求めるとともに、訂正に至った合理的理由を聴取して供述調書に記載する必要がある。

なお、取調べ状況が争点となったときには、主張関連証拠として、被疑者・参考人の供述状況を記載した捜査官作成の捜査報告書や取調ベメモが開示の対象となることもあり得ることに留意を要する。

4 開示の弊害がある場合の疎明の準備について

類型証拠にしても、主張関連証拠にしても、開示の相当性を判断する際には、開示による弊害が十分考慮されなければならないので、疎明資料を普段から準備しておく必要がある。例えば、ある証拠の開示によっ

730　第5編　公判手続と証拠開示

て、捜査協力者の生命・身体等が危険にさらされるおそれがあったり、秘匿すべき捜査手法が明らかにされたりするおそれがあるときは、これを疎明できる資料を用意し、検察官を通じて、裁判所を説得する準備をしておく必要がある。

証人出廷の留意点　設問68　*731*

設問 68 証人出廷の留意点

━━●設　問●━━

1　捜査官が、刑事裁判における証人として出廷する場合にはどのような場合があるか説明しなさい。

2　捜査官が証人出廷する場合、一般的にどのような手続を経て証人出廷することになるか説明しなさい。

3(1)　捜査官が証人出廷するに当たって留意すべき事項について説明しなさい。

(2)　証人出廷が裁判員裁判である場合の留意点を説明しなさい。

◆解　答◆

問1⟹**1**参照

問2⟹**2**参照

問3(1)⟹**4**参照

問3(2)⟹**3**参照

1　捜査官が証人出廷を求められる場合

捜査官は、捜査の端緒の把握から起訴に至るまで、事件の捜査手続に関与し、その詳細をよく知る者であるので、公判で捜査手続が問題となったときに、証人として出廷を求められることがある。特に、次の事項に関して証言を求められることが多い。

①　捜査段階における被告人の自白の任意性・信用性

②　捜査経緯（被告人を犯人と特定した経緯など）

③　捜査手続（採尿、捜索・差押え、逮捕等）【⟹付録1「警察官の証人尋問例（その1）」】及び捜査に密接した行政警察活動（職務質問、任意同行、所持品検査等）の適法性

732　第5編　公判手続と証拠開示

④　実況見分調書・検証調書等の作成の真正【⇒付録1「警察官の証人尋問例（その2）」】
⑤　公務執行妨害事件の被害状況、目撃状況
⑥　速度測定の正確性

2　証人出廷までの手続の流れ

1　捜査担当検察官からの予告

　公判で捜査官の証言が必要になる事件では、多くの場合、捜査段階において、捜査担当の検察官から事情聴取があり、その際、将来証人として公判に出廷する可能性があることが予告されることが多い。そのようなときには、上司にその旨話しておくとともに、聴取された事項について、関係資料を取りそろえ、記憶を保持しておくべきであろう。

2　公判担当検察官からの連絡

　事件が起訴された後、数か月程度で、公判担当検察官から、直接又は本部の担当係経由で、出廷の可能性があるとして、検察官との打合せを求められる。

　この連絡があったときは、担当の業務を調整してでも、出廷しなければならない可能性があるので、必ず上司に報告し、出廷と業務との調整が適切になされるようにしておく必要がある。

3　公判担当検察官との事前打合せ（証人テスト）

　証人としてふさわしそうな捜査官を複数選び、打合せを通じて、最終的に証人となってもらう捜査官を絞り込むこともあり得る。

　証人となるべき捜査官が決まり、裁判所において証人決定がなされた後も、検察官との打合せは、何度かにわたって行われ、証言事項についての記憶の確認などが行われる。これは、「**証人テスト**」といわれ、規則191条の3「証人の尋問を請求した検察官又は弁護人は、証人その他の関係者に事実を確かめる等の方法によって、適切な尋問をすることができるように準備しなければならない。」で義務付けられているものである。もし**法廷で、検察官と打合せをしたか聞かれたときは、裁判所や弁護人に隠し立てすることなく、堂々と、規則上求められている打合せをした旨証言すればよい。**

証人出廷の留意点　設問68　　*733*

4　公判出廷

　直接法廷に行く場合と、検察官に同行して裁判所に行く場合がある。裁判所に出頭したら、裁判所職員の指示に従って、証人としての諸手続を終え、証人控室等で待機すればよい。

　証人尋問開始前に、宣誓手続がなされ、その際、人定質問がある。あらかじめカードに住所等を記載することになっており、裁判長は、「住所は、ここに記載あるとおりですね。」と聞くので、「そうです。」と答えればよい。

　なお、警察官証人については、その職務に関する証言を予定する場合は、実務上、勤務先住所を警察官の住所として取り扱い、召喚状も勤務先に送ることが多いようである。

3　裁判員裁判の特徴と、同裁判に証人出廷する場合に留意すべき事項

1　裁判員裁判の特徴

(1)　一般国民から選ばれた裁判員も審理に当たること

　　裁判員裁判では、裁判官とともに一般の国民から選ばれた裁判員が審理を行うことになり、捜査官の証言についても、捜査実務の実情を十分に知らない裁判員が、証言を信用できるか否かと判断することになる。これが、裁判官だけが審理を行う一般の裁判と最も相違することである。

(2)　公判前整理手続により、あらかじめ検察側・弁護側の主張と証拠が整理され、争点を十分に意識した、ポイントを絞った審理が行われること

　　裁判員裁判対象事件は、公判前整理手続が必要的である。同手続において、公判前に検察及び弁護側の主張が明らかにされ、関係する証拠も開示され、その結果、証拠が整理され争点が明らかになっている。

　　したがって、裁判員裁判における証人尋問に当たっては、検察側と弁護側が、あらかじめそれぞれの手の内を明らかにし、準備を入念に行った上、ポイントを絞った濃い内容の尋問が行われることになる。

2　裁判員裁判に証人出廷する捜査官が、特に留意すべき事項

(1)　裁判員に分かりやすい証言に心がけること

　　裁判員裁判の場合は、刑事司法に携わるプロであれば当然分かってい

734　第5編　公判手続と証拠開示

る事柄であっても、一般国民である裁判員に分かってもらうための工夫・配慮が必要である。そのためには、捜査・裁判とは無縁な一般の国民（例えば、読者の家族・親族である）を想定して、その人たちに分かってもらえるだろうかという発想で、証言を準備することが有益である。

　例えば、供述調書の作成過程が問題になっている事件の場合、プロであれば、供述調書を作成する場合には、供述人の供述を捜査官が要約して、捜査官が、ワープロないし筆記によって、調書に録取し、供述人に読み聞かせたり閲読させて内容が間違いないことの確認を求め、間違いないという意味で末尾に署名指印を求めるという、丁寧な手続を経ているという実務を知っているのであるが、一般の国民は必ずしもその実情を知らない。必要な場合には、証言の中で、裁判員に分かってもらうため分かりやすい証言をする工夫が必要なのである。

　例えば、専門用語はできるだけ使わない。どうしても専門用語を使うときは、引き続いて用語の説明を簡潔に分かりやすく行うべきであろう。仲間内の略語なども、できるだけ使わないで証言すべきであろう。

　できるだけ耳で聞いただけで分かる言葉を使うことも大事である。

⑵　**証言態度等によって、公正で信頼できる捜査が行われていることを裁判員に示すよう努めること**

　諸外国に比べ、日本の国民が警察等に対して寄せる信頼は一般に高く、裁判員の多くは、捜査活動を基本的に信頼する立場に立っていると思われるが、裁判員の中には、被告人の法廷での弁解には耳を傾ける一方、捜査官の取調べや供述調書の作成、その他の捜査活動に対しては、批判的な立場に立つ人もいないではない。捜査官が証言をする場合は、このような裁判員に対しても、捜査活動が公正・適切になされていることが納得してもらえるよう、丁寧な証言を工夫して行う必要がある。

　この観点から、証言態度にも留意が必要である。質問をはぐらかすような態度や、殊更質問者に反感を示すような態度は、裁判員（特に捜査機関に批判的な立場の裁判員）からみれば、何か不利な事柄を隠そうとしている証言態度と受け取られるおそれが大きい。検察官に迎合的な態度も避けなければならない。

証人出廷の留意点　設問68　　*735*

　　見た目も軽視できないであろう。一般の人が、捜査官に対して抱いている信頼感を裏切るような奇抜な服装や装飾品は避けるべきであろう。

(3)　**弁護人が、開示された関係証拠によって捜査経緯等を相当知った上で尋問に臨んでいることを十分認識した上で、証言の準備をしておくこと**

　　裁判員裁判においては、弁護人は公判前に、多くの関係証拠の開示を受けることが普通である（⟹**設問67**参照）ので、開示証拠によって、捜査経緯、取調べ経過等も十分に把握し問題点を検討した上で、捜査官に対する証人尋問に臨んでいる。証人出廷が予定されている捜査官は、そのことを十分認識し、自らも捜査経緯や取調べ経過等について記憶を十分整理し、証言に臨む必要がある。

４　捜査官が証人として出廷するに当たって、一般的に留意すべき事項

1　一般的心構え

(1)　**質問で聞かれたことだけに答えること**

　　証人は、聞かれたことだけに答えるようにすべきである。

　　証人には、自分が「話したいこと」を証言することが求められているのではない。いかに捜査中の苦労話を証言したいと思ったとしても、「話す必要があること」だけを証言することが求められる。そして、必要かどうかを判断するのは質問者であり、証人ではない。

　　聞かれたこと以外のことを、証言してしまう捜査官がままいるが、審理の迷惑になるだけでなく、聞かれた以外のことについての証言から反対尋問の材料を提供することにもなりかねない。

　　逆に、失敗談など「話したくないこと」であっても、質問者が必要があるとして質問してきたときには証言を義務付けられる（ただし、法令によって証言拒絶ができる場合がある）。

(2)　**正直、誠実、冷静な態度を保つこと**

　　これらは捜査官が職務を行う上で常に心がけるべき態度であり、このような態度で職務を行うことのできる捜査官は、国民・市民から信頼される良き捜査官であろう。このことは、証言を行うときにも当ては

736 第5編　公判手続と証拠開示

まる。証言時においても、決して嘘をつかない正直さ、常に真実を語ろうと努める誠実さ、どんな挑発的質問にも決して取り乱すことのない冷静な態度は、裁判官、裁判員の心を揺さぶり、そのような証人の証言には耳を傾けようという気持ちにさせることは確実であろう。逆に、捜査官の態度が、不正直、不誠実、動揺的であるとの印象を与える場合は、裁判官・裁判員が、証言に耳を閉ざすことは必定である。

2　検察官との打合せ（証人テスト）における留意事項

(1)　打合せの流れ

公判担当検察官は、捜査記録を熟読し、公判前整理手続で弁護人とのやりとりを行う中で、何が争点になっていくかを知り得る立場にある。

公判担当検察官は、証人出廷が予定される捜査官との打合せ（証人テスト）を通じ、その捜査官が証言可能な事実やその記憶の程度を確認し、さらに、捜査官の表現能力の程度等も確かめ、具体的な証言事項や尋問の順序等を決めていく。

(2)　検察官を信頼し、打合せでは、隠し立てしないこと

上記(1)で述べたように、捜査官との打合せの中で、公判担当検査官は、捜査官に、どのような事項について証言してもらうことが必要かを判断する。

ここで大事なことは、検察官を信頼し、打合せの場においては、捜査官にとって有利と思われることも、不利と思われることも含めて、あったことはあった、なかったことはなかった、記憶がはっきりしないことはその旨を、隠し立てなく話すべきである。

隠し立てなく説明してもらえれば、公判担当検察官は、それら有利、不利な事情を踏まえた対応策を頭に入れて法廷に臨むことができる。逆に、不利な事情（例えば、ある事項について、本当は記憶がはっきりしないなど）が検察官に話されていないときには、検察官は、法廷で初めてその事実を突き付けられ、立ち往生しかねないのである。

(3)　検察官に対して、気楽にアドバイスを求めること

証言に当たっての不安・心配があれば、打合せの機会に、検察官にアドバイスを求めればよい。公判担当検察官は、弁護人がどのような事

項について、どのような観点から、反対尋問をするであろうかもある程度予想できる立場にあるから、その観点からのアドバイスを求めることもできる。

3 検察官の尋問（主尋問）における留意事項

(1) 抽象論ではなく、具体的な事実を、自然に受け入れられるストーリーとして証言すること

　捜査官の証言が抽象論や推測話にとどまるときは、これが被告人の法廷での弁解よりも信用できるなどと裁判官等を納得させられない。捜査官は、具体的な事実、出来事を説明すべきである。例えば、取調べの状況に関してであれば、取調べにおける問答の流れ、被疑者の態度、雑談の有無・その内容、捜査官が声を荒げたり、被疑者が暴れたりするなどの特異な状況の有無・その理由などを、証言の中で確認していくことになるが、大事なことは、発言、態度・動作、その他のエピソードが、いつ、どのような場面、どのようにあったのかなど、具体的な事実を証言すべきだということである。

　特に、捜査経緯の違法性の有無が問題となっているときには、捜査経緯における関係者の行動、発言などの具体的な事実の流れが、自然で無理のないものであるとして裁判官等に受け入れられることが大事である。具体的事実の流れに、無理があったり、不自然さがあったりすると、捜査官の証言が信用できず、ひいては、捜査経緯に違法があった可能性も否定できないとの疑いを招くおそれもある。

(2) 記憶の程度に関して、生の記憶なのか、何らかの資料によって記憶が喚起されたものなのかを区別して、証言すること

　捜査官は一般に責任感が強いため、本当は生の記憶がなくて、報告書等を読んで記憶喚起できた出来事について、あたかも生の記憶であるかのごとく、明確に証言しなければならないと思い込んでいる人が案外多い。しかし、日常的な業務上の出来事の全てについて詳細な記憶がある方が、かえって不自然である。

　実際、人の記憶には、①その出来事が特異なことだったなどの理由から、特に記憶喚起をするまでもなく、その出来事が生の記憶として存

738　第5編　公判手続と証拠開示

在する場合と、②生の記憶としては不明瞭であるが、資料を読んだり
関係者から話を聞くなどの記憶喚起手段を講じたことによって、その
出来事があったとの記憶が喚起できる場合と、さらに、③記憶喚起手
段を講じても、その出来事があったかなかったか記憶が喚起できない
場合があり得る。したがって、捜査官は、①、②、③のいずれの場合
かを明確に区別して証言すればよい（むしろ、明確に区別して証言し
なければならない）。

　②の場合には、記憶喚起の手段を講じたことを隠す必要は全くなく、
「自分の作成した報告書や調書写しを読んでみたら、そういう出来事が
あったなと記憶がよみがえった。」とか、「当時の同僚であった○○さ
んに確認したところ、×××という話だったので、私も、そういえ
ばそうだったと記憶がはっきりした。」などと証言すればよい。仮に、
②の場合であるのに、これを①の場合であるかのように飾って証言し
たときには、反対尋問で追及され、往生し、その結果、かえって証言
の信用性が疑われることになる。

4　弁護人の尋問（反対尋問）における留意事項

　典型的な反対尋問のパターン別に、これへの留意事項を示す。

(1)　証拠の矛盾を追及するパターン

①　証人が作成した被疑者供述調書の相互間で、食い違いがある場合な
　どには、その理由を追及されることは必至である。

　　⇒証人出廷予定者は、自分の作成した証拠相互の食い違いなどがある
　　　ときは、そのことについて反対尋問が来るものと覚悟し、合理的な
　　　説明ができるように準備しておく必要がある。

②　証言が、断定的になればなるほど、これが他の証拠と矛盾する可能
　性が大きくなり、反対尋問で攻撃の的になる場合がある。

　　⇒必要もないのに、断定的な言い方をすることは避けるべきである。

③　大した矛盾、食い違いでないものを、弁護人はおおげさに取り上げ、
　証人の動揺を図ることもある。

　　⇒証人は、冷静に、「当時、同じことだと理解していました。」などと、
　　　受け流せばよい場合もある。

(2) **記憶にムラがあるとして追及するパターン**

争点に関する部分は記憶があるのに、それとの関連で当然記憶があって然るべき事実であるが、争点に直接関連しない部分についての記憶がないのは、不自然として追及がなされることがある。

⇒「その場面については記憶喚起の手段を講じていないので、今の記憶でははっきりしない。」と率直に証言するしかない。

(3) **細かな法律要件について証言を求めて、法律論争に持ち込み、動揺させ支離滅裂な証言を引き出そうとするパターン**

⇒法律に自信を持っていたとしても、証人は法律論争に入り込んではいけない。証人は法律解釈を陳述することを求められているのではなく、捜査手続において関与し、直接見聞した具体的事実についての証言を求められているのである。例えば、所持品検査を行うに当たって、捜査官が所持品検査が許容されるための要件の一つとして「相当な嫌疑」が必要と考えていたと簡単に触れるのはよいが、その後は、法律論には入り込まず、覚醒剤を所持している疑いがあった具体的状況を証言すればよい。

5 その他の留意事項

(1) **発　声**

何を話しているか聞き取れないような小声（特に語尾が聞き取れない）の人は、末尾まで声をはっきり出すよう気を付けるべきであろう。

(2) **質問の意味が分からないときの対応**

反対尋問のときなどには、質問者は意図的に、分かりにくい質問をしたり、混乱させる質問をしたりすることがある。これに対し、混乱したり、激昂するなどして失言でもすれば、質問者の思うつぼである。冷静かつ誠実に「申し訳ないですが、質問の意味が分からないので、もう一度お願いします。」などと問い直すことがベストであろう。

5　任意性・信用性に関する証言を行う場合の留意事項

1 **最近の刑事裁判実務における任意性・信用性に関する立証の実情**

最近の刑事裁判実務においては、自白の任意性・信用性を吟味するために

740　第5編　公判手続と証拠開示

は、自白がどのような取調べ経過を経て獲得されたのか、自白の獲得過程において無理がなかったか等について、検察官による具体的で客観的な立証が積極的に行われる必要があるとされている。検察官が、取調べ状況を立証しようとするときには、「できる限り、取調べの状況を記録した書面その他の取調べ状況に関する資料を用いるなどして、迅速かつ的確な立証に努めなければならない。」とされており（規則198条の4）、裁判員裁判対象事件等では、取調べ状況の録音・録画が義務付けられ、そのＤＶＤを取調べ請求すべきことも義務付けられた（令和元年6月1日施行）。

2　自白の任意性・信用性に関する捜査官への証人尋問の今後のあり方

しかし、これら客観的資料によって自白の任意性・信用性の立証が全てまかなわれるとは思われず、取調べ官に対する証人尋問は、今後とも、自白の任意性・信用性立証において重要な役割を果たし続けると考えられる。

従来の取調べ官の証人尋問について、被告人の主張を紋切り型に否定するだけで、自白獲得の具体的経過を積極的に立証するものになっていなかったとの指摘もあるところ、今後は、取調べ状況や自白に至る経過等について、より詳細で具体的な証言が求められることが確実と思われる。自白の任意性・信用性に関する証言を求められる可能性のある取調べ官は、証言に備えて、次のとおり心構えを持つべきである。

① **取調べ時において、取調べ官自身が、任意性・信用性の確保を心がけること**

　どのような状況があるとき、自白の任意性・信用性が否定され、疑われることになるのかについて、十分に知識を持ち（設問51、設問54、設問55参照）、そのような状況をそもそも作らないことが必要である。

② **任意性・信用性の積極的立証の必要性を十分理解すること**

　任意性・信用性の立証責任は検察官にあり、もし、取調べ官が取調べ状況（特に自白に至る経緯・供述の変遷の経緯等）を具体的に証言しないときには、「疑わしきは、被告人の有利に」との考えに立って、任意性・信用性が否定されることもあり得ることを理解する必要がある。

　かつての刑事裁判実務では、自白調書の署名を本人が行ったことの立証があれば、任意性・信用性があることは推定され、検察官立証はそれ

で足りるとする考えもあったようであるが、近時の刑事裁判実務として
は、任意性・信用性が争われる限り、検察官は、取調べ官の証人尋問等
により、任意性・信用性を裏付けるような具体的な取調べ状況を、積極
的に立証することが求められている。

③ **取調べ時から、将来法廷で、取調べ状況について、具体的に説明でき**
るように準備しておく必要があること

　将来、自白の任意性・信用性が争われるおそれがある事件では、被疑
者の取調べ官は、将来の証人尋問において、その取調べ状況を具体的に
証言できるよう、準備しておく必要がある（⟹ **設問67**、**3**、**アドバ**
イス参照）。

　特に、次の事項については、反対尋問や裁判官からの質問が行われる
ことが多いので、具体的に証言できるように準備することが必要である。
○　否認から自白に転ずるなど、供述の変遷があるときは、その具体的
　経緯や理由
○　取調べの日ごとの
　・取調べ事項、取調べ事項ごとの被疑者の応答内容
　・調書作成の有無、作成した調書の通数、調書を作成しなかった理由
　・被疑者の体調
　・取調べに必要な資料（例えば、参考人の供述など）の入手時期
　録音・録画が行われた取調べであれば、それによって明らかになる客
観的状況に矛盾する証言をしないように注意すべきである。

付録 1
警察官の証人尋問例

警察官の証人尋問例（その１）

捜査手続（捜索・差押え）の適法性に関する証言

　本事案は、取調べ官による不起訴約束に応じて、被告人が、覚醒剤の隠し場所を教示し、その結果、覚醒剤が差し押さえられたものであるから、覚醒剤は違法収集証拠となると主張された事件について、取調べ官がそのような約束はなかったことなどを証言した事例である（※創作事例）。

公訴事実

　被告人は、みだりに、営利の目的で

① 　令和○年５月11日〜５月21日、７回にわたり、被告人方等において、山田太郎ほか６名に対し、覚醒剤を有償で譲り渡したほか、薬物犯罪を犯す意思をもって、同年４月７日〜５月21日、○○県内において、多数人に対し、覚醒剤様の結晶状粉末を覚醒剤として有償で譲り渡し、もって覚醒剤を譲り渡す行為及び覚醒剤様のものを覚醒剤として譲り渡す行為を業とし

② 　同年５月21日、被告人方において、覚醒剤の結晶状粉末約６グラムを所持し【逮捕事実】

③ 　同月28日、○○荘敷地内において、覚醒剤の結晶状粉末約12グラムを所持し

たものである。

捜査経緯

　令和○年４月　　被告人に対し、覚醒剤密売の疑いで、その行動確認実施

　〜５月21日　　　密売相手たる客８名程度を特定（公訴事実①関係）

　　５月21日　　　被告人方を捜索、居室内から覚醒剤発見（公訴事実②）、被告人を発見された覚醒剤の所持の現行犯として逮捕、被告人否認

　〜５月27日　　　密売相手の客８名を逮捕

　　５月27日　　　被告人が○○荘敷地内の覚醒剤所持を自白、逮捕事実も自白に転ずる。

5月28日　○○荘敷地内を捜索し、地中から覚醒剤を発見（公訴事実
　　　　　③）

6月以降　被告人を公訴事実②、③で起訴した後、公訴事実①で起訴

被告人の主張ないし争点

　本件は、裁判員裁判対象事件であり、公判前整理手続が必要的である。

　同手続において、公判前に、主張や証拠が整理され、争点が明らかにされた。

　公訴事実③に関して、弁護人は、「覚醒剤約12グラム及び鑑定書は、被告人を取り調べた警察官Ｘが、被告人に対して、不起訴の約束をし、これを信じた被告人が覚醒剤の隠し場所を供述したことに基づいて獲得された違法収集証拠であるので、証拠能力がない。」「不起訴約束とは、令和○年5月27日の取調べの際、被告人が、『首なし（所持者不明の意味）として処理するのであれば、覚醒剤の隠匿場所を教える』と警察官Ｘに提案したところ、警察官Ｘが『いいよ』と応じたことである。被告人は、○○荘敷地内の覚醒剤については、被告人を起訴しない約束が成立したと信じたので、覚醒剤の隠し場所を警察官Ｘに供述したものである。」と主張した。

証拠開示

　弁護人には、類型証拠として、捜査段階における被告人の供述調書（弁解録取書も含む）、取調べ状況報告書（規範182条の2により、作成が義務付けられているもの）が開示されていたが、捜査官による不起訴約束があったとの主張が明示されたことに伴い、同主張に関連する主張関連証拠として、警察官Ｘが捜査当時、規範13条の備忘録として作成していた「取調べメモ」も開示された。

　また、公判前整理手続において警察官Ｘが証人として出廷することが決定されると、警察官Ｘが法廷で証言する内容の概要を記載した書面（本件では、検察官が、警察官Ｘとの打合せを踏まえて作成したメモ）も、弁護人に開示された。

警察官Ｘの証言の信用性についての判決の判断

　公判において警察官Ｘが証言した。判決は、

①　（主張と客観的証拠・状況との整合性について）

5月27日に、被告人が、逮捕事実（自室における営利目的の覚醒剤所持）を認め、○○荘敷地内に別の覚醒剤を埋めてある旨の供述調書が作成され、その翌日に、被告人を被疑者とする捜索差押許可状に基づいて○○荘敷地内の捜索が被告人を立ち会わせて行われた事実は、○○荘敷地内の覚醒剤についての被告人の刑事責任を問うことを目的とする行為であり、このことは、被告人も当時認識していたといえる。このような事実は、同月27日の取調べにおいて、被告人と警察官Ｘとの間で、○○荘敷地内の覚醒剤について不起訴の約束がなされたということと整合しない。

② （捜査官が違法捜査を行う動機について）

5月27日までに、逮捕事実については、被告人の行動確認、同月21日の被告人方の捜索等によって相応の証拠が収集されていた（警察官Ｘの証言）のであるから、警察官Ｘに逮捕事実とは異なる○○荘敷地内の覚醒剤を獲得するために、あえて違法な取調べである不起訴の約束をして、被告人から、その覚醒剤の隠匿場所について供述を得ようとする動機があったか相当に疑問がある。

③ （被告人の自発的供述の可能性について）

被告人からすれば、覚醒剤営利目的所持の事実を否認していたものの、既に33包に小分けした覚醒剤や多量の注射器等が自宅から発見されていた上、被告人から覚醒剤又は覚醒剤様のものを譲り受けた疑いで約8名の身柄が拘束されたことから、否認しきれずに覚醒剤の営利目的所持を認めることとし、その際、○○荘敷地内の覚醒剤についても隠し場所を供述することにしたというのは十分あり得ることであって、不起訴約束がなされたと考えなければ説明できないというものではない。

とし、警察官Ｘの証言は信用でき、被告人の供述は信用できないとした。

警察官Ｘの証人尋問例

検察側証人については、検察官が先に質問し（主尋問）、その後、弁護人が質問（反対尋問）する。

（検察官）

《導入質問》

> ウォーミングアップの質問。この間に法廷の雰囲気に慣れればよい。

1　あなたは、令和○年5月頃、ここにいる被告人の取調べを担当しましたね。

　　　　はい。

2　警察官拝命はいつですか。

　　　　令和○年4月に巡査を拝命しました。

3　当時のあなたの警察での所属ポストは何でしたか。

　　　　○○県警察本部組織犯罪対策部薬物銃器課□□係長でした。

4　階級は何でしたか。

　　　　警部でした。

《捜査経緯について》

5　あなたは、被告人に関する捜査にはいつ頃から関与していましたか。

　　　　令和○年4月6日頃から関与していました。

6　最初の捜査としては、具体的にはどのようなことをしましたか。

　　　　被告人がコンビニの駐車場で密売をしているという情報がありましたので、その駐車場を監視できる場所からビデオを設置して行動確認をしていました。

7　その後、被告人のアパートについても、外から見える状態をビデオ録画したのですか。

　　　　そうです。

748　付録1　警察官の証人尋問例（その1）

8　その後、令和○年5月21日に、被告人方であるハイツ○○の被告人の居
　室の捜索を行うとともに、捜索時に居室で覚醒剤約6グラムと多数の注射
　器が発見されたことから、被告人を現行犯として逮捕したのですね。
　　　　はい。

9　発見された覚醒剤約6グラムですが、これは33包みに小分けされていま
　したね。
　　　　はい。

10　被告人を現行犯逮捕した被疑事実ですが、5月21日に、営利目的で自宅
　居室内で覚醒剤約6グラムを所持していたという事実でしたね。
　　　　はい。

11　この5月21日には、被告人方であるハイツ○○の敷地内の捜索も行った
　のでしょうか。
　　　　はい、やりました。

12　そのとき、敷地内から覚醒剤は発見されましたか。
　　　　発見されませんでした。

13　5月21日に逮捕した後、被告人の取調べはあなたが担当していたのです
　か。
　　　　はい。

14　逮捕当初、被告人は、逮捕事実である営利目的の覚醒剤の所持について
　は認めていたのですか、否認していたのですか。
　　　　自分の居室から発見された覚醒剤について、「他人から預かったも
　　　　のであり、覚醒剤であることを知らなかった。」と弁解し犯行を否
　　　　認していました。

捜査手続（捜索・差押え）の適法性に関する証言　　*749*

15　逮捕直後には、被告人の弁解を弁解録取書という書面に作成しましたね。
　　　　はい。

> このやりとりは、裁判員は、供述調書のイメージがないので、捜査官が一方的に作成するものと誤解する可能性があるので、次のようにすべき。
> →「それは、被告人の言い分を警察官が書面に記録し、被告人に内容を確認してもらい、間違いないということで末尾に署名指印をもらい、各頁の欄外に指印を押してもらって作成する書面のことですね。」「はい。」

16　その弁解録取書の内容は、どのようなものだったのですか。
　　　　部屋にあった覚醒剤については自分のものではない。他人から預かったものであり、中に覚醒剤が入っていることも知らなかったという内容だったと記憶しています。

17　被告人はその弁解録取書の内容を確認して末尾に署名指印し、調書の各頁欄外にも指印したのですね。
　　　　はい。

18　逮捕当日である5月21日、弁解録取書以外に、被告人の供述調書2通を作成し、被告人から署名指印をもらっていますね。
　　　　はい。

19　供述調書とは、被告人の供述を警察官が書面に記録し、被告人に内容を確認してもらい、間違いないということで末尾に署名指印をもらい、また調書の各頁の欄外にも指印をもらって作成する書面のことですね。

> 裁判員に供述調書が捜査官の一方的作業でできるものではないことのイメージを持ってもらうための質問

750　付録1　警察官の証人尋問例（その1）

　　　　はい。

20　その供述調書の1通は、経歴などについての調書であり、もう1通は、容疑事実関係についての調書ということでしたね。

　　　　はい。

21　このときの容疑事実関係についての供述調書の内容は、どんな内容のものだったのですか。

　　　　「弁録」と同様に、見つかった覚醒剤は自分のものではない、他人から預かったものであり、中身について覚醒剤であることを知らなかったという内容でした。

22　否認の内容の供述調書が作成され、被告人が署名指印をしたということですね。

　　　　はい。

23　なお「弁録」というのは、弁解録取書を略して言っているのですね。

　　聞いているのが、素人であることを常に意識し、内部で使われる略語や符丁などを使うことはなるべく避けること。つまらないことで、**裁判員に聞く耳を閉ざされてしまっては、何にもならない。**

　　　　はい、そうです。

24　逮捕当日、弁解録取書や供述調書に録取された供述以外に、何か供述していましたか。

　　　　はい。雑談の中では、本人も覚醒剤の売人であることは認めていました。

捜査手続（捜索・差押え）の適法性に関する証言　*751*

> 　調書に記載されていない事項について、取調べの際の被告人の言動を記録した、いわゆる「取調べメモ」が、検察官との打合せの時点で存在するときは、その旨を検察官に申し出ておくことが必要である。このメモは、あらかじめ、弁護人に開示される場合があるので、**証言に際しては、メモの記載を前提として記憶喚起を行っておく必要がある。**

25　否認する理由については、話しましたか。
　　　　はい。

26　具体的には、どのような話をしたのでしょうか。

> 　質問に対しては、最小限の内容を話せばよい。「はい」、「いいえ」で答えられるものであれば、前記のとおり、それで止めればよい。質問者において、さらに聞く必要があれば、このように突っ込んでくれるので、先走って証言の必要はないし、**質問されていないのに証言をしていくことが、あらかじめシナリオを用意しているような印象を与える危険もある。**

　　　　「俺は今までは覚醒剤の使用では刑務所に行ったことがあるが、所持や譲渡では行ったことがない。そういったものは、逮捕されても否認すれば、起訴されることがないというのが俺の信念。今回も、そのやり方でやらせてもらうよ。」と、本人が言っていました。

27　所持や譲渡では認めないよという態度だったのですね。
　　　　はい。

28　それに対して、あなたは何か話したのですか。
　　　　私は、「社長、あんたは売人として大売人、ＶＩＰ格の売人だ。だから、俺のような本部の刑事が来て取調べをするんだ。もう１か月

752 付録1 警察官の証人尋問例（その1）

以上も、社長の行動確認をしてきた。コンビニや自宅アパートのそ
ばで取引をする状況も見てビデオで録画している。社長、あんたア
パートの駐車場で小便しただろう。そういった状況を全部見て記録
してある。行動確認で分かった客も逮捕するよ。社長、あんたがしゃ
べらなくても、全部起訴にもっていくからな。」と言いました。

29 社長というのは、あなたが、取調べ中、被告人のことをそのように呼ん
でいたのですね。

はい。被告人は、不動産会社の社長の肩書きもありましたので、そ
のように呼びました。

30 あなたは被告人を社長と呼んだり、ＶＩＰ格とか言ったりしているので
すが、あなたと被告人は打ち溶け合って雑談をするような関係だったので
しょうか。

私としては、被告人は否認はしていましたが、それほど人間的には
極悪人という感じを受けておりませんでしたし、否認しても起訴ま
で持ち込めると思っていましたので、普通に人間らしく対等に話を
した方がいいと判断して、そのような呼び方で話をしていました。
ですから、事件以外のことについての雑談も、普通にしていました。

31 ５月21日に被告人を逮捕し取調べを行い、その後は、５月22日、25日、
27日と取調べを続けましたね。

はい。

32 ５月21日及び５月25日の取調べ時点では、被告人は、逮捕事実について
否認していましたか。

はい。

33 ５月27日の取調べでは、逮捕事実についての供述態度に変化はありまし
たか。

捜査手続（捜索・差押え）の適法性に関する証言　　*753*

その日の取調べの最初は認めていませんでしたが、途中で認めるようになりました。

34　そのほかに、それまで供述していなかったことを供述し始めたということはありましたか。

その日の取調べで、逮捕事実を認める少し前に、別に埋めてある覚醒剤についても話すと言い出しました。

35　どのような経過で、別に埋めてある覚醒剤について話をし出したのでしょうか。

> 　ここが、この証人尋問で一番肝心な質問である。証人としては、不起訴約束などない状態で、本人が供述を始めたことを、一般の人に納得してもらえるよう、自然で説得力のある証言を心がけなければならない。

5月25日ないし27日の取調べのときに、「行動確認で分かった客を捕まえたよ。」と本人に言いました。「8名くらい捕まえたよ。」と言いました。捕まえた客の名前については、全てではなく、何人かについてだけ話しました。そうしたところ、本人は、5月27日の取調べの途中で、「俺の体も悪いし、医者からも治らないと言われている。このへんが潮時だ。今まで十分楽しんできたし。」と話し出し、「別に覚醒剤を埋めてある場所があるので教える。」と話し始めました。そして、その後、逮捕事実である営利目的所持の事実も認めると話しました。

36　「俺の体も悪い、医者からも治らないと言われている。」というのは、被告人には逮捕前から持病があったということですか。

はい。逮捕時に足を引きずっているので確認しましたら、靱帯の病気があって足が動かなくなっているということであり、そのほかに、

心臓にも持病があるということで、「体は悪いよ。」と言っておりました。

37 5月27日の取調べの途中で、別に埋めてある覚醒剤のことを被告人が話し出したときの被告人の言葉を、ありのままの言葉で言ってください。

逮捕時に部屋から見つかった覚醒剤のことを指して「売人としては、あの量じゃあ、ちょっと少ないな。大売人と言われるくらいの売人としては、もうちょっと覚醒剤を出さなくては格好が付かないよな。」と話し始め、「じゃあ、掘ってもいいか。」と言い出し、本人の住んでいるアパートであるハイツ○○の敷地内を掘らせるということになったのです。

38 ハイツ○○の敷地内のどこに、何が、どのように埋めてあると話したのですか。

ハイツ○○の1階の玄関側の土のところに、2箇所に分けて、プラスチック製のボトルの中に、小分けしたものが入っている、と説明しました。

39 被告人は、覚醒剤を埋めた場所について図面を書いてくれたのですか。

はい、ハイツ○○敷地のどこに埋めてあるか図に書いてくれ、と私が頼みましたら、本人が自ら図面を書いてくれました。

40 どういう理由で図面が必要なのか、あなたは被告人に説明したのですか。

ハイツ○○の庭を掘るには、裁判所から捜索差押許可状を取らなくてはいけない、それにはここに埋めてあるという社長の供述調書を作り、覚醒剤を埋めてある場所を社長が書いた図面を添付して、令状請求のために使わなくてはならない。だから、図面を書いてくれるかと頼んだら、分かったと承知して書いてくれたのです。

41 5月27日の取調べで、営利目的所持の逮捕事実も認めたということでし

たが、その経緯はどういうものだったのですか。

　　　捜索差押許可状を請求するためには、埋めてある場所の図面と埋めてあるという供述調書が必要だと説明したのですが、そのときに、私が「逮捕事実は、社長、どうすんの。」と聞いたところ、本人は「もう、それも認める。」と話したので、その日の供述調書に、そのまま記載して、本人の署名指印をもらいました。

42　その供述調書には、先ほど証言があったように、ハイツ○○の玄関側の土のところに2箇所に分けて埋めてあるという供述も記載されていたのですね。

　　　はい。

43　その供述調書では、その敷地内に隠された覚醒剤は誰のもので、誰がその場所に埋めたのかは、どのような供述の記載があるのですか。

　　　覚醒剤は××という者から譲り受けたものであり、被告人本人が埋めたという供述でした。

44　何の目的で埋めたと調書に供述の記載があるのですか。

　　　被告人本人が密売をするために、小分けしたものを埋めたという供述でした。

45　その5月27日の被告人供述調書を資料の一つとして、裁判官に対して、ハイツ○○敷地内の捜索差押許可状請求書を出しましたね。

　　　はい。

46　この捜索差押許可状請求に当たって、被疑者の名前を誰にしましたか。

　　本件で、不起訴約束などしたはずがないことを裏付ける、決め手的な客観的証拠を指摘させる質問である。落ち着いて、**明確に答えること。**

756　付録1　警察官の証人尋問例（その1）

　　　△△△△（被告人の氏名）としました。

47　（証拠番号○番の捜索差押許可状請求書を示す）証言を明確にするために示しますが、これが今まで話題に出ていたハイツ○○敷地内を捜索場所とする、5月28日付けの捜索差押許可状請求書ですね。
　　　はい。

48　この1ページ目に被疑者の氏名という欄があり、ここに被告人の名前が記載されていますね。
　　　はい。

49　犯人が分かっていない場合の捜索差押許可状請求の被疑者名は、どうするのが普通ですか。
　　　その場合は、不詳と書くのが普通です。

50　この許可状請求に基づいて、裁判官は、ハイツ○○敷地内を捜索場所とする捜索差押許可状を出しましたね。
　　　はい。

51　この許可状に記載された被疑者名は誰になっていましたか。
　　　△△△△（被告人の名前）でした。

52　被疑者不詳ではなく、被告人の名前を被疑者名として、令状が出されたのですね。
　　　はい。

53　5月28日に、この令状に基づいて、警察官によって、現実にハイツ○○敷地内に対する捜索が行われましたね。
　　　はい。

捜査手続（捜索・差押え）の適法性に関する証言　　*757*

54　あなたも、その捜索に立ち会っていましたか。
　　　　はい。

55　被告人も立ち会っていましたか。
　　　　はい。

56　被告人に対して令状が呈示され、その上で捜索がなされたのですね。
　　　　はい。

57　被告人は、令状を示されたとき、「ここで発見された覚醒剤については、立件しないことにしてくれるはずだったのではないか。」などと、あなたやほかの警察官に不平を申し立てたことはないですか。
　　　　ありません。

58　５月28日に、捜索の結果、被告人の供述したとおりの状態で、ハイツ○○敷地内から覚醒剤が発見され、これを差し押さえたのですね。
　　　　はい。

59　被疑者名を被告人の名前とした捜索差押許可状によって差し押さえた覚醒剤は、証拠品としては、どのように取り扱われることになるのですか。
　　　　被告人を被疑者とした事件の関連証拠品として、検察庁に送られ、検察庁で処分されることになります。

60　５月28日以後も、あなたは被告人を取り調べる機会がありましたね。
　　　　はい。

61　取調べにおいて、５月28日に発見された覚醒剤について、被告人はどのように話していましたか。
　　　　自分のものに間違いないと話していました。

758　付録1　警察官の証人尋問例（その1）

62　その内容を記録し、それを被告人が確認した上で、被告人が署名指印した供述調書も、5月30日付けでできていますね。

　　　　はい。

《不起訴約束の有無についての証言》

> 　違法な捜査手法があったかどうかについては、捜査官の証言と被告人の法廷での供述は、いわば水掛け論になることが多い。そこで、捜査官のこの部分の証言が信用できるかどうかは、当該証言の内容や証言態度が信用できるかというストレートな判断ではなく、**当時の捜査経過・状況など客観的な証拠・状況に照らし合わされて判断されることになることが多い。**

63　その供述調書を作成したとき、被告人から「この覚醒剤は立件しないということだったのじゃないか。」と不平を申し立てられたことはありますか。

　　　　ありません。

64　5月27日、あるいはそれ以前の取調べの際に、被告人の方から、「埋めて隠してある覚醒剤を所持者不明で取り扱ってくれないか。」という趣旨の申出を受けたことがありますか。

　　　　ありません。

65　被告人との間で、あなたが、別に覚醒剤が出てきたとしても、それは不起訴になるようにしてやるよ、などという約束をしたことはありましたか。

　　　　ありません。

捜査手続（捜索・差押え）の適法性に関する証言　　*759*

《反対尋問》

> **弁護人は、捜査官の「不起訴約束はなかった。」との証言が嘘である**こ
> とまで立証する必要はなく、「もしかすると、不起訴約束はあったかもし
> れないな。」など、証言への合理的な疑いを生じさせればよい。反対尋問
> は、その疑いを生じさせることを目的として行われる。

〈弁護人〉

66　あなたが、薬物事件の捜査に関与してきた期間はどのくらいありますか。
　　　　専ら薬物捜査を担当したのは、２年半くらいです。

67　今回は被告人に対して、「業としての譲渡」が成立するとして麻薬特例
　　法違反で起訴されているのですが、あなたが関与した薬物事件の捜査で、
　　これまで麻薬特例法違反で起訴までいったのは何件くらいありますか。
　　　　本部に入る前の○○署当時には１件あります。本部に入ってからは
　　　　今回が初めてです。

68　麻薬特例法での摘発というのは、そうめったにあるものではないという
　　ことですね。
　　　　はい。めったにあるものではありません。

69　捜査官にとっては、麻薬特例法での摘発は、それなりに功績ということ
　　になりますね。
　　　　功績って、どういう意味ですか。

> **本当に意味が分からなければ「どういう意味でしょうか。」と誠実に質**
> 問すればいいが、この答えでは、質問者に対する反感的態度が伺えるので、
> 証言回避的な態度と受け止められる危険がある。

760 付録1 警察官の証人尋問例（その1）

70 功績って普通の日本語ですよ。分かりませんか。評価の対象になる事柄
ということですが。

　　　功績というか、裏付けに時間と労力を要しますので、少人数ではで
　　　きないので、警察本部が入ってやるということになります。

> はぐらかしの印象を与える。「麻薬特例法に限らず、一般に難しい事件
> を、努力してまとめ上げた捜査官は、それなりの評価を得ることになると
> 思います。」などと、一般論の範囲で率直に答えるのが相当である。

71 今回の事件は、被告人方を捜索し逮捕する前に、相当な期間と人数をか
けて大がかりにやっていたのですね。

　　　はい。私が4月から入る前も、○○署が独自に捜査をしていたと聞
　　　いています。

72 話が変わりますが、今回もそうですが、覚醒剤の所持事件の捜査におい
て、捜査官が最も獲得の目標とする重要な証拠というのは何ですか。

　　　覚醒剤そのものだと思います。

73 そうすると、捜査する側としては、覚醒剤の在りかを突き止めるという
のは非常に重要なことであり、突き止めたいと思うわけですよね。

　　　……。

> 反対尋問で、絶句してはいけない。弱いところを突かれて答えに窮した
> と受け止められてしまうからだ。あっさり「そうです。」と答えても、大
> 勢に影響はない。

《捜査経緯》

> この点についての弁護人の反対尋問の戦略は、捜査官が、不起訴約束など違法手段を使ってでも、未発見の覚醒剤の在り場所をしゃべらせなくてはならない状況だったことを、当時の捜査の進展状況を証言させながら、できるだけ浮き彫りにしようというものである。

74 逮捕当日の 5 月21日のハイツ○○敷地内の捜索をしたときのことですが、あなたもこの捜索に立ち会われていますね。
　　　　はい。

75 そのときは、何人態勢で行ったのですか。
　　　　かなりの人数、10名以上は軽くいたように記憶しています。ちょっと正確な人数は忘れました。

76 正確な人数を忘れてしまうくらい、大人数だったということですね。
　　　　……。

> 挑発的質問には冷静に、を心がけること。「10名より、せいぜい数名くらい多い程度です。」と冷静に答えればいい。絶句はいけない。

77 その日は、どこから捜索しましたか。
　　　　5 月21日は、本人が部屋から階段を降りてきたところで本人を確保し、そのまま本人の部屋の方に入り、まず部屋の中を捜索しました。その後、ハイツ○○の敷地内を捜索しました。

762　付録１　警察官の証人尋問例（その１）

78 部屋だけでなく、ハイツ○○の敷地内まで捜索したのはどうしてですか。

　　　１か月ほど被告人の行動確認をした結果、本人がスコップを持って
　　ハイツ○○の敷地内をウロウロして奥の方に入ったなと思ったら、
　　今度は、スコップの反対の手にボトルのようなものを持って出てく
　　るという状況を確認しましたので、それが覚醒剤が入っているもの
　　ではないかという風に考え、敷地内にも覚醒剤を隠しているのでは
　　ないかと判断しました。

79 そうすると、敷地のどの辺りに隠してあるか見当はついていましたよね。

　　　いいえ。私どもがカメラで見ていた範囲では見切れない、奥の方に
　　行って、帰ってくると他のものを持っているという状況でしたので、
　　具体的にどこに埋めて隠してあるかは分からなかったです。

80 でも、大体どの辺りかということは分かっていましたね。

　　　ええ、行動確認の様子から、壁際なり端の方であろうということは
　　予想がつきましたので、その周辺を重点的にやりました。

81 しかし、５月21日には、敷地内から覚醒剤は出てこなかったのですね。

　　　そうです。

82 どうして見つからなかったと思いますか。

　　　本人が持っていたのは小さいスコップでしたので、それほど深いと
　　ころには埋めていないだろうと判断していました。それで、部下も
　　皆、地面の上の方を、大きなシャベルですくうような感じで掘って
　　いきました。縦に刺すのではなく、スコップの先で表面をすくうと
　　いう感じでやっていたので、結果的に発見できなかったのではない
　　かと思います。

83 発見できなくて、どのように思いましたか。

前は埋めてあったのに、今はもう埋めてないのかと残念に思いました。

84 5月21日以降のことですが、部屋で発見された覚醒剤以外にも、被告人が覚醒剤を隠し持っているのではないかという疑いは、まだもっていたのでしょうか。

捜索が終わった後の、逮捕当日の取調べの中での本人との雑談の中で、ストックがまだあるよ、というようなことを話していましたので、もしかすれば、私どもが捜し切れなかったところに、まだあるのかなという印象は受けていました。

85 そうであれば、あなたとしては、被告人に対して、じゃあ、どこに隠しているんだということは当然聞きましたよね。

はい、一応聞きましたが、本人はハイツ〇〇敷地内にストックがあるという言い方をするだけでしたので、私はそれ以上、敷地内のどこだと、ピンポイントで聞く質問はしませんでした。

86 敷地内に隠してあると述べているのですから、その敷地のどこに隠してあるんだということは、かなり厳しく調べるというのが普通ではないですか。

> 　前記証言内容は、捜査官の態度としてはやや不自然である。裁判員も同じような疑問を持っていると考え、この質問には、丁寧に、**説得的な説明をする必要がある**。

逮捕事実そのものについて否認している状態ですので、敷地内に隠しているという話も半信半疑でした。まずは、逮捕事実について認めるようになれば、別に隠してあるものについても、ちゃんと供述

764　付録1　警察官の証人尋問例（その1）

してくれるだろうと私は期待していました。とりあえず、逮捕事実
について、真相をしゃべってもらうことに気持ちを集中させていま
した。

一応疑問を解消させる証言である。

87　それでは、5月27日に、別の覚醒剤の隠し場所をしゃべるに至った経緯
　を、もう一度しゃべっていただけますか。

**この点は重要ポイントなので、反対尋問でも繰り返し聞かれる可能性が
あるから主尋問と矛盾することがあってはならない。**

それまでに、「俺は警察本部から来ているんだ、所轄署とは違う、
行動確認から分かった客についても逮捕して、社長が否認をしても、
営利目的で立件するよ。」と、本人に言いました。最終的に、5月
25日ないし27日頃には、「8名くらいの客を逮捕したよ。」と告げま
した。そうすると、5月27日の取調べのときに、本人が靱帯の病気
で足が動かない、心臓の病気もある、医者から治らないと言われて
いる、だから今回は潮時だなということで、逮捕事実を認めたとい
う経緯です。

88　今のお話では、被告人本人が自分で体調を気にし出して話し始めたもの
　で、証人から働きかけたことはないという風に聞こえますが、そうなんで
　すか。
　　ええ、そうです。

> **やや不自然な証言である。**結局、次の質問で、証言を撤回することになったのだから、当初の88の質問で「私もきちんとしゃべるようにという程度の説得はしていました。しかし、最終的に、本人は体調が悪いことがきっかけでしゃべる気になったのだろうと思う。」などと答えればいい。

89 5月27日の取調べで、あなたから、被告人にきちんとしゃべるように説得というか、働きかけたことはないのですか。

　　　　取調べの当初から、「俺は警察本部の立場で来ている、客も逮捕できる、必ず営利目的で立件するよ。」と話していました。取調べの最初から、ここは潮時だから、ちゃんと話せよという感じで話をしていたことは確かです。ですから、5月27日も、その程度の話は私からしていたと思います。

90 5月27日に、今話されたような話をしていったら、被告人はどうなったのですか。

　　　　私が、「体もそんな状態だからもう潮時だ。ちゃんと話せ。」というような話を続けたら、本人が「そうだな、もう俺も潮時だな。」と言い出したんですね。「最後くらいはしゃべるか。」というみたいな心理状態になったのだと思いますが、本人が、「じゃあ、掘ってもいいか。」と言い出したので、私が「掘るって、ハイツ○○の庭のことか。」と聞くと、本人が「そうだ。」と答えました。

> **客観的な言葉のやりとりと、推測した心理状態は区別して証言すること。**

91 それから、本人が具体的な隠し場所を話したということですか。

　　　　そうです。

766   付録1　警察官の証人尋問例（その1）

92　別の覚醒剤の話を被告人がし始める前に、覚醒剤がたくさん見つかると、
　　刑が重くなるかどうかなど、話題にはなりませんでしたか。
　　　　なりませんでした。

93　被告人の方から、その話題をしたことがあったのではないですか。
　　　　いいえ、特に話題になりませんでした。かえって、最初に現行犯で
　　捕まった分の覚醒剤の量が、大売人として少ないので、もうちょっ
　　と出さないと格好が付かないなという意味で、「掘ってもいいか。」
　　という言葉が出た印象です。

94　「最初に現行犯で捕まった分の覚醒剤の量が、大売人として少ないので、
　　もうちょっと出さないと格好が付かないな。」というのは、あなたが被告
　　人の心境を推測しただけのことですね。
　　　　いえ、本人が「逮捕されたとき持っていた覚醒剤の量が少ない。も
　　うちょっと出さないと格好が付かない。」としゃべっていました。

95　「逮捕されたとき持っていた覚醒剤の量は、大売人としては少ない。も
　　うちょっと出さないと格好が付かない。」という意味の言葉を、あなたが、
　　被告人にしゃべったこともありましたね。

> 　反対尋問では、この程度の誘導尋問も許される。あたかも何らかの根拠
> に基づいて聞いている質問態度ではあるが、安易に引きずられた返答をせ
> ず、自分の記憶と違うときは、明確にその旨証言すべきである。

　　　　いいえ、ありません。

〈検察官　再主尋問〉

96　5月28日に発見された覚醒剤は、地面からどのくらいの深さのところに隠されていたのでしょうか。

　　　　地面から10センチくらい下のところに埋めてありました。

97　5月21日の捜索のときには、それより上の部分をさらう感じで捜していたので、発見できなかったということですか。

　　　　はい、そうです。それと、見つかった場所が、木の根っこの辺りだったのですが、あの辺りは、捜索をしていなかったような気がします。

98　逮捕事実を認めたり、別に埋めてある覚醒剤の在り場所を教える気になった理由について、被告人は、自白後何かあなたに話していましたか。

　　　　今回認めた後の本人の話ですが、「俺がもし健康だったら、今回も否認したよ。だけど、今回はこういう体だから、捕まって刑務所に行けば獄中死するかもしれない。もう潮時かなと思って、しゃべる気になった。」と話していました。

〈裁判官〉

99　5月21日の逮捕時に、ハイツ○○の敷地内を捜索したが覚醒剤は発見できなかったということですが、その後、被告人が逮捕事実である営利目的の所持を否認している状況もあったとすると、部屋以外の別の場所に隠されている覚醒剤を発見するための再捜索をしなければならないということは検討していたのではないですか。

　　　　令状を得て、5月21日に捜索をしたのですが、出てこなかったので、再度捜索のための令状を取るには、別に隠してある場所についての本人の供述が必要だろうと判断していました。ですから、逮捕事実について正直にしゃべってもらうことが先決だろうと思っていました。

768   付録1   警察官の証人尋問例（その1）

100   別の覚醒剤をどこに隠してあるかということについては、とりたてて、
　時間をとって追及はしなかったということですか。

　　　　そうです。さほど時間を割いていません。本人も、具体的にどこに
　　　隠しているという話については、余り言いたがらないそぶりでした
　　　ので、私の方では、その点については、それ以上の突っ込みはしま
　　　せんでした。私としても、やはり逮捕事実がまとまらなければ、私
　　　が本部から行った意味がありませんので、とりあえず、逮捕事実を
　　　固める取調べをしていたということです。

101   逮捕事実を固める取調べとは、具体的にはどういうことですか。

　　　　部屋で発見された覚醒剤が小分けされた状態になっていたことの理
　　　由、その覚醒剤が入っていたかばんの入手状況、多数の注射器が自
　　　室内にあった理由などを、本人から詳細に聞き、裏付けして、矛盾
　　　があれば、さらに本人に聞くということです。また、行動確認で特
　　　定して覚醒剤の譲受けで逮捕した客の事実を固めるために、これら
　　　客との関係や連絡状況なども、本人から聞く必要がありました。

実況見分調書の作成の真正についての証言　　*769*

> ── 警察官の証人尋問例（その2）──────────
> # 実況見分調書の作成の真正についての証言

　実況見分調書（検証調書）については、被告人が証拠調べに同意しないときは、作成者（見分実施者）が「調書の作成が真正であること」を証言することによって、実況見分調書に証拠能力が与えられ証拠としての取調べが可能になる（**設問59**参照）。

　本事案は、殺人未遂現場の実況見分調書が不同意となり、そのため見分実施者が証人として呼ばれたという事案である。調書の作成の真正とは、単に偽造でないというのではなく、「見分の経過と結果をありのままに調書に記載したこと」であるということが分かるであろう。弁護人は、観察が不正確であったこと、調書への記載が不正確・虚偽であることを指摘しようとして反対尋問をしている。

証人尋問例

〈検察官〉

1　証人は、令和○年○月に巡査を拝命し、令和○年○月に巡査部長に昇任、令和○年○月に警部補に昇任し、令和○年○月に○警察署刑事課強行犯係長の職にあり現在に至っているのですね。

　　　　はい。

2　証人の経歴で、刑事を担当した期間はどれくらいありますか。

　　　　警察官になって18年になりますが、その間、2年間地域係を担当した期間を除いて、ずっと刑事畑です。

3　実況見分や検証を自ら実施して、調書を作成した件数はどのくらいありますか。

　　　　平均毎月1件は手がけています。

770 付録1 警察官の証人尋問例（その２）

4 証人は、令和○年９月10日に、司法警察員として、○市○○町○番地の
飲食店○○こと甲野花子方の実況見分をしましたね。

はい。

5 実況見分の補助者として司法巡査乙川二郎、同じく巡査部長丙田三郎が
補助しましたね。

はい。

> **争いのない事項については、検察官の誘導が許される。**

6 その実況見分の経過と結果を実況見分調書として作成しましたね。

はい。

7 （令和○年９月20日付け、実況見分調書を示す）
証人が作成した実況見分調書は、これですか。

はい、そうです。

8 この実況見分調書は、証人が見分した経過と結果をありのままに正確に
記載してありますか。

はい、ありのままに記載しました。

9 実況見分に際しまして、犯行現場の飲食店経営者の甲野花子を立会いさ
せましたね。

はい。

10 どういう理由で甲野さんを立ち会わせたのですか。

犯行現場で犯行の一部始終を目撃していたということなので、立ち
会ってもらい、指示説明を受けたなら、実況見分を一層正確に行え
ると考えたからです。

11 甲野さんの指示説明の態度や記憶の程度はどうでしたか。

　　　　ええ、甲野さんは犯行をよく覚えていて、自分から積極的に「ここ
　　　　でどうした。あそこでどうした。」などと指示説明してくれました。

12 指示説明について、証人や補助者のほうで立会人を誘導していませんか。

　　　　していません。当時は、まだ被告人も逃走中であり、被害者も治療
　　　　のため事情聴取できていませんでしたから、私たちも犯行の状況に
　　　　ついて全く知識がなく、誘導のしようもありませんでした。

13 甲野さんの指示説明は正確でしたか。

　　　　はい、正確だと思いました。

14 どうして、そのように思いましたか。

　　　　例えば、甲野さんから便所の出口で殴り合いをしていたと指示があ
　　　　り、その場所に行くと、確かに血痕が遺留されていたといった具合
　　　　で、その指示は正確でした。

> 　質問9から14までは、作成の真正に関するものではないが、真正立証に
> あわせて立会人の指示説明の信用性も立証しようとしたものである。

〈弁護人〉

15 この調書添付の現場の店舗の見取図ですが、建物の南北の長さが6.2メー
　　トルとなっているのですが、建物の中の二つの部屋の南北の長さがそれぞ
　　れ、3.0メートル、2.8メートルと記載されており、数字が合わないのです
　　が、どうでしょうか。

　　　　……。これは、私の方の記載間違いです。建物の南北の長さは5.8
　　　　メートルが正確です。訂正します。

772 付録1 警察官の証人尋問例（その2）

> 調書の正確性を争うとき、このような形式ミスを突いてくることが多い。

16 どうして、5.8メートルが正しいといえるのですか。

実況見分実施の際に検尺等をしながら、私が現場の状況を記録した
メモがあるのですが、法廷に来る前に、そのメモを見てきています。
そのメモには部屋の南北の長さが3.0、2.8と記載されていました。

17 調書はどのようにして作成したのですか。

見分実施の責任者としては、まず現場の状況をこの目でよく観察す
ることに主眼を置きます。異常な痕跡がないかどうかという点です。
そして、正確に記録すべき事柄、例えば、物品の配置状況、数字的
なもの、調書で落としてはいけないポイント的な状況などをメモし
ます。ですから、観察したもの全てがメモになっているのではあり
ません。このメモと補助者に撮影させた現場写真、作成させた見取
図などを参照しながら、見分時の状況を思い出して調書を作成しま
した。

18 添付写真番号○では、カウンターに花瓶が写っていませんが、添付写真
△のカウンターには、同じ場所に花瓶があるように見えます。どうして、
同じ日の実況見分の状況が違うのですか。違う日に撮影した写真を混合し
たのではないですか。

今から考えると、その旨調書に記載すればよかったのですが、実は、
見分開始時にはカウンターに花瓶がありました。ところが、立会人
が「事件のとき花瓶はなかった。事件後、気分が滅入ったので自宅
から自分が持ってきて置いたのだ。」と説明したので、花瓶をカウ
ンターから降ろして写真撮影し、他の地点の撮影になったとき、ま
た花瓶を戻したのです。

> 立会人の指示説明によって、見分開始時の状況を変更し、犯行時の状況を再現するときは、その旨調書上明らかにしないと紛糾する原因になる。

19 2階への階段の中間点付近の記載が調書にはありませんが、ここは見分したのですか。

　　　はい。

20 9月○日付けの写真撮影報告書によれば、この階段中間付近のてすりの裏側には、包丁の刺し傷が無数についていたということですが、その点をどうして記載しなかったのですか。

　　　当時、立会人から、被疑者が階段を上がっていったという供述がなかったものですから、階段は見分したにはしたけれど、てすりの裏側までは十分に見ませんでした。

21 要は見落としですか。

　　　はい。

> あれこれ弁解するよりも、このように誤りは誤りとして認める方が誠実な印象を与えることが多い。

付録 2
逮捕手続書の書式例と解説

776　付録2　逮捕手続書の書式例と解説

逮捕手続書の書式

1　逮捕手続書の重要性と作成に当たっての心構え

(1)　逮捕が違法なときは、その後の勾留が違法とされるのはもちろん、その逮捕・勾留期間になされた自白も違法収集自白として証拠能力を否定されることがある。

(2)　通常逮捕の場合は、逮捕の要件の存否について裁判官の事前審査を経ているから、逮捕状の発付があったこと自体で逮捕が適法であったと一応推定される。

　　しかし、現行犯逮捕・緊急逮捕の場合は、裁判官の事前審査がないから、逮捕の要件が存在し、その逮捕手続が適法であったことを立証するための第一次資料は、逮捕警察官自身が作成した逮捕手続書である。そのため現行犯逮捕・緊急逮捕の事案では、検察官は、公判で逮捕手続が争われない場合でも、まず例外なく逮捕手続書を証拠として取調べ請求し、弁護人に開示し、公判において取り調べられ、裁判官が（裁判員裁判だと裁判員も）読むことになる。

　　このように、逮捕手続書（特に現行犯、緊急逮捕の場合）は、公判において弁護人（被告人）や裁判官の目に必ず触れる「対外的」公文書である。

　　したがって、逮捕手続書は、きちんとした日本語（テニヲハを正しく使った日本語）で、丁寧に書かれる必要があるし、逮捕の要件（⟹ 設問36 ないし 設問42 参照）を正しく理解した上で、その要件の存否が分かるように記載されなければならない。また、当該事件と明らかに無関係な事実関係のほか、自身の記憶が曖昧であるなど正確性に疑問が残る事実関係の記載は避けるべきである。

(3)　逮捕手続書の体裁を整えるために虚偽の記載などの作為を施すような

ことは絶対にあってはならない。

　それは、まず、検察官の逮捕手続の適否についての判断、ひいては起訴すべきかどうかの判断を誤らせるだけでなく、裁判所の有罪無罪の判断を誤まらせる結果をもたらすからである。このような場合、その手続書を作成した逮捕警察官が、公判で弁護人、被告人からはもちろん、裁判官からも厳しい追及を受けるだけでなく、捜査機関全体への信頼を大きく傷付けることになる。

778　付録2　逮捕手続書の書式例と解説

2　「現に罪を行い終わった現行犯人」の事例

様式第17号（刑訴第212条、第213条、第216条、第202条、第203条、第217条）

現行犯人逮捕手続書（甲）(*1)

　下記現行犯人を逮捕した手続は、次のとおりである。

記

1　被疑者の住居、職業、氏名、年齢
　　　　○○県○○市○○区8条13丁目
　　　　　土建業　　丁井一郎
　　　　　　　　　昭和○○年○月○日生　41歳

2　逮捕の年月日時
　　　　　令和○年 11 月 1 日午前3 時 13 分

3　逮捕の場所
　　　　　○○県○○市○○区南4条西3丁目
　　　　　　飲食店「○○」こと山田太郎方店舗

4　現行犯人と認めた理由及び事実の要旨(*2)

(1)　現行犯人と認めた理由

　　　本職ら両名は、本日午前3時10分頃、○○県○○警察署○○交番において、立番勤務中、前記飲食店「○○」の経営者山田太郎から「私の経営する○○の店の中でけんかです。すぐ来てください」との電話通報を受けた。

　　　本職らは、直ちに約100メートルの距離にある前記飲食店「○○」に急行したところ

　　　(*3)年齢40歳くらい、身長約170センチメートル、頭髪にパンチパーマをかけ、茶のサングラス、黒ジャンパー、茶のズボンを着用した一見暴力団員風の男（以下「被疑者」という。）

　　が、両手を握りしめ、

　　　黒背広上下に白ワイシャツを着用した接客従業員風の男（後に鈴木次郎と判明）

　　に向かって突き出して構えながら

　　　この野郎

　　等と怒鳴っており、上記鈴木は、被疑者を指して

　　　この男の人から「飲食代をまけろ」と言われたので、「できません」と言ったところ、この人は「ここの店は高すぎる」と言い張り、私と押し問答になり、急に私の左側頭部を右手の拳骨で殴りつけてきて、更に左耳も殴りました

と申し立てたので、上記鈴木の左側頭部を見分するに

　　　左耳及びその周辺が赤くはれ上がっている

のが確認された。

　　そこで、本職（甲野巡査）が、被疑者に説明を求めると

　　　このボーイの口のきき方が悪いので軽く頭を触っただけだ

と述べたので、現に罪を行い終わった暴行の現行犯人と認めた。[*4]

(2)　事実の要旨

　　　被疑者は、令和○年11月1日午前3時10分頃、○○県○○市○○区南4条西3丁目所在の飲食店「○○」こと山田太郎方店舗内において、同店従業員鈴木次郎（当時28歳）の左側頭部を手拳で2回殴打して同人に対し暴行を加えたものである。

5　逮捕時の状況

　　　被疑者に対し、暴行罪により逮捕する旨を告げ逮捕しようとしたところ、被疑者は、腕を振り回し、本職ら両名につかみかかってくる等して[*5]暴れたので、本職ら両名で被疑者をソファに座らせてその上半身を横にして腕をつかんで制圧し逮捕した。

6　証拠資料の有無[*6]

　　　なし

本職は、令和○年11月1日午前3時30分、被疑者を○○県○○警察署司法警察員に引致した。

　　　上記引致の日

　　　　　　　　　　　　　　　　○○県○○警察署

　　　　　　　　　　　　　　[*7]司法巡査　甲野　茂　㊞

　　　　　　　　　　　　　　　　同　　　上　乙川昭彦　㊞

- -

本職は、令和○年11月2日午後1時○○分、被疑者を関係書類等とともに、○○区検察庁検察官に送致する手続をした。

　　　上記送致の日

　　　　　　　　　　　　　　　　○○県○○警察署

　　　　　　　　　　　　　　司法警察員　警部　丙田　登　㊞

*1　本件は、緊急逮捕のできない暴行に関するものであり、現行犯としての要件が具備していることが手続書に明確に記載されている必要が特に大きい。

　　本件の場合、警察官は、犯行そのものを現認しておらず、通報や被害者・犯人の供述によって犯行と犯人を認識したのであるから、一見すると緊急逮捕しかできないように思われるかもしれない。

780 付録2 逮捕手続書の書式例と解説

　　しかし、①犯行から警察官の現場臨場まで極めて時間的に接近していたこと、②犯人が犯行現場にとどまっていたこと、③犯人が、なお被害者に向かって攻撃姿勢をとり怒鳴りつけていたこと、④被害者の側頭部に暴行の痕跡が生々しく残っていたことなどの**客観的現場の状況**があり、犯罪と犯人の明白性が保障されているといえる（「**犯行のホットな状況**」ないし「**犯罪の生々しい痕跡があり、犯罪が終わったばかりの状況**」が残っている場合といえる）から現行犯逮捕できる（本文 設問 41 参照）。

　　本件が緊急逮捕としてではなく、現行犯逮捕として許容されることについて、読む者に疑問をもたせないように、逮捕手続書には上記現場状況を詳細に記載すべきである。

＊2　現行犯人と認めた理由と被疑事実の要旨は、別個独立させて記載すべきである。

＊3　被疑者の人相着衣や、被害者の申告内容などの重要ポイントについては、適宜改行して段を下げて記載するのが読みやすい。

＊4　現行犯人といっても、「現に罪を行っている者」、「現に罪を行い終わった者」、準現行犯人があるので、そのどれに当たるかが読む者に分かるように、その種類をも記載すべきである。

＊5　逮捕に伴う実力行使の許容限度は、被疑者の抵抗の程度に比例するから、制圧して逮捕したときは、被疑者の抵抗状況も簡潔に記載し、その実力行使が適法であることを明らかにすべきである。

＊6　逮捕の際に証拠資料を得たときに「あり」と記載し、そうでないときは「なし」と記載する。

＊7　実際の逮捕者が署名押印する。

　　複数で協力して逮捕したときは、本文中にその分担が分かるように記載する。

3 準現行犯人の事例

様式第17号（刑訴第212条、第213条、第216条、第202条、第203条、第217条）

現行犯人逮捕手続書（甲）^(＊1)

　下記現行犯人を逮捕した手続は、次のとおりである。^(＊2)

記

1　被疑者の住居、職業、氏名、年齢
　　　〇〇県〇〇市稲穂4丁目9番11号
　　　　無　職
　　　　　丁　井　一　郎
　　　　　　昭和〇〇年6月13日生　〇〇歳

2　逮捕の年月日時
　　　令和〇　年 12 月 29 日午 後11 時 35 分

3　逮捕の場所
　　　〇〇県〇〇市稲穂4丁目9番11号
　　　　鈴木二郎方

4　現行犯人と認めた理由及び事実の要旨

(1)　現行犯人と認めた理由

　　　本職らが、本日午後11時19分頃、〇〇県〇〇市新富2丁目先路上付近を警ら用無線自動車で警ら中、当署当直司令から

　　　　　稲穂4丁目鈴木二郎方にてけんかがあり、刃物による傷害事件が発生した。至急現場に臨場せよ。

　との指令があり、同日午後11時25分頃、上記鈴木方に臨場した。

　　　同所の玄関には指定暴力団「〇〇会」の代紋及び「〇〇会鈴木組」の看板が表示されており、玄関内に立ち入ったところ、玄関から居間まで血痕が点々と続いており、居間東側に置かれたソファの上及び同ソファの前のカーペット上には大量の血液が流れてたまっており、その周囲には血液が飛散していた。

　　　同居間には年齢60歳すぎくらいの男（後で平野三郎と判明）のほかに

　　　　　年齢30歳くらい、身長1.7メートルくらい、小太り、白色セーター青色ジーパンを着用、白色靴下を履いた男（以下「被疑者」という。）

　が立っていた。

　　　本職らが被疑者の身体着衣を見分したところ、その右前腕部や手掌部、前記セーターの腹部、右靴下等が血で染まっていたので

　　　　　その血はどうした

と質問したところ、被疑者は本職らに対し両腕を交差させて差し出し

ながら

　　　　　俺が短刀で鈴木の親父の胸を刺して殺した

　　　　　覚悟しています

と申し立てた。

　　本職らは、前記平野に対しても

　　　　　どうしたんだ

と質問したところ、同人は

　　　　　丁井がシノギのことで鈴木組長とけんかとなり10分くらい前

　　　に短刀で胸を刺しました

と述べた。

　　被疑者らから事情聴取中の同日午後11時35分に当署当直司令か

ら無線にて

　　　　　被害者の鈴木二郎はただいま病院にて死亡した

との連絡を受報した。

　　　　（＊3）

　　よって、被疑者を、罪を行い終わって間がないことが明らかで、身

体及び被服に犯罪の顕著な痕跡がある殺人の準現行犯人と認めた。

(2)　被疑事実の要旨

　　被疑者は、令和○年12月29日、○○県○○市稲穂4丁目9番11

号鈴木二郎（当時55歳）方居間で同人と債権取立てをめぐって口論

し、同日午後11時15分頃、同人方居間において、殺意をもって所

携の刃体の長さ約13.5センチメートルの短刀で、同人の胸部等を

数回突き刺し、よって、同人を両肺損傷に基づく失血により即死する

に至らしめ殺害したものである。

5　逮捕時の状況

　　本職らが逮捕する旨告げたところ、被疑者は

　　　　　シノギのことで頭にきたのでやった

　　と落ち着いた口調で答え抵抗する気配もなく逮捕に応じた。

6　証拠資料の有無

　　あり

　本職は、令和○年12月29日午後11時45分、被疑者を

○○県○○警察署司法警察員に引致した。

　　　上記引致の日

　　　　　　　　　　　○○県○○警察署

逮捕手続書の書式　783

司法 警察員　巡査部長　甲野太郎㊞
司法巡査　乙野次郎㊞

本職は、令和〇 年 12 月 31 日午 前8 時 30 分、被疑者を関係書類等とともに、〇〇地方 検察庁検察官に送致する手続をした。
　　　上記送致の日
　　　　　　　　　〇〇県〇〇 警察署
　　　　　　　　　司法警察員　警部　丙川　　茂㊞

＊1　準現行犯人逮捕手続書というものはない。
＊2　準現行犯の要件は、「罪を行い終わって間がないことが明白であること」と、法定の不審状況があること（犯人として追呼されていること、贓物・明らかに犯罪の用に供したと思われる凶器その他のものを所持していること、身体・被服に犯罪の顕著な証跡があること、又は誰何されて逃走しようとすること）である。この要件を念頭に置き、その要件の存否について読む者に疑問を抱かせないように手続書を記載する必要がある。
＊3　本件は、現場に死体があれば、被疑者を「現に罪を行い終わった」者として現行犯逮捕できた事案であろう。
　　　「罪を行い終わって間がないことが明らか」なことは、必ずしも逮捕者自身が直接認識する必要はなく、目撃者・被疑者の供述、他の捜査官からの通報によって認定することが許される。しかし、上記の法定の不審状況は、逮捕者自身が現認する必要がある（本文 設問 42 参照）。

784　付録2　逮捕手続書の書式例と解説

4　私人逮捕の事例

様式第18号（刑訴第212条、第213条、第214条、第215条、第216条、第203条、第217条）

現行犯人逮捕手続書（乙）[*1]

　令和〇年1月26日午後7時〇〇分、〇〇県〇〇市〇区北17条東20丁目1番株式会社〇〇スーパー元町店社員食堂において、下記現行犯人を受け取った手続は、次のとおりである。

記

1　逮捕者の住居、職業、氏名、年齢
　　甲　野　一　郎　〇〇歳

2　被疑者の住居、職業、氏名、年齢
　　　〇〇県〇〇市〇区本町2条2丁目1番14号
　　　　建設作業員
　　　　乙　川　二　郎
　　　　　昭和〇〇年7月22日生　〇〇歳

3　逮捕の年月日時
　　　令和〇年1月26日午後6時25分

4　逮捕の場所
　　　〇〇県〇〇市〇区北17条東20丁目1番
　　　　株式会社〇〇スーパー元町店北側
　　　　　商品搬入口前路上

5　現行犯人と認めた理由及び事実の要旨

　(1)　現行犯人と認めた理由
　　　逮捕者は、日本警備株式会社から株式会社〇〇スーパー元町店に派遣された警備員であるが、令和〇年1月26日午前11時〇〇分頃から同店において万引き犯人発見のため警戒していたところ、同日午後6時10分頃、同店内日用品売場に
　　　　　年齢28歳くらい、身長170センチメートルくらい、中肉、ベージュ色作業服上下着用、紺色ジャンパーを手に持った一見作業員風の男（以下「被疑者」という。）
　　　が同店専用買物かご内に、△△商店と印刷されたビニール買物袋を入れて周りを落ち着きなく見回しながら歩いているのを認め不審に感じ、その専用買物かご内を見ると、〇〇スーパーの値段シールが貼られた、新品の

モンキーレンチ	1本
作業用靴下	1組
ガラス戸つまみ	1個
壁掛けフック	1個

が入っていた。さらに、約3メートル離れて注視していると、被疑者は日用品売場の接着剤陳列棚に隠れ、前記専用買物かご内の、前記

モンキーレンチ	1本
作業用靴下	1組
ガラス戸つまみ	1個

を前記△△商店のビニール買物袋に移し替えた。

　　逮捕者は、被疑者が、その後、同ビニール買物袋をレジカウンター脇に置き、前記専用買物かご内に残った壁掛けフック1個をレジカウンター係に差し出し、その分の代金を支払っただけで上記△△商店のビニール買物袋に入った上記商品の代金を支払わないまま、同日午後6時20分頃、同店出入口を出たのを現認したので、被疑者を現に罪を行い終わった窃盗（万引き）の現行犯人と認めた。

(2)　事実の要旨

　　被疑者は、令和○年1月26日午後6時20分頃、○○県○○市○区北17条東20丁目1番株式会社○○スーパー元町店店舗内において、同店店長丙田茂管理に係るモンキーレンチ等3点（時価合計3,158円相当）を窃取したものである。

6　逮捕時の状況

　　逮捕者は、被疑者に対し「警備員の者ですが。」と声を掛けたところ、被疑者がやにわに逃走したので、これを追いかけ、約150メートル先の前記逮捕場所で追いつき、後方から被疑者を抱くようにして逮捕した。^(＊2)

7　証拠資料の有無

　　あり

　本職は、令和○年1月26日午後7時35分、被疑者を○○県○○警察署司法警察員に引致した。

　　　上記引致の日

　　　　　　　　　　　　　　　　　○○県○○警察署

　　　　　　　　　　　　　　　司法 巡査　山田太郎　㊞

　　　　　　　　　　　　　　　　　　　　　　　^(＊3)

　　　　　　　　　　　　　　　逮捕者　　甲野一郎　㊞

786 付録2 逮捕手続書の書式例と解説

　本職は、 令和〇 年 〇 月 28 日午 前9 時 〇 分、被疑者を関係書
類等とともに、 〇〇区 検察庁検察官に送致する手続をした。
　　　　上記送致の日
　　　　　　　　　　　　　〇〇県〇〇 警察署
　　　　　　　　　　　　　司法警察員　 警部　鈴木次郎 ㊞

＊1　私人が現行犯逮捕したときは、現行犯人逮捕手続書（乙）の書式により、被
　　疑者を受け取った捜査機関が逮捕状況を明らかにする。
＊2　このような事案でも、その後現場に臨場した警察官による現行犯逮捕として
　　手続書を作成する例がないわけではない。私人が後難をおそれて表に出るのを
　　嫌がるなどの理由によると思われるが、警察官による逮捕の要件について問題
　　が生ずる場合があるので、できるだけ実態に沿った手続書の記載をすべきであ
　　る（本文設問42、4参照）。
＊3　ここに逮捕者の署名押印（指印）をもらうこと。

5 緊急逮捕の事例

様式第15号（刑訴第210条、第211条、第202条、第203条）

緊急逮捕手続書 (＊1)

下記被疑者に対する 覚醒剤取締法違反 被疑事件につき、被疑事実の要旨及び急速を要し逮捕状を求めることができない旨を告げて被疑者を逮捕した手続は、次のとおりである。

記

1 被疑者の住居、職業、氏名、年齢
　　　〇〇県〇〇市〇区8条1丁目7番3号
　　　工員　　戊 井 太 郎
　　　　　　　平成〇年10月9日生　〇〇歳
2 逮捕の年月日時
　　　令和〇 年 1 月 27 日午 前2 時 20 分
3 逮捕の場所
　　　〇〇県〇〇市〇〇区北1条西5丁目4番地
　　　〇〇県〇〇警察署組織犯罪対策課事務室
4 罪名、罰条 (＊3)
　　　覚醒剤取締法（使用）
　　　同法第19条、同法第41条の3第1項第1号
5 被疑事実の要旨
　　　別紙1のとおり (＊2、＊3)
6 被疑者が5の罪を犯したことを疑うに足りる充分な理由
　　　別紙2のとおり (＊2)
7 急速を要し裁判官の逮捕状を求めることができなかった理由
　　　被疑者は、両親と同居する者であるが、独身である上、本件に使用した注射器等が発見されていないので、直ちに逮捕しなければ逃走及び罪証隠滅のおそれが認められた。
8 逮捕時の状況
　　　被疑者に対し逮捕する旨を告げたところ、「分かりました」と申し立て素直に逮捕に応じた。
9 証拠資料の有無
　　　なし

本職は、 令和〇 年 1 月 27 日午 前2 時 23 分、被疑者を 〇〇県〇〇 警察署司法警察員に引致した。

上記引致の日

　　　　○○県○○警察署派遣　　○○警察本部刑事部機動捜査隊

　　　　　　　　司法 警察員巡査部長　甲野一郎　㊞

　　　　　　　　司法巡査　　　　　　　乙川二郎　㊞

　本職は、 令和○ 年 1 月 27 日午 前4 時 00 分、 ○○地方 裁判所裁判官に対し、上記被疑者に対する逮捕状を請求した結果、 令和○ 年 1 月 27 日、 ○○地方 裁判所裁判官 丙田三郎 から逮捕状が発せられた。

　　　上記逮捕状発付の日

　　　　　　○○県○○ 警察署

　　　　　　司法 警察員　警部補　丁野四郎　㊞

　本職は、 令和○ 年 1 月 28 日午 前9 時 00 分、被疑者を関係書類等とともに、 ○○地方 検察庁検察官に送致する手続をした。

　　　上記送致の日

　　　　　　　　　　　○○県○○ 警察署

　　　　　　　　　司法警察員　警部　佐藤五郎　㊞

別紙 1

　被疑者は、法定の除外事由がないのに、令和○年1月25日午後10時00分頃、○○県○○市○○区南4条東4丁目1番地○○マンション702号室において、フェニルメチルアミノプロパンを含有する覚醒剤水溶液若干量を自己の右腕に注射して使用したものである。

別紙2

1　本年1月26日午後9時10分頃、本職ら（巡査部長甲野一郎、司法巡査乙川二郎）は、○○県警察本部刑事部機動捜査隊所属捜査用無線自動車（機捜10号）に乗務し

　　　　○○県○○市○○区南4条東1丁目付近

を、機捜15号（巡査部長鈴木雅之、巡査長山田幸夫が乗務）とともに警ら警戒中、暴力団員風の男2名が乗り、同所付近を同日午後10時10分頃まで、約30分間にわたって、何回も往復する不審車両（白色日産ローレル）を認めたので、運転者等に対する職務質問を実施すべく、同車両を追尾した。

2　同不審車両は

　　　　○○県○○市○○区南4条東4丁目1番地
　　　　○○マンション駐車場

に入り停車したところから、本職ら両名は前記鈴木巡査部長、山田巡査長とともに同不審車両の乗員に対し職務質問を実施した。

　　同不審車両の運転席には

　　　　年齢　　20歳くらい
　　　　身長　　160センチメートルくらい
　　　　やせ型
　　　　口ひげ
　　　　黒色ハイネックシャツ
　　　　黒色ジャージ下
　　　　頭髪パンチパーマ様オールバック

の男（以下「被疑者」という。）がおり、助手席には、年齢25歳くらいの男（後に田中次郎と判明）が同乗していた。

　　被疑者らは、本職らの

　　　　どうして同じ場所を車で行ったり来たりしていたのですか

との質問に対しても

　　　　友達のマンションを探していました

などと曖昧な説明を繰り返し、その態度も

　　　　本職らから、ことさら視線をそらそうとし落ち着きがない

ものであったので、更に質問を継続するため、被疑者らの承諾を得た上

(＊4)

で

　　　　上記田中を捜査用車両（機捜15号）
　　　　被疑者を捜査用車両（機捜10号）

にそれぞれ乗車させ、被疑者に対しては、本職らで質問を続けた。

3 捜査用車両（機捜１０号）後部座席で被疑者を観察するに、同人は

　　　　頬がこけ、顔色が悪く

　　　　目がくぼみ、唇は乾き

　　　　視線を絶えず落ち着きなく動かし

　　　　手を小刻みに震わす

状態であったので、本職らは、被疑者が覚醒剤常用者ではないかとの疑いをもち、覚醒剤使用の有無について質問したところ、同人は一瞬びっくりした表情を浮かべ

　　　　知りません

と申し立てながらも、うつむいた状態で沈黙した。

本職らは、更に被疑者に対し

　　　　覚醒剤をやっていないのなら腕を見せてくれるか

と申し向けたところ、被疑者は一瞬迷った風であったが、すぐに自ら両腕の袖をまくり上げ^{（＊5）}

　　　　これは、１年前に肝臓を患って入院した時の注射の跡です

と申し立てたので、両上腕部を確認したところ

　　　　右腕内側部の血管上に真新しい数個の注射痕

　　　　左腕肘内側部の血管上に古いたこ状の注射痕

が認められた。

　被疑者の申立てと異なり注射痕が真新しかったので、その点を尋ねたが被疑者の答弁はしどろもどろであった。

　上記状況から本職らは、被疑者が最近覚醒剤を使用したとの疑いを強め、被疑者に対し

　　　　ここでは人も通るだろうから署で話をしてもらえるか

と申し向けたところ、被疑者が

　　　　分かりました

と承諾したので、被疑者を捜査用車両（機捜１０号）の後部座席に同乗させたまま○○県○○警察署へ向かい、同日午後１０時３０分頃、同署^{（＊6）}に到着した。本職らが促すと、被疑者は捜査用車両から自分で降り、本職らと並んで同署３階の組織犯罪対策課事務室内に入室した。

4 同署組織犯罪対策課事務室において、本職らが、被疑者に対し覚醒剤使用の有無について尋ねたところ、同人は黙したままうつむいたので、本職らは、同人に対し

　　　　やっていないなら尿を出してくれないか

と言い尿の提出方を説得すると、被疑者は観念した様子で^{（＊7）}

　　　　分かりました。今は出ないので少し待ってください

と答えたので、被疑者の氏名等の再確認などをしながら、被疑者が尿意を訴えるまで待つこととした。

5　同日午後10時53分頃、被疑者が

　　　　尿が出ます

　　　　今から出します

と申し立てたので、同署3階便所において、被疑者自らに尿をポリ容器に採取させたところ、被疑者が同ポリ容器に入った尿約60ccを提出したので、これを領置し、直ちに同尿中の覚醒剤含有の有無について、○○県警察本部科学捜査研究所に鑑定嘱託した。

　　その後、前記組織犯罪対策課事務室において被疑者から再度聴取したところ

　　　　実は覚醒剤を注射しています。

　　　　覚醒剤は、1年前位から覚え、最後に覚醒剤を注射したのは、今

　　　　年1月25日午後10時頃で、田中太郎と一緒に○○マンション

　　　　702号室でやりました

等と自供するに至ったので、更に

　　　　覚醒剤使用時の状況

　　　　覚醒剤の入手経路

　　　　注射器の購入状況

　　　　交友関係

等を聴取した。この間、本職らは被疑者に対し^(*8)

　　　　尿鑑定の結果が出るまで少しかかるけどいいか

と尋ねたところ、被疑者は

　　　　はい、構いません

と申し立て、その後も、被疑者から帰宅したい旨の申立ては全くなかった。

6　その後、本年1月27日午前2時19分、前記研究所から、被疑者の尿の中に覚醒剤である

　　　　フェニルメチルアミノプロパン

の含有が認められた旨の電話回答があったものである。

＊1　本件は、警察官が、不審者に対する職務質問の結果、覚醒剤の使用容疑を抱き、その不審者を警察署まで任意同行し、説得して尿を提出させ、さらに尿鑑定の結果が判明するまで署内に滞留させたという事例である。

　　　緊急逮捕が適法であったことについては、「罪を犯したことを疑うに足りる充分な理由」があったこと、つまり、「尿から覚醒剤が検出されたこと」及びその採尿手続が任意になされたことを記載すれば足りると考えられそうである。

　　　しかし、採尿手続が、それ以前の職務質問や警察署までの任意同行の影響下

792　付録2　逮捕手続書の書式例と解説

で、その状態を直接利用して引き続きなされたものである場合に、**採尿手続以前の手続が違法なときは、その違法性が採尿手続に引き継がれる**とするのが最高裁判例（昭和61年4月25日判決）であるから、本件でも、採尿手続以前の職務質問、任意同行、採尿のための説得が適法であったことを、逮捕手続書上で明らかにする必要がある（本文 設問17 参照）。

＊2　別紙でなく、本文中に記載しても構わない。

＊3　逮捕時に判明していた罪名と事実を記載する。

　　例えば、傷害罪で逮捕し、その後、手続書作成時までに被害者が死亡したときでも、手続書には傷害の罪名及び事実を記載しなければならない。

　　また、逮捕状請求書の罪名・事実も同様に逮捕時の罪名・事実を記載すべきである。

＊4ないし7　本件は、被疑者の承諾があった場合である。

　　もし、承諾がなかった場合は、それぞれの職務行為の要件があるかどうか、実力行使の限界内かどうか疑問が生じないように、詳細に記載すべきである。

＊8　尿鑑定の結果判明まで、被疑者を強制的に留め置いたときは、それが実質逮捕と評価され、その後の勾留請求が却下されることもあり得る。

　　したがって、留め置きも任意のものであったことを手続書に記載すべきである。

　　なお、任意の留め置きであっても、適法とされる限界は、せいぜい数時間であろう。それを超える見込みのときは、いったん帰宅させ、通常逮捕すべきである。

判 例 索 引

大判明43.9.30刑録16-1569·················54
大判明45.5.27刑録18-676 ·················51
大判大13.4.25刑集3-360·················46
大決大13.7.22刑集3-592 ·················487
大判大14.6.11刑集4-410·················51
大判昭6.11.9刑集10-557 ·················487
大判昭8.9.6刑集12-1593·················60
大判昭11.3.24刑集15-307 ·················54
大判昭11.11.16刑集15-1446·················312
大判昭12.12.23刑集16-1698 ·················45
最判昭22.11.24刑集1-21 ·················44
最判昭23.2.18刑集2-2-104·················85
最判昭23.3.30刑集2-3-277 ·················528
最判昭23.4.17刑集2-4-364 ·················563
最大判昭23.6.23刑集2-7-715 ·················505
最大判昭23.7.14刑集2-8-894 ·················214
最大判昭23.7.19刑集2-8-944 ·················511
最判昭23.8.5刑集2-9-1123 ·················489
最判昭23.10.21刑集2-11-1366·················528
最大判昭23.11.17刑集2-12-1565·················510
最大判昭23.11.17刑集2-12-1588·················311
最判昭23.12.11刑集2-13-1735·················311
最判昭24.4.7刑集3-4-489·················525
最判昭24.4.30刑集3-5-691 ·················527
最大判昭24.6.1刑集3-7-901 ·················59
名古屋高判昭24.6.17高判特報1-217·············81
最判昭24.7.19刑集3-8-1341·················529
最判昭24.7.19刑集3-8-1348·················528
最大判昭24.7.22刑集3-8-1360·················529
最大判昭24.11.2刑集3-11-1732 ·················511
東高判昭24.12.10高刑集2-3-299·················593
最判昭25.1.13刑集4-1-12·················311
札幌高判昭25.7.10高刑集3-2-303 ·················583
福岡高判昭25.9.25高刑集3-3-431 ·················511
最決昭25.9.30刑集4-9-1856·················596
広島高判昭25.10.20高刑集3-3-508·················509
最判昭25.11.21刑集4-11-2359·················515
最大判昭25.11.29刑集4-11-2402·················528
名古屋高判昭25.12.25高判特報14-115·············59

最決昭26.1.26刑集5-1-101 ·················527
東高判昭26.1.30高刑集4-6-561·················529
広島高松江支部判昭26.3.12高刑集4-4-
 315·················527
札幌高判昭26.3.28高刑集4-2-203·········532・594
最判昭26.4.5刑集5-5-809·················529
札幌高函館支部判昭26.7.30高刑集4-7-
 936·················583
最大判昭26.8.1刑集5-9-1684 ·················507
最決昭26.9.6刑集5-10-1895·················578
東高判昭26.10.16高刑集4-12-1601·················516
広島高判昭26.11.22高刑集4-13-1926 ·················46
福岡高判昭27.1.19高刑集5-1-12·················347
福岡高判昭27.1.31高刑集5-1-90 ·················77
最判昭27.3.7刑集6-3-387·················507
仙台高判昭27.4.5高刑集5-4-549···526・596・605
最大判昭27.5.14刑集6-5-769·················511
東高判昭27.6.30高判特報34-90·················68
東高判昭27.7.8高刑集5-10-1561·················596
最大判昭27.8.6刑集6-8-974·················424
高松高判昭27.8.30高刑集5-10-1604·················68
東高判昭27.9.4高刑集5-12-2049 ·········312・516
大阪高判昭28.2.6高判特報28-3·················123
最決昭28.3.5刑集7-3-482·················149
最判昭28.4.14刑集7-4-841·················197・515
最判昭28.5.14刑集7-5-1026·················478
名古屋高金沢支部判昭28.5.28高刑集6-9-
 1112·················510・517
最決昭28.5.29刑集7-5-1195 ·················65
東高判昭28.7.7高刑集6-8-1000 ·················596
最判昭28.7.7刑集7-7-1441 ·················581
最判昭28.7.10刑集7-7-1474 ·················517
東高決昭28.7.17判時9-3·················129
福岡高判昭28.8.21高刑集6-8-1070·················597
最判昭28.9.24刑集7-9-1825 ·················59
最判昭28.10.15刑集7-10-1934 ·················593
福岡高判昭28.12.24高刑集6-12-1812·················577
最決昭29.5.4刑集8-5-627·················527
福岡高判昭29.5.7高刑集7-5-680·················188

東高決昭29.6.30高刑集7-7-1087 ·············58
最決昭29.7.15刑集8-7-1137 ·············92
最判昭29.7.16刑集8-7-1210 ·············84
東高判昭29.7.24高刑集7-7-1105·············585
最決昭29.7.29刑集8-7-1217·············583
東高判昭29.10.7高刑集7-9-1494·············169
最判昭29.12.2刑集8-12-1923 ·············596
最判昭29.12.3判時41-19 ·············529
最決昭29.12.27刑集8-13-2435 ·············92
最大判昭30.4.6刑集9-4-663 ·············438・511
最判昭30.4.19民集9-5-534·············18
福岡高決昭30.7.12高刑集8-6-769 ·············363
最判昭30.7.19刑集9-9-1908 ·············92
高松高判昭30.7.29高裁特報2-16・17-832·········80
最判昭30.9.13刑集9-10-2059 ·············487
最大判昭30.12.14刑集9-13-2760·············379
最判昭30.12.16刑集9-14-2791 ·············396・400
最決昭31.3.9刑集10-3-303 ·············347
最判昭31.3.27刑集10-3-387·············596・606
最判昭31.4.24刑集10-4-608 ·············630
最判昭31.8.3刑集10-8-1202 ·············477
最決昭31.10.25刑集10-10-1439 ·············385
最決昭31.10.25刑集10-10-1447 ·············477
最決昭31.12.13刑集10-12-1629 ·············503
東高判昭31.12.19高刑集9-12-1328·············188
最判昭32.1.22刑集11-1-103·············528
最大判昭32.2.20刑集11-2-802 ·············197・448
東高判昭32.4.30高刑集10-3-296·············516
最決昭32.5.23刑集11-5-1531 ·············529
最決昭32.5.28刑集11-5-1548 ·············377
最判昭32.5.31刑集11-5-1579 ·············517
最判昭32.7.19刑集11-7-1882 ·············508
最判昭32.7.25刑集11-7-2025 ·············593
最決昭32.9.26刑集11-9-2371 ·············533
最決昭32.9.26刑集11-9-2376·············46
最決昭32.9.30刑集11-9-2403 ·············503
最決昭32.10.29刑集11-10-2708 ·············202
最決昭32.11.2刑集11-12-3047·····526・595・605
東高判昭32.12.26高刑集10-12-826·············508
東高判昭33.1.31下民集9-1-153 ·············318
最決昭33.2.11刑集12-2-168·············313
最判昭33.2.21刑集12-2-288·············696
仙台高秋田支部判昭33.3.12高裁特報5-3-
　95·············81

最決昭33.6.4刑集12-9-1971·············385
最判昭33.6.13刑集12-9-2009 ·············508
最判昭33.7.10刑集12-11-2492·············516
最大決昭33.7.29刑集12-12-2776 ·······210・212
東地判昭33.9.29判時164-34 ·············53
福岡高判昭33.11.27判時177-30 ·············169
最決昭34.3.12刑集13-3-302 ·············44
東地判昭34.4.28下刑集1-4-1120 ·············45
東高判昭34.5.28高刑集12-8-809·············511
高松高判昭34.6.15民集10-6-1241·············20
東高判昭34.6.29高刑集12-6-653·············121
水戸地判昭34.7.1下刑集1-7-1575·············46
神戸地判昭34.7.3下刑集1-7-1580·············514
最大判昭34.8.10刑集13-9-1419 ·············541
広島地呉支部判昭34.8.17下民集10-8-
　1686·············20
小倉簡判昭34.10.26下刑集1-10-2240·············510
東高判昭34.11.16下刑集1-11-2343·············596
東高判昭35.2.11高刑集13-1-47·············76
東地判昭35.3.4下刑集2-3・4-417·············565
大阪高判昭35.5.26下刑集2-5・6-676·············516
最判昭35.6.9刑集14-7-957 ·············312
最判昭35.9.8刑集14-11-1437·············174・591
大阪地決昭35.12.5判時248-35·············378
大津地決昭35.12.17判時254-33 ·············358
最大判昭35.12.21刑集14-14-2162 ·············477
最決昭35.12.23刑集14-145-2213 ·············60
東高判昭36.2.1下刑集3-1・2-32·············597
最判昭36.2.23刑集15-2-396·············424
最判昭36.5.26刑集15-5-893 ·············300・592
最大判昭36.6.7刑集15-6-915 ·············270
東高判昭36.6.21下刑集3-5・6-428·········596・606
東高判昭36.11.14高刑集14-8-577·············439
最決昭36.11.21刑集15-10-1764 ·············436
大阪高判昭36.12.11下刑集3-11・12-1010 ·····348
東高判昭37.2.20下刑集4-1・2-31·············348
最決昭37.3.15刑集16-3-274·············696
秋田地判昭37.3.29下民集13-3-608·············511
最判昭37.4.10裁判集民事60-97 ·············593
東高判昭37.4.26高刑集15-4-218·············596
最決昭37.6.26裁判集刑事143-205·············69
東高判昭37.6.27下刑集4-5・6-392·············62
最判昭37.9.18刑集16-9-1386 ·············479
最大判昭37.11.28刑集16-11-1633 ·············411

判例索引 795

最判昭38.1.17裁判集民事64-1……………319
大阪高判昭38.1.24高刑集16-1-10………188
岡山地判昭38.4.30下刑集5-3・4-414…………513
東高判昭38.9.11判時357-49…………………591
最判昭38.9.13刑集17-8-1703……………508
最判昭38.9.27判時356-49………………527
最判昭38.10.17刑集17-10-1795……………598
最判昭38.10.17刑集17-10-1795、判時
　349-2…………………………………578
浦和地判昭39.3.11刑集31-5-980……………366
仙台高判昭39.3.19高刑集17-2-206……………52
最決昭39.4.9刑集18-4-127……………350
高松地判昭39.4.15下刑集6-3・4-428…………508
東高判昭39.4.27高刑集17-3-295……………62
高松地判昭39.5.18下刑集6-5・6-681…………514
最決昭39.6.1刑集18-5-177……………511
名古屋高判昭39.8.19高刑集17-5-534…………595
長野地松本支部判昭39.11.2下刑集6-11-
　12-1259……………………………………53
最決昭39.11.10刑集18-9-547………………61・62
東高判昭40.1.28高刑集18-1-24…………533・606
静岡地浜松支部判昭40.3.5下刑集7-3-
　317…………………………………158
大阪高判昭40.3.30高刑集18-2-140…………165
静岡地判昭40.4.22下刑集7-4-623……………495
東地判昭40.5.29下刑集7-5-1134………………508
前橋地判昭40.6.3下刑集7-6-1225……………614
高松高判昭40.7.19下刑集7-7-1348…………103
最決昭40.7.20刑集19-5-591………………448
東地決昭40.7.23下刑集7-7-1540………224・231
最決昭40.10.19刑集19-7-765………………526
東高判昭40.10.29判時430-33………212・219・229
大阪高判昭40.11.8下刑集7-11-1947…………386
札幌地室蘭支部決昭40.12.4下刑集7-12-
　2294…………………………………333
仙台地判昭41.1.8下刑集8-1-19………………399
東高判昭41.1.27判時439-16…………384・389
最決昭41.2.21判時450-60………………618
静岡地判昭41.3.31下刑集8-3-506……………312
最判昭41.4.21刑集20-4-275………………477
東高判昭41.5.10高刑集19-3-356…229・630・631
大阪高判昭41.5.19下刑集8-5-686………154・177
東高判昭41.6.28判タ195-125…………………392
東高決昭41.6.30高刑集19-4-447……………614

広島地呉支部判昭41.7.8下刑集8-7-1099……110
最決昭41.7.26刑集20-6-728……………466
福岡地小倉支部判昭41.8.29下刑集8-8-
　1141…………………………………513
山口地萩支部判昭41.10.19下刑集8-10-
　1368…………………………………574・598
京都地決昭41.10.20下刑集8-10-1398…386・397
最決昭41.11.22刑集20-9-1035……………495
大阪高判昭41.11.28下刑集8-11-1418………513
福岡高判昭42.3.24高刑集20-2-114…………358
静岡地決昭42.3.27下刑集9-3-377……………231
静岡地決昭42.3.27判時480-74……………224
東地判昭42.4.12判時486-8……………………366
最決昭42.5.19刑集21-4-494………………477
最大判昭42.5.24刑集21-4-505……………59
最判昭42.6.8判時487-38………………229
東地判昭42.7.14下刑集9-7-872……………400
釧路地決昭42.9.8下刑集9-9-1234…………392
最決昭42.9.13刑集21-7-904……………396・400
京都地判昭42.9.28下刑集9-9-1214…………564
東地決昭42.11.9判タ213-204………………397
東地決昭42.11.22判タ215-214………………386
東地決昭42.12.5判タ214-204………………212
最判昭42.12.21刑集21-10-1476、判タ
　216-114…………………………………528
大阪地判昭42.12.26判タ221-234……………564
東高判昭43.1.26高刑集21-1-23………………165
最決昭43.2.8刑集22-2-55、判タ221-173……614
東地判昭43.3.5下刑集10-3-320………………398
仙台高判昭43.3.26高刑集21-2-186…………528
東高判昭43.4.22判タ225-217………………83
最判昭43.5.2刑集22-5-393……………208
神戸地判昭43.7.9下刑集10-7-801……………111
名古屋高判昭43.9.5高刑集21-4-338…………528
東地決昭43.9.7下刑集10-9-961………………400
最判昭43.10.25刑集22-11-961……………548
高松地決昭43.11.20下刑集10-11-1159………111
佐賀地決昭43.12.1下刑集10-12-1252………112
東地決昭44.2.5刑月1-2-179………………448
東地判昭44.2.5判時590-100………………457
最決昭44.3.18刑集23-3-153………………207
浦和地判昭44.3.24刑月1-3-290………………70
仙台高判昭44.4.1刑月1-4-353………………395
最決昭44.4.25刑集23-4-248………………714

判例索引

東地八王子支部決昭44.5.9刑月1-5-595
　　　　　　　　　　　　　　　　　　　　440・457
大阪高判昭44.5.20刑月1-5-462 ……………514
東地決昭44.6.6判時570-97 …………………220
最決昭44.6.11刑集23-7-941………………448
東高判昭44.6.20高刑集22-3-352 ………270・271
東高判昭44.6.25高刑集22-3-392………………591
金沢地判昭44.9.5判時568-24…………122・177
長崎地決昭44.10.2判時580-100 …………111
京都地決昭44.11.5判時629-103………387・392
最大決昭44.11.26刑集23-11-1490 …………247
最決昭44.12.4刑集23-12-1546………………583
東高判昭44.12.17高刑集22-6-924………………59
最大判昭44.12.24刑集23-12-1625………130・163
名古屋地決昭44.12.27刑月1-12-1204………116
東地判昭45.2.26判時591-30…………………366
東高判昭45.3.3判時606-97 …………………511
東地決昭45.3.9刑月2-3-341 …………214・230
東地決昭45.3.9判時589-28 …………………224
横浜地判昭45.6.22刑月2-6-685 …………144
最判昭45.7.31刑集24-8-597………………543
東高判昭45.8.1判時600-32…………………19
東地判昭45.9.11刑月2-9-970 ……………602
東高判昭45.10.21高刑集23-4-749 …………225
宇都宮地昭45.11.11刑月2-11-1175…………508
東高判昭45.11.12判タ261-352…………………121
福岡高決昭45.11.25高刑集23-4-806 …………104
最大判昭45.11.25刑集24-12-1670 …………514
名古屋高金沢支部判昭45.12.3刑月2-12-
　　1261 ………………………………………540
最決昭45.12.17刑集24-13-1765……………63
最判昭45.12.22刑集24-13-1862………………51
横浜地昭46.4.28刑月3-4-586 ……………513
横浜地判昭46.4.30判時636-97 ……………100
大阪地昭46.5.15判タ269-166 ……………370
大阪地判昭46.5.15判時640-20 …………539・554
熊本地決昭46.5.27刑月3-5-736 …………110
東地決昭46.6.10刑月3-6-834 ……………448
福岡地小倉支部昭46.6.16判タ267-321 ……366
東地決昭46.7.5刑月3-7-1043 ……………448
仙台高秋田支部判昭46.8.24刑月3-8-
　　1076 ………………………………………121
福井地決昭46.10.5刑月3-10-1427 …………513
東高判昭46.10.20判時657-93 ……………564

東高判昭46.10.27判時656-101………………80・399
仙台高判昭47.1.25刑月4-1-14 ………144・631
京都地判昭47.3.29刑月4-3-610………………85
福岡地決昭47.5.29判タ289-324 ……………457
徳島地判昭47.6.2刑月4-6-1113 ……………513
最判昭47.6.2刑集26-5-317 ………………175
東高判昭47.6.29判タ285-314 ……………606
東高判昭47.6.29判時682-92…………………212
大阪高判昭47.7.17高刑集25-3-290…………364
東地決昭47.8.5刑月4-8-1509 ……………116
鹿児島地判昭47.8.8刑月4-8-1460 …………182
東高判昭47.10.13刑月4-10-1651 …………213
東高判昭47.11.30高刑集25-6-882 …………101
東地判昭47.12.4判タ289-318 ……………511
広島高判昭47.12.14高刑集25-7-993 …………438
札幌高判昭47.12.19刑月4-12-1947 ……598・602
大阪地決昭47.12.26判タ306-300………………100
旭川地決昭48.2.3判タ289-190………………370
釧路地決昭48.3.22刑月5-3-372………386・392
大阪高決昭48.3.27刑月5-3-236……………508
大津地決昭48.4.4刑月5-4-845…………386
東地決昭48.4.14判時722-111 ……………417
東高判昭48.4.23高刑集26-2-180……………121
東高判昭48.5.21刑月5-5-904 ……………508
福井地決昭48.7.17判タ299-419 ……………439
青森地決昭48.8.25刑月5-8-1246…392・397・404
新潟地判昭48.9.6判時735-111 ……………516
福岡地決昭48.9.13刑月5-9-1338 ……387・399
東地決昭48.10.16刑月5-10-1378………………357
東高判昭48.11.7高刑集26-5-534…………423
東地決昭48.11.14刑月5-11-1458……………574
福岡地決昭48.12.8刑月5-12-1677 …………417
東地決昭48.12.10高刑集26-5-586 …………141
京都地決昭48.12.11判時743-117……………233
最判昭48.12.13判時725-104………………489
福岡高那覇支部判昭49.5.13判時763-110 ……523
東地判昭49.6.10刑月6-6-651 ……………349
京都地判昭49.7.12判時778-85 ………………92
大阪高判昭49.7.19刑月6-7-809 …………630
大阪地決昭49.9.27刑月6-9-1002……………513
福井地判昭49.9.30判時763-115 …………392
東高判昭49.10.24判時769-110………………591
東高判昭49.10.31高刑集27-5-474 …………371
大阪高判昭49.11.5判タ329-290 ……………631

東高判昭49.11.26高刑集27-7-653 ⋯⋯⋯⋯141
東高決昭49.12.9判時763-16⋯⋯⋯⋯⋯370
東地判昭50.1.23判時772-34⋯⋯⋯⋯⋯631
新潟地判昭50.2.22高刑集30-1-16 ⋯⋯⋯240
札幌地判昭50.2.24判時786-110 ⋯⋯⋯144
東高判昭50.3.6判時794-121⋯⋯⋯⋯583
福岡高判昭50.3.11刑月7-3-143 ⋯⋯⋯145
最判昭50.4.3刑集29-4-132⋯⋯⋯⋯348・402
最判昭50.4.3刑集29-4-132、判タ323-
　273⋯⋯⋯⋯⋯⋯⋯⋯⋯⋯⋯⋯⋯401
東高判昭50.4.24判時800-108 ⋯⋯⋯⋯315
最決昭50.5.20刑集29-5-177 ⋯⋯⋯⋯⋯16
東地判昭50.5.29判時805-84 ⋯⋯⋯220・230
大阪地判昭50.6.6判時810-109⋯⋯⋯⋯646
福島地判昭50.7.11判時792-112⋯⋯⋯⋯84
大阪高判昭50.7.15判時798-102 ⋯⋯⋯272
福岡高判昭50.10.16判時817-120⋯⋯⋯564
大阪高判昭50.11.5判時806-106⋯⋯⋯⋯85
大阪高判昭50.11.19判時813-102 ⋯378・523
東高判昭51.2.9刑月8-1・2-6⋯⋯⋯⋯⋯101
最決昭51.3.16刑集30-2-187
　⋯⋯⋯⋯⋯⋯93・107・115・126・133
佐賀地唐津支部判昭51.3.22判時813-14⋯⋯⋯366
東地判昭51.4.15判時833-82⋯⋯⋯⋯224
東地判昭51.5.7判時825-111⋯⋯⋯⋯101
東高判昭51.7.13判時829-107⋯⋯⋯⋯583
大阪高判昭51.8.30判時855-115 ⋯⋯⋯154
最決昭51.10.12刑集30-9-1673⋯⋯⋯⋯555
最判昭51.11.18判時837-104 ⋯⋯⋯230・233
東高判昭51.11.24高刑集29-4-639 ⋯⋯⋯202
仙台高判昭52.2.15判時849-49⋯⋯⋯⋯309
札幌高判昭52.2.23判時851-244 ⋯⋯⋯169
東地判昭52.3.1判時858-30 ⋯⋯⋯⋯⋯515
京都地決昭52.5.24判時868-112 ⋯⋯⋯378
名古屋高金沢支部判昭52.6.30判時878-
　118⋯⋯⋯⋯⋯⋯⋯⋯⋯⋯⋯⋯⋯121
広島高判昭52.7.7判タ350-186⋯⋯⋯⋯309
最決昭52.8.9刑集31-5-821 ⋯⋯⋯365・541・618
青森地決昭52.8.17判時871-113⋯⋯112・116
岡山地判昭52.9.21判時883-95⋯⋯⋯⋯557
大阪地判昭52.10.14判時896-112⋯⋯⋯564
名古屋地判昭52.11.24判時890-125 ⋯⋯⋯63
最決昭52.12.19刑集31-7-1053⋯⋯⋯⋯238
大阪高判昭53.1.24判時895-122 ⋯⋯⋯513

津地四日市支部決昭53.3.10判時895-43⋯⋯⋯371
東高判昭53.3.29判時892-29 ⋯⋯⋯369・372
千葉地決昭53.5.8判時889-20 ⋯⋯⋯⋯206
最決昭53.5.31刑集32-3-457⋯⋯⋯⋯⋯238
最判昭53.6.20刑集32-4-670⋯⋯⋯⋯97・631
最判昭53.7.10民集32-5-820⋯⋯⋯⋯⋯459
青森地判昭53.7.31判時905-15⋯⋯⋯⋯309
最判昭53.9.7刑集32-6-1672⋯⋯23・97・628
大阪高判昭53.9.13判時917-141 ⋯⋯⋯143
最決昭53.9.22刑集32-6-1774 ⋯⋯⋯⋯119
最決昭53.10.20民集32-7-1367 ⋯⋯⋯⋯18
東高判昭53.11.15高刑集31-3-265 ⋯⋯⋯272
福岡高那覇支部判昭53.11.24判時936-
　142⋯⋯⋯⋯⋯⋯⋯⋯⋯⋯⋯⋯⋯437
大阪地判昭53.12.27判時942-145⋯⋯⋯274
名古屋地決昭54.3.30判タ389-157⋯⋯170・213
大阪地判昭54.5.2判タ389-155 ⋯⋯⋯⋯52
東高判昭54.6.22判時958-131 ⋯⋯⋯⋯600
東高判昭54.6.27判時961-133 ⋯⋯⋯⋯182
京都地決昭54.7.9判タ406-142⋯⋯⋯⋯513
横浜地判昭54.7.10刑月11-7・8-801⋯⋯⋯399
富山地決昭54.7.26判時946-137⋯⋯112・116
東高判昭54.8.14刑月11-7・8-787 ⋯110・116
東高判昭54.8.23判時958-133 ⋯⋯596・600・605
東高判昭54.11.8判タ416-176 ⋯⋯⋯⋯149
東高判昭54.12.11刑月11-12-1583 ⋯⋯⋯116
函館地決昭55.1.9刑月12-1・2-50⋯⋯⋯273
東京簡判昭55.1.14判時955-21⋯⋯⋯⋯591
東高判昭55.2.1判時960-8⋯⋯⋯⋯⋯⋯618
京都地決昭55.2.6判タ410-151⋯⋯⋯⋯616
津地判昭55.3.17判時979-6⋯⋯⋯⋯⋯478
東地決昭55.3.26判時968-27⋯⋯⋯⋯248
最決昭55.4.28刑集34-3-178⋯⋯⋯⋯⋯467
最決昭55.5.12刑集34-3-185⋯⋯⋯⋯479
東高判昭55.5.22判時982-157⋯⋯⋯⋯⋯94
福岡高宮崎支部判昭55.5.30判時979-120 ⋯⋯169
最判昭55.7.1判時971-124⋯⋯⋯⋯⋯546
東地判昭55.8.13判時972-136 ⋯⋯⋯⋯138
最決昭55.9.22刑集34-5-272 ⋯⋯⋯⋯⋯91
最決昭55.9.22判時977-40⋯⋯⋯⋯⋯119
東高判昭55.9.22東高刑時報31-9-115 ⋯⋯⋯99
最決昭55.10.23刑集34-5-300⋯⋯⋯259・631
京都地決昭55.11.19判タ447-158⋯⋯⋯576
東高判昭55.11.20東高刑時報31-11-129⋯⋯⋯178

東地決昭56.1.22判時992-3…………595・600
大阪高判昭56.1.23判時998-126 …………98・631
大阪高判昭56.1.30判時1009-134…………312
神戸地決昭56.3.10判時1016-138 ………369・371
名古屋高金沢支部判昭56.3.12判時1026-
140…………………………………100
東高判昭56.4.1高検速報2503 …………141
最決昭56.4.25刑集35-3-116…………412
福井地判昭56.6.10判時1052-162…………175
東地判昭56.6.22判時1034-141…………154
東高判昭56.6.29判時1020-136…………528
広島高岡山支部判昭56.8.7判タ454-168
…………………………………182・274
浦和地判昭56.9.16判時1027-100…………220
東高判昭56.9.29判タ455-155…………99
神戸地判昭56.10.28判タ466-132…………323
福岡高判昭56.11.5判時1028-137…………367
浦和地越谷支部判昭56.11.6判時1052-
161…………………………………175
大阪地判昭56.11.13判時1050-171…………94
東地決昭56.11.18判時1027-3…………509・510
最決昭56.11.20刑集35-8-797 …………158
広島高判昭56.11.26判時1047-162 …………234
福岡高判昭56.12.16判時1052-159 …………175
東地判昭57.1.26判時1045-24…………70
最判昭57.1.28刑集36-1-67 ………309・546・553
最判昭57.1.28刑集36-1-67、判タ460-68 ……538
松江地判昭57.2.2判時1051-162…………155・177
東高判昭57.2.18判時1041-68…………78
最決昭57.3.2裁判集刑事225-689…………436
最決昭57.3.16判時1038-34…………555
大阪高判昭57.3.16判時1046-146…………576
広島高岡山支部判昭57.3.24判タ468-154 ……349
千葉地判昭57.5.27判時1062-161 …………52
大阪高判昭57.5.31判時1059-157…………530
東高判昭57.10.15判時1095-155 …………149
札幌高判昭57.10.28判時1079-142…………98
札幌高判昭57.12.16判時1104-152………631・646
名古屋高判昭57.12.22民集45-5-969 …………457
東高判昭58.1.27判時1097-146…………576
広島高判昭58.2.1判時1093-151 …………378
東地判昭58.3.24判時1098-3…………540
札幌高判昭58.3.28判タ496-172 …………562
東高判昭58.3.29判時1120-143…………221

高松地決昭58.3.29判時1092-161…………358
東高判昭58.4.25判時1107-142…………170
大阪地判昭58.6.2判タ497-214 …………20
東高判昭58.6.22判時1085-30 …………509
東高判昭58.6.28高検速報2674…………367
大阪地判昭58.6.28判タ512-199 …………350
最決昭58.6.30刑集37-5-592…………439
東高判昭58.7.13高刑集36-2-86…………248・603
熊本地八代支部判昭58.7.15判時1090-21
…………………………………309・539
東高判昭58.7.19刑月15-7・8-347 …………99
東高判昭58.9.6刑月15-9-431 …………174
最決昭58.9.13判時1100-156…………314
東地判昭58.9.30判時1091-159 …………60
高松高決昭58.11.18高検速報417 …………78
東高判昭58.12.15判時1113-43…………513
札幌高判昭58.12.26判時1111-143 …………274
東高判昭58.12.27高検速報2688…………84
最決昭59.2.13刑集38-3-295…………94・349
東高判昭59.2.13高検速報2694…………437
最決昭59.2.29刑集38-3-479…………136
大阪地決昭59.3.9刑月16-3・4-344 …………510
福岡地小倉支部判昭59.3.19判時1114-81 ……389
岐阜地判昭59.3.26判時1116-114…………216
東高判昭59.4.16判時1140-152…………619
京都地判昭59.5.11判タ532-199 …………457
東地決昭59.6.22判時1131-160…………353
松山地大洲支部判昭59.6.28判時1145-
148…………………………………145
仙台地判昭59.7.11判時1127-34…………309・538
大阪高判昭59.7.13判タ544-263 …………299
大阪高判昭59.8.1判タ541-257…………223
札幌高判昭59.8.23判タ533-251 …………564
旭川地決昭59.8.27判時1171-148…………439
高松高判昭59.10.29高検速報423…………142
大阪高決昭59.12.14判タ553-246 …………78
最決昭59.12.21刑集38-12-3071…………601
最決昭60.2.8刑集39-1-1…………79
福島地判昭60.3.5判タ554-315…………480
前橋地判昭60.3.14判時1161-171…………389
大阪高判昭60.3.29判タ556-204…………560
東高判昭60.4.30判タ555-330 ……387・400・523
東高判昭60.6.26判タ564-288 …………616
東高判昭60.6.26判時1180-141…………561

大津地決昭60.7.3刑月17-7・8-721 …………170
東高判昭60.9.5判時1183-165…………89
神戸地判昭60.10.17判時1179-28…………563
東高判昭60.10.18判時1213-142 …………149
大阪高判昭60.12.18判時1201-93…………389
最判昭61.2.14刑集40-1-48 …………170
東高判昭61.2.27判時1214-135…………639
最決昭61.3.3刑集40-2-175 …………595
最決昭61.3.12判時1200-160…………232
大阪高判昭61.4.17判時1199-79…………457
最判昭61.4.25刑集40-3-215…………625
福岡高判昭61.4.28判時1201-3…………523
大阪地判昭61.5.8判時1219-143…………650
東高判昭61.5.28判時1205-101 …………70
福岡地久留米支部判昭61.5.28判時1209-
99 …………390
大阪高判昭61.5.30判時1215-143…………104
高松高判昭61.6.18判時1214-142…………145
釧路地判昭61.8.27判時1212-3…………537
東高判昭61.9.17判タ631-247 …………563
大阪高判昭61.9.17判時1222-144 ………109・642
大阪地堺支部決昭61.10.20判時1213-59………208
東高判昭61.10.28判タ627-91 …………408
大阪高判昭61.11.13判時1219-140 …………298
福岡地久留米支部決昭62.2.5判時1223-
144…………116
最決昭62.3.3刑集41-2-60…………616
奈良地五條支部判昭62.3.18判時1236-
160…………143・646
東地判昭62.4.9判時1264-143 …………386
横浜地判昭62.4.27判タ640-232 …………149
東地判昭62.6.26判時1263-51…………640
東高判昭62.7.15判時1252-137…………642
岡山地判昭62.9.14判時1256-124…………619
大阪高判昭62.9.18判タ660-251…………387
東高判昭62.11.4判タ655-248…………84
東地判昭62.11.25判時1261-138…………142
札幌高判昭63.1.21判時1281-22…………618
最判昭63.1.29刑集42-1-38…………537・545
最決昭63.2.29刑集42-2-314、判タ661-
59…………477
最決昭63.3.17刑集42-3-403…………632
東高判昭63.4.1判時1278-152 …………165
大阪高判昭63.4.22高刑集41-1-123…………189

最決昭63.9.16刑集42-7-1051 …………634
東地決昭63.11.30判時1293-45…………248
最決平元.1.23判タ689-276 …………517
最決平元.1.30刑集43-1-19 …………248
東地決平元.3.1判時1321-160 …………170
東地八王子支部判平元.3.13判時1320-
166…………138
東地判平元.3.15判タ726-251 …………167
浦和地判平元.3.22判時1315-6…………516
最判平元.6.22刑集43-6-427 …………537・548
最判平元.6.29民集43-6-664 …………18・19
最決平元.7.4刑集43-7-581 …………139・508
大阪高判平元.7.11判時1332-146…………643
豊島簡判平元.7.14判時1336-156…………621
最決平元.9.26判時1357-147 …………93
浦和地決平元.10.25判時1331-161 …………615
最判平元.10.26判時1331-145 ……562・563・565
横浜地判平元.12.21判時1356-156…………559
最判平2.2.20裁判集民事159-161 …………21
浦和地判平2.3.28判時1359-153…………559
東京地判平2.4.10判タ725-243…………213
最決平2.4.20判時1346-158 …………319
札幌地判平2.6.20判時1381-139…………549
最決平2.6.27刑集44-4-385…………169
最判平2.7.9刑集44-5-421…………248
最判平2.7.20民集44-5-938…………18
東地判平2.7.26判時1358-151…………158・618
福井地判平2.9.26判時1380-25…………620
京都地判平2.10.3判時1375-143…………167
浦和地判平2.10.12判タ743-69…………515
浦和地判平2.10.12判時1376-24 …367・560・562
最決平2.10.24刑集44-7-639…………442
大阪高判平2.10.24高刑集43-3-180…………528
広島高判平2.12.18判時1394-161 …………61
東地判平3.3.20判タ772-284…………559
浦和地判平3.3.25判タ760-261 …………515・517
千葉地判平3.3.29判時1384-141…………158
東高判平3.4.23高刑集44-1-66…………509
最判平3.5.10民集45-5-919…………459
最判平3.5.31判時1390-33…………459
東地判平3.6.27判タ763-74…………559
最決平3.7.16刑集45-6-201…………259
仙台地判平3.7.31判時1393-19 …………18
浦和地判平3.9.26判時1410-121 …………640

東地判平3.9.30判時1401-31……………………581
大阪地判平3.10.3判時1405-126 ……………549
大阪高判平3.11.6判タ796-246………………258
福岡高判平4.1.20判タ792-253………………101
大阪高判平4.1.30高刑集45-1-1 ……………648
大阪高判平4.2.5高刑集45-1-28 ……………648
浦和地判平4.2.5判タ778-142 ………………647
水戸地下妻支部平4.2.27判時1413-35………495
浦和地判平4.3.19判タ801-264………………514
東地判平4.7.9判時1464-160…………………181
大阪高判平4.9.2判タ823-262 ………………643
東地判平4.9.3判時1453-173…………………645
札幌地判平4.9.10判タ805-245………………143
大阪高判平4.9.11判タ823-256………………643
東地判平4.9.11判時1460-158 ………………647
最判平4.9.18刑集46-6-355……………………70
東地判平4.11.30判時1452-151………………621
千葉地松戸支部平5.2.8判時1458-156………650
福岡高判平5.3.18判時1489-159 ……………514
宇都宮地判平5.7.7判タ820-177……………611
大阪高判平5.10.7判タ1497-134……………221
福岡高判平5.11.16判時1480-82……………463
大阪高判平5.12.21判タ843-293……………207
札幌地判平6.3.14判タ868-296………………522
和歌山地判平6.3.15判タ870-286……………514
広島高松江支部平6.4.18判時1519-153 ……643
大阪高判平6.4.20判タ875-291………………222
大阪地判平6.4.27判時1515-116……………171
千葉地判平6.5.11判タ855-294………………620
東高判平6.5.11高刑集47-2-237………178・233
東高判平6.6.22判タ859-82……………543・548
仙台高判平6.7.21判時1520-145……………647
最決平6.9.8刑集48-6-263……………………232
最決平6.9.16刑集48-6-420 …95・121・261・634
福岡高判平6.10.5判時1520-151……………646
大阪高判平7.1.25高刑集48-1-1 ……………220
最大判平7.2.22刑集49-2-1……………662・691
甲府地判平7.3.9判時1538-207 ……………80
東高判平7.3.30判時1535-138 ………………562
最決平7.5.30刑集49-5-703……………106・634
最決平7.6.20刑集49-6-741…………………583
岡山地倉敷支部判平7.8.4判タ891-271……647
福岡高判平7.8.30判時1551-44………………648
東高判平7.12.4高刑集48-3-189……………81

最決平8.1.29刑集50-1-1………………272・398
大阪高判平8.4.5判時1582-147………………260
広島高判平8.4.16判時1587-151……………644
東高判平8.5.9高刑集49-2-181………………611
東高判平8.5.29判タ922-295…………………437
千葉地判平8.6.12判時1576-3 ………………620
東高判平8.6.28判時1582-138………………645
東地判平8.9.30判時1587-26…………………509
高松高判平8.10.8判時1589-144 ……………498
最決平8.10.29刑集50-9-683…………………632
最判平9.1.30刑集51-1-335…………………174
東地決平9.2.7判タ968-279…………………229
東地判平9.4.14判時1609-3 …………………552
東地判平9.4.30判タ962-282…………………101
松山地判平9.7.3判時1632-159……………647
東高判平9.7.16高刑集50-2-121………………63
広島地判平9.9.18判時1630-156……………514
東高判平9.10.15東高刑時報48-1〜12-67 ……143
東地決平10.2.27判時1637-152………208・258
東高判平10.3.11判タ988-296 ………………404
東高判平10.4.28判時1647-53………………496
最決平10.5.1刑集52-4-275…………………258
札幌高判平10.5.12判時1652-145……………593
東地判平10.5.14判タ1015-279………………548
東高判平10.7.16判時1679-167………………564
最判平10.9.7判時1661-70……………………335
京都地判平10.10.22判時1685-126 …………617
東地判平10.10.23判時1660-25………………80
最大判平11.3.24民集53-3-514………186・457
札幌地判平11.3.29判タ1050-284……………565
東高判平11.8.23刑集57-5-738………………93
千葉地判平11.9.8判タ1713-143………138・523
東高判平11.9.29判時1705-68…………………19
広島高判平11.10.14判時1703-169……………61
最判平11.10.21判タ1014-177 ………………567
広島高判平11.10.26判時1703-173………261・640
大阪高判平11.12.15判タ1063-269………94・121
最決平11.12.16刑集53-9-1327、 判時
　1701-163 ………………………………277
最判平12.2.7民集54-2-255 …………………535
仙台高判平12.3.16判時1726-120 ……………18
東地決平12.4.28判タ1047-293………………104
最判平12.6.13民集54-5-1635…………462・464
最決平12.7.12刑集54-6-513…………………158

判例索引　*801*

最決平12.7.17刑集54-6-550·············612
大阪地判平12.10.19判時1744-152 ·········568
最決平12.10.31刑集54-8-735··········586・665
東地決平12.11.13判夕1067-283 ·········373
東高判平13.1.25東高刑時報52-1～12-2·····103
最決平13.2.7判夕1053-109 ·············467
最決平13.2.9刑集55-1-76 ··············82
最決平13.4.11刑集55-3-127············697
東地判平13.7.25判時1809-158 ··········84
名古屋高判平13.10.31高検速報695·······92
東地判平13.11.2判時1787-160 ··········63
京都地決平13.11.8判時1768-159·······509・515
東地判平14.1.15判時1782-162·············671
東地判平14.3.12判時1794-151 ········92・93
札幌高判平14.3.19判時1803-147··········499
広島地判平14.3.20判夕1113-294 ··········82
和歌山地決平14.3.22判夕1122-131·········603
最決平14.7.18刑集56-6-307·············412
東高判平14.9.4判時1808-144·········138・522
最決平14.10.4刑集56-8-507、判夕1107-
　203······················221
神戸地判平14.10.29判時1813-107 ········419
福岡高判平14.11.6判時1812-157··········593
和歌山地判平14.12.11判夕1122-464 ·······496
佐賀地決平14.12.13判時1869-135 ········510
最決平14.12.17裁判集刑事282-1041 ·······440
東地判平15.1.22判夕1129-265·········596
東地判平15.1.28判時1837-161 ·········83
最判平15.2.14刑集57-2-121············625
東地判平15.4.16判時1842-159············347
最決平15.5.26刑集57-5-620·············94・102
東地判平15.6.20判時1843-159············47
福岡地判平15.6.24判時1845-158··········436
東地判平15.7.31判夕1153-303·········633
最決平15.11.26刑集57-10-1057············586
大阪地判平16.4.9判夕1153-296·········562
大阪高判平16.4.22高刑集57-2-1 ·········64
最決平16.7.12刑集58-5-333·············148
名古屋地判平16.7.30判時1897-144········593
大阪高判平16.10.22判夕1172-311·········643
神戸地判平16.12.22判時1893-83··········22
東高判平17.3.25東高刑時報56-1～12-30 ·····528
東高判平17.3.31判時1894-155 ·········83
最判平17.4.19民集59-3-563、判夕1180-

　163·······················462
最判平17.4.21裁判集民事216-579·······21
佐賀地判平17.5.10判時1947-23 ·········439
札幌地判平17.6.2判夕1210-313········564
東地判平17.6.2判時1930-174 ··········166
東地判平17.6.22判夕1195-299 ·········82
大阪高判平17.6.28判夕1192-186 ·······495・496
最決平17.7.19刑集59-6-600·············144
秋田地大館支部判平17.7.19判夕1189-
　343·······················108
東地判平17.9.15判夕1199-292 ·········85
最決平17.9.27刑集59-7-753··············302
東高判平17.11.16東高刑時報56-1～12-
　85························405
東高判平18.4.6判夕1222-317 ·········83
さいたま地判平18.6.9判夕1240-212 ·······21
最判平18.11.7刑集60-9-561·············599
最決平18.11.20刑集60-9-696···········479
最決平18.12.13刑集60-10-857···········478
最決平19.2.8刑集61-1-1 ···············232
東高判平19.3.28判時1968-3 ···········22
名古屋高判平19.6.27判時1977-80·············19
名古屋高判平19.7.6高検速報724·············615
東高判平19.9.18判夕1273-338 ·······106・635
最決平19.10.16刑集61-7-677··········496・497
最決平19.10.16刑集61-7-677、判夕1253-
　118·······················489
東高判平19.11.5高検速報3371·············528
名古屋地判平19.11.13判夕1285-335 ········623
最決平19.12.25刑集61-9-895···········723
東高判平20.3.27東高刑時報59-1～12-22 ·····575
最決平20.4.15刑集62-5-1398 ······130・162・180
最判平20.4.25刑集62-5-1559············314
東地判平20.5.15判時2050-103·············389
最決平20.6.25刑集62-6-1886···········725
最決平20.8.27刑集62-7-2702··········591・593
最決平20.9.30刑集62-8-2753···········724
東高判平20.10.16高刑集61-4-1 ·········584
大阪高判平21.3.3判夕1329-276··········651
東地判平21.6.9判夕1313-164 ··········215
東高判平21.7.1判夕1314-302·········113・638
最決平21.9.28刑集63-7-868··········131・635
最決平21.10.20刑集63-8-1052·············480
東地判平21.12.21判夕1328-85 ·········21

判例索引

東地決平22.2.25判タ1320-282⋯⋯⋯⋯⋯416
京都地判平22.3.24判時2078-77 ⋯⋯⋯⋯⋯468
宇都宮地判平22.3.26判時2084-157⋯⋯⋯⋯613
最判平22.4.27刑集64-3-233 ⋯⋯⋯⋯497・498
東高判平22.5.27判タ1341-250⋯⋯⋯⋯⋯583
東高判平22.11.1判タ1367-251⋯⋯⋯⋯⋯515
東高判平22.11.8高刑集63-3-4 ⋯⋯⋯⋯114・639
東高判平22.11.22判タ1364-253 ⋯⋯⋯⋯⋯526
東地判平23.3.30判タ1356-237⋯⋯⋯⋯⋯143
福岡高判平23.7.1判時2127-9 ⋯⋯⋯⋯⋯468
最決平23.9.14刑集65-6-949⋯⋯⋯⋯⋯⋯302
最判平23.10.20刑集65-7-999⋯⋯⋯⋯586・663
最大判平23.11.16刑集65-8-1285⋯⋯⋯⋯⋯699
広島高判平24.2.22判タ1388-155⋯⋯⋯⋯⋯463
福岡高判平24.5.16高検速報1492⋯⋯⋯⋯⋯226
最判平24.9.7刑集66-9-907 ⋯⋯⋯⋯⋯⋯495
東高判平25.1.23東高刑時報64-1〜12-30 ⋯⋯⋯115
最決平25.2.20判タ1387-104⋯⋯⋯⋯⋯⋯495
東高判平25.7.23判時2201-141⋯⋯⋯⋯⋯649
東高判平26.3.13判タ1406-281⋯⋯⋯⋯⋯591
東地判平26.3.18判タ1401-373⋯⋯⋯⋯⋯584
東高判平26.10.3高検速報3532⋯⋯⋯⋯⋯113
最決平26.11.17判時2245-129 ⋯⋯⋯⋯⋯415
東高判平27.4.30高検速報3547⋯⋯⋯⋯⋯114
東高判平27.7.9判時2280-16⋯⋯⋯⋯⋯⋯456
名古屋高判平27.12.17高検速報772⋯⋯⋯⋯226
札幌地決平28.3.3判時2319-136 ⋯⋯⋯⋯151
大阪高判平28.4.22判時2315-61 ⋯⋯⋯⋯441
東高判平28.8.10高刑集69-1-4⋯⋯⋯⋯⋯604
東高判平28.8.23高刑集69-1-16 ⋯⋯⋯⋯146
大阪高判平29.3.2判時2360-95⋯⋯⋯⋯⋯615
最大判平29.3.15刑集71-3-13 ⋯⋯⋯⋯⋯133
鹿児島地加治木支判平29.3.24判時2343-
　107 ⋯⋯⋯⋯⋯⋯⋯⋯⋯⋯⋯⋯⋯⋯⋯⋯151
東高判平29.8.3LL1/DBL07220370⋯⋯⋯⋯181
札幌高判平29.9.7高検速報188⋯⋯⋯⋯⋯261
東高判平30.2.23高刑集71-1-1⋯⋯⋯⋯⋯223
東高判平30.3.2判タ1456-136 ⋯⋯⋯⋯⋯649
最判平30.5.10刑集72-2-141⋯⋯⋯⋯⋯⋯613
さいたま地判平30.5.10判時2400-103⋯⋯⋯⋯167
東高判平30.9.5判タ2424-131 ⋯⋯⋯⋯⋯181
東高判令元.5.15判時2441-63 ⋯⋯⋯⋯⋯495
大阪高判令元.7.25判タ1475-84 ⋯⋯⋯⋯567
神戸地姫路支部決令2.3.24判タ1497-247 ⋯⋯322

最決令2.12.7刑集74-9-757⋯⋯⋯⋯⋯⋯82
最決令3.2.1刑集75-2-123⋯⋯⋯⋯⋯⋯⋯252
東高判令3.6.16判時2501-104 ⋯⋯⋯⋯⋯464
最判令4.4.28刑集76-4-380⋯⋯⋯⋯⋯260・652
最判令4.6.9刑集76-5-613⋯⋯⋯⋯⋯⋯⋯476
最決令4.7.27判時2574-112 ⋯⋯⋯⋯⋯⋯322
東高判令5.3.17判タ1515-62 ⋯⋯⋯⋯⋯⋯86

事 項 索 引

【あ】

RVS ································170
ICPO ······························667
ICPOルート（による捜査協力） ··············667
青手配書 ··························670
赤手配書 ··························670
アルコール検知 ··············174
アレインメント ··············486
暗示質問 ··························566

【い】

威嚇的取調べ ··················509
異常死体································39
一事件一手続の原則 ········695
一時的保存を命じて行う通信傍受 ··············291
一斉検問 ··························120
一般司法警察職員··············13
一般情報活動 ··················122
一般的指揮···························13
一般的指示···························13
一般令状の禁止原則 ········209
違法収集自白の排除 ········521
違法収集証拠の排除 ···23・692
違法収集証拠物の証拠能力 ··························627
違法捜査に対する是正方法、制裁 ··················17
違法な任意同行に引き続く勾留請求 ··············116
違法な任意同行に引き続く身柄拘束中の被疑者の自白 ··············117
違法排除説 ······················505
「依頼により弁護人になろうとする者」の

意義 ······························455
遺留物 ····························180
いんあ者 ························565
引致 ······························349
引致後の手続 ··················352
引致場所 ························350
（警察官が自己の属する都道府県警察の管轄区域外で逮捕をした場合の）引致場所 ······351

【う】

「疑わしきは罰せず」の原則 ··························489

【え】

STR（Short Tandem Repeat短鎖繰返配列）型検査法·····················609
STR型によるDNA鑑定の信用性 ··············613
エックス線検査事案 ········131

【お】

押収 ······························179
押収拒絶権の行使ができない場合 ··················242
押収拒絶権の行使方法等 ··························244
押収品に性的姿態等の影像・画像が記録されている場合の取扱い ··························323
押収品目録 ····················228
押収物に記録された性的な姿態の影像・画像の行政手続としての消去・廃棄 ··············328

オービスⅢ ····················170
オープンクエスチョン ·····566
おとり捜査 ····················148
おとり捜査の種類 ··········149

【か】

外国語による供述調書 ······202
外国で作成された商業帳簿、航海日誌等 ·········665
外国で作成された書面の証拠能力 ··············663
外国に所在するサーバ ······252
外国の医師等の鑑定書・診断書など ··········664
外国の裁判官・検察官・捜査官が作成した検証調書、実況見分調書 ··················664
外国の司法機関が作成した供述調書等 ·········586
外表検査 ························100
開廷のための要件 ··········678
会話傍受·····················156・157
科学的証拠の証拠能力 ······607
科学的捜査手法の高度化と任意捜査 ··········126
隠しカメラ ····················167
各別の令状 ····················209
家庭裁判所に送致した被疑事実についての補充捜査 ··················441
仮還付 ····················319・320
仮拘禁 ··························670
仮拘禁許可状 ··················671
換価処分 ························319
関税法120条の身辺開示検査 ··················206
間接証拠 ························484
鑑定結果の拘束力 ··········313
鑑定受託人による鑑定 ·····593

804 事項索引

鑑定書 …………………………592
鑑定嘱託 ………………………306
鑑定嘱託に当たっての
　留意点 ………………………310
鑑定資料についての制
　限 ……………………………312
鑑定に必要な処分 …………308
鑑定の重要性 …………………308
鑑定の要否 ……………………311
（私的）鑑定への対応 ……315
鑑定留置 ………………………307
鑑定留置状に代わるも
　のの請求 ……………………307
鑑定留置中の接見禁止
　処分 …………………………420
監督対象行為 …………………199
還付…………………………319・321
還付公告 ………………………321
還付等の手続 …………………319
還付等をめぐる国家賠
　償問題 ………………………321
還付不能物件について
　の措置 ………………………321
顔貌鑑定 ………………………622

【き】

機会提供型 ……………………149
聞き込み ………………………153
偽計を用いて得た自白 ……514
期日間整理手続 ………………721
希釈の法理 ……………………653
起訴……………………………14
起訴議決 ………………………414
起訴勾留後の余罪取調
　べ………………………………438
起訴後の起訴事実につ
　いての参考人取調べ ……439
起訴後の起訴事実につ
　いての捜索・差押え …440
起訴後の起訴事実につ
　いての取調べ ……………435
起訴後の捜査 …………………435
起訴後の余罪について
　の取調べ ……………………437
起訴状謄本の送達 …………678

起訴状における秘匿措
　置 ……………………………337
起訴状朗読 ……………………679
起訴独占主義……………………14
起訴便宜主義……………………14
起訴前の勾留 …………………414
基本的事実同一説 …………696
偽名による供述調書 ………188
客観的事実との消極的
　矛盾（ある自白） ………537
客観的事実との積極的
　矛盾（ある自白） ………536
客観的不可分……………………69
逆探知…………………156・159
急速を要するとき …………347
狭義の証明 ……………………485
供述拒否権の告知 …………197
供述者の署名・押印 ………580
供述書 …………532・572・580
供述証拠 ………………………483
供述証拠の特質 ……………571
供述調書 ………………187・572
供述内容が常識に反し
　て不自然な自白 …………545
供述に代えた書面 …………572
供述能力が劣る者の供
　述 ……………………………563
供述不能 ………………………585
供述録音 ………………………603
供述録取書
　………………187・533・572
（外国から）共助要請
　があった場合の共助
　手続 …………………………660
強制起訴 ………………………414
強制、拷問による自白 …507
強制採毛 ………………………262
強制採血 ………………………262
強制採尿 ………………………259
強制処分該当性基準 ………127
強制処分法定主義 …………124
強制捜査 ………………………124
強制捜査と任意捜査 ………124
強制捜査と任意捜査の
　区別 …………………………125

強制捜査法定主義……………28
強制退去によって供述
　不能となった場合 ……583
強制等との因果関係 ………505
脅迫などの精神的圧迫
　による自白 ………………509
共犯者の自白の信用性 ……547
業務上秘密の意義 …………242
業務文書 ………………………595
協力者の利用 …………………153
虚偽排除説 ……………………504
挙証責任 ………………………488
挙証責任の例外 ……………488
切り違い尋問 …………………514
記録媒体そのものの差
　押えに代えて、必要
　な電磁的記録だけを
　他の記録媒体に複写
　等してこれを差し押
　さえる執行方法 …………256
記録媒体の差押えを受
　ける者等への協力要
　請 ……………………………258
記録命令付差押え …………255
緊急執行後の逮捕状の
　呈示時期 ……………………348
緊急逮捕の要件 ……………376
緊急配備検問 …………………119

【く】

具体的指揮……………………13
具体的双罰性 …………………659
（明らかに）「国の重
　大な利益を害する」
　ことがない秘密 …………238

【け】

警戒検問 ………………………119
警察官の捜査と検察官
　の捜査との関係……………13
警察官面前調書等の証
　拠能力 ………………………585
警察犬による臭気選別 ……615
警察等が取り扱う死体

事項索引　*805*

の死因又は身元の調
査等に関する法律…………40
警察比例の原則
……………91・92・98・108
刑事免責制度………………686
結審…………………………683
厳格な証明…………………485
厳格な証明の対象とな
る事実……………………485
現行犯逮捕…………………384
（管轄区域外で職務を
行えない場合の）現
行犯逮捕…………………351
（共謀共同正犯、教唆
犯、幇助犯について
の）現行犯逮捕…………390
（私人による）現行犯
逮捕………………………402
（私人による）現行犯
逮捕の際の引渡し手
続等………………………351
（私人による）現行犯
逮捕のための実力行
使…………………………404
現行犯逮捕が無令状で
許される理由……………384
現行犯逮捕の手続…………384
現在の心の状態（精神
状態）を表す供述………574
検察官………………………13
検察官の事件処理…………14
検察官への事件送致・
送付………………………14
検察官面前調書……………582
検察官面前調書の証拠
能力………………………582
検察事務官…………………13
検察審査会…………………413
検視規則……………………40
検事勾留………………414・417
検視と検証の違い…………38
検証………………………205・295
検証許可状による通信
傍受………………………276
検証調書……………………590
検証調書、実況見分調
書…………………………297

現場供述………………300・592
現場写真……………………601
現場の動画映像……………601
現場録音……………………603
検面調書による立証の
重要性……………………585
権利の濫用（に当たる
場合）……………………243
権利保釈……………………684

【こ】

（証拠収集等への協力
及び訴追に関する）
合意制度………………426・512
合意制度が利用できる
かについての想定事
例…………………………430
合意制度の対象犯罪………426
勾引…………………………422
公開主義……………………692
公開の法廷における証
人等の氏名等の秘匿
措置………………………703
公訴時効……………………473
公訴時効の起算点…………477
公訴時効の対象から除
外される犯罪……………473
公訴時効完成の意味………474
公訴事実……………………693
公訴事実と訴因の関係……693
公訴事実の単一性…………695
公訴事実の同一性…………695
公訴提起の違法……………19
公訴の維持・遂行…………15
交通検問……………………119
交通犯則事件………………409
公判期日外の証拠調べ……683
公判期日における取調
べ…………………………678
公判請求……………………15
公判中心主義………………439
公判廷………………………678
公判手続……………………676
公判手続の主体……………676
公判手続の特質……………691

公判前整理手続………708・714
公判前整理手続に付さ
れる事件…………………715
公務員個人の賠償責任……18
公務員の証明文書…………594
公務所、公私の団体に
対する照会………………176
公務上秘密の申立ての
意義………………………237
合理的疑いと不合理な
疑い………………………489
合理的な疑いを超える
程度の証明………………489
勾留質問……………………416
勾留請求……………………414
勾留請求が却下された
場合の逮捕のやり直
し…………………………359
勾留中の接見禁止処分……418
勾留手続における秘匿
措置………………………337
勾留場所……………………417
呼気検査……………………174
（道路交通法67条3項、
同法施行令26条の2
の2）呼気検査…………174
呼気検査の性質……………175
国外における日本船籍
船舶内での捜査…………666
国際刑事警察機構…………667
国際捜査共助等に関す
る法律……………………657
国選弁護人が選任され
るための要件……………449
告訴…………………………44
（訴訟条件たる）告
訴・告発…………………57
告訴・告発及びその取
消しの方式………………75
告訴・告発等の受理………76
告訴・告発等の代理………76
告訴・告発の効果…………72
告訴・告発の取消し………67
（事件送付後の）告
訴・告発の取消し………77
告訴・告発の取消権者……68

806 事項索引

告訴・告発の不受理の
　可否……………………………77
告訴・告発の要件……………45
告訴・告発不可分の原
　則………………………………69
告訴・告発前の捜査………60
（本人がした）告訴・
　告発を本人が取り消
　す場合…………………………68
告訴権……………………………45
告訴権者………………………48
（器物損壊の）告訴権
　者………………………………51
告訴権者たる「被害者」
　の意義………………………50
告訴権の放棄…………………69
告訴人が数人ある場合………64
告訴の追完……………………59
告発……………………………44
（特定機関等の）告発
　が訴訟条件とされる
　罪………………………………59
個人特定事項…………………337
国家中央事務局……………668
国家賠償請求…………………18
言葉が「行為の一部分」
　である場合…………………574
固有権…………………………444
固有権説………………………68
固有特徴………………………619
コントロールド・デリ
　バリー………………………151
（クリーン・）コント
　ロールド・デリバ
　リー…………………………152
（ライブ・）コント
　ロールド・デリバ
　リー…………………………152
コンピューター・シス
　テム…………………………251

【さ】

（犯行（被害）状況の）
　再現実況見分………………301
罪証隠滅のおそれ……………332

罪状認否………………………679
再審……………………………16
再審無罪事件…………………309
再捜索・差押え………………208
（同一事実による）再
　逮捕…………………………357
再逮捕が許される場合………357
在宅捜査の違法………………20
採尿令状による採尿場
　所への連行の可否…………260
サイバー犯罪に関する
　条約…………………………253
裁判員裁判……………………697
裁判員裁判対象事件…………698
裁判員裁判の特徴……………733
裁判官面前調書………………581
裁判官面前調書の証拠
　能力…………………………581
（鑑定等の）裁判所へ
　の拘束力……………………313
裁判長…………………………676
裁判長の訴訟指揮権と
　法廷警察権…………………676
裁量保釈………………………684
裁量保釈における考慮
　事項…………………………684
酒酔い鑑識カード……………615
差押え…………………………205
差押え終了後のリモー
　トアクセスによる差
　押え…………………………254
差出人還付の原則……………319
撮影データを捜査機関
　に提供すること……………168
（警察官の作成する）
　参考人供述調書……………586
参考人の取調べ………………139
三次元顔画像識別シス
　テム…………………………622

【し】

ＧＰＳ捜査事案………………132
事件情報活動…………………122
事件単位の原則………………363
事件に含まれる「謎」………553

時効期間………………………474
時効期間の計算方法…………478
時効期間の停止………………479
事後再生型傍受………………293
自己矛盾の供述………………599
私事性的画像記録……………326
私事性的画像記録の提
　供等による被害の防
　止に関する法律（い
　わゆるリベンジポル
　ノ法）………………………324
私事性的画像記録物…………326
（立会人の）指示説明………299
指示説明と現場供述の
　区別…………………………300
指示説明の記載上の留
　意点…………………………301
指示説明の必要性……………299
指示説明部分…………………592
事実上推定された事実………487
事実上の推定…………493・494
（代理人による）自首………85
（電話による）自首…………85
自首の意義……………………79
（申告内容に虚偽が含
　まれる場合の）自首
　の成否………………………81
自首の方式……………………85
私選弁護人選任の申出
　の取次………………………452
死体取扱規則…………………40
実況見分………………173・296
実況見分調書…………………591
実質証拠………………………484
実体的真実主義………………26
実力行使が逮捕状呈示
　に先行する場合……………349
指定すべき接見時刻…………465
指定すべき接見の時期、
　回数…………………………464
児童……………………………563
自動車検問……………………119
自動車検問の際に行使
　できる有形力………………121
自動速度監視装置によ
　る写真撮影…………………170

事項索引　*807*

自白に関する二大原則 ……503
自白の意義 ………………502
自白の強要の禁止………28
自白の証拠能力 …………504
自白の信用性に関する
　判断枠組み ……………535
自白の信用性の立証と
　の関係性 ………………506
自白の任意性 ……………504
自白への違法証拠排除
　原則適用の可否 ………521
司法警察員 ………………13
司法警察員の関与………428
司法警察職員 ……………13
司法検視 …………………38
司法巡査 …………………13
司法面接 …………………565
司法面接的手法 …………588
指名手配 …………………348
指紋鑑定 …………………621
写真 ………………………601
写真撮影 …………………163
（警備情報収集目的の）
　写真撮影 ………………169
（犯罪捜査目的以外の）
　写真撮影 ………………168
（犯罪捜査目的の）写
　真撮影 …………………163
（被疑者等の容貌の）
　写真撮影 ………………167
（労務対策のための）
　写真撮影 ………………169
（私人の撮影した）写
　真の利用 ………………168
写真面割り ………………559
写真面割りした場合の
　参考人供述調書 ………203
車両内検査 ………………105
臭気選別報告書 …………615
自由心証主義 ……………491
自由心証主義とその限
　界 ………………………491
自由な証明 ………………486
主観的不可分………………71
取材の自由と押収拒絶
　権 ………………………247

主尋問 ……………………681
主張 ………………………485
主張関連証拠の開示 ……720
主張明示義務 ……………720
首服………………………79
準現行犯の意義 …………395
準抗告……………………17
巡察官……………………201
情況証拠…………………484
消去法的立証 ……………496
条件付与等の措置 ………701
証拠開示…………………713
（公判前整理手続にお
　ける）証拠開示制度 ……715
（公判前整理手続にお
　ける）証拠開示制度
　創設の目的 ……………715
証拠開示ルール …………713
証拠決定・証拠調べ ……680
証拠裁判主義 ……………486
証拠裁判主義の原則 ……482
証拠裁判主義の例外 ……486
証拠収集等への協力及
　び訴追に関する合意
　制度（日本版司法取
　引）……………………426
証拠書類の朗読 …………682
証拠調べ請求 ……………680
証拠調べ請求の方法 ……680
証拠調べ手続 ……………679
証拠の意義と種類 ………483
証拠能力…………………490
証拠排除の要件 …………628
証拠物（物証）の展示 …682
証拠物たる書面 …………576
上申書、手記等 …………520
上訴………………………16
承諾による捜索・差押
　え・検証 ………………206
承諾留置……………137・148
証人出廷…………………731
証人尋問…………………680
証人テスト ………………732
証人等特定事項秘匿決
　定…………………………33

証人等の氏名及び住居
　の開示に係る措置 ………701
証人等保護のための制
　度……………………………701
証人の勾引要件の緩和
　等……………………………682
少年事件…………………409
情報収集活動……………122
証明………………………485
証明力……………490・491
証明力を争うための証
　拠……………………………484
将来犯罪の捜査 …………166
職務行為基準説……………19
（行政警察活動として
　の）職務質問………………89
（司法警察活動として
　の）職務質問………………89
職務質問における有形
　力行使の限界…………91
職務質問の実効性を確
　保するための制止行
　為……………………………93
職務質問の種類…………89
女子の身体検査 …………223
女子の身体の捜索 ………223
所持品検査の許容基準………97
所持品検査の適法性…………96
所持品検査の類型…………100
署名の代筆………………188
書類若しくは物の授受 ……456
新鑑定……………………536
人権擁護説………………504
親告罪……………………58
親告罪の告訴期間…………61
信書の授受についての
　指定…………………………465
身体検査…………………296
身体的圧迫を加えた結
　果得られた自白 ………509
身体に埋め込んである
　物件…………………………206
人定事項等報告書……………33
人定質問…………………679
人定秘匿措置……………337

【せ】

請求 ……………………………44
誠実義務と真実義務 ………445
性的姿態撮影等処罰法 ……323
性的姿態等影像記録罪 ……325
性的姿態等撮影罪 …………324
性的姿態等の影像など
　の複写物の没収 …………326
性的な姿態を撮影する
　行為等の処罰及び押
　収物に記録された性
　的な姿態の影像に係
　る電磁的記録の消去
　等に関する法律 …………323
性犯罪の被害者等から
　の聴取結果を記録し
　た録音・録画記録媒
　体に係る証拠能力の
　特則（法321条の３）……588
声紋鑑定 ……………………618
赤外線カメラ ………………164
接見交通権の保障 …………454
接見指定権 …………………456
接見指定権の行使主体 ……457
接見指定権の行使方法 ……457
接見指定の合憲性 …………457
（選任権者から依頼を
　受けることなく）接
　見を求めてくる弁護
　士 …………………………455
折衷説 ………………………505
全過程の録音・録画義
　務 …………………………194
全件送致の原則 ……………408
宣誓供述書 …………………665
選択的面割り ………………562

【そ】

訴因 …………………………693
訴因制度 ……………………693
訴因の拘束力 ………………694
訴因の追加 …………………697
訴因の撤回 …………………697

訴因変更 ……………………694
訴因変更制度の必要性 ……694
訴因変更の可否 ……………695
訴因変更の要否 ……………696
捜査 …………………………11
捜査員に対する懲戒処
　分又は処罰 ………………17
捜査活動への規制 …………124
捜査官が証拠法を学ぶ
　必要性 ……………………483
捜査官の証言 ………………521
捜査機関 ……………………11
捜査機関の記者発表 ………23
捜査機関の種類 ……………13
捜査共助に関する条
　約・協定 …………………657
捜査共助の意義 ……………656
（我が国捜査機関から
　外国に対する）捜査
　共助の要請 ………………661
捜査共助の枠組み …………656
捜査協力費の支払 …………177
捜索 …………………………205
（胃内に飲み込んだ証
　拠品の）捜索 ……………263
（私書箱内の）捜索 ………247
（体腔内の）捜索 …………263
（体腔に挿入された証
　拠品の）捜索 ……………263
（物の）捜索 ………………205
捜索・差押え・検証、
　身体検査に必要な処
　分等 ………………………225
捜索・差押えの必要性 ……207
捜索・差押え実施に際
　しての写真撮影 …………169
捜索場所の明示 ……………213
（貸金庫・コインロッ
　カーに対する）捜索
　令状請求書 ………………216
（自動車に対する）捜
　索令状請求等 ……………216
（一通の）捜索令状に
　記載できる場所の数
　の限界 ……………………213
捜査経過メモ ………………726

捜査懈怠 ……………………20
（緊急事態における）
　捜査懈怠 …………………22
（証拠収集として行わ
　れる捜査の場面にお
　ける）捜査懈怠 …………20
捜査懈怠についての国
　家賠償責任 ………………20
捜査情報活動 ………………122
捜査段階の証人尋問 ………422
捜査手続と公判手続の
　違い ………………………691
捜査の実行 …………………12
「捜査のため必要があ
　るとき」の意義 …………458
捜査の端緒 …………………124
捜査の端緒の把握 …………12
捜査比例の原則 ………92・126
捜査報告書 …………………520
捜査密行の原則 ……………692
（事件の）送致・送付 ……407
送致・送付時期 ……………408
送致書・送付書 ……………411
送付 …………………………78
足跡鑑定 ……………………619
訴訟関係人 …………………677
訴訟指揮権 …………………676
訴訟条件 ……………………58
即決裁判手続 …………15・704
その場所にある物に対
　する捜索 …………………232
その場所に居合わせた
　者の身体・着衣に対
　する捜索 …………………233
疎明 …………………………485

【た】

第１回公判期日の指定 ……678
第１回公判期日前の公
　判準備 ……………………678
第三者に対する実力行
　使 …………………………349
代替収容制度 ………………417
代替的呼称等の開示措
　置 …………………………701

事項索引　　*809*

逮捕後、被疑者が逃走
　　した場合の再拘束の
　　方法 ……………………358
逮捕勾留の一回性の原
　　則 ………………………357
逮捕後の手続 ……………378
逮捕した被疑者の指紋
　　採取 ……………………353
逮捕状・収容状の執行
　　現場での写真撮影 ………169
逮捕状請求の撤回 …………331
逮捕状等を紛失などし
　　た場合の措置 …………354
「逮捕状に代わるもの」
　　の交付請求書への記
　　載事項 …………………340
「逮捕状に代わるもの」
　　の交付請求をすべき
　　時期・場合 ……………339
逮捕状の緊急執行 ………347
逮捕状の緊急執行との
　　区別 ……………………377
逮捕状の請求手続 …………330
逮捕状の呈示等 ……………346
逮捕状発付の要件 …………331
「逮捕する場合」の意
　　義 ………………………270
逮捕前置主義 ……………415
逮捕手続において犯罪
　　被害者等の個人特定
　　事項を秘匿する措置
　　等………………………33
逮捕手続における被害
　　者等の個人特定事項
　　の秘匿措置 ……………337
逮捕の違法………………19
逮捕の現場での無令状
　　の捜索・差押え ………269
逮捕の際の実力行使 ………348
逮捕の必要性…………331・388
逮捕の理由 ………………331
代理権 ……………………444
唾液・指紋の無断採取 ……145
他罪について身柄拘束
　　中の参考人 ……………139
立会権の侵害 ……………224
立会人 ……………………222

弾劾証拠 ………484・587・599
弾劾証拠の意義 …………599
単独面割り ………………562

【ち】

知的障害の疑いのある
　　者 ………………………565
中央当局……………660・662
抽出的鑑定（サンプリ
　　ング） …………………312
抽象的双罰性 ……………659
直接強制（実力による
　　強行）の可否 …………227
直接証拠 …………………484
直接審理主義 ……………573

【つ】

追及的取調べ ……………510
追送致（追送付） …………412
通常逮捕の逮捕の方式 ……346
通信事務を取り扱う者
　　が保管・所持中の郵
　　便物、信書便物又は
　　電信に関する書類の
　　押収等 …………………246
通信事務を取り扱う者
　　に対する捜索 …………247
通信手段の特定 …………286
通信手段の特定等のた
　　めの捜査 ………………286
「通信」の範囲 …………280
通信傍受 …………………156
通信傍受実施に当たっ
　　ての必要な処分など ……288
通信傍受手続の合理
　　化・効率化 ……………291
通信傍受の合憲性・適
　　法性 ……………………276
通信傍受の対象犯罪 ………280
通信傍受の定義 …………279
通信履歴の電磁的記録
　　（ログ）の保全要請………259
「罪を行い終わった者」
　　の意義 …………………385

【て】

手錠・腰縄を付けたま
　　まの取調べの際の自
　　白 ………………………508
徹夜・夜間の取調べの
　　際の自白 ………………508
ＤＮＡ型鑑定 ……………608
ＤＮＡ型鑑定の運用に
　　関する指針 ……………611
ＤＮＡ型鑑定の原理 ………609
ＤＮＡ型鑑定の証明力 ……613
ＤＮＡ型鑑定の留意事
　　項 ………………………611
適正な手続の保障……………26
電磁的記録（コン
　　ピューターデータ）……251
電波発信器の利用 ………152
伝聞証拠 …………………532
伝聞証拠の意義 …………571
伝聞証拠の原則的禁止 ……692
伝聞証拠の原則的禁止
　　原則 ……………………572
伝聞法則……………483・572
伝聞法則の存在理由 ………572
伝聞法則の適用がない
　　場合 ……………………573
（一方当事者を仮装す
　　る方法による）電話
　　の会話の聴取 …………159
電話傍受 …………………277

【と】

同意証拠…………………598
「同一目的」・「直接
　　利用」の基準 …………634
同意の限界 ………………598
同意の効果 ………………598
同意の方法 ………………598
動画映像 …………………601
当事者 ……………………677
当番弁護士 ………………452
逃亡のおそれ ……………332
逃亡犯罪人引渡条約 ………669

810　事項索引

逃亡犯罪人を外国に引
　き渡すための要件 ………669
（我が国の犯罪の）逃
　亡犯罪人を、我が国
　が外国から引渡しを
　受ける方法 ……………671
謄本・抄本・写し …………600
毒樹の果実の理論 …………653
独自捜査……………………24
特信情況………………584・585
（その他の）特信書面 ……595
特定電子計算機を用い
　る通信傍受 ……………292
特に信用できる書面 ………594
特別司法警察職員……………13
匿名投書……………………581
留め置き ……………………115
取調べ監督官 ………………200
取調べ権限 …………………189
取調べ受忍義務………185・439
（余罪取調べに際して
　の）取調べ受忍義務 ……368
取調べ状況報告書 …………198
取調べ状況立証の意義 ……536
取調べ請求証拠の開示 ……716
取調べ中に被疑者から
　弁護人等と接見した
　い旨の申出があった
　ときの措置 ……………460
取調べ中の被疑者につ
　いて弁護人等から接
　見の申出があった場
　合の対応 ………………461
取調べ調査官 ………………201
取調べにおけるフェア
　プレーの精神 …………190
取調べの状況を記録し
　た書面 …………………520
取調べの役割 ………………184
取調べの録音・録画 ………193
取調べメモ …………………724

【な】

内偵段階 ……………………153
内容を確認せずに行う

記録媒体の一括差押
　え …………………………258
長く抑留、拘禁された
　後の自白 ………………511
なりすまし捜査 ……………151

【に】

二次的に作成した
　チャート・検討表等 ……728
日米刑事共助条約 …………659
二分論 ………………………113
二分論の考え方 ……………113
日本版司法取引 ……………426
入国警備官渡し ……………410
（積極的偽計により）
　尿を排せつさせ採取
　する場合 ………………141
（説得により）尿を排
　せつさせ尿を採取す
　る場合 …………………142
任意採血 ……………………144
任意採尿 ……………………140
任意性が必要な理由 ………504
任意性の立証 ………………505
任意捜査 ……………………125
任意捜査としての呼気
　検査 ……………………175
任意捜査としての指紋
　採取 ……………………621
任意捜査としての職務
　質問等 ……………………90
任意捜査の原則 ………27・126
任意捜査の種類 ……………126
（証拠物の）任意提出 ……181
任意提出権限 ………………181
（医師から）任意提出
　された尿 ………………143
任意提出能力 ………………183
（警察法2条を根拠と
　する）任意同行 ………108
（警職法上の）任意同
　行 ………………………108
任意同行と実質的逮捕
　との区別 ………………109
任意同行の種類 ……………108

任意取調べ中の被疑者
　について弁護人等か
　ら面会の申出があっ
　た場合の対応 …………463
任意の家宅捜索 ……………207

【は】

廃棄…………………………319
はさみ打ち検問 ……………121
八何の原則 …………………186
張り込み ……………………153
犯意誘発型 …………………149
判決の宣告 …………………683
犯行計画メモ ………………575
犯行継続中に犯人を
　知った場合………………63
犯行再現状況を録画し
　たDVD等…………520・601
犯行の「前足・後足」 ……541
犯罪事実の変更 ……………412
「犯罪捜査のための通
　信傍受に関する法
　律」制定の経緯 ………278
犯罪の情状等に関する
　意見 ……………………412
犯罪の発生……………………12
反対尋問 ……………………681
反対尋問権 …………………571
犯人識別供述 ………………560
「犯人を知った日」の
　意義………………………61

【ひ】

被害者還付……………319・321
被害者参加制度 ……………699
被害者参加の手続 …………700
被害者等通知制度……………32
被害者特定事項の秘匿
　要請………………………33
被害者特定事項秘匿決
　定…………………………32
被害者の供述 ………………567
被疑者…………………………11
被疑者から弁護人との

事項索引　*811*

接見内容を聴取する
　ことの制限 ……………467
被疑者国選弁護制度 ………449
被疑者国選弁護人選任
　希望の取次 …………………451
被疑者取調べ適正化の
　ための監督制度 ………199
被疑者取調べの適正化
　方策 ……………………197
被疑者の身体的、精神
　的状態等が不調なと
　きになされた自白 ……515
被疑者の捜索の場合 ………222
被疑者の捜索の場合の
　逮捕状呈示の要否 ……347
被疑者の取調べ ……………185
被疑者の身柄の拘束時
　間 ……………………………2
ひきずり込み供述 …………527
非供述証拠 …………………483
引渡状 ………………………670
尾行 …………………………153
尾行・張り込み ……………152
被告人・弁護人の出頭 ……678
被告人以外の者からの
　伝聞供述 ………………597
被告人以外の者の供述
　書・供述録取書 …………580
被告人からのまた聞き
　供述（証言） …………597
被告人側の最終陳述 ………683
被告人質問 …………………683
被告人の勾留と保釈 ………684
被告人の自白調書等の
　請求と取調べ …………682
被告人の召喚 ………………678
微罪処分 ……………………409
被捜索・差押場所の施
　設等の利用の可否 ……228
秘聴 …………………………156
筆跡鑑定 ……………………618
ビデオ撮影 …………………163
ビデオ撮影事案 ……………130
（テレビニュースを録
　画した）ビデオテー
　プ・ＤＶＤ等 …………602

（未放映の）ビデオ
　テープの差押え …………248
（放映済みテレビ
　ニュースの）ビデオ
　テープの証拠として
　の使用 …………………248
ビデオリンク方式（そ
　の記録媒体の証拠能
　力） ……………………582
ビデオリンク方式によ
　る証人尋問 ……………703
人単位の原則 ………………363
人の捜索 ……………………205
微物鑑定資料 ………310・621
（法103条の）「秘密」 ……238
（公務員法上の）「秘
　密」の意義 ……………237
秘密の暴露 …………543・551
秘密録音 ……………156・157
被留置者出入簿等 …………519

【ふ】

不可避的発見の法理 ………653
不起訴処分に対する不
　服申立て ………………413
不合理な弁解・黙秘の
　態度 ……………………498
不審状況の要件 ……………395
付審判請求 …………………414
不適正取調べ ………………197
不当弁護 ……………………446
不任意自白の絶対的排
　除 ………………………506
不任意自白の排除法則 ……504
不利益事実の承認 …………503

【へ】

別件基準説 …………………364
別件捜索・差押え ……233・274
別件逮捕・勾留 ……………361
別件逮捕・勾留が違法
　となる場合 ……………365
別件逮捕・勾留の問題
　点 ………………………363

弁解の機会 …………………352
弁解録取時の接見に関
　する告知 ………………460
弁護士職務基本規程 ………445
弁護人 ………………………444
弁護人選任権者 ……………447
弁護人選任権の告知 ………450
弁護人選任権の重要性 ……443
弁護人選任権を妨害し
　て得られた自白 ………516
弁護人等との接見交通
　権への配慮 ……………201
弁護人との接見を制限
　して得られた自白 ………517
（被疑者の）弁護人の
　数 ………………………449
弁護人の義務 ………………445
弁護人の権利 ………………444
弁護人選任の申出及び
　これへの対応 …………451
弁護人選任申出に関す
　る教示 …………………450
弁護人の選任方式 …………447
弁護人の地位 ………………444
変死者 …………………………39
変死体の定義 …………………39
変死の疑いのある死体 ………39
弁論手続 ……………………683

【ほ】

法105条の押収拒絶権
　の意義 …………………241
法220条1項2号の
　「逮捕の現場」の意
　義 ………………………270
望遠カメラ …………………164
法規・経験則 ………………487
傍受 …………………………279
（過去の犯罪に関して
　の）傍受 ………………282
（将来犯される犯罪に
　関する）傍受 ……283・284
傍受の実施 …………………287
傍受令状が発付される
　要件 ……………………281

事項索引

傍受令状請求書（甲） ……282
法人等の告訴……………………47
法廷警察権 ……………………677
冒頭陳述 ………………………679
冒頭手続 ………………………679
防犯カメラ ……………………171
法律上推定された事実 ……487
法律上の推定 …………………493
保管・所持する物件の
　範囲 ………………………242
保管委託 ………………………318
保管者の善管注意義務 ……318
補強証拠が必要な理由 ……525
補強証拠資格 …………………526
補強証拠を要する事実
　の範囲 ……………………527
没収及び追徴の裁判の
　執行及び保全につい
　ての国際共助 ……………672
ホットな状況 …………………388
ポリグラフ検査回答書 ……614
本件基準説 ……………………364

【ま】

また聞き供述 …………………597

【み】

密行 ……………………………153
「密接関連性」の基準 ……634
みなし規定 ……………………487

【む】

無罪事件についての国
　家賠償責任…………………18
無線通信の傍受 ………………161
無断採尿…………………………140
無令状捜索・差押えの
　対象物件の範囲 …………273

【め】

メールサーバ …………………252
メモ・日記・手帳 …………605
面会接見 ………………………462
面通し …………………………559
面通し・対質等 ………………420
面通しした場合の参考
　人供述調書 ………………204
面割り供述 ……………………559

【も】

毛髪鑑定 ………………………620
毛髪による薬物使用の
　有無の鑑定 ………………620
目的物の明示 …………………211
黙秘権等の告知 ………………679
黙秘権の告知を欠いた
　場合 ………………………515

【や】

夜間執行 ………………………225

【ゆ】

誘導質問 ………………………566

【よ】

要証事実…………………484・494
余罪捜査のための移送 ……418
余罪の取調べについて
　の限度 ……………………368
余罪の並行捜査の是非 ……363
（薬物の）予試験 …………177

【り】

リアルタイム型傍受 ………293
利益の約束をしたうえ
　で得られた自白 …………512

利益誘導により得られ
　た自白 ……………………512
立証 ……………………………485
立証義務 ………………………720
立証上不可欠性 ………………585
立証制限 ………………………721
立証責任 ………………………488
理詰めの取調べ ………………510
リモートアクセス …………251
リモートアクセスによ
　る差押え …………………251
リモートストレージ
　サービスのサーバ ……252
略式命令請求…………………15
留置継続の要否 ………………389
領置 ……………………………179
領置が許されない場合 ……181
領置と差押え …………………179
領置の意義 ……………………179
領事通報等 ……………………353
糧食の差し入れを禁じ
　る措置をとっている
　間に得られた自白 ………517

【る】

類型証拠の開示 ………………716
類似事実による立証 ………495

【れ】

令状記載の「例示」 ………229
令状主義 …………………27・364
令状請求手続 …………………287
令状呈示の時期 ………………220
令状呈示前になし得る
　措置 ………………………220
令状の呈示 ……………………219

【ろ】

録音テープ ……………………603
録音・録画義務に違反
　した場合の立証上の
　不利益 ……………………196

録音・録画制度 ……………193
録音・録画制度の対象
　となる取調べで作成
　された供述調書の任
　意性等の立証 ……………517
六何の原則 …………………411
論告 …………………………683

【わ】

我が国捜査機関の外国
　における捜査の可否 ……665

著者紹介
幕田英雄

昭和50年	司法試験合格	平成21年7月	宇都宮地方検察庁検事正	
昭和51年	東京大学法学部卒業	平成22年4月	千葉地方検察庁検事正	
昭和51年	司法修習生	平成23年8月	最高検察庁刑事部長	
昭和53年	検事任官	平成24年6月	検事退官	
平成18年	新潟地方検察庁検事正	7月	公正取引委員会委員	
平成20年	最高検察庁検事	平成29年6月	公正取引委員会委員退任	
		9月	弁護士登録（長島・大野・常松法律事務所）	

主な著書
『捜査実例中心　刑法総論解説（第2版）』（平成27年　東京法令出版）
（旧著書名　　『実例中心　刑法総論解説ノート』平成10年）
『公取委実務から考える　独占禁止法』（平成29年　㈱商事法務）

実例中心
捜査法解説（第5版）
―捜査手続・証拠法の詳説と公判手続入門―

平成元年8月1日	初 版 発 行	平成24年6月25日	第 3 版 発 行	
平成11年8月1日	初版11刷発行	平成29年11月20日	第 3 版 6 刷発行	
平成14年12月20日	第 2 版 発 行		（第3版補訂版）	
平成20年4月20日	第 2 版 7 刷発行	平成31年4月15日	第 4 版 発 行	
	（第2版補訂版）	令和7年7月1日	第 5 版 発 行	
平成22年4月10日	第 2 版 8 刷発行			
	（第2版補訂2版）			

著　者　幕　　田　　英　　雄

発行者　星　　沢　　卓　　也

発行所　東京法令出版株式会社

112-0002	東京都文京区小石川 5 丁目17番 3 号	03(5803)3304
534-0024	大阪市都島区東野田町 1 丁目17番12号	06(6355)5226
062-0902	札幌市豊平区豊平 2 条 5 丁目 1 番27号	011(822)8811
980-0012	仙台市青葉区錦町 1 丁目 1 番10号	022(216)5871
460-0003	名古屋市中区錦 1 丁目 6 番34号	052(218)5552
730-0005	広島市中区西白島町 11 番 9 号	082(212)0888
810-0011	福岡市中央区高砂 2 丁目13番22号	092(533)1588
380-8688	長野市南千歳町 1005 番地	
	〔営業〕TEL　026(224)5411　FAX　026(224)5419	
	〔編集〕TEL　026(224)5412　FAX　026(224)5439	
	https://www.tokyo-horei.co.jp/	

Ⓒ HIDEO MAKUTA Printed in Japan, 1989
本書の全部又は一部の複写、複製及び磁気又は光記録媒体への入力等は、著作権法上での例外を除き禁じられています。これらの許諾については、当社までご照会ください。
落丁本・乱丁本はお取替えいたします。

ISBN978-4-8090-1492-5